# O mundo da criança

M387m     Martorell, Gabriela.
              O mundo da criança : da infância à adolescência /
         Gabriela Martorell, Diane E. Papalia, Ruth Duskin Feldman ;
         tradução: M. Pinho ; revisão técnica: Denise Ruschel
         Bandeira. – 13. ed. – Porto Alegre : AMGH, 2020.
             xxv, 582 p. : il. color. ; 28 cm.

         ISBN 978-85-8055-629-2

            1. Psicologia do desenvolvimento. 2. Psicologia infantil.
         3. Desenvolvimento da criança. I. Papalia, Diane E. II.
         Feldman, Ruth Dusdin. III.Título.

                                           CDU 159.922.7

Catalogação na publicação: Karin Lorien Menoncin – CRB 10/2147

**Gabriela MARTORELL**  **Diane E. PAPALIA**  **Ruth Duskin FELDMAN**

# O mundo da criança

## DA INFÂNCIA À ADOLESCÊNCIA

### 13ª edição

Revisão técnica:

Denise Ruschel Bandeira

Psicóloga. Professora titular do Instituto de Psicologia da UFRGS. Mestra e Doutora em Psicologia pela UFRGS.

Porto Alegre

2020

Obra originalmente publicada sob o título *A child's world: infancy through adolescence*, 13th edition
ISBN 0078035430 / 9780078035432

Original edition copyright © 2014, McGraw-Hill Global Education Holdings, LLC, New York, New York 10121. All rights reserved.

Portuguese language translation copyright © 2020, AMGH Editora Ltda., a Grupo A Educação S.A. company. All rights reserved.

Gerente editorial: *Letícia Bispo de Lima*

**Colaboraram nesta edição:**

Coordenadora editorial: *Cláudia Bittencourt*

Capa: *Kaéle Finalizando Ideias (arte sobre capa original)*

Tradução: *M. Pinho – Produtos Digitais, Unipessoal, Lda*

Preparação de original: *Marcela Bezerra Meirelles e Vitória Duarte Martinez*

Leitura final: *Camila Wisnieski Heck*

Editoração: *Techbooks*

Reservados todos os direitos de publicação, em língua portuguesa, à
AMGH EDITORA LTDA., uma parceria entre GRUPO A EDUCAÇÃO S.A. e
McGRAW-HILL EDUCATION
Av. Jerônimo de Ornelas, 670 – Santana
90040-340 – Porto Alegre – RS
Fone: (51) 3027-7000    Fax: (51) 3027-7070

Unidade São Paulo
Rua Doutor Cesário Mota Jr., 63 – Vila Buarque
01221-020 São Paulo SP
Fone: (11) 3221-9033

SAC 0800 703-3444 – www.grupoa.com.br

É proibida a duplicação ou reprodução deste volume, no todo ou em parte, sob quaisquer
formas ou por quaisquer meios (eletrônico, mecânico, gravação, fotocópia, distribuição na Web
e outros), sem permissão expressa da Editora.

IMPRESSO NO BRASIL
*PRINTED IN BRAZIL*

# Autoras

**Gabriela Martorell**

Nasceu em Seattle, Washington, mas ainda criança mudou-se com a família para a Guatemala. Aos 8 anos, retornou aos Estados Unidos e viveu no norte da Califórnia até iniciar a graduação na University of California, em Davis. Após licenciar-se em Psicologia, obteve um Ph.D. em Psicologia do Desenvolvimento e Evolutiva na University of California, em Santa Barbara. Desde então, tem lecionado em várias instituições de ensino, incluindo a Portland State University, a Norfolk State University e o Virginia Wesleyan College. Professora em cursos de graduação e pós-graduação, ministrou as disciplinas de Introdução à Psicologia, Métodos de Pesquisa, Desenvolvimento do Ciclo de Vida Humano, Desenvolvimento Infantil, Desenvolvimento do Adolescente, Idade Adulta e Envelhecimento, Questões Culturais em Psicologia, Psicologia Evolutiva e Psicopatologia do Desenvolvimento, bem como, em cursos comunitários, conteúdos relacionados à Educação Infantil e o Desenvolvimento do Adulto e Envelhecimento. Pesquisa sobre os processos de vinculação em adolescentes imigrantes latinos, com financiamento do Virginia Foundation for Independent Colleges, e participa de uma concessão da National Science Foundation focada na retenção dos estudante e no êxito nos estudos científicos, tecnológicos, de engenharia e em matemática. Vive na Virginia com o marido, Michael, e as filhas, Amalia e Clara.

**Diane E. Papalia**

Como professora, lecionou para milhares de alunos de graduação na University of Wisconsin-Madison. Formou-se em Psicologia pelo Vassar College e concluiu um mestrado em Desenvolvimento da Criança e outro em Relações Familiares. É Ph.D. em Psicologia do Desenvolvimento do Ciclo de Vida, pela West Virginia University. Publicou inúmeros artigos em revistas científicas, como *Human Development, International Journal of Aging and Human Development, Sex Roles, Journal of Experimental Child Psychology e Journal of Gerontology*. A maioria dessas revistas tratou do principal foco de pesquisa de Diane, o desenvolvimento cognitivo da infância à velhice. Diane tem interesse especial no tema da inteligência na terceira idade e nos fatores que contribuem para a manutenção do funcionamento intelectual na idade adulta avançada. É membra da Gerontological Society of America e coautora, entre outras obras, de Desenvolvimento humano (12ª edição), com Ruth Duskin Feldman.

**Ruth Duskin Feldman**

Escritora e educadora premiada, publicou diversos livros, como, por exemplo, *Desenvolvimento humano* (12ª edição), com Diane E. Papalia. Desenvolveu materiais educativos para todos os níveis de aprendizagem, desde a escola elementar até a universidade, e preparou material de apoio para os livros de Papalia e Olds. É autora ou coautora de quatro livros dirigidos ao público em geral, incluindo *Whatever happened to the quiz kids? Perils and profits of growing up gifted*. Ruth escreveu para vários jornais e revistas, ministrou palestras e participou em entrevistas locais e nacionais, nos Estados Unidos, sobre os temas educação e crianças com altas habilidades. Graduou-se pela Northwestern University com a mais alta distinção e foi eleita para a Phi Beta Kappa.

**Para o meu marido,**
que me apoiou durante todas as longas noites de trabalho e fins de semana, quase sempre sem reclamações.

**Para as minhas filhas,**
pela forma alegre e enérgica como, todos os dias, me foram apresentando a magia do desenvolvimento.

E, por último, para os meus cães, por se deitarem debaixo da mesa e aquecerem meus pés enquanto eu trabalhava e por me darem uma razão para ir até à rua, pelo menos, uma vez por dia para esticar as minhas pernas.

---

**Aos nossos pais,**
Madeline e Edward Papalia, Leah e Samuel Wendkos e Boris e Rita Duskin, pelo amor inesgotável, pelos cuidados, pela confiança depositada em nós, e pela constante convicção de que a infância é uma fase maravilhosa da vida.

**Aos nossos filhos**
Anna Victoria,
Nancy, Jennifer e Dorri,
Steven, Laurie e Heidi,

**E aos nossos netos**
Stefan, Maika, Anna, Lisa e Nina, Daniel, Emmett, Rita, Carol, Eve, Isaac, Delilah e Raphael, que nos ajudaram a revisitar a infância e a vislumbrar as suas maravilhas e os seus desafios.

# Agradecimentos

Expressamos a nossa gratidão aos muitos amigos e colegas que, com o respectivo trabalho e interesse, nos ajudaram a esclarecer o pensamento sobre o desenvolvimento infantil. Os seguintes revisores ofereceram-nos várias recomendações excelentes:

Akins, Ericka......................*East Mississippi Community College*
Atkins, LaDonna ..................*University of Central Oklahoma*
Brewer, Laura Hudson..............*Valley Community College*
Calhoun, Tamara Hudson...........*Valley Community College*
Conrad, Ruth......................*Broward University*
Crosetti, Laura ...................*Monroe Community College*
Edwards-Rowell, Tyra ..............*Holmes Community College*
Fordham, Kim.....................*North Idaho College*
Goth-Owens, Judy ................*Lansing Community College*
Green, Kathleen ...................*North Idaho College*
Hall, Cheryl Lansing ..............*Community College*
Harmelink, Virginia................*Pima Community College*
Lao, Joseph ......................*Hunter College*
Miller, Kendra....................*Anoka Ramsey Community College*
Shelton, Jaimie ...................*Stanly Community College*
Willard, Wanda...................*Monroe Community College*
Wise, Patrick .....................*Monroe Community College*

Como sempre, agradecemos e aguardamos seus comentários!

***Gabriela Martorell***
***Diane E. Papalia***
***Ruth Duskin Feldman***

# Sumário

## Parte I  Apresentação ao mundo da criança

**1**  Estudando o mundo da criança  2

**2**  O mundo da criança: como nós o descobrimos  20

## Parte II  O começo

**3**  Formação de uma nova vida: concepção, hereditariedade e ambiente  54

**4**  Gravidez e desenvolvimento pré-natal  84

**5**  O nascimento e orecém-nascido  106

## Parte III  Primeira infância

**6**  Desenvolvimento físico e saúde durante os três primeiros anos  132

**7**  Desenvolvimento cognitivo durante os três primeiros anos  164

**8**  Desenvolvimento psicossocial durante os três primeiros anos  200

## Parte IV  Segunda infância

**9**  Desenvolvimento físico e saúde na segunda infância  232

**10**  Desenvolvimento cognitivo na segunda infância  250

**11**  Desenvolvimento psicossocial na segunda infância  276

## Parte V  Terceira infância

**12**  Desenvolvimento físico e saúde na terceira infância  310

**13**  Desenvolvimento cognitivo na terceira infância  330

**14**  Desenvolvimento psicossocial na terceira infância  364

## Parte VI  Adolescência

**15**  Desenvolvimento físico e saúde na adolescência  392

**16**  Desenvolvimento cognitivo na adolescência  416

**17**  Desenvolvimento psicossocial na adolescência  440

# Sumário detalhado

**Parte I** Apresentação ao mundo da criança

## Capítulo 1

### Estudando o mundo da criança 2
O estudo do desenvolvimento infantil: antes e agora 4
- Primeiras abordagens 4
- A psicologia do desenvolvimento torna-se uma ciência 5
- Estudando o ciclo de vida 5
- Novas fronteiras 6

O estudo do desenvolvimento infantil: conceitos básicos 6
- Domínios do desenvolvimento 6
- Períodos de desenvolvimento 6

Influências no desenvolvimento 9
- Hereditariedade, ambiente e maturação 9
- Contextos do desenvolvimento 10
- **Pelo mundo Os filhos de famílias de imigrantes** 12
- Influências normativas e não normativas 15
- O momento das influências: períodos críticos ou sensíveis 15
- **O mundo social Estudando o curso de vida: crescendo em tempos difíceis** 16

Um consenso em desenvolvimento 17
- **O mundo da pesquisa Existe um período crítico para a aquisição da linguagem?** 18

**resumo & palavras-chave** 19

## Capítulo 2

### O mundo da criança: como nós o descobrimos 20
Questões teóricas básicas 22
- Questão 1: o desenvolvimento é ativo ou reativo? 23
- Questão 2: o desenvolvimento é contínuo ou descontínuo? 24

Perspectivas teóricas 24
- Perspectiva 1: psicanalítica 24
- Perspectiva 2: aprendizagem 28
- Perspectiva 3: cognitiva 30
- Perspectiva 4: contextual 33
- Perspectiva 5: evolucionista/sociobiológica 35
- Um equilíbrio cambiante 36

Métodos de pesquisa 36
- **O mundo da pesquisa O valor adaptativo da imaturidade** 37
- Pesquisa quantitativa e qualitativa 37
- Amostragem 38
- Métodos de coleta de dados 39
- Avaliando as pesquisas quantitativa e qualitativa 42
- Modelos básicos de pesquisa 42
- **Pelo mundo Objetivos da pesquisa transcultural** 45
- Modelos de pesquisa sobre desenvolvimento 47
- Pesquisa colaborativa 49

Ética da pesquisa 50
- Direito ao consentimento informado 50
- Evitação do engano 51
- Direito à autoestima 51
- Direito à privacidade e à confidencialidade 51

**resumo & palavras-chave** 52

**Parte II** O começo

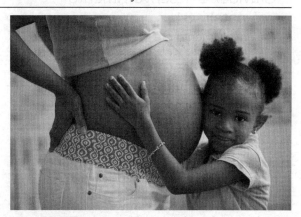

## Capítulo 3

### Formação de uma nova vida: concepção, hereditariedade e ambiente 54
Concebendo uma nova vida 56
Teorias em transformação sobre a concepção 56
- Como ocorre a fecundação 57

Infertilidade 57
- Causas da infertilidade 58
- Tratamentos para infertilidade 58

Caminhos alternativos para a paternidade: a tecnologia de reprodução assistida 58
  **Pelo mundo  Nascimentos múltiplos** 60
Mecanismos da hereditariedade 62
  O código genético 62
  O que determina o sexo? 63
  Padrões de transmissão genética 64
Anomalias genéticas e cromossômicas 68
  Malformações transmitidas por herança dominante ou recessiva 68
  Malformações transmitidas por herança vinculada ao sexo 70
  Anomalias cromossômicas 71
  Aconselhamento genético e testes 72
Natureza e ambiente: influências da hereditariedade e do ambiente 73
  Estudando as influências relativas à hereditariedade e ao ambiente 73
  **Pelo mundo  Testes genéticos** 74
  Como hereditariedade e ambiente operam juntos 76
Algumas características influenciadas pela hereditariedade e pelo ambiente 80
  Traços físicos e fisiológicos 80
  Inteligência 80
  Personalidade 81
  Psicopatologia 81
**resumo & palavras-chave** 82

## Capítulo 4

### Gravidez e desenvolvimento pré-natal 84

Desenvolvimento pré-natal: três etapas 86
  Período germinal (da fecundação até a segunda semana) 86
  Período embrionário (da 2ª à 8ª semana) 90
  Período fetal (da 8ª semana até o nascimento) 91
  **Pelo mundo  Luto por aborto espontâneo ou por natimorto** 92
Desenvolvimento pré-natal: influências ambientais 94
  Fatores maternos 94
  **Pelo mundo  O bem-estar do feto *versus* os direitos da mãe** 100
  Fatores paternos 102
Monitorando e promovendo o desenvolvimento pré-natal 102
  Disparidades na assistência pré-natal 103
  A necessidade de assistência no período de pré-concepção 105
**resumo & palavras-chave** 105

## Capítulo 5

### O nascimento e o recém-nascido 106

Nascimento e cultura: mudanças no nascimento 108
  Reduzindo os riscos do parto 108
  Cenários contemporâneos do parto 110

O processo de nascimento 110
  Etapas do nascimento 110
  Monitoração eletrônica fetal 111
  Parto vaginal *versus* parto cesariano 112
  Parto medicado *versus* parto não medicado 113
O recém-nascido 114
  Tamanho e aparência 114
  Sistemas corporais 114
  **Pelo mundo  Ter um bebê no Himalaia** 115
  Avaliação clínica e comportamental 117
  Estados de alerta e níveis de atividade 118
Complicações do parto e suas consequências 120
  Baixo peso ao nascer (BPN) 120
  **O mundo social  Acalmando um bebê que chora** 121
  Pós-maturidade 125
  Natimortos 125
  Um ambiente favorável pode compensar os efeitos de complicações no nascimento? 126
Os recém-nascidos e os pais 127
  Assistência infantil: uma perspectiva intercultural 127
  Nascimento e vinculação 127
  O que os recém-nascidos esperam de suas mães? 128
  O papel do pai 129
  Como a paternidade e a maternidade afetam a satisfação conjugal 129
**resumo & palavras-chave** 130

## Parte III   Primeira infância

## Capítulo 6

### Desenvolvimento físico e saúde durante os três primeiros anos 132

Crescimento e desenvolvimento físico iniciais 134
  Princípios do crescimento e do desenvolvimento físico iniciais 134
  Padrões de crescimento 134
Nutrição e métodos de alimentação 136
  Aleitamento materno ou mamadeira? 136
  Começando a alimentação com sólidos 137
  Sobrepeso na infância é um problema? 138
O cérebro e o comportamento reflexo 138
  Construção do cérebro 138
  **O mundo da pesquisa  A "epidemia" de autismo** 142

Reflexos primitivos 145
Modelando o cérebro: o papel da experiência 145

## Capacidades sensoriais iniciais 148
Tato e dor 148
Olfato e paladar 148
Audição 148
Visão 149

## Desenvolvimento motor 149
Marcos do desenvolvimento motor 149
Desenvolvimento motor e percepção 151

## Teoria ecológica da percepção, de Eleanor e James Gibson 152
Como ocorre o desenvolvimento motor: a teoria dos sistemas dinâmicos de Thelen 153
Influências culturais sobre o desenvolvimento motor 154

## Saúde 154
Reduzindo a mortalidade infantil 154
Imunização para uma saúde melhor 157
**Pelo mundo Hábitos do sono** 158

## Maus-tratos: abuso e negligência 159
Maus-tratos na primeira infância 159
Fatores contribuintes: uma visão ecológica 160
Ajudando famílias com problemas 160
Efeitos de longo prazo dos maus-tratos 161
**resumo & palavras-chave 162**

## Capítulo 7

# Desenvolvimento cognitivo durante os três primeiros anos 164
Estudando o desenvolvimento cognitivo: seis abordagens 166

## Abordagem behaviorista: os mecanismos básicos de aprendizagem 166
Condicionamentos clássico e operante 167
Memória dos bebês 167

## Abordagem psicométrica: testes de desenvolvimento e de inteligência 168
Testando bebês e crianças com idades entre 1 e 3 anos 169
Avaliando o impacto do ambiente doméstico 169
Intervenção precoce 170

## Abordagem piagetiana: o estágio sensório-motor 171
Subestágios do estágio sensório-motor 171
A capacidade de imitação desenvolve-se antes do que Piaget imaginava? 174
Desenvolvimento do conhecimento sobre objetos e espaço 175
Avaliando o estágio sensório-motor de Piaget 177

## Abordagem do processamento de informações: percepções e representações 178
Habituação 178
Capacidades de percepção e processamento visual e auditivo 178
O processamento de informação como indicador de inteligência 180

Processamento de informação e desenvolvimento das capacidades piagetianas 181
**O mundo social Bebês e crianças pequenas veem muita televisão?** 182
Avaliando pesquisas em processamento de informação com bebês 185

## Abordagem da neurociência cognitiva: as estruturas cognitivas do cérebro 186

## Abordagem sociocontextual: aprendendo nas interações com cuidadores 187

## Desenvolvimento da linguagem 187
Sequência do desenvolvimento inicial da linguagem 188
Características da fala inicial 192
Teorias clássicas de aquisição da linguagem: o debate genética-ambiente 193
**Pelo mundo Inventando a língua de sinais** 194
Influências no desenvolvimento da linguagem 195
Preparação para o letramento: os benefícios da leitura em voz alta 197
**resumo & palavras-chave 198**

## Capítulo 8

# Desenvolvimento psicossocial durante os três primeiros anos 200
Fundamentos do desenvolvimento psicossocial 202
Emoções 202
Temperamento 207

## Questões de desenvolvimento na primeira infância 210
Desenvolvendo a confiança 210
Desenvolvendo o apego 211
Comunicação emocional com os cuidadores: regulação mútua 216
**O mundo social Como a depressão pós-parto afeta o desenvolvimento inicial** 217

## Questões de desenvolvimento do 1º ao 3º ano 218
O surgimento do senso de *self* 218
Desenvolvimento da autonomia 219
Raízes do desenvolvimento moral: socialização e internalização 220
**Pelo mundo As dificuldades com as crianças pequenas são necessárias?** 222

## Gênero: qual a diferença entre meninos e meninas? 224
Diferenças de gênero em bebês e crianças pequenas 224
Como os pais moldam as diferenças de gênero 224

## Contato com outras crianças 225
Irmãos 225
Sociabilidade com outras crianças 226

## Filhos de pais que trabalham fora 226
Efeitos do trabalho da mãe 227
Serviços de creche 228
**resumo & palavras-chave 230**

## Parte IV  Segunda infância

### Capítulo 9
#### Desenvolvimento físico e saúde na segunda infância  232

Aspectos do desenvolvimento fisiológico  234
- Crescimento e alteração corporal  234

Padrões e distúrbios do sono  234
- Transtornos e distúrbios do sono  235
- Enurese noturna  236

Desenvolvimento do cérebro  237

Desenvolvimento motor  237
- Habilidades motoras amplas e finas  237
- Lateralidade manual  239
- Desenvolvimento artístico  239

Saúde e segurança  240
- Nutrição: prevenção da obesidade  240
- **Pelo mundo  Sobrevivendo aos primeiros cinco anos de vida**  241
- Subnutrição  242
- Alergias alimentares  243
- **O mundo social  Segurança alimentar**  244
- Saúde bucal  244
- Mortes e ferimentos acidentais  245
- A saúde no contexto: influências ambientais  246

**resumo & palavras-chave  249**

### Capítulo 10
#### Desenvolvimento cognitivo na segunda infância  250

Abordagem piagetiana: a criança no estágio pré-operatório  252
- Avanços do pensamento pré-operatório  252
- Aspectos imaturos do pensamento pré-operatório  256
- Crianças pequenas têm teorias da mente?  257
- **O mundo social  Amigos imaginários**  260

Abordagem do processamento de informação: o desenvolvimento da memória  261
- Processos e capacidades básicos  262
- Reconhecimento e lembrança  262
- Formação e retenção de memória na infância  263

Inteligência: abordagens psicométrica e vygotskiana  264
- Medidas psicométricas tradicionais  264
- Influências sobre a inteligência medida  265
- Teste e ensino baseados na teoria de Vygotsky  266

Desenvolvimento da linguagem  267
- Vocabulário  267
- Gramática e sintaxe  267
- Pragmática e fala social  268
- **O mundo da pesquisa  Fala privada: Piaget versus Vygotsky**  269
- Atraso no desenvolvimento da linguagem  269
- Preparação para a alfabetização  270
- Mídia e cognição  270

Educação na segunda infância  271
- Tipos de pré-escola  271
- Programas pré-escolares compensatórios  272
- A escola do século XXI: ensino pré-escolar universal  273
- A criança na pré-escola  274

**resumo & palavras-chave  274**

### Capítulo 11
#### Desenvolvimento psicossocial na segunda infância  276

O desenvolvimento do *self*  278
- O autoconceito e o desenvolvimento cognitivo  278
- Autoestima  279
- Compreendendo e regulando emoções  280
- Erikson: iniciativa *versus* culpa  281

Gênero  282
- Diferenças de gênero  282
- Perspectivas do desenvolvimento de gênero  283

Brincar: a principal atividade da segunda infância  289
- Níveis cognitivos do brincar  290
- **O mundo da pesquisa  O brincar tem uma base evolucionista?**  291
- A dimensão social do brincar  292
- Como o gênero influencia o brincar  293
- Como a cultura influencia o brincar  293

Parentalidade  294
- Formas de disciplina  294
- Estilos de parentalidade  296
- **O mundo social  Argumentos contra o castigo corporal**  297

Preocupações comportamentais especiais  300
- Comportamento pró-social  300
- Agressão  301
- Medo  303

Relacionamentos com outras crianças  304
- Relacionamentos entre irmãos  304
- O filho único  305
- Colegas e amigos  306

**resumo & palavras-chave  307**

## Parte V   Terceira infância

### Capítulo 12

#### Desenvolvimento físico e saúde na terceira infância   310

Aspectos do desenvolvimento físico   312
- Altura e peso   312
- Desenvolvimento dos dentes e higiene bucal   313
- Desenvolvimento cerebral   314

Nutrição e sono   315
- Necessidades nutricionais   315
- Padrões e problemas de sono   316

Desenvolvimento motor e brincadeiras físicas   317
- Brincadeiras na hora do recreio   317
- Esportes organizados   318

Saúde e segurança   318
- Obesidade e imagem corporal   318
- **O mundo social  As bonecas Barbie afetam a imagem corporal das meninas?**   320
- Condições médicas   321
- Fatores de saúde e acesso à assistência médica   324
- Ferimentos acidentais   324
- **Pelo mundo  Como as atitudes culturais afetam o cuidado com a saúde**   325

Saúde mental   326
- Problemas emocionais comuns   326
- Técnicas de tratamento   328

**resumo & palavras-chave   329**

### Capítulo 13

#### Desenvolvimento cognitivo na terceira infância   330

Abordagem piagetiana: a criança em idade operatória-concreta   332
- Avanços cognitivos   332
- Influências do desenvolvimento neurológico e da escolarização   335
- Raciocínio moral   336

Abordagem do processamento de informação: atenção, memória e planejamento   336
- Como as habilidades executivas se desenvolvem?   337
- Atenção seletiva   338
- Memória de trabalho   338
- Metamemória: entendendo a memória   339
- Mnemónica: estratégias para lembrar   339
- Processamento de informação e tarefas piagetianas   340

Abordagem psicométrica: avaliação da inteligência   341
- A controvérsia sobre o QI   341
- Influências sobre a inteligência   341
- Há mais de uma inteligência?   343
- Outras tendências em testes de inteligência   346

Linguagem e alfabetização   346
- Vocabulário, gramática e sintaxe   346
- Pragmática: conhecimento sobre comunicação   347
- Aprendizagem de uma segunda língua   347
- Alfabetização   348

A criança na escola   350
- Ingressando no 1º ano   350
- Influências sobre o desempenho escolar   350
- **O mundo da pesquisa  O debate sobre o dever de casa**   353
- **O mundo social  As guerras da matemática**   354

Educando crianças com necessidades especiais   355
- Crianças com problemas de aprendizagem   356
- Crianças superdotadas   359

**resumo & palavras-chave   361**

### Capítulo 14

#### Desenvolvimento psicossocial na terceira infância   364

Desenvolvimento da identidade   366
- Desenvolvimento do autoconceito: sistemas representativos   366
- Produtividade *versus* inferioridade   366
- Crescimento emocional e comportamento pró-social   367

A criança na família   368
- Atmosfera familiar   368
- **O mundo da pesquisa  Passe o leite: refeições familiares e o bem-estar da criança**   369
- Estrutura familiar   372
- Relações entre irmãos   379

A criança no grupo de pares   379
- Efeitos positivos e negativos das relações entre pares   379
- Diferenças sexuais nas relações do grupo de pares   380
- Popularidade   380
- Amizade   382
- Agressão e *bullying*   382

Estresse e resiliência   387
- Estresse da vida moderna   387
- Enfrentando o estresse: a criança resiliente   388
- **O mundo social  Conversando com as crianças sobre terrorismo e guerra**   389

**resumo & palavras-chave   391**

## Parte VI   Adolescência

### Capítulo 15

#### Desenvolvimento físico e saúde na adolescência   392

Adolescência: uma transição do desenvolvimento   394
- A adolescência como construção social   394
- Adolescência: uma época de oportunidades e riscos   394
- **Pelo mundo   A globalização da adolescência**   395

Puberdade: o fim da infância   396
- Como começa a puberdade: alterações hormonais   396
- Momento, sinais e sequência da puberdade e do amadurecimento sexual   397
- Implicações das maturações precoce e tardia   401

O cérebro do adolescente   402

Saúde física e mental   403
- Atividade física   403
- Necessidades e distúrbios do sono   404
- Nutrição e transtornos alimentares   404
- Consumo e abuso de substâncias   408
- Depressão   411
- Morte na adolescência   412
- Fatores de proteção: a saúde em pauta   413

**resumo & palavras-chave   414**

### Capítulo 16

#### Desenvolvimento cognitivo na adolescência   416

Aspectos do amadurecimento cognitivo   418
- Estágio operatório-formal de Piaget   418
- Elkind: as características imaturas do pensamento adolescente   420
- Desenvolvimento da linguagem   422
- Mudanças no processamento da informação na adolescência   422

Desenvolvimento moral   423
- Raciocínio moral: teoria de Kohlberg   423
- **O mundo da pesquisa   Os estágios da fé segundo Fowler**   427
- A ética do cuidado: a teoria de Gilligan   428
- Comportamento pró-social e atividade voluntária   428

Questões educacionais e vocacionais   429
- Influências sobre o desempenho escolar   429
- **O mundo social   A multitarefa e a geração M**   432
- Evasão no ensino médio   434
- Preparação para a educação superior ou para vocações   435

**resumo & palavras-chave   438**

### Capítulo 17

#### Desenvolvimento psicossocial na adolescência   440

A busca da identidade   442
- Erikson: identidade *versus* confusão de identidade   442
- Marcia: estados de identidade — crise e compromisso   443
- Diferenças de gênero na formação da identidade   445
- Fatores étnicos na formação da identidade   445

Sexualidade   447
- Orientação sexual e identidade   447
- Comportamento sexual   449
- Infecçõess sexualmente transmissíveis (ISTs)   451
- Gravidez e maternidade na adolescência   454
- **Pelo mundo   Prevenção da gravidez na adolescência**   455

Relacionamentos com a família e com os pares   456
- A rebelião dos adolescentes é um mito?   456
- Mudando o uso do tempo e mudando relacionamentos   457
- Os adolescentes e os pais   457
- Os adolescentes e os irmãos   461
- Pares e amigos   462

Comportamento antissocial e delinquência juvenil   465
- Tornando-se delinquente: fatores genéticos e neurológicos   465
- Tornando-se delinquente: como as influências da família, dos pares e da comunidade interagem   465
- **O mundo social   A epidemia da violência juvenil**   466
- Perspectivas de longo prazo   467
- Prevenindo e tratando a delinquência   468

A adultez emergente   469

**resumo & palavras-chave   470**

Glossário   473

Referências   483

Créditos   549

Índice onomástico   553

Índice   567

# Recursos pedagógicos

## O mundo social

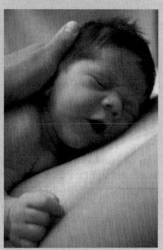

Experimente o impacto dos estudos mais recentes na área com os textos de **O mundo social**.

A vinculação da pesquisa ao cotidiano demonstra tanto a pertinência quanto a natureza dinâmica dessa área do conhecimento.

## Pelo mundo

Os textos de **Pelo mundo** incluem a pesquisa transcultural e exploram o modo como determinado assunto é tratado ou vivenciado em uma ou mais culturas de várias partes do mundo.

## Recursos pedagógicos

### Verificador
### você é capaz de...

- Explicar o significado de padrões de choro, sorriso e risada?
- Traçar um sequência típica de aparecimento das emoções básicas, autoconscientes e avaliativas e explicar sua conexão com o desenvolvimento neurológico e cognitivo?
- Discutir o surgimento do comportamento altruísta, da empatia, da cognição social e da atividade colaborativa, explicando como esses desenvolvimentos estão relacionados?

Os **Verificadores** ajudam você a constatar se compreendeu os pontos mais importantes de cada seção.

**Guias de estudos** abrangem um sistema de aprendizagem que consiste em um grupo coordenado de elementos que operam juntos para promover uma aprendizagem ativa no texto. As metas de aprendizagem são claramente destacadas ao longo dos capítulos e resumidas para uma rápida revisão.

### Guias de estudo

1. Quando e como se desenvolvem as emoções e como os bebês as demonstram?
2. Como os bebês demonstram diferenças de temperamento e por quanto tempo elas se mantêm?
3. Como os bebês adquirem confiança em seu mundo e formam vínculos afetivos, e como bebês e cuidadores leem os sinais não verbais uns dos outros?
4. Quando e como surge o senso de *self*, e como as crianças pequenas exercitam a autonomia e desenvolvem padrões para comportamentos socialmente aceitáveis?
5. Quando e como aparecem as diferenças de gênero?
6. Como os bebês e as crianças pequenas interagem com os irmãos e com as outras crianças?
7. Como o fato de os pais trabalharem fora e a creche afetam o desenvolvimento dos bebês e das crianças pequenas?

## resumo & palavras-chave

**❶ Abordagem piagetiana: a criança em idade operatória-concreta**

*De que modo o pensamento e o raciocínio moral de crianças em idade escolar diferem dos de crianças menores?*

- Uma criança entre 7 e 12 anos está na fase operatória-concreta. As crianças são menos egocêntricas do que antes e mais competentes para tarefas que requerem raciocínio lógico, como relações espaciais, causalidade, categorização, raciocínios indutivo e dedutivo e conservação. Contudo, o raciocínio é amplamente limitado ao aqui e ao agora.
- O desenvolvimento neurológico, a cultura e a escolaridade parecem contribuir para a taxa de desenvolvimento das habilidades piagetianas.
- Segundo Piaget, o desenvolvimento moral está ligado ao amadurecimento cognitivo e se desenvolve em três estágios, à medida que as crianças passam do pensamento rígido para o mais flexível, com base primeiro na imparcialidade e mais tarde na equidade.
  **operatório-concreto (332)**
  **seriação (333)**
  **inferência transitiva (333)**
  **inclusão de classes (333)**
  **raciocínio indutivo (333)**
  **raciocínio dedutivo (333)**
  ***décalage* (desfasagem) horizontal (334)**

**❷ Abordagem do processamento da informação: atenção, memória e planejamento**

*Quais avanços nas habilidades de processamento de informação ocorrem durante a terceira infância?*

- A função executiva — incluindo habilidades de atenção, memória e

- Os testes de QI são eficazes na previsão de sucesso escolar, mas podem ser injustos para algumas crianças.
- As diferenças de QI entre grupos étnicos parecem resultar, em um nível consideravelmente alto, de diferenças socioeconômicas e de outras diferenças ambientais. A escolaridade parece aumentar a inteligência mensurada.
- As tentativas de elaborar testes livres de influências culturais, ou culturalmente imparciais, não tiveram sucesso.
- Os testes de QI incluem apenas três das inteligências abrangidas pela teoria das inteligências múltiplas de Howard Gardner. Segundo a teoria triárquica de Robert Sternberg, os testes de QI medem, sobretudo, o elemento componencial da inteligência, mas não os elementos experiencial e contextual.
- Outras direções nos testes de inteligência incluem os Testes de Habilidades Triárquicas de Sternberg (STAT), a Bateria de Avaliação de Kaufman para Crianças (K-ABC-II) e os testes dinâmicos baseados na teoria de Vygotsky.
  **Escala de Inteligência Wechsler para Crianças (WISC-III) (341)**
  **Teste de Habilidade Escolar de Otis-Lennon (OLSAT 8) (341)**
  **testes livres de aspectos culturais (343)**
  **testes culturalmente justos (343)**
  **teoria das inteligências múltiplas de Gardner (344)**
  **teoria triárquica da inteligência (345)**
  **elemento componencial (345)**
  **elemento experiencial (345)**
  **elemento contextual (345)**
  **conhecimento tácito (346)**
  **Bateria de avaliação de Kaufman para crianças (K-ABC-II) (346)**
  **testes dinâmicos (346)**

**❹ Linguagem e alfabetização**

*Como as habilidades de comunicação se expandem durante a terceira infância?*

**Palavras-chave** e suas respectivas definições aparecem nas margens das páginas, ao longo dos capítulos, e novamente no glossário ao fim do livro.

Para aprimorar as suas aulas, no *site* grupoa.com.br, o professor tem acesso ao Manual de Instrutor, a um Banco de Testes e a Apresentações em PowerPoint® (material em inglês).

# Mudanças capítulo a capítulo

Além da atualização das referências bibliográficas e das informações estatísticas, da introdução de notas interessantes nas margens das páginas e do novo leiaute do livro, esta edição traz diversos tópicos novos ou revisados, como:

### 1 Estudando o mundo da criança

- Revisão da seção sobre o estudo do ciclo de vida
- Introdução de conteúdos sobre trajetórias de desenvolvimento
- Revisão da informação sobre crianças oriundas de minorias nos Estados Unidos
- Atualização das estatísticas sobre pobreza e etnia

### 2 O mundo da criança: como nós o descobrimos

- Expansão da seção "Questão 1: o desenvolvimento é ativo ou reativo?"
- Revisão das seções sobre as perspectivas mecanicista e organicista do desenvolvimento
- Expansão do conteúdo sobre as ideias de Freud
- Revisão da relação entre mudança qualitativa e as teorias de estágio
- Inclusão de um exemplo sobre a forma como os estágios de Erikson sustentam uns aos outros
- Inclusão de exemplos de esquemas concretos e abstratos
- Expansão do conteúdo sobre o desequilíbrio
- Revisão das influências do exossistema e introdução de um exemplo
- Revisão da etologia e da psicologia evolucionista
- Expansão do conteúdo sobre a pesquisa qualitativa e quantitativa e o método científico
- Revisão da seção sobre modelo de pesquisa sobre desenvolvimento
- Revisão do conteúdo sobre ética

### 3 Formação de uma nova vida: concepção, hereditariedade e ambiente

- Atualização do conteúdo relacionado com nascimentos múltiplos
- Expansão da informação sobre o genoma humano
- Revisão da informação sobre genes dominantes e recessivos
- Revisão da informação sobre a herança poligênica
- Expansão da descrição da epigênese
- Revisão da seção sobre fenótipo e genótipo
- Expansão da descrição da dominância incompleta
- Expansão da descrição da herança ligada ao sexo
- Expansão da seção sobre herdabilidade
- Introdução de uma metáfora para canalização
- Introdução de um exemplo das influências ambientais não partilhadas

### 4 Gravidez e desenvolvimento pré-natal

- Revisão da descrição de implantação
- Introdução de informações sobre a organogênese
- Atualização da pesquisa sobre os fetos poderem ouvir no útero
- Atualização da informação sobre a ocorrência de casos de rubéola nos países em desenvolvimento

## 5 O nascimento e o recém-nascido

- Atualização da informação sobre as taxas de mortalidade materna e infantil
- Revisão da definição de parto
- Expansão do conteúdo sobre as fases do trabalho de parto, monitoração eletrônica do feto e fontanelas
- Introdução de informação sobre o funcionamento dos sistemas corporais nos recém-nascidos
- Introdução de informação sobre a Escala Brazelton de Avaliação
- Introdução de um exemplo sobre o relógio interno
- Introdução de informação sobre as diferenças culturais no horário do sono infantil
- Atualização da informação sobre complicações no parto
- Revisão da distinção entre baixo peso ao nascer e bebês pequenos para a idade
- Introdução de informação na seção sobre nascimento e vinculação

## 6 Desenvolvimento físico e saúde durante os primeiros três anos

- Introdução de novos exemplos sobre os princípios cefalocaudal e próximo-distal
- Introdução de informação sobre os hemisférios cerebrais e suas respectivas funções
- Revisão da informação sobre morte celular
- Inclusão de um exemplo sobre reflexos
- Introdução de informação sobre plasticidade
- Expansão das seções sobre as teorias dos sistemas ecológico e dinâmicos no desenvolvimento motor
- Atualização da informação sobre as taxas de mortalidade neonatal em todo o mundo

## 7 Desenvolvimento cognitivo durante os primeiros três anos

- Revisão da descrição do condicionamento operante
- Expansão do uso das técnicas de condicionamento no estudo da memória infantil
- Revisão da descrição do comportamento inteligente
- Expansão da descrição dos testes de desenvolvimento
- Revisão da seção sobre intervenção precoce
- Atualização da seção sobre as capacidades de imitação
- Introdução de um exemplo sobre competência imagética
- Expansão da descrição do erro de escala e a hipótese da dupla representação
- Expansão da descrição sobre a habituação e desabituação
- Inclusão de um exemplo sobre a forma como a preferência visual é usada na investigação infantil
- Revisão do uso da habituação como forma de investigação do reconhecimento visual
- Inclusão de exemplos sobre categorização e causalidade
- Revisão da descrição do paradigma da violação de expectativas e seu uso na investigação da permanência do objeto
- Revisão da seção sobre números
- Revisão da seção sobre o entendimento conceitual e a consciência perceptiva
- Inclusão de novos exemplos sobre memória implícita e memória de trabalho
- Expansão da descrição sobre os fonemas
- Introdução de conteúdo novo sobre sensibilização precoce das crianças ao respectivo idioma nativo
- Inclusão de um exemplo sobre sintaxe
- Revisão da seção sobre super-regularização
- Revisão e inclusão de exemplo sobre a abordagem teórica à aprendizagem de idiomas
- Revisão da seção sobre a fala dirigida à criança

## 8 Desenvolvimento psicossocial durante os primeiros três anos

- Inclusão de um exemplo de resposta emocional
- Atualização da figura sobre a diferenciação das emoções
- Revisão da introdução ao temperamento
- Expansão do exemplo sobre as crianças de "aquecimento lento"
- Revisão do conteúdo sobre a estabilidade do temperamento
- Expansão da descrição da inibição comportamental
- Revisão de confiança básica *versus* desconfiança
- Expansão da descrição dos tipos de apego
- Revisão da explicação dos modelos de trabalho internos
- Revisão da descrição da regulação mútua
- Inclusão de um exemplo de referenciação social
- Revisão da descrição da socialização e da internalização
- Inclusão de um exemplo sobre a forma como os processos de atenção impactam a socialização
- Revisão das descrições de consciência e conformidade
- Revisão da descrição da tipificação de gênero
- Atualização dos dados sobre pais que trabalham fora

## 9 Desenvolvimento físico e saúde na segunda infância

- Expansão da seção sobre o desenvolvimento do cérebro
- Revisão da informação sobre lateralidade
- Atualização dos dados sobre mortalidade em crianças até 5 anos
- Atualização dos dados sobre segurança alimentar
- Atualização do conteúdo sobre falta de moradia e sobre saúde e segurança

## 10 Desenvolvimento cognitivo na segunda infância

- Revisão da introdução à abordagem piagetiana
- Expansão da seção sobre função simbólica
- Revisão da seção sobre compreensão de causalidade
- Inclusão de um exemplo sobre compreensão das identidades e categorização
- Revisão do exemplo sobre egocentrismo
- Expansão do conteúdo sobre conservação
- Revisão e inclusão de novos exemplos de processos básicos e capacidades da memória
- Inclusão de novos exemplos sobre memória episódica e genérica
- Revisão e inclusão de novos exemplos das influências sobre a retenção de memória
- Expansão da definição de inteligência
- Revisão da informação sobre andaime (*scaffolding*) e zona de desenvolvimento proximal
- Inclusão de um exemplo de mapeamento rápido
- Revisão das descrições de gramática e de sintaxe
- Inclusão de um exemplo sobre a pragmática
- Revisão da definição de alfabetização emergente
- Expansão da abordagem da entrada da criança na educação infantil

## 11 Desenvolvimento psicossocial na segunda infância

- Revisão do exemplo de autodefinição
- Revisão das alterações no desenvolvimento da autoestima
- Inclusão de um exemplo de padrão de resposta "incapaz"
- Revisão da seção sobre compreensão emocional
- Inclusão de um exemplo sobre a iniciativa
- Revisão da introdução às diferenças de gênero
- Revisão da abordagem biológica para as diferenças de gênero
- Revisão da discussão da abordagem evolutiva para o gênero
- Introdução de investigação de apoio sobre as influências familiares
- Revisão da informação para enfatizar a importância do desenvolvimento da brincadeira
- Revisão da informação sobre os tipos de brincadeira
- Expansão do conteúdo sobre a brincadeira dramática
- Revisão da informação sobre reforço e punição
- Novo exemplo de raciocínio indutivo
- Introdução de um quadro sobre os estilos de parentalidade
- Introdução de exemplo de agressão instrumental
- Revisão da seção sobre diferenças de gênero na agressão
- Revisão da seção sobre filhos únicos

## 12 Desenvolvimento físico e saúde na terceira infância

- Expansão do conteúdo sobre o desenvolvimento do cérebro
- Atualização dos dados sobre morte acidental de crianças
- Inclusão de um exemplo sobre ansiedade social

## 13 Desenvolvimento cognitivo na terceira infância

- Expansão do conteúdo sobre relações espaciais e causalidade
- Revisão do conteúdo sobre categorização
- Expansão do conteúdo sobre raciocínio indutivo e dedutivo
- Revisão do conteúdo sobre conservação
- Revisão da relação entre cultura e raciocínio matemático
- Revisão do conteúdo sobre o raciocínio moral
- Inclusão de um exemplo para ilustrar as ligações entre atenção, memória e planejamento
- Revisão da descrição da função executiva
- Inclusão de um exemplo sobre atenção seletiva
- Revisão do conteúdo sobre memória de trabalho
- Expansão da descrição de metamemória
- Revisão da seção sobre mnemônica
- Inclusão de um exemplo da relação entre processamento de informação e tarefas piagetianas
- Inclusão da definição de psicometria
- Revisão da seção relativa às influências culturais sobre o QI
- Introdução de informação sobre a teoria das inteligências múltiplas de Gardner
- Revisão da seção sobre a teoria triárquica de Sternberg
- Introdução de informação sobre testes dinâmicos de inteligência
- Expansão da definição de sintaxe
- Inclusão de exemplos na seção sobre leitura
- Expansão da descrição de metacognição
- Introdução de um exemplo de autoeficácia
- Revisão da definição de necessidades especiais
- Atualização dos dados sobre dificuldades de aprendizagem
- Revisão da descrição de pensamento convergente e divergente

## 14 Desenvolvimento psicossocial na terceira infância

- Revisão do conteúdo sobre autoconceito
- Revisão do conteúdo sobre autoestima
- Revisão da descrição de autorregulação emocional
- Revisão do conteúdo sobre ambiente familiar
- Expansão da descrição de corregulação
- Atualização dos dados sobre crianças que vivem em situação de pobreza
- Atualização dos dados sobre condições de vida de crianças com menos de 18 anos
- Atualização dos dados sobre lares com pais ausentes
- Revisão da seção sobre guarda, visitação e coparentalidade
- Expansão da seção sobre popularidade sociométrica
- Revisão da seção sobre a amizade em crianças em idade escolar
- Introdução de um exemplo sobre o viés de atribuição de hostilidade
- Expansão da descrição de resiliência

## 15 Desenvolvimento físico e saúde na adolescência

- Expansão da descrição da adolescência como uma construção social
- Revisão da seção sobre a adolescência como época de oportunidades e riscos
- Revisão da descrição de puberdade
- Revisão da seção sobre influências das relações familiares no início da puberdade
- Expansão da seção sobre o cérebro do adolescente
- Atualização dos dados sobre necessidades e distúrbios do sono
- Introdução da palavra-chave *binge drinking*
- Atualização dos dados sobre as taxas de consumo de álcool, maconha e tabaco, e depressão em adolescentes

## 16 Desenvolvimento cognitivo na adolescência

- Revisão da definição de *raciocínio hipotético dedutivo*
- Revisão da informação sobre avaliação da abordagem de Piaget
- Revisão e inclusão de exemplo do desenvolvimento da linguagem na adolescência
- Expansão da teoria de raciocínio moral de Kohlberg
- Revisão dos exemplos sobre raciocínio
- Revisão e inclusão de exemplo de avaliação da abordagem de Kohlberg
- Revisão da descrição da teoria de Gilligan
- Inclusão de um exemplo de raciocínio moral pró-social
- Introdução da descrição das técnicas disciplinares indutivas
- Revisão da informação sobre motivação e autoeficácia dos estudantes
- Revisão da descrição das diferenças entre o cérebro masculino e o feminino
- Atualização dos dados sobre evasão escolar no ensino médio e sobre a conclusão de mestrados pelas mulheres

## 17 Desenvolvimento psicossocial na adolescência

- Expansão da seção sobre identidade *versus* confusão de identidade e introdução da palavra-chave *fidelidade*
- Revisão das definições de *crise* e *compromisso*
- Expansão dos exemplos sobre identidade outorgada e moratória
- Revisão das diferenças de gênero na formação da identidade
- Revisão da seção sobre fatores étnicos na formação da identidade
- Inclusão de um exemplo de socialização cultural
- Atualização dos dados sobre atividade sexual na adolescência, uso de contraceptivos, infecções sexualmente transmissíveis e gravidez na adolescência
- Revisão dos relacionamentos com a família e os colegas
- Inclusão de novos exemplos de individuação
- Inclusão de um exemplo de técnicas de controle comportamental
- Introdução de informações sobre monitoração parental
- Revisão das tendências nas relações entre irmãos na adolescência
- Expansão da descrição de comportamento antissocial
- Revisão da informação sobre autoridade parental
- Revisão da descrição de eficácia coletiva

# O mundo da criança
da infância à adolescência

*Capítulo* **1**

## Sumário

O estudo do desenvolvimento infantil: antes e agora

O estudo do desenvolvimento infantil: conceitos básicos

Influências no desenvolvimento

Um consenso em desenvolvimento

# Estudando o mundo da criança

## Você sabia que...

▶ Em algumas sociedades não existe o conceito de adolescência?

▶ Atualmente há muitos acadêmicos que concordam que "raça" não é um conceito que possa ser provado com bases biológicas?

▶ Mais de 16 milhões de crianças norte-americanas vivem na pobreza e estão em risco de ter problemas de saúde, cognitivos, emocionais e de comportamento?

*Neste capítulo, descrevemos como o estudo do desenvolvimento infantil tem avançado. Identificamos aspectos do desenvolvimento e mostramos como se inter-relacionam. Resumimos os principais desenvolvimentos durante cada um dos períodos da vida da criança e abordamos as influências sobre o desenvolvimento e os contextos em que ocorrem.*

Não há nada permanente, exceto a mudança.

– Heráclito, fragmento (século VI a.C.)

# Guia de estudo

1. O que é o desenvolvimento infantil e como seu estudo evoluiu?
2. O que os cientistas do desenvolvimento estudam?
3. Que tipos de influências tornam uma criança diferente de outra?
4. Quais os seis pontos fundamentais relacionados ao desenvolvimento infantil sobre os quais há consenso?

## Guia de estudo 1
O que é o desenvolvimento infantil e como seu estudo evoluiu?

# O estudo do desenvolvimento infantil: antes e agora

As crianças, desde o momento da concepção, iniciam um processo de mudança que continua ao longo das suas vidas. Uma única célula torna-se um pequeno grupo de células que, por fim, transforma-se em um bebê vivo que respira. E, embora essa célula individual se transforme em uma pessoa única, as mudanças pelas quais passam os seres humanos têm padrões comuns. Os bebês crescem e tornam-se crianças, que continuam a crescer até a adolescência e depois passam a ser adultos. Os indivíduos crescem de formas padronizadas e consistentes ao longo do tempo no que diz respeito às suas características únicas. Por exemplo, cerca de 10 a 15% das crianças são muito tímidas, enquanto outras 10 a 15% são muito corajosas. Embora várias influências possam modificar essas características pessoais, elas tendem a evoluir para um grau moderado, especialmente em crianças que estejam em um ou em outro extremo. Voltaremos a abordar esse aspecto no Capítulo 8.

A área do **desenvolvimento infantil** está voltada para o estudo científico dos processos sistemáticos de mudança e estabilidade nas crianças. Os cientistas do desenvolvimento – pessoas engajadas no estudo profissional do desenvolvimento infantil – observam as maneiras como as crianças mudam desde a concepção até a adolescência, bem como as características que permanecem relativamente estáveis. Quais são as características da criança que têm mais probabilidade de perdurar? Quais são as que têm mais probabilidade de mudar e por quê? Essas são algumas das questões que os cientistas do desenvolvimento procuram responder.

O trabalho desses cientistas pode ter um forte impacto na vida das crianças. Os resultados da pesquisa têm muitas vezes aplicações diretas na criação da criança, na educação, na saúde e nas políticas sociais. Por exemplo, os cientistas descobriram que, em Boston, os alunos das escolas públicas que frequentavam a escola com fome ou dieta pobre, tiveram piores notas e mais problemas emocionais e de comportamento do que os colegas que não tinham esse problema. Depois que as escolas iniciaram programas que ofereciam café da manhã gratuito, os alunos que participaram deles melhoraram as notas em matemática, faltaram menos às aulas, foram mais pontuais e tiveram menos problemas emocionais e de comportamento (Kleinman et al., 2002).

**desenvolvimento infantil**
Estudo científico dos processos de mudança e estabilidade nas crianças, desde a concepção até a adolescência.

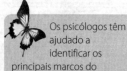
Os psicólogos têm ajudado a identificar os principais marcos do desenvolvimento ao longo de toda a infância. Muitos *sites* sobre a parentalidade incluem listas desses marcos para ajudar a acompanhá-los.

## Qual a sua opinião?
Como o estudo do desenvolvimento infantil influenciará a forma como você compreende as fases e as etapas ou estágios da infância?

## Primeiras abordagens

O estudo *científico* formal do desenvolvimento infantil é relativamente recente. Retrospectivamente, pode-se ver mudanças significativas nas formas de investigar o mundo da infância.

As precursoras do estudo científico do desenvolvimento infantil são as *biografias de bebês* – diários mantidos para registrar o desenvolvimento de uma criança. Uma delas, publicada em 1787, contém observações do filósofo alemão Dietrich Tiedemann (1787-1803) sobre o desenvolvimento sensorial, motor, linguístico e cognitivo de seu filho. Uma conclusão errônea de Tiedemann, típica da natureza especulativa dessas observa-

Os resultados das investigações influenciaram a criação, a educação, a saúde e as políticas sociais. Quando os cientistas determinaram que o desempenho dos alunos melhorava quando ingeriam um bom café da mahã, várias escolas instituíram programas para servir essa refeição.

ções, foi a de que, depois de observar uma criança sugar de forma mais contínua um pano preso em volta de uma substância doce do que o dedo de uma enfermeira, aquela sucção pareceu ser "não instintiva, mas adquirida" (Murchison & Langer, 1927, p. 206).

Foi Charles Darwin, criador da Teoria da Evolução, quem primeiro enfatizou a natureza evolutiva do comportamento da criança. Em 1877, acreditando que os seres humanos poderiam entender melhor a si mesmos estudando suas origens – como espécie e como indivíduos –, Darwin publicou anotações sobre o desenvolvimento sensorial, cognitivo e emocional de seu filho Doddy durante os primeiros 12 meses (Keegan & Gruber, 1985). O diário de Darwin conferiu respeitabilidade científica às biografias de bebês; cerca de 30 outras foram publicadas durante as três décadas seguintes (Dennis, 1936).

## A psicologia do desenvolvimento torna-se uma ciência

No fim do século XIX, vários avanços no mundo ocidental fundamentaram o caminho para o estudo científico do desenvolvimento infantil. Os cientistas desvendaram o mistério da concepção e discutiram com vigor renovado a importância relativa da hereditariedade e do ambiente (características inatas e influências externas). Vários avanços na medicina, como a descoberta dos micróbios e o desenvolvimento das vacinas, possibilitaram a sobrevivência de mais crianças na infância. As leis relacionadas com o bem-estar das crianças e destinadas a protegê-las de longas jornadas de trabalho permitiram que elas passassem mais tempo na escola, e os pais e os professores passaram a envolver-se mais com a identificação e o atendimento das necessidades que favoreciam o desenvolver das crianças. A nova ciência da psicologia sugeriu que as pessoas podiam entender melhor a si mesmas quando compreendiam o que as tinha influenciado quando eram crianças.

Contudo, essa nova disciplina tinha um longo caminho a seguir. A adolescência só foi considerada um período separado do desenvolvimento a partir do século XX, quando G. Stanley Hall, um pioneiro do estudo da criança, publicou um livro popular (embora não científico) chamado *Adolescência*. A criação de institutos de pesquisa nas décadas de 1930 e de 1940 em universidades como Iowa, Minnesota, Columbia, Berkeley e Yale marcou o surgimento da psicologia da criança como uma verdadeira ciência praticada por profissionais treinados. Estudos longitudinais, como os de Arnold Gesell (1929), sobre os estágios do desenvolvimento motor forneceram informações que se basearam em pesquisa sobre progressos que normalmente ocorrem em várias idades. Outros estudos importantes que começaram por volta de 1930 – o Fels Research Institute Study, o Berkeley Growth and Guidance Studies e o Oakland (Adolescent) Growth Study – produziram muitas informações sobre o desenvolvimento em longo prazo.

G. Stanley Hall foi o criador do estereótipo comum da adolescência – um período de conflitos e tensões – mas pesquisas posteriores mostraram que as suas conclusões eram exageradas.

## Estudando o ciclo de vida

Quando, pela primeira vez, a psicologia do desenvolvimento surgiu como disciplina científica, a maioria dos pesquisadores concentrou suas energias no desenvolvimento dos bebês e das crianças. O crescimento e o desenvolvimento são mais evidentes nessa altura, dado o ritmo acelerado das mudanças. À medida que a disciplina foi amadurecendo, no entanto, tornou-se claro que o desenvolvimento não incluía apenas o bebê e a criança. No dia em que nasce, a criança já tem nove meses de desenvolvimento, e as influências ambientais pelas quais passou durante esse período podem ter consequências ao longo de toda a vida. E, depois de a infância ter passado, o desenvolvimento continua; os adultos desenvolvem-se e continuam a mudar, assim como as crianças, e o desenvolvimento prossegue até a morte do indivíduo.

Hoje, os pesquisadores consideram que o desenvolvimento humano vai desde o "útero até o túmulo", abrange toda a vida humana, desde a concepção até a morte. Além disso, reconhecem que o desenvolvimento pode ser positivo (p. ex., aprender a usar o sanitário ou frequentar um curso universitário depois da aposentadoria) ou negativo (p. ex., voltar a urinar na cama após vivenciar um evento traumático ou uma pessoa isolar-se depois de se aposentar). Por essas razões, eventos como o momento de tornar-se pai ou mãe, a atividade profissional da mãe e a satisfação conjugal são estudados também no âmbito da psicologia do desenvolvimento. Este livro centra-se no desenvolvimento, desde a concepção até a adolescência; no entanto, incluímos alguns fatores sobre o desenvolvimento adulto já que eles têm impacto na forma como as crianças se desenvolvem.

O desenvolvimento é confuso, complexo e multifacetado e resulta da interação de vários tipos de influências. Portanto, entende-se melhor o desenvolvimento integrando-se dados resultantes de várias orientações teóricas e de pesquisa, assim como ele é estudado mais adequadamente recorrendo-se a várias disciplinas. Assim, o estudo do desenvolvimento tem sido interdisciplinar quase desde o início (Parke, 2004b). Estudiosos do desenvolvimento infantil trabalham em colaboração a partir de uma ampla gama de disciplinas, entre as quais psicologia, psiquiatria, sociologia, antropologia, biologia, genética, ciência da família, educação, história e medicina. Este livro inclui resultados de pesquisas feitas em todos esses campos.

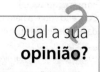

Qual a sua **opinião?**

Quais as suas razões para estudar o desenvolvimento infantil?

## PARTE I • Apresentação ao mundo da criança

### Verificador
#### você é capaz de...
- Traçar os pontos principais na evolução do estudo do desenvolvimento infantil?
- Dar exemplos de aplicações práticas da pesquisa sobre o desenvolvimento infantil?

### Guia de estudo 2
O que os cientistas do desenvolvimento estudam?

**desenvolvimento físico**
Crescimento do corpo e do cérebro, incluindo os padrões de mudança nas capacidades sensoriais, habilidades motoras e na saúde.

**desenvolvimento cognitivo**
Padrão de mudança nas habilidades mentais, como aprendizagem, atenção, memória, linguagem, pensamento, raciocínio e criatividade.

**desenvolvimento psicossocial**
Padrão de mudança nas emoções, na personalidade e nas relações sociais.

**construção social**
Conceito sobre a natureza da realidade baseado em percepções ou suposições socialmente compartilhadas.

## Novas fronteiras

Embora as crianças tenham sido foco de estudos científicos por mais de cem anos, pesquisas nessa área estão sempre progredindo. As questões que os cientistas do desenvolvimento tentam responder, os métodos que eles usam e as explicações que sugerem são mais sofisticados e mais variados do que há dez anos. Essas mudanças refletem progressos na compreensão, uma vez que novas pesquisas ampliam ou desafiam as anteriores. Também refletem os avanços da tecnologia. Instrumentos sensíveis que medem os movimentos dos olhos, o ritmo cardíaco, a pressão arterial, a tensão muscular e outros parâmetros esclarecem influências biológicas e revelam conexões que antes estavam ocultas. A tecnologia digital e os computadores permitem que os pesquisadores examinem as expressões faciais do bebê para observar os primeiros sinais de emoção e analisar como as mães e os bebês se comunicam. Os avanços no registro de imagens do cérebro possibilitam sondar os mistérios do temperamento, investigar as bases neurais da linguagem e apontar com exatidão as origens do raciocínio lógico.

## O estudo do desenvolvimento infantil: conceitos básicos

Os processos de mudança e de estabilidade estudados pelos cientistas do desenvolvimento ocorrem em todos os domínios, ou aspectos, do *self* e em todos os períodos da infância e da adolescência.

### Domínios do desenvolvimento

Os cientistas do desenvolvimento estudam três *domínios*, ou aspectos, do *self*: físico, cognitivo e psicossocial. O crescimento do corpo e do cérebro, as capacidades sensoriais, as habilidade motoras e a saúde fazem parte do **desenvolvimento físico**. Aprendizagem, atenção, memória, linguagem, pensamento, raciocínio e criatividade compõem o **desenvolvimento cognitivo**. Emoções, personalidade e relações sociais são aspectos do **desenvolvimento psicossocial**.

Apesar de tratarmos separadamente do desenvolvimento físico, cognitivo e psicossocial, esses domínios estão inter-relacionados: cada aspecto do desenvolvimento afeta os outros. Como já apontou um pesquisador, "O cérebro trabalha melhor, o pensamento é mais lúcido, o humor mais alegre, e a vulnerabilidade à doença diminui se estivermos fisicamente em forma" (Diamond, 2007, p. 153). Por exemplo, uma criança com frequentes infecções no ouvido poderá desenvolver mais lentamente a linguagem do que outra que não tem esse problema físico. Durante a puberdade, mudanças físicas e hormonais drásticas afetam o desenvolvimento do senso de *self*.

Avanços cognitivos estão intimamente relacionados a fatores físicos, emocionais e sociais. Por exemplo, a capacidade de controlar os movimentos do corpo põe ao alcance da criança um mundo para explorar que se torna mais acessível a cada vez que ocorre um avanço do desenvolvimento motor. Compreender e usar a linguagem depende de certas estruturas físicas do cérebro. Uma criança precoce no desenvolvimento da linguagem pode se beneficiar de um aumento de autoestima e aceitação social.

O desenvolvimento psicossocial pode afetar o funcionamento cognitivo e físico. De fato, sem conexões sociais significativas, a saúde física e mental terá problemas. A motivação e a autoconfiança são fatores importantes para o sucesso escolar, enquanto emoções negativas como o medo e a ansiedade podem prejudicar o desempenho escolar.

Embora, por uma questão de simplicidade, consideremos separadamente os desenvolvimentos físico, cognitivo e psicossocial, trata-se de um processo unificado. Ao longo deste livro, serão destacadas as conexões entre os três principais domínios do desenvolvimento.

### Períodos de desenvolvimento

A divisão do ciclo de vida em períodos de desenvolvimento é uma **construção social**: um conceito ou prática que pode parecer natural e óbvio àqueles que o aceitam, mas que, na realidade, é uma invenção de determinada cultura ou sociedade. Não há nenhum momento objetivamente definível em que uma criança se torna adulta ou um jovem torna-se velho. De fato, o próprio conceito de infância pode ser visto como uma construção social. Diferentemente da relativa liberdade que têm as crianças hoje nos Estados Unidos, as crianças pequenas no período colonial eram tratadas até certo ponto como pequenos adultos, e esperava-se delas que fizessem tarefas de adultos, como tricotar meias e fiar a lã (Ehrenreich & English, 2005). Pais da etnia inuíte no Ártico canadense acreditam que crianças pequenas não são capazes de pensar e raciocinar e, portanto, são tolerantes quando os filhos choram ou ficam bravos. No entanto, os pais da ilha de Tonga, no Pacífico, costumam bater nas crianças de 3 a 5 anos, cujo choro é atribuído à teimosia (Briggs, 1970; Morton, 1996).

O conceito de adolescência como um período único de desenvolvimento nas sociedades industriais é bem recente. Nos Estados Unidos, até o começo do século XX, os jovens eram considerados crianças até deixarem a escola, casarem ou arranjarem um emprego e entrarem no mundo adulto. Por volta da década de 1920, com a criação de escolas de ensino médio para satisfazer às necessidades de uma economia em crescimento, e com mais famílias capacitadas para sustentar uma educação formal ampliada para seus filhos, a fase da adolescência tornou-se um período distinto do desenvolvimento (Keller, 1999). Em algumas sociedades pré-industriais, o conceito de adolescência não existe. Os índios chippewa têm apenas dois períodos na infância: do nascimento até quando a criança começa a andar, e daí até a puberdade. Aquilo que chamamos de *adolescência* faz parte da vida adulta (Broude, 1995).

Neste livro, seguimos uma sequência de cinco períodos geralmente aceitos nas sociedades industriais ocidentais. Depois de descrever as mudanças cruciais que ocorrem no primeiro período, antes do nascimento, traçamos todos os três domínios do desenvolvimento físico, cognitivo e psicossocial na primeira infância, segunda infância, terceira infância e adolescência (Quadro 1.1). Mais uma vez, essas divisões por idade são aproximadas e arbitrárias.

Embora existam diferenças individuais na maneira como as crianças lidam com eventos e questões características de cada período, os cientistas do desenvolvimento sugerem que certas necessidades básicas precisam ser satisfeitas e certas tarefas precisam ser dominadas para que ocorra um desenvolvimento normal. Os bebês, por exemplo, dependem dos adultos para comer, vestir-se e obter abrigo, além de contato humano e afeição. Eles formam vínculos com os pais e cuidadores, que também se apegam a eles. Com o desenvolvimento da fala e da autolocomoção, os bebês tornam-se mais autoconfiantes; eles precisam afirmar sua autonomia, mas também precisam da ajuda dos pais para estabelecer limites ao seu comportamento. Durante a segunda infância, as crianças passam a ter mais autocontrole e maior interesse por outras crianças. Durante a terceira infância, o controle sobre o comportamento aos poucos se desloca dos pais para os filhos, e os colegas tornam-se cada vez mais importantes. A tarefa central da adolescência é a busca da identidade – pessoal, sexual e ocupacional. À medida que os adolescentes amadurecem fisicamente, passam a lidar com necessidades e emoções conflitantes enquanto se preparam para deixar o ninho parental.

 As interações entre os domínios do desenvolvimento podem ser consideradas como uma teia de aranha gigante, na qual um segmento do desenvolvimento é afetado pelo que está acontecendo no restante da teia. A vibração experimentada em uma área é sentida em toda a teia.

Qual a sua **opinião?**

Por que razão as sociedades dividem os períodos do desenvolvimento de formas diferentes?

**Verificador**
você é capaz de...

■ Identificar três domínios do desenvolvimento e dar exemplos de como estão inter-relacionados?
■ Citar os cinco períodos do desenvolvimento da criança (como foram definidos neste livro) e descrever algumas das questões principais ou as tarefas de cada período?

*Os grupos de amigos tornam-se cada vez mais importantes na terceira infância e na adolescência e influenciam fortemente o comportamento.*

**PARTE I** • Apresentação ao mundo da criança

**QUADRO 1.1** Principais desenvolvimentos comuns nos cinco períodos do desenvolvimento da criança

| Idade | Desenvolvimentos físicos | Desenvolvimentos cognitivos | Desenvolvimentos psicossociais |
|---|---|---|---|
| **Período pré-natal (da concepção ao nascimento)** | Ocorre a concepção por fertilização normal ou por outros meios.<br><br>A herança genética interage com as influências ambientais desde o início.<br><br>Formam-se as estruturas e os órgãos corporais básicos; inicia-se o surto de crescimento do cérebro.<br><br>O crescimento físico é o mais acelerado do ciclo de vida.<br><br>A vulnerabilidade às influências ambientais é grande. | Desenvolvem-se as capacidades de aprender e lembrar, bem como as de responder aos estímulos sensoriais. | O feto responde à voz da mãe e desenvolve preferência por ela. |
| **Primeira infância (do nascimento aos 3 anos)** | No nascimento, todos os sentidos e sistemas corporais funcionam em graus variados.<br><br>O cérebro aumenta em complexidade e é altamente sensível à influência ambiental.<br><br>O crescimento físico e o desenvolvimento das capacidades motoras são rápidos. | As capacidades de aprender e de lembrar estão presentes, mesmo nas primeiras semanas.<br><br>O uso de símbolos e a capacidade de resolver problemas desenvolvem-se por volta do final do segundo ano de vida.<br><br>A compreensão e o uso da linguagem se desenvolvem rapidamente. | Formam-se os vínculos afetivos com os pais e com outras pessoas.<br><br>A autoconsciência se desenvolve.<br><br>Ocorre a passagem da dependência para a autonomia.<br><br>Aumenta o interesse por outras crianças. |
| **Segunda infância (3 a 6 anos)** | O crescimento é constante; a aparência torna-se mais esguia, e as proporções mais parecidas com as de um adulto.<br><br>O apetite diminui, e são comuns os distúrbios do sono.<br><br>Surge a preferência pela utilização de uma das mãos; aprimoram-se as habilidades motoras finas e amplas e aumenta a força física. | O pensamento é um tanto egocêntrico, mas aumenta a compreensão do ponto de vista dos outros.<br><br>A imaturidade cognitiva resulta em algumas ideias ilógicas sobre o mundo.<br><br>Aprimoram-se a memória e a linguagem.<br><br>A inteligência torna-se mais previsível.<br><br>É comum a experiência em creche e mais ainda em pré-escola. | O autoconceito e a compreensão das emoções tornam-se mais complexos; a autoestima é global.<br><br>Aumentam a independência, a iniciativa e o autocontrole.<br><br>Desenvolve-se a identidade de gênero.<br><br>O brincar torna-se mais imaginativo, mais elaborado e, geralmente, mais social.<br><br>Altruísmo, agressão e temor são comuns.<br><br>A família ainda é o foco da vida social, mas outras crianças tornam-se mais importantes. |
| **Terceira infância (6 a 11 anos)** | O crescimento torna-se mais lento.<br><br>A força físicas e as habilidades atléticas aumentam.<br><br>São comuns as doenças respiratórias, mas, de modo geral, a saúde é melhor do que em qualquer outra fase do ciclo de vida. | Diminui o egocentrismo.<br><br>As crianças começam a pensar com lógica, porém de forma concreta.<br><br>As habilidades de memória e linguagem aumentam.<br><br>Ganhos cognitivos permitem que as crianças se beneficiem da instrução formal na escola.<br><br>Algumas crianças demonstram necessidades educacionais e talentos especiais. | O autoconceito torna-se mais complexo, afetando a autoestima.<br><br>A corregulação reflete um deslocamento gradual no controle dos pais para a criança.<br><br>Os pares assumem importância fundamental. |
| **Adolescência (dos 11 a aproximadamente 20 anos)** | O crescimento físico e outras mudanças são rápidos e profundos.<br><br>Ocorre a maturidade reprodutiva.<br><br>Os principais riscos para a saúde surgem de questões comportamentais, como trantornos alimentares e uso de drogas. | Desenvolvem-se a capacidade de pensar em termos abstratos e de usar o raciocínio científico.<br><br>O pensamento imaturo persiste em algumas atitudes e comportamentos.<br><br>A educação concentra-se na preparação para a faculdade ou para a profissão. | A busca pela identidade, inclusive a identidade sexual, torna-se central.<br><br>O relacionamento com os pais geralmente é bom.<br><br>Os pares podem exercer influência positiva ou negativa. |

# Influências no desenvolvimento

O que torna cada criança única? Embora os estudiosos do desenvolvimento estejam interessados nos processos universais de desenvolvimento vivenciados por todas as crianças, devem considerar também as **diferenças individuais** nas características, nas influências e nos resultados do desenvolvimento. Crianças diferem em gênero, altura, peso e compleição física; na saúde e no nível de energia; em inteligência; e no temperamento, na personalidade e nas reações emocionais. Os contextos de suas vidas também diferem: os lares, as comunidades e as sociedades em que vivem, seus relacionamentos, os tipos de escolas que frequentam (ou se elas de fato vão para a escola) e como passam seu tempo livre. Portanto, cada criança tem uma trajetória diferente de desenvolvimento – um caminho único e individual a seguir. Um dos principais desafios da psicologia do desenvolvimento é identificar as influências universais no desenvolvimento e aplicá-las na compreensão das diferentes trajetórias individuais de desenvolvimento.

## Hereditariedade, ambiente e maturação

Algumas influências sobre o desenvolvimento têm origem principalmente na **hereditariedade**, traços inatos ou características herdados dos pais biológicos. Outras influências vêm, em grande parte, do **ambiente** interno e externo, do mundo que está do lado de fora do *self*, e que começa no útero, e da aprendizagem relacionada à experiência – incluindo a *socialização*, a indução da criança em direção ao sistema de valores da cultura. Qual desses fatores – hereditariedade ou ambiente – causa mais impacto sobre o desenvolvimento? Essa questão tem gerado intensos debates. Os teóricos discordam quanto à importância relativa que dão à *natureza* (hereditariedade) e ao *ambiente* (influências ambientais antes e depois do nascimento).

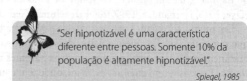

"Ser hipnotizável é uma característica diferente entre pessoas. Somente 10% da população é altamente hipnotizável."
*Spiegel, 1985*

Atualmente, os cientistas têm encontrado meios de medir com mais precisão os papéis da hereditariedade e do ambiente no desenvolvimento de traços específicos em uma população. Quando, porém, consideramos uma determinada criança, a pesquisa relativa a quase todas as suas características aponta para uma combinação de hereditariedade e experiência. Assim, embora a inteligência seja fortemente influenciada pela hereditariedade, fatores ambientais como a estimulação parental, a educação e a influência dos pares também a afetam. Embora ainda exista uma discussão considerável sobre a importância relativa da hereditariedade e do ambiente, teóricos e pesquisadores contemporâneos estão mais interessados em descobrir meios de explicar como eles operam em conjunto do que em argumentar sobre qual dos fatores é mais importante. Em outras palavras, estão mais preocupados com os processos que governam o desenvolvimento do que com o resultado de uma dada característica.

Muitas mudanças típicas da primeira e da segunda infância, como a capacidade de andar e falar, estão vinculadas ao processo de **maturação** do corpo e do cérebro – o desdobramento de uma sequência universal e natural de mudanças físicas e padrões de comportamento. Esses processos de maturação, que são vistos mais claramente nos primeiros anos de vida, atuam em conjunto com as influências da hereditariedade e do ambiente. À medida que as crianças tornam-se adolescentes e depois adultos, diferenças individuais nas características inatas (hereditariedade) e na experiência de vida (ambiente) passam a desempenhar um papel crescente, pois as crianças adaptam-se às condições internas e externas nas quais se encontram.

Mesmo nos processos a que todas as crianças são submetidas, os ritmos e os momentos do desenvolvimento variam. Neste livro, falamos sobre as idades médias para a ocorrência de certos eventos, como a primeira palavra, o primeiro passo, a primeira menstruação ou a primeira emissão noturna, e o desenvolvimento do pensamento lógico. Mas essas idades são apenas médias, e há uma grande variação entre as crianças em relação a essas normas. Somente quando o desvio da média for extremo é que devemos considerar o desenvolvimento como excepcionalmente adiantado ou atrasado.

Para entender o desenvolvimento da criança, portanto, precisamos considerar as características *herdadas* que dão a cada criança um início de vida especial. Também precisamos levar em conta os muitos fatores *ambientais* ou experienciais que afetam a criança, especialmente contextos importantes como família, vizinhança, nível socioeconômico, raça/etnia e cultura. Precisamos considerar como a hereditariedade e o ambiente interagem. Precisamos entender quais dos processos de desenvolvimento são principalmente maturacionais e quais não são. Necessitamos observar as influências que afetam as ou a

---

**Guia de estudo 3**
Que tipos de influências tornam uma criança diferente de outra?

**diferenças individuais**
Diferenças entre crianças nas características, nas influências ou nos resultados do desenvolvimento.

**hereditariedade**
Traços ou características inatos herdados dos pais biológicos.

**ambiente**
Totalidade das influências não hereditárias ou experienciais sobre o desenvolvimento.

**maturação**
Desdobramento de uma sequência universal e natural de mudanças físicas e comportamentais.

maioria das crianças em determinada idade ou em determinado momento histórico, bem como aquelas que afetam apenas certas crianças. Por fim, precisamos observar como o momento da ocorrência pode acentuar o impacto de certas influências.

## Contextos do desenvolvimento

Seres humanos são seres sociais. Desde o começo, desenvolvem-se dentro de um contexto social e histórico. Para um bebê, o contexto imediato normalmente é a família; a família, por sua vez, está sujeita às influências mais amplas e em constante transformação da vizinhança, da comunidade e da sociedade.

**família nuclear**
Unidade familiar que abrange duas gerações de parentesco, constituída por um ou dois genitores e os respectivos filhos biológicos, adotados ou enteados.

**Família** A **família nuclear** é uma unidade familiar que compreende pai e mãe, ou apenas um deles, e seus filhos, sejam eles biológicos, adotados ou enteados. Historicamente, a família nuclear com pai e mãe tem sido a unidade familiar dominante nos Estados Unidos e em outras sociedades ocidentais. Contudo, atualmente, a família nuclear é diferente do que costumava ser. Em vez de uma grande família rural em que pais e filhos trabalhavam lado a lado na propriedade da família, agora vemos famílias urbanas menores em que tanto o pai quanto a mãe trabalham fora de casa e os filhos passam grande parte do tempo na escola ou na creche. O número cada vez maior de divórcios também afetou a família nuclear. Filhos de pais divorciados podem viver com o pai ou com a mãe, ou podem revezar-se entre eles. O lar dessa família pode incluir um padrasto ou madrasta e meio-irmãos, o companheiro ou a companheira do pai ou da mãe, e há um número crescente de unidades familiares de pais não casados e de homossexuais (Dye, 2010; Hernandez, 1997, 2004; Teachman, Tedrow, & Crowder, 2000).

**família extensa**
Rede de parentesco que compreende muitas gerações de pais, filhos e outros parentes, os quais, às vezes, vivem juntos no mesmo lar.

Em muitas sociedades da Ásia, África e América Latina, e entre algumas famílias norte-americanas que remontam sua linhagem a países desses continentes, a **família extensa** – uma rede multigeracional que inclui avós, tias, tios, primos e outros parentes mais distantes – é a forma tradicional de família. Muitas pessoas vivem em *lares extensos*, onde têm contato diário com os familiares. Em geral, os adultos compartilham o sustento da família e as responsabilidades na criação dos filhos, e os filhos mais velhos são responsáveis pelos irmãos mais novos. Esses lares são frequentemente comandados por mulheres (Aaron, Parker, Ortega, & Calhoun, 1999; Johnson et al., 2003).

Atualmente, lares extensos estão se tornando cada vez menos comuns em alguns países em desenvolvimento devido à industrialização e à migração para os centros urbanos (Brown & Gilligan, 1990; Gorman, 1993; Kinsella & Phillips, 2005). Enquanto isso, nos Estados Unidos, pressões econômicas, escassez de moradias e crianças geradas fora do casamento ajudaram a alimentar uma tendência de lares de famílias com três e até quatro gerações consecutivas. Havia cerca de 4 milhões dessas famílias – quase 4% de todas as famílias – em 2000, muitas delas em locais com grande número de imigrantes recentes que vivem com familiares, como o Havaí e a Califórnia (U.S. Census Bureau, 2001, revisto em 2008).

**cultura**
O modo de vida global de uma sociedade ou de um grupo, que inclui costumes, tradições, crenças, valores, linguagem e produtos materiais – todo comportamento adquirido que é transmitido dos adultos para as crianças.

**Cultura e raça/etnicidade** A **cultura** refere-se ao modo de vida global de uma sociedade ou grupo, que inclui costumes, tradições, leis, conhecimento, crenças, valores, linguagem e produtos materiais, de ferramentas a trabalhos artísticos – todos os comportamentos e todas as atitudes aprendidas, compartilhadas e transmitidas entre os membros de um grupo social. A cultura está em constante mudança, muitas vezes mediante contato com outras culturas. Hoje, o contato cultural entre adultos e crianças é reforçado por computadores e telecomunicações; *e-mail*, mensagens de texto e mensagens instantâneas oferecem uma comunicação quase imediata em todo o planeta, e serviços digitais como o iTunes oferecem à população mundial acesso fácil a música e filmes.

**grupo étnico**
Grupo unido por ancestralidade, raça, religião, língua ou origens nacionais, que contribuem para formar um senso de identidade comum.

Um **grupo étnico** consiste em pessoas unidas por determinada cultura, ancestralidade, religião, língua ou origem nacional, tudo isso contribuindo para formar um senso de identidade, atitudes, crenças e valores comuns. Nos Estados Unidos, em 2050, devido ao aumento da imigração e às altas taxas de natalidade das famílias de imigrantes, as minorias étnicas deverão passar a constituir a maioria. De fato, em 2008, cerca de um terço de todas as crianças e quase metade das crianças com menos de 5 anos de idade (U.S. Census Bureau, 2008a, 2009d) pertenciam a um grupo minoritário. A proporção de crianças oriundas de minorias está aumentando, e estima-se que elas irão formar mais da metade da população infantil até 2023. Em 2050, 62% das crianças do país deverão ser constituídas por membros de grupos atualmente considerados minoritários, e a proporção de crianças hispânicas ou latinas – 39% – ultrapassará os 38% da população branca não hispânica (U.S. Census Bureau, 2008a; Figura 1.1a e 1.1b). Atualmente, cerca de um quarto das pré-escolas dos Estados Unidos e um quinto de todos os estabelecimentos educacionais até o último ano do ensino médio são hispânicos (U.S. Census Bureau, 2009b, 2009c).

Os padrões étnicos e culturais afetam o desenvolvimento da criança por sua influência na composição de uma família, nos recursos econômicos e sociais, no modo como seus membros agem em relação uns aos outros, nos alimentos que comem, nos jogos e nas brincadeiras das crianças, no modo como aprendem, no aproveitamento escolar, nas profissões escolhidas pelos adultos e na maneira como os membros da família pensam e percebem o mundo. Por exemplo, como mencionamos, nos Estados Unidos, os filhos de imigrantes ou oriundos de famílias pertencentes a minorias têm mais probabilidade de viver em famílias extensas. Entretanto, com o tempo, os imigrantes ou os grupos minoritários tendem para a *aculturação*, ou a adaptar-se, aprendendo o idioma, os costumes e as atitudes necessárias para progredir na cultura dominante, enquanto tentam preservar alguns dos seus valores e das respectivas práticas culturais (Johnson et al., 2003). No Box 1.1 são abordadas as famílias de imigrantes nos EUA.

> Quando estamos imersos em uma cultura, é difícil perceber o quanto do que fazemos é afetado por ela. Por exemplo, há diferenças regionais nos Estados Unidos em relação a como são chamados os refrigerantes. O termo "pop" é mais comum no Meio-Oeste, nas Grandes Planícies e no Noroeste; "coke" é o termo geralmente usado no Sul e no Novo México; e "soda" é usado principalmente na Califórnia e nos estados da fronteira.

Há uma grande diversidade dentro de amplos grupos étnicos. A "maioria branca" descendente de europeus consiste em muitas e diversas etnias – alemães, belgas, irlandeses, franceses, italianos, e assim por diante. Americanos cubanos, porto-riquenhos e americanos mexicanos – todos eles americanos hispânicos – têm diferentes histórias e culturas e podem ser descendentes de africanos, europeus, americanos nativos ou uma mistura (Johnson et al., 2003; Sternberg, Grigorenko, & Kidd, 2005). Afro-americanos do sul rural diferem daqueles de ascendência caribenha. Americanos asiáticos provêm de vários países com culturas distintas, do moderno Japão industrial à China comunista e às montanhas remotas do Nepal, onde muitas pessoas ainda praticam o modo de vida antigo. Os americanos nativos são constituídos por centenas de nações, tribos, bandos e vilas reconhecidos (Lin & Kelsey, 2000).

> Nos Estados Unidos, as pessoas estão muito mais propensas a revelar informações pessoais do que no Japão. E por quê? Uma das razões pode ser a estrutura social mais livre naquele país. Quando você pode fazer e desfazer amizades com facilidade, é preciso fortalecer os vínculos sociais o máximo possível.
>
> *Schug, Yuki, & Maddux, 2010*

Muitos acadêmicos agora concordam que o termo *raça*, visto histórica e popularmente como uma categoria biológica identificável, é um construto social. Não há nenhum consenso científico claro sobre sua definição, sendo impossível medi-lo de modo confiável (American Academy of Pediatrics Committee on Pediatric Research, 2000; Bonham, Warshauer-Baker, & Collins, 2005; Helms, Jernigan, & Macher, 2005; Lin & Kelsey, 2000; Smedley & Smedley, 2005; Sternberg et al., 2005). A variação genética humana ocorre ao longo de um amplo *continuum*, e 90% dessa variação ocorre *dentro*, e não entre, raças socialmente definidas (Bonham et al., 2005; Ossorio & Duster, 2005). Entretanto, a raça, como categoria social, continua sendo um dos fatores nas pesquisas porque faz diferença em relação a "como os indivíduos são tratados, onde vivem, suas oportunidades de emprego, a qualidade de sua assistência médica e se podem participar plenamente" em sua sociedade (Smedley & Smedley, 2005, p. 23).

As categorias de cultura, raça e etnia são fluidas (Bonham et al., 2005; Sternberg et al., 2005) e "continuamente moldadas e redefinidas por forças sociais e políticas" (Fisher et al., 2002, p. 1.026). A dispersão geográfica e os casamentos inter-raciais, combinados com a adaptação às diversas condições locais – mais de 5% dos casamentos nos Estados Unidos em 2000 (Lee & Edmonston, 2005) –, produziram uma grande

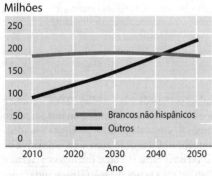

(a) Projeções para a população

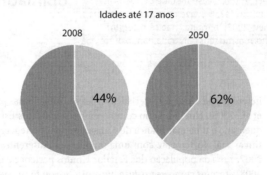

(b) Porcentagem de crianças pertencentes a grupos minoritários

**FIGURA 1.1**
Projeções das populações brancas não hispânicas e de grupos minoritários, 2008-2050.
*(a) De acordo com as projeções da Agência de Recenseamento (Census Bureau), os grupos minoritários raciais/étnicos chegarão a 54% da população dos Estados Unidos, excedendo a proporção de pessoas brancas não hispânicas até 2050.*
*(b) Também até 2050 espera-se que crianças de menos de 18 anos pertencentes às "minorias" formem 62% da população infantil.*
*Fonte:* U.S. Census Bureau, 2008a.

# Pelo mundo

## OS FILHOS DE FAMÍLIAS DE IMIGRANTES

**1.1**

Os Estados Unidos sempre foram uma nação de imigrantes e grupos étnicos, mas a principal origem étnica da população imigrante deslocou-se da Europa e do Canadá – terras natais de 97% dos imigrantes em 1910 – para a América Latina, o Caribe, a Ásia e a África, que agora respondem por 88% de todos os imigrantes.

Quase um quarto (24%) das crianças nos Estados Unidos vivia em famílias de imigrantes, em 2007. Crescendo mais rápido que qualquer outro grupo de crianças no país, elas lideram a futura mudança de *status* dos grupos minoritários raciais e étnicos para a condição de maioria. Enquanto antigamente as ondas de imigrantes eram quase inteiramente formadas por brancos e cristãos, hoje mais de um terço (37%) das crianças de famílias de imigrantes tem pais não brancos. Muitas dessas famílias são confucionistas, budistas, hindus, judias, muçulmanas, xintoístas, siques, taoístas ou zoroastrianas e, embora predominantemente de língua espanhola, falam diversas outras línguas.

As famílias de imigrantes estão muito dispersas. As crianças dessas famílias totalizam, pelo menos, 10% de todas as crianças de 27 estados e do Distrito de Columbia, mas as maiores concentrações estão na Califórnia, no Texas, em Nova York, na Flórida e em Illinois, que, em conjunto, acolhem 64% das crianças vindas de famílias de imigrantes.

A maioria dos imigrantes vem do México (40%) (Hernandez, Denton, & Macartney, 2008). Estima-se que cinco milhões de crianças nascidas no México ou filhas de pais mexicanos vivam nos Estados Unidos. Muitos desses pais trabalham em subempregos nos setores de alimentação, manutenção, construção, na agricultura e nas indústrias de manufaturados, ganhando menos de 20 mil dólares por ano, trabalhando em tempo integral. Com o recrudescimento dos sentimentos contrários à imigração, pais de família sem documentos vivem sob medo constante de perderem o emprego (quando conseguem encontrar um) e de serem deportados (Children in North America Project, 2008). Quase metade de todas as crianças de famílias de imigrantes (47,9%) vive na pobreza (Hernandez, Denton, & Macartney, 2007), e muitas não têm seguro-saúde apesar de terem direito, mesmo seus pais trabalhando duro para sustentar a família.

A maior parte dos filhos de imigrantes vive com pais casados ou que vivem juntos. Mas há uma probabilidade quase duas vezes maior de essas crianças, comparadas às outras, viverem em famílias de lares extensos com os avós, outros parentes e mesmo não parentes, geralmente em moradias com excesso de pessoas. A probabilidade de filhos de famílias de imigrantes terem pais que não concluíram o ensino médio é mais de três vezes maior que a dos filhos de famílias nativas (40% comparado a 12%). Pais imigrantes geralmente têm grandes aspirações educacionais para seus filhos, mas faltam-lhes conhecimento e experiência para ajudá-los a serem bem-sucedidos na escola. (Questões que envolvem a educação de filhos de imigrantes são discutidas em capítulos posteriores.)

Um fato pouco conhecido é que quase 1 entre 4 filhos de famílias de imigrantes (24%) tem o pai ou a mãe nascidos nos Estados Unidos, e em quase metade dos casos (48%) o pai ou a mãe é cidadão naturalizado. Mais de 2 de cada 3 (68%) têm pais que vivem nos Estados Unidos há 10 anos ou mais, e quase 4 de cada 5 crianças (79%) nasceram nos Estados Unidos. De fato, quase 2 de cada 3 crianças (63%) que vivem com pais sem documentos são elas mesmas nascidas nos Estados Unidos.

Como a imigração gera mudanças drásticas na população dos Estados Unidos, questões de desenvolvimento que afetam crianças de famílias de imigrantes serão temas cada vez mais importantes para a pesquisa.

*Fonte:* A não ser quando diferentemente citada, a fonte para este quadro é Hernandez, Denton e Macartney (2008).

**Qual a sua opinião?** Você (ou algum membro da sua família) é imigrante ou filho de imigrantes? Em caso positivo, quais os fatores que favoreceram ou dificultaram sua adaptação à vida no país em que você mora? Como você imagina a vida dos filhos de imigrantes daqui a 40 anos?

---

heterogeneidade de características físicas e culturais nas populações (Smedley & Smedley, 2005; Sternberg et al., 2005). Um indivíduo como o ex-presidente dos Estados Unidos Barack Obama, com um pai negro queniano e uma mãe branca do Kansas, poderá pertencer a mais de uma categoria racial/étnica e se identificar mais fortemente com uma ou outra em diferentes momentos. De acordo com uma estimativa de 2007, 1,6% da população dos Estados Unidos pertence a duas ou mais raças (Central Intelligence Agency, 2008). Termos como *negro, hispânico, asiático* ou *branco* podem ser uma **generalização étnica:** uma generalização exagerada que obscurece ou confunde essas variações (Parke, 2004b; Trimble & Dickson, 2005).

**Nível socioeconômico e vizinhança** O **nível socioeconômico (NSE)** baseia-se na renda da família e nos níveis educacional e ocupacional dos adultos da casa. Neste livro, examinaremos muitos estudos que relacionam o NSE a processos de desenvolvimento (como as interações verbais da mãe com seus filhos) e às consequências do desenvolvimento (como saúde e desempenho cognitivo). O NSE afeta esses processos e suas consequências indiretamente por meio de fatores relacionados, como os

**Qual a sua opinião?** De que forma você seria diferente se tivesse crescido em uma cultura diferente da sua?

tipos de casa e a vizinhança onde as pessoas vivem e a qualidade da nutrição, da assistência médica e da escolaridade disponíveis.

Mais da metade da população mundial (53%) sobrevive com menos do que o padrão internacional de pobreza de 2 dólares por dia (Population Reference Bureau, 2006), e 19% – porém o dobro disso nos países menos desenvolvidos economicamente – vivem com menos de 1 dólar por dia (United Nations Children's Fund, 2007; Fig. 1.2). Mesmo nos Estados Unidos, onde os limiares de pobreza dependem do tamanho e da composição da família, mais de 16 milhões de crianças – 21,9% de todas com menos de 18 anos – vivem na pobreza, e 7,4 milhões de crianças – quase 7% – estão em situação de pobreza extrema (Children's Defense Fund, 2012; DeNavas-Walk, Proctor, & Smith, 2012).[1]

Além disso, a pobreza infantil nos Estados Unidos aumentou desde a década de 1990 (Fig. 1.3), e as crianças pobres da América do Norte empobreceram mais em comparação com o resto da população infantil. As taxas de pobreza variam geograficamente e são mais altas entre as minorias raciais e étnicas. Nos Estados Unidos, cerca de 39% das crianças negras e mais de 35% das crianças latinas são consideradas pobres em comparação com 10% de crianças brancas. As crianças que vivem com pai ou mãe sós, com padrastos e madrastas ou com guardiões, como os avós, e as que têm pais/mães com graus de escolaridade mais baixos são, provavelmente, as mais pobres (Children's Defense Fund, 2012; Children in North America Project, 2008).

A pobreza é prejudicial e pode danificar o bem-estar físico, cognitivo e psicossocial das crianças e das famílias. As crianças pobres estão mais propensas a passar fome, adoecer com frequência, não ter acesso a cuidados de saúde, ser vítimas de acidentes, de violência e de conflitos familiares e a apresentar problemas emocionais ou de comportamento. O potencial cognitivo e o desempenho escolar também são prejudicados (Children in North America Project, 2008; Children's Defense Fund, 2012; Evans, 2004; Wadsworth & Santiago, 2008). O mal causado pela pobreza pode ser indireto, pelo impacto causado no estado emocional dos pais e nas suas práticas parentais, bem como no ambiente doméstico criado por eles (ver Cap. 10). As ameaças ao bem-estar, como geralmente acontece, multiplicam-se quando vários **fatores de risco** – condições que aumentam a probabilidade de uma consequência negativa – estão presentes.

A abundância não protege necessariamente as crianças de riscos. Algumas crianças de famílias abastadas enfrentam pressões para atingir objetivos e muitas vezes são deixadas por conta própria pelos pais, extremamente ocupados. Essas crianças apresentam taxas altas de abuso de substâncias, de ansiedade e de depressão (Luthar & Latendresse, 2005).

A composição da vizinhança também afeta as crianças. Para quem vive em uma vizinhança pobre, com grande número de desempregados, menor é a probabilidade de encontrar suporte social adequado disponível (Black & Krishnakumar, 1998). Ainda assim, o desenvolvimento positivo pode ocorrer apesar de graves fatores de risco (Kim-Cohen, Moffitt, Caspi, & Taylor, 2004). Considere a estrela de TV Oprah Winfrey, a cantora e compositora Shania Twain, o ator e diretor de cinema Ashton Kutcher e o ex-presidente Bill Clinton. Todos foram criados em ambientes de pobreza.

**Contexto histórico** Houve época em que os cientistas do desenvolvimento davam pouca atenção ao contexto histórico – o tempo, ou época, em que as pessoas vivem. Depois, quando os primeiros estudos longitudinais sobre a infância estenderam-se até a idade adulta, os pesquisadores começaram a se concentrar em como certas experiências, ligadas ao tempo e ao lugar, afetam o curso de vida das pessoas (Box 1.2). Hoje, como discutiremos na próxima seção, o contexto histórico é parte importante do estudo do desenvolvimento.

**generalização étnica**
Generalização exagerada a respeito de um grupo étnico ou cultural que confunde ou obscurece as diferenças existentes dentro do grupo ou o sobrepõe a outros grupos.

**nível socioeconômico (NSE)**
Combinação de fatores econômicos e sociais que descreve um indivíduo ou uma família e que inclui renda, educação e ocupação.

**fatores de risco**
Condições que aumentam a probabilidade de uma consequência negativa no desenvolvimento.

*A existência de Kian e Remee Hodgson, gêmeas fraternas, que partilham cerca de 50% dos genes, põe em causa o conceito de raça como construção biológica.*

---

[1]Uma família de quatro pessoas era considerada extremamente pobre em 2012 se seu rendimento familiar fosse inferior a 10.600 dólares – metade do valor estabelecido pela linha oficial de pobreza (Children's Defense Fund, 2012).

**14** PARTE I • Apresentação ao mundo da criança

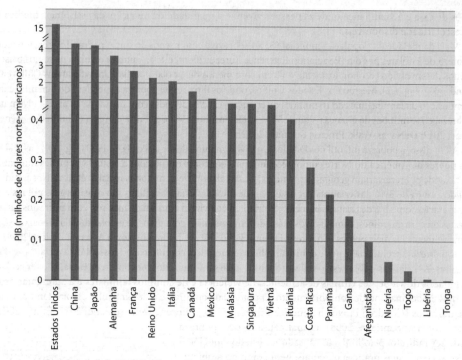

*Fonte:* Base de dados World Development Indicators, World Bank, acessado em 13 de janeiro de 2013.

**FIGURA 1.2**
Indicadores de desenvolvimento por país.
*O nível socioeconômico de um país (medido pelo seu Produto Interno Bruto per capita, ou PIB) está relacionado com a longevidade, a saúde e as condições de vida dos seus habitantes, que variam muito em todo o mundo. O nível de vida das crianças é muito melhor nos países industrializados, como os Estados Unidos, o Japão e os países da Europa Ocidental, do que nos países menos desenvolvidos, como os da África Subsaariana.*

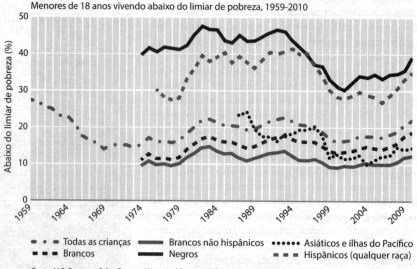

*Fonte:* U.S. Bureau of the Census, Historical Poverty Tables, People. Table 3.

**FIGURA 1.3**
Taxas de pobreza infantil, Estados Unidos, 1959-2010.
*A taxa de pobreza infantil caiu substancialmente na década de 1960; depois subiu significativamente no início da década de 1980. Foram feitos grandes avanços na redução da pobreza infantil no final da década de 1990, em parte devido à economia forte. No entanto, a taxa de pobreza infantil era maior em 2007 do que no início da década. A pobreza infantil está rigorosamente ligada ao estado geral da economia e sobe nos períodos de recessão.*

Capítulo 1 • Estudando o mundo da criança

## Influências normativas e não normativas

Para entender semelhanças e diferenças no desenvolvimento, precisamos olhar para as influências **normativas** – eventos biológicos ou ambientais que afetam muitos ou a maioria dos indivíduos de uma sociedade de formas semelhantes – e eventos que atingem apenas certos indivíduos (Baltes & Smith, 2004).[2]

As *influências normativas reguladas pela idade* são muito semelhantes para pessoas de uma determinada faixa etária. O tempo de ocorrência de eventos biológicos é razoavelmente previsível dentro de uma faixa normal. Por exemplo, crianças não atingem a puberdade aos 3 anos ou a menopausa aos 12.

As *influências normativas pela história* são eventos significativos (como a Grande Depressão ou a Segunda Guerra Mundial) que moldam o comportamento e as atitudes de uma **geração histórica**: um grupo de pessoas que passa pela experiência do evento em um momento formativo de suas vidas. Por exemplo, as gerações que se tornaram maiores de idade durante a Depressão e a Segunda Guerra tendem a mostrar um forte senso de interdependência e confiança social, que declinou entre as gerações mais recentes (Rogler, 2002). Dependendo de quando e onde vivem, gerações inteiras podem sentir o impacto da escassez de alimentos, das explosões nucleares ou dos ataques terroristas. Nos países ocidentais, os avanços da medicina, bem como os aperfeiçoamentos na nutrição e no saneamento, reduziram drasticamente a mortalidade infantil. Hoje, à medida que as crianças vão crescendo, são influenciadas por computadores, televisão digital, internet e outras inovações tecnológicas. As mudanças sociais, como o aumento da presença de mães no mercado de trabalho e de lares de pais ou mães solteiros alteraram, e muito, a vida familiar.

Uma geração histórica não é a mesma coisa que uma **coorte** etária: um grupo de pessoas nascidas aproximadamente na mesma época. Uma geração histórica pode conter mais de uma coorte, mas nem todas as coortes fazem parte de gerações históricas, a menos que passem pela experiência de importantes eventos históricos em um momento formativo de suas vidas (Rogler, 2002).

Influências **não normativas** são eventos incomuns que causam grande impacto na vida dos *indivíduos* por perturbarem a sequência esperada do ciclo de vida. Podem ser eventos típicos que acontecem em determinado período atípico da vida (p. ex., a morte de um dos pais quando a criança é pequena) ou eventos atípicos (p. ex., sobreviver a um acidente aéreo). Algumas dessas influências estão além do controle da pessoa e podem apresentar raras oportunidades ou sérios desafios e são percebidas como momentos de mudanças na vida. Por sua vez, os jovens às vezes ajudam a criar seus próprios eventos não normativos – por exemplo, conduzir um automóvel depois de beber álcool ou concorrer a uma bolsa de estudos – e, assim, participar ativamente no seu próprio desenvolvimento. Juntos, esses três tipos de influência – normativa regulada pela idade, normativa regulada pela história e não normativa – contribuem para a complexidade do desenvolvimento humano, bem como para os desafios que as pessoas vivenciam ao tentarem construir suas vidas.

> "Atualmente, a presença da mídia acarreta uma influência normativa em crianças pequenas, que hoje utilizam com habilidade aplicativos de iPhone desenvolvidos especialmente para elas. Como isso poderá moldar seu desenvolvimento?
>
> *Stout, 2010*

## O momento das influências: períodos críticos ou sensíveis

Em um estudo muito conhecido, o zoólogo austríaco Konrad Lorenz (1957) fez patinhos recém-nascidos seguirem-no como o fariam com a mamãe pata. Lorenz mostrou que patinhos recém-chocados vão seguir instintivamente o primeiro objeto em movimento que eles virem, seja ele um membro de sua espécie ou não. Esse fenômeno chama-se *imprinting*, e Lorenz acreditava que era automático e irreversível. Normalmente, a ligação instintiva é com a mãe; quando o curso natural dos eventos for perturbado, porém, outros vínculos, como aquele estabelecido com Lorenz – ou nenhum vínculo –, podem se formar. O *imprinting*, dizia Lorenz, é o resultado de uma *predisposição à aprendizagem*: a prontidão do sistema nervoso de um organismo para adquirir certas informações durante um breve período crítico no começo da vida.

**Período crítico** é um intervalo de tempo específico em que determinado evento, ou a sua ausência, causa um impacto específico sobre o desenvolvimento. Se um evento necessário não ocorrer durante um período crítico de maturação, o desenvolvimento normal não ocorrerá, e os padrões anormais poderão ser irreversíveis (Knudsen, 1999; Kuhl, Conboy, Padden, Nelson, & Pruitt, 2005). No entanto, a extensão de um período crítico não é absolutamente fixa; se as condições de criação de patinhos forem alteradas

---

[2]Se não existir outra indicação, esta seção baseia-se principalmente em Baltes & Smith (2004).

---

**Verificador**
**você é capaz de...**

- Discutir os conceitos de maturação e de diferenças individuais?
- Dar exemplos das influências da composição familiar e vizinhança, nível socioeconômico, cultura, raça/etnia e contexto histórico?

**normativa**
Característica de um evento que ocorre de modo semelhante para a maioria das pessoas de um grupo.

**geração histórica**
Grupo de pessoas que, durante seu período de formação, recebeu forte influência de um importante evento histórico.

**coorte**
Grupo de pessoas nascidas aproximadamente na mesma época.

**não normativa**
Característica de um evento incomum que acontece com determinada pessoa ou de um evento típico que ocorre fora de seu período habitual.

**imprinting**
Forma instintiva de aprendizagem em que um filhote de animal, durante um período crítico no início de seu desenvolvimento, estabelece um vínculo com o primeiro objeto que ele vê em movimento, geralmente a mãe.

**período crítico**
Intervalo de tempo específico em que determinado evento ou sua ausência causa um impacto específico sobre o desenvolvimento.

# O mundo social

## ESTUDANDO O CURSO DE VIDA: CRESCENDO EM TEMPOS DIFÍCEIS

Devemos a consciência da necessidade de observar o curso de vida em seu contexto social e histórico em parte a Glen H. Elder Jr. Em 1962, Elder chegou ao *campus* da University of California, Berkeley, para trabalhar no Oakland Growth Study, um estudo longitudinal do desenvolvimento social e emocional de 167 jovens urbanos nascidos por volta de 1920. O estudo começou no início da Grande Depressão, na década de 1930, quando os participantes – metade deles proveniente de lares de classe média e que tinha passado a infância durante os "loucos anos de 1920" – estavam entrando na adolescência. Elder (1974) observou como a desordem social pode alterar os processos da família e, por meio destes, o desenvolvimento das crianças.

À medida que a crise econômica mudava a vida dos pais, mudava também a das crianças. As famílias desprovidas redefiniram os papéis econômicos. Os pais, preocupados com o desemprego e irritados com a perda de *status* dentro da família, às vezes bebiam muito. As mães conseguiram trabalho fora de casa e adquiriram mais autoridade parental. Os casais brigavam mais. Os adolescentes apresentavam dificuldades no desenvolvimento.

Entretanto, para os meninos em particular, os efeitos de longo prazo da difícil experiência não eram inteiramente negativos. Aqueles que conseguiram arranjar trabalho para ajudar a família tornaram-se mais independentes e mais capazes de escapar da atmosfera estressante da família do que as meninas que ajudavam em casa. Como adultos, esses homens estavam fortemente orientados para o trabalho, mas também valorizavam as atividades familiares e cultivavam a responsabilidade em seus filhos.

Elder notou que os efeitos de uma grande crise econômica dependem do estágio de desenvolvimento da criança. As crianças da pesquisa de Oakland já eram adolescentes na década de 1930. Podiam recorrer aos respectivos recursos emocionais, cognitivos e econômicos. Uma criança nascida em 1929 dependia inteiramente da família. No entanto, os pais das crianças de Oakland, por serem mais velhos, talvez tenham sido menos resilientes em relação ao desemprego, e sua vulnerabilidade emocional pode ter afetado a sintonia da vida familiar e seu modo de tratar as crianças.

Cinquenta anos depois da Grande Depressão, no começo da década de 1980, uma queda abrupta do valor das propriedades rurais do Centro-Oeste levou muitas famílias rurais ao endividamento ou para fora das terras. Essa crise rural deu a Elder a oportunidade de repetir sua pesquisa anterior com famílias que sofriam em consequência da depressão econômica, desta vez em um cenário rural. Em 1989, Elder e colaboradores (Conger, Ge, Elder, Lorenz, & Simons, 1994; Conger & Conger, 2002) entrevistaram 451 famílias rurais e de pequenas cidades do Iowa, formadas por pais com um filho nos anos finais do ensino fundamental e outro, pelo menos, 4 anos mais novo. Os pesquisadores também filmaram as interações das famílias. Naquela época, nenhuma família pertencente às minorias vivia em Iowa, e, por isso, todas as famílias participantes eram brancas.

Como no estudo da época da Grande Depressão, muitos desses pais rurais, diante da pressão das dificuldades econômicas, desenvolveram problemas emocionais. Pais e mães deprimidos tinham maior probabilidade de brigarem entre si e de tratarem mal

*Os estudos de Glen Elder sobre crianças que cresceram durante a Grande Depressão mostraram como um evento socio-histórico importante pode afetar o desenvolvimento atual e futuro das crianças.*

seus filhos ou de se afastar deles. As crianças, por sua vez, tinham tendência à perda da autoconfiança, à impopularidade e ao baixo desempenho na escola. Entretanto, enquanto na década de 1980 esse padrão de comportamento era típico nos pais e nas mães, nos anos de 1930 era menos provável nas mães, cujo papel econômico antes da crise era menor (Conger & Elder, 1994; Conger et al., 1993; Elder, 1998).

O estudo de Iowa, agora chamado de Family Transitions Project, continua. Os membros das famílias continuaram a ser entrevistados anualmente, com ênfase em como uma crise vivida na família no período do início da adolescência afeta a transição para a idade adulta. Os adolescentes, que estavam nos anos finais do ensino fundamental quando o estudo começou, foram acompanhados até o ensino superior. Preenchiam anualmente uma lista de eventos estressantes que experimentaram, eram submetidos a testes para avaliação da ansiedade e da depressão e a autorrelatos de atos delinquentes. Observou-se um ciclo de autoconsolidação tanto nos meninos como nas meninas. Os eventos familiares nega-

**Capítulo 1** • Estudando o mundo da criança  **17**

tivos, como crise econômica, doença e problemas na escola, tenderam a intensificar a tristeza, o medo e a conduta antissocial, que, por sua vez, conduziram a futuras adversidades, como o divórcio dos pais (Kim, Conger, Elder, & Lorenz, 2003).

O trabalho de Elder, como outros estudos do curso de vida, faculta aos pesquisadores uma perspectiva sobre os processos de desenvolvimento e suas ligações com mudanças socioeconômicas. Isso poderá permitir a observação dos efeitos de longo prazo das dificuldades na vida dos indivíduos que as experimentaram em diferentes idades e em diferentes situações familiares.

*Fonte:* Exceto quando referenciado, esta discussão baseia-se em Elder (1998).

**Qual a sua opinião?** Você consegue se lembrar de um evento cultural importante em sua existência que tenha moldado a vida de famílias e crianças? Como estudaria esses efeitos?

para desacelerar seu crescimento, o período crítico habitual para o *imprinting* poderá ser estendido, e o próprio *imprinting* talvez seja até revertido (Bruer, 2001).

Crianças passam por períodos críticos como os patinhos? Um exemplo disso ocorre durante a gestação. Se uma mulher é submetida a raios X, ingere certos medicamentos ou contrai doenças em determinados períodos durante a gravidez, o feto poderá apresentar efeitos nocivos específicos, dependendo da natureza do choque, do momento em que ocorreu. Muitos fatores ambientais também podem afetar o desenvolvimento depois da gravidez de forma irreversível. Se um problema muscular que interfere na capacidade de focar os dois olhos no mesmo objeto não for corrigido durante um período crítico no início da infância, os mecanismos do cérebro necessários para a percepção binocular de profundidade provavelmente não se desenvolverão (Bushnell & Boudreau, 1993).

Contudo, o conceito de período crítico nos seres humanos é controverso. Como muitos aspectos do desenvolvimento, mesmo no domínio biológico/neurológico, demonstraram apresentar **plasticidade**, ou capacidade de modificação do desempenho, talvez seja mais útil pensar em termos de **períodos sensíveis**, quando uma pessoa em desenvolvimento é especialmente receptiva a certos tipos de experiências (Bruer, 2001). São necessárias mais pesquisas para descobrir "quais são os aspectos do comportamento que são suscetíveis de serem alterados por eventos ambientais em pontos específicos do desenvolvimento e quais são os aspectos que permanecem mais plásticos e abertos às influências ao longo de períodos extensos do desenvolvimento" (Parke, 2004b, p. 8). O Box 1.3 discute como os conceitos de períodos críticos e sensíveis se aplicam ao desenvolvimento da linguagem.

**plasticidade**
Capacidade de modificação do desempenho.

**períodos sensíveis**
Momentos de desenvolvimento em que um determinado evento ou sua ausência normalmente tem um efeito forte no desenvolvimento.

**Verificador você é capaz de...**
- Dar exemplos de influências normativas por idade, normativas por período histórico e influências não normativas?
- Explicar o conceito de período crítico e dar exemplos?

## Um consenso em desenvolvimento

À medida que o estudo das crianças evoluiu, um amplo consenso surgiu sobre vários pontos fundamentais relacionados ao seu desenvolvimento, os quais resumem nossa introdução a este livro:

1. *Todos os domínios do desenvolvimento estão inter-relacionados.* Embora os cientistas do desenvolvimento com frequência observem separadamente os três domínios ou aspectos do desenvolvimento – físico, cognitivo e psicossocial –, cada um deles afeta os outros.
2. *O desenvolvimento normal inclui uma ampla gama de diferenças individuais.* Cada criança, desde o início, é diferente de qualquer outra no mundo. Uma é extrovertida, outra é tímida. Uma é ágil, outra é desajeitada. Algumas influências no desenvolvimento individual são inatas; outras vêm da experiência. Na maioria das vezes, essas influências trabalham juntas. As características da família, o gênero, a classe social, a raça/etnia e a presença ou a ausência de deficiências físicas, mentais ou emocionais – todas afetam a maneira como a criança se desenvolve dentro dos processos universais da maturação humana.
3. *As crianças ajudam a moldar o próprio desenvolvimento e influenciam as respostas que os outros lhes dão.* Desde o começo, por meio das formas que utilizam para responder ao mundo que os rodeia e das respostas que despertam nos outros, os bebês moldam seu ambiente e respondem ao ambiente que ajudaram a criar. A influência é *bidirecional:* quando os bebês balbuciam e murmuram, os adultos tendem a falar com eles, o que faz os bebês "falarem" mais.
4. *Contextos históricos e culturais influenciam fortemente o desenvolvimento.* Cada criança desenvolve-se em um ambiente específico, delimitado pelo tempo e pelo lugar. Uma criança nascida hoje nos Estados Unidos é propensa a ter experiências muito diferentes das de uma criança nascida na América colonial, na Gronelândia ou no Afeganistão.

**Guia de estudo 4**
Quais os seis pontos fundamentais relacionados ao desenvolvimento infantil sobre os quais há consenso?

# O mundo da pesquisa

## EXISTE UM PERÍODO CRÍTICO PARA A AQUISIÇÃO DA LINGUAGEM?

Em 1967, Eric Lenneberg (1967, 1969) propôs um período crítico para a aquisição da linguagem começando no início da primeira infância e terminando por volta da puberdade. Lenneberg argumentou que seria difícil, se não impossível, para uma criança que ainda não havia adquirido a linguagem até o começo da puberdade conseguir fazê-lo depois dessa idade.

Em 1970, uma garota de 13 anos chamada Genie (nome fictício) proporcionou a oportunidade para testar a hipótese de Lenneberg. Genie foi descoberta em um subúrbio de Los Angeles (Curtiss, 1977; Fromkin, Krashen, Curtiss, Rigler, & Rigler, 1974; Pines, 1981; Rymer, 1993). Vítima de um pai abusivo, ela tinha sido confinada por mais de 12 anos a um pequeno quarto da casa, amarrada a uma cadeira-penico e afastada do convívio humano. Quando encontrada, ela só reconhecia seu nome e a palavra *desculpa*. Poderia ela aprender a falar, ou era tarde demais? O National Institutes of Mental Health (NIMH) financiou um estudo para fazer testes e treinamentos de linguagem intensivos com Genie.

O progresso de Genie durante o estudo tanto provou quanto colocou em dúvida a ideia de um período crítico para a aquisição da linguagem. Ela aprendeu algumas palavras simples e pôde juntá-las em sentenças simples. Também aprendeu os fundamentos da língua de sinais. Mas "sua fala, na maior parte do tempo, continuou sendo como um telegrama truncado" (Pines, 1981, p. 29). Sua mãe obteve de volta a custódia da filha, tirou-a dos pesquisadores do NIMH e depois, finalmente, a enviou para o sistema de adoção. Uma sequência de lares adotivos abusivos tornou Genie silenciosa mais uma vez.

O que explica o progresso inicial de Genie e sua incapacidade de sustentá-lo? A compreensão de seu próprio nome e da palavra *desculpa* pode significar que seus mecanismos de aprendizagem linguística haviam sido ativados no começo do período crítico, permitindo a ocorrência de uma aprendizagem posterior. O momento em que ocorreu o treinamento de linguagem no NIMH e sua capacidade de aprender algumas palavras simples aos 13 anos podem indicar que ela ainda estava no período crítico, embora já quase no final. No entanto, o abuso extremo e a negligência de que foi vítima podem tê-la retardado de tal modo que ela não podia ser considerada um verdadeiro teste do conceito de período crítico (Curtiss, 1977).

O caso de Genie ilustra a dificuldade de se adquirir a linguagem após os primeiros anos de vida, mas, por causa de fatores complicadores, ele não permite julgamentos conclusivos sobre se tal aquisição é possível. Alguns pesquisadores consideram a fase pré-puberal um período sensível em vez de crítico para o aprendizado da linguagem (Newport, Bavelier, & Neville, 2001; Schumann, 1997). Pesquisas com imagens cerebrais constataram que, mesmo quando as partes do cérebro mais adequadas ao processamento da linguagem são danificadas nos primeiros anos da infância, um desenvolvimento quase normal da linguagem pode prosseguir à medida que outras partes do cérebro assumem o controle (Boatman et al., 1999; Hertz-Pannier et al., 2002; M. H. Johnson, 1998). De fato, alterações na organização e na utilização do cérebro ocorrem durante todo o curso do aprendizado normal da linguagem (M. H. Johnson, 1998; Neville & Bavelier, 1998).

Se existe um período crítico ou um período sensível para a aprendizagem da linguagem, qual a explicação? Os mecanismos do cérebro para a aquisição da linguagem declinam à medida que o cérebro amadurece? Isso parece estranho, visto que as outras capacidades cognitivas melhoram. Uma hipótese alternativa é a de que o próprio incremento na sofisticação cognitiva interfira na capacidade de um adolescente ou de um adulto de aprender uma língua. Crianças pequenas adquirem a linguagem em porções que podem ser prontamente digeridas. Aprendizes mais velhos, quando começam a aprender uma língua, tendem a absorver uma grande parte de uma só vez e, portanto, talvez tenham dificuldade em analisar e interpretar (Newport, 1991).

*Fonte:* A não ser quando diferentemente citada, a fonte para este quadro é Hernandez, Denton e Macartney (2008).

**Qual a sua opinião?** Você teve dificuldade para aprender uma nova língua quando adulto? Em caso positivo, essa explicação o ajudou a entender por quê?

5. *As primeiras experiências são importantes, mas as crianças podem ser consideravelmente resilientes.* Um incidente traumático ou uma infância marcada pela privação podem ter consequências emocionais graves, mas as histórias de vida de muitos indivíduos mostram que os efeitos de experiências dolorosas, como crescer na pobreza ou lidar com a morte de um dos pais, podem com frequência ser superados.

6. *O desenvolvimento na infância afeta o desenvolvimento por todo o curso de vida.* No passado, acreditava-se que crescimento e desenvolvimento terminavam, assim, com a adolescência. Atualmente, a maioria dos cientistas do desenvolvimento concorda que o desenvolvimento continua durante toda a vida. Enquanto as pessoas viverem, terão potencial para mudar.

Capítulo 1 • Estudando o mundo da criança **19**

Agora que você teve uma breve introdução ao campo do desenvolvimento infantil e seus conceitos básicos, podemos estudar, de forma mais detalhada, as questões sobre as quais os cientistas do desenvolvimento pensam e como desenvolvem seu trabalho. No Capítulo 2, discutiremos algumas teorias influentes sobre como o desenvolvimento acontece e os métodos que os pesquisadores usam para estudá-lo.

**Verificador**
**você é capaz de...**

■ Resumir seis pontos fundamentais de consenso decorrentes do estudo do desenvolvimento infantil?

# resumo & palavras-chave

## ❶ O estudo do desenvolvimento infantil: antes e agora

### O que é o desenvolvimento infantil e como seu estudo evoluiu?

- O desenvolvimento infantil como campo de estudo científico está voltado para os processos de mudança e estabilidade desde a concepção até a adolescência.
- O estudo científico do desenvolvimento infantil começou no fim do século XIX. A adolescência só foi considerada uma fase separada do desenvolvimento no começo do século XX. O campo do desenvolvimento infantil é agora parte do estudo de todo o ciclo da vida ou do desenvolvimento humano.
- As maneiras de estudar o desenvolvimento infantil ainda estão evoluindo, com o uso de tecnologias avançadas.
  **desenvolvimento infantil (4)**

## ❷ O estudo do desenvolvimento infantil: conceitos básicos

### O que os cientistas do desenvolvimento estudam?

- Os três principais domínios, ou aspectos, do desenvolvimento que os cientistas estudam são o domínio físico, o cognitivo e o psicossocial. Cada um deles afeta os demais.
- O conceito de períodos de desenvolvimento é uma construção social. Neste livro, o desenvolvimento infantil é dividido em cinco períodos: pré-natal, primeira infância, segunda infância, terceira infância, puberdade e adolescência. Em cada período, a criança tem necessidades e tarefas específicas em termos de desenvolvimento.
  **desenvolvimento físico (6)**
  **desenvolvimento cognitivo (6)**
  **desenvolvimento psicossocial (6)**
  **construção social (6)**

## ❸ Influências no desenvolvimento

### Que tipos de influências tornam uma criança diferente de outra?

- As influências sobre o desenvolvimento vêm tanto da hereditariedade quanto do ambiente. Muitas mudanças típicas da infância estão relacionadas à maturação. As diferenças individuais tendem a aumentar com a idade.

- Em algumas sociedades predomina a família nuclear; em outras, a família extensa.
- O nível socioeconômico (NSE) afeta os processos de desenvolvimento e suas consequências em virtude da qualidade dos ambientes, do lar e da vizinhança, da nutrição, da assistência médica e da escolaridade. Múltiplos fatores de risco aumentam a probabilidade de desfechos danosos.
- Outras influências ambientais importantes têm origem na cultura, na etnia e no contexto histórico. Em geral, nas sociedades compostas por várias etnias, os grupos imigrantes assimilam a cultura dominante enquanto preservam aspectos da sua própria cultura.
- As influências podem ser normativas (reguladas pela idade ou pela história) ou não normativas.
- Há evidências de períodos críticos ou períodos sensíveis para certos tipos de desenvolvimento precoce.
  **diferenças individuais (9)**
  **hereditariedade (9)**
  **ambiente (9)**
  **maturação (9)**
  **família nuclear (10)**
  **família extensa (10)**
  **cultura (10)**
  **grupo étnico (10)**
  **generalização étnica (13)**
  **nível socioeconômico (NSE) (13)**
  **fatores de risco (13)**
  **normativa (15)**
  **geração histórica (15)**
  **coorte (15)**
  **não normativa (15)**
  *imprinting* **(15)**
  **período crítico (15)**
  **plasticidade (17)**
  **períodos sensíveis (17)**

## ❹ Um consenso em desenvolvimento

### Quais os seis pontos fundamentais relacionados ao desenvolvimento infantil sobre os quais há consenso?

- Há consenso sobre pontos importantes: (1) a inter-relação dos domínios do desenvolvimento; (2) a existência de uma ampla gama de diferenças individuais; (3) a bidirecionalidade da influência; (4) a importância da história e da cultura; (5) o potencial de resiliência das crianças; e (6) a continuidade do desenvolvimento por toda a vida.

*Capítulo* **2**

## Sumário

Questões teóricas básicas

Perspectivas teóricas

Métodos de pesquisa

Ética da pesquisa

## Você sabia que...

▶ As teorias nunca são "cláusulas pétreas"; estão sempre abertas à mudança como resultado de novas descobertas?

▶ As crianças moldam o seu mundo enquanto o mundo as vai moldando?

▶ A pesquisa transcultural nos permite determinar quais aspectos do desenvolvimento são universais e quais são influenciados pela cultura?

*Neste capítulo, apresentamos uma visão geral das principais teorias do desenvolvimento humano e dos métodos de pesquisa usados para estudá-lo. Na primeira parte do capítulo, apresentamos questões importantes e perspectivas teóricas que fundamentam muitas pesquisas sobre o desenvolvimento infantil. No restante do capítulo, observamos como os pesquisadores reúnem e avaliam informações para que, à medida que avançar na leitura deste livro, você seja capaz de julgar melhor se as descobertas e as conclusões das pesquisas se fundamentam em bases sólidas.*

# O mundo da criança: como nós o descobrimos

> A frase mais emocionante que se pode ouvir na ciência, aquela que anuncia as novas descobertas, não é "Eureka", e sim "Isto é engraçado..."
>
> – Isaac Asimov

## Guia de estudo

1. Para que servem as teorias, e quais são as duas questões teóricas básicas sobre as quais discordam os cientistas do desenvolvimento?
2. Quais são as cinco perspectivas teóricas sobre o desenvolvimento infantil e quais são algumas teorias representativas de cada uma delas?
3. Como os cientistas do desenvolvimento estudam as crianças e quais são as vantagens e as desvantagens de cada método de pesquisa?
4. Quais são os problemas éticos que podem surgir na pesquisa com crianças?

## Guia de estudo 1

Para que servem as teorias, e quais são as duas questões teóricas básicas sobre as quais discordam os cientistas do desenvolvimento?

**teoria**
Conjunto coerente de conceitos logicamente relacionados que procura organizar, explicar e predizer dados.

**hipóteses**
Possíveis explicações para os fenômenos usadas para prever o resultado da pesquisa.

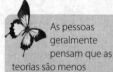

As pessoas geralmente pensam que as teorias são menos fundamentadas que as leis, mas, em termos científicos, o oposto é verdadeiro. Leis são observações sem explicação. Teorias, em contrapartida, são observações e explicações. Portanto, as teorias têm mais fundamento, e não menos.

# Questões teóricas básicas

Quando Ahmed terminou o ensino médio com menção honrosa em matemática e ciências, seu pai, um engenheiro de alto nível, sorriu e disse: "A maçã não cai longe da árvore".

Declarações como essa, que abundam na vida cotidiana, são teorias informais, ou intuitivas, sobre os porquês das crianças se desenvolverem da forma como se desenvolvem. Os cientistas têm teorias formais sobre o desenvolvimento humano. Diferentemente das teorias informais dos leigos, as teorias científicas não são secas, abstratas nem esotéricas. Os cientistas lidam com a substância da vida real.

Uma **teoria** científica é um conjunto de conceitos ou enunciados logicamente relacionados que procura descrever e explicar o desenvolvimento e prever os tipos de comportamento que poderiam ocorrer em certas condições. Teorias organizam e explicam os *dados*, que são as informações reunidas pela pesquisa. Assim como a pesquisa minuciosa faz crescer, pouco a pouco, o conhecimento, os conceitos teóricos nos ajudam a dar sentido aos dados isolados e a ver conexões entre eles.

Teoria e pesquisa são como fios entrelaçados no tecido sem costuras do estudo científico. Teorias inspiram mais pesquisas e preveem seus resultados. Isso é feito pela geração de **hipóteses**, explicações provisórias ou previsões que podem ser testadas por futuras pesquisas. A pesquisa pode indicar se uma teoria é precisa em suas predições, mas não pode mostrar conclusivamente se uma teoria é verdadeira. Teorias podem ser refutadas, mas nunca provadas. Teorias mudam para incorporar novas descobertas. Às vezes, a pesquisa apoia uma hipótese e a teoria sobre a qual ela se baseava. Em outras oportunidades, os cientistas devem modificar suas teorias para dar conta de dados não esperados. As descobertas feitas durante as pesquisas geralmente sugerem hipóteses adicionais a serem examinadas e fornecem orientações para as questões práticas.

Uma teoria baseia-se em certos pressupostos, que podem ou não ser verdadeiros. Por exemplo, a teoria da evolução de Charles Darwin, que precedeu a moderna biologia celular, assumiu que todas as formas de vida evoluíram a partir de um único antepassado – um pressuposto que vem sendo desafiado pela pesquisa evolutiva mais recente (Liu, 2006; Woese, 1998). De maneira alternativa, apesar do fato de o trabalho inovador de Gregor Mendel sobre genética ainda não ter sido descoberto pela comunidade científica, a teoria de Darwin exigia uma explicação para a forma como algumas características podem ser transmitidas aos descendentes. Na época em que Darwin desenvolveu sua teoria, essa explicação ainda não existia. Darwin supôs, logicamente, que tal processo deveria existir, e esse aspecto do seu trabalho foi mais tarde confirmado.

A ciência do desenvolvimento não pode ser completamente objetiva. Teorias e pesquisas sobre o comportamento humano são produtos de indivíduos humanos, cujas indagações e interpretações são inevitavelmente influenciadas por seus próprios valores e experiência. Ao se esforçarem na busca por objetividade, os pesquisadores devem analisar como eles e seus colegas conduzem o trabalho, as suposições em que se baseiam e como chegam às suas conclusões.

Neste livro examinamos muitas teorias, várias delas conflitantes. Ao avaliá-las, é importante estar consciente de que elas refletem as perspectivas dos seres humanos que deram origem a elas. O modo como os teóricos explicam o desenvolvimento depende, em parte, de seus pressupostos sobre duas questões básicas: (1) se as crianças são ativas ou reativas em seu próprio desenvolvimento, e (2) se o desenvolvimento é contínuo ou ocorre em estágios. Uma terceira questão, se o desenvolvimento é mais influenciado pela hereditariedade ou pelo ambiente, foi introduzida no Capítulo 1 e será discutida mais detalhadamente no Capítulo 3.

# Questão 1: o desenvolvimento é ativo ou reativo?

Sob muitos aspectos, a psicologia é fruto da filosofia, e, de fato, os filósofos têm-se confrontado frequentemente com questões da psicologia e do desenvolvimento. Como exatamente as crianças aprendem? O que acontece durante esse processo?

Têm existido várias perspectivas em relação a essas questões. Por exemplo, o filósofo inglês do século XVIII John Locke acreditava que uma criança pequena era uma *tabula rasa* – um "quadro em branco" – em que a sociedade "escrevia". A maneira como a criança se desenvolvia, de forma positiva ou negativa, dependia inteiramente de experiências. Em contrapartida, o filósofo francês Jean-Jacques Rousseau acreditava que as crianças nasciam como "bons selvagens" que se desenvolviam de acordo com suas próprias tendências naturais positivas, se não fossem corrompidas pela sociedade. Esse debate continua a ser importante hoje, embora tenha evoluído para o que entendemos atualmente. Em termos modernos, falamos de hereditariedade e de influências ambientais. Introduzimos essa questão no Capítulo 1 e vamos analisá-la de forma mais detalhada no Capítulo 3.

Há mais debates filosóficos sobre o desenvolvimento, e as mesmas questões básicas discutidas pelos filósofos apoiam as teorias clássicas e contemporâneas que os psicólogos usam para descobrir o sentido do desenvolvimento. Nesta seção, abordamos o debate sobre desenvolvimento ativo e reativo. Os psicólogos que acreditam no desenvolvimento reativo consideram a criança em desenvolvimento como uma esponja seca que absorve experiências e é moldada por elas ao longo do tempo. Os psicólogos que acreditam no desenvolvimento ativo argumentam que os indivíduos procuram criar experiências para si mesmos e estão motivados a aprender sobre o mundo que os rodeia. As coisas não estão apenas lhes acontecendo, eles também estão envolvidos em sua transformação.

> Lembra-se dos personagens Calvin e Haroldo (Hobbes nas tirinhas em inglês) das histórias em quadrinhos? Os nomes dos dois personagens principais foram inspirados em filósofos que especularam sobre a nossa natureza essencial.

> Essas questões também se aplicam ao mundo real. Por exemplo, se você acredita no valor de programas como o Head Start, isso implica que você acredita no poder das influências ambientais. Se considera que esses programas não valem um investimento financeiro, isso quer dizer que para você a hereditariedade é mais importante. Em que você acredita?

**Modelo mecanicista**   O debate em torno das filosofias de Locke e de Rousseau levou a dois modelos, ou imagens, contrastantes do desenvolvimento: o mecanicista e o organicista. A visão de Locke foi precursora do **modelo mecanicista**. Nesse modelo, as pessoas são como máquinas que reagem a estímulos ambientais (Pepper, 1942, 1961). Uma máquina é a soma de suas partes. Para entendê-la, podemos desmontá-la em seus menores componentes e depois montá-la novamente.

Máquinas não funcionam sozinhas; reagem automaticamente e passivamente a forças físicas ou a entrada de dados. Encha o tanque do carro com gasolina, ligue a chave de ignição, pressione o acelerador e o carro irá se movimentar. Na visão mecanicista, o comportamento humano é a mesma coisa: resulta da operação de partes biológicas em resposta a estímulos externos ou internos. Se soubermos o suficiente sobre como a "máquina" humana é montada e conhecermos as forças que agem sobre ela, poderemos prever o que uma pessoa fará.

A pesquisa mecanicista procura identificar os fatores que fazem os indivíduos se comportarem do modo como se comportam. Por exemplo, ao tentar explicar por que alguns estudantes universitários ingerem tanta bebida alcoólica, um teórico mecanicista poderá identificar influências ambientais, como a propaganda, e se os amigos do estudante bebem muito.

**Modelo organicista**   Rousseau foi o precursor do **modelo organicista**. Esse modelo entende as crianças como organismos ativos em crescimento que põem em marcha seu próprio desenvolvimento (Pepper, 1942, 1961). Elas iniciam eventos, e não apenas reagem. Assim, a força que impulsiona a mudança é interna. Influências ambientais não *causam* o desenvolvimento, embora possam acelerá-lo ou desacelerá-lo. Como o comportamento humano é visto como um todo orgânico, não pode ser previsto subdividindo-o em respostas simples ao estímulo ambiental. Por exemplo, o significado de uma relação familiar está além de tudo o que possa ser aprendido por meio do estudo de indivíduos que compõem a família e das suas interações cotidianas. Um teórico organicista, ao estudar por que alguns estudantes universitários bebem excessivamente, provavelmente voltaria sua atenção para os tipos de situações em que eles escolhem participar, e com quem. Eles escolhem amigos que preferem ir a festas ou que preferem estudar?

Para os organicistas, o desenvolvimento tem uma estrutura subjacente e ordenada, embora possa não ser óbvia de um momento para o outro. Assim como um óvulo fertilizado se desenvolve em um embrião

**modelo mecanicista**
Modelo que vê o desenvolvimento humano como uma série de respostas previsíveis a estímulos.

**modelo organicista**
Modelo que vê o desenvolvimento humano como algo iniciado internamente por um organismo ativo e que ocorre em uma sequência de etapas qualitativamente diferentes.

▶ **Verificador**
   você é capaz de...

- Explicar as relações entre teorias, hipóteses e pesquisa?
- Discutir duas questões relativas ao desenvolvimento infantil?
- Diferenciar os modelos mecanicista e organicista?
- Comparar mudança quantitativa e qualitativa e dar um exemplo de cada?

e depois em um feto, ele passa por uma série de mudanças qualitativas que não são previsíveis a partir do que veio antes. Protuberâncias na cabeça tornam-se olhos, ouvidos, boca e nariz. O cérebro começa a coordenar a respiração, a digestão e a eliminação. Formam-se os órgãos sexuais. Do mesmo modo, os organicistas descrevem o desenvolvimento após o nascimento como uma sequência progressiva de estágios em direção à plena maturação.

## Questão 2: o desenvolvimento é contínuo ou descontínuo?

Os modelos mecanicista e organicista também diferem na segunda questão: o desenvolvimento é *contínuo*, isto é, gradual e cumulativo, ou *descontínuo*, isto é, abrupto ou irregular? Os teóricos mecanicistas veem o desenvolvimento como contínuo: ocorre em pequenas etapas progressivas (Fig. 2.1a). O desenvolvimento é sempre regido pelos mesmos processos e envolve o refinamento e a extensão gradual das primeiras habilidades em habilidades posteriores, permitindo que se possam fazer previsões sobre características futuras, com base no desempenho passado. Esse tipo de mudança é conhecido como **mudança quantitativa** – uma mudança de número ou de quantidade, como altura, peso ou tamanho do vocabulário. A característica principal da mudança quantitativa é a de que se está medindo basicamente a mesma coisa ao longo do tempo, mesmo que seja mais ou menos dela.

Os teóricos organicistas consideram que o desenvolvimento é descontínuo, como se fosse marcado pela emergência de novos fenômenos que não podem ser previstos com facilidade com base no funcionamento anterior. O desenvolvimento, em diferentes alturas do ciclo de vida é, sob esse ponto de vista, fundamentalmente diferente em sua natureza – e não apenas mais ou menos a mesma coisa. É uma mudança de tipo, estrutura ou organização, e não apenas em número. Esse tipo de mudança é conhecido como **mudança qualitativa**.

Os teóricos organicistas propõem algo que é chamado de *teorias dos estágios*. Nessa abordagem, o desenvolvimento é visto como algo que ocorre em uma série de estágios distintos, como os degraus de uma escada (Fig. 2.1b). Em cada estágio, o que está acontecendo é fundamentalmente diferente do que aconteceu no estágio anterior. Cada estágio baseia-se no anterior e prepara o caminho para o seguinte. Assim, um estágio não pode ser ignorado, e o desenvolvimento só ocorre em uma direção positiva. Além disso, acredita-se que esses processos são universais e representam o desenvolvimento de todos os seres humanos em todos os lugares, embora o momento preciso seja variável.

> Tenha cuidado aqui. Se procurar no Google por "quantitativo" e "qualitativo", é provável que encontre páginas na *web* que tratam de estatísticas quantitativas e qualitativas, e não de mudança. Embora esses conceitos estejam de alguma forma relacionados, não são a mesma coisa.

# Perspectivas teóricas

As teorias, em geral, podem ser caracterizadas como mecanicistas ou organicistas e descrevem a mudança como contínua ou descontínua, mesmo que essas convicções não sejam diretamente afirmadas. Entretanto, todas as teorias do desenvolvimento têm suposições implícitas que fundamentam sua abordagem. Essas perspectivas influenciam as perguntas feitas pelos pesquisadores, os métodos que eles usam e o modo como interpretam os dados. Portanto, para avaliar e interpretar a pesquisa é importante reconhecer a perspectiva teórica em que ela se baseia.

Cinco grandes perspectivas sustentam boa parte das teorias influentes e da pesquisa sobre o desenvolvimento infantil: (1) psicanalítica, que se concentra nas emoções e nos impulsos inconscientes; (2) aprendizagem, que estuda o comportamento observável; (3) cognitiva, que analisa os processos do pensamento; (4) contextual, que enfatiza o impacto do contexto histórico, social e cultural; e (5) evolucionista/sociobiológica, que considera as bases evolucionistas e biológicas do comportamento. Apresentamos, a seguir, uma visão geral das proposições básicas, métodos e ênfase causal de cada uma dessas perspectivas e alguns de seus principais teóricos. As teorias estão resumidas no Quadro 2.1 e serão citadas ao longo deste livro.

## Perspectiva 1: psicanalítica

Sigmund Freud (1856-1939) foi um médico vienense que teve uma influência profunda no campo da psicologia. Foi o criador da **perspectiva psicanalítica** e acreditava no desenvolvimento reativo, bem como nas mudanças qualitativas ao longo do tempo. Freud propôs que os seres humanos nasciam com uma série de impulsos inatos, de base biológica, como fome, sexo e agressão. Pensava que as pessoas estavam altamente motivadas à satisfação dos seus desejos e que muito do desenvolvimento envolvia a aprendizagem sobre como satisfazer seus desejos de forma socialmente aceitável. Para além dessas

---

**mudança quantitativa**
Mudança em número ou quantidade, como em altura, peso ou tamanho do vocabulário.

**mudança qualitativa**
Mudança de tipo, estrutura ou organização, como a mudança da comunicação não verbal para a verbal.

> Mudança quantitativa é como contar maçãs; há mais ou menos maçãs, mas são todas maçãs. Mudança qualitativa é como comparar maçãs e laranjas.

**Guia de estudo 2**
Quais são as cinco perspectivas teóricas sobre o desenvolvimento infantil e quais são algumas teorias representativas de cada uma delas?

**perspectiva psicanalítica**
Visão do desenvolvimento humano como moldado por forças inconscientes.

(a) Continuidade

(b) Teoria dos estágios (descontinuidade)

**FIGURA 2.1**
Mudança quantitativa e qualitativa.
*Uma diferença importante entre as teorias do desenvolvimento é (a) se ocorre de modo contínuo, como os teóricos da aprendizagem e os do processamento de informação propõem ou (b) se o desenvolvimento ocorre em estágios distintos, como Freud, Erikson e Piaget sustentaram.*

influências de base biológica, Freud também acreditava que as experiências iniciais moldavam o funcionamento posterior e, assim, chamou a atenção para a infância como um importante precursor do comportamento do adulto. Isso nos parece óbvio agora, mas, na época em que ele desenvolveu as teorias, a maioria dos psicólogos não admitia a infância como um período de formação durante a vida. Freud também acreditava e promovia a ideia de que havia uma grande área escondida da nossa psique, e o que sabemos conscientemente e experienciamos é apenas a pequena ponta do *iceberg* que somos. Apresentamos, a seguir, um resumo da teoria do desenvolvimento psicossexual de Freud. Outros teóricos, entre eles Erik H. Erikson, que discutiremos em seguida, ampliaram e modificaram a teoria de Freud.

**Sigmund Freud: desenvolvimento psicossexual** Freud (1953, 1964a, 1964b) acreditava que as pessoas nascem com mecanismos que devem ser redirecionados para tornar possível a vida em sociedade. Propôs três partes hipotéticas da personalidade: *id, ego* e *superego*. Os recém-nascidos são governados pelo *id,* que opera sob o princípio do prazer – o impulso que busca satisfação imediata de suas necessidades e desejos. Quando a gratificação é adiada, como acontece quando os bebês precisam esperar para serem alimentados, eles começam a ver a si próprios como separados do mundo externo. O *ego,* que representa a razão, desenvolve-se gradualmente durante o primeiro ano de vida e opera sob o princípio da realidade. O objetivo do ego é encontrar maneiras realistas de gratificar o *id* que sejam aceitáveis para o superego, o qual se desenvolve por volta dos 5 ou 6 anos. O *superego* inclui a consciência e incorpora ao sistema de valores da criança "deveres" e "proibições" socialmente aprovados. O superego é altamente exigente; se os seus padrões não forem satisfeitos, a criança pode sentir-se culpada e ansiosa. O ego intermedeia os impulsos do *id* e as demandas do superego.

Freud propôs que a personalidade se forma por meio de conflitos inconscientes entre os impulsos inatos do *id* e as exigências da vida civilizada. Esses conflitos ocorrem em uma sequência invariável de cinco estágios baseados na maturação do **desenvolvimento psicossexual** (Quadro 2.2), em que a gratificação sexual se desloca de uma zona corporal para outra – da boca para o ânus e depois para os órgãos genitais. Em cada estágio, o comportamento, que é a principal fonte de gratificação (ou de frustração), modifica-se – da alimentação para a eliminação e, finalmente, para a atividade sexual.

Freud considerava os três primeiros estágios – aqueles relativos aos primeiros anos de vida – cruciais para o desenvolvimento da personalidade. Segundo o teórico, se as crianças receberem pouca ou muita gratificação em qualquer uma dessas fases, correrão o risco de desenvolverem *fixação* – uma interrupção no desenvolvimento que pode aparecer na personalidade adulta. Por exemplo, bebês cujas necessidades não são satisfeitas durante o *estágio oral,* quando a alimentação é a principal fonte de prazer sensual, poderão, na idade adulta, ter o hábito de roer as unhas, fumar ou desenvolver personalidades agressivamente críticas. Uma pessoa que, na primeira infância, teve um treinamento higiênico muito rígido, pode fixar-se no *estágio anal,* quando a principal fonte de prazer era o movimento dos intestinos. Essa pessoa poderá ter obsessão por limpeza, ser rigidamente ligada a horários e rotinas ou mesmo tornar-se provocadoramente desleixada.

De acordo com Freud, um evento fundamental do desenvolvimento psicossexual ocorre no *estágio fálico* da segunda infância. Os meninos desenvolvem apegos sexuais às mães, e as meninas, aos pais, ao mesmo tempo que apresentam impulsos agressivos pelo genitor do mesmo sexo, a quem eles consideram como um rival. Freud chamou esses desenvolvimentos de *complexo de Édipo e de Electra.* As me-

Embora não seja seu significado original, uma maneira fácil de lembrar o que quer o *id* é lembrar-se dos "desejos instintivos".

**desenvolvimento psicossexual**
Na teoria freudiana, uma sequência invariável de estágios do desenvolvimento da personalidade na infância, quando a gratificação se desloca da boca para o ânus e depois para os genitais.

# QUADRO 2.1    Cinco perspectivas sobre o desenvolvimento humano

| Perspectiva | Teorias importantes | Princípios básicos | Orientada por estágios | Ênfase causal | Indivíduo ativo ou reativo |
|---|---|---|---|---|---|
| **Psicanalítica** | Teoria psicossexual de Freud | O comportamento é controlado por poderosos impulsos inconscientes. | Sim | Fatores inatos modificados pela experiência | Reativo |
| | Teoria psicossocial de Erikson | A personalidade é influenciada pela sociedade e se desenvolve por meio de uma série de crises. | | Interação de fatores inatos e experienciais | Ativo |
| **Aprendizagem** | Behaviorismo, ou teoria tradicional da aprendizagem (Pavlov, Skinner, Watson) | As pessoas são reativas; o ambiente controla o comportamento. | Não | Experiência | Reativo |
| | Teoria da aprendizagem social (social cognitiva) (Bandura) | As crianças aprendem em um contexto social por meio da observação e imitação de modelos; contribuem ativamente para a aprendizagem. | | Experiência modificada por fatores inatos | Ativo e reativo |
| **Cognitiva** | Teoria dos estágios cognitivos de Piaget | Mudanças qualitativas no pensamento ocorrem entre a primeira infância e a adolescência. As crianças desencadeiam ativamente o desenvolvimento. | Sim | Interação de fatores inatos e experienciais | Ativo |
| | Teoria sociocultural de Vygotsky | A interação social é central para o desenvolvimento cognitivo. | Não | Experiência | |
| | Teoria do processamento de informação | Seres humanos são processadores de símbolos. | Não | Interação de fatores inatos e experienciais | |
| **Contextual** | Teoria bioecológica de Bronfenbrenner | O desenvolvimento ocorre por meio da interação entre uma pessoa em desenvolvimento e cinco sistemas contextuais de influências circundantes, interligados, do microssistema ao cronossistema. | Não | Interação de fatores inatos e experienciais | Ativo |
| **Evolucionista/ sociobiológica** | Psicologia evolucionista<br><br>Teoria do apego de Bowlby | Seres humanos são o produto de processos adaptativos; as bases evolucionistas e biológicas do comportamento e a predisposição para a aprendizagem são importantes. | Não | Interação de fatores inatos e experienciais | Ativo e reativo (teóricos variam) |

ninas, de acordo com Freud, vivenciam a *inveja do pênis*, o desejo reprimido de ter um pênis e o poder que ele representa.

As crianças acabam por resolver sua ansiedade em relação a esses sentimentos identificando-se com o genitor do mesmo sexo e passam para o *estágio de latência* da terceira infância, um período de relativa tranquilidade emocional e intelectual e de exploração social. Elas redirecionam suas energias sexuais para outras atividades, como trabalhos escolares, desenvolvimento de habilidades, relacionamentos e passatempos.

O *estágio genital*, o último, estende-se até a idade adulta. Os impulsos sexuais reprimidos durante a idade latente ressurgem para fluir em canais socialmente aprovados, os quais foram definidos por Freud como relações heterossexuais com pessoas que não pertencem à família de origem.

A teoria de Freud fez contribuições históricas e inspirou toda uma geração de seguidores, alguns dos quais levaram a teoria psicanalítica para novas direções. Algumas das ideias de Freud, como suas noções sobre a crise de Édipo e a inveja do pênis, hoje são consideradas obsoletas. Outras, como os conceitos de *id* e superego, não podem ser cientificamente testadas. Embora Freud tivesse aberto nossos olhos para a importância dos primeiros impulsos sexuais, atualmente muitos psicanalistas rejeitam essa ênfase nos impulsos sexuais e agressivos em detrimento de outras motivações. No entanto, vários de seus temas centrais "resistiram ao teste do tempo" (Westen, 1998, p. 334). Freud nos fez perceber a importância dos pensamentos, sentimentos e motivações inconscientes; o papel das experiências infantis na formação da personalidade; a ambivalência das respostas emocionais, especialmente as respostas aos pais; o papel das representações mentais do *self* e dos outros no estabelecimento das relações íntimas; e o curso do desenvolvimento normal partindo de um estado imaturo e dependente para um estado maduro e independente. Freud deixou uma marca indelével na psicanálise e na psicologia do desenvolvimento (Gedo, 2001; Westen, 1998).

*O médico vienense Sigmund Freud desenvolveu uma teoria influente, mas controversa, sobre o desenvolvimento emocional da criança.*

Precisamos lembrar que a teoria de Freud surgiu em um momento específico da história e em uma determinada sociedade. Freud baseou suas teorias sobre desenvolvimento normal não em uma população média de crianças, mas em uma clientela de adultos de classe média alta, a maioria mulheres, em situação de terapia. Sua ênfase na influência dos impulsos sexuais e nas primeiras experiências não levou em conta outras influências posteriores sobre a personalidade – incluindo as influências da sociedade e da cultura, destacadas por muitos dos herdeiros da tradição freudiana, como é o caso de Erik Erikson.

**Erik Erikson: desenvolvimento psicossocial** Erik Erikson (1902-1994), psicanalista alemão que originalmente fez parte do círculo de Freud em Viena, modificou e ampliou a teoria freudiana, enfatizando a influência da sociedade no desenvolvimento da personalidade. Erikson foi também pioneiro ao assumir a perspectiva do ciclo de vida. Enquanto Freud sustentava que as primeiras experiências na infância moldavam permanentemente a personalidade, Erikson afirmava que o desenvolvimento do ego se estende por toda a vida. Note que os dois teóricos acreditavam na mudança qualitativa, pois propuseram teorias de estágio.

A teoria do **desenvolvimento psicossocial** de Erikson (1950, 1982; Erikson, Erikson, & Kivnick, 1986) abrange oito estágios ao longo do ciclo de vida (Quadro 2.2), e discutiremos os cinco primeiros estágios nos capítulos apropriados. Cada estágio envolve aquilo que Erikson originalmente chamou de "crise" na personalidade – um grande tema psicossocial, particularmente importante naquele momento e que até certo ponto continuará sendo um tema pelo resto da vida.[1] Essas questões, que emergem segundo um cronograma maturacional, devem ser satisfatoriamente resolvidas para o desenvolvimento de um ego saudável.

Cada estágio requer o equilíbrio entre um traço positivo e um traço negativo correspondente. Embora a qualidade positiva deva ser predominante, também é necessário algum grau da qualidade negativa para um desenvolvimento ideal. O tema crítico da infância, por exemplo, é *confiança básica* versus *desconfiança básica*. É preciso confiar no mundo e nas pessoas, mas também é preciso um pouco de desconfiança para se proteger do perigo. A resposta bem-sucedida de cada estágio é o desenvolvimento de uma "virtude" ou força particular – nesse primeiro estágio, a virtude da *esperança*. A resolução de crises ou conflitos posteriores depende da resolução alcançada nos estágios anteriores. Em outras palavras, a resolução bem-sucedida de uma crise coloca a criança em uma posição especialmente boa para lidar com a próxima crise, um processo que ocorre de forma repetida durante toda a vida. Assim, por exemplo, uma criança que desenvolveu com sucesso o sentimento de confiança na infância estaria bem preparada para o desenvolvimento de um senso de autonomia – o segundo desafio psicossocial – na primeira infância. Afinal de contas, se sentir que outros a apoiam, é mais provável que tente desenvolver as suas capacidades porque sabe que eles estarão presentes para confortá-la se falhar.

A teoria de Erikson é importante devido a sua ênfase nas influências sociais e culturais e no desenvolvimento para além da adolescência. Talvez ele seja mais conhecido pelo seu conceito de *crise de identidade* (ver Cap. 17), que tem produzido muita pesquisa e debates públicos.

**desenvolvimento psicossocial**
Na teoria dos oito estágios de Erikson, o processo de desenvolvimento do ego, ou *self*, é influenciado por fatores sociais e culturais.

**Verificador**
você é capaz de...
- Identificar o foco principal da perspectiva psicanalítica?
- Citar os cinco estágios do desenvolvimento e as três partes da personalidade, segundo Freud?
- Explicar as diferenças entre a teoria de Erikson e a de Freud e listar os seus oito estágios?

---

[1] Erikson ampliou o conceito de "crise" e mais tarde utilizou o termo "conflito" ou "tendências competitivas".

**PARTE I** • Apresentação ao mundo da criança

**QUADRO 2.2** Estágios de desenvolvimento segundo diversas teorias

| Estágios psicossexuais (Freud) | Estágios psicossociais (Erikson) | Estágios cognitivos (Piaget) |
|---|---|---|
| *Oral* (*nascimento aos 12-18 meses*). A principal fonte de prazer do bebê envolve atividades ligadas à boca (sugar e alimentar-se). | *Confiança básica* versus *desconfiança* (*nascimento aos 12-18 meses*). O bebê desenvolve o senso de perceber se o mundo é um lugar bom e seguro. Virtude: esperança. | *Sensório-motor* (*nascimento aos 2 anos*). A criança aos poucos torna-se capaz de organizar atividades em relação ao ambiente, mediante a atividade sensorial e motora. |
| *Anal* (*12-18 meses aos 3 anos*). A criança obtém gratificação sensual retendo e expelindo as fezes. A zona de gratificação é a região anal, e o treinamento para o uso do toalete é importante. | *Autonomia* versus *vergonha e dúvida* (*12-18 meses aos 3 anos*). A criança desenvolve um equilíbrio de independência e autossuficiência em relação à vergonha e à dúvida. Virtude: vontade. | *Pré-operatório* (*2-7 anos*). A criança desenvolve um sistema representacional e utiliza símbolos para representar pessoas, lugares e eventos. A linguagem e o jogo imaginativo são importantes manifestações desse estágio. O pensamento ainda não é lógico. |
| *Fálico* (*3-6 anos*). A criança se apega ao genitor do sexo oposto e, posteriormente, se identifica com o genitor do mesmo sexo. O superego se desenvolve. A zona de gratificação transfere-se para a região genital. | *Iniciativa* versus *culpa* (*3-6 anos*). A criança desenvolve a iniciativa quando experimenta novas atividades e não é dominada pela culpa. Virtude: propósito. | |
| *De latência* (*6 anos à puberdade*). Época de relativa calma entre fases mais turbulentas. | *Produtividade* versus *inferioridade* (*6 anos à puberdade*). A criança deve aprender as habilidades da cultura ou enfrentar sentimentos de incompetência. Virtude: habilidade. | *Operatório-concreto* (*7-11 anos*). A criança pode resolver problemas logicamente se eles estiverem focados no aqui e agora, mas não consegue pensar de forma abstrata. |
| *Genital* (*puberdade à idade adulta*). Ressurgimento dos impulsos sexuais da fase fálica, canalizados na sexualidade adulta madura. | *Identidade* versus *confusão de identidade* (*puberdade ao adulto jovem*). O adolescente deve determinar seu próprio senso de *self* ("Quem sou eu?") ou experimentar uma confusão de papéis. Virtude: fidelidade. | *Operatório-formal* (*11 anos à idade adulta*). A pessoa consegue pensar de forma abstrata, lidar com situações hipotéticas e pensar sobre possibilidades. |
| | *Intimidade* versus *isolamento* (*adulto jovem*). A pessoa procura estabelecer compromissos com os outros; se não for bem-sucedida, poderá sofrer isolamento e autoabsorção. Virtude: amor. | |
| | *Generatividade* versus *estagnação* (*vida adulta intermediária*). O adulto maduro preocupa-se em estabelecer e orientar a próxima geração, ou então sente um empobrecimento pessoal. Virtude: cuidado. | |
| | *Integridade* versus *desespero* (*vida adulta tardia*). O idoso alcança a aceitação da própria vida, o que favorece a aceitação da morte, ou então se desespera com a incapacidade de reviver a vida. Virtude: sabedoria. | |

Nota: Todas as idades são aproximadas.

## Perspectiva 2: aprendizagem

**perspectiva da aprendizagem**
Visão do desenvolvimento humano na qual se acredita que as mudanças no comportamento resultam da experiência.

A **perspectiva da aprendizagem** sustenta que o desenvolvimento resulta da *aprendizagem*, uma mudança duradoura no comportamento baseada na experiência ou adaptação ao ambiente. Os teóricos da aprendizagem procuram descobrir leis objetivas que governam as mudanças no comportamento observável. Consideram o desenvolvimento algo contínuo (não em estágios) e enfatizam a mudança quantitativa.

Os teóricos da aprendizagem ajudaram a tornar o estudo do desenvolvimento humano mais científico ao focarem em comportamentos observáveis e quantificáveis. Seus termos são definidos com precisão, e suas teorias podem ser testadas em laboratório. Duas importantes teorias da aprendizagem são o *behaviorismo* e a *teoria da aprendizagem social (social cognitiva)*.

**behaviorismo**
Teoria da aprendizagem que enfatiza o papel previsível do ambiente como causa do comportamento observável.

**Teoria da aprendizagem 1: Behaviorismo**  O **behaviorismo** é uma teoria mecanicista que descreve o comportamento observado como uma resposta previsível à experiência. Assim, os behavioristas consideram o desenvolvimento como reativo e contínuo. Embora a biologia estabeleça limites para o que as pessoas podem fazer, os behavioristas consideram a influência do ambiente muito maior. Eles sustentam que os seres humanos, em todas as idades, aprendem sobre o mundo do mesmo modo que os outros organismos: reagindo a condições ou aspectos do ambiente que consideram agradáveis, dolorosos ou ameaçadores. Além disso, argumentam que a aprendizagem ocorre durante o ciclo de vida. Os processos que governam a forma como você aprende a andar são muito semelhantes aos que comandam o aparecimento da linguagem. A pesquisa behaviorista concentra-se na *aprendizagem associativa*, quando um vínculo mental é formado entre dois eventos. Os dois tipos de aprendizagem associativa são o *condicionamento clássico* e o *condicionamento operante*.

***Condicionamento clássico***   Enquanto estudava o papel da saliva no processo digestivo dos cães, o fisiologista russo Ivan Pavlov (1849-1936) detectou um fenômeno que chamou de "reflexos físicos". Pavlov apresentava aos cães carne moída e, em seguida, recolhia a sua saliva. Pavlov notou que os cães começavam a salivar quando viam os tratadores ou quando ouviam os ruídos (cliques) produzidos pelo dispositivo que distribuía a carne moída, antes de ela ser apresentada. Pavlov tentou associar a carne moída a vários estímulos, como o toque de um sino, e os cães passaram a salivar assim que ouviam o sino que tocava na hora da alimentação. Esses experimentos formaram a base do **condicionamento clássico**, segundo o qual uma resposta (salivação) a um estímulo (sino) se inicia após repetidas associações a um estímulo que normalmente elicia a resposta (comida).

*O psicanalista Erik H. Erikson distanciou-se da teoria freudiana, enfatizando as influências sociais em detrimento principalmente das influências biológicas na personalidade.*

O behaviorista norte-americano John B. Watson (1878-1958) aplicou essas teorias de estímulo-resposta a crianças, alegando que poderia moldar qualquer bebê do jeito que quisesse. Seus escritos influenciaram toda uma geração de pais a aplicar os princípios da teoria da aprendizagem à criação dos filhos. Em uma das primeiras e mais conhecidas demonstrações de condicionamento clássico em seres humanos (Watson e Rayner, 1920), Watson ensinou um bebê de 11 meses, conhecido como "Pequeno Albert", a ter medo de um rato branco peludo (Watson & Rayner, 1920).

Nesse estudo, Albert foi exposto a um barulho intenso quando começou a golpear o rato. Assustado com o barulho, ele começou a chorar. Depois de vários pareamentos do rato com o barulho, Albert choramingava de medo quando via o rato. Albert também começou a apresentar respostas de medo a coelhos e gatos brancos e à barba de homens mais velhos. Embora o estudo tivesse falhas metodológicas e nos dias de hoje seria considerado altamente antiético, sugeriu que um bebê podia ser condicionado a ter medo de algo que antes ele não temera.

O condicionamento clássico ocorre durante a vida toda. As preferências e aversões a determinados alimentos podem ser resultado da aprendizagem condicionada. Respostas de medo a objetos como carros ou cães podem ter origem em um acidente ou uma experiência ruim.

**condicionamento clássico**
Aprendizagem baseada na associação de um estímulo que normalmente não elicia uma resposta com outro estímulo que elicia a resposta.

Originalmente, Pavlov estudava as enzimas salivares dos cães. Ele colocava um prato com carne na frente deles para que pudesse lhes coletar a saliva. Fez sua descoberta inovadora quando percebeu que os cães estavam salivando antes que a carne lhes fosse apresentada.

Você pode considerar o condicionamento clássico como o antes – o que acontece para provocar uma resposta. Pode considerar o condicionamento operante como o depois – o que acontece depois de ocorrer uma resposta que molda a probabilidade de ela acontecer novamente.

***Condicionamento operante***   Angel repousa em seu berço. Quando ele começa a balbuciar ("ma-ma-ma"), a mãe sorri e repete as sílabas. Angel aprende que seu comportamento (balbucio) pode produzir uma consequência desejável (a atenção carinhosa de um dos pais) e, assim, ele continua balbuciando para atrair a atenção da mãe. Um comportamento originalmente acidental (balbucio) tornou-se uma resposta condicionada.

O hábito do McDonald's de colocar *playgrounds* em alguns de seus restaurantes é uma tentativa de condicionar as crianças a formar associações positivas que podem afetar o comportamento do consumidor mais tarde.

Esse tipo de aprendizagem chama-se **condicionamento operante** porque o indivíduo aprende com as consequências de sua "operação" sobre o ambiente. Diferentemente do condicionamento clássico, o condicionamento operante envolve comportamento voluntário, como o balbucio de Angel, e envolve as consequências, e não os preditores, do comportamento.

O psicólogo norte-americano B. F. Skinner (1904-1990), que formulou os princípios do condicionamento operante, trabalhou principalmente com ratos e pombos, mas sustentava (1938) que esses princípios aplicavam-se também aos seres humanos Ele descobriu que um organismo tenderá a repetir uma resposta que foi reforçada por consequências desejáveis e suprimirá uma resposta que foi punida. Assim, **reforço** é o processo pelo qual um comportamento é fortalecido, *aumentando* a probabilidade de que seja repetido. No caso de Angel, a atenção da mãe reforça o balbucio. **Punição** é o processo pelo qual um comportamento é enfraquecido, *diminuindo* a probabilidade de repetição. Se a mãe de Angel franzisse a testa quando ele balbuciasse, diminuiria a probabilidade de ele balbuciar novamente. Se uma consequência é reforço ou punição depende da pessoa. O que é reforço para uns poderá ser punição para outros. Para uma criança que gosta de ficar sozinha, ser mandada para o seu quarto talvez seja reforço, e não punição. O reforço é mais eficiente quando vem

**condicionamento operante**
Aprendizagem que associa o comportamento às suas consequências.

**reforço**
No condicionamento operante, processo em que um comportamento é fortalecido, aumentando a probabilidade de que seja repetido.

**punição**
No condicionamento operante, processo que diminui a probabilidade de um comportamento ser repetido.

imediatamente após um comportamento. Se uma resposta não for mais reforçada, finalmente será *extinta*, isto é, voltará ao nível original (linha de base). Se, depois de algum tempo, ninguém repetir o balbucio de Angel, ele poderá balbuciar com menor frequência do que o faria se os seus balbucios ainda gerassem reforço.

*Modificação do comportamento*, ou terapia comportamental, é uma forma deliberada de condicionamento operante utilizada para eliminar o comportamento indesejável, como acessos de raiva, ou inculcar comportamento desejável, como guardar os brinquedos depois de brincar. Por exemplo, toda vez que uma criança guarda os brinquedos, ela recebe uma recompensa, como um elogio, um doce ou um brinquedo novo. A modificação do comportamento funciona particularmente com crianças que apresentam necessidades especiais, como aquelas com incapacidade mental ou emocional. A psicologia de Skinner, no entanto, é de aplicação limitada, pois não atende adequadamente às diferenças individuais, às influências culturais e sociais ou a outros aspectos do desenvolvimento humano que podem ser atribuídos a uma combinação de fatores – e não somente a associações aprendidas.

*O psicólogo norte-americano B. F. Skinner formulou os princípios do condicionamento operante.*

**Teoria da aprendizagem 2: Teoria da aprendizagem social (social cognitiva)** O psicólogo norte-americano Albert Bandura (nascido em 1925) desenvolveu boa parte dos princípios da **teoria da aprendizagem social**. Enquanto os behavioristas veem a ação do ambiente sobre a pessoa como o principal impulso para o desenvolvimento, Bandura (1977, 1989; Bandura & Walters, 1963) sugere que o ímpeto para o desenvolvimento é bidirecional. Ele chamou esse conceito de **determinismo recíproco** – a criança age sobre o mundo na medida em que o mundo age sobre a criança. A teoria da aprendizagem social clássica sustenta que a pessoa aprende comportamento social apropriado principalmente observando e imitando modelos – isto é, observando outras pessoas, como os pais, os professores ou os heróis dos esportes, e aprendendo tanto o que os comportamentos potenciais podem ser como as consequências prováveis deles. Esse processo é chamado **aprendizagem observacional** ou *modelagem*. As pessoas tendem a escolher modelos que tenham prestígio, controlem recursos ou que sejam recompensados pelo que fazem – em outras palavras, aqueles cujo comportamento é percebido como valorizado na cultura. Note que esse é um processo ativo. A imitação de modelos é o elemento mais importante para a criança aprender uma língua, lidar com a agressão, desenvolver um senso moral e aprender os comportamentos apropriados de gênero. A aprendizagem observacional pode ocorrer mesmo se uma pessoa não imitar o comportamento observado.

**teoria da aprendizagem social**
Teoria segundo a qual os comportamentos são aprendidos pela observação e imitação de modelos. Também chamada de *teoria social cognitiva*.

**determinismo recíproco**
Termo usado por Bandura para as forças bidirecionais que afetam o desenvolvimento.

**aprendizagem observacional**
Aprendizagem por meio da observação do comportamento dos outros.

A versão mais atualizada da teoria da aprendizagem social de Bandura (1989) é a *teoria social cognitiva*. A mudança no nome reflete uma ênfase maior nos processos cognitivos como essenciais para o desenvolvimento. Os processos cognitivos operam à medida que as pessoas observam modelos, aprendem "fragmentos" de comportamento e, mentalmente, juntam esses fragmentos em novos e complexos padrões de comportamento. Rita, por exemplo, imita o andar de sua professora de dança, mas modela seus passos de dança de acordo com os de Carmen, uma estudante um pouco mais avançada. Mesmo assim, ela desenvolve seu próprio estilo, juntando suas observações em um novo padrão.

Por meio do *feedback* de seu comportamento, a criança aos poucos forma padrões para julgar suas ações e tornar-se mais seletiva na escolha de modelos que demonstrem esses padrões. Também começa a desenvolver um senso de **autoeficácia**, ou seja, a confiança de que tem o que é preciso para ser bem-sucedida.

**autoeficácia**
Percepção que a pessoa tem de sua própria capacidade de vencer desafios e atingir metas.

**perspectiva cognitiva**
Visão segundo a qual os processos do pensamento são essenciais para o desenvolvimento.

## Perspectiva 3: cognitiva

A **perspectiva cognitiva** concentra-se nos processos de pensamento e no comportamento que reflete esses processos. Essa perspectiva abrange tanto teorias mecanicistas quanto teorias organicistas. Inclui a teoria dos estágios cognitivos de Piaget e a teoria sociocultural do desenvolvimento cognitivo de Vygotsky. Também inclui a abordagem do processamento de informação e as teorias neopiagetianas, que combinam elementos da teoria do processamento de informação com a teoria piagetiana.

*De acordo com a teoria da aprendizagem social, as crianças aprendem imitando o comportamento de modelos adultos.*

**Teoria dos estágios cognitivos de Jean Piaget** Nossa compreensão de como as crianças pensam se deve muito ao trabalho do teórico suíço Jean Piaget (1896-1980). A **teoria dos estágios cognitivos** de Piaget foi a precursora da atual "revolução cognitiva", com sua ênfase nos processos mentais. Piaget, que era biólogo e filósofo por formação, tinha uma visão organicista do desenvolvimento como o produto dos esforços da criança para entender e agir em seu mundo. Também acreditava que o desenvolvimento era descontínuo; assim, sua teoria descreve o desenvolvimento ocorrendo por estágios.

Quando era um jovem estudante em Paris, Piaget decidiu padronizar os testes que Alfred Binet tinha desenvolvido para avaliar a inteligência de crianças das escolas francesas. Embora sua função original fosse a de desenvolver regras etárias que estabeleceriam idades para tarefas específicas, ficou fascinado pelas respostas erradas das crianças e encontrou pistas nas suas respostas para os processos de pensamento. Piaget percebeu que as crianças cometiam tipos específicos de erros lógicos em virtude da respectiva idade.

O *método clínico* de Piaget combinava observação com indagação flexível. Para descobrir como as crianças pensam, Piaget deu seguimento às respostas erradas com mais perguntas e depois criou tarefas para testar suas conclusões preliminares. Dessa forma, descobriu que uma criança típica de 4 anos acreditava que moedas ou flores eram mais numerosas quando dispostas em filas do que quando empilhadas. A partir de suas observações acerca de seus próprios filhos e de outras crianças, ele criou uma abrangente teoria do desenvolvimento cognitivo.

Piaget propôs que o desenvolvimento cognitivo começa com uma capacidade inata de se adaptar ao ambiente e que inicialmente se baseia em atividades motoras, como os reflexos. Na procura pelo seio da mãe, sentindo uma aspereza ou explorando as fronteiras de um quarto, a criança pequena desenvolve um quadro mais preciso de seus arredores e maior competência para lidar com eles. Esse crescimento cognitivo ocorre por meio de três processos inter-relacionados: organização, adaptação e equilibração.

**Organização** é a tendência a criar categorias, como pássaros, observando as características que membros individuais de uma categoria, como pardais e cardeais, têm em comum. Segundo Piaget, as pessoas criam estruturas cognitivas cada vez mais complexas chamadas **esquemas**, que são modos de organizar informações sobre o mundo, que controlam a maneira como a criança pensa e se comporta em determinada situação. À medida que a criança adquire mais informações, seus esquemas tornam-se cada vez mais complexos. Veja, por exemplo, o ato de sugar. O recém-nascido tem um esquema simples para sugar, mas logo desenvolve esquemas diversos de como sugar o peito, a mamadeira ou o dedo. A criança pode ter que abrir mais a boca, virar a cabeça para o lado ou sugar com mais ou menos força. Os esquemas são originalmente de natureza concreta (p. ex., como sugar objetos) e tornam-se cada vez mais abstratos ao longo do tempo (p. ex., o que é um cão).

**Adaptação** é o termo de Piaget para o modo como a criança lida com as novas informações à luz do que ela já sabe. A adaptação ocorre por meio de dois processos complementares: (1) **assimilação**, que é absorver informação nova e incorporá-la às estruturas cognitivas existentes, e (2) **acomodação**, que é ajustar as próprias estruturas cognitivas para encaixar a informação nova.

Como ocorre a mudança da assimilação para a acomodação? Piaget argumentou que as crianças esforçam-se para obterem um equilíbrio estável – ou **equilibração** – entre suas estruturas cognitivas e as novas experiências. Em outras palavras, as crianças querem que aquilo que compreendem do mundo coincida com o que observam a sua volta. Quando a compreensão das crianças não coincide com o que experimentam, elas se encontram em um estado de desequilíbrio. O desequilíbrio pode ser considerado como um estado motivacional desconfortável que leva a criança à acomodação. Por exemplo, a criança sabe o que são pássaros e vê um avião pela primeira vez. A criança rotula o avião como "pássaro" (assimilação). Com o passar do tempo, ela nota diferenças entre aviões e pássaros, o que a deixa um tanto inquieta (desequilíbrio), motivando-a a mudar sua compreensão (acomodação) e dar um novo rótulo para o avião. Ela então se encontra em equilíbrio. Ao organizar novos padrões mentais e comportamentais que integram a nova experiência, a criança restaura o equilíbrio. Assim, assimilação e acomodação operam juntas para produzir equilíbrio. Durante a vida toda, a busca pelo equilíbrio é a força motivadora por trás do crescimento cognitivo.

Piaget descreveu que o desenvolvimento cognitivo ocorre em quatro estágios universais qualitativamente diferentes (ver Tabela 2.2 e discussão detalhada em outros capítulos), que representam padrões universais de desenvolvimento. Em cada estágio, a mente da criança desenvolve uma nova forma de operar. Da primeira infância até a adolescência, as operações mentais evoluem da aprendizagem baseada na atividade sensório-motora básica para o pensamento lógico, abstrato.

**teoria dos estágios cognitivos**
Teoria de Piaget segundo a qual o desenvolvimento cognitivo da criança avança em uma série de quatro estágios que envolvem tipos qualitativamente distintos de operações mentais.

*O psicólogo suíço Jean Piaget estudou o desenvolvimento cognitivo das crianças observando e conversando com os próprios filhos e com outras crianças.*

**organização**
Termo de Piaget para a criação de categorias ou sistemas de conhecimento.

**esquemas**
Termo de Piaget para os padrões organizados de pensamento e comportamento utilizados em determinadas situações.

**adaptação**
Termo de Piaget para a adaptação a novas informações sobre o ambiente.

**assimilação**
Termo de Piaget para a incorporação de novas informações em uma estrutura cognitiva existente.

**acomodação**
Termo de Piaget para as mudanças em uma estrutura cognitiva existente para incluir novas informações.

**equilibração**
Termo de Piaget para a tendência a procurar um equilíbrio estável entre os elementos cognitivos, obtido por meio do equilíbrio entre assimilação e acomodação.

Piaget escreveu seu primeiro artigo científico aos 10 anos de idade – quando avistou um pardal albino.

**Verificador**
**você é capaz de...**
- Identificar os principais interesses, forças e fraquezas da perspectiva da aprendizagem?
- Explicar quais são as diferenças entre condicionamento clássico e condicionamento operante?
- Distinguir reforço de punição?
- Comparar o behaviorismo com a teoria da aprendizagem social (social cognitiva)?

**teoria sociocultural**
Teoria de Vygotsky sobre os fatores contextuais que afetam o desenvolvimento infantil.

**zona de desenvolvimento proximal (ZDP)**
Termo utilizado por Vygotsky para diferenciar o que a criança pode fazer sozinha e o que ela pode fazer com ajuda.

**andaime (*scaffolding*)**
Suporte temporário para ajudar uma criança a realizar uma tarefa.

**abordagem do processamento de informação**
Abordagem do estudo do desenvolvimento cognitivo que observa e analisa os processos mentais envolvidos na percepção e no tratamento da informação.

As observações de Piaget produziram muita informação e alguns *insights* surpreendentes. Piaget mostrou-nos que a mente da criança não é uma miniatura da mente adulta. Saber como a criança pensa facilita aos pais e aos professores entendê-la e ensiná-la. A teoria de Piaget forneceu referenciais aproximados sobre o que esperar da criança em várias idades e ajudou os educadores a elaborar currículos apropriados aos diversos níveis de desenvolvimento.

Piaget, porém, parece ter subestimado seriamente as capacidades dos bebês e das crianças pequenas. Alguns psicólogos contemporâneos questionam seus estágios distintos, apresentando evidências de que o desenvolvimento cognitivo é mais gradual e contínuo (Courage & Howe, 2002). Algumas pesquisas iniciadas no final da década de 1960 desafiaram a ideia de Piaget de que o pensamento se desenvolve em uma progressão única e universal de estágios que conduzem ao pensamento formal. Pelo contrário, os processos cognitivos das crianças parecem intimamente ligados a conteúdos específicos (*sobre* o que é que elas estão pensando), bem como ao contexto de um problema e aos tipos de informação e pensamento que uma cultura considera importantes (Case & Okamoto, 1996; Hong, Morris, Chiu, & Benet-Martinez, 2000). Nos capítulos seguintes, exploramos mais algumas críticas ao trabalho de Piaget.

**Teoria sociocultural de Lev Vygotsky** O psicólogo russo Lev Semenovich Vygotsky (1896-1934) concentrou-se nos processos sociais e culturais que orientam o desenvolvimento cognitivo da criança. A **teoria sociocultural** de Vygotsky (1978), assim como a teoria de Piaget, enfatiza o envolvimento ativo da criança com seu ambiente; mas, enquanto Piaget descrevia a mente, por si só, absorvendo e interpretando informações sobre o mundo, Vygotsky via o crescimento cognitivo como um processo *colaborativo*. Crianças, segundo Vygotsky, aprendem por meio da interação social. Não há desenvolvimento sem um contexto, e há várias formas de se desenvolver, de acordo com diferentes culturas e experiências. As crianças adquirem habilidades cognitivas como parte de sua indução a um modo de vida. Atividades compartilhadas ajudam a criança a internalizar os modos de pensar da sociedade, cujos hábitos passam a ser os seus. Vygotsky deu ênfase especial à *linguagem*, não simplesmente como uma expressão do conhecimento e do pensamento, mas como um meio essencial para aprender e pensar sobre o mundo.

*De acordo com o psicólogo russo Lev Semenovich Vygotsky, as crianças aprendem por meio da interação social.*

De acordo com Vygotsky, os adultos, ou os colegas mais desenvolvidos, devem ajudar a direcionar e organizar a aprendizagem da criança antes que esta possa dominá-la e internalizá-la. Essa orientação é muito eficaz para ajudar a criança a atravessar a **zona de desenvolvimento proximal (ZDP)**, a distância entre o que ela já é capaz de fazer sozinha e o que pode realizar com assistência de outra pessoa (*proximal* significa "por perto"). Crianças na ZDP de uma tarefa específica já quase podem realizá-la sozinhas, e é nesse espaço psicológico que ocorre a maior parte da aprendizagem. A responsabilidade de direcionar e monitorar a aprendizagem aos poucos passa a ser da criança – assim como quando um adulto ensina uma criança a boiar: primeiro ele apoia a criança na água e depois vai soltando-a aos poucos à medida que ela relaxa o corpo na posição horizontal.

Alguns seguidores de Vygotsky (Wood, 1980; Wood, Bruner, & Ross, 1976) têm utilizado a metáfora do andaime – plataforma temporária na qual ficam os trabalhadores de uma construção – a esse tipo de ensinamento. O **andaime** (*scaffolding*) é o suporte temporário que pais, professores ou outros dão à criança que está realizando uma tarefa até que ela possa fazê-la sozinha. Por exemplo, quando a criança está aprendendo a boiar, o pai ou o professor apoia-lhe as costas, primeiro com a mão, depois só com um dedo, até a criança conseguir boiar sem ser apoiada.

A teoria de Vygotsky tem importantes implicações para a educação e para a testagem cognitiva. Testes que focalizam o potencial de aprendizagem da criança constituem uma valiosa alternativa aos testes padronizados de inteligência que avaliam o que ela já aprendeu, e muitas crianças podem se beneficiar do tipo de orientação especializada prescrito por Vygotsky.

**Abordagem do processamento de informação** A **abordagem do processamento de informação** procura explicar o desenvolvimento cognitivo analisando o processo envolvido na compreensão da in-

Capítulo 2 • O mundo da criança: como nós o descobrimos

formação recebida e no desempenho eficaz de tarefas: processos como atenção, memória, estratégias de planejamento, tomadas de decisão e estabelecimento de metas. A abordagem do processamento de informação não é uma teoria única, mas um enquadramento teórico que sustenta um amplo espectro de teorias e de pesquisas.

Alguns teóricos do processamento de informação comparam o cérebro a um computador: existem dados de entrada (as impressões sensoriais) e dados de saída (o comportamento). Os teóricos do processamento de informação estão interessados no que acontece no meio. Como o cérebro utiliza sensações e percepções, digamos, de uma palavra não familiar para reconhecer essa palavra em uma segunda vez? Por que os mesmos dados de entrada às vezes resultam em diferentes dados de saída? Boa parte dos pesquisadores do processamento de informação utiliza dados observacionais para *inferir* o que acontece entre um estímulo e uma resposta. Por exemplo, eles poderão pedir a uma pessoa que recorde uma lista de palavras e depois observar diferenças no desempenho se a pessoa repetir a lista várias vezes antes de lhe pedirem para recordar as palavras. Por meio desses estudos, alguns pesquisadores desenvolveram *modelos computacionais* ou mapas de fluxo que analisam cada etapa em que a pessoa coleta, armazena, recupera e utiliza a informação.

Assim como Piaget, os teóricos do processamento de informação veem as pessoas como indivíduos que pensam ativamente sobre seu mundo. Diferentemente de Piaget, eles em geral *não* falam em termos de estágios do desenvolvimento. Em vez disso, veem o desenvolvimento como algo contínuo. Observam aumentos relacionados a idade, velocidade, complexidade e eficiência do processamento mental e quantidade e variedade do material que pode ser armazenado na memória. A pesquisa com neuroimagem, discutida mais adiante neste capítulo, sustenta aspectos importantes dos modelos de processamento de informação, como a existência de estruturas físicas separadas para processar memória consciente e inconsciente (Schacter, 1999; Yingling, 2001).

A abordagem do processamento de informação tem aplicações práticas. Permite que pesquisadores estimem a inteligência que um bebê terá com base na eficiência de sua percepção e de seu processamento sensorial. Isso possibilita aos pais e aos professores ajudar a criança a aprender, tornando-a mais consciente de seus processos mentais e de estratégias para incrementá-los. Psicólogos geralmente fazem uso dos modelos de processamento para testar, diagnosticar e tratar problemas de aprendizagem.

**Teorias neopiagetianas** Desde a década de 1980, em resposta às críticas à teoria de Piaget, alguns psicólogos do desenvolvimento procuraram integrar elementos de sua teoria com a abordagem do processamento de informação. Em vez de descrever um único sistema geral de operações mentais cada vez mais lógicas, esses neopiagetianos concentram-se em conceitos, estratégias e habilidades *específicos*, como quantidade de conceitos e comparações de "mais" e "menos". Eles sugerem que a criança desenvolve a cognição tornando-se mais eficiente no processamento de informação. Em virtude dessa ênfase na eficiência do processamento, a abordagem neopiagetiana ajuda a explicar as diferenças individuais na capacidade cognitiva e o desenvolvimento desigual em vários domínios.

## Perspectiva 4: contextual

Segundo a **perspectiva contextual**, o desenvolvimento pode ser entendido apenas em seu contexto social. Os contextualistas veem o indivíduo não como uma entidade separada que interage com o ambiente, mas como parte inseparável deste. (A teoria sociocultural de Vygotsky, que discutimos como parte da perspectiva cognitiva, também pode ser classificada como contextual.)

A **teoria bioecológica** (1979, 1986, 1994; Bronfenbrenner & Morris, 1998) do psicólogo norte-americano Urie Bronfenbrenner (1917-2005) identifica cinco níveis de influência ambiental, variando do mais íntimo para o mais amplo: microssistema, mesossistema, exossistema, macrossistema e cronossistema (Figura 2.2). Para entender a complexidade das influências sobre o desenvolvimento, devemos ver a criança dentro do contexto desses múltiplos ambientes.

**Microssistema** é o ambiente do dia a dia no lar, na escola, no trabalho ou na vizinhança, que inclui relacionamentos face a face com pais, amigos, colegas de classe, professores e vizinhos. Como, por exemplo, um novo bebê afeta a vida dos pais? Como seus sentimentos e atitudes afetam o bebê?

O **mesossistema** é o entrelaçamento de vários microssistemas. Poderá incluir vínculos entre o lar e a escola (como as reuniões de pais e mestres) ou entre a família e o grupo de pares (como as relações que se desenvolvem entre famílias de crianças que brincam juntas em uma vizinhança). Por exemplo, um

---

**Verificador**
### você é capaz de...

■ Estabelecer a diferença entre os pressupostos e os métodos de Piaget e a teoria da aprendizagem social clássica?
■ Citar três princípios inter-relacionados que produzem crescimento cognitivo, segundo Piaget, e dar um exemplo de cada?
■ Explicar como a teoria de Vygotsky difere da de Piaget e definir os conceitos de ZDP e de andaime?

**Verificador**
### você é capaz de...

■ Descrever o que fazem os pesquisadores do processamento de informação?
■ Explicar como a teoria neopiagetiana difere da abordagem piagetiana?

**perspectiva contextual**
Visão do desenvolvimento infantil que vê o indivíduo como inseparável do contexto social.

**teoria bioecológica**
Abordagem de Bronfenbrenner para entender processos e contextos do desenvolvimento infantil e que identifica cinco níveis de influência ambiental.

**microssistema**
Termo de Bronfenbrenner referente a uma situação na qual a criança interage pessoalmente com outras no dia a dia.

**mesossistema**
Termo de Bronfenbrenner referente às ligações entre dois ou mais microssistemas.

**34** PARTE I • Apresentação ao mundo da criança

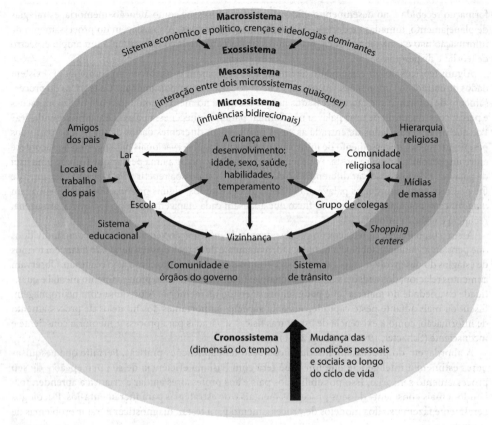

**FIGURA 2.2**
Teoria bioecológica de Bronfenbrenner.
*Os círculos concêntricos mostram cinco níveis de influência ambiental sobre o indivíduo, do ambiente mais íntimo (o microssistema) ao mais amplo (o cronossistema) – todos dentro da dimensão perpendicular do tempo.*

**exossistema**
Termo de Bronfenbrenner referente às ligações entre dois ou mais ambientes, um dos quais não inclui a criança.

**macrossistema**
Termo de Bronfenbrenner referente aos padrões culturais gerais de uma sociedade, que inclui valores, costumes e sistemas sociais.

**cronossistema**
Termo de Bronfenbrenner relativo aos efeitos do tempo sobre outros sistemas do desenvolvimento.

**Verificador**
você é capaz de...
- Enunciar os principais pressupostos da perspectiva contextual?
- Citar e diferenciar os cinco sistemas de influência contextual de Bronfenbrenner?

mau dia de um dos pais no trabalho poderá afetar as interações com o filho de um modo negativo no final do dia. Apesar de nunca ter ido ao local de trabalho, a criança é afetada.

O mesossistema foca em interações entre os microssistemas, mas o **exossistema** consiste em interações entre um microssistema e um sistema ou uma instituição exterior. Embora os efeitos sejam indiretos, ainda podem ter um impacto profundo sobre a criança. Por exemplo, vários países têm políticas sobre os tipos de licença-maternidade ou paternidade que estão disponíveis para os novos pais. E, independentemente de um dos pais ter a opção de ficar em casa com o recém-nascido, isso tem uma influência substancial sobre o desenvolvimento. Assim, as políticas governamentais são importantes e podem afetar as experiências da criança em seu dia a dia.

O **macrossistema** consiste em padrões culturais abrangentes, como as crenças e ideologias dominantes, e sistemas econômicos e políticos. Como uma criança é afetada por viver em uma sociedade capitalista ou socialista?

Por fim, o **cronossistema** adiciona a dimensão do tempo: mudança ou constância na criança e no ambiente. À medida que o tempo passa, vão ocorrendo mudanças. Isso pode incluir mudanças na configuração familiar, no lugar de residência ou no emprego, bem como mudanças culturais abrangentes, como guerras e ciclos econômicos.

Segundo Bronfenbrenner, a pessoa não é meramente resultado do desenvolvimento, mas também alguém que molda esse desenvolvimento. As pessoas influenciam seu próprio desenvolvimento por meio de suas características biológicas e psicológicas, seus talentos e habilidades, deficiências e temperamento.

Ao observar os sistemas que afetam os indivíduos na família e além dela, essa abordagem bioecológica nos ajuda a ver a variedade de influências sobre o desenvolvimento. A perspectiva contextual também nos adverte que as descobertas sobre o desenvolvimento de crianças em determinada cultura ou em um grupo dentro de uma cultura (como norte-americanos brancos e de classe média) talvez não se apliquem igualmente a crianças de outras sociedades ou grupos culturais.

## Perspectiva 5: evolucionista/sociobiológica

A **perspectiva evolucionista/sociobiológica**, proposta originalmente por E. O. Wilson (1975) concentra-se nas bases evolucionistas e biológicas do comportamento. Influenciada pela teoria da evolução de Darwin, recorre às descobertas da antropologia, ecologia, genética, etologia e psicologia evolucionista para explicar o valor adaptativo, ou de sobrevivência, do comportamento para um indivíduo ou uma espécie.

Segundo Darwin, as espécies desenvolveram-se por meio de processos relacionados com a *sobrevivência dos mais adaptados* e *seleção natural*. Indivíduos com traços herdados *adequados* (mais bem adaptados) a seus ambientes sobrevivem e reproduzem mais do que aqueles que são menos adequados (menos adaptados). Assim, por meio do sucesso na reprodução diferencial, indivíduos com características mais adaptativas transmitem seus traços para as gerações futuras em níveis mais altos que indivíduos menos adaptados. Desse modo, características adaptativas, basicamente codificadas em seus genes, são selecionadas para serem transmitidas, e os menos adaptados são extintos. Ao longo de muito tempo, essas pequenas mudanças incrementais vão se acumulando e resultam na evolução de novas espécies.

*Mecanismos evolutivos* são comportamentos que foram desenvolvidos para resolver problemas de adaptação a um ambiente primitivo. Por exemplo, a súbita aversão a certos alimentos durante o primeiro trimestre de gestação, quando o feto está mais vulnerável, pode ter evoluído originalmente para proteger o feto vulnerável de substâncias tóxicas. Esses mecanismos evolutivos podem sobreviver mesmo que deixem de servir a um propósito útil (Bjorklund & Pellegrini, 2000, 2002) ou podem evoluir ainda mais em resposta a mudanças nas condições ambientais. Embora a maioria dos mecanismos evolutivos seja moldada para um problema específico, outros, como a inteligência humana, evoluíram para ajudar as pessoas a enfrentar uma extensa gama de problemas (MacDonald, 1998; MacDonald & Hershberger, 2005).

A **etologia** é o estudo de comportamentos adaptativos característicos das espécies animais em contextos naturais. Por exemplo, os etólogos podem estudar o fato de os esquilos enterrarem nozes no outono ou a forma como as aranhas tecem suas teias. O pressuposto é o de que esses comportamentos evoluíram por meio da seleção natural. Etólogos estão mais interessados na investigação de comportamentos característicos expressados por animais de espécies diferentes. Ao compararem animais de espécies diferentes, procuram identificar os comportamentos que são universais e os que são específicos de determinada espécie ou que são modificados pela experiência.

Por exemplo, uma característica muito difundida no reino animal é chamada *busca de proximidade*, ou, mais casualmente, "permanecer perto da mãe". Ela foi estudada pela primeira vez por Konrad Lorenz (ver Cap. 1) em patinhos recém-nascidos, que marcam o primeiro objeto em movimento que veem e depois o seguem sem cessar até terem idade suficiente para sobreviver por conta própria. Outros animais também optam por esse comportamento, e, no seguimento do trabalho de Lorenz, houve uma explosão de pesquisas sobre a procura de proximidade nos filhotes de vários animais. Tornou-se claro que essa tendência inata é um comportamento adaptativo importante. Aqueles que não permanecerem perto das respectivas mães tendem a não sobreviver e, portanto, não se reproduzem mais tarde.

Mas por que pesquisas com animais em um livro sobre o desenvolvimento humano? A resposta é que a espécie humana também está sujeita às forças da evolução e, portanto, é provável que também tenha comportamentos adaptativos inatos. De fato, uma das teorias mais influentes na psicologia do desenvolvimento foi muito influenciada pela abordagem etológica. O psicólogo britânico John Bowlby (1969) inspirou-se no seu conhecimento sobre o comportamento de busca de proximidade em animais de espécies diferentes para formar suas ideias sobre a vinculação nos seres humanos. Ele considerava a vinculação dos bebês ao cuidador como um mecanismo que evoluiu para protegê-los de predadores (a vinculação é discutida de forma mais detalhada no Cap. 8).

Pode ser encontrada na **psicologia evolucionista** uma extensão relacionada à abordagem etológica. Enquanto os etólogos focam mais nas comparações entre espécies, os psicólogos evolucionistas concentram-se mais nos seres humanos e aplicam os princípios darwinianos ao comportamento humano. Os psicólogos evolucionistas acreditam que, tal como temos um coração especializado em bombear, pulmões especializados em trocas gasosas e polegares especializados em agarrar, também temos aspectos de nossa psicologia humana especializados na resolução de problemas adaptativos específicos. Segundo essa teoria, as pessoas esforçam-se inconscientemente não apenas para a sobrevivência pessoal, mas também para perpetuar seu legado genético. Fazem-no procurando maximizar as hipóteses de ter filhos que sobrevivam e se reproduzam, passando, assim, suas características à geração seguinte.

---

**perspectiva evolucionista/sociobiológica**
Visão do desenvolvimento humano que se concentra nas bases evolucionistas e biológicas do comportamento social.

O pico da náusea matinal é no primeiro trimestre, que corresponde à formação de quase todas as principais estruturas do corpo do bebê. Assim, a mãe está menos propensa a consumir alimentos potencialmente prejudiciais durante o período mais sensível.

**etologia**
Estudo dos comportamentos adaptativos característicos de espécies de animais, os quais evoluíram para aumentar a sobrevivência da espécie.

**psicologia evolucionista**
Aplicação dos princípios de Darwin sobre seleção natural e sobrevivência do mais adaptado à psicologia humana.

## Verificador
### você é capaz de...

■ Identificar o foco principal da perspectiva evolucionista/ sociobiológica e explicar como a teoria da evolução de Darwin sustenta essa perspectiva?

■ Dizer quais são os tópicos que etólogos e psicólogos evolucionistas estudam?

## Qual a sua opinião?

Qual perspectiva teórica seria mais útil para (a) uma mãe que tenta ensinar seu filho a dizer "por favor", (b) uma professora interessada em estimular o pensamento crítico, e (c) um pesquisador que estuda a imitação entre irmãos?

## Guia de estudo 3

Como os cientistas do desenvolvimento estudam as crianças e quais são as vantagens e as desvantagens de cada método de pesquisa?

---

É importante notar que uma perspectiva evolucionista não reduz o comportamento humano aos efeitos dos genes que procuram reproduzir a eles próprios, apesar de se argumentar que, em última análise, a transmissão dos genes é o que provoca muitos dos comportamentos desenvolvidos. Os psicólogos evolucionistas atribuem grande importância ao ambiente em que os seres humanos têm de se adaptar e à flexibilidade da mente humana. Por exemplo, somos uma espécie relativamente agressiva – isso faz parte da arquitetura da nossa espécie. Contudo, também somos sensíveis às situações em que a agressão é uma estratégia viável, e nosso nível de agressividade é moldado fortemente pela cultura em que nos desenvolvemos.

Os psicólogos do *desenvolvimento evolucionista* aplicam princípios evolucionistas ao desenvolvimento infantil. Eles estudam tópicos como estratégias de parentalidade, diferenças de gênero no brincar e relações entre pares, além de identificar características que ajudam crianças de diferentes idades a adaptar-se ou a ajustar-se às circunstâncias com que vão se deparando. O Box 2.1 discute uma aparente ironia: o valor adaptativo do comportamento imaturo.

## Um equilíbrio cambiante

Nenhuma teoria do desenvolvimento humano é universalmente aceita, e nenhuma perspectiva teórica explica todas as facetas do desenvolvimento. À medida que o estudo do desenvolvimento infantil evoluiu, os modelos mecanicista e organicista se alternaram em sua influência. A maioria dos pioneiros na área, entre os quais Freud, Erikson e Piaget, favoreceu as abordagens organicistas ou de estágio. A visão mecanicista obteve sustentação durante a década de 1960, com a popularidade das teorias da aprendizagem.

Dá-se hoje muita atenção às bases biológicas e evolucionistas do comportamento. Em vez de procurarem por amplos estágios, os cientistas do desenvolvimento procuram descobrir quais os tipos específicos de comportamento que mostram continuidade e quais os processos envolvidos em cada um deles. Em vez de mudanças abruptas, um exame mais atento dos estágios do desenvolvimento cognitivo de Piaget, por exemplo, revela avanços graduais, às vezes quase imperceptíveis, que se somam a uma mudança qualitativa. Do mesmo modo, a maioria das crianças não aprende a andar da noite para o dia, e sim por uma série de movimentos experimentais que aos poucos se tornam mais confiantes. Mesmo quando o comportamento observável parece mudar de repente, os processos biológicos ou neurológicos subjacentes podem ser contínuos (Courage & Howe, 2002). Até certo ponto, a interpretação quantitativa ou qualitativa dos avanços depende do tamanho da lente que se está utilizando para investigá-los.

Em vez de debaterem desenvolvimento ativo *versus* desenvolvimento reativo, os investigadores geralmente descobrem que as influências são *bidirecionais*: as pessoas mudam seu mundo, assim como são mudadas por ele. Um bebê nascido com uma disposição alegre provavelmente obterá respostas positivas dos adultos, que fortalecem sua confiança de que seus sorrisos serão recompensados, motivando-o a sorrir ainda mais. Um professor que faz críticas construtivas e dá apoio emocional a seus alunos é capaz de extrair mais esforços deles. Provavelmente, a melhoria do desempenho dos alunos, por sua vez, irá incentivá-lo a continuar usando esse estilo de ensino.

Teorias sobre o desenvolvimento humano surgem a partir da pesquisa e são testadas por ela. Embora a maioria dos pesquisadores recorra a diversas perspectivas teóricas, indagações e métodos de pesquisa geralmente refletem a orientação teórica pessoal do pesquisador. Por exemplo, ao tentar entender como uma criança desenvolve o senso de certo e errado, o behaviorista examinaria o modo como os pais reagem ao comportamento do filho: que tipos de comportamento eles punem ou elogiam. Um teórico da aprendizagem social focalizaria a imitação de exemplos morais, possivelmente em histórias ou filmes de cinema. Um pesquisador do processamento de informação poderia fazer uma análise de tarefas para identificar as etapas que a criança percorre para determinar a amplitude de opções morais disponíveis e então decidir qual a escolha a ser feita.

Tendo em vista a conexão essencial entre teoria e pesquisa, vejamos os métodos utilizados pelos pesquisadores do desenvolvimento.

## Métodos de pesquisa

Os pesquisadores do desenvolvimento infantil trabalham de acordo com duas tradições metodológicas: quantitativa e qualitativa. Cada uma dessas tradições tem diferentes metas e maneiras de ver e interpretar a realidade, enfatizando diferentes meios de coletar e analisar dados.

# O mundo da pesquisa

## O VALOR ADAPTATIVO DA IMATURIDADE

Em comparação com outros animais e até com outros primatas, os seres humanos levam muito tempo para crescer. Chimpanzés alcançam a maturidade reprodutiva em cerca de oito anos; macacos rhesus, em cerca de quatro anos; e os lêmures, em apenas dois anos. Em contrapartida, os seres humanos só atingem o crescimento completo e a maturidade física quando chegam aos primeiros anos da adolescência e, pelo menos nas sociedades industrializadas modernas, atingem a maturidade cognitiva e psicossocial ainda mais tarde. Durante muito tempo permanecem dependentes dos seus pais ou de outros cuidadores.

Do ponto de vista da teoria evolucionista, esse período prolongado de imaturidade pode ser essencial para a sobrevivência e para o bem-estar. Os seres humanos são animais sociais, e uma infância longa e protegida pode servir como preparação essencial para a capacidade de solucionar problemas na idade adulta. As comunidades e as culturas humanas são altamente complexas, e há muito que aprender para dominar tudo isso. Assim, a infância pode ser um mecanismo evolutivo que permite o desenvolvimento da competência social.

A inteligência humana também pode ser uma característica evolutiva. Registros de fósseis indicam que durante quatro milhões de anos o volume do cérebro humano triplicou. Ao mesmo tempo, seu período de desenvolvimento quase duplicou. O cérebro humano, apesar de seu rápido crescimento pré-natal, é muito menos desenvolvido no nascimento do que o cérebro de outros primatas; se o cérebro do feto humano atingisse o tamanho total antes do nascimento, sua cabeça seria grande demais para passar pelo canal do parto, sendo que os quadris das mulheres já têm a largura máxima que lhes permite andar. Em contrapartida, o cérebro humano continua a crescer em tamanho e complexidade durante toda a infância e, em algum momento, ultrapassa em muito os cérebros de nossos parentes primatas nas capacidades de linguagem e pensamento. O desenvolvimento mais lento do cérebro humano lhe confere maior *plasticidade*, ou flexibilidade, porque nem todas as conexões estão fixadas na criança pequena. Essa plasticidade foi considerada por um teórico como "a maior vantagem adaptativa da espécie humana" (Bjorklund, 1997, p. 157).

O período estendido da imaturidade e da dependência durante a infância permite que as crianças utilizem mais de seu tempo para brincar, e, como sustentavam Piaget e Vygotsky, é principalmente por meio da brincadeira que o desenvolvimento cognitivo ocorre. A brincadeira também possibilita que as crianças desenvolvam habilidades motoras e vivenciem os papéis sociais. É um veículo para a imaginação criativa e para a curiosidade intelectual, as marcas do espírito humano. Em vez de ser uma distração usada para queimar energia antes de chegar à verdadeira aprendizagem, é brincando que a maioria de nossas habilidades e competências fundamentais mais importantes é desenvolvida.

Alguns aspectos da imaturidade servem a objetivos adaptativos imediatos. Por exemplo, alguns reflexos primitivos, como a busca pelo mamilo, que são protetores para os recém-nascidos, desaparecem quando deixam de ser necessários. A pesquisa sobre animais sugere que a imaturidade inicial do funcionamento sensorial e motor pode proteger os bebês da estimulação excessiva. A limitação da quantidade de informações com as quais eles têm de lidar poderá ajudá-los a se concentrar em experiências essenciais à sobrevivência, como a alimentação e o vínculo com a mãe. Mais tarde, a capacidade limitada de memória dos bebês pode simplificar o processamento dos sons linguísticos e facilitar a aprendizagem precoce da linguagem.

As limitações na maneira como as crianças pequenas pensam também podem ter um valor adaptativo. Por exemplo, elas são pouco realistas na avaliação de suas capacidades, acreditando que podem fazer mais do que realmente podem. Essa autoavaliação imatura, por meio da redução do medo do fracasso, pode encorajá-las a tentar coisas novas.

Em suma, a teoria e as pesquisas evolucionárias sugerem que a imaturidade não é necessariamente equivalente à deficiência e que alguns atributos do primeiro ano de vida e da infância persistem porque são apropriados para as tarefas em determinado período da vida.

*Fonte:* Bjorklund, 1997; Bjorklund & Pellegrini, 2000, 2002; Flinn & Ward, 2005.

 Você consegue pensar em outros exemplos do valor adaptativo da imaturidade? Consegue pensar de que maneiras a imaturidade pode *não* ser adaptativa?

## Pesquisa quantitativa e qualitativa

Geralmente, quando a maior parte das pessoas pensa em pesquisa científica, está pensando no que é chamado de pesquisa quantitativa. A **pesquisa quantitativa** lida com dados numéricos objetivamente medidos que podem responder a perguntas como "quanto?" ou "quantos?" e que podem ser objeto de análise estatística. Por exemplo, pesquisadores quantitativos podem estudar o medo e a ansiedade que as crianças sentem antes de uma cirurgia pedindo-lhes para responder a perguntas e utilizar uma escala numérica para aferir o medo ou a ansiedade que sentem. Esses dados podem, então, ser comparados com os dados de crianças que não têm de enfrentar uma cirurgia para determinar se existe uma diferença estatisticamente significativa entre os dois grupos. Como alternativa, os pesquisadores quantitativos

**pesquisa quantitativa**
Pesquisa que trata de dados objetivamente medidos.

## 38 PARTE I • Apresentação ao mundo da criança

**método científico**
Sistema de princípios estabelecidos e de processos de investigação científica que inclui a identificação do problema a ser estudado, a formulação de uma hipótese a ser testada pela pesquisa, a coleta e análise de dados, a formulação de conclusões provisórias e a divulgação dos resultados.

**pesquisa qualitativa**
Pesquisa que se concentra em dados não numéricos, como experiências, sentimentos ou crenças.

podem recolher dados fisiológicos, como a frequência cardíaca ou os níveis hormonais das crianças que enfrentarão uma cirurgia, e depois comparar esses dados com os de crianças que não serão operadas. O componente importante não é a forma de coleta de dados, mas que os dados consistem em números e em elementos quantificáveis que podem ser manipulados matematicamente. A pesquisa quantitativa sobre o desenvolvimento infantil baseia-se no **método científico**, que tradicionalmente tem caracterizado a maior parte da investigação. Suas etapas habituais são:

1. *identificação do problema* a ser estudado, frequentemente com base em uma teoria ou pesquisa prévia
2. *formulação de hipóteses* a serem testadas pela pesquisa
3. *coleta de dados*
4. *análise estatística dos dados* para determinar se sustentam a hipótese
5. *formulação de conclusões provisórias* e
6. *divulgação dos resultados*, de modo que outros observadores possam verificá-los, conhecê-los, analisá-los, repeti-los e ampliá-los

Em contrapartida, a **investigação qualitativa** concentra-se no como e no porquê do comportamento. É mais comum utilizar descrições não numéricas (verbais ou pictóricas) da compreensão subjetiva dos participantes, dos sentimentos ou das crenças sobre suas experiências. Pesquisadores qualitativos podem estudar as mesmas áreas que pesquisadores quantitativos, mas sua perspectiva informa sobre a forma como coletam dados e também sobre a interpretação. Por exemplo, se pesquisadores qualitativos forem estudar o estado emocional das crianças antes de uma cirurgia, podem fazê-lo com entrevistas não estruturadas às crianças que serão operadas ou pedindo a elas para que desenhem suas percepções sobre o evento que está chegando. Enquanto o objetivo da pesquisa quantitativa é o de gerar hipóteses a partir de pesquisas prévias e testá-las de maneira empírica, o objetivo da pesquisa qualitativa é o de compreender a "história" do evento. Portanto, a pesquisa qualitativa é mais flexível e informal, e os pesquisadores poderão estar mais interessados em reunir grandes quantidades de dados para explorar as hipóteses que poderão surgir do que em executar análises estatísticas sobre dados numéricos.

A escolha entre os métodos quantitativo ou qualitativo poderá depender do objetivo do estudo, do quanto o tópico já é conhecido e da orientação teórica do pesquisador. A pesquisa quantitativa geralmente é feita em laboratório, em condições controladas; a pesquisa qualitativa é realizada, em geral, em ambientes do cotidiano, como o lar ou a escola. Pesquisadores quantitativos procuram distanciar-se dos participantes do estudo, de modo a não influenciar os resultados; pesquisadores qualitativos podem vir a conhecer os participantes para melhor entender por que eles pensam, sentem e agem do modo como o fazem, e supõe-se que estejam interpretando os resultados através das lentes de suas próprias experiências e características.

Cada uma dessas metodologias usa diferentes tipos de amostragem e coleta de dados. O Quadro 2.3 resume as diferenças entre os dois tipos de pesquisa.

## Amostragem

**amostra**
Grupo de participantes escolhidos para representar toda uma população a ser estudada.

Como geralmente fica muito caro e leva muito tempo estudar uma *população* (grupo ao qual os resultados poderão se aplicar) inteira, os pesquisadores selecionam uma **amostra**, um grupo menor pertencente à população. Para que se possa ter certeza de que os resultados da pesquisa quantitativa são verdadeiros em termos gerais, a amostra deve representar adequadamente a população em estudo – isto é, deve exibir características pertinentes nas mesmas proporções da população inteira. De outro modo, os resultados não poderão ser devidamente *generalizados*, ou aplicados à população como um todo. Para julgar o grau de generalização que os resultados permitem, os pesquisadoreds têm de controlar quem são os participantes do estudo. Por exemplo, se a proporção de afro-americanos de determinada população for estimada em 15%, então qualquer amostra retirada daquela população deve ter aproximadamente 15% de participantes afro-americanos.

**seleção randômica**
Seleção de uma amostra de tal modo que cada pessoa em uma população tenha chances iguais e independentes de ser escolhida.

Frequentemente, pesquisadores quantitativos procuram obter representatividade mediante **seleção randômica**, na qual cada indivíduo da população tem oportunidade igual e independente de ser escolhido. Se quiséssemos estudar os efeitos de um programa educacional, por exemplo, uma das maneiras de selecionar uma amostra aleatória de estudantes seria colocar seus nomes dentro de uma caixa, agitá-la e, então, retirar um certo número de nomes. Uma amostra randômica, sobretudo se for grande, provavelmente representará bem a população. Infelizmente, é difícil obter uma amostra randômica de uma população grande. Em vez disso, muitos estudos usam amostras selecionadas por conveniência ou acessibilidade (p. ex., crianças nascidas em determinado hospital ou pacientes de

**QUADRO 2.3** Comparação das pesquisas qualitativa e quantitativa

| | Pesquisa qualitativa | Pesquisa quantitativa |
|---|---|---|
| **Objetivo e foco** | Descobrir e interpretar significados e percepções. | Testar uma hipótese desenvolvida antes de a pesquisa iniciar. |
| **Padronização e replicabilidade** | O estudo refere-se apenas ao grupo de participantes. A replicação é rara. | O estudo é padronizado para poder ser replicado. |
| **Amostragem** | Os participantes são selecionados a fim de se adequar ao objetivo do estudo. | Os participantes são escolhidos aleatoriamente. |
| **Dados** | Os principais dados produzidos são palavras. Podem ser as notas do pesquisador, gravações de áudio ou transcrições de entrevistas informais. Dados secundários, como materiais escritos e observações existentes, são usados com frequência. | Os principais dados são números ou respostas fixas que podem ser quantificadas. |
| **Métodos** | Os dados são organizados utilizando-se métodos menos estruturados, como observações e entrevistas, para gerar descrições detalhadas. As perguntas são tipicamente abertas para permitir respostas flexíveis. O pesquisador é o principal instrumento de investigação e é ajudado por guias de entrevista semiestruturados, por estratégias de observação e por uma revisão profunda dos dados secundários. A pesquisa é geralmente feita no campo de estudo e envolve encontros face a face com os participantes. | Os métodos e os instrumentos são antecipadamente estruturados para coletar dados padronizados que podem ser codificados ou enumerados. As perguntas são feitas de modo que as respostas sejam um conjunto fixo de escolhas possíveis. Os instrumentos, como os questionários, são cuidadosamente elaborados para medir variáveis específicas e são administrados sistematicamente, de forma padronizada, para evitar vieses do pesquisador. A pesquisa pode ser feita sem contato direto com os participantes, por exemplo, por meio de questionários telefônicos ou pelo correio. |
| **Análise** | Os dados são analisados por meio de uma organização sistemática e de interpretação da informação, recorrendo-se a categorias, temas e motivos que identificam padrões e relações. | Os dados são analisados usando-se processos estatísticos e procedimentos padronizados. |
| **Resultados** | Os resultados são explicações de padrões de comportamento. | Os resultados tendem a resumir padrões de semelhança, variabilidade, tamanho, direção e/ou significância de quaisquer diferenças entre grupos específicos. |

*Fonte:* Adaptado de Mathie & Carnozzi (2005).

determinada clínica de repouso). Os resultados de tais estudos podem não se aplicar à população como um todo.

Na pesquisa qualitativa, a amostragem é geralmente *focalizada* em vez de ser aleatória; os participantes são escolhidos pela capacidade de comunicar a natureza de determinada experiência – por exemplo, o que sentiram durante a puberdade ou como se sentiram quando se submeteram a uma cirurgia. O tamanho e a natureza da amostra dependem do objetivo do estudo. Em alguns, as amostras são relativamente pequenas; em outros, uma amostra maior pode ser a melhor representação das variações em uma população. Uma amostra qualitativa cuidadosamente selecionada deve ter uma quantidade razoável de generalização.

## Métodos de coleta de dados

Alguns meios comuns utilizados para coletar dados (Quadro 2.4) incluem *autorrelatos* (relatos verbais ou visuais feitos por participantes do estudo), *observação* de participantes em laboratório ou ambientes naturais e as *medidas comportamentais* ou *de desempenho*. Dependendo, em parte, das limitações de tempo e recursos financeiros, os pesquisadores podem fazer uso de uma ou mais dessas técnicas de coleta de dados em qualquer modelo de pesquisa. A pesquisa qualitativa tende a confiar em autorrelatos, geralmente na forma de entrevistas minuciosas e de perguntas abertas, ou em técnicas visuais (como pedir aos participantes que desenhem suas impressões de uma experiência) e na observação em ambientes naturais. A pesquisa quantitativa utiliza métodos padronizados e estruturados que envolvem medidas numéricas de comportamento ou desempenho.

Vejamos de forma mais detalhada os vários métodos comuns de coleta de dados.

Um dos problemas com os resultados das pesquisas de opinião das revistas é que eles não são uma amostra aleatória. Os dados vêm de "pessoas que respondem às pesquisas daquelas revistas", um grupo selecionado de indivíduos.

### Verificador
você é capaz de...
- Comparar pesquisa quantitativa e pesquisa qualitativa e dar um exemplo de cada?
- Resumir as seis etapas do método científico e dizer por que cada uma é importante?
- Explicar o propósito da seleção randômica e dizer como pode ser realizada?

**QUADRO 2.4** Principais métodos de coleta de dados

| Tipo | Características principais | Vantagens | Desvantagens |
|---|---|---|---|
| Autorrelato: diário, relatos visuais, entrevista ou questionário | Os participantes são questionados sobre algum aspecto de suas vidas; o questionário pode ser altamente estruturado ou mais flexível; o autorrelato pode ser verbal ou visual. | Pode oferecer informação direta sobre a vida, atitudes ou opiniões de uma pessoa.<br>Técnicas visuais (p. ex., desenhos, mapas, gráficos) evitam a necessidade de habilidades verbais. | O participante pode não se lembrar da informação com precisão ou pode distorcer as respostas de um modo socialmente desejável; o modo como a pergunta é formulada, ou por quem, pode afetar a resposta. |
| Observação naturalista | As pessoas são observadas em seu ambiente natural, sem qualquer tentativa de manipular o comportamento. | Oferece boa descrição do comportamento; não submete as pessoas a ambientes não naturais que possam distorcer o comportamento. | Falta de controle; viés do observador. |
| Observação laboratorial | Os participantes são observados no laboratório, sem qualquer tentativa de manipular o comportamento. | Oferece boas descrições; proporciona maior controle que a observação naturalista, pois os participantes são observados sob as mesmas condições controladas. | Viés do observador; a situação controlada pode ser artificial. |
| Medidas comportamentais e de desempenho | Os participantes são testados em suas habilidades, aptidões, conhecimento, competências ou respostas físicas. | Oferece informação objetivamente mensurável; evita distorções subjetivas. | Não pode medir atitudes ou outros fenômenos não comportamentais; os resultados podem ser afetados por fatores estranhos. |

## Qual a sua opinião?

Qual é a técnica de entrevista que produz resultados mais confiáveis – a estruturada ou a de perguntas abertas?

A observação também não funciona muito bem para eventos raros. Suponha que você quisesse pesquisar salvamentos heroicos e ficasse perto de uma ponte observando se alguém iria ajudar quando uma pessoa tentasse se suicidar pulando da ponte. Quanto tempo você esperaria?

**observação naturalista**
Método de pesquisa em que o comportamento é estudado em ambientes naturais sem intervenção ou manipulação.

**observação laboratorial**
Método de pesquisa em que todos os participantes são observados sob as mesmas condições controladas.

**Autorrelatos: diários, técnicas visuais, entrevistas e questionários** A forma mais simples de autorrelato é o *diário* ou registro. Pode-se pedir a adolescentes, por exemplo, que registrem o que comeram todos os dias ou os momentos nos quais eles se sentiram deprimidos. Para estudar crianças pequenas, é comum usar o *autorrelato parental* – diários, entrevistas ou questionários –, geralmente combinado com outros métodos, como filmagem ou gravação de áudio. Os pais poderão ser filmados brincando com seus bebês, e depois as filmagens lhes são mostradas e eles têm de explicar por que agiram ou reagiram dessa ou daquela maneira. As técnicas de representação visual – pedir aos participantes que desenhem, pintem ou façam mapas ou gráficos que descrevam sua experiência – podem evitar a dependência de habilidades verbais.

Em uma *entrevista* face a face ou por telefone, os pesquisadores fazem perguntas sobre atitudes, opiniões ou comportamentos. Na entrevista *estruturada*, a cada participante são feitas as mesmas perguntas. Uma entrevista de perguntas *abertas* é mais flexível; o entrevistador pode variar os tópicos e a ordem das perguntas e pode fazer outras perguntas com base nas respostas que foram dadas. Para atingir um número maior de pessoas e proteger sua privacidade, os pesquisadores às vezes distribuem um *questionário* impresso ou *on-line* que os participantes preenchem e devolvem.

Ao fazerem perguntas a um grande número de pessoas, os pesquisadores podem obter um quadro mais amplo – pelo menos sobre o que os respondentes *dizem* que acreditam sobre o que fazem ou fizeram. No entanto, pessoas que desejam participar de entrevistas ou preencher questionários talvez não representem com precisão a população como um todo. Além disso, confiar demais em autorrelatos pode ser imprudente, pois as pessoas talvez não tenham pensado sobre o que sentem e pensam, ou sinceramente podem não saber. Elas podem esquecer quando e como os eventos ocorreram ou podem, consciente ou inconscientemente, distorcer suas respostas para se adequar ao que é considerado socialmente desejável.

A maneira como uma pergunta é formulada, e por quem, pode afetar a resposta. Quando indagados sobre comportamentos potencialmente perigosos ou socialmente desaprovados, como hábitos sexuais e uso de drogas, os participantes talvez sejam mais sinceros quando respondem pelo computador do que em uma entrevista face a face.

**Observação naturalista e laboratorial** A observação ocorre de duas formas: *observação naturalista* e *observação laboratorial*. Na **observação naturalista**, os pesquisadores estudam as pessoas em ambientes da vida real. Eles não tentam alterar o comportamento ou o ambiente; simplesmente registram o que veem. Na **observação laboratorial**, os pesquisadores observam e registram o comportamento em um ambiente controlado, como o laboratório. Observando todos os participantes sob as mesmas condições, os cientistas podem identificar com mais clareza as diferenças comportamentais não atribuíveis ao ambiente.

Esses dois modos de observação podem oferecer descrições valiosas sobre o comportamento, mas têm suas limitações. Primeiro, não explicam *por que* as crianças se comportam de certa forma, embora os observadores possam sugerir interpretações. Segundo, a presença de um observador pode alterar o comportamento. Quando crianças sabem que estão sendo observadas, podem agir de modo diferente. Por fim, há o risco do *viés do observador*: a tendência do pesquisador a interpretar dados de modo a satisfazer expectativas ou enfatizar alguns aspectos e minimizar outros. O problema do viés do observador é importante, sobretudo na pesquisa quantitativa, que deve ser *replicável* (possível de repetir) por outros pesquisadores para verificar se resultados semelhantes são obtidos.

Antes, a observação em laboratório era utilizada para obter um controle mais rigoroso. Agora, gravadores digitais e computadores permitem aos pesquisadores analisar momento a momento as mudanças nas expressões faciais ou outros comportamentos (Gottman & Notarius, 2000). Esses métodos tornam a observação naturalista mais precisa e objetiva do que era antigamente.

**Medidas comportamentais e de desempenho** Para a pesquisa quantitativa, os cientistas empregam medidas mais objetivas de comportamento e desempenho, em vez de, ou além de, autorrelatos ou observação. Testes e outras medidas comportamentais e neuropsicológicas podem ser usados para avaliar capacidades, aptidões, conhecimento, competências ou respostas fisiológicas como ritmo cardíaco e atividade cerebral. Embora tais medidas sejam menos subjetivas que autorrelatos ou observação pessoal, fatores como fadiga e autoconfiança podem afetar os resultados.

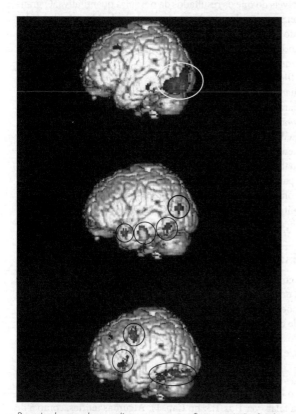

*Pesquisadores podem analisar uma tomografia por emissão de pósitrons (PET) para observarem a ligação entre a atividade cognitiva e o que acontece no cérebro. As regiões em destaque são ativadas quando os objetos são vistos (acima), reconhecidos (centro) e nomeados (abaixo).*

Alguns testes escritos, como os testes de inteligência, comparam o desempenho da pessoa com o de outras que fizeram o mesmo teste. Esses testes podem ser significativos e úteis somente se forem *válidos* (i.e., os testes medem as capacidades que alegam medir) e *fidedignos* (i.e., os resultados são razoavelmente consistentes de um momento para outro). Para evitar algum viés, os testes devem ser *padronizados*, ou seja, aplicados e avaliados pelos mesmos métodos e critérios para todas as pessoas testadas.

Ao medir uma característica como a inteligência, é importante definir exatamente o que deve ser medido, de modo que os outros pesquisadores entendam e possam repetir o experimento e comentar os resultados. Para isso, os pesquisadores usam uma **definição operacional** – uma definição expressa apenas em termos das operações ou procedimentos utilizados para produzir ou medir um fenômeno. A inteligência, por exemplo, pode ser definida como a capacidade de atingir certo escore ou pontuação em um teste referente a relações lógicas, memória e reconhecimento de vocabulário. Algumas pessoas podem discordar dessa definição, mas ninguém poderá razoavelmente dizer que não é clara.

Durante a maior parte da história da psicologia, teóricos e pesquisadores estudaram os processos cognitivos separadamente das estruturas cerebrais nas quais esses processos ocorrem. Hoje, aparelhos de imagem sofisticados, como a imagem por ressonância magnética funcional (fMRI) e a tomografia por emissão de pósitrons (PET), permitem ver o cérebro em ação, e o novo campo da **neurociência**

**definição operacional**
Definição expressa apenas em termos das operações ou procedimentos utilizados para produzir ou medir um fenômeno.

**neurociência cognitiva**
Estudo dos vínculos entre processos neurais e capacidades cognitivas.

## PARTE I • Apresentação ao mundo da criança

**cognitiva** está associando a nossa compreensão das funções cognitivas com o que acontece no cérebro (Gazzaniga, 2000; Humphreys, 2002; Posner & DiGirolamo, 2000).

## Avaliando as pesquisas quantitativa e qualitativa

Em comparação com a pesquisa quantitativa baseada no método científico, a pesquisa qualitativa tem seus pontos fortes e limitações. Pelo lado positivo, a pesquisa qualitativa pode examinar uma questão em grande profundidade e detalhadamente, e o enquadramento da pesquisa pode ser prontamente revisado à luz de novos dados. As descobertas da pesquisa qualitativa podem ser uma rica fonte de *insights* sobre atitudes e comportamentos. A relação interativa entre pesquisadores e participantes pode humanizar o processo de pesquisa e revelar informações que não emergiriam nas condições mais impessoais da pesquisa quantitativa. Por outro lado, a pesquisa qualitativa tende a ser menos rigorosa e mais sujeita a vieses do que a pesquisa quantitativa. Como as amostras costumam ser pequenas e não aleatórias, os resultados são menos generalizáveis e replicáveis do que os resultados da pesquisa quantitativa. O grande volume de dados torna a análise e a interpretação demoradas, e a qualidade das descobertas e das conclusões depende muito das habilidades do pesquisador (Mathie & Carnozzi, 2005).

A linha demarcatória entre essas metodologias, porém, não é necessariamente bem definida. Os dados qualitativos podem ser analisados quantitativamente – por exemplo, pela análise estatística de transcrições de entrevistas ou observações filmadas para ver quantas vezes certos temas ou comportamentos ocorrem. Inversamente, os dados quantitativos podem ser esclarecidos pela pesquisa qualitativa – por exemplo, por entrevistas elaboradas para examinar as motivações e atitudes de crianças com altas pontuações em testes de execução (Yoshikawa, Weisner, Kalil, & Way, 2008).

A tendência atual é combinar métodos qualitativos e quantitativos. Por exemplo, uma pesquisa quantitativa pode revelar a proporção de adolescentes de determinado país que fuma tabaco e a idade média em que começaram a fumar. A pesquisa qualitativa, por meio de entrevistas detalhadas ou de grupos focais, pode descobrir por que razão certos participantes começaram a fumar, e essas descobertas poderão ser testadas pela pesquisa quantitativa com uma amostra maior e mais representativa. Em conjunto, muitas vezes a pesquisa quantitativa e a qualitativa podem fornecer informações mais complexas e mais completas sobre o desenvolvimento da criança do que cada um dos métodos sozinho.

## Modelos básicos de pesquisa

Um modelo de pesquisa é um plano para conduzir uma investigação científica: quais as perguntas a serem respondidas, como os participantes devem ser testados, como os dados devem ser coletados e interpretados e como se pode tirar conclusões válidas. Quatro modelos básicos são utilizados na pesquisa sobre desenvolvimento: os estudos de caso, os estudos etnográficos, os estudos correlacionais e os experimentos. Os dois primeiros modelos são qualitativos; os dois últimos são quantitativos. Cada modelo tem suas vantagens e desvantagens, e cada um é apropriado para certos tipos de problemas em pesquisa (Quadro 2.5).

**Estudos de caso**   Um **estudo de caso** é o exame de um único caso ou um indivíduo, como Genie, a menina de 13 anos que nunca aprendeu a falar (ver Box 1.3, no Cap. 1). Algumas teorias, como a de Freud, nasceram de estudos de casos clínicos, que incluíam observações e interpretações cuidadosas do que os pacientes diziam e faziam. Esses estudos também podem fazer uso de medidas comportamentais ou fisiológicas e de material biográfico, autobiográfico ou documental.

Estudos de caso oferecem informações úteis e detalhadas. Podem explorar fontes de comportamento e testar tratamentos, além de sugerir áreas potenciais para outras pesquisas. Uma vantagem é a flexibilidade: o pesquisador é livre para explorar caminhos que surgem durante o curso do estudo. Contudo, os estudos de caso, por serem do modelo qualitativo, têm lacunas. Com o estudo de Genie, por exemplo, aprendemos muito sobre o desenvolvimento de uma única criança e, apesar de se assumir muitas vezes que algumas descobertas são relevantes para todas as crianças, não podemos ter a certeza de que a informação se aplica a todas as crianças. Além disso, estudos de caso não podem explicar o comportamento com certeza ou permitir sólidas afirmações causais, pois não há como testar suas conclusões. Ainda que pareça razoável que o ambiente severamente desprovido de Genie tenha contribuído ou mesmo causado sua deficiência de linguagem, é impossível saber como ela teria se desenvolvido se tivesse sido criada normalmente.

**Estudos etnográficos**   Um **estudo etnográfico** procura descrever o padrão de relacionamentos, costumes, crenças, tecnologia, artes e tradições que compõem um modo de vida em sociedade. De certo

---

**Verificador**
**você é capaz de...**

■ Comparar vantagens e desvantagens das várias formas de coleta de dados e dar exemplos de como os métodos qualitativo e quantitativo podem ser combinados?

■ Explicar como a pesquisa do cérebro contribui para a compreensão dos processos cognitivos e das atitudes e comportamentos sociais?

---

Não existe a "melhor maneira" de coletar dados; cada técnica traz custos e benefícios a ela associados.

---

**estudo de caso**
Estudo de um único sujeito, que pode ser um indivíduo ou uma família.

---

**estudo etnográfico**
Estudo aprofundado de uma cultura, que utiliza uma combinação de métodos, inclusive a observação participante.

**QUADRO 2.5** Modelos básicos de pesquisa

| Tipo | Características principais | Vantagens | Desvantagens |
|---|---|---|---|
| Estudo de caso | Estudo aprofundado de um único indivíduo. | Flexibilidade; oferece um quadro detalhado do comportamento e do desenvolvimento de uma pessoa; pode gerar hipóteses. | Pode não ser generalizável para outros casos; conclusões não são diretamente testáveis; não pode estabelecer causa e efeito. |
| Estudo etnográfico | Estudo aprofundado de uma cultura ou subcultura. | Pode ajudar a superar as influências culturais na teoria e na pesquisa; pode testar a universalidade de fenômenos do desenvolvimento. | Sujeito ao viés do observador. |
| Estudo correlacional | Tentativa de encontrar relações positivas ou negativas entre variáveis. | Permite a previsão de uma variável com base em outra; pode sugerir hipóteses sobre relações casuais. | Não pode estabelecer causa e efeito. |
| Experimento | Procedimento controlado em que o experimentador controla a variável independente para determinar seu efeito na variável dependente; pode ser conduzido em laboratório ou em campo. | Estabelece relações de causa e efeito; é altamente controlado e pode ser repetido por outro pesquisador; o grau de controle é maior no experimento em laboratório. | Os resultados, especialmente quando derivados de experimentos em laboratório, podem não ser generalizáveis para situações fora do laboratório. |

modo, é como um estudo de caso de uma cultura. A pesquisa etnográfica pode ser qualitativa, quantitativa ou de ambos os tipos. Utiliza uma combinação de métodos, inclusive entrevistas informais não estruturadas e **observação participante**. A observação participante é uma forma de observação naturalista em que os pesquisadores vivem nas sociedades ou grupos menores que observam ou dos quais participam, assim como geralmente fazem os antropólogos por longos períodos.

Em virtude do envolvimento dos etnógrafos nos eventos ou nas sociedades que estão observando, suas descobertas ficam sujeitas ao viés do observador. Pelo lado positivo, a pesquisa etnográfica pode ajudar a superar o viés cultural na teoria e na pesquisa, como abordado no Box 2.2. A etnografia demonstra o erro de se supor que princípios desenvolvidos em pesquisas com culturas ocidentais sejam universalmente aplicáveis.

**Estudos correlacionais** Um **estudo correlacional** procura determinar se existe uma *correlação*, ou relação estatística, entre *variáveis*, fenômenos que se alteram ou variam entre pessoas ou podem ser variados para efeitos de pesquisa. As correlações são expressas em termos de direção (positiva ou negativa) e magnitude (grau). Duas variáveis correlacionadas *positivamente* aumentam ou diminuem juntas. Como relataremos no Capítulo 14, estudos mostram uma correlação positiva, ou direta, entre a violência na televisão e a agressividade; ou seja, crianças que assistem a programas de televisão mais violentos tendem a brigar mais do que aquelas que assistem menos a esses programas. Duas variáveis têm correlação *negativa*, ou inversa, se, enquanto uma variável aumentar, a outra diminuir. Estudos mostram uma correlação entre o grau de escolarização e o risco de desenvolver demência (deterioração mental) devido à doença de Alzheimer na velhice. Em outras palavras, quanto menos instrução, maior a demência (Katzman, 1993).

As correlações são indicadas por números que variam de +1,0 (uma perfeita relação positiva) a –1,0 (uma perfeita relação negativa). Assim, por exemplo, uma correlação de +0,6 e –0,6 tem a mesma intensidade, mas em direções opostas. Correlações perfeitas são raras. Quanto mais próxima de +1,0 ou –1,0, mais forte a relação, seja ela positiva, seja ela negativa. Uma correlação igual a zero significa que as variáveis não têm nenhuma relação entre si (Fig. 2.3).

Correlações nos permitem prever uma variável em relação a outra. Com base na correlação positiva entre programas violentos na televisão e agressão, podemos prever que crianças que assistem a muitos programas violentos têm maior probabilidade de se envolver em brigas do que aquelas que não assistem a esses programas. Quanto maior a magnitude da correlação entre as duas variáveis, maior a capacidade de prever uma delas a partir da outra.

Embora correlações fortes indiquem possíveis relações de causa e efeito, são apenas hipóteses e precisam ser examinadas e testadas com espírito crítico. Não podemos ter certeza, a partir de uma correlação positiva entre violência televisionada e agressividade, de que ver programas violentos na televisão *causa* agressão; só podemos concluir que as duas variáveis estão relacionadas. É possível que a causa ocorra no sentido inverso: o comportamento agressivo talvez leve a criança a ver mais programas violentos.

**observação participante**
Método de pesquisa em que o observador vive com as pessoas ou participa da atividade que está sendo observada.

**estudo correlacional**
Modelo de pesquisa que visa descobrir se existe uma relação estatística entre variáveis.

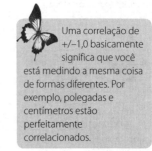
Uma correlação de +/–1,0 basicamente significa que você está medindo a mesma coisa de formas diferentes. Por exemplo, polegadas e centímetros estão perfeitamente correlacionados.

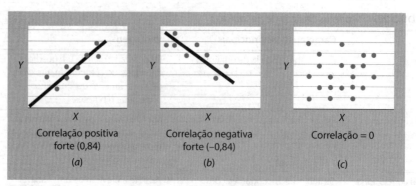

**FIGURA 2.3**
Gráficos de dispersão de correlação positiva, negativa e nenhuma correlação.
*Os estudos correlacionais podem encontrar correlações positivas ou negativas ou nenhuma delas. Em uma correlação positiva ou direta (a), os dados registados em um gráfico concentram-se em torno de uma linha que mostra que uma variável (X) aumenta enquanto a outra variável (Y) aumenta. Em uma correlação negativa ou inversa (b), uma variável (X) aumenta enquanto a outra variável (Y) diminui. Nenhuma correlação, ou correlação zero (c), existe quando aumentos e diminuições em duas variáveis não mostram relação consistente (ou seja, os dados registados em um gráfico não mostram um padrão).*

Ou uma terceira variável – uma predisposição inata à agressividade ou um ambiente violento – pode fazer a criança *tanto* assistir a programas violentos quanto agir agressivamente. Do mesmo modo, não temos certeza se a escolarização protege contra a demência; talvez outra variável, como o nível socioeconômico, possa explicar tanto os níveis mais baixos de escolarização quanto os níveis mais altos de demência. A única maneira de demonstrar com certeza que uma variável é a causa de outra é por meio do experimento – um método que, quando se estuda seres humanos, nem sempre é possível por razões práticas ou éticas.

**Experimentos** Um **experimento** é um procedimento controlado em que o experimentador manipula variáveis para saber como uma afeta a outra. Experimentos científicos devem ser conduzidos e relatados de modo que outro experimentador possa *replicá-los*, isto é, repeti-los exatamente do mesmo jeito, mas com diferentes participantes, para verificar os resultados e as conclusões.

*Grupos e variáveis* Um modo comum de conduzir um experimento é dividir os participantes em dois tipos de grupos. O **grupo experimental** consiste em pessoas que serão expostas à manipulação experimental ou *tratamento* – o fenômeno que o pesquisador quer estudar. Depois, o efeito do tratamento será medido uma ou mais vezes para verificar quais foram as mudanças que ele causou, se é que houve alguma. O **grupo-controle** consiste em pessoas semelhantes às do grupo experimental, mas que não recebem o tratamento experimental ou que talvez recebam um tratamento diferente. Um experimento pode incluir um ou mais de cada tipo de grupo. Se o experimentador quiser comparar os efeitos de diferentes tratamentos (digamos, de dois métodos de ensino), a amostra geral poderá ser dividida em *grupos de tratamento*, cada um deles recebendo um dos tratamentos em estudo. Para assegurar a objetividade, alguns experimentos, especialmente na pesquisa médica, usam procedimentos de *duplo-cego*, em que nem os participantes, nem os experimentadores sabem quem está recebendo o tratamento e quem está recebendo o *placebo*.

Uma equipe de pesquisadores (Whitehurst et al., 1988) queria descobrir o efeito que a *leitura dialógica*, um método especial para ler livros com gravuras para crianças pequenas, teria sobre suas habilidades linguísticas e vocabulares. Os pesquisadores compararam dois grupos de crianças de classe média com idade entre 21 e 35 meses. No *grupo experimental*, os pais adotaram o novo método de leitura em voz alta (o *tratamento*), que consistia em incentivar a participação ativa da criança e oferecer um *feedback* constante com base na sua idade. No *grupo-controle*, os pais simplesmente liam em voz alta como costumavam fazer. Um mês depois, as crianças do grupo experimental estavam oito meses e meio à frente do grupo-controle em nível de fala e seis meses à frente em vocabulário; 10 meses depois, o grupo experimental ainda estava seis meses à frente do grupo-controle. É razoável concluir, portanto, que esse método de leitura em voz alta melhorou as habilidades linguísticas e vocabulares das crianças.

---

**experimento**
Procedimento rigorosamente controlado e replicável, em que o pesquisador manipula variáveis para avaliar o efeito de uma sobre a outra.

**grupo experimental**
Em um experimento, o grupo que recebe o tratamento em estudo.

**grupo-controle**
Em um experimento, o grupo de pessoas, semelhante ao grupo experimental, que não recebe o tratamento em estudo.

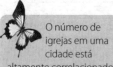 O número de igrejas em uma cidade está altamente correlacionado com o número de garrafas de bebida alcoólica encontradas nas latas de lixo da cidade. Mas seria inadequado concluir que a religião leva as pessoas a beberem. Em vez disso, uma terceira variável – o tamanho da população – explica essa relação. Precisamos sempre incluir o pensamento crítico em nossas observações.

# Pelo mundo

## OBJETIVOS DA PESQUISA TRANSCULTURAL

**2.2**

Quando David, uma criança norte-americana de origem europeia, foi solicitado a identificar o detalhe que faltava no retrato de um rosto sem boca, ele disse "a boca". Mas Ari, uma criança asiática imigrante em Israel, disse que o *corpo* é que estava faltando. Como em sua cultura a arte não apresenta a cabeça como um retrato completo, ele achou que a ausência de um corpo era mais importante que a omissão de "um mero detalhe como a boca" (Anastasi, 1988, p. 360).

É observando crianças de diferentes grupos culturais que os pesquisadores poderão saber sob quais aspectos o desenvolvimento é universal (e, portanto, intrínseco à condição humana) e sob quais aspectos é culturalmente determinado. Por exemplo, crianças de toda parte aprendem a falar na mesma sequência, passando de arrulhos e balbucios para palavras simples e depois para combinações de palavras. As palavras variam de cultura para cultura, mas no mundo inteiro crianças pequenas formam sentenças juntando as palavras da mesma maneira. Essas descobertas sugerem que a capacidade de aprender uma língua é universal e inata.

No entanto, a cultura pode influenciar o início do desenvolvimento motor. Bebês africanos, cujos pais costumam apoiá-los para que fiquem sentados e os forçam a ficar de pé, tendem a sentar e caminhar mais cedo que bebês norte-americanos (Rogoff & Morelli, 1989). A sociedade em que uma criança é criada também influencia nas habilidades que ela aprende. Nos Estados Unidos, a criança aprende a ler, escrever e, cada vez mais, a operar computadores. No Nepal, ela aprende a conduzir búfalos e a percorrer trilhas nas montanhas.

Uma razão importante para conduzir pesquisa entre diferentes grupos culturais é reconhecer vieses nas teorias e nas pesquisas ocidentais tradicionais, que geralmente não são questionadas até que se mostre que são produto de influências culturais. Como boa parte das pesquisas sobre o desenvolvimento infantil concentra-se nas sociedades ocidentais industrializadas, o desenvolvimento típico nessas sociedades pode ser visto como *norma* ou padrão de comportamento. Medidas comparadas a essa norma resultam em ideias restritas – e geralmente erradas – sobre o desenvolvimento. Levada ao extremo, essa crença pode fazer o desenvolvimento infantil em outros grupos étnicos e culturais ser visto como diferente.

Existem barreiras que impedem nossa compreensão das diferenças culturais, especialmente aquelas que envolvem subculturas minoritárias. Assim como aconteceu com David e Ari em nosso primeiro exemplo, uma pergunta ou tarefa poderá ter diferentes significados conceituais para diferentes grupos culturais. Às vezes, as barreiras são linguísticas. Em um estudo com crianças sobre a compreensão das relações de parentesco entre os zinacantas de Chiapas, México (Greenfield & Childs, 1978), em vez de perguntar "quantos irmãos você tem?", os pesquisadores – sabendo que os zinacantas têm termos diferentes para irmão mais velho e irmão mais novo – perguntaram "qual é o nome do seu irmão mais velho?". Fazer a mesma pergunta em culturas diferentes pode obscurecer, em vez de revelar, diferenças e semelhanças culturais (Parke, 2004b).

Resultados de estudos observacionais de grupos étnicos ou culturais podem ser afetados pela etnia dos pesquisadores. Por exemplo, em um estudo, observadores norte-americanos de origem europeia notaram mais conflitos e restrições nos relacionamentos entre mãe e filha afro-americanas do que observadores afro-americanos (Gonzales, Cauce, & Mason, 1996).

Neste livro, discutimos várias teorias influentes desenvolvidas como resultados de pesquisas feitas em sociedades ocidentais que não se sustentam quando testadas em pessoas de outras culturas – teorias sobre papéis de gênero, pensamento abstrato, julgamento moral e outros aspectos do desenvolvimento humano. Ao longo deste livro, focalizamos constantemente crianças de culturas e subculturas diferentes da cultura dominante nos Estados Unidos, para mostrar o quanto o desenvolvimento está ligado à sociedade e à cultura e para ampliar nossa compreensão sobre desenvolvimento normal em muitos ambientes. Ao fazê-lo, porém, precisamos estar atentos às armadilhas envolvidas nas comparações transculturais.

**Qual a sua opinião?** Você consegue se lembrar de uma situação em que tenha feito uma suposição errada sobre uma pessoa porque não estava familiarizado com ela ou com sua base cultural?

---

Nesse experimento, o tipo de método de leitura era a *variável independente*, e as habilidades linguísticas da criança eram a *variável dependente*. Uma **variável independente** é algo sobre o qual o experimentador tem controle direto. Uma **variável dependente** é algo que pode ou não se alterar como resultado de mudanças na variável independente; em outras palavras, ela *depende* da variável independente. Em um experimento, o pesquisador manipula a variável independente para ver como as mudanças nela ocorridas afetarão a variável dependente.

*Distribuição randômica* Se em um experimento houver uma diferença significativa no desempenho dos grupos experimental e de controle, como saber que a causa foi a variável independente – em outras palavras, que a conclusão é válida? Por exemplo, no experimento da leitura em voz alta, como podemos ter certeza de que o método de leitura, e não algum outro fator (como a inteligência), é que causou a

**variável independente**
Em um experimento, a condição sobre a qual o experimentador exerce controle direto.

**variável dependente**
Em um experimento, a condição que pode ou não se alterar como resultado de mudanças na variável independente.

**distribuição randômica**
Distribuição dos participantes de um experimento em grupos, de modo que cada pessoa tenha chances iguais de ser colocada em qualquer um dos grupos.

Variáveis dependentes também são conhecidas como "medidas finais" porque seus valores são usados para verificar, no final do estudo, se você está certo.

A pesquisa conduzida com os sobreviventes do furacão Katrina que os comparou a pessoas de outras cidades, com as quais eram semelhantes em muitas medidas, exceto pela experiência de vivenciar os eventos traumáticos do furacão, é um exemplo de modelo quase-experimental.

**Verificador**
**você é capaz de...**

- Comparar os usos e as desvantagens dos estudos de caso, estudos etnográficos, estudos correlacionais e dos experimentos?
- Explicar por que somente um experimento controlado pode estabelecer relações causais?
- Distinguir entre experimentos laboratoriais, de campo e naturais e dizer que tipos de pesquisa parecem mais adequados para cada um deles?

diferença no desenvolvimento linguístico dos dois grupos? A melhor maneira de controlar os efeitos de outros fatores é a **distribuição randômica**: distribuir os participantes em grupos, de modo que cada pessoa tenha a mesma chance de ser incluída em qualquer grupo. (A distribuição randômica difere da seleção randômica, que determina quem entra na amostra.)

Se a distribuição for randômica e a amostra for suficientemente grande, as diferenças em fatores não considerados como variáveis, como idade, gênero, etnia, QI e nível socioeconômico, serão distribuídas de maneira uniforme, de modo que inicialmente os grupos devem ser tão semelhantes quanto possível em todos os aspectos, exceto na variável a ser testada. Não fosse assim, diferenças que não foram levadas em conta poderiam *confundir* ou contaminar os resultados, e quaisquer conclusões tiradas do experimento teriam de ser vistas com suspeita. Para evitar contaminações, o experimentador deve certificar-se de que tudo, exceto a variável independente, é mantido constante no decorrer do experimento. Por exemplo, no estudo de leitura em voz alta, os pais no grupo experimental e no grupo-controle devem passar o mesmo tempo lendo para os filhos. Quando os participantes de um experimento são randomicamente distribuídos entre grupos de tratamento, e quaisquer outras condições que não sejam a variável independente forem cuidadosamente controladas, o experimentador poderá estar razoavelmente confiante de que uma relação causal foi (ou não) estabelecida – que quaisquer diferenças na capacidade de leitura dos dois grupos se devem ao método de leitura, e não a algum outro fator.

É claro que, com respeito a algumas variáveis que quiséssemos estudar, como idade, gênero e raça/etnia, a distribuição randômica não é possível. Não podemos incluir Sierra no grupo de 5 anos e Daniel no de 10, ou decidir que Sierra será um menino e Daniel uma menina, ou que um será afro-americano e o outro americano de origem asiática. Ao estudarem esse tipo de variável – por exemplo, se meninos ou meninas têm melhor desempenho em certas habilidades –, os pesquisadores podem fortalecer a validade de suas conclusões selecionando randomicamente os participantes e tentando certificar-se de que são estatisticamente equivalentes em outros aspectos que pudessem fazer diferença no estudo.

*Experiências em laboratório, de campo e naturais* O controle necessário para estabelecer causa e efeito é mais facilmente obtido em experimentos laboratoriais. Em um *experimento laboratorial*, os participantes são levados para um laboratório, onde são submetidos a condições manipuladas pelo experimentador. O experimentador registra as reações dos participantes a essas condições, talvez comparando-as às suas próprias ou ao comportamento de outros participantes em diferentes condições.

Contudo, nem todos os experimentos podem ser feitos em laboratório. O *experimento de campo* é um estudo controlado conduzido em um ambiente cotidiano, como o lar ou a escola. O experimento descrito anteriormente (Whitehurst et al., 1988), no qual os pais tentaram um novo modo de leitura em voz alta para crianças pequenas, foi um experimento de campo.

Experimentos laboratoriais e de campo diferem em dois aspectos importantes. Um deles é o *grau de controle* exercido pelo experimentador, o outro é o grau em que os resultados podem ser generalizados além do ambiente de estudo. Experimentos laboratoriais podem ser controlados com mais rigor e, portanto, são mais fáceis de replicar; no entanto, os resultados talvez sejam menos generalizáveis para a vida real. Em virtude da artificialidade da situação em laboratório, os participantes podem não agir como normalmente fariam. Assim, se crianças que veem programas de televisão violentos no laboratório tornam-se mais agressivas naquele ambiente, não podemos ter certeza de que crianças que assistem a programas violentos em casa batem em seus irmãos menores com mais frequência do que aquelas que não veem esses programas ou que veem menos.

Quando, por razões práticas ou éticas, é impossível conduzir um verdadeiro experimento, um experimento natural poderá ser uma opção para estudar certos eventos. O *expriemnto natural*, também chamado de *quase-experimento*, compara pessoas que foram acidentalmente "distribuídas" para separar grupos por circunstâncias de vida – um grupo, digamos, que foi atingido pela fome ou exposto ao HIV, ou que teve acesso à educação superior, e outro grupo que não. O experimento natural, apesar do nome, na verdade é um estudo correlacional porque a manipulação controlada das variáveis e a distribuição randômica entre os grupos de tratamento não são possíveis.

Um experimento natural observou o que aconteceu quando um cassino foi aberto em uma reserva indígena na Carolina do Norte, Estados Unidos, elevando a renda dos membros da tribo (Costello, Compton, Keeler e Angold, 2003). O estudo detectou um declínio nos transtornos comportamentais entre crianças dessas famílias em comparação com crianças da mesma região, cujas famílias não tiveram sua renda aumentada. No entanto, como era correlacional, o estudo não pôde provar que o aumento na renda na verdade *causou* melhorias na saúde mental.

Experimentos controlados apresentam duas importantes vantagens sobre outros métodos de pesquisa: podem estabelecer relações de causa e efeito e permitem replicação. Entretanto, esses experimentos podem ser muito artificiais, e seu foco, muito estreito. Nas últimas décadas, muitos pesquisadores concentraram-se menos na experimentação em laboratório ou complementaram-na com outros métodos.

## Modelos de pesquisa sobre desenvolvimento

Um dos principais objetivos da pesquisa do desenvolvimento é o estudo da mudança ao longo do tempo. Assim, os psicólogos do desenvolvimento têm criado vários métodos para investigar essa mudança. As duas estratégias de pesquisa mais comuns em desenvolvimento são os estudos transversais e os longitudinais (Figura 2.4). O **estudo transversal** ilustra com clareza semelhanças ou diferenças entre pessoas de idades diferentes; o **estudo longitudinal** acompanha pessoas ao longo do tempo e concentra-se na mudança individual com a idade. Ambos os modelos têm vantagens e desvantagens. Um terceiro tipo de estudo, o **estudo sequencial**, combina as duas abordagens para minimizar suas desvantagens.

**Estudos transversais, longitudinais e sequenciais**   Em um estudo transversal, crianças de diferentes idades são avaliadas em um único momento. Em geral, as crianças são agrupadas por outras características importantes, e suas idades variam. No entanto, como a idade claramente não pode ser manipulada, os estudos transversais são fundamentalmente descritivos por natureza.

Por exemplo, em um estudo transversal, os pesquisadores apresentaram a 193 meninos e meninas, com idades entre 7 meses e 5 anos, pequenos pares de objetos. As crianças foram convidadas a pegar um dos objetos, que eram idênticos com a exceção de um ser sempre da cor rosa e o outro verde, azul, amarelo ou laranja. Os pesquisadores descobriram que as meninas não mostraram preferência pelos objetos de cor rosa até os 2 anos de idade; a partir daí começaram a tentar pegar objetos dessa cor com mais frequência. À medida que a idade das meninas aumentava, era cada vez maior a preferência pelos objetos dessa cor. Com 4 anos de idade, as meninas escolheram objetos dessa cor quase 80% mais vezes do que de outras cores. Os meninos, no entanto, mostraram um padrão diferente. Como as meninas, no início não mostraram preferência pela cor rosa em comparação às outras cores. A partir dos 2 anos de idade, no entanto, escolheram cada vez menos objetos dessa cor. Com 5 anos de idade, escolheram objetos de cor rosa apenas 20% das vezes. Os pesquisadores concluíram que a preferência das meninas pelo rosa tinha sido aprendida ao longo do tempo e teorizaram que isto estava relacionado com a aquisição de conhecimento sobre gênero (LoBue & DeLoache, 2011).

Podemos ter certeza dessa conclusão? O problema dos estudos transversais é que não podemos saber se a preferência por certas cores pelos meninos de 5 anos quando eles têm menos de 2 anos era a mesma

**estudo transversal**
Estudo delineado para avaliar diferenças relacionadas à idade em que pessoas de diferentes idades são avaliadas em determinada ocasião.

**estudo longitudinal**
Estudo delineado para avaliar mudanças em uma amostra ao longo do tempo.

**estudo sequencial**
Estudo cujo delineamento combina técnicas transversais e longitudinais.

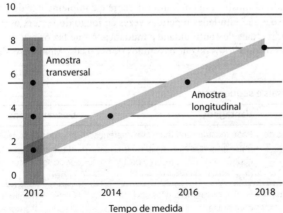

**FIGURA 2.4**
Modelos de pesquisa sobre desenvolvimento.
*No estudo transversal, grupos de indivíduos com 2, 4, 6 e 8 anos de idade foram testados em 2012 para se obter dados sobre diferenças relacionadas à idade. No estudo longitudinal, uma amostra de crianças foi primeiramente medida em 2012, quando elas tinham 2 anos; testes de acompanhamento são feitos quando as crianças têm 4, 6 e 8 anos para medir mudanças de desempenho relacionadas à idade.*

que a dos bebês que participaram do estudo. Não podemos saber com certeza se essa mudança é proveniente do desenvolvimento, e não apenas uma diferença de experiências formativas para os dois grupos etários. Por exemplo, se tivesse sido introduzido no ano anterior ao estudo um programa de televisão popular dirigido a crianças com idades superiores a 2 anos que promovesse vigorosamente os estereótipos de gênero, as crianças mais velhas poderiam mostrar preferências por cores que resultassem de terem assistido ao programa, e não por causa do entendimento crescente do respectivo gênero. Assim, embora possa haver uma alteração relacionada à idade, ela pode, em vez disso, resultar da programação televisiva.

A única maneira de ver se de fato ocorre mudança com a idade é conduzir um estudo longitudinal de determinada pessoa ou grupo. Em um estudo longitudinal, os pesquisadores avaliam a mesma pessoa ou o mesmo grupo em mais de uma oportunidade, às vezes no intervalo de alguns anos. Eles poderão medir uma única característica, como tamanho do vocabulário, inteligência, altura ou agressividade, ou focalizar vários aspectos do desenvolvimento para procurar relações entre eles.

O Oakland Growth Study foi um estudo longitudinal inovador sobre o desenvolvimento físico, intelectual e social de 167 alunos do $5^{\underline{o}}$ e do $6^{\underline{o}}$ anos em Oakland, Califórnia. O estudo, discutido no Box 1.2 do Capítulo 1, começou por volta do início da Grande Depressão, na década de 1930. As crianças foram acompanhadas intensamente até as idades de 18 e 19 anos e, depois, em cinco ocasiões durante sua vida adulta. Os dados coletados incluíam entrevistas, avaliações de saúde, testes de personalidade e questionários sobre dados informados. Os pesquisadores descobriram que uma ruptura na sociedade, como a que ocorreu durante a Grande Depressão, afetou negativamente os processos familiares e o desenvolvimento infantil. Assim como nos estudos transversais, existe uma ressalva. Como as pessoas são estudadas individualmente ao longo do tempo, os pesquisadores têm acesso à trajetória individual específica de cada pessoa. Esses dados são muito ricos e valiosos, pois podem mostrar o desenvolvimento de cada indivíduo ao longo do tempo. No entanto, pode acontecer de não ser possível aplicar os resultados de uma coorte a um estudo com uma coorte diferente. Por exemplo, os resultados de um estudo sobre crianças nascidas na década de 1920, como o Oakland Growth Study, poderão não se aplicar a crianças nascidas na década de 1990. Portanto, também é preciso ter cuidado na interpretação das pesquisas longitudinais.

Para tentar determinar o melhor modelo de pesquisa, nem os modelos transversais, nem os longitudinais são superiores. Em vez disso, os dois modelos têm pontos fortes e fracos (Quadro 2.6). Por exemplo, o estudo transversal é rápido – não temos que esperar 30 anos para obter resultados. Isso também faz dele a opção mais econômica. Além disso, como os participantes são avaliados apenas uma vez, não temos de considerar o *desgaste* (as pessoas que abandonam o estudo) ou a repetição de testes (que podem produzir efeitos práticos). No entanto, como o modelo transversal utiliza médias de grupos, é possível que seja mais difícil determinar as diferenças individuais e as trajetórias pessoais. Mais importante, os resultados podem ser afetados pelas experiências diferentes de pessoas nascidas em épocas diferentes, como explicado anteriormente.

A pesquisa longitudinal mostra um conjunto diferente e complementar de pontos fortes e fracos. Como as mesmas pessoas são estudadas repetidas vezes ao longo do tempo, os pesquisadores podem identificar padrões individuais de continuidade e mudança, o que faz os estudos longitudinais serem mais demorados e mais dispendiosos do que os estudos transversais. Além disso, da repetição dos testes

**QUADRO 2.6** Pesquisas longitudinais, transversais e sequenciais

| Tipo de estudo | Procedimento | Vantagens | Desvantagens |
| --- | --- | --- | --- |
| Transversal | Os dados são coletados com pessoas de diferentes idades, na mesma ocasião. | Pode mostrar semelhanças e diferenças entre grupos etários; é rápido e econômico; não apresenta problema de desgaste ou de teste repetido. | Não pode estabelecer os efeitos da idade; mascara diferenças individuais; pode ser confundido pelos efeitos da coorte. |
| Longitudinal | Os dados são coletados com a mesma pessoa ou pessoas, ao longo de um período de tempo. | Pode mostrar mudanças ou continuidades relacionadas à idade; evita confundir a idade com os efeitos da coorte. | Consome muito tempo e é dispendioso; apresenta problemas de desgaste, vieses na amostra e efeitos do teste repetido; os resultados podem ser válidos somente para a coorte testada ou para a amostra estudada. |
| Sequencial | Os dados são coletados em sucessivas amostras transversais ou longitudinais. | Pode evitar as desvantagens tanto do modelo transversal como do longitudinal. | Requer muito tempo, esforço e análise de dados muito complexos. |

dos participantes podem resultar efeitos práticos. Por exemplo, seu desempenho em um teste de inteligência pode melhorar com a prática em vez de ser consequência do aumento da inteligência. O desgaste também pode ser problemático na pesquisa longitudinal porque tende a ser não randômico, o que pode introduzir um viés positivo no estudo: os indivíduos que permanecem no estudo tendem a ser os que têm inteligência e nível socioeconômico acima da média, e os que abandonam o estudo tendem a ter vidas mais caóticas e com piores resultados. Além disso, questões de ordem prática, como a rotatividade do pessoal de pesquisa, a perda do financiamento ou o desenvolvimento de novas medidas ou de novas metodologias, podem tornar-se problemáticas para a coleta dos dados.

Com o modelo de estudos sequenciais, os pesquisadores tentam superar os inconvenientes dos modelos longitudinal e transversal. Os modelos sequenciais rastreiam pessoas de idades diferentes (como os modelos transversais) ao longo do tempo (como os modelos longitudinais). Existe outra variação desse modelo, que envolve uma sequência de estudos longitudinais que correm simultaneamente, mas a partir de ondas, um após o outro.

A combinação de modelos transversais e longitudinais (mostrada na Fig. 2.5) permite aos pesquisadores separar as mudanças decorrentes da idade dos efeitos da coorte e pode oferecer uma visão mais completa do desenvolvimento do que seria possível com qualquer um dos modelos isolados. As principais desvantagens dos estudos sequenciais são relativas ao tempo, aos esforços e à complexidade. Os modelos sequenciais exigem um grande número de participantes, bem como a coleta e a análise de grande quantidade de dados ao longo de um período de anos. A interpretação de seus resultados e das conclusões pode exigir um alto grau de sofisticação.

A desistência não é aleatória; quase sempre sofre algum tipo de viés. Por exemplo, as pessoas com maior probabilidade de desistir do estudo são aquelas com estilos de vida mais caóticos. As pessoas que ficam até o fim podem parecer muito boas, mas talvez porque as pessoas que não se deram bem foram embora.

## Pesquisa colaborativa

Os pesquisadores usam vários métodos para compartilhar e agrupar dados. Um deles é a criação de arquivos de dados para uso por outros pesquisadores. Outro é a *metanálise*, que oferece uma visão sistemática da pesquisa sobre um tópico por meio da análise estatística dos resultados combinados de vários estudos. Em geral, as metanálises são usadas em resultados controversos e são uma tentativa para reconciliar disparidades entre um grande número de estudos. Um dos problemas das metanálises é que os modelos e as metodologias dos estudos podem ser inconsistentes, fazendo a interpretação dos resultados ser pouco precisa.

Outra abordagem, cada vez mais comum, é a pesquisa colaborativa feita por vários pesquisadores em diversos locais, às vezes com financiamento de agências do governo ou de fundações. Esse modelo colaborativo permite acompanhar o desenvolvimento de uma população em uma escala muito ampla. Possibilita a utilização de amostras maiores e mais representativas; torna mais fácil a realização de estudos longitudinais que, de outra forma, poderiam ser prejudicados pelo desgaste e pelo esgotamento dos pesquisadores; e permite uma combinação de perspectivas teóricas (Parke, 2004b). Um exemplo de

**Verificador**
**você é capaz de...**
- Citar vantagens e desvantagens das pesquisas longitudinal, transversal e sequencial?
- Discutir vantagens e desvantagens da pesquisa colaborativa?

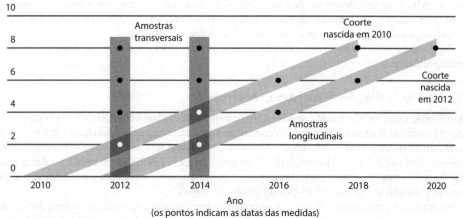

**FIGURA 2.5**
Um modelo sequencial.
*Dois grupos transversais sucessivos de indivíduos de 2, 4, 6 e 8 anos de idade foram testados em 2012 e 2014. Também, um estudo longitudinal de um grupo de crianças avaliado pela primeira vez em 2012, quando tinham 2 anos, é acompanhado de um estudo longitudinal similar de outro grupo de crianças que tinham 2 anos em 2014.*

**50  PARTE I  •** Apresentação ao mundo da criança

pesquisa colaborativa é o Study of Early Child Care, realizado no National Institute of Child Health and Human Development (NICHD), discutido no Capítulo 8.

Uma dificuldade do modelo colaborativo é a necessidade de consenso do grupo em todos os aspectos da pesquisa, do projeto inicial à redação do relatório. Atingir o consenso pode ser complicado e talvez exija acordos difíceis. O modelo mais flexível, com um pesquisador ou com um único local, parece ser mais adequado ao trabalho experimental e ao desenvolvimento de novos métodos e abordagens.

---

### Guia de estudo 4
Quais são os problemas éticos que podem surgir na pesquisa com crianças?

# Ética da pesquisa

A pesquisa que pode causar algum mal aos participantes deveria ser realizada? Como podemos equilibrar os possíveis benefícios e o risco de danos mentais, emocionais ou físicos aos indivíduos?

Objeções ao estudo do "Pequeno Albert" (descrito no início deste capítulo), bem como objeções a vários outros estudos anteriores, deram origem aos rigorosos padrões éticos atuais. Comitês de análise em instituições de ensino superior, universidades e outras instituições que recebem financiamento devem examinar as pesquisas propostas a partir de um ponto de vista ético. Diretrizes da American Psychological Association (2002) abrangem questões como *consentimento informado** (consentimento dado livremente e com pleno conhecimento das implicações da pesquisa), *evitação do engano, proteção dos participantes contra danos e perda da dignidade,* garantias de *privacidade e confidencialidade,* o *direito a recusar ou a se retirar* de um experimento a qualquer momento e a responsabilidade dos pesquisadores de *corrigir quaisquer efeitos indesejáveis,* como ansiedade ou vergonha.

Para resolver dilemas éticos, os pesquisadores devem ser guiados por três princípios. O primeiro é o da beneficência, a obrigação de maximizar benefícios potenciais para os participantes e minimizar possíveis danos. Por exemplo, suponha que você é um pesquisador que estuda o efeito de problemas de autoestima. Se optar por enganar alguns dos participantes dizendo-lhes que eles falharam em uma tarefa de laboratório, que medidas deveria tomar para amenizar qualquer dano potencial que lhes tenha causado? O segundo princípio é o do respeito pela autonomia dos participantes e proteção àqueles que são incapazes de exercer seu próprio julgamento. Por exemplo, se você estiver conduzindo uma pesquisa com crianças muito pequenas, e uma delas, com 2 anos de idade, se recusar a participar, deverá forçá-la a cooperar? Qual a ação apropriada nesse caso? O terceiro princípio é o da justiça, a qual, nesse caso, é a inclusão de grupos diversos, com sensibilidade para qualquer impacto especial que a pesquisa possa ter sobre eles. Por exemplo, pode ser importante que seu estudo inclua uma seleção apropriada e representativa com várias pessoas. Se for esse o caso, será que você tem à disposição materiais e métodos culturalmente adequados para usar?

Pesquisadores do desenvolvimento devem ser particularmente cuidadosos, dado que suas pesquisas envolvem, com frequência, indivíduos vulneráveis, como bebês e crianças. Em resposta, a Society for Research in Child Development (2007) desenvolveu normas para o tratamento adequado à idade das crianças envolvidas nas pesquisas, as quais abrangem princípios como o de evitar danos físicos ou psicológicos, obter o consentimento da criança, bem como o consentimento informado dos pais ou tutores, e responsabilizar-se por fornecer qualquer informação que possa colocar em risco o bem-estar da criança. Por exemplo, a capacidade dos bebês e das crianças muito jovens de lidar com o estresse da situação criado pela situação de pesquisa pode melhorar se estiver presente um dos pais ou um cuidador de confiança e se os ambientes, os procedimentos e os objetos forem familiares.

Vamos observar de forma mais detalhada algumas considerações éticas específicas que podem apresentar problemas.

## Direito ao consentimento informado

Existe consentimento informado quando os participantes concordam voluntariamente em fazer parte de um estudo, estão capacitados a dar seu consentimento, estão conscientes dos riscos e dos benefícios potenciais e não estão sendo explorados. A National Commission for the Protection of Human Subjects of Biomedical and Behavioral Research (1978) recomenda que se solicite o consentimento das crianças com 7 anos ou mais para fazer parte de pesquisas e que quaisquer objeções por parte delas apenas podem ser ignoradas se a pesquisa lhes garantir benefícios diretos.

No entanto, alguns estudiosos da ética argumentam que crianças pequenas não podem dar *consentimento* significativo e voluntário porque elas não conseguem entender completamente tudo o que está

---

*N. de T.: No Brasil, a Comissão Nacional de Ética em Pesquisa (CONEP) utiliza o termo Consentimento Livre e Esclarecido, livre porque o sujeito deve ser livre para decidir se quer ou não participar, e esclarecido porque o compromisso do pesquisador é esclarecer, e não apenas informar o sujeito.

envolvido. Apenas podem *assentir*, ou seja, concordar em participar. As crianças pequenas são menos capazes do que os adultos de entender no que estão se envolvendo e de tomar uma decisão informada sobre se devem ou não participar. O procedimento normal, quando crianças com menos de 18 anos estão envolvidas, é solicitar a seus pais ou a seus responsáveis legais e, por vezes, aos responsáveis da escola que deem consentimento. Para considerar outras questões relacionadas ao consentimento, veja o Quadro 2.7 (Thompson, 1990).

### Qual a sua opinião?
O consentimento informado implica comunicar aos participantes o que se pretende averiguar com a pesquisa? Justifique.

## Evitação do engano

Pode existir consentimento informado se os participantes forem enganados sobre a natureza ou a finalidade de um estudo ou sobre os procedimentos aos quais serão submetidos? Suponha que crianças sejam informadas de que estão testando um novo jogo quando, na verdade, estão sendo observadas quanto às suas reações ao sucesso ou ao fracasso. Experiências como essas contribuem para o nosso conhecimento, mas os participantes têm o direito de saber no que estão sendo envolvidos.

As diretrizes éticas exigem a ocultação de informações *somente* quando isso for essencial para o estudo; os pesquisadores devem evitar métodos que possam causar dor, ansiedade ou dano. Os participantes devem ser informados posteriormente da verdadeira natureza do estudo e do motivo pelo qual as informações inverídicas foram necessárias; ainda, deve-se assegurar de que não houve sofrimento decorrente disso.

## Direito à autoestima

Alguns estudos têm um *fator de fracasso* embutido. O pesquisador pede a execução de tarefas cada vez mais difíceis até que o participante não seja capaz de realizá-las. Esse fracasso inevitável poderá afetar a autoestima dos participantes? Da mesma forma, quando os pesquisadores publicam constatações de que as crianças de classe média são academicamente superiores às crianças de classe baixa, podem causar danos não intencionais à autoestima de alguns participantes. Mesmo que esses estudos possam levar a intervenções benéficas para as crianças pobres, também podem afetar as expectativas dos professores e o desempenho dos estudantes.

## Direito à privacidade e à confidencialidade

Nem todas as questões éticas têm respostas claras. Algumas dependem do julgamento e dos escrúpulos dos pesquisadores. Nessa área indefinida estão questões que têm a ver com a privacidade e com a proteção da confidencialidade de informações pessoais que os participantes possam revelar em entrevistas ou questionários.

E se, no decorrer de uma pesquisa, um pesquisador suspeitar que uma criança tem um transtorno de aprendizagem ou alguma outra condição tratável? O pesquisador será obrigado a compartilhar essa informação com os pais ou com os responsáveis legais ou a recomendar serviços que possam ajudar a criança se a divulgação dessas informações puder contaminar os dados da pesquisa? Essa decisão não deve ser tomada de forma precipitada; compartilhar informações de validade duvidosa pode criar concepções equivocadas e prejudiciais a respeito de uma criança. No entanto, os pesquisadores precisam saber – e informar aos participantes – suas responsabilidades legais de relatar abuso ou negligência ou qualquer outra atividade ilegal da qual eles tomem conhecimento.

**QUADRO 2.7** Considerações sobre o desenvolvimento na participação de crianças na pesquisa

| Crianças mais novas são especialmente vulneráveis a | Crianças mais velhas são especialmente vulneráveis a |
|---|---|
| Situações estressantes ou desconhecidas | Aprovação ou desaprovação aparente do pesquisador |
| Ausência dos pais ou de quem cuida delas | Sensação de fracasso, ameaças à autoestima |
| Situações que provoquem vergonha, culpa ou embaraço inadequados | Comparações expressas ou implícitas com outros |
| Coerção, mentira e exigências excessivas | Preconceitos raciais, étnicos ou socioeconômicos implícitos |
| | Ameaças à privacidade |

*Fonte*: Com base em Thompson, 1990.

# PARTE I • Apresentação ao mundo da criança

## Verificador
### você é capaz de...

- Identificar três princípios que devem determinar a inclusão de participantes em uma pesquisa?
- Discutir quatro direitos dos participantes de pesquisas?
- Dar exemplos de como as necessidades de desenvolvimento das crianças podem ser consideradas na pesquisa?

A conclusão definitiva nestes capítulos introdutórios é a certeza de que este livro está longe de ser a conclusão definitiva. Embora as autoras tenham tentado incorporar as informações mais importantes e atualizadas sobre o desenvolvimento infantil, os cientistas do desenvolvimento estão sempre aprendendo. À medida que você ler este livro, com certeza lhe surgirão perguntas. Pensando sobre elas e, talvez, efetuando pesquisas para encontrar respostas, é possível que você, que agora inicia o estudo do desenvolvimento infantil, também venha a contribuir para nosso conhecimento sobre a interessante espécie à qual todos pertencemos.

# resumo & palavras-chave

## ❶ Questões teóricas básicas

***Para que servem as teorias, e quais são as duas questões teóricas básicas sobre as quais discordam os cientistas do desenvolvimento?***

- A teoria é usada para organizar e explicar dados e gerar hipóteses que possam ser testadas pela pesquisa.
- As teorias do desenvolvimento diferem em duas questões básicas: o caráter ativo ou reativo do desenvolvimento e a existência de estágios de desenvolvimento.
- Os dois modelos contrastantes do desenvolvimento são o modelo mecanicista e o modelo organicista. As teorias mecanicistas lidam com a mudança quantitativa; as teorias organicistas, com a mudança qualitativa.
  **teoria (22)**
  **hipóteses (22)**
  **modelo mecanicista (23)**
  **modelo organicista (23)**
  **mudança quantitativa (24)**
  **mudança qualitativa (24)**

## ❷ Perspectivas teóricas

***Quais são as cinco perspectivas teóricas sobre o desenvolvimento infantil e quais são algumas teorias representativas de cada uma delas?***

- A perspectiva psicanalítica considera que o desenvolvimento é motivado por impulsos emocionais e conflitos inconscientes. Os principais exemplos são as teorias de Freud e de Erikson.
  **perspectiva psicanalítica (24)**
  **desenvolvimento psicossexual (25)**
  **desenvolvimento psicossocial (27)**
- A perspectiva da aprendizagem considera o desenvolvimento como resultado da aprendizagem baseada na experiência. Os principais exemplos são o behaviorismo de Watson e Skinner e a teoria da aprendizagem social (teoria social cognitiva) de Bandura.
  **perspectiva da aprendizagem (28)**
  **behaviorismo (28)**
  **condicionamento clássico (29)**
  **condicionamento operante (29)**
  **reforço (29)**
  **punição (30)**
  **teoria da aprendizagem social (30)**
  **determinismo recíproco (30)**

**aprendizagem observacional (30)**
**autoeficácia (30)**
- A perspectiva cognitiva preocupa-se com os processos mentais. Os principais exemplos são a teoria dos estágios cognitivos de Piaget, a teoria sociocultural de Vygotsky, a abordagem do processamento de informação e as teorias neopiagetianas.
  **perspectiva cognitiva (30)**
  **teoria dos estágios cognitivos (31)**
  **organização (31)**
  **esquemas (31)**
  **adaptação (31)**
  **assimilação (31)**
  **acomodação (31)**
  **equilibração (31)**
  **teoria sociocultural (32)**
  **zona de desenvolvimento proximal (ZDP) (32)**
  **andaime (*scaffolding*) (32)**
  **abordagem do processamento de informação (32)**
- A perspectiva contextual está voltada para a interação entre o indivíduo e o contexto social. Um importante exemplo é a teoria bioecológica de Bronfenbrenner.
  **perspectiva contextual (33)**
  **teoria bioecológica (33)**
  **microssistema (33)**
  **mesossistema (33)**
  **exossistema (34)**
  **macrossistema (34)**
  **cronossistema (34)**
- A perspectiva evolucionista/sociobiológica baseia-se parcialmente na teoria da evolução de Darwin e descreve comportamentos adaptativos que promovem a sobrevivência. Um exemplo importante é a teoria do apego de Bowlby.
  **perspectiva evolucionista/sociobiológica (35)**
  **etologia (35)**
  **psicologia evolucionista (35)**

## ❸ Métodos de pesquisa

***Como os cientistas do desenvolvimento estudam as crianças e quais são as vantagens e as desvantagens de cada método de pesquisa?***

- A pesquisa pode ser qualitativa, quantitativa ou ambas.
- Para chegar a conclusões seguras, os pesquisadores utilizam o método científico.

**Capítulo 2** • O mundo da criança: como nós o descobrimos **53**

- A seleção randômica de uma amostra para pesquisa pode assegurar a possibilidade de generalização.
  **pesquisa quantitativa (37)**
  **método científico (38)**
  **pesquisa qualitativa (38)**
  **amostra (38)**
  **seleção randômica (38)**
- Três métodos de coleta de dados são os autorrelatos, a observação e as medidas comportamentais ou de desempenho.
  **observação naturalista (40)**
  **observação laboratorial (40)**
  **definição operacional (41)**
  **neurociência cognitiva (41)**
- Dois modelos qualitativos utilizados na pesquisa do desenvolvimento são o estudo de caso e o estudo etnográfico. A pesquisa transcultural pode indicar se certos aspectos do desenvolvimento são universais ou influenciados pela cultura.
- Dois modelos quantitativos são o estudo correlacional e o experimento. Somente experimentos podem estabelecer solidamente relações causais.
  **estudo de caso (42)**
  **estudo etnográfico (42)**
  **observação participante (43)**
  **estudo correlacional (43)**
  **experimento (44)**
- Os experimentos devem ser rigorosamente controlados para serem válidos e replicáveis. A distribuição randômica de participantes pode assegurar a validade.
- Experimentos em laboratório são mais fáceis de controlar e replicar, mas os resultados dos exprimentos de campo talvez sejam mais ge-

neralizáveis. Experimentos naturais podem ser úteis em situações em que verdadeiros experimentos seriam impraticáveis ou antiéticos.
  **grupo experimental (44)**
  **grupo-controle (44)**
  **variável independente (45)**
  **variável dependente (45)**
  **distribuição randômica (46)**
- Os dois modelos mais comuns utilizados para estudar o desenvolvimento relacionado à idade são o longitudinal e o transversal. Estudos transversais comparam grupos etários; estudos longitudinais descrevem continuidade ou mudança nos mesmos participantes. O estudo sequencial tem por objetivo superar os pontos fracos dos outros dois modelos, mas pode ser dispendioso e ter longa duração.
  **estudo transversal (47)**
  **estudo longitudinal (47)**
  **estudo sequencial (47)**

## ❹ Ética da pesquisa

***Quais são os problemas éticos que podem surgir na pesquisa com crianças?***

- Os pesquisadores procuram resolver questões éticas com base em princípios de beneficência, respeito e justiça.
- Questões éticas na pesquisa em desenvolvimento infantil envolvem os direitos dos participantes ao consentimento informado, à evitação do engano, à proteção contra danos ou perda da dignidade e da autoestima e às garantias de privacidade e confidencialidade.
- Os padrões de proteção de crianças utilizados na pesquisa cobrem questões como consentimento parental informado e proteção contra danos ou riscos ao bem-estar da criança.

# Capítulo 3

## Sumário

Concebendo uma nova vida

Infertilidade

Mecanismos da hereditariedade

Anomalias genéticas e cromossômicas

Natureza e ambiente: influências da hereditariedade e do ambiente

Algumas características influenciadas pela hereditariedade e pelo ambiente

## Formação de uma nova vida: concepção, hereditariedade e ambiente

## Você sabia que...

▶ Gêmeos "idênticos" não são necessariamente iguais?

▶ Há mais de mil testes genéticos para ajudar os médicos a esclarecer diagnósticos, selecionar tratamentos adequados e identificar pessoas com alto risco de determinadas condições preveníveis?

▶ Mesmo em características com forte base hereditária, o ambiente pode ter um impacto substancial?

*Começamos este capítulo examinando a forma como a vida é concebida. Consideramos os mecanismos e os padrões de hereditariedade – os fatores hereditários que afetam o desenvolvimento e a forma como o aconselhamento genético pode ajudar os casais a tomar a decisão de se tornarem pais. Examinamos como a hereditariedade e o ambiente trabalham juntos e como podem ser compreendidos seus efeitos sobre o desenvolvimento.*

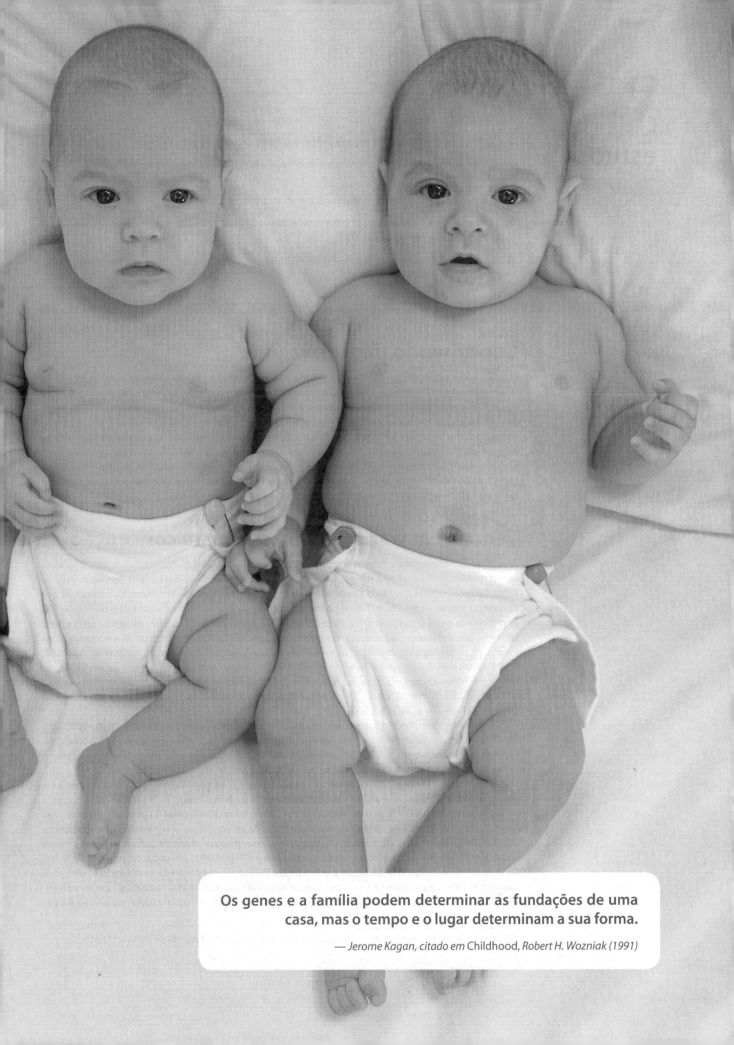

> Os genes e a família podem determinar as fundações de uma casa, mas o tempo e o lugar determinam a sua forma.
>
> — *Jerome Kagan, citado em* Childhood, *Robert H. Wozniak (1991)*

**56 PARTE II • O começo**

# Guia de estudo

1. Como normalmente ocorre a concepção e como as crenças sobre ela mudaram?
2. O que causa a infertilidade e quais são os caminhos alternativos para os casais se tornarem pais?
3. Quais são os mecanismos genéticos que determinam sexo, aparência física e outras características?
4. Como são transmitidas as malformações e as doenças congênitas?
5. Como os cientistas estudam as influências relativas à hereditariedade e ao ambiente e como essas influências operam juntas?
6. Quais são os papéis desempenhados pela hereditariedade e pelo ambiente na saúde física, na inteligência e na personalidade?

---

Guia de estudo **1**

Como normalmente ocorre a concepção e como as crenças sobre ela mudaram?

# Concebendo uma nova vida

O momento e as circunstâncias da paternidade podem ter grandes consequências para uma criança. Se uma gravidez é desejada ou não, se ocorre por meios normais ou excepcionais, se os pais são casados ou não, do mesmo sexo ou de sexos diferentes, e seja qual for a idade dos pais quando uma criança nasce ou é adotada, tudo isso são questões *microssistêmicas* identificadas na abordagem bioecológica de Bronfenbrenner, discutida no Capítulo 2. Se a cultura incentiva a criação de famílias grandes ou pequenas, se valoriza um dos sexos e não o outro, e seja qual for o apoio que ela dá a famílias com crianças, trata-se de questões *macrossistêmicas* que provavelmente influenciarão o desenvolvimento da criança. Essas questões contextuais serão examinadas ao longo deste livro. Por enquanto, vejamos como ocorre a concepção e, em seguida, as opções para casais que não podem conceber normalmente.

# Teorias em transformação sobre a concepção[1]

A maioria dos adultos, e até mesmo a maioria das crianças nos países industrializados, tem uma ideia razoavelmente precisa sobre a origem dos bebês. No entanto, também é o caso de teorias populares sobre a origem de uma nova vida terem sido comuns ao longo da história. Por exemplo, a crença de que as crianças vieram de poços, molas ou pedras era comum na Europa central até o início do século XX. Acreditava-se que a concepção era influenciada por forças cósmicas. Um bebê concebido na lua nova seria menino; durante o quarto minguante, menina (Gélis, 1991). Ainda hoje, crenças sobre influências espirituais na concepção persistem em muitas sociedades tradicionais. Entre os warlpiri da Austrália, por exemplo, acredita-se que um bebê concebido em um lugar associado a um espírito em particular receberá a vida desse espírito (DeLoache & Gottlieb, 2000). Mesmo nos países ocidentais modernos, como os Estados Unidos, crenças sobre como a personalidade pode ser moldada pela época do ano em que as crianças nascem são relativamente comuns.

Teorias sobre a concepção remontam a tempos antigos. O médico grego Hipócrates, conhecido como o pai da medicina, sustentava que um feto resulta do encontro das sementes masculina e feminina. O filósofo Aristóteles tinha uma visão contrária, a de que "a mulher funciona somente como receptáculo, sendo a criança formada exclusivamente por meio do esperma" (Fontanel & d'Harcourt, 1997, p. 10). Segundo Aristóteles, a produção de bebês do sexo masculino fazia parte da ordem natural; apenas seria gerado um bebê do sexo feminino se o desenvolvimento fosse perturbado.

Entre os séculos XVII e XIX, um debate criou polêmica entre duas escolas do pensamento biológico. Remetendo a Aristóteles, os *animalculistas* (denominados assim porque o esperma masculino era então chamado *animalcules*) afirmavam que havia "pequenas pessoas" totalmente formadas nas cabeças dos espermatozoides, prontas para crescer quando fossem depositadas no ambiente protetor do útero. Os *ovistas*, inspirados pelo trabalho do médico inglês William Harvey, sustentavam a visão oposta, mas também incorreta: os ovários da fêmea continham miniaturas de humanos já formados, cujo crescimento seria ativado pelo esperma do macho. Por fim, no final do século XVIII, o anatomista alemão Kaspar

---

[1] Exceto quando referenciada, esta discussão baseia-se em Eccles (1982) e em Fontanel e d'Harcourt (1997).

## Capítulo 3 • Formação de uma nova vida: concepção, hereditariedade e ambiente

Friedrich Wolff apoiou a teoria da construção gradual de estruturas. Sua pesquisa focou-se na ideia de que os grupos de células que inicialmente não eram especializados se diferenciavam em vários tecidos, órgãos e sistemas. Esse ponto de vista foi mais tarde apoiado pelo patologista francês Xavier Bichat.

## Como ocorre a fecundação

Tania queria ter um bebê. Cuidadosamente ela observou o calendário, contando os dias após cada período menstrual para para aproveitar sua "janela fértil", o período durante o qual a concepção é possível. Depois de dois meses, como Tania ainda não engravidara, perguntou-se o que afinal estava dando errado. O que Tania não percebeu é que, embora a mulher geralmente seja fértil entre o 6º e o 21º dias do ciclo menstrual, o período da janela fértil pode ser altamente imprevisível (Wilcox, Dunson, & Baird, 2000). Isso significa que, embora a concepção seja muito mais provável em certos períodos, a mulher poderá conceber a qualquer momento durante o mês. Simultaneamente, embora a concepção seja mais provável durante certas partes do mês, nem sempre ocorrerá nesse período.

A **fecundação**, ou concepção, é o processo pelo qual o espermatozoide e o óvulo – os gametas masculino e feminino, ou células sexuais – combinam-se para criar uma única célula chamada **zigoto**, que se duplica várias vezes por divisão celular para produzir todas as células que compõem um bebê. Mas a concepção não é assim tão simples quanto parece. Vários eventos independentes precisam coincidir para que uma criança seja concebida. E, como discutiremos no próximo capítulo, nem todas as concepções resultam em nascimento.

No nascimento, acredita-se que uma menina tenha cerca de 2 milhões de óvulos imaturos em seus dois ovários, cada óvulo alojado em sua própria cavidade ou folículo. Em mulheres sexualmente maduras, a ovulação – ruptura de um folículo maduro em um dos ovários e a expulsão de seu óvulo – ocorre aproximadamente uma vez a cada 28 dias, até a menopausa. O óvulo é arrastado ao longo de uma das tubas uterinas pelos cílios, minúsculas células filamentosas, em direção ao útero.

Os espermatozoides são produzidos nos testículos, ou glândulas reprodutivas, de um homem maduro em uma taxa de centenas de milhões por dia e são ejaculados no sêmen no clímax sexual. Depositados na vagina, eles tentam nadar ao longo do colo do útero, até as tubas uterinas, mas somente uma pequena fração consegue chegar tão longe. Como veremos, o espermatozoide que encontrar um determinado óvulo trará imensas implicações para a pessoa que vai nascer.

A fecundação normalmente ocorre quando o óvulo atravessa a tuba uterina. Se a fecundação não ocorrer, o óvulo e qualquer célula espermática que houver no corpo da mulher morrerão. Os espermatozoides são absorvidos pelos leucócitos da mulher, enquanto o óvulo atravessa o útero e sai pela vagina.

## Infertilidade

Estima-se que 7% dos casais norte-americanos sofrem de **infertilidade**, que é definida como a incapacidade de conceber um bebê depois de 12 meses de tentativas (Centers for Disease Control and Prevention [CDC], 2005a; Wright, Chang, Jeng, & Macaluso, 2006). A fertilidade das mulheres começa a declinar no final da segunda década de vida, com diminuição substancial durante a terceira década. A fertilidade dos homens é menos afetada pela idade, mas declina significativamente no final da terceira década de vida (Dunson, Colombo, & Baird, 2002).

A infertilidade pode trazer dificuldades emocionais para um casamento. Os parceiros podem tornar-se frustrados e revoltados consigo mesmos e com o outro ou podem se sentir vazios, inúteis e deprimidos (Abbey, Andrews, & Halman, 1992; Jones & Toner, 1993). No entanto, somente quando a infertilidade se torna permanente é que a ausência involuntária de filhos é associada ao sofrimento psicológico de longo prazo (McQuillan, Greil, White, & Jacob, 2003).

A infertilidade está longe de ser uma preocupação recente. Para aumentar a fertilidade, os médicos antigos recomendavam que os homens comessem erva-doce e que as mulheres bebessem saliva de cordeiro e usassem colares de minhocas. Recomendavam que, após a relação sexual, a mulher se deitasse em um lugar plano com as pernas cruzadas e "evitasse ficar irritada" (Fontanel & d'Harcourt, 1997, p. 10). Na Renascença, a lista de alimentos recomendados para estimular a concepção ia de pardais e crias de pombas a cristas de galos e genitais de touros. No começo do século XVII, Louise Bourgeois, parteira de Maria de Médicis, rainha da França, recomendava lavar a vagina com camomila, malva, manjerona e erva-de-gato fervidas em vinho branco.

---

**fecundação**
União entre espermatozoide e óvulo para produzir um zigoto; também denominada *concepção*.

**zigoto**
Organismo unicelular resultante da fecundação.

**Verificador**
**você é capaz de...**

■ Comparar as visões folclórica, histórica e científica da concepção?
■ Explicar como e quando a fecundação normalmente ocorre?

---

Guia de
estudo 2
O que causa a infertilidade e quais são os caminhos alternativos para os casais se tornarem pais?

**infertilidade**
Incapacidade de conceber depois de 12 meses de tentativas.

## Causas da infertilidade

Hoje sabemos que a causa mais comum da infertilidade em homens é a baixa produção de espermatozoides. Embora seja necessário apenas um espermatozoide para fecundar um óvulo, uma contagem de espermatozoides entre 60 e 200 milhões por ejaculação torna a concepção pouco provável. Em algumas situações, o duto ejaculatório pode estar bloqueado, impedindo a saída dos espermatozoides, ou estes podem não conseguir nadar o suficiente para chegar ao colo do útero. Alguns casos de infertilidade masculina parecem ter origem genética. Por exemplo, alguns homens parecem ter mutações genéticas ou supressões cromossômicas que afetam a qualidade e a quantidade de esperma que produzem (Krausz, 2010; Phillips, 1998).

Nas mulheres, causas comuns de infertilidade incluem a incapacidade de produzir óvulos ou de produzir óvulos normais; o muco no colo do útero, que pode impedir a penetração do espermatozoide; ou uma doença da mucosa uterina que não permita a acomodação do óvulo fecundado. A principal causa da diminuição da fertilidade em mulheres depois dos 30 anos é a deterioração da qualidade do óvulo (Broekmans, Soules, & Fauser, 2009). No entanto, a causa mais comum é o bloqueio das tubas uterinas, que impede o óvulo de alcançar o útero. Em cerca de metade desses casos, as tubas estão bloqueadas por tecidos de cicatrização provenientes de infecções sexualmente transmissíveis (Rhoton-Vlasak, 2000). O Quadro 3.1 lista as principais causas e tratamentos para a infertilidade masculina e feminina.

## Tratamentos para infertilidade

Às vezes, tratamento com hormônios, terapias medicamentosas ou cirurgia podem corrigir o problema. No entanto, essas soluções têm um custo. A medicação para fertilidade ministrada a mulheres com dificuldades para engravidar aumenta a probabilidade de nascimentos múltiplos e de alto risco (Box 3.1). Os homens com esperma de má qualidade podem tomar suplementos diários de coenzima Q10 para aumentar a mobilidade dos espermatozoides (Balercia et al., 2004). Contudo, os homens aumentam o risco de produzir esperma com anomalias cromossômicas (Levron et al., 1998) quando utilizam esses suplementos.

A menos que haja uma causa conhecida para a dificuldade na concepção, as probabilidades de sucesso após 18 meses a 2 anos são altas (Dunson, 2002). Para os casais que lutam com a infertilidade, a ciência oferece atualmente várias formas alternativas para a paternidade.

## Caminhos alternativos para a paternidade: a tecnologia de reprodução assistida

Louise Brown, o primeiro "bebê-proveta" documentado, nasceu em 25 de julho de 1978, em Oldham, na Inglaterra. Foi concebida pelo método então experimental de fertilização *in vitro* (FIV), quando Patrick Steptoe, ginecologista, e Robert Edwards, fisiologista da Universidade de Cambridge, colocaram um óvulo maduro da mãe, Lesley Brown, em um prato raso de vidro com o fluido que continha os espermatozoides do pai, John Brown. Após dois dias, durante os quais o organismo unicelular resultante se multiplicou em oito células, o embrião foi implantado no útero de Lesley. Embora o resultado dessa experiência tenha sido apenas um bebê, as consequências desse trabalho inovador estenderam-se muito além dos limites dessa família. O trabalho de Steptoe e Edwards deu à luz um novo ramo da medicina: a **tecnologia de reprodução assistida (TRA)**, ou concepção por meios artificiais (International Committee for Monitoring Assisted Reproductive Technologies [ICMART], 2006; "Louise Brown", 1984; "Test--Tube Baby", 1978; "The First Test-Tube Baby", 1978).

Desde o nascimento de Louise Brown, em 1978, mais de 3 milhões de crianças em todo o mundo foram concebidas por meio da TRA (ICMART, 2006; Reaney, 2006). Em 2005, as mulheres norte-americanas deram à luz mais de 52 mil bebês com a ajuda dessa tecnologia, mais de 1% de todos os bebês nascidos naquele ano nos Estados Unidos (Wright, Chang, Jeng, & Macaluso, 2008).

Na *fertilização in vitro*, o procedimento de reprodução assistida mais comum e que foi usado por Lesley Brown, a mulher primeiramente recebe medicação para fertilidade para aumentar a produção de óvulos. Depois, os óvulos maduros são coletados cirurgicamente, fecundados em um recipiente de laboratório e implantados no útero da mulher. Esses óvulos implantados têm menor probabilidade de se estabelecerem no útero e maior probabilidade de provocar um aborto espontâneo. Para aumentar as probabilidades de uma gestação bem-sucedida, é comum transplantar-se vários óvulos, mas esse procedimento também aumenta a probabilidade de nascimentos múltiplos, geralmente prematuros. Como mulheres em geral liberam vários óvulos depois de receberem a medicação para fertilidade, são advertidas para não se envolverem em atividade sexual antes da remoção dos óvulos. Se o fizerem, arriscam-se à fecundação e à implantação de vários óvulos. Em 2006, quase metade (48%) das crianças nascidas por

---

**tecnologia de reprodução assistida (TRA)**
Métodos utilizados para alcançar a concepção por meios artificiais.

# Capítulo 3 • Formação de uma nova vida: concepção, hereditariedade e ambiente

**QUADRO 3.1** Causas comuns da infertilidade em homens e mulheres

| Condição | Explicações | Tratamentos |
|---|---|---|
| **CAUSAS MASCULINAS** | | |
| Produção ou função anormal de espermatozoides | Forma ou mobilidade anormal dos espermatozoides. Produção de espermatozoides baixa ou inexistente. Testículos "retidos". Veias varicosas no escroto. Deficiência de testosterona. Síndrome de Klinefelter. Infecções sexualmente transmissíveis. | Medicação para fertilidade. Cirurgia para reparação de veias varicosas ou de outras obstruções. Inseminação artificial com doador de esperma. Injeção do esperma diretamente no óvulo. |
| Dificuldades de liberação de esperma na vagina | *Problemas sexuais*, entre os quais disfunção erétil, ejaculação precoce e relação sexual dolorosa. *Problemas físicos*, entre os quais dificuldade em produzir sêmen, bloqueio dos dutos ejaculatórios, outras malformações estruturais e anticorpos que enfraquecem ou neutralizam os espermatozoides. | *Problemas sexuais* podem ser tratados com medicação ou com terapia comportamental. *Problemas físicos* podem exigir cirurgia. As técnicas de reprodução assistida podem incluir fertilização *in vitro*, estimulação elétrica da ejaculação ou coleta cirúrgica do esperma (em caso de obstrução). |
| Idade | Declínio gradual da fertilidade, mais comum em homens com mais de 35 anos. | |
| Problemas gerais de saúde e estilo de vida | Estresse emocional, má nutrição, obesidade, álcool e drogas, tabaco, tratamento de câncer, ferimentos graves, cirurgias e outros problemas de saúde podem prejudicar a produção de esperma. | Sanar os problemas de saúde e de estilo de vida, se possível. |
| Exposição ambiental | Superexposição a calor (saunas ou banhos quentes), toxinas e certos produtos químicos, como pesticidas, chumbo e solventes químicos. | Evitar exposições nocivas. |
| **CAUSAS FEMININAS** | | |
| Dano ou obstrução da tuba uterina | *Causas mais frequentes*: inflamação da tuba uterina devido a clamídia, uma infecção sexualmente transmissível; danos na tuba com cicatrizes podem resultar em gravidez ectópica, na qual o óvulo fecundado é incapaz de passar pela tuba uterina e se implantar no útero. *Outras causas:* tumores fibroides uterinos benignos e aderências pélvicas (partes com tecido de cicatrização) formadas após infecções pélvicas, apendicite ou cirurgia pélvica ou abdominal. | Cirurgia laparoscópica para reparar ou abrir as tubas uterinas; fertilização *in vitro*. |
| Endometriose | Tecido uterino implantado fora do útero pode levar a cicatrizes e inflamação, que são capazes de impedir a transferência do óvulo para a tuba uterina e causar dor pélvica. Cistos de ovário. | Terapia de ovulação (medicação para estimular a ovulação) ou fertilização *in vitro*. |
| Perturbações da ovulação | Qualquer condição que impeça a liberação de um óvulo maduro pelo ovário. Causas específicas incluem deficiências hormonais, lesão do hipotálamo ou da hipófise pituitária, tumores hipofisários, excesso de exercícios e transtornos alimentares. | Medicação para fertilidade. |
| Síndrome de ovário policístico | O aumento da produção de hormônio andrógeno pode impedir a produção de um óvulo maduro. Entre os sintomas comuns estão: menstruação ausente ou não frequente; pelos grossos ou escuros no queixo, no lábio superior ou no abdome; acne; pele oleosa. | Medicação para fertilidade, especialmente clomifeno. |
| Menopausa precoce | Problemas nos ovários antes dos 35 anos podem estar associados a doenças autoimunes, hipotireoidismo (pouco hormônio da tireoide), radioterapia ou quimioterapia para tratamento de câncer, tabagismo. | Fertilização *in vitro* com óvulo doado. |

*Fonte*: Com base em Mayo Clinic, 2013. Retirado, em 15 de março de 2013, de www.mayoclinic.com/health/infertility/DS00310/DSECTION=causes

# Pelo mundo

## NASCIMENTOS MÚLTIPLOS

**3.1**

No início de 2009, Nadya Suleman deu à luz óctuplos. Eles são apenas o segundo conjunto de óctuplos a nascer vivos nos Estados Unidos. Uma semana depois de seu nascimento, superaram a taxa mundial de sobrevivência definida pelos óctuplos Chukwu em 1998. Os seis meninos e as duas meninas nasceram nove semanas antes do tempo previsto e incluíam dois pares de gêmeos idênticos (Mohajer, 2009a).

Tanto os óctuplos Suleman como os Chukwu foram o resultado de fertilizações *in vitro* nas quais vários embriões foram implantados no útero das mães. Contudo, muitos nascimentos múltiplos também ocorrem de forma natural. Gêmeos são a variação mais comum, mas trigêmeos, quadrigêmeos e outros nascimentos múltiplos também são possíveis.

Gêmeos dizigóticos, ou *fraternos*, resultam da fecundação de dois óvulos separados por dois espermatozoides diferentes para formar dois indivíduos únicos. Geneticamente, são como irmãos que coabitam o mesmo útero e podem ser ou não do mesmo sexo. Os gêmeos dizigóticos tendem a aparecer nas mesmas famílias e resultam da liberação simultânea de vários óvulos. Essa tendência pode ser de origem genética e parece ser transmitida de mães para filhas (Martin & Montgomery, 2002; National Center for Health Statistics [NCHS], 1999). Assim, quando gêmeos dizigóticos saltam gerações, normalmente é porque a mãe de gêmeos dizigóticos só teve filhos do sexo masculino, aos quais era impossível passar a tendência (NCHS, 1999).

Gêmeos *monozigóticos* são o resultado de um processo muito diferente. Resultam da clivagem de um óvulo fecundado e, portanto, costumam ser geneticamente idênticos. Podem ter aspecto físico diferente porque cada indivíduo é o resultado da interação entre os genes e as influências ambientais, e não apenas produto da genética. Apesar de os gêmeos terem coabitado o mesmo útero e terem sido criados na mesma família, foram afetados por experiências ambientais diferentes. Por exemplo, em uma condição que afeta apenas os gêmeos monozigóticos (síndrome de transfusão feto-fetal), os vasos sanguíneos da placenta formam-se de modo anormal, e a placenta é partilhada desigualmente pelos gêmeos. Assim, um dos gêmeos recebe uma parcela menor de nutrientes do que o outro. Apesar de a mortalidade ser elevada, se ambos os gêmeos sobreviverem, terão uma aparência muito diferente entre si, apesar de serem geneticamente idênticos. É comum um dos gêmeos ser muito maior do que o outro.

Além disso, as diferenças ambientais acumulam-se ao longo do tempo. As diferenças entre gêmeos idênticos em geral aumentam à medida que os gêmeos envelhecem, especialmente se viverem separados. Assim, por exemplo, os gêmeos monozigóticos com 3 anos de idade são mais parecidos do que quando estiverem com 30 anos. Essas diferenças podem resultar de modificações químicas no genoma individual logo após a concepção ou podem ser derivadas de experiências posteriores ou de fatores ambientais, como o tabagismo e outros poluentes (Fraga et al., 2005). Esse processo, conhecido como *epigênese*, é discutido mais adiante neste capítulo.

Recentemente, médicos identificaram um terceiro e raro tipo de gêmeos, chamados *semi-idênticos* — o resultado da fusão de duas células espermáticas em um único óvulo que se divide em dois zigotos distintos. Até agora, foi identificado apenas um caso, e os médicos têm a convicção de que, apesar de possível, as hipóteses de repetição são escassas. Os gêmeos identificados são geneticamente mais semelhantes do que os gêmeos dizigóticos (porque partilham todo o seu material genético materno), mas menos semelhantes do que gêmeos monozigóticos (porque não partilham todo o material genético paterno) (Souter et al., 2007).

A taxa de gêmeos monozigóticos (cerca de 4 a cada mil nascimentos) é sempre constante em todo o mundo, mas a taxa de gêmeos dizigóticos, o tipo mais comum, varia (Martin & Montgomery, 2002; NCHS, 1999). Por exemplo, as mulheres da África Ocidental e as afro-americanas têm mais probabilidade de gerar gêmeos dizigóticos do que as mulheres brancas, que, por sua vez, têm mais probabilidade de gerar esse tipo de gêmeos do que as mulheres chinesas ou japonesas (Martin & Montgomery, 2002).

A incidência de nascimentos múltiplos tem crescido rapidamente nos Estados Unidos desde 1980. Até 2006, a taxa de natalidade de gêmeos havia aumentado 70%, de 18,9 para 32,1 gêmeos em cada mil nascidos vivos. No entanto, a taxa de natalidade de trigêmeos ou mais múltiplos, que quadruplicou nas décadas de 1980 e 1990, caiu para 21% (Martin et al., 2009). Dois fatores relacionados ao aumento dos nascimentos múltiplos são (1) a tendência à gravidez tardia e (2) o uso cada vez maior de remédios para fertilidade que estimulam a ovulação e de técnicas de reprodução assistida, como a fertilização *in vitro*, que costumam ser utilizadas por mulheres mais velhas (Martin et al., 2009).

O surto de nascimentos múltiplos é preocupante porque esses nascimentos estão associados ao aumento de riscos: complicações da gravidez, partos prematuros, bebês com baixo peso ao nascer e morte ou deficiência infantil (Hoyert, Mathews, Menacker, Strobino, & Guyer, 2006; Jain, Missmer, & Hornstein, 2004; Martin et al., 2009; Wright, Schieve, Reynolds, & Jeng, 2003). As famílias também sofrem. Entre 249 mães que deram à luz com a ajuda da tecnologia de reprodução assistida e que foram entrevistadas quando seus filhos tinham entre 1 e 4 anos de idade, cada nascimento múltiplo adicional aumentou o risco de depressão materna, mais do que duplicou a probabilidade de ocorrência de menor qualidade de vida e do sentimento de estigma social e quadruplicou o risco de passar a ter dificuldades na satisfação das necessidades materiais básicas (Ellison et al., 2005). Em resposta a essas preocupações, a American Society of Reproductive Medicine recomenda a limitação dos procedimentos artificiais que envolvem três ou mais embriões, e essas orientações podem explicar a recente diminuição de trigêmeos e de nascimentos múltiplos mais numerosos (Practice Committee, 2006).

**Qual a sua opinião?**

- Você gostaria de ter gêmeos ou múltiplos mais numerosos?
- Você tem algum irmão gêmeo ou irmãos múltiplos mais numerosos? Como essa experiência o afeta?
- Se você soubesse que seria mãe ou pai de óctuplos, o que faria?

Capítulo 3 • Formação de uma nova vida: concepção, hereditariedade e ambiente

meio de TRA era gêmeos ou múltiplos (Saswati et al., 2009). Como discutimos no Box 3.1, o nascimento de múltiplos ocorre simultaneamente ao aumento do risco.

A *maturação in vitro* (MIV), uma técnica mais recente, é executada no início do ciclo mensal, quando os folículos de óvulos estão se desenvolvendo. A coleta de um grande número de folículos antes da ovulação completar-se e o posterior amadurecimento em laboratório podem tornar desnecessárias injeções de hormônios e diminuir a probabilidade de nascimentos múltiplos (Duenwald, 2003). Contudo, se forem transplantados vários óvulos fecundados, é provável que haja o nascimento de múltiplos.

A FIV também pode tratar a infertilidade masculina severa. Pode-se injetar no óvulo um único espermatozoide – uma técnica chamada *injeção de esperma intracitoplasmática* (IEIC). Esse procedimento é atualmente utilizado na maior parte dos ciclos de FIV (Van Voorhis, 2007). Bebês concebidos por meio da FIV ou da IEIC têm de 2 a 4 vezes mais probabilidade de sofrer certos tipos de deficiências cardíacas, de lábio leporino e de deficiências gastrintestinais do que bebês concebidos naturalmente, embora a incidência dessas deficiências seja muito reduzida (Reefhuis et al., 2008).

A *inseminação artificial* – injeção de esperma dentro da vagina, do colo do útero ou do próprio útero da mulher – pode ser utilizada para facilitar a concepção se o homem tiver baixa contagem de espermatozoides e permite que o casal produza a própria prole biológica. Se o homem for estéril, o casal pode escolher a *inseminação artificial com doador* (IAD). Se as causas da infertilidade da mulher forem desconhecidas, as hipóteses de sucesso podem ser aumentadas com a estimulação dos ovários para que produzam óvulos em excesso antes da injeção de sêmen diretamente no útero (Guzick et al., 1999). Embora as taxas de sucesso tenham melhorado (Duenwald, 2003), apenas 35% das mulheres que tentaram a reprodução assistida em 2005 deram à luz (Wright et al., 2008).

Contudo, essa estatística aponta mais para questões relacionadas a idade materna e qualidade dos óvulos do que para a capacidade da ciência de ajudar na concepção, já que a probabilidade de sucesso com a FIV utilizando-se um óvulo da própria mulher diminui acentuadamente conforme a idade da mãe avança (Van Voorhis, 2007).

As mulheres que produzem óvulos de baixa qualidade ou que tenham removido os ovários podem tentar a *transferência de óvulo*. Nesse procedimento, um óvulo de uma doadora, fornecido geralmente de forma anônima por uma mulher jovem e fértil, é fecundado no laboratório e implantado no útero da futura mãe. As FIV nas quais são utilizados óvulos de doadoras têm probabilidades altas de êxito (Van Voorhis, 2007). Como alternativa, o óvulo pode ser fecundado no corpo da doadora por meio de inseminação artificial. O embrião é resgatado do útero da doadora e inserido no útero da receptora. As duas outras técnicas com taxas de sucesso relativamente altas são a *transferência intrafalopiana de gameta* (TIFG) e a *transferência intrafalopiana de zigoto* (TIFZ), nas quais são inseridos na tuba uterina o óvulo e o esperma ou apenas o óvulo fecundado (Schieve et al., 2002; Society for Assisted Reproductive Technology, 1993, 2002).

A reprodução assistida pode resultar em um emaranhado de dilemas legais, éticos e psicológicos (ISLAT Working Group, 1998; Schwartz, 2003). Quem tem direito a esses métodos? As crianças devem conhecer suas origens? Os testes genéticos devem ser realizados nos doadores ou nos substitutos? Quando óvulos fertilizados por FIV resultarem em múltiplos, deverá haver um descarte para aumentar as chances de vida de outros sobreviventes? O que se deve fazer com os embriões não utilizados?

O Dr. Michael Kamrava, médico de fertilidade que ajudou Nadya Suleman (ver Box 3.1) a engravidar, foi investigado pelo Conselho Estadual de Medicina quando se soube que Suleman já tinha seis crianças com idades entre 2 e 7 anos que resultaram de tratamentos de fertilidade anteriores e que ela tinha pedido ao médico para lhe implantar seis embriões que sobraram no útero (dois dos quais evidentemente se dividiram) e se recusou a abortar qualquer um deles. Havia também questões sobre a capacidade da mãe solteira e desempregada sustentar e cuidar de 14 crianças (Adams, 2009; Dillon, 2009; Mohajer, 2009a, 2009b, 2009c). Embora esse seja um exemplo extremo das preocupações éticas potenciais relacionadas com a TRA, não deixa de ser verdade que esses acontecimentos levantam questões muito sérias sobre ética e supervisão legal que ainda não foram abordadas. Pelo menos dois Estados, a Missouri e Georgia, nos Estados Unidos, estão considerando legislar sobre um limite para o número de embriões fertilizados clinicamente que podem ser implantados.

As questões multiplicam-se quando são envolvidas *mães substitutas* (as barrigas de aluguel) (Schwartz, 2003). Na substituição gestacional, uma mulher fértil recebe o esperma do futuro pai, normalmente por inseminação artificial. Concorda em hospedar o bebê até o final da gestação e a entregá-lo ao pai e à respectiva mulher após o parto. Mas quem é a "verdadeira" mãe — a barriga de aluguel ou a mulher que carrega o bebê? E se a barriga de aluguel quiser ficar com o bebê, como tem acontecido em alguns casos com grande repercussão? E se os futuros pais se recusarem a continuar com o contrato? Os tribunais da maioria dos Estados norte-americanos consideram que os contratos de substituição gestacional não são de cumprimento obrigatório, e alguns Estados baniram a prática ou impuseram-lhes

---

Qual a sua
**opinião?**

Se você ou seu parceiro tivesse um problema de infertilidade, considerariam recorrer a um dos métodos de reprodução assistida descritos aqui? Justifique.

## PARTE II • O começo

### Verificador
**você é capaz de...**

- Identificar causas e tratamentos para infertilidade masculina e feminina?
- Descrever quatro meios de reprodução assistida e mencionar questões que eles suscitam?
- Distinguir entre gêmeos monozigóticos e dizigóticos e descrever como são gerados?

---

### Guia de estudo 3

Quais são os mecanismos genéticos que determinam sexo, aparência física e outras características?

**ácido desoxirribonucleico (DNA)**
Substância química que carrega instruções herdadas para o desenvolvimento de todas as formas de vida celular.

**código genético**
Sequência de bases que compõem a molécula de DNA; orienta a formação de proteínas que determinam a estrutura e as funções das células vivas.

**cromossomos**
Espirais de DNA que contêm os genes.

**genes**
Pequenos segmentos de DNA localizados em posições definidas em determinados cromossomos; unidades funcionais da hereditariedade.

**genoma humano**
Sequência completa dos genes do corpo humano.

---

condições rígidas. O American Academy of Pediatrics (AAP) Committee on Bioethics (1992) recomenda que a substituição gestacional seja considerada como um acordo preliminar de adoção anterior à concepção. O comitê também recomenda um acordo anterior ao nascimento para o período em que a hospedeira ainda pode reivindicar seus direitos maternos.

Outro aspecto controverso da substituição gestacional é o pagamento em dinheiro. A criação de uma "classe de procriadoras" formada por mulheres pobres, portadoras dos bebês das mulheres ricas, parece errada para muitas pessoas. Levantaram-se preocupações semelhantes em relação aos pagamentos às doadoras de óvulos (Gabriel, 1996). Alguns países, como França e Itália, proibiram a substituição gestacional comercial. Nos Estados Unidos, a substituição é ilegal em alguns Estados e legal em outros, e os regulamentos variam para cada Estado (Warner, 2008).

# Mecanismos da hereditariedade

A ciência da genética é o estudo da *hereditariedade*: a transmissão genética de características hereditárias de pais para filhos. Quando o óvulo e o espermatozoide se unem – por fecundação normal ou reprodução assistida –, dotam o futuro bebê de uma constituição genética que influencia um amplo espectro de características, desde a cor dos olhos e do cabelo até a saúde, o intelecto e a personalidade.

## O código genético

A base da hereditariedade é uma substância química chamada **ácido desoxirribonucleico (DNA)**. A estrutura em dupla hélice de uma molécula de DNA lembra uma escada longa e espiralada, cujos degraus são feitos de pares de unidades químicas chamadas *bases* (Fig. 3.1). As bases – adenina (A), timina (T), citosina (C) e guanina (G) – são as "letras" do **código genético**, que é "lido" pela maquinaria celular.

Os **cromossomos** são espirais de DNA que consistem em segmentos menores chamados de **genes**, as unidades funcionais da hereditariedade. Cada gene está localizado em uma posição definida em seu cromossomo e contém milhares de bases. A sequência de bases em um gene diz à célula como construir as proteínas que permitem que ela execute funções específicas. A sequência completa dos genes do corpo humano constitui o **genoma humano**. É claro que cada ser humano tem um genoma único, e quanto maior for o grau de parentesco entre duas pessoas, mais semelhantes serão os respectivos genomas. O genoma humano não se destina a ser uma receita para se construir um ser humano e ele foi, de fato, desenvolvido com o uso de participantes de vários estudos, assim como com participantes não humanos. O genoma humano é um ponto de referência ou um genoma representativo que mostra a localização de todos os genes humanos.

Cada célula de um corpo humano normal, com exceção das células sexuais (espermatozoide e óvulo), contém 23 pares de cromossomos – 46 ao todo. Por meio de um tipo de divisão celular chamada *meiose*, que ocorre quando as células sexuais estão se desenvolvendo, cada uma termina com apenas 23 cromossomos – um de cada par. Assim, quando o espermatozoide e o óvulo se fundem na concepção, produzem um zigoto com 46 cromossomos, 23 do pai e 23 da mãe (Fig. 3.2).

No momento da concepção, o zigoto unicelular recebe todas as informações biológicas necessárias para guiar seu desenvolvimento até se tornar um indivíduo único. Por meio da *mitose*, um processo pelo qual as células não sexuais repetidamente se dividem pela metade, o DNA se replica, de modo que cada célula recém-formada tem a mesma estrutura de DNA que todas as outras. Assim, cada divisão celular cria uma autêntica duplicata da célula original, com a mesma informação hereditária. Quando o desenvolvimento é normal, cada célula (com exceção das células sexuais) continua a ter 46 cromossomos idênticos àqueles do zigoto original. À medida que as células se dividem, elas se diferenciam, especializando-se em uma variedade de funções orgânicas complexas que permitem o crescimento e o desenvolvimento da criança.

Os genes entram em ação quando as condições pedem a informação que eles podem oferecer. A ação genética que dispara o crescimento do corpo e do cérebro geralmente é regulada por níveis hormonais – tanto na mãe quanto no bebê

> O genoma humano foi sequenciado pela primeira vez em 2006. Mais recentemente, o genoma do Neandertal também foi sequenciado, e a análise dos pontos comuns entre genes de Neandertal e genes humanos sugere que houve um limitado cruzamento. Em outras palavras, alguns de seus genes vivem em nós.
>
> *Green et al., 2010*

em desenvolvimento –, que são afetados por condições ambientais como nutrição e estresse. Assim, desde o início, a hereditariedade e o ambiente estão inter-relacionados.

De fato, o próprio genoma humano alterou-se – e continua a alterar-se – em resposta às condições ambientais. Uma equipe de pesquisadores estimou que pelo menos 7% do genoma tem evoluído ao

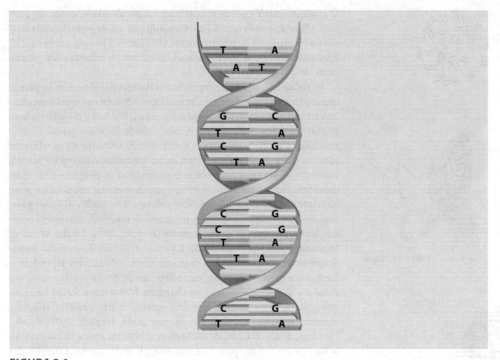

**FIGURA 3.1**
DNA: o código genético.
*O DNA é o material genético de todas as células vivas. Consiste em quatro unidades químicas chamadas bases. Essas bases são as letras do alfabeto do DNA. A (adenina) emparelha com T (timina), e C (citosina) emparelha com G (guanina). Existem 3 bilhões de pares de bases no DNA humano.*

*Letras do alfabeto do DNA*

**T** = *Timina*
**A** = *Adenina*
**G** = *Guanina*
**C** = *Citosina*

*Fonte*: Ritter, 1999.

longo dos últimos 40 mil anos a um ritmo mais rápido do que nunca, como resultado de mudanças na dieta e de novas doenças, como aids, malária e febre amarela (Hawks, Wang, Cochran, Harpending, & Moyzis, 2007). Por exemplo, após a revolução agrícola, por volta de 10 mil anos atrás, quando os primeiros agricultores deixaram de caçar animais para passar a domesticá-los e a ordenhá-los, desenvolveu-se um novo gene que possibilitou a digestão da lactose; esse gene depois se propagou por mais de 80% da população europeia. No entanto, a intolerância à lactose permanece comum na Ásia e na África, onde a pecuária leiteira está menos generalizada (Krause, 2009).

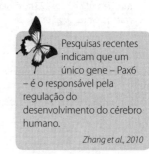

Pesquisas recentes indicam que um único gene – Pax6 – é o responsável pela regulação do desenvolvimento do cérebro humano.

*Zhang et al., 2010*

## O que determina o sexo?

Em muitas vilas do Nepal, é comum para um homem cuja esposa não teve nenhum bebê do sexo masculino desposar uma segunda mulher. Em algumas sociedades, o fato de uma mulher não gerar filhos homens é motivo para divórcio. Nas aldeias muçulmanas da Turquia central, a crença tradicional é a de que os alimentos que a mulher come influenciam o sexo do seu bebê — a carne vermelha e o caldo de tomate tornam mais provável a chegada de meninos; os alimentos brancos, como o frango e o arroz, meninas (Delaney, 2000). A ironia desses costumes está no fato de que o espermatozoide do pai é que determina geneticamente o sexo da criança.

No momento da concepção, os 23 cromossomos do espermatozoide e os 23 do óvulo formam 23 pares. Vinte e dois pares são **autossomos**, cromossomos que não estão relacionados à expressão sexual. O 23º par é de **cromossomos sexuais** – um do pai e outro da mãe –, que determinam o sexo do bebê.

Cromossomos sexuais são *cromossomos X* ou *cromossomos Y*. O cromossomo sexual de todo óvulo é sempre X, mas o espermatozoide pode conter um cromossomo X ou um cromossomo Y.

**autossomos**
Em humanos, os 22 pares de cromossomos não relacionados à expressão sexual.

**cromossomos sexuais**
Par de cromossomos que determina o sexo: XX na mulher normal e XY no homem normal.

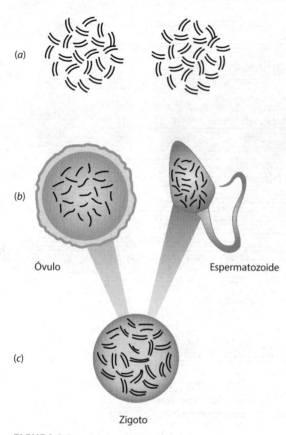

**FIGURA 3.2**
Composição hereditária do zigoto.
*(a) Células de homens e mulheres contêm 23 pares de cromossomos que carregam os genes, as unidades básicas da hereditariedade.
(b) Cada célula sexual (óvulo e espermatozoide) tem apenas 23 cromossomos devido ao tipo especial de divisão celular (meiose).
(c) Quando ocorre a fecundação, os 23 cromossomos do espermatozoide juntam-se aos 23 do óvulo, de modo que o zigoto recebe 46 cromossomos, ou 23 pares.*

O cromossomo Y contém o gene para a masculinidade, chamado gene *SRY*. Quando um óvulo (X) é fecundado por um espermatozoide X, o zigoto formado é XX, geneticamente uma fêmea. Quando um óvulo (X) é fecundado por um espermatozoide Y, o zigoto resultante é XY, geneticamente um macho (Fig. 3.3).

Inicialmente, o sistema reprodutivo rudimentar do embrião parece quase idêntico em machos e fêmeas. De 6 a 8 semanas após a concepção, os embriões masculinos normalmente começam a produzir o hormônio masculino testosterona. A exposição de embriões geneticamente masculinos a níveis constantes e elevados de testosterona geralmente resulta no desenvolvimento de um corpo masculino com órgãos sexuais masculinos. Mas o processo não é automático. A pesquisa com ratos descobriu que os hormônios devem primeiro enviar um sinal ao gene SRY, que então ativa a diferenciação celular e a formação dos testículos. Sem essa sinalização, um rato geneticamente macho desenvolverá genitais femininos em vez de masculinos (Hughes, 2004; Meeks, Weiss, & Jameson, 2003; Nef et al., 2003). É provável que um mecanismo semelhante ocorra em homens. O desenvolvimento do sistema reprodutivo feminino é igualmente complexo e depende de diversas variantes. Uma delas é a molécula sinalizadora chamada *Wnt-4*, uma forma variante que poderá "masculinizar" um feto geneticamente feminino (Biason-Lauber, Konrad, Navratil, & Schoenle, 2004; Hughes, 2004; Vainio, Heikkiia, Kispert, Chin, & McMahon, 1999). Assim, a diferenciação sexual parece ser um processo mais complexo do que uma simples determinação genética.

Maiores complexidades surgem do fato de as mulheres terem dois cromossomos X, ao passo que homens têm apenas um. Durante muitos anos, pesquisadores acreditaram que os genes duplicados em um dos dois cromossomos X da mulher eram inativos ou desligados. Recentemente, contudo, perquisadores descobriram que apenas 75% dos genes no cromossomo X extra são inativos. Cerca de 15% permanecem ativos, e 10% são ativos em algumas mulheres, mas não em outras (Carrel & Willard, 2005). Essa variabilidade na atividade do gene poderia ajudar a explicar diferenças de gênero em traços normais ou em distúrbios ligados ao cromossomo X, que são discutidas adiante neste capítulo. O cromossomo X extra também pode explicar por que mulheres são normalmente mais saudáveis e vivem mais do que os homens: alterações prejudiciais em um gene de um cromossomo X podem ser compensadas por uma cópia *backup* no outro cromosssomo X (Migeon, 2006).

## Padrões de transmissão genética

Durante a década de 1860, Gregor Mendel, um monge austríaco, lançou as bases da nossa compreensão sobre padrões de hereditariedade. Ele cruzou ervilhas que produziam apenas sementes amarelas com ervilhas que produziam apenas sementes verdes. As plantas híbridas resultantes produziram apenas sementes amarelas, o que significava, segundo ele, que as amarelas eram *dominantes* em relação às verdes. No entanto, quando ele cruzava entre si as plantas híbridas de semente amarela, apenas 75% das descendentes tinham sementes amarelas, e as outras 25% tinham sementes verdes. Isso mostrava, segundo Mendel, que uma característica hereditária (nesse caso, a cor verde) pode ser *recessiva*, isto é, estar presente em um organismo que não a expressa ou manifesta.

Mendel também tentou desenvolver dois traços simultaneamente. Cruzando ervilhas que produziam sementes amarelas redondas com outras que produziam sementes verdes rugosas, ele descobriu que a cor e o formato eram independentes um do outro. Assim, Mendel mostrou que os traços hereditários são transmitidos separadamente, um conceito agora conhecido como herança de partículas.

Hoje sabemos que o quadro genético dos seres humanos é bem mais complexo do que Mendel imaginava. Embora alguns traços humanos, como a presença de covinhas na face, sejam herdados via transmissão dominante simples, a maior parte se estende ao longo de um espectro contínuo e resulta das ações combinadas de muitos genes. No entanto, o trabalho inovador de Mendel lançou as bases para o nosso conhecimento moderno da genética.

**Heranças dominante e recessiva** Você tem covinhas? Se tiver, provavelmente as herdou por meio da *herança dominante*. Se seus pais têm covinhas, mas você não, houve *herança recessiva*. Como funcionam esses dois tipos de herança?

Genes que podem produzir expressões alternativas de uma característica (como a presença ou a ausência de covinhas) são denominados **alelos**. Os alelos são versões alternativas do mesmo gene. Cada pessoa recebe um alelo materno e paterno para determinado traço. Quando ambos os alelos são idênticos, o indivíduo é **homozigótico** para dada característica; quando são diferentes, o indivíduo é **heterozigótico**. Na **herança dominante**, o alelo dominante está sempre expresso ou surge como característica naquele indivíduo. A pessoa terá a mesma aparência independentemente de ser ou não heterozigótica ou homozigótica porque o alelo recessivo não aparece. Na **herança recessiva**, para a característica ser expressa, a pessoa tem que ter dois alelos recessivos, um do pai e outro da mãe. Se for expressa uma característica recessiva, essa pessoa não pode ter um alelo dominante.

Tomemos a presença de covinhas como exemplo. Covinhas são um traço dominante, portanto você terá covinhas se receber pelo menos uma cópia (C) de um dos pais. Se você herdou do pai e da mãe alelos para covinhas (Fig. 3.4), você é homozigótico para esse traço e tem uma ou mais covinhas. Se você receber uma cópia do alelo (C) para covinhas e uma cópia de um alelo para ausência de covinhas (c), então você é heterozigótico. Em ambos os casos, a característica expressada é que você tem covinhas. A única situação em que você não teria covinhas é se recebesse duas cópias recessivas (c), uma da mãe e outra do pai. Não são muitos os traços determinados dessa maneira simples. A maioria dos traços resulta de **herança poligênica**, a interação de vários genes. Por exemplo, não existe um gene para a "inteligência" que determina se você é ou não inteligente. Em vez disso, há um grande número de genes que trabalha de maneira ordenada para determinar seu potencial intelectual. Como a inteligência, a maioria das variações individuais em comportamentos complexos ou em características é regida pelas influências aditivas de muitos genes com efeitos pequenos, mas identificáveis. Em outras palavras, são poligênicas. Enquanto genes individuais determinam muitas vezes traços anormais, não há um único gene que, por si só, seja significativamente o responsável por diferenças individuais em qualquer comportamento complexo normal.

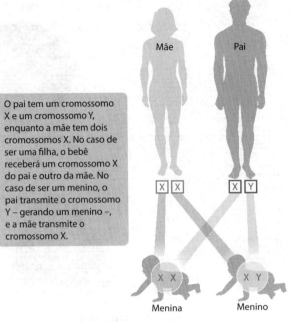

O pai tem um cromossomo X e um cromossomo Y, enquanto a mãe tem dois cromossomos X. No caso de ser uma filha, o bebê receberá um cromossomo X do pai e outro da mãe. No caso de ser um menino, o pai transmite o cromossomo Y – gerando um menino –, e a mãe transmite o cromossomo X.

**FIGURA 3.3**
Determinação do sexo.

*Hetero* significa diferente, e *homo* significa o mesmo, como quando falamos de orientações heterossexuais e homossexuais. Assim, os indivíduos heterozigóticos têm dois alelos diferentes, e os homozigóticos têm dois do mesmo alelo.

Traços podem ser afetados por **mutações**: alterações permanentes no material genético. Um estudo que comparou genomas de quatro grupos raciais/étnicos constatou que a pele mais clara dos brancos e dos asiáticos resultou de ligeiras mutações – mudança em apenas uma letra do código do DNA dentre 3,1 bilhões de letras do genoma humano – milhares de anos atrás (Lamason et al., 2005). As mutações resultam com frequência de erros de cópia e são em geral prejudiciais.

**Genótipos e fenótipos: transmissão multifatorial** Se você tem covinhas, isso faz parte do seu **fenótipo**, as características observáveis por meio das quais seu **genótipo**, ou constituição genética subjacente, é expresso. Com exceção dos gêmeos monozigóticos, não há duas pessoas com o mesmo genótipo. O fenótipo é produto do genótipo e de quaisquer influências ambientais relevantes. A diferença entre genótipo e fenótipo ajuda a explicar por que um clone (uma cópia genética do indivíduo) ou mesmo um gêmeo idêntico nunca poderá ser uma cópia exata de outra pessoa.

Como a Figura 3.4 ilustra, pessoas com genótipos diferentes podem exibir o mesmo fenótipo. Por exemplo, uma criança que seja homozigótica com um alelo dominante para covinhas terá covinhas, e o mesmo ocorre com uma criança que seja heterozigótica para o mesmo alelo. Como é dominante, as covinhas são expressas, e o alelo recessivo que as suprime está escondido.

Além disso, os alelos ocultos podem continuar despercebidos durante várias gerações e depois se expressarem se ambos os pais apresentarem uma cópia oculta. Por exemplo, se você for heterozigótico para covinhas e encontrar um companheiro que também seja heterozigótico para covinhas, então há uma proba-

**alelos**
Duas ou mais formas alternativas de um gene que ocupa a mesma posição em cromossomos emparelhados e que afetam o mesmo traço.

**homozigótico**
Indivíduo que possui dois alelos idênticos para determinado traço.

**heterozigótico**
Indivíduo que possui alelos diferentes para determinado traço.

**herança dominante**
Padrão de hereditariedade no qual é expresso somente o dominante quando a criança recebe alelos diferentes.

**herança recessiva**
Padrão de hereditariedade em que a criança recebe alelos recessivos idênticos, resultando na expressão de um traço não dominante.

**fenótipo**
Características observáveis de uma pessoa.

**genótipo**
Constituição genética de uma pessoa, contendo tanto as características expressas quanto as não expressas.

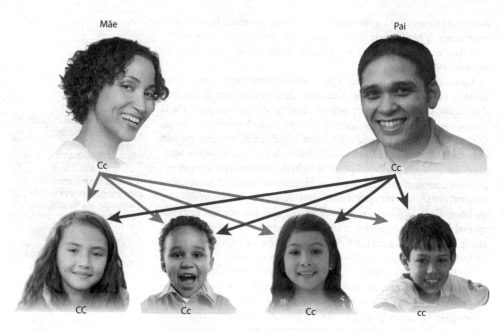

**FIGURA 3.4**
Heranças dominante e recessiva.
*Por causa da herança dominante, o mesmo fenótipo observável (neste caso, covinhas) pode resultar de dois genótipos diferentes (CC e Cc). Um fenótipo que expressa uma característica recessiva (ausência de covinhas) deve ter um genótipo homozigótico (cc).*

**herança poligênica**
Padrão de herança em que múltiplos genes, em diferentes posições nos cromossomos, afetam um traço complexo.

**mutações**
Alterações permanentes nos genes ou nos cromossomos que podem produzir características prejudiciais, mas que fornecem a matéria-prima da evolução.

**transmissão multifatorial**
Combinação de fatores genéticos e ambientais que produz certos traços complexos.

O seu genótipo é a receita com a qual você foi construído. O seu fenótipo é o responsável pela forma como você saiu.

bilidade de cerca de um quarto dos seus filhos não ter covinhas. Isso ocorre porque há uma probabilidade de 25% de qualquer criança herdar *ambos* os alelos recessivos e, portanto, expressar a característica recessiva (falta de covinhas). Note que há uma probabilidade de 25% de a criança ter covinhas; contudo, isso pode ocorrer de duas formas diferentes. As crianças com covinhas podem ser tanto homozigóticas para a característica (25% de probabilidade) como heterozigóticas para ela (50% de probabilidade). No entanto, como a característica dominante é sempre expressa, tudo que se sabe, ao encontrar uma criança com covinhas, é que ela tinha que ter pelo menos *um* alelo para elas.

As covinhas têm forte base genética, mas, para a maioria dos traços, a experiência modifica a expressão do genótipo – um fenômeno chamado **transmissão multifatorial**. A transmissão multifatorial ilustra a ação de influências naturais e ambientais e como elas, de forma mútua e recíproca, afetam os resultados. Suponhamos que Steven tenha herdado um talento musical. Se ele tiver aulas de música e praticar regularmente, poderá encantar a família com suas apresentações. Se sua família gosta de música clássica e o incentiva nesse sentido, ele poderá tocar prelúdios de Bach; se as outras crianças do bairro o influenciarem por meio de música popular, talvez ele venha a formar uma banda de *rock*. Contudo, se desde a infância não for incentivado e motivado a tocar música, e se não tiver acesso a instrumentos musicais ou a aulas de música, seu genótipo para a capacidade musical pode não se expressar (ou pode expressar-se em uma extensão menor) em seu fenótipo. Algumas características físicas (entre elas peso e altura) e a maior parte das características psicológicas (como inteligência e traços de personalidade e, ainda, capacidade musical) são produtos de transmissão multifatorial. Muitos transtornos surgem quando uma predisposição herdada interage com um fator ambiental, seja antes, seja depois do nascimento.

Mais adiante neste capítulo, discutiremos com mais detalhes como as influências ambientais operam juntas com as dotações genéticas para influenciar o desenvolvimento.

*As covinhas no rosto são incomuns porque são herdadas por transmissão dominante simples. A maioria dos traços é influenciada por múltiplos genes, geralmente em combinação com outros fatores.*

**Epigênese: influência ambiental na expressão do gene** Até recentemente, a maioria dos cientistas acreditava que os genes que uma criança herdava eram solidamente estabelecidos durante o desenvolvimento fetal, embora seus efeitos sobre o comportamento pudessem ser modificados pela experiência. Agora, cada vez mais evidências sugerem que a própria expressão do gene é controlada por um terceiro componente, um mecanismo que regula o funcionamento dos genes dentro da célula sem afetar a estrutura do DNA da célula. Os genes são ativados ou desativados à medida que vão sendo necessários para o desenvolvimento corporal ou são desencadeados pelo ambiente. Esse fenômeno chama-se **epigênese**, ou *epigenética*. Longe de ser fixada definitivamente, a atividade epigenética é afetada por uma contínua interação bidirecional com influências não genéticas (Gottlieb, 2007; Mayo Foundation for Medical Education and Research, 2009; Rutter, 2007).

A epigênese (que significa "sobre ou acima do genoma") refere-se a moléculas químicas (ou "marcadores") ligadas a um gene que alteram o modo como a célula "lê" o DNA do gene. Se imaginarmos o genoma humano como um computador, podemos visualizar a estrutura epigenética como o *software* que diz ao DNA quando deve trabalhar. Como todas as células do corpo herdam a mesma sequência de DNA, a função dos marcadores químicos é diferenciar vários tipos de células do corpo, como as células do cérebro, da pele e do fígado. Dessa forma, os genes dos tipos de células necessárias são ativados, e os genes das células desnecessárias são ignorados. Agora, depois de os cientistas terem mapeado o genoma humano, estão unindo forças em âmbito internacional para decodificar o epigenoma (Mayo Foundation for Medical Education and Research, 2009).

Mudanças epigenéticas podem ocorrer durante toda a vida em resposta a fatores ambientais como nutrição, hábitos de sono, estresse e afeição. Em um estudo com gêmeos, as análises de sangue mostraram diferenças epigenéticas em 35% da amostra, e essas diferenças foram associadas a idade e alguns fatores do estilo de vida, como dieta, atividade física e tabagismo (Fraga et al., 2005). Por vezes, surgem erros que podem levar a malformações congênitas ou a doenças (Gosden & Feinberg, 2007). A epigenética pode contribuir para doenças comuns como câncer, diabetes e doenças cardíacas. Pode explicar por que um gêmeo monozigótico é suscetível à esquizofrenia, enquanto o outro não é, e por que alguns gêmeos contraem a mesma doença, mas em idades diferentes (Fraga et al., 2005; Wong, Gottesman, & Petronis, 2005).

As células são particularmente suscetíveis à modificação epigenética durante períodos críticos como a puberdade e a gravidez (Mayo Foundation for Medical Education and Research, 2009; Rakyan & Beck, 2006). Além disso, modificações epigenéticas, especialmente aquelas que ocorrem no começo da vida, podem ser herdáveis. Estudos de células espermáticas humanas constataram variações epigenéticas relacionadas à idade capazes de ser transmitidas às gerações futuras (Rakyan & Beck, 2006). Assim, uma boa saúde e práticas nutricionais durante todo o período reprodutivo da mulher podem ajudar a garantir a saúde de seus futuros filhos e netos.

Um exemplo de epigênese é o *imprinting genômico*, ou *genético*. *Imprinting* é a expressão diferencial de certos traços genéticos, dependendo de se o traço foi herdado da mãe ou do pai. Em pares de genes marcados (*imprinted*), a informação genética herdada da mãe ou do pai é ativada, mas a informação genética do outro genitor é suprimida. Genes marcados desempenham um importante papel na regulação do crescimento e desenvolvimento fetais. Quando um padrão normal de *imprinting* é rompido, o resultado pode ser o crescimento anormal do feto ou distúrbios congênitos no crescimento (Hitchins & Moore, 2002).

A "batalha dos sexos" parental pode explicar o papel do *imprinting* em certos distúrbios do crescimento. De acordo com a teoria da evolução, o pai beneficia-se tendo filhos grandes que são mais suscetíveis a sobreviver e a prosperar sem custo pessoal para ele, enquanto a mãe submete-se ao custo de carregar e de amamentar um bebê grande. Desse modo, os pais geralmente imprimem genes que favorecem o crescimento, como o *IGF2*, por exemplo, ao passo que as mães tendem a silenciar esses genes, mantendo, assim, o crescimento do feto equilibrado com suas necessidades de preservar alguns recursos corporais. Se, no entanto, forem expressas cópias de ambos os pais em um gene que favoreça o crescimento, o feto crescerá demais; (p. 72) se ambas as cópias forem silenciadas, o crescimento do feto será reduzido. Existe uma teoria controversa que sugere uma ligação entre os problemas de crescimento relacionados com o *imprinting* e os transtornos da personalidade, como autismo, depressão e esquizofrenia (Badcock & Crespi, 2006, 2008; Crespi, 2008). Embora as especificidades dessas teorias ainda não tenham sido determinadas, de fato o campo da epigenética tem potencial para responder a muitas das nossas perguntas sobre mecanismos de hereditariedade.

**epigênese**
Mecanismo que ativa ou desativa os genes e determina as funções das células do corpo.

A clonagem de gatos ilustra como o desenvolvimento não é meramente genético. Apesar de terem material genético idêntico, os gatos clonados podem ter cores diferentes de pelo que resultam das influências ambientais. Em outras palavras, há mudanças epigenéticas que alteram seu fenótipo sem alterarem seu genótipo.

**Verificador**
**você é capaz de...**

- Explicar por que, à exceção de gêmeos monozigóticos, não existem dois indivíduos que tenham a mesma herança genética?
- Explicar por que o espermatozoide determina o sexo do bebê?
- Explicar como as heranças dominante e recessiva funcionam e por que as características pessoais mais normais não são produto de mera transmissão dominante ou recessiva?
- Explicar como a epigênese e o *imprinting* genômico funcionam e dar exemplos?

*Rainbow, à esquerda, cheira seu clone, Cc, à direita. São geneticamente idênticos, mas têm aparências e personalidades diferentes.*

## PARTE II • O começo

Perturbações no *imprinting* genômico podem explicar por que o filho de um pai com diabetes, mas não de uma mãe com diabetes, está propenso a ter a doença e por que o oposto é verdadeiro para a asma (Day, 1993). Problemas de *imprinting* também podem explicar por que crianças que herdam a doença de Huntington do pai são bem mais propensas a serem afetadas ainda muito jovens do que crianças que herdam o gene de Huntington da mãe (Sapienza, 1990) e por que crianças que recebem certo alelo da mãe são mais propensas a terem autismo do que aquelas que o recebem do pai (Ingram et al., 2000).

## Anomalias genéticas e cromossômicas

> ### Guia de estudo 4
> Como são transmitidas as malformações e as doenças congênitas?

A maioria dos transtornos congênitos é bastante rara e afeta somente 3% dos nascidos vivos (Waknine, 2006). No entanto, eles são a principal causa de morte de lactentes nos Estados Unidos e responsáveis por 19,5% de todas as mortes ocorridas no primeiro ano de vida em 2005 (Kung, Hoyert, Xu, & Murphy, 2008). As malformações mais comuns são lábios leporinos e fendas palatais, seguidos pela síndrome de Down. Outras malformações graves envolvem olhos, face e boca, ou os sistemas circulatório, gástrico musculoesquelético (CDC, 2006b; Ver Quadro 3.2).

Nem todas as anomalias genéticas ou cromossômicas são aparentes no nascimento. Os sintomas da doença de Tay-Sachs (doença degenerativa fatal do sistema nervoso central que, em determinada época, ocorreu principalmente entre judeus de ancestralidade leste-europeia) e da anemia falciforme ou anemia drepanocítica (um distúrbio no sangue mais comum entre afro-americanos) podem não surgir antes dos 6 meses de idade; a fibrose cística (uma condição comum principalmente em crianças de ascendência norte-europeia, em que há acúmulo excessivo de muco nos pulmões e no trato digestivo) não se manifesta antes dos 4 anos. Algumas doenças se manifestam em idade mais avançada, como o glaucoma (doença na qual há aumento da pressão intraocular) e a doença de Huntington (degeneração progressiva do sistema nervoso), que em geral não surgem antes da meia-idade.

Note que, para além dessas linhas de variação temporal, algumas doenças genéticas também são mais comuns em pessoas de determinadas raças ou etnias.

É nas malformações e nas doenças genéticas que podemos ver com maior clareza a operação de transmissão dominante e recessiva, bem como de uma variação, a *herança vinculada ao sexo*, discutida na próxima seção.

### Malformações transmitidas por herança dominante ou recessiva

Na maior parte das vezes, os genes normais são dominantes em relação àqueles que contêm os traços anormais. Porém, algumas vezes o gene para um traço anormal é dominante. Quando um dos pais tem um gene anormal dominante e um gene normal recessivo e o outro tem dois genes normais recessivos, cada um de seus filhos terá 50% de chance de herdar o gene anormal. Entre as 1,8 mil doenças conhecidas transmitidas por herança dominante estão a acondroplasia (um tipo de nanismo) e a doença de Huntington. Embora possam ser muito graves, malformações transmitidas por herança dominante têm menor probabilidade de ser letais no começo da vida do que aquelas transmitidas por herança recessiva. Isso acontece porque, se um gene dominante for letal no começo da vida, as crianças afetadas provavelmente morreriam antes de se reproduzirem. Esse gene, portanto, não passaria para a próxima geração e logo desapareceria da população.

As malformações recessivas são expressas somente se a criança for homozigótica para esse gene; em outras palavras, a criança deve herdar uma cópia do gene recessivo de cada um dos pais para ser afetada. Como os genes recessivos não são expressos se o pai ou a mãe forem homozigóticos para aquele traço, nem sempre poderá ser evidente que uma criança correrá risco por receber dois alelos de um gene recessivo. No entanto, sabemos que certos grupos étnicos são mais propensos a portar determinados genes recessivos, e isso pode ser usado para avaliar a probabilidade de a criança ser afetada. Malformações transmitidas por genes recessivos tendem a ser letais no começo da vida, diferentemente daquelas transmitidas por genes dominantes, porque genes recessivos podem ser transmitidos por portadores heterozigóticos que não tenham, eles mesmos, a doença. Assim, eles são capazes de reproduzir e transmitir os genes para a próxima geração.

Alguns traços são parcialmente dominantes ou parcialmente recessivos. Na **dominância incompleta**, um traço não é totalmente expresso. Normalmente, a presença de um par de genes dominante/recessivo resulta na expressão completa do gene dominante e na ocultação do gene recessivo. Na dominância incompleta, o fenótipo resultante é uma combinação de ambos os genes. Por exemplo, pessoas com apenas um alelo de anemia falciforme e um alelo normal não apresentam anemia falciforme com suas características células sanguíneas oblongas de forma anormal. Suas células sanguíneas também não têm

> **dominância incompleta**
> Padrão hereditário em que a criança recebe dois alelos diferentes, resultando na expressão parcial de um traço.

# Capítulo 3 • Formação de uma nova vida: concepção, hereditariedade e ambiente

**QUADRO 3.2** Algumas malformações congênitas

| Problema | Características da condição | Quem está em risco | O que pode ser feito |
|---|---|---|---|
| Deficiência de alfa-1-antitripsina | Deficiência enzimática que pode resultar em cirrose hepática na primeira infância e em enfisema e doença pulmonar degenerativa na meia-idade. | 1 em cada 1.000 nascimentos de pessoas brancas | Não há tratamento. |
| Alfa talassemia | Anemia grave que reduz a capacidade do sangue de transportar oxigênio; quase todos os bebês afetados são natimortos ou morrem logo após o nascimento. | Principalmente famílias provenientes da Malásia, da África e do Sudeste Asiático | Frequentes transfusões de sangue. |
| Beta talassemia (anemia de Cooley) | Anemia grave que resulta em fraqueza, fadiga e doenças frequentes; normalmente é fatal na adolescência ou no adulto jovem. | Principalmente famílias de origem mediterrânea | Frequentes transfusões de sangue. |
| Fibrose cística | Secreção excessiva de muco que se acumula nos pulmões e no trato digestivo; as crianças não têm um crescimento normal e em geral não vivem além dos 30 anos; a mais comum das deficiências *letais* herdadas por pessoas brancas. | 1 em cada 2 mil nascimentos de pessoas brancas | Fisioterapia diária para liberar o muco; antibióticos para infecção pulmonar; enzimas para melhorar a digestão; terapia genética (em fase experimental). |
| Distrofia muscular de Duchenne | Doença fatal, normalmente encontrada em homens, caracterizada pela fraqueza muscular; é comum deficiência intelectual leve; insuficiência respiratória e morte costumam ocorrer no adulto jovem. | 1 em cada 3 a 5 mil nascimentos masculinos | Não há tratamento. |
| Hemofilia | Sangramento excessivo, em geral acomete homens; em sua forma mais grave, pode resultar em artrite comprometedora na vida adulta. | 1 em cada 10 mil famílias com histórico de hemofilia | Frequentes transfusões de sangue com fatores de coagulação. |
| **DEFEITOS DO TUBO NEURAL** | | | |
| Anencefalia | Ausência de tecidos cerebrais; os bebês são natimortos ou morrem logo após o nascimento. | 1 em cada 1.000 nascimentos | Não há tratamento. |
| Espinha bífida | Canal espinhal não completamente fechado, resultando em fraqueza muscular ou paralisia e perda do controle da bexiga e dos intestinos; frequentemente acompanhada de hidrocefalia, um acúmulo de líquido cerebrospinal, que pode levar a deficiência intelectual. | 1 em cada 1.000 nascimentos | Cirurgia para fechar o canal espinhal evita maiores danos; desvio introduzido no cérebro drena o excesso de líquido e previne a deficiência intelectual. |
| Fenilcetonúria (PKU) | Distúrbio metabólico que provoca deficiência intelectual. | 1 em cada 15 mil nascimentos | Dieta especial logo nas primeiras semanas de vida pode impedir a deficiência intelectual. |
| Doença policística renal | *Forma infantil:* dilatação dos rins, resultando em problemas respiratórios e insuficiência cardíaca congestiva.<br><br>*Forma adulta:* dores renais, pedras nos rins e hipertensão, resultando em insuficiência renal crônica. | 1 em cada 1.000 nascimentos | Transplante de rins. |
| Anemia falciforme | Glóbulos vermelhos deformados e frágeis que podem obstruir os vasos sanguíneos, privando o corpo de oxigênio; os sintomas incluem dores intensas, interrupção do crescimento, infecções frequentes, ulcerações nas pernas, cálculos biliares, suscetibilidade a pneumonia e acidente vascular cerebral. | 1 em cada 500 afro-americanos | Analgésicos, transfusões para a anemia e para prevenir o acidente vascular cerebral, antibióticos para infecções. |
| Doença de Tay-Sachs | Doença degenerativa do cérebro e das células nervosas que resulta em morte antes dos 5 anos. | Encontrada historicamente sobretudo em judeus do Leste Europeu | Não há tratamento. |

*Fonte:* Adaptado de AAP Committee on Genetics, 1996; NIH Consensus Development Panel, 2001; Tisdale, 1998, p. 68-69.

o formato arredondado. Têm uma forma intermediária, o que mostra que o gene da anemia falciforme nesses indivíduos é dominante de forma incompleta.

## Malformações transmitidas por herança vinculada ao sexo

Na **herança vinculada ao sexo** (Fig. 3.5), certos distúrbios recessivos afetam de forma diferente crianças dos sexos masculino e feminino. Isso ocorre em virtude de os indivíduos masculinos serem XY e os indivíduos femininos serem XX. Nos seres humanos, o cromossomo Y é menor e contém menos genes do que o cromossomo X, o que leva os homens a receberem apenas uma cópia de qualquer gene que tenha sido transportado nos cromossomos sexuais, enquanto as mulheres recebem duas cópias. Assim, se a mulher tiver uma cópia "ruim" de determinado gene, tem também uma cópia de segurança. No entanto, se o homem tiver uma cópia "ruim" de determinado gene, este será expresso.

Mulheres heterozigóticas que têm uma cópia "ruim" e uma "boa" de um gene recessivo são chamadas de portadoras. Se uma dessas mulheres gerar um filho com um homem não afetado (em outras palavras, um homem que tenha uma cópia "boa" do gene), a mulher tem 50% de probabilidade de passar a doença para todos os filhos que os dois possam gerar. Isso acontece porque, se tiverem um filho (que é XY por ser do sexo masculino), o pai *teve* que contribuir com o cromossomo Y. Assim, o cromossomo X teve de vir da mãe, e, como ela tem um exemplar "bom" e um "ruim", qualquer dos resultados é igualmente provável. As filhas (que são XX, porque são mulheres) podem ter sido protegidas porque o pai passará sua cópia "boa" para as filhas. Assim, as meninas têm 50% de probabilidade de não ser completamente afetadas ou de receber uma cópia recessiva escondida do gene. Ocasionalmente, uma fêmea herda uma condição ligada ao sexo, e, nesse caso, o pai deve ter uma cópia "ruim" e a mãe também deve ser portadora ou ter a condição.

Por essa razão, distúrbios recessivos vinculados ao sexo são mais comuns em homens do que em mulheres. Por exemplo, a cegueira às cores vermelha e verde, a hemofilia (doença em que o sangue não coagula) e a distrofia muscular de Duchenne (doença que resulta na degeneração muscular e, por fim, na morte) são todas mais comuns no sexo masculino e resultam todas de genes localizados no cromossomo X.

**herança vinculada ao sexo**
Padrão hereditário em que certas características contidas no cromossomo X, herdadas da mãe, são transmitidas de modo diferente às proles masculina e feminina.

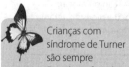

Crianças com síndrome de Turner são sempre meninas. Devido ao fato de o cromossomo Y conter muito pouca informação, um embrião apenas com um cromossomo Y e nenhum cromossomo X não é viável. Em contrapartida, um embrião com cromossomo X, mas sem o Y, geralmente é.

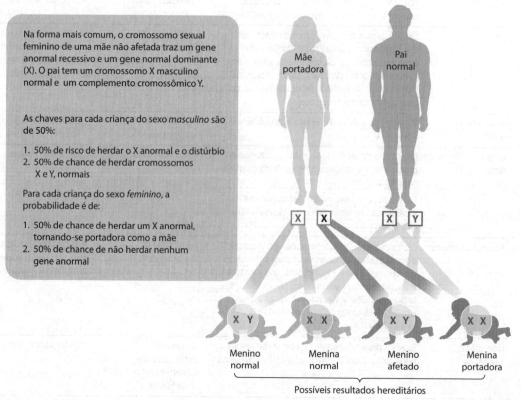

Na forma mais comum, o cromossomo sexual feminino de uma mãe não afetada traz um gene anormal recessivo e um gene normal dominante (X). O pai tem um cromossomo X masculino normal e um complemento cromossômico Y.

As chaves para cada criança do sexo *masculino* são de 50%:

1. 50% de risco de herdar o X anormal e o distúrbio
2. 50% de chance de herdar cromossomos X e Y, normais

Para cada criança do sexo *feminino*, a probabilidade é de:

1. 50% de chance de herdar um X anormal, tornando-se portadora como a mãe
2. 50% de chance de não herdar nenhum gene anormal

**FIGURA 3.5**
Herança vinculada ao sexo.

## Anomalias cromossômicas

Anomalias cromossômicas ocorrem por causa de erros na divisão celular, resultando em um cromossomo extra ou a menos. Alguns desses erros acontecem nas células sexuais durante a meiose. Por exemplo, a síndrome de Klinefelter é causada por um cromossomo sexual feminino a mais (cujo padrão é XXY). A síndrome de Turner resulta de um cromossomo sexual a menos (XO). A probabilidade de erros na meiose pode aumentar em proles de mulheres de 35 anos ou mais (University of Virginia Health System, 2004). (O Quadro 3.3 mostra características de anomalias de cromossomos sexuais.) Outras anomalias cromossômicas, como a **síndrome de Down**, ocorrem nos autossomos durante a divisão celular.

A anomalia genética mais comum em crianças (Davis, 2008), a síndrome de Down, é responsável por cerca de 40% de todos os casos de deficiência intelectual entre moderada e severa (Pennington, Moon, Edgin, Stedron, & Nadel, 2003). A condição é também chamada de *trissomia-21*, por ser caracterizada, em mais de 90% dos casos, por um $21^{\underline{o}}$ cromossomo extra ou, em 3 a 4% dos casos, pela translocação de parte dele para outro cromossomo antes ou no momento da concepção. A translocação é o rearranjo de material genético que ocorre dentro do mesmo cromossomo ou a transferência de um segmento de um cromossomo para outro cromossomo não homólogo. A característica física mais evidente associada ao transtorno é uma dobra na pele, inclinada para baixo, no canto interno dos olhos. Crianças com síndrome de Down também tendem a ter crescimento desacelerado, tônus muscular pobre, malformações cardíacas congênitas, mãos grossas, infecções de ouvido e perda auditiva precoce, anomalias ou problemas gastrintestinais, dificuldades de comunicação, de linguagem, de memória e deficiências motoras (Davis, 2008).

Aproximadamente 1 em cada 700 bebês nascidos vivos tem síndrome de Down. Embora o risco de ter uma criança com síndrome de Down aumente com a idade (Society for Neuroscience, 2008), devido às taxas de nascimento mais altas em mulheres mais jovens, existem, na verdade, mais jovens mães cujos filhos têm síndrome de Down (National Institute of Child Health and Human Development, 2008). Em 95% dos casos, o cromossomo a mais parece ser proveniente do óvulo da mãe; nos outros 5%, parece estar relacionado com os espermatozoides do pai (Antonarakis & Down Syndrome Collaborative Group, 1991).

O cérebro das crianças com síndrome de Down parece quase normal no nascimento, mas encolhe em volume até o início da vida adulta, principalmente na região do hipocampo e do córtex pré-frontal, resultando em disfunção cognitiva, e no cerebelo, resultando em problemas com a coordenação motora e o equilíbrio (Davis, 2008; Pennington et al., 2003). Com uma intervenção logo no começo, porém, o prognóstico para essas crianças é mais favorável hoje do que se pensava algum tempo atrás. Crianças

### Verificador
**você é capaz de...**

■ Comparar a ação das heranças dominante, recessiva, vinculada ao sexo e do *imprinting* genômico na transmissão de malformações congênitas?

**síndrome de Down**
Distúrbio cromossômico caracterizado por deficiência intelectual entre moderada e severa e por sinais físicos como a pele dobrada para baixo nos cantos internos dos olhos.

Outro sinal comum de síndrome de Down envolve as linhas que as quiromantes usam para prever o futuro. Nas crianças com síndrome de Down, há uma única linha horizontal atravessando a palma da mão.

**QUADRO 3.3** Anomalias dos cromossomos sexuais

| Padrão/Nome | Características* | Incidência | Tratamento |
|---|---|---|---|
| XYY | Sexo masculino; estatura alta; tendência a ter QI baixo, especialmente verbal. | 1 em cada 1.000 nascimentos masculinos | Não há tratamento especial. |
| XXX (triplo X) | Sexo feminino; aparência normal, irregularidades menstruais, transtornos da aprendizagem, deficiência intelectual. | 1 em cada 1.000 nascimentos femininos | Educação especial. |
| XXY (Klinefelter) | Sexo masculino; esterilidade, características sexuais secundárias subdesenvolvidas, testículos pequenos, transtornos da aprendizagem. | 1 em cada 1.000 nascimentos masculinos | Terapia hormonal, educação especial. |
| XO (Turner) | Sexo feminino; estatura baixa, pescoço grosso, habilidades espaciais deficientes, ausência de menstruação, infertilidade, órgãos sexuais subdesenvolvidos, desenvolvimento incompleto das características sexuais secundárias. | 1 em cada 1.500 a 2.500 nascimentos femininos | Terapia hormonal, educação especial. |
| X frágil | Deficiência intelectual entre leve e severa; os sintomas, que são mais graves no sexo masculino, incluem atraso na fala e no desenvolvimento motor, deficiências na fala e hiperatividade; a forma *herdada* de deficiência intelectual mais comum. | 1 em cada 1.200 nascimentos masculinos<br>1 em cada 2 mil nascimentos femininos | Terapias educacional e comportamental, quando necessário. |

*Nem todos os indivíduos afetados apresentam todas as características.

### Verificador
**você é capaz de...**
- Descrever como ocorrem três distúrbios cromossômicos?
- Explicar os objetivos do aconselhamento genético?

### Qual a sua opinião?
O aconselhamento genético deveria ser obrigatório antes do casamento?

**aconselhamento genético**
Serviço clínico que aconselha futuros pais sobre seus prováveis riscos de ter filhos com malformações hereditárias.

com síndrome de Down, assim como outras crianças com necessidades especiais, tendem a se beneficiar cognitivamente, socialmente e emocionalmente quando colocadas em classes comuns, e não em escolas especiais (Davis, 2008; ver discussão sobre integração no Cap. 13), e quando têm acesso a terapias regulares e intensivas destinadas a ajudá-las a obter habilidades importantes. Quando adultos, muitos vivem em pequenos grupos, oferecendo apoio uns aos outros; eles tendem a se dar bem em situações estruturadas de trabalho. Mais de 70% das pessoas com síndrome de Down vivem até os 60 anos, mas correm risco elevado de morte prematura por várias causas, entre elas leucemia, câncer, doença de Alzheimer e doenças cardiovasculares (Bittles, Bower, Hussain, & Glasson, 2006; Hayes & Batshaw, 1993; Hill et al., 2003).

## Aconselhamento genético e testes

Quando Alicia ficou grávida, depois de cinco anos de casada, ela e o marido, Eduardo, estavam muito contentes. Eles transformaram seu escritório doméstico em um quarto de criança e ansiavam em trazer o bebê para casa. Mas o bebê nunca entrou naquele quarto de cores vivas. Nasceu morto, vítima da síndrome de Edwards, uma condição em que a criança nasce com um $18^a$ cromossomo a mais e sofre de várias malformações congênitas, entre as quais anomalias no coração, nos rins, no sistema gastrintestinal e no cérebro. O casal, desolado, ficou com medo de tentar mais uma vez. Eles ainda queriam um bebê, mas temiam não ser capazes de conceber uma criança sadia.

O **aconselhamento genético** pode ajudar os futuros pais, como Alicia e Eduardo, a avaliar seus riscos de gerarem filhos com malformações congênitas ou cromossômicas. Pessoas que já tiveram um filho com malformação genética, que têm um histórico familiar de doença hereditária, que sofrem de condições sabidamente ou suspeitas de serem hereditárias ou originárias de grupos étnicos cujo risco de transmissão de genes para certas doenças é maior do que a média podem obter informações sobre suas probabilidades de produzir crianças afetadas.

Os geneticistas têm fornecido grandes contribuições para evitar as malformações congênitas. Por exemplo, depois de muitos casais judeus terem sido testados em relação aos genes de Tay-Sachs, nasceram muito menos bebês judeus com essa doença (Kolata, 2003). Da mesma forma, o rastreamento e o aconselhamento para mulheres em idade fértil de países do Mediterrâneo, onde a beta talassemia (ver Quadro 3.2) é comum, resultaram em declínio no nascimento de bebês afetados e mais conhecimento sobre os riscos de ser portador (Cao, Rosatelli, Monni, & Galanello, 2002).

O conselheiro genético, conhecendo o histórico familiar, prescreve exames físicos, seja aos futuros pais, seja aos filhos biológicos. Análises laboratoriais de sangue, pele, urina ou de impressões digitais poderão ser feitas. Cromossomos dos tecidos sanguíneos poderão ser analisados e fotografados, e as fotografias, ampliadas e organizadas de acordo com o tamanho e a estrutura, são colocadas em um gráfico chamado *cariótipo*. Esse gráfico pode revelar anomalias cromossômicas e também indicar se uma pessoa que parece ser normal poderia transmitir malformações genéticas aos filhos (Fig. 3.6). O conselheiro tenta ajudar seus clientes a entender o risco matemático de determinada condição, explica suas consequências e apresenta informações sobre medidas alternativas.

Atualmente, os pesquisadores estão identificando rapidamente genes que contribuem para muitas doenças e distúrbios graves, bem como aqueles que influenciam traços normais. Esse trabalho provavelmente levará à disseminação de testes para revelar perfis genéticos – uma perspectiva que envolve perigos e benefícios (Box 3.2).

*Apesar de a síndrome de Down ser uma das principais causas de deficiência intelectual, crianças com essa anomalia cromossômica podem viver uma vida produtiva.*

# Natureza e ambiente: influências da hereditariedade e do ambiente

O que é mais importante, a hereditariedade ou o ambiente? Essa questão foi bastante debatida pelos filósofos, pelos primeiros psicólogos e pelo público em geral. Hoje sabemos que, embora certos problemas físicos raros sejam quase 100% herdados, os fenótipos de características normais mais complexas, como aquelas que têm a ver com saúde, inteligência e personalidade, estão sujeitos a um conjunto complexo de forças hereditárias e ambientais. Vejamos como os cientistas estudam e explicam as influências da hereditariedade e do ambiente e como essas duas forças operam juntas.

## Estudando as influências relativas à hereditariedade e ao ambiente

Um dos métodos de estudo da hereditariedade e do ambiente é o quantitativo: procura medir o quanto hereditariedade e ambiente influenciam determinados traços. Essa é a meta tradicional da ciência da **genética comportamental**.

**Medindo a herdabilidade** Os geneticistas do comportamento desenvolveram uma maneira de estimar qual parte de um traço é devida à genética e qual parte resulta das influências ambientais utilizando um conceito conhecido como **herdabilidade**. Cada traço é uma consequência dos genes e do ambiente. Os geneticistas do comportamento, ao analisarem um grupo de pessoas com relações genéticas conhecidas, podem avaliar se são ou não *concordantes,* o que significa *o mesmo* de um determinado traço, conseguindo estimar a influência relativa dos genes e do ambiente.

Por exemplo, podemos desejar saber quais são as influências relativas dos genes e do ambiente na homossexualidade. Uma forma de estimar isso é analisando-se grandes grupos de gêmeos monozigóticos e dizigóticos e calculando-se o nível de concordância deles quanto às suas características. Em outras palavras, se um gêmeo for homossexual, quais são as probabilidades de o outro gêmeo também ser? Lembre-se de que os gêmeos monozigóticos geralmente partilham 100% dos seus genes, enquanto os gêmeos dizigóticos partilham cerca de 50%. Se os genes estiverem implicados na homossexualidade, os índices de concordância para os gêmeos monozigóticos devem ser maiores do que os dos gêmeos dizi-

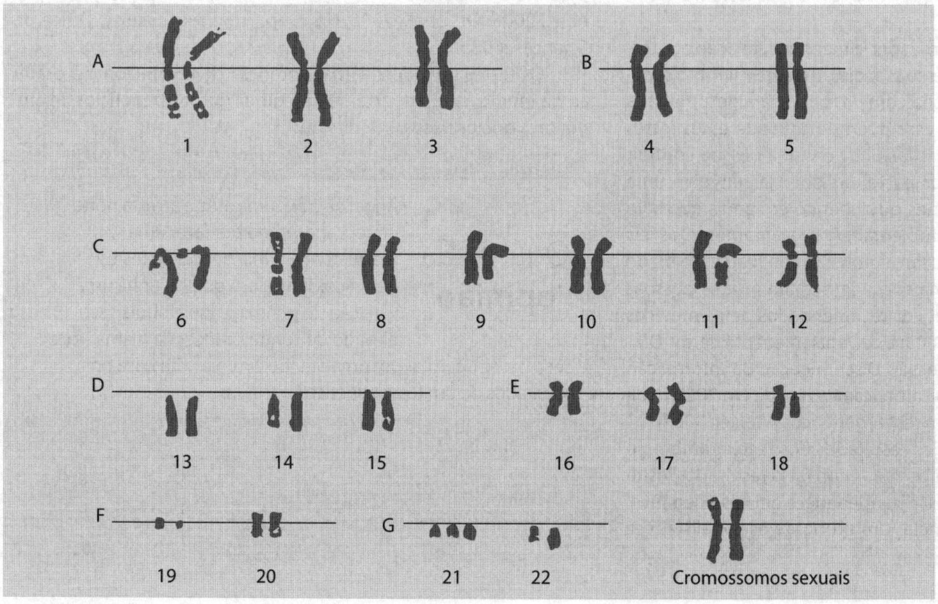

> ### Guia de estudo 5
> Como os cientistas estudam as influências relativas à hereditariedade e ao ambiente e como essas influências operam juntas?

> **genética comportamental**
> Estudo quantitativo das influências relativas da hereditariedade e do ambiente no comportamento.

> **herdabilidade**
> Estimativa estatística da contribuição da hereditariedade para diferenças individuais em um traço específico em determinada população em determinado momento.

**FIGURA 3.6**

Cariótipo de uma mulher com síndrome de Down.

*Cariótipo é uma fotografia que mostra os cromossomos quando estão separados e alinhados para a divisão celular. Sabemos que este é um cariótipo de uma pessoa com síndrome de Down porque o par 21 tem três cromossomos em vez de dois. Como o par 23 consiste em dois cromossomos X, sabemos que se trata de um cariótipo de mulher.*

*Fonte*: Babu & Hirschhorn, 1992; March of Dimes, 1987.

# Pelo mundo

## TESTES GENÉTICOS

O mapeamento do genoma humano aumentou nossa capacidade para identificar os genes que influenciam traços ou comportamentos específicos (Park, 2004b). A *genômica*, o estudo científico das funções e interações dos vários genes, traz implicações ainda desconhecidas para a *genética médica*, a aplicação das informações genéticas para fins terapêuticos (McKusick, 2001; Patenaude, Guttmacher, & Collins, 2002). Os cientistas são capazes de identificar genes que causam, ativam ou aumentam a suscetibilidade a determinadas doenças e até de adequar os tratamentos farmacológicos a indivíduos específicos. Atualmente, há mais de mil testes genéticos disponíveis em laboratórios de testagem clínica, ajudando os médicos a esclarecer diagnósticos, selecionar tratamentos adequados e identificar indivíduos com alto risco para determinadas condições evitáveis (U.S. Department of Energy, Office of Science, 2008a). O rastreamento genético de recém-nascidos está salvando vidas e prevenindo contra a deficiência intelectual ao permitir logo no começo a identificação e o tratamento de doenças como anemia falciforme e fenilcetonúria (PKU) (Holtzman, Murphy, Watson, & Barr, 1997; Khoury, McCabe, & McCabe, 2003).

Além disso, testes genéticos envolvem questões éticas e políticas relacionadas à privacidade e ao uso correto da informação genética. Embora se suponha que os dados médicos sejam confidenciais, alguns tribunais determinaram que parentes consanguíneos têm o legítimo direito à informação sobre riscos genéticos que possam afetá-los, mesmo que essas revelações violem a confidencialidade (Clayton, 2003).

Uma grande preocupação, especialmente em relação aos testes comerciais destinados a pessoas sadias, é o *determinismo genético*: o equívoco de que a pessoa com um gene para determinada doença certamente contrairá essa doença. Tudo que esses testes podem nos dizer é sobre a *possibilidade* de uma pessoa contrair determinada doença. A maior parte das doenças envolve uma complexa combinação de genes ou depende em parte do estilo de vida ou de outros fatores ambientais. Até recentemente, as leis federais e estaduais não ofereciam a proteção adequada, e o medo da discriminação e do estigma social impediam muitas pessoas de se submeter a testes genéticos recomendados pelos médicos (Clayton, 2003; Khoury et al., 2003; U.S. Department of Energy, Office of Science, 2008a). A Lei de Não Discriminação da Informação Genética, uma lei federal norte-americana assinada em 2008, proíbe a discriminação baseada em testes genéticos (Wexler, 2008).

O impacto psicológico dos resultados dos testes também é preocupante. Previsões são imperfeitas; um falso resultado positivo pode causar uma desnecessária ansiedade, e um falso negativo, induzir a pessoa à complacência. Um grupo de especialistas fez uma recomendação contra os testes genéticos para doenças cuja cura ainda não é conhecida (Institute of Medicine [IOM], 1993). Outro problema, especialmente em relação a *kits* para testes domésticos comercializados diretamente ao público, é a possibilidade de erro e de interpretação errônea dos resultados dos testes (U.S. Department of Energy, Office of Science, 2008a).

Uma perspectiva particularmente apavorante é a de que os testes genéticos possam ser utilizados para justificar a esterilização de pessoas com genes "indesejáveis" ou o aborto de um feto normal com a constituição genética "errada" (Plomin & Rutter, 1998). A terapia gênica tem potencial para abusos desse tipo. Deve ser usada para tornar mais alta uma criança de baixa estatura? Ou para tornar uma criança gordinha mais magra? Para melhorar a aparência ou a inteligência de um bebê que ainda não nasceu? A trilha que leva da correção de malformações genéticas à engenharia genética com propósitos cosméticos ou funcionais pode muito bem ser um caminho sem volta que resultará em uma sociedade em que alguns pais podem dar-se ao luxo de oferecer os "melhores" genes para seus filhos, e outros não (Rifkin, 1998).

Os testes genéticos abrem as portas para a *terapia gênica*, uma técnica experimental para reparar ou substituir genes defeituosos ou regular a extensão em que um gene é ativado ou desativado. A terapia gênica tem sido usada com sucesso para tratar cegueira congênita, melanoma (câncer de pele) avançado e doenças mieloides do sangue (Bainbridge et al., 2008; Morgan et al., 2006; Ott et al., 2006; U.S. Department of Energy, Office of Science, 2008a).

Os testes genéticos têm o potencial de revolucionar a prática da medicina. É importante assegurar que os benefícios sejam maiores que os riscos.

**Qual a sua opinião?** Angelina Jolie, uma atriz e ativista norte-americana, optou por fazer uma mastectomia dupla depois de testes genéticos indicarem que ela tinha uma variação do gene que lhe atribuía risco elevado de contrair câncer da mama. Você seria capaz de optar por uma grande cirurgia com base nos resultados de um teste genético?

---

góticos porque os monozigóticos partilham mais genes. Se os genes não tiverem importância, a taxa de concordância deve ser idêntica em ambos os tipos de gêmeos. Da mesma forma, se o ambiente exercer uma grande influência sobre uma característica, as pessoas que vivem juntas deverão ser mais semelhantes nas características do que as pessoas que não vivem juntas, e essa variável também pode ser usada para determinar a herdabilidade.

Existem diversas variações desse método básico. Por exemplo, os familiares mais próximos podem ser comparados com os parentes mais distantes, os filhos adotivos podem ser comparados com os pais biológicos e com os pais adotivos, ou os gêmeos adotados por duas famílias diferentes podem ser comparados com gêmeos criados na mesma família — mas a lógica essencial é a mesma. Se soubermos, em termos de média, a quantidade de genes compartilhados pelas pessoas em virtude de sabermos sua relação genética e se as pessoas foram criadas juntas ou separadas, podemos mensurar o nível da semelhança dos traços e, trabalhando para trás, determinar a influência ambiental relativa.

A herdabilidade é expressa como uma porcentagem entre 0 e 1: quanto mais alto for o número, maior será a herdabilidade de um traço. Uma herdabilidade estimada de 1% significa que os genes são 100% responsáveis por diferenças no traço de uma população. Uma herdabilidade estimada de 0% indicará que o traço foi exclusivamente moldado pelo ambiente. Note que a herdabilidade não se refere às influências que moldaram um indivíduo em particular porque essas influências são impossíveis de serem separadas. A herdabilidade também não nos diz como se desenvolvem os traços. Apenas indica a medida estatística da contribuição dos genes para um traço em determinado momento, de determinada população.

**Tipos de estudos da herdabilidade**   *Estudos de família* medem o *grau* de partilha de determinados traços de parentes biológicos e se a proximidade do relacionamento familiar está associada ao grau de semelhança. Em outras palavras, quanto mais próximas duas pessoas estiverem relacionadas, mais provável será a semelhança de um traço se este for de fato influenciado geneticamente. Portanto, os pesquisadores usam taxas de concordância de traços para inferir influências genéticas. Esses estudos, no entanto, não podem excluir as influências ambientais. Um estudo de família por si só não pode nos dizer se crianças obesas de pais obesos herdaram a tendência ou são obesas porque sua dieta é semelhante à dos pais ou como ou se esses dois fatores interagiram. Por essa razão, os pesquisadores fazem estudos sobre adoção, que podem separar os efeitos da hereditariedade dos efeitos do ambiente compartilhado.

Os *estudos sobre adoção* focalizam as semelhanças entre filhos adotivos e as famílias que os adotaram, bem como entre filhos adotivos e suas famílias biológicas. Quando os filhos adotivos são mais parecidos com os pais e os irmãos biológicos em determinado traço (digamos, obesidade), vemos a influência da hereditariedade. Quando se assemelham mais à família adotiva, vemos a influência do ambiente.

Os *estudos sobre gêmeos* comparam pares de gêmeos monozigóticos com gêmeos dizigóticos do mesmo sexo. Gêmeos do mesmo sexo são usados para evitar efeitos de gênero que possam confundir a pesquisa. Gêmeos monozigóticos são, em média, duas vezes mais semelhantes geneticamente que gêmeos dizigóticos, que não são geneticamente mais semelhantes do que irmãos do mesmo sexo. Quando gêmeos monozigóticos são mais **concordantes** do que gêmeos dizigóticos, observamos os prováveis efeitos da hereditariedade.

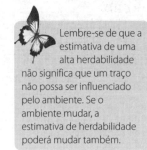

Lembre-se de que a estimativa de uma alta herdabilidade não significa que um traço não possa ser influenciado pelo ambiente. Se o ambiente mudar, a estimativa de herdabilidade poderá mudar também.

**concordante**
Termo que descreve a tendência de gêmeos compartilharem o mesmo traço ou distúrbio.

*Gêmeos monozigóticos separados quando nasceram são procurados por pesquisadores que querem estudar o impacto dos genes na personalidade. Estes gêmeos, adotados por diferentes famílias e que só voltaram a se reunir aos 31 anos de idade, tornaram-se ambos bombeiros. Foi uma coincidência ou isso refletiu a influência da hereditariedade?*

**76**  **PARTE II** • O começo

### Verificador
#### você é capaz de...

- Determinar o pressuposto básico subjacente aos estudos de genética comportamental e como ele se aplica aos estudos sobre família, gêmeos e sobre adoção?
- Citar algumas críticas à abordagem da genética comportamental?

Quando gêmeos monozigóticos mostram maior concordância para um traço do que gêmeos dizigóticos, a probabilidade de um fator genético poderá ser ainda examinada pelos estudos de adoção. Estudos sobre gêmeos monozigóticos separados na infância e criados em famílias diferentes encontraram fortes semelhanças entre os gêmeos. Estudos sobre gêmeos e sobre adoção sustentam uma base hereditária entre moderada e elevada para muitas características normais e anormais (McGuffin, Riley, & Plomin, 2001).

Os críticos da genética comportamental alegam que os pressupostos e os métodos tendem a maximizar a importância dos efeitos da hereditariedade e a minimizar os efeitos ambientais. Apontam que a estimativa de alta herdabilidade, sugerindo fortes influências genéticas, não implica que o meio ambiente seja incapaz de ser responsável pela diferença na expressão desse traço. Além disso, há grandes variações nas conclusões, dependendo da fonte dos dados. Por exemplo, os estudos de gêmeos têm geralmente estimativas de herdabilidade mais altas do que os estudos de adoção. Essa grande variação, segundo os críticos, "significa que não é possível formular conclusões sólidas a respeito da força relativa dessas influências sobre o desenvolvimento" (Collins, Maccoby, Steinberg, Hetherington, & Bornstein, 2000, p. 221).

Geneticistas comportamentais reconhecem que os efeitos das influências genéticas, principalmente nos traços comportamentais, raramente são inevitáveis. Mesmo em um traço fortemente influenciado pela hereditariedade, o ambiente pode causar impacto substancial (Rutter, 2002). De fato, as intervenções ambientais às vezes podem superar condições geneticamente determinadas. Por exemplo, uma dieta especial iniciada logo após o nascimento pode impedir a ocorrência de deficiência intelectual em crianças com a doença genética fenilcetonúria (PKU) (Widamann, 1999; ver Quadro 3.2).

## Como hereditariedade e ambiente operam juntos

Atualmente, muitos cientistas do desenvolvimento consideram simplista uma abordagem ao estudo da hereditariedade e do ambiente que seja unicamente quantitativa. Eles veem essas duas forças como fundamentalmente entrelaçadas. Em vez de considerarem que os genes e a experiência operam diretamente em um organismo, eles veem ambos como parte de um *sistema de desenvolvimento* complexo (Gottlieb, 1991; Lickliter & Honeycutt, 2003). Da concepção em diante, ao longo de toda a vida, uma combinação de fatores constitucionais (biológicos e psicológicos) e fatores sociais, econômicos e culturais ajuda a moldar o desenvolvimento. Quanto mais vantajosas essas circunstâncias e as experiências, maior é a probabilidade de um ótimo desenvolvimento. Vejamos, a seguir, as diversas maneiras como a hereditariedade e a experiência operam juntas.

**Faixa de reação e canalização**   Muitas características variam, dentro de certos limites, sob diversas condições hereditárias e ambientais. Os conceitos de *faixa de reação* e *canalização* podem nos ajudar a visualizar como isso acontece.

**faixa de reação**
Variabilidade potencial, na expressão de um traço hereditário, que depende das condições ambientais.

A **faixa de reação** é o termo convencional para uma amplitude de expressões potenciais de um traço hereditário. O tamanho do corpo, por exemplo, depende em grande parte de processos biológicos que são geneticamente regulados. Mesmo assim, pode-se falar de uma amplitude de tamanho, que depende de oportunidades e restrições ambientais e do comportamento da pessoa. Em sociedades em que a nutrição foi notavelmente aprimorada, como na Holanda, toda uma geração cresceu e superou em tamanho a geração anterior. Os filhos mais bem alimentados compartilharam os genes dos pais, mas responderam a um mundo mais saudável. Uma vez, porém, que a dieta média de uma sociedade torna-se adequada para mais de uma geração, os filhos tendem a atingir estaturas semelhantes à de seus pais. A altura tem limites genéticos; não vemos pessoas com apenas 30 cm de altura ou alguém de 3 metros.

A hereditariedade pode influenciar uma faixa de reação, tornando-a larga ou estreita, isto é, o genótipo coloca limites à amplitude dos possíveis fenótipos. Por exemplo, uma criança nascida com uma malformação que produz limitações cognitivas leves está mais capacitada a responder a um ambiente favorável do que uma criança nascida com limitações mais graves. Uma criança com deficiência cognitiva leve apresenta maior faixa de reação. Do mesmo modo, uma criança com inteligência inata de maior nível provavelmente se beneficiará mais de um ambiente enriquecido no lar ou na escola do que aquela com inteligência normal (Fig. 3.7).

**canalização**
Limitação na variante de expressão de certas características herdadas.

Alguns traços têm uma faixa de reação extremamente pequena. A metáfora da **canalização** ilustra como a hereditariedade restringe a amplitude do desenvolvimento para certos traços. Depois de uma forte tempestade, a água da chuva que caiu sobre o asfalto precisa ir para algum lugar. Se a rua tiver buracos, a água irá enchê-los. Se houver profundos canais ladeando as ruas, a água fluirá para esses canais. Algumas características humanas, como a cor dos olhos, são consideradas *canalizadas*. São programadas pelos genes de forma tão inflexível que há poucas possibilidades de variação de sua expressão. Em outras palavras, devido aos canais genéticos profundamente cavados, seria preciso uma mudança radical no ambiente para alterar seu curso.

Comportamentos que dependem muito da maturação parecem surgir quando a criança está pronta. Bebês sadios seguem uma sequência previsível de desenvolvimento motor: engatinhar, andar e correr, nessa ordem, em idades aproximadas. Essa é uma sequência canalizada, no sentido de que as crianças seguirão esse mesmo esquema, independentemente das muitas variações no ambiente. Muitos traços altamente canalizados tendem a ser aqueles necessários à sobrevivência. No caso de traços muito importantes como esses, a seleção natural projetou-os para se desenvolver, de modo previsível e confiável, nos mais diversos ambientes e sob múltiplas influências. São muito importantes para serem deixados ao acaso.

Cognição e personalidade não são altamente canalizadas. São mais sujeitas a variações da experiência: os tipos de famílias em que as crianças crescem, as escolas que frequentam e as pessoas que encontram. Considere a leitura. Antes de aprender a ler, a criança precisa atingir certo nível de capacidade cognitiva, linguística e perceptual. Nenhuma criança de 2 anos poderia ler esta sentença, não importa quão enriquecido fosse seu lar. O ambiente desempenha um importante papel no desenvolvimento das habilidades de leitura, conforme discutiremos no Capítulo 7. Pais que brincam com jogos de letras e palavras com os filhos e leem para eles provavelmente farão com que aprendam a ler mais cedo do que se não incentivassem ou reforçassem essas habilidades.

> Em humanos, caminhar e conversar são essenciais para o adulto. Não causa surpresa que sejam características altamente canalizadas.

Recentemente, os cientistas começaram a reconhecer que uma *experiência habitual* ou *típica* também pode cavar canais para o desenvolvimento (Gottlieb, 1991). Por exemplo, bebês que ouvem apenas os sons peculiares de sua língua natal logo perdem a capacidade de perceber sons característicos de outras

*Pieter Gijselaar, com 2,13 metros de altura, posa próximo de um elevador em Amsterdã. Nos últimos 150 anos, os alemães tornaram-se o povo mais alto da Terra, e os especialistas afirmam que ainda estão crescendo. Gijselaar passa muito tempo abaixando-se para passar pelas portas.*

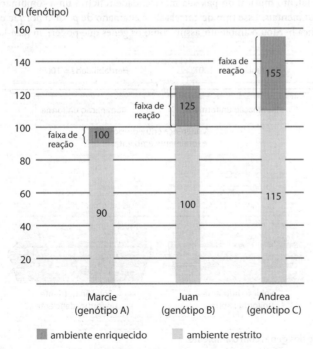

**FIGURA 3.7**
Inteligência e faixa de reação.
*Crianças com diferentes genótipos para inteligência apresentarão faixas de reação variadas quando expostas a um ambiente restrito (porção azul da barra) ou a um ambiente enriquecido (barra inteira).*

**interação genótipo-ambiente**
Efeito da interação entre genes e ambiente na variação fenotípica.

línguas. Ao longo deste livro, você encontrará muitos exemplos de como os níveis socioeconômicos e condições de vizinhança, bem como as oportunidades educacionais, podem moldar decisivamente o desenvolvimento, desde o ritmo e a complexidade do desenvolvimento linguístico até a probabilidade de atividade sexual prematura e o comportamento antissocial.

**Interação genótipo-ambiente** A **interação genótipo-ambiente**, de modo geral, se refere a efeitos de condições ambientais semelhantes sobre indivíduos geneticamente diferentes, e uma discussão sobre essas interações é uma maneira de conceitualizar e falar sobre os diferentes modos de interação entre genética e ambiente. Consideremos um exemplo familiar. Muitas crianças estão expostas ao pólen e à poeira, mas aquelas com predisposição genética têm maior probabilidade de desenvolver reações alérgicas. As interações também podem funcionar no sentido inverso: crianças geneticamente semelhantes costumam desenvolver-se diferentemente, dependendo dos ambientes domésticos (Collins et al., 2000; Fig. 3.8). Conforme discutiremos no Capítulo 8, uma criança que nasce com um temperamento difícil poderá ter problemas de ajustamento em uma família e prosperar em outra, dependendo muito das práticas parentais. Assim, é a interação entre fatores hereditários e ambientais, e não apenas um ou outro, que produz certos resultados.

**correlação genótipo-ambiente**
Tendência de determinadas influências ambientais e genéticas de se reforçarem umas às outras. Pode ser passiva, reativa (evocativa) ou ativa. Também chamada covariância genótipo-ambiente.

**Correlação genótipo-ambiente** O ambiente com frequência reflete ou reforça as diferenças genéticas. Ou seja, certas influências genéticas e ambientais tendem a atuar na mesma direção. A isso chamamos de **correlação genótipo-ambiente**, ou *covariante genótipo-ambiente*, e, para fortalecer a expressão fenotípica de uma tendência genotípica, ela funciona de três maneiras (Bergeman & Plomin, 1989; Scarr, 1992; Scarr & McCartney, 1983): as duas primeiras são comuns entre crianças pequenas, e a terceira, entre crianças maiores e adolescentes.

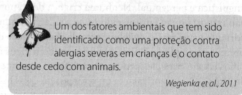

Um dos fatores ambientais que tem sido identificado como uma proteção contra alergias severas em crianças é o contato desde cedo com animais.

*Wegienka et al., 2011*

- *Correlações passivas:* Pais que fornecem os genes que predispõem o filho a determinado traço também tendem a fornecer um ambiente incentivador do desenvolvimento daquele traço. Por exemplo, um pai que gosta de música provavelmente cria um ambiente doméstico onde se ouve música regularmente, ensina música para o filho e leva a criança a eventos musicais. Se a criança herdou o talento musical do pai, sua musicalidade refletirá uma combinação de influências genéticas e ambientais. Esse tipo de correlação é chamado de *passivo* porque o filho não o controla. A criança herdou o ambiente, assim como os genes que poderiam fazê-la particularmente

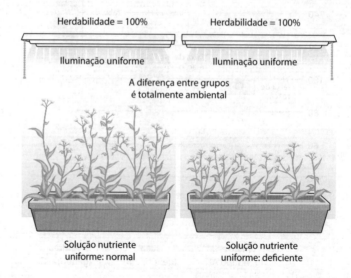

**FIGURA 3.8**
Exemplo da interação dos genes com o ambiente.
*As duas plantas têm a mesma dotação hereditária, mas a que cresceu em uma mistura de nutrientes deficiente tem a altura atrofiada. Esta figura ilustra por que traços com alta herdabilidade também podem ser afetados por variáveis ambientais.*

Fonte: Gray & Thompson, 2004.

bem adequada para responder a essas influências ambientais específicas. Correlações passivas aplicam-se mais às crianças pequenas, cujos pais também têm grande controle sobre as primeiras experiências. Além disso, correlações passivas funcionam somente quando a criança vive com o pai ou a mãe biológicos.

- *Correlações reativas ou evocativas:* Crianças com diferentes constituições genéticas evocam diferentes reações dos adultos. Se uma criança demonstrar interesse e habilidade em música, pais que não são musicalmente inclinados poderão fazer um esforço especial para oferecer a elas experiências musicais. Essa resposta, por sua vez, fortalecerá a inclinação genética da criança à música.
- *Correlações ativas:* À medida que a criança cresce e passa a ter mais liberdade para escolher suas próprias atividades e ambientes, ela seleciona ativamente ou cria experiências coerentes com suas tendências genéticas. É mais provável que uma criança tímida, e não uma criança extrovertida, passe seu tempo em atividades solitárias. Um adolescente com talento para música provavelmente procurará amigos que gostem de música, aprenderá música e irá a concertos se essas oportunidades estiverem disponíveis. Essa tendência a procurar ambientes compatíveis com o genótipo da pessoa chama-se *escolha de nicho*; isso ajuda a explicar por que gêmeos idênticos criados separadamente tendem a ter características semelhantes. As crianças estão, de certa forma, criando o ambiente em que habitam.

A maneira mais fácil de lembrar-se disso é recordar que, quando você vive com seus pais biológicos, você herda deles tanto os genes quanto o ambiente. Às vezes, esses dois complementam um ao outro com precisão porque vieram da mesma fonte.

Outra maneira de pensar sobre isso é que as crianças evocam, ou extraem, certas respostas dos outros.

**O que torna os irmãos tão diferentes? O ambiente não compartilhado** Embora duas crianças da mesma família possam apresentar uma semelhança física surpreendente, irmãos podem ser muito diferentes em termos de intelecto e, principalmente, de personalidade (Plomin & Daniels, 2011). Uma das razões pode ser a diferença genética que leva as crianças a precisar de diferentes tipos de estimulação ou a responder diferentemente a um ambiente doméstico semelhante. Por exemplo, uma criança poderá ser mais afetada pela discórdia na família do que outra (Horwitz et al., 2010). Além disso, estudos em genética comportamental indicam que muitas das experiências que afetam consideravelmente o desenvolvimento variam para diferentes crianças de uma família (McGuffin et al., 2001; Plomin & Daniels, 1987; Plomin & DeFries, 1999).

Ademais, existe ainda o que foi chamado de **efeitos ambientais não compartilhados**, que resultam do ambiente único onde cresce cada criança em uma família. As crianças de uma família vivem em um ambiente compartilhado – o lar em que elas vivem, as pessoas da casa e as atividades em que a família se envolve –, mas também, mesmo que sejam gêmeas, vivenciam experiências não compartilhadas com seus irmãos. Pais e irmãos podem tratar cada criança de maneira diferente. Certos eventos, como doenças e acidentes, e experiências fora do lar (p. ex., com professores e colegas) afetam uma criança e não a outra. Por exemplo, se você for o filho mais velho da família, uma das suas primeiras influências foi receber toda a atenção dos seus pais. O próximo filho já não nasce no mesmo ambiente. Os próximos irmãos têm de compartilhar a atenção dos pais. Assim, apesar de serem da mesma família, as influências não são idênticas. De fato, alguns geneticistas comportamentais chegaram à conclusão de que, embora a hereditariedade seja responsável pela maior parte das semelhanças entre irmãos, o ambiente não compartilhado é o responsável pela maior parte das diferenças (McClearn et al., 1997; Plomin, 1996; Plomin, 2004; Plomin & Daniels, 1987; Plomin & DeFries, 1999; Plomin, Owen, & McGuffin, 1994). Entretanto, questionamentos metodológicos e outras evidências empíricas apontam para uma conclusão mais moderada de que os efeitos ambientais não compartilhados não superam em muito os efeitos compartilhados; em vez disso, parece haver um equilíbrio entre os dois (Rutter, 2002).

As correlações genótipo-ambiente podem desempenhar um papel importante no ambiente não compartilhado. As diferenças genéticas entre as crianças talvez levem os pais e irmãos a reagirem e tratá-las de forma diferente, e os genes podem influenciar o modo como elas percebem e respondem àquele tratamento e as consequências. As crianças também moldam seu ambiente com as escolhas que fazem – o que fazem e com quem –, e sua constituição genética influencia essas escolhas. Uma criança que herdou talento artístico poderá passar boa parte do tempo sozinha criando "obras-primas", enquanto o irmão, inclinado aos esportes, passa mais tempo jogando bola. Assim, não só as habilidades das crianças (p. ex., pintura ou futebol) vão se desenvolver diferentemente, mas sua vida social também. Essas diferenças tendem a ser acentuadas à medida que as crianças crescem e passam a ter mais experiências fora da família (Bergeman & Plomin, 1989; Bouchard, 1994; Plomin, 1990, 1996; Plomin et al., 1994; Scarr, 1992; Scarr & McCartney, 1983). O velho debate genética-ambiente está longe de ser resolvido; sabemos agora que o problema é muito mais complexo do que antes se pensava. Pesquisas futuras continuarão ampliando e refinando nossa compreensão das forças que afetam o desenvolvimento das crianças.

**efeitos ambientais não compartilhados**
O ambiente único em que cada criança cresce e que consiste em influências distintas ou influências que afetam cada uma de maneiras diferentes.

## Qual a sua opinião?

De que formas você se parece com sua mãe e seu pai? Quais são suas semelhanças e diferenças com seus irmãos? Quais são as diferenças que você acredita virem principalmente da hereditariedade e quais provêm do ambiente? Consegue perceber os efeitos possíveis de ambas?

**Verificador**
    **você é capaz de...**

- Explicar e dar pelo menos um exemplo de faixa de reação, canalização e interação genótipo-ambiente?
- Diferenciar os três tipos de correlação genótipo-ambiente?
- Citar três tipos de influências que contribuem para os efeitos ambientais não compartilhados?

## Guia de estudo 6

Quais são os papéis desempenhados pela hereditariedade e pelo ambiente na saúde física, na inteligência e na personalidade?

**obesidade**
Sobrepeso extremo em relação a idade, sexo, altura e tipo corporal.

## Qual a sua opinião?

Em março de 2013, Nova York planejava instituir a proibição de grandes doses de refrigerantes e bebidas açucaradas a restaurantes, vendedores ambulantes e salas de cinema. Um dia antes da proibição entrar em vigor, um juiz do Estado de Nova York invalidou a decisão argumentando que o Conselho de Saúde tinha ultrapassado sua autoridade. Os defensores da proibição argumentaram que essas medidas eram necessárias para reduzir a obesidade, e os oponentes argumentaram que as pessoas deveriam ter permissão para comprar o que gostam. O que é mais importante, saúde pública ou liberdades individuais?

# Algumas características influenciadas pela hereditariedade e pelo ambiente

Sabendo da complexidade resultante do entrelaçamento das influências hereditárias e ambientais, vejamos o que se conhece sobre o papel de cada uma na produção de certas características.

## Traços físicos e fisiológicos

Não só os gêmeos monozigóticos geralmente são muito parecidos, mas também são mais concordantes que os gêmeos dizigóticos no que diz respeito ao risco para doenças como pressão alta, cardiopatias, AVC, artrite reumatoide, úlcera péptica e epilepsia (Brass, Isaacsohn, Merikangas, & Robinette, 1992; Plomin et al., 1994). O tempo de vida também parece ser influenciado pelos genes (Hjelmborg et al., 2006).

A **obesidade** é medida pelo índice de massa corporal, ou IMC (comparação entre o peso e a altura). Uma criança que esteja no ou acima do 95º percentil de IMC para sua idade e sexo é considerada obesa. A obesidade é uma condição multifatorial; estudos de gêmeos, estudos de adoção e outras pesquisas sugerem que 40 a 70% do risco é genético, mas as influências ambientais contribuem para a doença (Chen et al., 2004).

Há mais de 430 genes ou regiões de cromossomos associados à obesidade (Nirmala, Reddy, & Reddy, 2008; Snyder et al., 2004). Há um gene-chave no cromossomo 10 que geralmente controla o apetite, mas uma versão anormal desse gene pode estimular a fome e a alimentação em excesso (Boutin et al., 2003). Exames de fMRI apontam para um alelo que restringe a atividade da dopamina, uma substância química do cérebro que normalmente sinaliza quando a pessoa está saciada (Stice, Spoor, Bohon, & Small, 2008).

O risco de obesidade é de 2 a 3 vezes maior em crianças com história familiar de obesidade, especialmente a obesidade severa (Nirmala et al., 2008). Esse risco cada vez maior, porém, não é unicamente genético. O tipo e a quantidade de comida ingerida em determinado lar ou em certo grupo social ou étnico e a quantidade de exercício incentivada poderão aumentar ou diminuir a probabilidade de uma criança adquirir excesso de peso. O aumento da obesidade em países ocidentais parece resultar da interação de uma predisposição genética com excesso de alimentação, porções muito grandes e exercício físico inadequado (Arner, 2000; ver Caps. 9, 12 e 15). Além disso, existem pesquisas que sugerem que a obesidade se espalha por meio de laços sociais. Se um irmão for obeso, o outro irmão também poderá se tornar obeso. O mesmo acontece com os cônjuges e os amigos, mas não com os vizinhos (Christakis & Fowler, 2007).

## Inteligência

A hereditariedade exerce forte influência sobre a inteligência geral (conforme medida pelos testes de inteligência) e, em menor extensão, sobre capacidades específicas como memória, habilidade verbal e habilidade espacial (McClearn et al., 1997; Petrill et al., 2004; Plomin et al., 1994; Plomin & DeFries, 1999; Plomin & Spinath, 2004). Vários genes têm sido associados experimentalmente à inteligência, mas até agora apenas uma dessas associações foi replicada (Dick et al., 2007; Posthuma & de Gues, 2006). No entanto, a inteligência é um traço poligênico; é influenciada pelos efeitos aditivos de um grande número de genes operando conjuntamente. A inteligência também depende, em parte, do tamanho e da estrutura do cérebro, que estão sob forte influência genética (Toga & Thompson, 2005). A experiência também conta; como mostra a Figura 3.7, um ambiente enriquecido ou empobrecido pode afetar substancialmente o desenvolvimento e a expressão das capacidades inatas (Ceci & Gilstrap, 2000).

A evidência indireta do papel da hereditariedade na inteligência vem dos estudos sobre adoção e sobre gêmeos. Os QIs de crianças adotadas são coerentemente mais próximos dos QIs das mães biológicas do que dos pais e irmãos adotivos, e gêmeos monozigóticos são mais semelhantes na inteligência do que gêmeos dizigóticos (Petrill et al., 2004; Plomin & DeFries, 1999).

A influência genética, que é a principal responsável pela estabilidade no desempenho cognitivo, aumenta com a idade, provavelmente como resultado da escolha de nicho. O ambiente familiar compartilhado parece ter uma influência dominante sobre a criança pequena, mas quase nenhuma influência sobre os adolescentes, que estão mais aptos a encontrar seu próprio nicho selecionando ativamente ambientes compatíveis com as suas capacidades herdadas e interesses relacionados. Em contrapartida, o ambiente não compartilhado é influente ao longo de toda a vida e o principal responsável pelas mudanças no desempenho cognitivo (Bouchard, 2004; Petrill et al., 2004; Toga & Thompson, 2005).

## Personalidade

Os cientistas identificaram genes diretamente relacionados a aspectos específicos da personalidade, como um traço chamado *neuroticismo,* que podem contribuir para a depressão e a ansiedade (Lesch et al., 1996). A herdabilidade de traços de personalidade parece estar entre 40 e 50%, e há poucas evidências de influência ambiental compartilhada (Bouchard, 2004).

O **temperamento**, um aspecto da personalidade, é o modo característico da pessoa abordar e reagir a situações, parece ser em grande parte inato e costuma ser coerente ao longo dos anos, embora possa responder às experiências sociais ou ao tratamento parental (Thomas & Chess, 1984; Thomas, Chess, & Birch, 1968). Irmãos — gêmeos ou não — tendem a ser semelhantes no temperamento (Saudino, Wertz, Gagne, & Chawla, 2004). Um estudo observacional com 294 pares de gêmeos (cerca de metade deles monozigóticos e a outra metade dizigótica) encontrou influências genéticas significativas na regulação do comportamento (Gagne & Saudino, 2010).

## Psicopatologia

Há evidências de forte influência hereditária em transtornos mentais como esquizofrenia, autismo, alcoolismo e depressão. Todos eles costumam ser comuns entre os membros de uma família e mostrar maior concordância entre gêmeos monozigóticos do que entre gêmeos dizigóticos. Entretanto, a hereditariedade sozinha não produz tais transtornos; uma tendência herdada pode ser ativada por fatores ambientais. (O autismo é discutido no Box 6.1 do Cap. 6, e a depressão, nos Caps. 14 e 15.)

A **esquizofrenia** é um transtorno neurológico que afeta anualmente 1% da população dos Estados Unidos e é geralmente diagnosticada entre os 15 e os 25 anos (Society for Neuroscience, 2008); é caracterizada pela perda de contato com a realidade, alucinações e delírios, perda do raciocínio coerente e lógico e emotividade inadequada. Pode-se pensar por que razões os genes que codificam essa doença debilitante poderão ter evoluído. No entanto, a esquizofrenia tende a ser associada com a criatividade e pode ter-se desenvolvido como subproduto da seleção natural para capacidades cognitivas positivas (Crespi, Summers, & Dorus, 2007). As estimativas de herdabilidade são muito elevadas, entre os 80 e os 85% (McGuffin, Owen, & Farmer, 1995; Picker, 2005). Contudo, gêmeos monozigóticos nem sempre são concordantes para esquizofrenia, talvez devido à epigênese (Fraga et al., 2005; Wong et al., 2005).

Um amplo conjunto de mutações gênicas raras, algumas envolvendo ausência ou duplicação de segmentos de DNA, pode aumentar a suscetibilidade à esquizofrenia (Chen et al., 2009; Vrijenhoek et al., 2008; Walsh et al., 2008). Os pesquisadores também voltaram sua atenção para possíveis influências não genéticas, como, por exemplo, uma série de traumas neurológicos na vida fetal (Picker, 2005; Rapoport, Addington, Frangou, & Psych, 2005) exposição a *influenza* ou a perda, por parte da mãe, de um parente próximo no primeiro trimestre da gravidez (Brown, Begg, et al., 2004; Khashan et al., 2008), rubéola materna ou infecções respiratórias no segundo e terceiro trimestres. Bebês nascidos em áreas urbanas ou no final do inverno ou começo da primavera parecem estar sob risco maior, assim como estão aqueles cujas mães passaram por complicações obstétricas ou que eram pobres ou gravemente carentes devido à guerra ou à escassez de alimentos (Picker, 2005). Em estudos realizados na Holanda, na Finlândia e na China, constatou-se haver uma ligação entre desnutrição fetal e esquizofrenia (St. Clair et al., 2005; Susser & Lin, 1992; Wahlbeck, Forsen, Osmond, Barker, & Eriksson, 2001).

A idade paterna avançada é um fator de risco para a esquizofrenia. Em vários estudos baseados em grandes populações, o risco do transtorno elevou-se quando o pai tinha 30 anos ou mais (Byrne, Agerbo, Ewald, Eaton, & Mortensen, 2003; Malaspina et al., 2001; Sipos et al., 2004).

Neste capítulo, examinamos algumas das formas como a hereditariedade e o ambiente agem para transformar as crianças no que elas são. O primeiro ambiente da criança é o mundo dentro do útero, que discutiremos no Capítulo 4.

Outro traço influenciado pela genética é a religiosidade. A pesquisa em genética comportamental sugere que a tendência a acreditar fortemente em uma religião é moderadamente herdável; isto é, aproximadamente no mesmo nível que a inteligência.

*Waller et al., 1990*

**temperamento**
Disposição característica ou estilo de abordagem e reação a situações.

**esquizofrenia**
Transtorno mental marcado pela perda de contato com a realidade, alucinações e delírios, perda do raciocínio coerente e lógico e emotividade inadequada.

## Qual a sua opinião?

Que diferença faz se um traço como obesidade, inteligência ou timidez for mais influenciado pela hereditariedade do que pelo ambiente, uma vez que a herdabilidade pode ser medida somente em uma população e não em um indivíduo?

**Verificador**
você é capaz de...

- Avaliar a evidência de influências genéticas e ambientais em obesidade, inteligência, temperamento e esquizofrenia?

# resumo & palavras-chave

## ❶ Concebendo uma nova vida

**Como normalmente ocorre a concepção e como as crenças sobre ela mudaram?**

- As primeiras crenças sobre a concepção refletiam abordagens não científicas sobre o entendimento da natureza e da anatomia dos homens e das mulheres.
- A fecundação, união de um óvulo e um espermatozoide, resulta na formação de um zigoto unicelular, o qual se duplica por divisão celular.
  **fecundação (57)**
  **zigoto (57)**

## ❷ Infertilidade

**O que causa a infertilidade e quais são os caminhos alternativos para os casais se tornarem pais?**

- A causa mais comum de infertilidade em homens é a baixa contagem de espermatozoides; a mais comum entre as mulheres é a obstrução das tubas uterinas.
- A tecnologia de reprodução assistida pode envolver questões éticas e práticas.
- Nascimentos múltiplos podem ocorrer pela fecundação de mais de um óvulo por diferentes espermatozoides ou pela divisão de um óvulo fecundado.
- Gêmeos dizigóticos (fraternos) têm constituições genéticas diferentes e podem ser de sexos diferentes. Em média, compartilham 50% dos seus genes. Gêmeos monozigóticos (idênticos) têm a mesma constituição genética, mas podem diferir em temperamento ou em outros aspectos.
  **infertilidade (57)**
  **tecnologia de reprodução assistida (TRA) (58)**

## ❸ Mecanismos da hereditariedade

**Quais são os mecanismos genéticos que determinam sexo, aparência física e outras características?**

- As unidades funcionais básicas da hereditariedade são os genes, consuídos de ácido desoxirribonucleico (DNA). O DNA carrega as instruções bioquímicas que governam a formação e as funções de várias células do corpo. O código genético, a estrutura química do DNA, determina todas as características herdadas. Cada gene é localizado por função em uma posição definida em determinado cromossomo. A sequência completa de genes no corpo humano constitui o genoma humano.
  **ácido desoxirribonucleico (DNA) (62)**
  **código genético (62)**
  **cromossomos (62)**
  **genes (62)**
  **genoma humano (62)**
- Na concepção, cada ser humano sadio recebe 23 cromossomos da mãe e 23 do pai, formando 23 pares de cromossomos – 22 pares de autossomos e um par de cromossomos sexuais. Uma criança que recebe um cromossomo X do pai e um cromossomo X da mãe é geneticamente do sexo feminino. Uma criança que recebe um cromossomo Y do pai é geneticamente do sexo masculino.
- Os padrões mais simples de transmissão genética são as heranças dominante e recessiva. Quando um par de alelos é igual, a pessoa é homozigótica para aquele traço; quando são diferentes, a pessoa é heterozigótica.
  **autossomos (63)**
  **cromossomos sexuais (63)**
  **alelos (65)**
  **homozigótico (65)**
  **heterozigótico (65)**
  **herança dominante (65)**
  **herança recessiva (65)**
- A maioria das características humanas normais é resultado de herança poligênica ou de transmissão multifatorial. Exceto no caso de gêmeos monozigóticos, cada criança herda um genótipo único, que interage com o ambiente para determinar o fenótipo.
- A estrutura epigenética controla as funções de determinados genes; pode ser afetada por fatores ambientais.
  **fenótipo (65)**
  **genótipo (65)**
  **herança poligênica (66)**
  **mutações (66)**
  **transmissão multifatorial (66)**
  **epigênese (67)**

## ❹ Anomalias genéticas e cromossômicas

**Como são transmitidas as malformações e as doenças congênitas?**

- Malformações e doenças congênitas podem resultar de uma simples herança dominante, recessiva ou vinculada ao sexo; de mutações; de *imprinting* genômico; de anomalias cromossômicas; ou de erros no crescimento.
- O aconselhamento genético pode fornecer informações sobre as probabilidades matemáticas de gerar crianças com determinadas doenças. Os testes genéticos envolvem riscos e benefícios.
  **dominância incompleta (68)**
  **herança vinculada ao sexo (70)**
  **síndrome de Down (71)**
  **aconselhamento genético (72)**

## ❺ Natureza e ambiente: influências da hereditariedade e do ambiente

**Como os cientistas estudam as influências relativas à hereditariedade e ao ambiente e como essas influências operam juntas?**

- A pesquisa em genética comportamental baseia-se no pressuposto de que as influências relativas à hereditariedade e ao ambiente em uma população podem ser medidas estatisticamente. Se a hereditariedade é uma influência importante em determinado traço, pessoas geneticamente mais próximas serão mais semelhantes nesse traço. Estudos sobre famílias, adoção e gêmeos permitem aos pesquisadores medir a herdabilidade de traços específicos.
- Críticos alegam que a genética comportamental tradicional é muito simplista. Em vez disso, estudam sistemas comportamentais complexos, que refletem a confluência de influências constitucionais, econômicas, sociais e biológicas.
- Conceitos de faixa de reação, canalização, interação genótipo--ambiente, correlação (ou covariância) genótipo-ambiente e escolha de nicho descrevem as maneiras como a hereditariedade e o ambiente operam juntos.

Capítulo 3 • Formação de uma nova vida: concepção, hereditariedade e ambiente

- Irmãos tendem a ser mais diferentes do que semelhantes em inteligência e personalidade. Muitas experiências que afetam fortemente o desenvolvimento são diferentes para cada irmão.
  **genética comportamental (73)**
  **herdabilidade (73)**
  **concordante (75)**
  **faixa de reação (76)**
  **canalização (76)**
  **interação genótipo-ambiente (78)**
  **correlação genótipo-ambiente (78)**
  **efeitos ambientais não compartilhados (79)**

## ❻ Algumas características influenciadas pela hereditariedade e pelo ambiente

*Quais são os papéis desempenhados pela hereditariedade e pelo ambiente na saúde física, na inteligência e na personalidade?*

- Saúde, obesidade, longevidade, inteligência e temperamento são influenciados tanto pela hereditariedade como pelo ambiente, e suas influências relativas podem variar durante o ciclo de vida.
- A esquizofrenia é um transtorno neurológico altamente herdável, mas também é influenciada pelo ambiente.
  **obesidade (80)**
  **temperamento (81)**
  **esquizofrenia (81)**

*Capítulo* **4**

## Sumário

Desenvolvimento pré-natal: três etapas

Desenvolvimento pré-natal: influências ambientais

Monitorando e promovendo o desenvolvimento pré-natal

## Você sabia que...

▶ Apenas 10 a 20% dos óvulos fecundados são implantados na parede uterina e continuam a se desenvolver?

▶ Em estágios mais avançados da gravidez, os fetos podem aprender e lembrar enquanto estão no útero e reagem à voz da mãe?

▶ O número de partos de mulheres na faixa dos 40 anos mais do que duplicou entre 1990 e 2006?

*Começamos por considerar a experiência da gravidez. Acompanhamos como o óvulo fecundado torna-se um embrião e depois um feto, que já mostra sinais de uma personalidade própria. Discutimos os fatores ambientais que podem afetar a futura criança, as técnicas para determinar se o desenvolvimento está ocorrendo normalmente e a importância da assistência antes da concepção e no período pré-natal.*

# Gravidez e desenvolvimento pré-natal

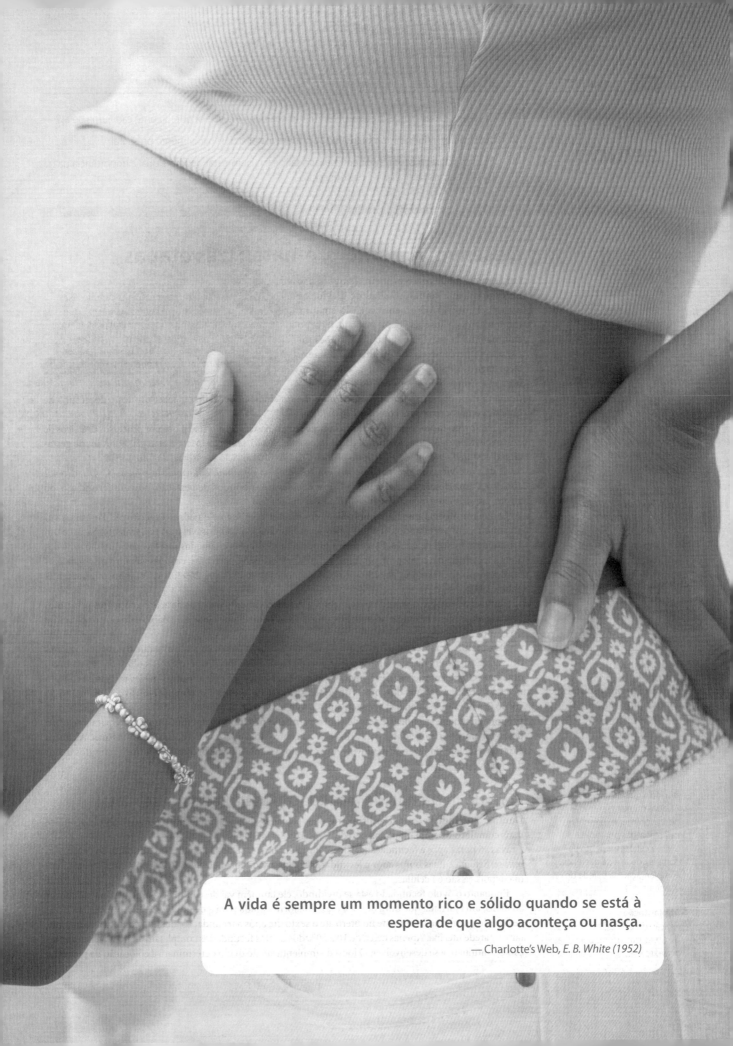

A vida é sempre um momento rico e sólido quando se está à espera de que algo aconteça ou nasça.

— Charlotte's Web, E. B. White (1952)

# Guia de estudo

1. Quais são as três etapas do desenvolvimento pré-natal e o que ocorre durante cada uma delas?
2. Quais são as influências ambientais que podem afetar o desenvolvimento pré-natal?
3. Quais são as técnicas que podem avaliar a saúde e o bem-estar do feto e qual a importância da assistência pré-natal e antes da concepção?

---

### Guia de estudo 1

Quais são as três etapas do desenvolvimento pré-natal e o que ocorre durante cada uma delas?

**gestação**
Período de desenvolvimento entre a concepção e o nascimento.

**idade gestacional**
Idade do feto, geralmente contada a partir do primeiro dia do último ciclo menstrual da futura mãe.

**princípio cefalocaudal**
Princípio segundo o qual o desenvolvimento ocorre de cima para baixo, isto é, as partes superiores do corpo desenvolvem-se antes das partes inferiores.

**princípio próximo-distal**
Princípio segundo o qual o desenvolvimento ocorre de dentro para fora, isto é, as partes do corpo próximas ao centro desenvolvem-se antes das extremidades.

**período germinal**
As duas primeiras semanas do desenvolvimento pré-natal, caracterizadas por rápida divisão celular, aumento da complexidade e da diferenciação e implantação na parede do útero.

**implantação**
Fixação do blastocisto à parede do útero, que ocorre por volta do sexto dia.

## Desenvolvimento pré-natal: três etapas

Para muitas mulheres, o primeiro (embora não necessariamente confiável) sinal de gravidez é a ausência do período menstrual. No entanto, mesmo antes da ausência desse período, o corpo de uma mulher grávida passa por alterações sutis, porém perceptíveis. O Quadro 4.1 descreve os primeiros sinais e sintomas da gravidez. Embora esses sinais não sejam exclusivos da gravidez, a mulher que experimenta um ou mais desses sinais poderá querer fazer um teste doméstico de gravidez ou procurar uma confirmação médica.

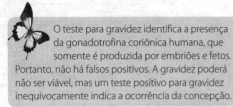
O teste para gravidez identifica a presença da gonadotrofina coriônica humana, que somente é produzida por embriões e fetos. Portanto, não há falsos positivos. A gravidez poderá não ser viável, mas um teste positivo para gravidez inequivocamente indica a ocorrência da concepção.

Durante a **gestação**, o período entre a concepção e o nascimento, o feto passa por processos drásticos de desenvolvimento. A duração normal da gestação é de 37 a 41 semanas (Martin et al., 2009). A **idade gestacional** costuma ser contada a partir do primeiro dia do último ciclo menstrual da futura mãe.

O desenvolvimento pré-natal ocorre em três etapas: *germinal, embrionário* e *fetal*. (O Quadro 4.2 apresenta uma descrição mês a mês.) Durante esses três períodos de gestação, o óvulo fecundado, ou *zigoto*, cresce e transforma-se em *embrião* e depois em *feto*.

O que transforma um zigoto unicelular em um ser com forma e padrão específicos? Pesquisas sugerem que, nos vertebrados, inclusive nos seres humanos, o responsável por essa transformação é um grupo identificável de genes. Esses genes produzem moléculas chamadas *morfogenes*, que são ativadas após a fecundação e começam a esculpir braços, mãos, dedos, vértebras, costelas, cérebro e demais partes do corpo (Echeland et al., 1993; Krauss, Concordet, & Ingham, 1993; Riddle, Johnson, Laufer, & Tabin, 1993).

Tanto antes quanto depois do nascimento, o desenvolvimento procede de acordo com dois princípios fundamentais: crescimento e desenvolvimento motor ocorrem de cima para baixo e do centro para fora do corpo.

O **princípio cefalocaudal** (do latim, significa "da cabeça para a cauda") dita que o desenvolvimento ocorre da cabeça em direção à parte mais baixa do tronco. A cabeça, o cérebro e os olhos de um embrião desenvolvem-se antes e são desproporcionalmente grandes até que as outras partes atinjam o mesmo nível de crescimento. Aos dois meses de gestação, a cabeça do embrião tem metade do comprimento do corpo. Na hora de nascer, a cabeça tem apenas um quarto do comprimento do corpo, mas ainda é desproporcionalmente grande. De acordo com o **princípio próximo-distal** (do latim, "perto para longe"), o desenvolvimento ocorre das partes próximas ao centro do corpo em direção às mais externas. A cabeça e o tronco de um embrião se desenvolvem antes dos membros, e os braços e as pernas, antes dos dedos das mãos e dos pés.

### Período germinal (da fecundação até a segunda semana)

Durante o **período germinal**, as primeiras duas semanas após a fecundação, o zigoto se divide, torna-se mais complexo e é implantado na parede do útero (Fig. 4.1).

Nas 36 horas após a fecundação, o zigoto entra em uma fase de rápida divisão e duplicação celular, ou *mitose*. Setenta e duas horas após a fecundação, ele se dividiu primeiro em 16 e depois em 32 células; um dia depois, já são 64 células.

Enquanto o óvulo fecundado está se dividindo, ele também vai descendo pela tuba uterina até chegar ao útero, uma jornada que dura de 3 a 4 dias. Sua forma muda para a de um *blastocisto*, uma esfera cheia de líquido que flutua livremente no útero até o sexto dia após a fecundação, quando começa a se implantar na parede uterina. Apenas cerca de 10 a 20% dos óvulos fecundados completam a tarefa de **implantação** e continuam a se desenvolver. O local da implantação do óvulo determinará a colocação da placenta.

**QUADRO 4.1**  Primeiros sinais e sintomas da gravidez

| Mudança física | Causas e momento de ocorrência |
|---|---|
| Mamas ou mamilos sensíveis e inchados | O aumento da produção dos hormônios femininos estrogênio e progesterona estimula o crescimento das mamas para prepará-las para produzir leite (mais perceptível em uma primeira gravidez). |
| Fadiga; necessidade de tirar mais cochilos | O coração da mulher bombeia mais forte e rápido para produzir mais sangue para levar nutrientes ao feto. A produção intensificada de hormônios exige esforço adicional. A progesterona deprime o sistema nervoso central e pode causar sonolência. Preocupações com a gravidez podem consumir energia. |
| Sangramento leve ou cólicas | *Sangramento de implantação* pode ocorrer entre 10 e 14 dias após a fecundação, quando o óvulo fecundado prende-se ao revestimento do útero. Muitas mulheres também têm cólicas (semelhantes às cólicas menstruais) à medida que o útero começa a aumentar. |
| Náusea com ou sem vômito | A elevação dos níveis de estrogênio produzidos pela placenta e pelo feto faz o estômago esvaziar mais lentamente. Da mesma forma, maior sensibilidade olfativa pode causar náusea em resposta a certos odores, como o de café, carne, laticínios ou alimentos picantes. A *náusea matinal* pode começar já duas semanas após a concepção, mas normalmente de 4 a 8 semanas, e pode ocorrer a qualquer hora do dia. |
| Desejos por alimentos | Mudanças hormonais podem alterar as preferências alimentares, especialmente durante o primeiro trimestre, quando os hormônios causam maior impacto. |
| Vontade frequente de urinar | O alargamento do útero durante o primeiro trimestre exerce pressão sobre a bexiga. |
| Leves dores de cabeça frequentes | A intensificação da circulação sanguínea causada por mudanças hormonais pode provocar essas dores. |
| Constipação | O aumento nos níveis de progesterona pode retardar a digestão; assim, o alimento atravessa mais lentamente o trato intestinal. |
| Variações de humor | O fluxo de hormônios no começo da gravidez pode provocar altos e baixos emocionais. |
| Fraqueza e tontura | Sensação de tontura pode ser causada pela dilatação dos vasos sanguíneos e pressão baixa, bem como por baixos níveis de açúcar no sangue. |
| Aumento na temperatura basal do corpo | A temperatura basal do corpo (a primeira medida feita pela manhã) normalmente sobe logo após a ovulação a cada mês e depois cai durante a menstruação. Quando cessa a menstruação, a temperatura permanece elevada. |

*Fonte*: Mayo Clinic, 2005.

Antes da implantação, quando começa a diferenciação, algumas células em torno da borda do blastocisto agrupam-se em um dos lados para formar o *disco embrionário*, uma espessa massa celular da qual o embrião começa a se desenvolver. Essa massa se diferenciará em duas camadas. A camada superior, *ectoderma*, vai se transformar na camada exterior da pele, unhas, cabelo, dentes, órgãos sensoriais e sistema nervoso, inclusive o cérebro e a medula espinal. A camada inferior, *endoderma*, será o futuro sistema digestivo, fígado, pâncreas, glândulas salivares e sistema respiratório. Posteriormente, a camada do meio, *mesoderma*, vai desenvolver-se e se diferenciar na camada interna da pele, músculos, esqueleto e os sistemas excretor e circulatório.

Outras partes do blastocisto começam a se desenvolver, formando órgãos que vão nutrir e proteger o embrião: a *cavidade amniótica*, ou *saco amniótico*, com suas camadas externas, o *âmnio* e o *córion*, a *placenta* e o *cordão umbilical* (Fig. 4.2). O *saco amniótico* é uma membrana cheia de líquido que envolve o embrião em desenvolvimento, dando-lhe espaço para se movimentar. A *placenta*, que contém tecidos da mãe e do embrião, desenvolve-se no útero para permitir que oxigênio, nutrientes e dejetos circulem entre a mãe e o bebê. Ela está conectada ao embrião pelo *cordão umbilical*. Nutrientes passam do sangue da mãe para os vasos sanguíneos embrionários, por meio dos quais são levados, via cordão umbilical, para o embrião. Por sua vez, os vasos sanguíneos embrionários no cordão umbilical transportam dejetos para a placenta, de onde podem ser eliminados pelos vasos sanguíneos maternos. Os sistemas circulatórios da mãe e do embrião não estão diretamente ligados; essa troca ocorre por difusão pelas paredes do vaso sanguíneo. A placenta também ajuda a combater infecção interna e concede à futura criança imunidade a várias doenças. Ela produz os hormônios que sustentam a gravidez, prepara as mamas da mãe para a lactação e, por fim, estimula as contrações uterinas que vão expelir o bebê do corpo da mãe.

**QUADRO 4.2** Desenvolvimento pré-natal

| Mês | Descrição |
|---|---|
| 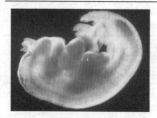<br>1 mês | Durante o primeiro mês, o crescimento é mais rápido que em qualquer outra fase durante a vida pré-natal ou pós-natal: o embrião alcança um tamanho 10 mil vezes maior que o zigoto. No final do primeiro mês, ele mede pouco mais de 1 cm de comprimento. O sangue flui em suas veias e artérias, que são muito pequenas. Seu coração é minúsculo e bate 65 vezes por minuto. Ele já apresenta um esboço de cérebro, rins, fígado e trato digestivo. O cordão umbilical, a ligação vital com a mãe, já está funcionando. Um olhar atento pelo microscópio permite ver as protuberâncias na cabeça que futuramente serão os olhos, os ouvidos, a boca e o nariz. O sexo ainda não pode ser identificado. |
| 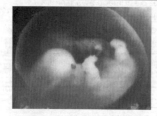<br>7 semanas | No final do segundo mês, o feto mede pouco mais de 2,5 cm e pesa aproximadamente 2 g. A cabeça é metade do comprimento total do corpo. As partes da face estão nitidamente desenvolvidas, com brotamentos de língua e dentes. Os braços têm mãos, dedos e polegares, e as pernas têm joelhos, tornozelos, pés e dedos. O feto apresenta uma fina camada de pele e pode deixar impressões das mãos e dos pés. As células ósseas aparecem aproximadamente na oitava semana. Impulsos cerebrais coordenam os sistemas de órgãos. Os órgãos sexuais estão se desenvolvendo; as batidas cardíacas são regulares. O estômago produz sucos digestivos; o fígado produz células sanguíneas. Os rins retiram ácido úrico do sangue. A pele agora é suficientemente sensível para reagir à estimulação tátil. Se um feto abortado de 8 semanas for acariciado, ele reage flexionando o tronco, estendendo a cabeça e movendo os braços para trás. |
| <br>3 meses | No final do terceiro mês, o feto pesa em torno de 28 g e mede aproximadamente 7,5 cm de comprimento. Ele tem as unhas das mãos e dos pés, pálpebras (ainda fechadas), cordas vocais, lábios e um nariz proeminente. A cabeça ainda é grande – cerca de um terço do comprimento total –, e a testa é alta. Seu sexo pode ser facilmente identificado. Os sistemas de órgãos estão funcionando, e, assim, o feto pode agora respirar, engolir fluido amniótico até os pulmões e expeli-lo e, ocasionalmente, urinar. As costelas e vértebras transformaram-se em cartilagem. O feto pode agora efetuar uma variedade de respostas especializadas: movimentar as pernas, pés, polegares e cabeça; pode abrir e fechar a boca e engolir. Se as pálpebras forem tocadas, ele as fecha parcialmente; se a palma da mão for tocada, ele também a fecha parcialmente; se forem os lábios, ele suga; e, se for a sola do pé, os dedos se abrem. Esses reflexos estarão presentes ao nascer, mas desaparecerão durante os primeiros meses de vida. |
| 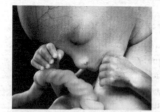<br>4 meses | O tamanho do corpo está aumentando em comparação ao da cabeça, que agora é apenas um quarto do comprimento total do corpo, a mesma proporção que terá ao nascer. O feto agora mede de 20 a 25 cm e pesa em torno de 170 g. O cordão umbilical é tão longo quanto o feto e continuará crescendo com ele. A placenta está agora totalmente desenvolvida. A mãe consegue sentir os chutes do feto, um movimento conhecido como *agitação*, que algumas sociedades e grupos religiosos consideram o começo da vida humana. As atividades reflexas que apareceram no terceiro mês agora são mais enérgicas em virtude do desenvolvimento muscular. |
| 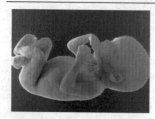<br>5 meses | O feto, que pesa agora entre 300 e 500 g e mede em torno de 30 cm, começa a mostrar sinais de personalidade individual. Ele já tem padrões definidos de sono e vigília, tem uma posição favorita no útero (chamada de *inclinação*) e torna-se mais ativo – chuta, contorce-se, estica-se e até soluça. Encostando-se o ouvido no abdome da mãe, é possível ouvir as batidas cardíacas do feto. As glândulas sudoríparas e sebáceas estão funcionando. O sistema respiratório ainda não é adequado para sustentar a vida fora do útero; o bebê que nasce nessa fase normalmente não sobrevive. Um pelo áspero começa a crescer como sobrancelhas e cílios; na cabeça, um cabelo ralo; cobrindo o corpo, pelos finos chamados *lanugo*. |
| <br>6 meses | A taxa de crescimento fetal diminui um pouco – no final do sexto mês, o feto mede cerca de 35 cm e pesa em torno de 570 g. Ele tem camadas de gordura sob a pele; os olhos estão completos, abrindo, fechando e vendo em todas as direções. Ele pode ouvir e pode fechar a mão com força. O feto que nasce prematuramente aos 6 meses tem poucas chances de sobrevivência, pois o aparato respiratório ainda não amadureceu. Os avanços da medicina, no entanto, estão aumentando cada vez mais as chances de sobrevivência. |

**Capítulo 4** • Gravidez e desenvolvimento pré-natal

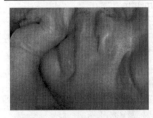

No final do sétimo mês, o feto, com cerca de 40 cm, pesando entre 1,5 e 2,5 kg, agora desenvolveu plenamente os padrões de reflexo. Ele chora, respira e engole e pode sugar o polegar. A lanugem poderá desaparecer nesse período ou talvez permaneça até pouco depois do nascimento. O cabelo poderá continuar crescendo. As chances de sobrevivência para um feto que pese pelo menos 1,5 kg são relativamente boas, contanto que receba assistência médica intensiva. Provavelmente precisará ficar em uma incubadora até atingir o peso de 2,5 kg.

7 meses

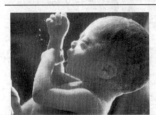

O feto de 8 meses tem entre 45 e 50 cm e pesa de 2,5 a 3 kg. Sua moradia está ficando apertada, e, portanto, seus movimentos tornam-se mais limitados. Durante esse mês e no próximo, desenvolve-se uma camada de gordura sobre o corpo do feto, a qual lhe permitirá ajustar-se às temperaturas variáveis fora do útero.

8 meses

Por volta de uma semana antes do nascimento, o feto para de crescer, tendo alcançado um peso médio de aproximadamente 3,5 kg e um comprimento em torno de 50 cm; os meninos geralmente são um pouco maiores e mais pesados que as meninas. Camadas de gordura continuam a se formar, os sistemas de órgãos estão operando com mais eficiência, o ritmo cardíaco aumenta e mais dejetos são expelidos através do cordão umbilical. A cor avermelhada da pele vai desaparecendo. Ao nascer, terá permanecido no útero por cerca de 266 dias, embora a idade gestacional geralmente seja estimada em 280 dias, pois a maioria dos médicos registra o início da gravidez a partir do último período menstrual da mãe.

9 meses — recém-nascido

Nota: Mesmo nesses períodos iniciais, os indivíduos apresentam diferenças. As ilustrações e as descrições aqui apresentadas representam médias.

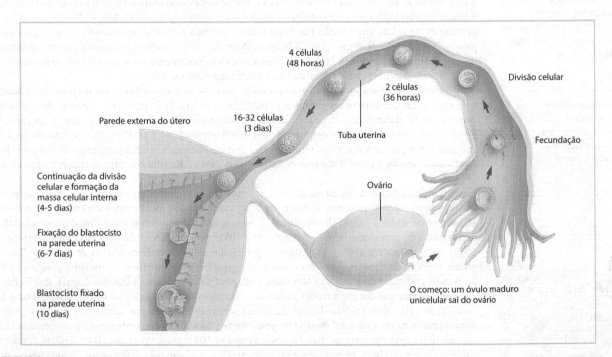

**FIGURA 4.1**
Início do desenvolvimento de um embrião humano.
*Este diagrama simplificado mostra o progresso do óvulo desde que sai do ovário, é fecundado na tuba uterina e se divide enquanto percorre a parede interna do útero. Já como um blastocisto, fixa-se no útero, onde crescerá em tamanho e complexidade até estar pronto para nascer.*

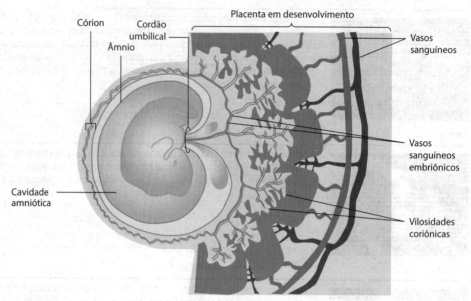

**FIGURA 4.2**
O embrião em desenvolvimento (com cerca de 6 semanas de idade gestacional).
*Durante seu desenvolvimento, o embrião é envolvido e acolhido pela cavidade amniótica — ou saco amniótico — cheia de líquido. O cordão umbilical desenvolve-se para conter os vasos sanguíneos embrionários que transportam sangue da e para a placenta. A difusão por meio da vilosidade coriônica remove os resíduos do sangue embrionário e acrescenta nutrientes e oxigênio, sem misturar o sangue materno com o embrionário.*

## Período embrionário (da 2ª à 8ª semana)

**período embrionário**
Segundo período da gestação (da segunda à oitava semana), caracterizado pelo rápido crescimento e desenvolvimento dos principais sistemas e órgãos do corpo.

Durante o **período embrionário**, entre a 2ª e a 8ª semana, os órgãos e os principais sistemas do corpo – respiratório, digestivo e nervoso – desenvolvem-se rapidamente. Esse é um período crítico, quando o embrião se encontra muito vulnerável às influências destrutivas do ambiente pré-natal (Fig. 4.3). É muito provável que qualquer sistema de órgãos ou estrutura que ainda esteja se desenvolvendo no período da exposição seja afetado. Por causa disso, malformações que ocorrem mais tarde na gravidez provavelmente serão de menor gravidade, quando os principais sistemas de órgãos e estruturas físicas do corpo estiverem completos. (No Cap. 6, discutiremos o crescimento e o desenvolvimento do cérebro, que começam durante o período embrionário e continuam após o nascimento.)

**aborto espontâneo**
Expulsão natural de um embrião do útero que não consegue sobreviver fora dele; também chamado de *perda*.

Os embriões com malformações mais graves geralmente não sobrevivem além do primeiro *trimestre* da gravidez. Um **aborto espontâneo,** popularmente chamado de *perda*, é a expulsão do embrião ou feto que se encontra no útero e é incapaz de sobreviver fora dele. Calcula-se que 1 em cada 4 condições de reconhecida gravidez termine em aborto espontâneo, e as cifras reais podem chegar a 1 em cada 2, porque muitos abortos espontâneos ocorrem antes de a mulher perceber que está grávida. Aproximadamente 3 entre 4 abortos espontâneos ocorrem durante o primeiro trimestre (Neville, s.d.).

Os puritanos da Nova Inglaterra colonial acreditavam que abortos espontâneos poderiam ser provocados por emoções violentas, como tristeza ou raiva, ou por movimentos violentos, como dançar, correr ou andar a cavalo (Reese, 2000). Sabemos agora que a maior parte dos abortos espontâneos resulta de gravidez anormal; cerca de 50 a 70% envolvem anomalias cromossômicas (Hogge, 2003) que resultam em abortos espontâneos, principalmente nos estágios iniciais da gravidez. Tabagismo, ingestão de bebidas alcoólicas e uso de drogas aumentam os riscos de aborto espontâneo em fases mais avançadas da gravidez (American College of Obstetricians and Gynecologists, 2002). Perder um bebê que não chegou a nascer pode ser extremamente doloroso, como discutimos no Box 4.1.

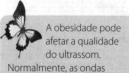
A obesidade pode afetar a qualidade do ultrassom. Normalmente, as ondas sonoras chegam ao feto, que flutua no líquido amniótico, e são refletidas, processo interrompido na presença de altos níveis de gordura abdominal.

Meninos estão mais sujeitos do que meninas a serem abortados espontaneamente ou serem *natimortos* (morte na ou após a 20ª semana de gestação; ver Cap. 5). Assim, embora sejam concebidos 125 meninos para cada 100 meninas, nascem apenas cerca de 105 meninos para cada 100 meninas. A maior vulnerabilidade dos homens continua após o nascimento: morrem mais homens com pouco tempo de vida, e em todas as idades eles são mais suscetíveis a muitos transtornos. Em consequência, há apenas cerca de 96 indivíduos do sexo masculino para cada 100 do sexo feminino nos Estados Unidos (Martin et al., 2009; U. S. Department of Health and Human Services [USDHHS], 1996a).

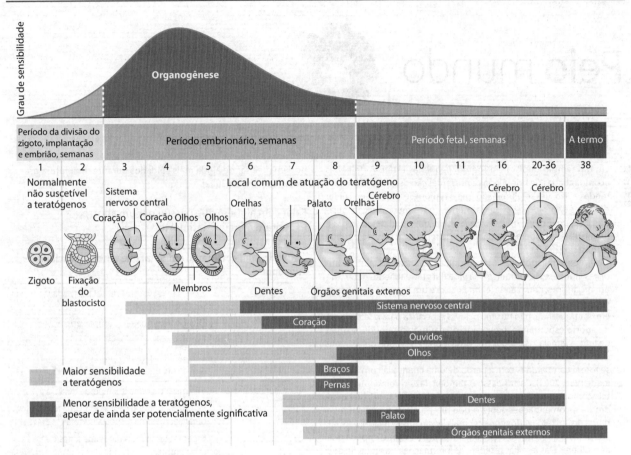

**FIGURA 4.3**
Quando ocorrem as malformações congênitas.
*Partes e sistemas do corpo são mais vulneráveis durante a organogênese, quando estão se desenvolvendo mais rapidamente, normalmente durante o primeiro trimestre da gravidez.*

Nota: Os intervalos de tempo não são todos iguais.

*Fonte*: J. E. Brody, 1995; dados de March of Dimes.

## Período fetal (da 8ª semana até o nascimento)

O aparecimento das primeiras células ósseas em torno da 8ª semana sinaliza o começo do **período fetal**, a fase final da gestação. Durante esse período, o feto cresce rapidamente até cerca de 20 vezes seu comprimento anterior, os órgãos e sistemas do corpo tornam-se mais complexos e o feto desenvolve uma camada de gordura em preparação para o nascimento. Até o nascimento, continuam a se desenvolver os "arremates finais", como as unhas dos dedos das mãos e dos pés e as pálpebras.

Fetos não são passageiros passivos no útero das mãe. Eles respiram, chutam, viram-se, flexionam o corpo, dão cambalhotas, movimentam os olhos, engolem, cerram os punhos, soluçam e sugam os polegares. As membranas flexíveis das paredes uterinas e do saco amniótico, as quais envolvem o anteparo protetor de líquido amniótico, permitem e estimulam movimentos limitados. Fetos também podem sentir dor, mas é improvável que isso aconteça antes do terceiro trimestre (Lee, Ralston, Drey, Partridge, & Rosen, 2005).

Os cientistas podem observar os movimentos fetais por meio do **ultrassom**, que é o uso de ondas sonoras de alta frequência para detectar os contornos do feto. Outros instrumentos podem monitorar o ritmo cardíaco, mudanças no nível de atividade, estados de sono e vigília e reatividade cardíaca.

Os movimentos e o nível de atividade dos fetos mostram diferenças individuais bem marcantes, e seus ritmos cardíacos variam em regularidade e velocidade. Há diferenças também entre os fetos dos sexos masculino e feminino. Os fetos masculinos, independentemente de tamanho, são mais ativos e tendem a se movimentar com mais vigor do que os fetos femininos ao longo da gestação. (Almli, Ball, & Wheeler, 2001). Assim, a tendência de meninos serem mais ativos que meninas pode ser, pelo menos em parte, inata (DiPietro, Hodgson, Costigan, Hilton, & Johnson, 1996; DiPietro et al., 2002).

**período fetal**
Período final da gestação (da 8ª semana até o nascimento), caracterizado pela crescente diferenciação das partes do corpo e grande aumento de seu tamanho.

**ultrassom**
Procedimento clínico pré-natal que utiliza ondas sonoras de alta frequência para detectar os contornos do feto e seus movimentos, de modo a determinar se a gravidez segue normalmente.

# Pelo mundo

## LUTO POR ABORTO ESPONTÂNEO OU POR NATIMORTO

Em um templo budista em Tóquio, pequenas estátuas de bebês acompanhadas de brinquedos e presentes são deixadas como oferendas a Jizo, um ser iluminado que os japoneses acreditam cuidar dos fetos abortados e, posteriormente, com a reencarnação, guiá-los para uma nova vida. O *mizuko kuyo*, um ritual de apologia e memória, é considerado uma forma de reparação da vida perdida (Orenstein, 2002).

A palavra japonesa *mizuko* significa "criança da água". Os budistas japoneses acreditam que a vida flui gradualmente dentro de um organismo, como água, e um *mizuko* é um lugar na série contínua entre a vida e a morte (Orenstein, 2002). Na cultura ocidental, em contrapartida, não há uma palavra específica para o feto vítima de aborto espontâneo, provocado ou natimorto, tampouco ritual de luto. A família, os amigos e os profissionais de saúde geralmente evitam falar sobre essas perdas, que podem parecer insignificantes se forem comparadas com a perda de uma criança já com alguma idade (Van, 2001). Certas pessoas também fazem comentários inúteis como "Foi melhor assim" ou "Isso sempre acontece". (Ver quadro de recomendações sobre o que dizer a alguém que sofreu a perda de um feto.) A dor pode ser mais lancinante sem apoio social, e "o silêncio que a nossa sociedade faz sobre o assunto impede que as mulheres e as famílias recebam as informações e a ajuda de que necessitam" (Grady, 2002, p. 1).

Como os futuros pais enfrentam a perda de uma criança que não chegaram a conhecer? A experiência dessa perda é única para cada pessoa ou casal (Van, 2001). Uma mulher pode ter a sensação de incapacidade ou de falha. Frequentemente sente raiva (dela mesma ou dos outros, por não ter sido capaz de evitar o aborto ou de o bebê ter nascido morto, ou do próprio parceiro, por não lhe ter dado o apoio devido), culpa (quando está em dúvida sobre a questão de se tornar mãe ou quando pensa que a perda do bebê poderá ter sido consequência de algo que tenha feito) ou ansiedade ("Será que conseguirei ter outro bebê?"). As crianças da família podem culpar-se a si mesmas, especialmente se tiveram expectativas negativas sobre o nascimento. Os pais, às vezes, ficam de luto não somente pelo que perderam, mas também por aquilo que a criança perdida poderia ter-se tornado. Os sentimentos de dor e de raiva são recorrentes, muitas vezes na data esperada do parto ou no aniversário da perda (Neville, s.d.)

As diferenças na forma como homens e mulheres sofrem podem ser fonte de tensão e discórdia no relacionamento do casal (Caelli, Downie, & Letendre, 2002). O homem normalmente não se concentra tanto na gravidez; além disso, o seu corpo não lhe traz lembranças físicas da perda (Grady, 2002). Em um pequeno estudo, 11 homens cujas crianças morreram no útero de suas parceiras relataram que sofreram frustração e desamparo durante e após o aborto, mas muitos encontraram alívio apoiando suas companheiras (Samuelsson, Radestad, & Segesten, 2001). Em outro estudo, pais e mães de luto notaram que o apoio dos(as) parceiros(as) e dos familiares foi mais útil do que a ajuda dos próprios médicos. Alguns pais e mães enlutados beneficiaram-se de grupos de apoio, enquanto outros não (DiMarco, Menke, & McNamara, 2001). Os casais que já passaram pela perda de um bebê podem precisar de ainda mais cuidados durante uma futura gravidez (Caelli et al., 2002).

### Falar com alguém que passou por um aborto espontâneo ou um natimorto

| Quando falar com um(a) amigo(a) que tenha vivenciado um aborto | |
|---|---|
| Você *pode*... | Falar sobre o assunto; ignorar a perda pode ser mais doloroso. |
| | Ouvir com empatia e compaixão. |
| | Expressar tristeza e pesar. |
| | Deixar que a pessoa sofra, chore e tenha o tempo necessário para se recuperar. |
| Você *nunca deve*... | Minimizar ou banalizar a perda ou a dor. |
| | Perguntar por que isso aconteceu – em geral não há uma resposta correta. |
| | Esperar que a pessoa prossiga antes de estar pronta. |

*Fonte:* Grady, 2002.

Os terapeutas especializados em luto afirmam que a assimilação da perda pode ser mais fácil se for permitido aos pais ver os restos mortais do feto – algo que frequentemente não é possível. Veja a seguir outras sugestões (Brin, 2004; Grady, 2002; Neville, s.d.):

- Reservar um tempo para falar sobre a perda.
- Criar e manter uma cerimônia ou ritual em memória do bebê; há recursos *on-line* que podem ajudar.
- Dar nome ao bebê abortado ou natimorto.
- Plantar uma árvore ou algumas flores em nome do bebê perdido.
- Escrever poesia ou manter um diário.
- Colocar itens, como uma fotografia do ultrassom, uma mecha de cabelo ou um molde das mãos ou pés do bebê, em uma caixa de lembranças.
- Criar uma certidão especial.
- Procurar terapia ou um grupo de apoio. Em um estudo com mulheres que tiveram natimortos, aquelas que frequentaram grupos de apoio tiveram menos sintomas de estresse traumático do que as que não frequentaram (Cacciatore, 2007).

**Qual a sua opinião?**

- Você já passou por um aborto espontâneo ou natimorto ou conhece alguém que vivenciou isso? Em caso afirmativo, como você ou a pessoa lidaram com a perda? Como os outros reagiram?
- Você acha que o reconhecimento dessas perdas por meio de cerimônias ou rituais seria útil?

Começando por volta da 12ª semana de gestação, o feto engole e inala parte do líquido amniótico em que ele flutua. O líquido amniótico contém substâncias que atravessam a placenta vindas da corrente sanguínea da mãe e entram na corrente sanguínea do feto. O compartilhamento dessas substâncias talvez estimule os sentidos do paladar e do olfato, que começam a surgir, e talvez contribua para o desenvolvimento de órgãos necessários para a respiração e a digestão (Mennella & Beauchamp, 1996; Ronca & Alberts, 1995; Smotherman & Robinson, 1995, 1996). Há também indicações de que a exposição precoce aos diferentes sabores do líquido amniótico pode influenciar as preferências gustativas que se desenvolverão depois (Beauchamp & Mennella, 2009; Eliot, 1999). Células gustativas aparecem por volta da 14ª semana de gestação. O sistema olfativo, que controla o sentido do olfato, também se encontra bem desenvolvido antes do nascimento (Bartoshuk & Beauchamp, 1994; Mennella & Beauchamp, 1996; Savage, Fisher, & Birch, 2007).

Os fetos respondem à voz da mãe, às batidas cardíacas e às vibrações do seu corpo, o que sugere que podem ouvir e sentir. Bebês famintos, não importa em que lado estejam sendo segurados, voltam-se para o peito na direção de onde ouvirem a voz da mãe (Noirot & Algeria, 1983, citado em Rovee-Collier, 1996). Assim, a familiaridade com a voz da mãe pode ter uma função evolucionista de sobrevivência: ajudar os recém-nascidos a localizar a fonte de alimento. Respostas ao som e à vibração parecem começar na 26ª semana de gestação, aumentam e depois estabilizam-se na 32ª semana (Kisilevsky & Haines, 2010; Kisilevsky, Muir, & Low, 1992). Além disso, quando os fetos se aproximam do termo têm a capacidade básica de reconhecer a voz da mãe e sua língua nativa (Kisilevsky et al., 2009).

Os fetos parecem aprender e lembrar. Em um experimento, bebês de três dias sugavam mais o mamilo que ativava a gravação de uma história que a mãe havia lido frequentemente, em voz alta, durante os últimos seis meses de gravidez, do que o mamilo que ativava gravações de duas outras histórias. Aparentemente, os bebês reconheciam o padrão sonoro que tinham ouvido no útero. Um grupo-controle, cujas mães não haviam recitado nenhuma história antes do nascimento, respondeu igualmente às três gravações (DeCasper & Spence, 1986). Experimentos similares constataram que recém-nascidos com 2 a 4 dias de vida preferem sequências musicais e verbais ouvidas antes do nascimento. Eles também preferem a voz materna à de outras mulheres, vozes femininas a vozes masculinas e a língua natal da mãe a outra língua (DeCasper & Fifer, 1980; DeCasper & Spence, 1986; Fifer & Moon, 1995; Kisilevsky et al., 2003; Lecanuet, Granier-Deferre, & Busnel, 1995; Moon, Cooper, & Fifer, 1993). Também demonstraram reconhecimento do cheiro (Varendi, Porter, & Winberg, 1997).

Em um estudo, bebês reconheceram um livro que suas mães liam diariamente para eles durante o último trimestre da gravidez, mesmo quando o livro era lido por outra pessoa.

*DeCasper & Spence, 1986*

**Verificador**
você é capaz de...
- Identificar dois princípios que regem o desenvolvimento físico e dar exemplos de sua aplicação durante o período pré-natal?
- Explicar por que razão as malformações e os abortos espontâneos têm maior probabilidade de ocorrer durante o período embrionário?
- Resumir as descobertas sobre as atividades, o desenvolvimento sensorial e a memória do feto?

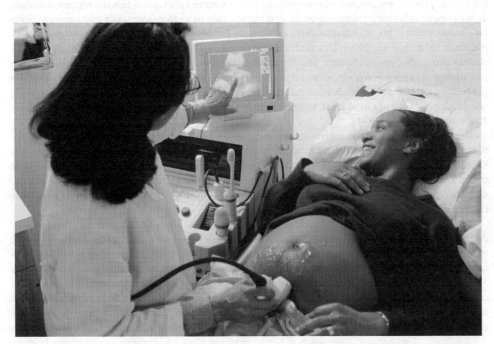

*A maneira mais eficaz de prevenir complicações no parto é o acompanhamento pré-natal desde o início da gravidez, o qual pode incluir exames de ultrassonografia, como o que esta mulher está fazendo, para monitorar o desenvolvimento do feto. A ultrassonografia é um instrumento de diagnóstico que apresenta uma imagem imediata do feto no útero.*

# 94 PARTE II • O começo

## Guia de estudo 2

Quais são as influências ambientais que podem afetar o desenvolvimento pré-natal?

**teratógeno**

Agente ambiental, como, por exemplo, vírus, drogas, radiações, que pode interferir no desenvolvimento pré-natal normal e causar anormalidades.

# Desenvolvimento pré-natal: influências ambientais

## Fatores maternos

Nas sociedades tradicionais, a gravidez é reconhecida como um momento perigoso para a mulher e para o bebê. Entre as pessoas da tribo Beng da Costa do Marfim na África Ocidental, por exemplo, uma mulher que tenha "tomado uma barriga" é avisada para se manter afastada de cadáveres para que o bebê não nasça doente, para não ofender alguém que possa amaldiçoar sua gravidez e para não comer certos alimentos, como o inhame em purê, para não dificultar o trabalho de parto (Gottlieb, 2000). Essas crenças não científicas baseiam-se na realidade: como o ambiente pré-natal é o corpo da mãe, praticamente tudo que puder afetar seu bem-estar, desde a dieta ao humor, pode alterar o ambiente do filho que está para nascer e influenciar o crescimento e a saúde.

Um **teratógeno** é um agente ambiental, como, por exemplo, vírus, drogas ou radiações, que pode interferir no desenvolvimento pré-natal normal. Nem todos os riscos ambientais, porém, são igualmente nocivos a todos os fetos. Um evento, substância ou processo pode ser teratogênico para alguns fetos, mas ter pouco ou nenhum efeito para outros. Às vezes, a vulnerabilidade pode depender de um gene, seja no feto, seja na mãe. Por exemplo, fetos com determinada variante de um gene de crescimento, chamado de *fator de crescimento transformador alfa*, apresentam risco muito maior do que outros fetos de desenvolver fenda palatina se a mãe fumar durante a gravidez (Zeiger, Beaty, & Liang, 2005). O tempo de exposição (ver Fig. 4.3), a dose, a duração e a interação com outros fatores teratogênicos também podem fazer diferença.

**Nutrição e peso da mãe** De acordo com o biólogo evolucionista David Haig (1993), a gravidez cria um conflito inconsciente entre a futura mãe e o feto, relacionado com os nutrientes fornecidos por ela. Na perspectiva evolucionista, é ideal para o feto obter as quantidades máximas de nutrientes da mãe, mas também é adequado a mãe limitar a transferência de nutrientes para o feto para manter a saúde e sua capacidade para gerar mais crianças. No entanto, como o feto tem acesso direto ao suprimento de sangue materno através da placenta, a mãe não tem muito controle sobre a quantidade de nutrientes que "perde" para o feto. É relevante, portanto, que a gestante se abasteça dos nutrientes necessários para uma alimentação adequada para ela e para o feto.

Mulheres grávidas precisam de 300 a 500 calorias adicionais por dia, inclusive proteína extra. Mulheres com peso e constituição física normal que ganham entre 7 e 18 quilos têm menor probabilidade de ter complicações no nascimento ou de gerar bebês cujo peso ao nascer seja perigosamente baixo ou excessivamente alto. No entanto, cerca de 1 a cada 3 mães ganha mais ou menos peso que o recomendado (Martin et al., 2009). Um ganho excessivo ou insuficiente de peso pode ser perigoso. Se a mulher não ganhar peso suficiente, provavelmente o bebê terá seu crescimento retardado no útero, o nascimento será prematuro, ele sofrerá durante o trabalho de parto ou morrerá ao nascer. Algumas pesquisas mostram que restrições nas calorias maternas durante a gravidez podem causar riscos de obesidade para a criança mais tarde, talvez tornando seu metabolismo mais parcimonioso (Caballero, 2006).

Uma mulher com peso excessivo corre o risco de ter um bebê grande que precisará nascer por parto induzido ou cesariana (Chu et al., 2008; Martin et al., 2009). Entre 41.540 gestantes nos Estados Unidos, as que ganharam mais de 18 kg duplicaram as probabilidades de gerar um bebê com 4 kg ou mais. Um feto com esse tamanho representa sérios riscos para a mãe e para ele mesmo durante o parto, e é provável que venha posteriormente a sofrer de excesso de peso ou de obesidade (Hillier et al., 2008).

Um ganho de peso desejável depende do índice de massa corpórea (IMC) antes da gravidez. Mulheres com excesso de peso ou obesas antes ou nos primeiros meses da gravidez tendem a ter partos mais longos, precisar mais dos serviços de assistência à saúde (Chu et al., 2008) e gerar bebês com malformações congênitas (Stothard, Tennant, Bell, & Rankin, 2009; Watkins, Rasmussen, Honein, Botto, & Moore, 2003). Um estudo recente, conduzido pelo U.S. Centers for Disease Control and Prevention com mais de 12 mil crianças, descobriu que as mulheres que sofriam de excesso de peso ou eram obesas antes da gravidez tinham cerca de 18% mais probabilidade de ter bebês com certos tipos de anomalias cardíacas do que as mulheres com peso normal (Gilboa et al., 2009). A obesidade também aumenta o risco de outras complicações da gravidez, inclusive aborto espontâneo, dificuldade na indução do parto e maior probabilidade de cesariana (Brousseau, 2006; Chu et al., 2008).

*O que* a gestante come também é importante. Por exemplo, recém-nascidos cujas mães se alimentaram de peixe rico em DHA, um ácido graxo com ômega-3 encontrado em salmões e atuns do Atlântico, mostraram padrões de sono mais maduros (um sinal de desenvolvimento avançado do cérebro) do que bebês cujo sangue materno tinha níveis mais baixos de DHA (Cheruku, Montgomery-Downs, Farkas, Thoman, & Lammi-Keefe, 2002; Colombo et al., 2004) e eram mais atentos entre os 12 e os 18 meses (Colombo et al., 2004).

Bebês cujas mães ingerem grandes quantidades de suco de cenoura no último trimestre são mais propensos a gostar de cenoura.

*Mennella, Jagnow, & Beauchamp, 2001*

Foi apenas muito recentemente que aprendemos a importância crucial do ácido fólico, ou folato (uma vitamina do grupo B), na dieta da gestante. Por algum tempo, os cientistas descobriram que a China tinha a mais alta incidência mundial de bebês nascidos com anencefalia e espinha bífida, mas foi só na década de 1980 que os pesquisadores associaram esse fato ao momento da concepção dos bebês. Tradicionalmente, os casais chineses casam em janeiro ou fevereiro e tentam conceber logo que possível. Assim, a gravidez geralmente começa no inverno, quando as mulheres da zona rural têm pouco acesso a frutas, legumes e verduras frescos, fontes importantes de ácido fólico.

Depois de um trabalho minucioso ter revelado que a falta de ácido fólico era a causa da anencefalia e da espinha bífida, a China deu início a um amplo programa para fornecer suplementos de ácido fólico às futuras mães. O resultado foi uma grande redução na incidência dessas malformações (Berry et al., 1999). A adição de ácido fólico a grãos enriquecidos tem sido obrigatória nos Estados Unidos desde 1998, reduzindo, assim, a incidência desses problemas (Honein, Paulozzi, Mathews, Erickson, & Wong, 2001). Mulheres em idade de procriação são encorajadas a tomar suplementos de folato e a incluir essa vitamina em suas dietas, ingerindo muitas frutas frescas e vegetais, mesmo antes de engravidar, porque os danos causados pela deficiência de ácido fólico podem ocorrer nas primeiras semanas de gestação (American Academy of Pediatrics [AAP] Committee on Genetics, 1999; Mills & England, 2001). Se todas as mulheres ingerissem 5 miligramas de ácido fólico por dia antes da gravidez e durante o primeiro trimestre da gestação, seria possível evitar em torno de 85% das malformações no tubo neural (Wald, 2004).

A deficiência de vitamina D durante a gravidez nas mulheres com uma variante genética chamada DRB1*1501 pode aumentar o risco de a criança desenvolver esclerose múltipla mais tarde. Essa interação gene-ambiente é mais comum nas regiões do norte da Europa que recebem pouca luz do sol, uma fonte importante de vitamina D (Ramagopalan et al., 2009).

**Desnutrição** A desnutrição pré-natal pode causar efeitos de longo prazo. Na zona rural da Gâmbia, na África Ocidental, pessoas nascidas durante a *estação da fome*, quando acabam os alimentos da colheita anterior, estão 10 vezes mais propensas a morrer no começo da vida adulta do que aquelas nascidas em outras partes do ano (Moore et al., 1997). Em um estudo realizado no Reino Unido, crianças cujas mães tinham baixos níveis de vitamina D no final da gravidez apresentavam baixo conteúdo mineral nos ossos aos 9 anos de idade, o que aumentava potencialmente o risco de osteoporose mais tarde (Javaid et al., 2006). E, como já foi relatado no Capítulo 3, vários estudos revelaram um vínculo entre subnutrição fetal e esquizofrenia.

É importante identificar a desnutrição logo no início da gravidez para que possa ser tratada. Mulheres desnutridas que tomam suplementos dietéticos quando grávidas tendem a ter bebês maiores, mais saudáveis, mais ativos e visualmente mais alertas (J. L. Brown, 1987; Vuori et al., 1979), e mulheres com baixos níveis de zinco que tomam suplementos diários desse elemento estão menos propensas a ter bebês com baixo peso e a circunferência da cabeça pequena (Hess & King, 2009). Em um estudo randomizado de ampla escala em famílias de baixa renda de 347 comunidades mexicanas, mulheres que ingeriam suplementos dietéticos fortificados com nutrientes, quando grávidas ou lactantes, tendiam a ter bebês que cresciam mais rapidamente e estavam menos propensos à anemia (Rivera, Sotres-Alvarez, Habicht, Shamah, & Villalpando, 2004).

**Atividade física e trabalho pesado** Entre os ifaluk das Ilhas Carolinas Ocidentais, as mulheres são aconselhadas a se absterem da colheita das safras durante os primeiros sete meses da gravidez, quando o feto em desenvolvimento é considerado fraco, mas reassumir o trabalho braçal durante os dois últimos meses para estimular um parto rápido (Le, 2000). Na verdade, exercícios moderados a qualquer momento durante a gravidez não parecem pôr em risco os fetos de mulheres saudáveis (Committee on Obstetric Practice, 2002; Riemann & Kanstrup Hansen, 2000). Exercícios regulares

*Os exercícios moderados e regulares são benéficos para as gestantes e não parecem trazer risco ao feto.*

**Verificador**
**você é capaz de...**
■ Resumir as recomendações a respeito da dieta e da atividade física da gestante?

A talidomida tinha sido testada com segurança em ratos, e os resultados não indicavam que haveria problemas. Embora a pesquisa com animais possa ser útil, deve ser interpretada com cuidado, porque os resultados talvez não sejam generalizáveis para outras espécies.

evitam a constipação e melhoram a respiração, a circulação, o tônus muscular e a elasticidade da pele, o que contribui para uma gravidez mais confortável e um parto mais fácil e seguro (Committee on Obstetric Practice, 2002). A atividade profissional durante a gestação geralmente não acarreta riscos em especial. Entretanto, condições de trabalho exaustivas, fadiga ocupacional e longas horas de trabalho podem estar associadas a um maior risco de nascimento prematuro (Bell, Zimmerman, & Diehr, 2008; Lucas et al., 1995.).

O American Congress of Obstetricians and Gynecologists (2002) recomenda que as mulheres com gravidez de baixo risco sejam guiadas por sua própria capacidade e vigor. O procedimento mais seguro parece ser exercitar-se moderadamente, não forçar e não elevar o ritmo cardíaco acima de 150 e, como acontece com qualquer exercício físico, diminuir a atividade aos poucos no final de cada sessão em vez de parar abruptamente.

**Consumo de drogas** Praticamente tudo o que uma gestante ingere chega até o útero. Drogas podem atravessar a placenta, assim como o oxigênio, o dióxido de carbono e a água. A vulnerabilidade é maior nos primeiros meses de gestação, durante a formação dos principais sistemas e estruturas do corpo. Quais são os efeitos do uso de drogas específicas durante a gravidez? Vejamos primeiro os medicamentos; depois o álcool, a nicotina e a cafeína; e, por fim, três drogas ilegais: maconha, cocaína e metanfetamina.

*Medicamentos* Já se acreditou que a placenta protegia o feto contra medicamentos que a mãe tomasse durante a gravidez – até o começo da década de 1960, quando um tranquilizante chamado *talidomida* foi proibido depois de se descobrir que ele era a causa de membros atrofiados, ou mesmo da ausência deles, graves deformidades faciais e órgãos defeituosos em cerca de 12 mil bebês. O desastre da talidomida sensibilizou os médicos e o público para os perigos potenciais da ingestão de remédios durante a gravidez.

Entre os medicamentos que podem ser prejudiciais durante a gravidez estão o antibiótico tetraciclina; certos barbitúricos, opiáceos e outros depressores do sistema nervoso central; vários hormônios, inclusive o dietilestilbestrol (DES) e andrógenos; certas drogas anticancerígenas, como o metotrexato; o Roacutan®, um medicamento geralmente prescrito para casos agudos de acne; medicamentos usados para o tratamento da epilepsia; e vários fármacos antipsicóticos (Einarson & Boskovic, 2009; Koren, Pastuszak, & Ito, 1998). Os inibidores da enzima conversora da angiotensina (ECA) e drogas anti-inflamatórias não esteroidais (AINEs), como o naproxeno e o ibuprofeno, têm sido associados a malformações congênitas quando ingeridos a partir do primeiro trimestre (Cooper et al., 2006; Ofori, Oraichi, Blais, Rey, & Berard, 2006).

O AAP Committee on Drugs (2001) recomenda que *nenhuma* medicação seja prescrita à gestante ou à lactante a menos que seja essencial para sua saúde ou para a saúde da criança. Quando for prático e consistente com a essencialidade de controlar os sintomas, a mulher deve ter suspensa a medicação psicotrópica antes da concepção. Os recém-nascidos cujas mães tomaram antidepressivos, como o Prozac®, durante a gravidez tendem a mostrar sinais de problemas de atividade neurocomportamental (Zeskind & Stephens, 2004) e estão em maior risco de insuficiência respiratória grave (Chambers et al., 2006). Certos medicamentos antipsicóticos usados para tratar transtornos psiquiátricos graves, como o lítio, podem causar graves efeitos potenciais no feto, inclusive síndrome de abstinência no nascimento (AAP Committee on Drugs, 2001). Se for utilizada medicação, deve ser selecionado o medicamento mais eficaz e com menos efeitos colaterais. Gestantes não devem tomar medicamentos que não necessitem de receita médica sem consultar um médico (Koren et al., 1998).

Uma pesquisa mostrou que a maioria dos medicamentos psicotrópicos administrados às mulheres que amamentam pode ser encontrada no leite materno. A concentração tende a ser baixa, e, por conseguinte, é pequena a probabilidade de efeitos sobre a criança. Assim, parece não haver atualmente nenhuma evidência concreta para recomendar a uma mulher que esteja amamentando que evite a medicação psicotrópica. No entanto, deve-se realçar que, se a mãe optar por amamentar enquanto estiver tomando medicamentos, a criança deverá ser observada para a detecção de sinais dos efeitos dos fármacos (AAP Committee on Drugs, 1982).

*Álcool* Pelo menos 5 em cada mil bebês nascidos nos Estados Unidos sofrem da **síndrome alcoólica fetal (SAF)**, uma combinação de retardo no crescimento, malformações da face e do corpo e transtornos do sistema nervoso central. Estima-se que a SAF e outras condições menos severas relacionadas ao álcool ocorram em quase 1 de cada cem nascimentos (Sokol, Delaney-Black, & Nordstrom, 2003).

A exposição ao álcool no período pré-natal é a causa mais comum de deficiência intelectual e a principal causa prevenível de malformações congênitas nos Estados Unidos (Sokol et al., 2003), além de ser fator de risco para o desenvolvimento de problemas de alcoolismo e de outros transtornos relacionados com o álcool entre adultos jovens (Alati et al., 2006; Baer, Sampson, Barr, Connor, & Streissguth, 2003).

Quanto mais a mãe bebe, maiores são os efeitos. O consumo moderado ou excessivo durante a gravidez parece perturbar o funcionamento neurológico e comportamental do bebê, e isso pode afetar as primeiras interações sociais com a mãe, que são vitais para o desenvolvimento afetivo (Hannigan & Armant, 2000; Nugent, Lester, Greene, Wieczorek-Deering, & Mahony, 1996). Mulheres que bebem muito e continuam bebendo depois que ficam grávidas provavelmente terão bebês com o crânio e o desenvolvimento do cérebro reduzidos quando comparados a bebês de mulheres que não bebem ou gestantes que param de beber (Handmaker et al., 2006).

Os problemas relacionados à SAF podem incluir, na primeira infância, reduzida capacidade de resposta a estímulos, tempo de reação lento e diminuição da acuidade visual (nitidez da visão) (Carter et al., 2005; Sokol et al., 2003) e, durante toda a infância, déficit de atenção, distração, agitação, hiperatividade, transtornos de aprendizagem, déficit de memória e transtornos do humor (Sokol et al., 2003), bem como agressividade e problemas de comportamento (Sood et al., 2001). Alguns problemas relacionados à SAF desaparecem após o nascimento; outros, porém, como a deficiência intelectual, problemas comportamentais e de aprendizagem e a hiperatividade, tendem a persistir. Enriquecer a educação ou o ambiente geral dessas crianças nem sempre contribui significativamente com seu desenvolvimento cognitivo (Kerns, Don, Mateer, & Streissguth, 1997; Spohr, Willms, & Steinhausen, 1993; Streissguth et al., 1991; Strömland & Hellström, 1996), mas intervenções recentes direcionadas às habilidades cognitivas de crianças com SAF vêm se mostrando promissoras (Paley & O'Connor, 2011). As crianças com SAF podem ter menor probabilidade de desenvolver problemas comportamentais e de saúde mental se forem diagnosticadas logo no início e forem criadas em ambientes estáveis, onde elas recebam os cuidados necessários (Streissguth et al., 2004).

As mães que amamentam devem evitar bebidas alcoólicas porque está provado que o álcool se concentra no leite materno, e seu consumo pode inibir a produção de leite. Um pouco de bebida alcoólica ocasionalmente é aceitável, mas a amamentação deve ser evitada até duas horas após ter bebido (Anderson, 1995).

*Nicotina* O tabagismo materno durante a gravidez tem sido identificado como o fator mais importante para nascimento de baixo peso em países desenvolvidos (DiFranza, Aligne, & Weitzman, 2004). Mulheres norte-americanas que fumam durante a gravidez têm 1,5 vez mais probabilidade de ter bebês de baixo peso (pesando menos de 2,5 quilos) do que as não fumantes. Mesmo o tabagismo moderado (menos de cinco cigarros por dia) está associado a maior risco de baixo peso ao nascer (Hoyert, Mathews, Menacker, Strobino, & Guyer, 2006; Martin et al., 2007; Shankaran et al., 2004).

O uso do tabaco durante a gravidez também aumenta o risco de aborto espontâneo, atraso no crescimento, parto de natimorto, cabeça com circunferência pequena, morte súbita do lactente, cólica na primeira infância (choro incontrolável e prolongado, sem razão aparente), transtorno hipercinético (movimento excessivo) e problemas respiratórios, neurológicos, cognitivos de atenção e comportamentais de longo prazo (AAP Committee on Substance Abuse, 2001; DiFranza et al., 2004; Hoyert, Mathews, et al., 2006; Linnet et al., 2005; Martin et al., 2007; Pendlebury et al., 2008; Shah, Sullivan, & Carter, 2006; Shankaran et al., 2004; Smith et al., 2006; Sondergaard, Henriksen, Obel, & Wisborg, 2001). Os efeitos da exposição pré-natal passiva à nicotina no desenvolvimento cognitivo tendem a ser piores quando a criança também vivencia dificuldades socioeconômicas, como habitação precária, desnutrição e vestuário inadequado durante os dois primeiros anos de vida (Rauh et al., 2004).

**síndrome alcoólica fetal (SAF)**
Combinação de anomalias mentais, motoras e do desenvolvimento que afeta os filhos de algumas mulheres que bebem muito durante a gravidez.

**Qual a sua opinião?**

O Roacutan é muito usado para casos agudos de acne, embora tenha várias outras aplicações, inclusive o tratamento de alguns tipos de câncer. No entanto, esse medicamento é altamente teratogênico e pode causar uma variedade de malformações congênitas graves, entre as quais deficiência intelectual, anormalidades faciais e auditivas e problemas de visão. Deve ser permitida a utilização desse medicamento por mulheres em idade fértil? Que precauções devem ser exigidas?

Como seria antiético conduzir o tipo de pesquisa experimental randomizada que responderia a pergunta, não podemos determinar quais são os níveis "seguros" de bebida.

*Mulheres que bebem e fumam durante a gravidez estão assumindo graves riscos em relação à saúde futura de suas crianças.*

> Outra maneira de dizer isso é que muitos dos efeitos da exposição pré-natal à cocaína são consequências indiretas, e não diretas. É semelhante ao fato de a adição materna à heroína estar relacionada a um maior risco de ser HIV positivo. Não que a heroína diretamente cause infecção por HIV, mas está relacionada a questões de estilo de vida que podem causar a infecção.

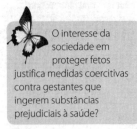

> O interesse da sociedade em proteger fetos justifica medidas coercitivas contra gestantes que ingerem substâncias prejudiciais à saúde?

**síndrome da imunodeficiência adquirida (aids)**
Doença viral que enfraquece o funcionamento eficaz do sistema imunológico.

***Cafeína*** A cafeína que a gestante ingere no café, no chá, nos refrigerantes à base de cola ou no chocolate pode causar problemas para o feto? Na maior parte das vezes, os resultados foram mistos. Parece claro que a cafeína *não* é uma substância teratogênica para bebês humanos (Christian & Brent, 2001).

Um estudo controlado com 1.205 mães e seus recém-nascidos não identificou nenhum caso de criança com baixo peso ao nascer, nascimento prematuro ou retardo do crescimento fetal devido ao uso da cafeína (Santos, Victora, Huttly, & Carvalhal, 1998).

Em contrapartida, em um estudo controlado com 1.063 gestantes, aquelas que consumiam pelo menos duas xícaras de café comum ou cinco de refrigerante cafeinado diariamente tiveram um risco duas vezes maior de aborto espontâneo do que aquelas que não consumiram cafeína (Weng, Odouli, & Li, 2008).

Quatro ou mais xícaras de café por dia durante a gravidez podem aumentar consideravelmente o risco de morte súbita na primeira infância (Ford et al., 1998).

***Cannabis, cocaína e metanfetamina*** Estudos sobre o uso de maconha entre mulheres grávidas são escassos, e os resultados são inconsistentes. Algumas evidências, entretanto, indicam que o uso excessivo de maconha pode resultar em malformações congênitas, baixo peso e sintomas parecidos com a abstinência (choro e tremores excessivos), no nascimento, e maior risco de transtornos de atenção e de problemas de aprendizagem no futuro (March of Dimes Birth Defects Foundation, 2004b). Em dois estudos longitudinais, o uso pré-natal da maconha foi associado a dificuldade de atenção, impulsividade e dificuldade no uso de habilidades visuais e perceptuais após os 3 anos, o que indica que a droga pode afetar o funcionamento dos lobos centrais do cérebro (Fried & Smith, 2001).

O uso de cocaína durante a gravidez tem sido associado a aborto espontâneo, retardo no crescimento, parto prematuro, baixo peso ao nascer, cabeça pequena, malformações congênitas, desenvolvimento neurológico deficiente e déficits cognitivos leves na pré-adolescência (Bennett, Bendersky, & Lewis, 2008; Bunikowski et al., 1998; Chiriboga, Brust, Bateman, & Hauser, 1999; Macmillan et al., 2001; March of Dimes Birth Defects Foundation, 2004a; Scher, Richardson, & Day, 2000; Shankaran et al., 2004). Em alguns estudos, recém-nascidos expostos à cocaína demonstraram síndrome de abstinência aguda e perturbações do sono (O'Brien & Jeffery, 2002). Em estudo mais recente, uma alta exposição pré-natal à cocaína foi associada a problemas comportamentais na infância, independentemente dos efeitos da exposição ao álcool e ao tabaco (Bada et al., 2007). A preocupação com os "bebês do *crack*" tem sido tão grande que alguns Estados norte-americanos têm movido processos criminais contra gestantes suspeitas de usar drogas (Box 4.2).

Outros estudos, porém, não constataram nenhuma ligação específica entre exposição pré-natal à cocaína e déficits físicos, motores, cognitivos, afetivos ou comportamentais que não possam também ser atribuídos a outros fatores de risco, como baixo peso ao nascer; exposição a tabaco, álcool ou maconha; ou a um ambiente doméstico empobrecido (Frank, Augustyn, Knight, Pell, & Zucherman, 2001; Messinger et al., 2004; Singer et al., 2004). Muitos dos efeitos associados com a exposição pré-natal à cocaína podem ser devidos aos efeitos indiretos mencionados, em vez de efeitos resultantes diretamente da própria droga.

O uso de metanfetamina entre gestantes é de interesse cada vez maior nos Estados Unidos. Em um estudo com 1.618 bebês, constatou-se que 84 haviam sido expostos à metanfetamina. Bebês expostos à metanfetamina tinham maior propensão a apresentar baixo peso e ser pequenos para sua idade gestacional do que o restante da amostra. Essa constatação sugere que a exposição pré-natal à metanfetamina está associada a uso de restrição do crescimento fetal (Smith et al., 2006).

Tratamentos para uso de álcool, nicotina e outras substâncias de abuso, quando realizados logo no começo da gestação, podem melhorar muito as condições de saúde. Entre 2.073 mulheres inscritas em um programa de assistência para o começo do período pré-natal, os riscos de parto de natimorto, parto prematuro, baixo peso ao nascer e separação placental do útero não foram maiores do que para um grupo-controle de 46.553 mulheres sem qualquer evidência de envolvimento com substâncias de abuso, enquanto os riscos para 156 mulheres que abusavam de substâncias químicas eram drasticamente mais altos (Goler, Armstrong, Taillac, & Osejo, 2008).

**Doenças maternas** Tanto a futura mãe quanto o futuro pai deveriam prevenir-se contra todas as infecções – resfriados comuns, gripes, infecções no trato urinário e no canal vaginal, bem como as infecções sexualmente transmissíveis. Se a mãe contrair uma infecção, deverá tratá-la imediatamente.

A **síndrome da imunodeficiência adquirida (aids)** é uma doença causada pelo vírus da imunodeficiência humana (HIV), o qual debilita o funcionamento do sistema imunológico. Se a gestante tiver o vírus presente no sangue, poderá haver uma *transmissão perinatal*: o vírus poderá passar para a corrente sanguínea do feto por meio da placenta durante a gestação, no parto, ao nascer ou após o nascimento, por meio do leite materno.

O maior fator de risco para a transmissão perinatal do HIV é a mãe não saber que está infectada. Nos Estados Unidos, os casos pediátricos de aids vêm diminuindo regularmente desde 1992 em virtude dos testes de rotina e do tratamento de gestantes e bebês recém-nascidos, assim como dos avanços na prevenção, na detecção e no tratamento da infecção de HIV em bebês. O risco de transmissão também pode ser reduzido optando-se pela cesariana, especialmente quando a mulher não se submeteu à terapia antirretroviral, e promovendo-se alternativas à amamentação natural entre mulheres de alto risco (CDC, 2006a).

A rubéola, quando contraída pela mulher antes da 11ª semana gestacional, provavelmente causará surdez e deficiências cardíacas no bebê. As chances de contrair rubéola durante a gravidez diminuíram bastante na Europa e nos Estados Unidos desde o final da década de 1960, quando foi desenvolvida uma vacina que agora é rotineiramente administrada aos bebês e às crianças. Esforços recentes feitos nos países menos desenvolvidos para fornecer vacinas contra a rubéola resultaram em uma diminuição superior a 80% entre os anos 2000 e 2009 dos casos notificados da doença (Reef, Strebel, Dabbagh, Gacic-Dobo, & Cochi, 2011).

Uma infecção chamada *toxoplasmose*, causada por um parasita alojado no corpo de bovinos, ovelhas e porcos e no trato intestinal de gatos, produz normalmente sintomas parecidos com os do resfriado comum ou mesmo nenhum sintoma. Em uma gestante, porém, sobretudo no segundo e no terceiro trimestres da gravidez, pode causar danos ao cérebro do feto, distúrbio visual grave ou cegueira, convulsões ou aborto espontâneo, parto de natimorto ou morte do bebê. Se ele sobreviver, poderá ter problemas mais tarde, entre os quais infecção nos olhos, perda de audição e distúrbios de aprendizagem. O tratamento com drogas antiparasitárias durante o primeiro ano de vida poderá reduzir os danos ao cérebro e aos olhos (McLeod et al., 2006). Para evitar a infecção, as gestantes não devem comer carne crua ou mal passada, devem lavar as mãos e toda a superfície onde a carne crua foi manuseada, descascar frutas e legumes crus ou lavá-los muito bem e não devem cavar terra de jardim onde fezes de gato podem estar enterradas. Mulheres que têm gato devem verificar se o animal tem a doença, não devem alimentá-lo com carne crua e, se possível, ter alguém para esvaziar a lixeira (March of Dimes Foundation, 2002).

Bebês de mães com diabetes são de 3 a 4 vezes mais propensos a desenvolver um amplo espectro de malformações congênitas do que bebês de outras mulheres (Correa e tal., 2008). Pesquisas feitas em ratos sugerem as razões: os altos níveis de glicose no sangue, característicos do diabetes, privam o embrião de oxigênio, ocasionando dano celular durante as primeiras oito semanas de gravidez, quando os órgãos estão em formação. Mulheres com diabetes precisam ter certeza de que os níveis de glicose de seu sangue estão sob controle *antes* de engravidar (Li, Chase, Jung, Smith, & Loeken, 2005). O uso de suplementos multivitamínicos durante os três meses que antecedem a concepção e nos três primeiros meses de gestação pode ajudar a reduzir o risco de malformações congênitas associadas ao diabetes (Correa, Botto, Liu, Mulinare, & Erickson, 2003).

**Ansiedade e estresse materno**   Alguma tensão e preocupação durante a gravidez é normal e não aumenta necessariamente os riscos de complicações no nascimento como, por exemplo, o baixo peso (Littleton, Breitkopf, & Berenson, 2006). A ansiedade materna moderada pode até estimular a organização do cérebro em desenvolvimento. Em uma série de estudos, crianças de 2 anos cujas mães tinham mostrado ansiedade moderada durante a gravidez pontuaram mais alto em medidas de desenvolvimento motor e mental do que outras da mesma idade cujas mães não haviam demonstrado ansiedade durante a gravidez (DiPietro, 2004; DiPietro, Novak, Costigan, Atella, & Reusing, 2006).

Em contrapartida, os relatos de ansiedade de mães durante a gravidez foram associados a falta de atenção durante a avaliação do desenvolvimento em bebês de 8 meses (Huizink, Robles de Medina, Mulder, Visser, & Buitelaar, 2002), bem como a emoções negativas em crianças na idade pré-escolar transtornos comportamentais na segunda infância (Martin, Noyes, Wisenbaker, & Huttunen, 2000; O'Connor, Heron, Golding, Beveridge, & Glover, 2002).

O estresse materno fora do comum durante a gravidez pode ter efeitos nocivos sobre o feto (Dingfelder de 2004; Huizink, Mulder, & Buitelaar, 2004). Em um estudo, gestantes cujos parceiros ou filhos morreram ou foram hospitalizados devido a infarto agudo do miocárdio ou câncer corriam risco elevado de dar à luz crianças com malformações, como lábio leporino, fenda palatina e malformações cardíacas (Hansen, Lou, & Olsen, 2000). Mesmo o estresse *antes* da concepção pode ter efeitos prejudiciais a longo prazo. Em um experimento, quando ratos fêmeas foram submetidas a situações de estresse imprevisíveis, como isolamento durante 24 horas, privação de alimentação e de água, exposição à luz constante, superpovoamento e choques elétricos durante sete dias antes de acasalar, suas proles adultas envolviam-se em menos interações sociais do que as proles do grupo-controle, e a prole feminina das mães com estresse era mais medrosa. Esses resultados sugerem que as crianças nascidas de mulheres que tenham sofrido anteriormente abuso físico, emocional ou sexual poderão ficar com cicatrizes permanentes (Shachar-Dadon, Schulkin, & Leshem, 2009).

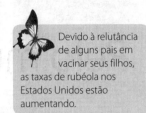

Devido à relutância de alguns pais em vacinar seus filhos, as taxas de rubéola nos Estados Unidos estão aumentando.

O veterinário poderá fazer um teste de sangue no seu gato para verificar a presença do parasita. Outra possibilidade é testar o seu próprio sangue para anticorpos da toxoplasmose. Se você foi previamente exposto, está livre de perigo.

# Pelo mundo

## O BEM-ESTAR DO FETO *VERSUS* OS DIREITOS DA MÃE

**4.2**

Um hospital da Carolina do Sul, nos Estados Unidos, testou regularmente a urina de gestantes suspeitas de consumir drogas ilícitas e entregou as provas à polícia. Foram presas 10 mulheres, algumas delas nos quartos do hospital, quase imediatamente após o nascimento da criança. Elas apelaram, alegando que os testes de urina constituíam uma busca inconstitucional sem consentimento (Greenhouse, 2000a). Em março de 2001, o Supremo Tribunal dos Estados Unidos invalidou a política de testes de drogas do hospital (Harris & Paltrow, 2003).

Outra mulher da Carolina do Sul que teve um natimorto foi condenada por homicídio depois de a autópsia revelar provas da existência de cocaína no corpo do bebê. A mulher foi condenada a 12 anos de prisão. O Supremo Tribunal da Carolina do Sul sustentou a condenação, e o Supremo Tribunal dos Estados Unidos indeferiu um apelo (Drug Policy Alliance, 2004).

Em ambos os casos, a questão foi o conflito entre a proteção do feto e o direito da mulher à privacidade ou de ser responsável pelo próprio corpo. É tentadora a ideia de exigir que uma gestante adote práticas que irão assegurar a saúde do seu bebê ou de a reprimir ou punir, caso não obedeça. Mas e a sua liberdade pessoal? Será legal anular direitos civis para proteger alguém que ainda não nasceu?

A discussão sobre o direito de optar pelo aborto, que está em um patamar semelhante, está longe de ser resolvida. O que a sociedade pode e deve fazer com uma mulher que, em vez de optar pelo aborto, continua a gravidez, mesmo adotando um comportamento prejudicial ao bebê, ou que se recusa a fazer testes ou tratamentos que os médicos considerem essenciais para o bem-estar dele?

### Ingestão de substâncias prejudiciais

A mulher tem o direito de ingerir conscientemente substâncias, como o álcool ou qualquer outra droga, que possam causar danos permanentes à criança que está para nascer?

Pelo menos 36 Estados norte-americanos aprovaram leis que criminalizam atos que causam a morte de crianças ainda não nascidas, e pelo menos 19 dessas leis aplicam-se aos primeiros estágios da gravidez (National Conference of State Legislatures, 2008). Além disso, a aprovação pelo Unborn Victims of Violence Act de 2004, em resposta ao assassinato de uma gestante que também tirou a vida de seu filho ainda não nascido, estabeleceu pela primeira vez o direito do feto à vida separada da mãe em casos federais (Reuters, 2004b).

Algumas das leis estaduais foram usadas para processar gestantes que consomem substâncias nocivas para seus fetos. Desde 1985, mais de 240 mulheres foram acusadas de crimes como o de colocar crianças em risco ou de abuso infantil, entregar drogas ilícitas a menores e cometer assassinato ou homicídio culposo (Harris & Paltrow, 2003). As punições podem incluir prisão e rescisão dos direitos dos pais (Reutter, 2005).

Os defensores dos direitos do feto argumentam que o uso de certas substâncias deve ser ilegal para as gestantes, apesar de ser legal para outros adultos. Os opositores afirmam que prender uma gestante é inviável e contraproducente e não reverte o dano já causado ao feto. Afirmam que as gestantes que têm problemas de alcoolismo ou de abuso de drogas precisam de educação e de tratamento, não de condenações (Drug Policy Alliance, 2004; Marwick, 1997, 1998; Reutter, 2005).

### Procedimentos médicos invasivos

Em janeiro de 2004, Melissa Ann Rowland, de Salt Lake City, nos Estados Unidos, foi acusada de assassinato de um dos seus gêmeos recém-nascidos, um natimorto. Rowland recusou, até ser tarde demais, a recomendação urgente dos médicos de que fizesse uma cesariana. O bebê que sobreviveu, uma menina, tinha cocaína e álcool no seu organismo e foi depois adotada. Rowland, que tinha problemas de saúde mental, confessou-se culpada por colocar a criança em risco, concordou em frequentar um programa de tratamento para dependentes de drogas e foi condenada a uma pena de 18 meses em liberdade condicional (Associated Press, 2004b; Johnson, 2004).

As mulheres devem ser forçadas a se submeterem a procedimentos invasivos que representam risco para elas, como o parto por cesariana ou as transfusões intrauterinas, quando os médicos alegarem que esses procedimentos são essenciais para dar à luz bebês saudáveis? Poderá uma mulher, que faz parte de uma seita fundamentalista que rejeita cuidados médicos modernos, ser mantida em custódia legal até dar à luz? Essas medidas têm sido reivindicadas para proteger os direitos do feto, mas os defensores dos direitos da mulher alegam que elas refletem uma visão das mulheres como meros veículos para gerar uma prole, e não como cidadãs que têm os seus próprios direitos (Greenhouse, 2000b). Da mesma forma, forçar uma gestante a submeter-se a procedimentos invasivos poderá comprometer o relacionamento médico-paciente. Se a recusa de respeitar as recomendações médicas pode levar a cirurgias forçadas, à prisão ou a processos criminais, algumas mulheres simplesmente passarão a evitar os médicos e, assim, acabarão privando seus fetos dos cuidados pré-natais necessários (Nelson & Marshall, 1998). Os tribunais têm sustentado que "nem os direitos do feto, nem os interesses do Estado em prol do feto superam os direitos das mulheres na tomada da decisão médica final" (Harris & Paltrow, 2003, p. 1698). Contudo, essa poderá não ser a última palavra no que se relaciona a situações em que o bem-estar dos fetos entra em conflito com os direitos das mulheres.

---

**Qual a sua opinião?**

O interesse da sociedade pela proteção das crianças por nascer justifica medidas obrigatórias contra as gestantes que ingerem substâncias perigosas ou que recusam o tratamento médico indicado?

a. As gestantes que se recusam a parar de beber ou a receber tratamento deveriam ser presas até dar à luz?

b. As mães que dão à luz várias crianças com SAF deveriam ser esterilizadas?

c. As indústrias de bebidas alcoólicas deveriam ser responsabilizadas por não inserirem nas embalagens dos seus produtos advertências adequadas sobre os perigos da ingestão de álcool durante a gravidez?

d. As suas respostas seriam as mesmas no que diz respeito ao tabaco ou ao consumo de cocaína ou de outras substâncias potencialmente nocivas?

**Idade materna** Em 30 de dezembro de 2006, em Barcelona, Espanha, Maria del Carmen Bousada tornou-se a mulher mais velha a dar à luz de que se tem registro. Ela engravidou após uma fertilização *in vitro* (FIV) e deu à luz gêmeos, por meio de uma cesariana, cerca de uma semana antes de seu 67º aniversário. Em agosto e novembro de 2008, duas mulheres indianas que diziam ter 70 anos, Omkari Panwar e Rajo Devi, aparentemente bateram aquele recorde, também dando à luz após FIV. No entanto, as idades dessas mulheres não puderam ser confirmadas porque elas não tinham certidão de nascimento.

As taxas de nascimento de mulheres norte-americanas que dão à luz na faixa dos 30 e dos 40 estão em seus níveis mais altos desde a década de 1960, em parte devido aos nascimentos múltiplos associados a tratamentos de fertilidade – um exemplo de influência regulada pela história. O número de nascimentos em mulheres no começo dos 40 anos mais do que dobrou entre 1990 e 2008, e o número de partos de mulheres com idades perto dos 50 quase quadruplicou (Fig. 4.4). Nascimentos em mulheres entre 50 e 54 anos aumentaram em média 15% a cada ano desde 1997 (Martin et al., 2009).

Embora a maior parte dos riscos à saúde dos bebês não seja muito maior do que para bebês nascidos de mães mais jovens, a chance de aborto espontâneo e parto de natimorto aumenta com a idade materna, atingindo 90% nas mulheres com 45 anos ou mais (Heffner, 2004). Mulheres entre 30 e 35 anos têm maior probabilidade de sofrer complicações devido a diabetes, pressão alta ou hemorragia grave e têm maior probabilidade de parto prematuro. Seus bebês têm maior probabilidade de sofrer retardo no crescimento fetal, malformações congênitas e anomalias cromossômicas, como a síndrome de Down. Entretanto, graças a melhores técnicas de acompanhamento pré-natal em gestantes mais velhas, nascem atualmente menos bebês com malformação (Berkowitz, Skovron, Lapinski, & Berkowitz, 1990; P. Brown, 1993; Cunningham & Leveno, 1995; Heffner, 2004).

Mães adolescentes também tendem a ter bebês prematuros ou com peso abaixo do normal (Fraser, Brockert, & Ward, 1995; Martin et al., 2007). Esses recém-nascidos correm maior risco de morte no primeiro mês, insuficiências ou problemas de saúde. A gravidez na adolescência é discutida no Capítulo 17.

**Ameaças ambientais externas** Poluição do ar, substâncias químicas, radiação, extremos de calor e umidade, bem como outras ameaças ambientais, podem afetar o desenvolvimento pré-natal. Gestantes que respiram regularmente ar que contém altos níveis de finas partículas relacionadas à combustão estão mais propensas a gerar bebês prematuros ou abaixo do tamanho normal (Parker, Woodruff, Basu, & Schoendorf, 2005) ou que tenham anormalidades cromossômicas (Bocskay et al., 2005). A exposição a altas concentrações de subprodutos de desinfetantes está associada a baixo peso ao nascer e retardo do crescimento fetal (Hinckley, Bachand, & Reif, 2005). Mulheres que trabalham com substâncias químicas utilizadas na manufatura de *chips* para semicondutores apresentam uma taxa de ocorrência de abortos espontâneos duas vezes maior que a de outras trabalhadoras (Markoff, 1992), e mulheres expostas ao DDT tendem a ter mais partos prematuros (Longnecker, Klebanoff, Zhou, & Brock, 2001). Dois inse-

Entre as décadas de 1920 e 1970, era comum ter nas sapatarias uma máquina de calçar sapatos que, mediante a ação de raios X, permitia aos clientes ver seus pés dentro do calçado. Agora que sabemos o quão prejudiciais são os raios X, tanto para adultos quanto para crianças, essas máquinas deixaram de ser utilizadas.

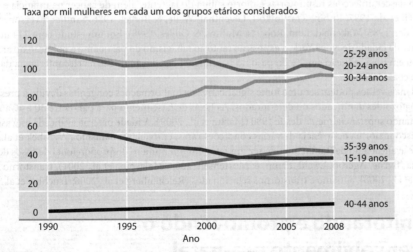

**FIGURA 4.4**
Taxa de primeiros nascimentos por idade da mãe.
*De 1970 a 2008, a proporção de primeiros nascimentos para mulheres de 35 anos ou mais aumentou quase oito vezes. Em 2008, em torno de 9,8 em mil primeiros nascimentos eram de mulheres entre 40 e 44 anos ou mais comparados com uma taxa de 3,8 em mil primeiros nascimentos em 1981.*

*Fonte*: CDC/NCHS. National Vital Statistics System

## 102 PARTE II • O começo

ticidas comuns, cloropirifós e diazinona, aparentemente causam interrupção do crescimento pré-natal (Whyatt et al., 2004). Uma pesquisa realizada no Reino Unido encontrou um aumento de 33% no risco de malformações congênitas não genéticas entre famílias que viviam a uma distância de 3 quilômetros de aterros sanitários (Vrijheld et al., 2002).

A exposição fetal a baixos níveis de toxinas ambientais, como chumbo, mercúrio e dioxina, e também nicotina e etanol, pode explicar o súbito aumento na ocorrência de asma, alergias e doenças autoimunes como o lúpus (Dietert, 2005). Em um estudo longitudinal de uma coorte de nascimentos de crianças em áreas de tráfego intenso em Manhattan e no Bronx, nos Estados Unidos, onde a prevalência da asma (mais de 25%) é das maiores no país, as crianças com exposição pré-natal aos hidrocarbonetos policíclicos aromáticos emitidos pela queima de combustíveis que contêm carbono tinham maior risco de desenvolver sintomas de asma por volta dos 5 anos de idade. Tanto a exposição materna a hidrocarbonetos quanto os sintomas de asma nas crianças estavam associados a mudanças epigenéticas no gene ACSL3, que afeta os pulmões (Perera et al., 2009). O câncer em crianças, inclusive a leucemia, tem sido associado à ingestão, por parte de gestantes, de água subterrânea contaminada por substâncias químicas (Boyles, 2002) e ao uso de pesticidas domésticos (Menegaux et al., 2006). Bebês expostos, no período pré-natal, mesmo a baixos níveis de chumbo, especialmente durante o terceiro trimestre, tendem a apresentar déficits de QI durante a infância (Schnaas et al., 2006).

Mulheres submetidas rotineiramente a raios X dentários durante a gravidez têm risco triplicado de terem bebês de gestação completa com baixo peso (Hujoel, Bollen, Noonan, & del Aguila, 2004). A exposição do útero a radiação entre a 8ª e a 15ª semanas após a fecundação tem sido associada a deficiência intelectual, cabeça pequena, anomalias cromossômicas, síndrome de Down, convulsões e baixo desempenho em testes de QI e na escola (Yamazaki & Schull, 1990).

## Fatores paternos

A exposição do homem a chumbo, maconha ou fumaça de tabaco, álcool ou radiação em grande quantidade, dietilestilbestrol (DES), pesticidas ou altos níveis de ozônio pode resultar em espermatozoides anormais ou de baixa qualidade (Sokol et al., 2006; Swan et al., 2003). A prole de trabalhadores do sexo masculino de uma usina britânica de processamento de material nuclear corria elevado risco de nascer morta (Parker, Pearce, Dickinson, Aitkin, & Craft, 1999). Bebês cujos pais foram submetidos a diagnóstico com raios X no intervalo de até um ano antes da concepção ou sofreram altos níveis de exposição ao chumbo no trabalho frequentemente apresentavam baixo peso ao nascer e crescimento fetal mais lento (Chen & Wang, 2006; Lin, Hwang, Marshall, & Marion, 1998; Shea, Little, & ALSPAC Study Team, 1997).

Homens que fumam têm maior probabilidade de transmitir anomalias genéticas (AAP Committee on Substance Abuse, 2001). A exposição passiva da gestante à fumaça do pai tem sido associada a baixo peso ao nascer, infecções respiratórias e morte súbita do lactente, além de câncer na infância e na vida adulta (Ji et al., 1997; Rubin, Krasilnikoff, Leventhal, Weile, & Berget, 1986; Sandler, Everson, Wilcox, & Browder, 1985; Wakefield, Reid, Roberts, Mullins, & Gillies, 1998). Em um estudo com 214 mães não fumantes da cidade de Nova York, a exposição tanto ao tabagismo do pai quanto à poluição do ar urbano resultou em uma redução em 7% do peso no nascimento e redução de 3% na circunferência da cabeça (Perera et al., 2004).

Pais mais velhos podem ser uma fonte significativa de malformações congênitas devido à presença de espermatozoides danificados ou deteriorados. As taxas de nascimento para pais entre 30 e 49 anos vêm aumentando substancialmente desde 1980 (Martin et al., 2009). A idade paterna avançada está associada a um risco maior na ocorrência de várias condições raras, entre elas o nanismo (Wyrobek et al., 2006). A idade avançada do pai também pode ser um fator em um número desproporcional de casos de esquizofrenia (Byrne, Agerbo, Ewald, Eaton, & Mortensen, 2003; Malaspina et al., 2001), transtorno bipolar (Frans et al., 2008), autismo e transtornos relacionados (Reichenberg et al., 2006; Tsuchiya et al., 2008).

# Monitorando e promovendo o desenvolvimento pré-natal

Até pouco tempo atrás, praticamente a única decisão que os pais tinham de tomar sobre seus bebês antes do nascimento era a de engravidar; a maior parte do que acontecia nos meses seguintes não estava sob seu controle. Atualmente, os cientistas desenvolveram uma série de ferramentas para avaliar o progresso e o bem-estar da futura criança.

---

**Verificador**
**você é capaz de...**

- Descrever os efeitos de curto e de longo prazo no desenvolvimento do feto de uma mãe que usa medicamentos e consome drogas durante a gravidez?
- Resumir os riscos de doenças e estresse maternos, gravidez tardia e exposição a produtos químicos e radiação?

---

**Verificador**
**você é capaz de...**

- Identificar diversas maneiras como as malformações causadas pelo ambiente podem ser influenciadas pelo pai?

---

Guia de estudo 3

Quais são as técnicas que podem avaliar a saúde e o bem-estar do feto e qual a importância da assistência pré-natal e antes da concepção?

Progressos vêm ocorrendo no uso de procedimentos não invasivos, como o ultrassom e os exames de sangue, para detectar anormalidades cromossômicas. Os exames são mais eficazes se forem iniciados durante o primeiro trimestre (Simpson, 2005). Em um estudo, uma combinação de três testes não invasivos conduzidos na 11ª semana de gestação previu a presença de síndrome de Down com 87% de precisão. Quando os testes da 11ª semana foram seguidos por outros testes não invasivos no começo do segundo trimestre, a precisão chegou a 96% (Malone et al., 2005). As amostras de amniocentese e vilosidades coriônicas, que fornecem prova definitiva da existência de problemas genéticos, que podem ser usadas em fase anterior da gestação, apresentam risco de aborto espontâneo apenas ligeiramente maior que o desses procedimentos não invasivos (Caughey, Hopkins, & Norton, 2006; Eddleman et al., 2006). A embrioscopia pode ajudar no diagnóstico de doenças não cromossômicas, e a análise do cordão umbilical permite acesso direto ao DNA fetal para efeitos de diagnóstico. Veja o Quadro 4.3 para um resumo das técnicas de avaliação.

O rastreamento genético de malformações e doenças é apenas uma das razões para uma assistência pré-natal logo no início da gestação. Cuidados pré-natais de alta qualidade, quando disponíveis logo no início, e que incluem serviços educacionais, sociais e nutricionais, podem ajudar a evitar a morte da mãe ou do bebê, bem como outras complicações no parto. Também podem fornecer, para aquelas que serão mães pela primeira vez, informações sobre a gravidez, o parto e o cuidado infantil. Mulheres pobres que obtêm assistência pré-natal se beneficiam ao entrar em contato com outros serviços necessários e têm maior probabilidade de receber assistência médica para seus bebês após o nascimento (Shiono & Behrman, 1995).

## Disparidades na assistência pré-natal

Nos países em desenvolvimento, 1 em cada 4 gestantes não recebe qualquer cuidado pré-natal, e mais de 4 em cada 10 dão à luz sem assistência especializada. Esses fatos podem ajudar a explicar por que quase 40% das mortes de crianças com menos de 5 anos de idade ocorrem durante as primeiras 4 semanas de vida por complicações relacionadas ao nascimento (UNICEF, 2007).

Nos Estados Unidos, a assistência pré-natal é amplamente disseminada, mas não é universal, como em muitos países europeus, faltando padronizações nacionais e garantia de suporte financeiro. O uso da assistência pré-natal (durante os três primeiros meses da gravidez) teve um pequeno aumento entre 1990 e 2003, mas depois atingiu o ponto máximo e apresentou um ligeiro declínio em 2006, possivelmente devido a mudanças nas políticas de bem-estar e do Medicaid.* Nos 32 Estados norte-americanos que utilizam os padrões de relatórios que estavam em vigor em 1988, 3,6% das mães não receberam assistência pré-natal em 2006 ou só a iniciaram no terceiro trimestre de gravidez. As taxas de utilização eram mais baixas (7,9% sem ou com assistência pré-natal tardia) nos 18 Estados em que foram adotadas definições revistas dos cuidados pré-natais desde 2003. No entanto, a maior parte da diferença pode ser atribuída a mudanças na comunicação, e não a mudanças reais na utilização dos cuidados pré-natais (Martin et al., 2009).

Entretanto, as taxas de baixo peso ao nascer e de parto prematuro continuam a subir (ver Cap. 5). Por quê? Uma das respostas é o número crescente de nascimentos múltiplos, que geralmente são nascimentos prematuros com maior risco de morte no primeiro ano. No entanto, as taxas de parto prematuro e de baixo peso ao nascer também aumentaram nos nascimentos individuais (Martin et al., 2009).

Uma segunda resposta é que os benefícios da assistência pré-natal não estão distribuídos igualmente. Embora tenha crescido o uso da assistência pré-natal, principalmente entre os grupos étnicos que normalmente tendem a não receber esse tipo de assistência logo no início da gestação, as mulheres com maior risco de gerar bebês abaixo do peso normal – adolescentes e mulheres solteiras, de baixo nível de instrução e pertencentes a grupos minoritários – ainda são aquelas com menor probabilidade de receber esse benefício (Martin, Hamilton et al., 2006; National Center for Health Statistics [NCHS], 2005; US-DHHS, 1996a). Em 2006, assim como em anos anteriores, mulheres negras não hispânicas e mulheres hispânicas tinham uma probabilidade duas vezes maior do que mulheres brancas não hispânicas de receber assistência tardia ou nenhuma assistência (Martin et al.; 2009).

Outra preocupação é quanto à disparidade étnica na mortalidade fetal e no pós-nascimento. Depois de controlar fatores de risco como nível socioeconômico (NSE), excesso de peso, tabagismo, hipertensão e diabetes, as chances de morte perinatal (morte entre a 20ª semana de gestação e a primeira semana após o nascimento) continuam 3,4 vezes maiores para mulheres negras, 1,5 para hispânicas e 1,9 para outros grupos minoritários em relação a mulheres brancas (Healy et al., 2006).

**Qual a sua opinião?**

Você consegue sugerir maneiras de levar mais gestantes a buscar assistência pré-natal precoce ou cuidados antes da concepção?

---

*N. de T.: Medicaid é um programa de saúde social dos Estados Unidos para famílias e indivíduos de baixa renda e recursos limitados.

# QUADRO 4.3 Técnicas de avaliação pré-natal

| Técnica | Descrição | Usos e vantagens | Riscos e observações |
|---|---|---|---|
| Ultrassom (sonograma), sonoembriologia | Ondas sonoras de alta frequência dirigidas ao abdome da mãe produzem uma imagem do feto no útero. A sonoembriologia utiliza sondas transvaginais de alta frequência para gerar uma imagem do embrião no útero. | Monitorar crescimento, movimento, posição e forma do feto; avaliar o volume do líquido amniótico; avaliar a idade gestacional; detectar gravidez múltipla.<br><br>Detectar as principais anomalias estruturais ou a morte de um feto.<br><br>Orientar amostra de amniocentese e de vilosidades coriônicas.<br><br>Auxiliar no diagnóstico de transtornos ligados ao sexo.<br><br>A sonoembriologia pode detectar malformações incomuns durante o período embrionário. | Sem riscos conhecidos; feito rotineiramente em muitos lugares.<br><br>Pode ser usado para detectar o sexo de futuros bebês. |
| Embrioscopia, fetoscopia | Uma pequena câmera é inserida no abdome da mulher para mostrar imagens do embrião ou do feto. | Pode orientar transfusões do sangue fetal e transplantes de medula óssea.<br><br>Pode auxiliar no diagnóstico de distúrbios genéticos não cromossômicos. | A embrioscopia ainda está em fase de pesquisas.<br><br>É mais arriscada do que outros procedimentos diagnósticos pré-natais. |
| Amniocentese | Amostra de líquido amniótico é retirada e analisada sob orientação do ultrassom.<br><br>Procedimento mais comum para obter células fetais para teste. | Pode detectar transtornos cromossômicos e certas malformações genéticas ou multifatoriais; mais de 99% de precisão.<br><br>Frequentemente é feita em mulheres de 35 anos ou mais; recomendada quando os futuros pais têm doença de Tay-Sachs a anemia falciforme ou têm história familiar de síndrome de Down, espinha bífida ou distrofia muscular.<br><br>Pode auxiliar no diagnóstico de transtornos ligados ao sexo. | Normalmente não é realizada antes da 15ª semana de gestação.<br><br>Os resultados geralmente demoram de 1 a 2 semanas.<br><br>Pequeno risco (entre 0,5 e 1%) adicional de perda do feto ou danos; feita entre a 11ª e a 13ª semanas, a amniocentese é mais arriscada e não é recomendada.<br><br>Pode ser usada para detectar o sexo do futuro bebê. |
| Amostra das vilosidades coriônicas (AVC) | Tecidos ciliares das vilosidades coriônicas (projeções da membrana em torno do feto) são removidos da placenta e analisados. | Diagnóstico precoce de malformações e transtornos congênitos.<br><br>Podem ser retiradas entre a 10ª e a 12ª semanas de gestação; produz resultados altamente precisos em uma semana. | Não deve ser feita antes da 10ª semana de gestação.<br><br>Alguns estudos indicam que é de 1 a 4% mais arriscada para perda fetal do que a amniocentese. |
| Diagnóstico genético de pré-implantação | Após a fertilização in vitro, uma célula de amostra é removida do blastocisto e analisada. | Pode evitar a transmissão de malformações ou predisposições genéticas que se propagam na família; um blastocisto defeituoso não é implantado no útero.<br><br>Pode-se testar mais de cem doenças e examinar o embrião defeituoso que poderia ser abortado. Frequentemente utilizado com fertilização in vitro. | Não há riscos conhecidos. |
| Amostra do cordão umbilical (cordocentese ou amostra do sangue fetal) | Uma agulha guiada por ultrassom é inserida nos vasos sanguíneos do cordão umbilical. | Permite acesso direto ao DNA fetal para medidas de diagnóstico, inclusive avaliação de distúrbios sanguíneos e infecções, e medidas terapêuticas como transfusões de sangue. | Perda do feto ou aborto espontâneo de 1 a 2% dos casos; aumenta o risco de sangramento do cordão umbilical e sofrimento do feto. |
| Teste do sangue materno | Uma amostra de sangue da futura mãe é testada para alfa fetoproteína (AFP), gonadotrofina coriônica humana (hCG) e estriol. | Pode indicar malformações na formação do cérebro ou da medula espinal (anencefalia ou espinha bífida); também pode prever a síndrome de Down e outras anomalias.<br><br>Permite monitorar gestações com risco de baixo peso ao nascer ou parto de natimorto. | Não há risco conhecido, mas falsos negativos são possíveis.<br><br>Ultrassom e/ou amniocentese necessários para confirmar condições suspeitas. |

*Fonte:* Chodirker et al., 2001; Cicero, Curcio, Papageorghiou, Sonek, & Nicolaides, 2001; Cunniff & Committee on Genetics, 2004; Kurjak, Kupesic, Matijevic, Kos, & Marton, 1999; Tarkan, 2005; Verlinsky et al., 2002.

## A necessidade de assistência no período de pré-concepção

Uma resposta mais fundamental é que mesmo a assistência pré-natal logo no início da gestação é insuficiente. A assistência deveria começar *antes* da gravidez para identificar riscos que podem ser evitados. Os Centers for Disease Control and Prevention ([CDC], 2006c) publicaram diretrizes abrangentes, baseadas em pesquisas, para *assistência na pré-concepção* dirigida a todas as mulheres em idade de gerar filhos. Tal assistência deve incluir:

- *Exames físicos* e a consideração de históricos médicos e familiares
- *Vacinação* para rubéola e hepatite B
- *Rastreamento de risco* para doenças genéticas e infecciosas, como as ISTs
- *Aconselhamento* de mulheres para evitar o tabagismo e o alcoolismo, manter um peso corpóreo saudável e ingerir suplementos de ácido fólico

Deve haver intervenção no caso de indícios de risco e também em gestações de mulheres que tiveram problemas com a gravidez no passado. O CDC (2006c) recomenda que todos os adultos tenham um plano de vida para a reprodução, de modo a focalizar a atenção na saúde reprodutiva, evitar a gravidez indesejada e melhorar a qualidade da gestação. O CDC também exige um seguro-saúde ampliado para mulheres de baixa renda, garantindo, assim, o acesso à assistência preventiva.

Uma boa assistência para a pré-concepção e no pré-natal poderá dar a todas as crianças a melhor chance possível de chegar ao mundo em boas condições para enfrentar os desafios da vida fora do útero – desafios que discutiremos nos próximos três capítulos.

> **Verificador**
> **você é capaz de...**
>
> - Descrever sete técnicas para identificar malformações ou distúrbios no período pré--natal?
> - Discutir possíveis razões para as disparidades na assistência pré-natal?
> - Dizer por que a assistência pré-natal é importante e por que a assistência na pré-concepção é necessária?

# resumo & palavras-chave

### ❶ Desenvolvimento pré-natal: três etapas

***Quais são as três etapas do desenvolvimento pré-natal e o que acontece durante cada uma delas?***

- O desenvolvimento pré-natal ocorre em três períodos da gestação: o germinal, o embrionário e o fetal.
- O crescimento e o desenvolvimento, tanto antes quanto depois do nascimento, seguem os princípios cefalocaudal (da cabeça para a cauda) e próximo-distal (do centro do corpo para fora).
- Uma em cada duas concepções termina em aborto espontâneo, normalmente no primeiro trimestre de gravidez.
- À medida que os fetos crescem, eles se movimentam menos, porém com mais vigor. Ao engolir o líquido amniótico, que contém substâncias do corpo materno, o paladar e o olfato são estimulados. Os fetos parecem ser capazes de ouvir, exercitar a discriminação sensorial, aprender e lembrar.
  **gestação (86)**
  **idade gestacional (86)**
  **princípio cefalocaudal (86)**
  **princípio próximo-distal (86)**
  **período germinal (87)**
  **implantação (86)**
  **período embrionário (90)**
  **aborto espontâneo (90)**
  **período fetal (91)**
  **ultrassom (91)**

### ❷ Desenvolvimento pré-natal: influências ambientais

***Quais são as influências ambientais que podem afetar o desenvolvimento pré-natal?***

- O organismo em desenvolvimento pode ser muito afetado por um ambiente pré-natal. A probabilidade de uma malformação congênita pode depender do momento e da intensidade de um evento ambiental e de sua interação com fatores genéticos.

- Influências ambientais importantes que envolvem a mãe incluem nutrição, tabagismo, ingestão de álcool ou outras drogas, transmissão de doenças ou infecções maternas, estresse, ansiedade ou depressão materna, idade materna e atividade física e ameaças ambientais externas, como substâncias químicas e radiação. As influências externas e a idade do pai podem afetar seus espermatozoides.
  **teratógeno (94)**
  **síndrome alcoólica fetal (SAF) (97)**
  **síndrome da imunodeficiência adquirida (aids) (98)**

### ❸ Monitorando e promovendo o desenvolvimento pré-natal

***Quais são as técnicas que podem avaliar a saúde e o bem--estar do feto e qual a importância da assistência pré-natal e antes da concepção?***

- Ultrassom, amniocentese, amostra das vilosidades coriônicas, fetoscopia, diagnóstico genético de pré-implantação, amostra do cordão umbilical e testes de sangue materno podem ser utilizados para determinar se o futuro bebê está se desenvolvendo normalmente.
- A assistência pré-natal de alta qualidade logo no início da gestão é essencial para o desenvolvimento saudável. Pode detectar malformações e distúrbios e ajuda a reduzir o baixo peso ao nascer e outras complicações do nascimento.
- Disparidades raciais/étnicas na assistência pré-natal podem ser um dos fatores das disparidades em baixo peso ao nascer e morte perinatal.
- A assistência na pré-concepção para todas as mulheres em idade de gestação reduziria o número de gestações indesejadas e aumentaria as chances de uma gravidez de boa qualidade.

# Capítulo 5

## Sumário

Nascimento e cultura: mudanças no nascimento

O processo de nascimento

O recém-nascido

Complicações do parto – e suas consequências

Os recém-nascidos e os pais

## Você sabia que...

▶ As taxas de cesarianas nos Estados Unidos estão entre as mais altas do mundo, em torno de 32% de todos os nascimentos?

▶ Em algumas culturas, os bebês não têm horários regulares de sono e adormecem naturalmente à hora que quiserem?

▶ É mais provável ocorrer problemas nos partos dos meninos do que nos partos das meninas?

*Neste capítulo, descrevemos como os bebês vêm ao mundo, como é sua aparência e como funciona seu sistema corporal. Discutimos técnicas utilizadas para avaliar a saúde neonatal e formas de complicações no nascimento que podem afetar o desenvolvimento. Vemos também como o nascimento de um bebê afeta as pessoas mais importantes para o bem-estar da criança: os pais.*

# O nascimento e o recém-nascido

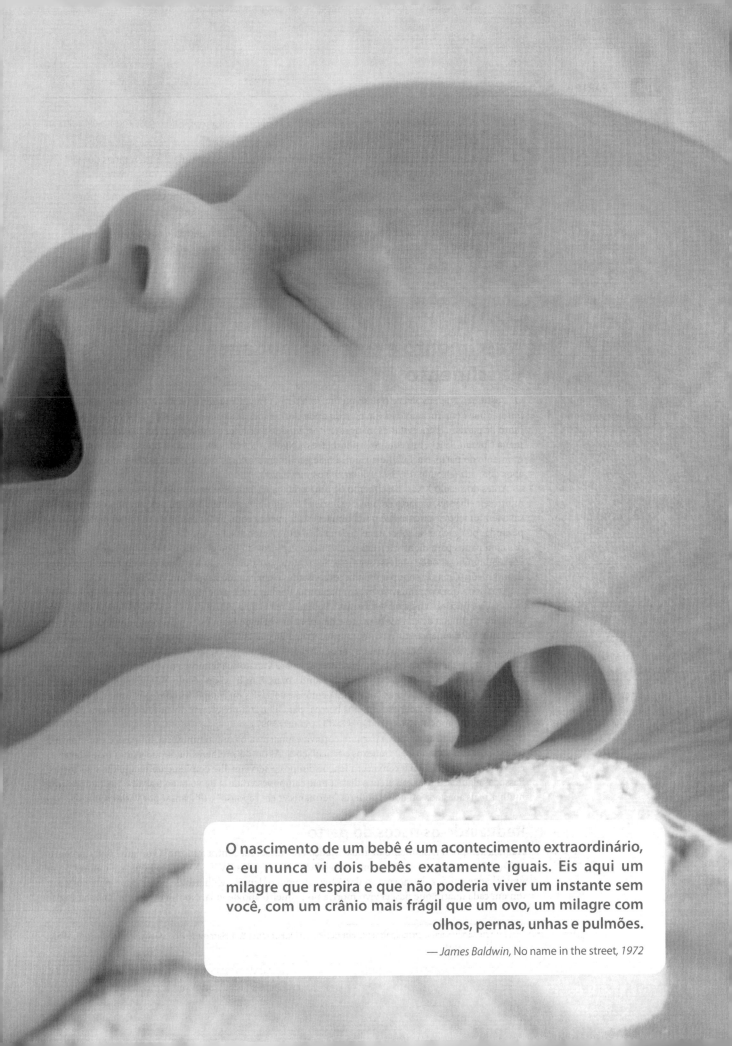

> O nascimento de um bebê é um acontecimento extraordinário, e eu nunca vi dois bebês exatamente iguais. Eis aqui um milagre que respira e que não poderia viver um instante sem você, com um crânio mais frágil que um ovo, um milagre com olhos, pernas, unhas e pulmões.
>
> — *James Baldwin,* No name in the street, *1972*

# Guia de estudo

1. Como os costumes referentes ao nascimento refletem a cultura e como o nascimento evoluiu em países desenvolvidos?
2. Como se inicia o trabalho de parto, o que acontece durante cada uma das três etapas do nascimento e quais são os métodos alternativos disponíveis?
3. Como o recém-nascido se ajusta à vida fora do útero e como podemos saber se um bebê é saudável e se está se desenvolvendo normalmente?
4. Quais são as complicações do nascimento que podem pôr em perigo a vida de um recém-nascido e quais são as perspectivas para bebês com essas complicações?
5. Como os pais criam vínculos com o bebê e cuidam dele?

## Guia de estudo 1

Como os costumes referentes ao nascimento refletem a cultura e como o nascimento evoluiu em países desenvolvidos?

*O Livro Guinness dos Recordes Mundiais* registra que o maior número de nascimentos de uma única mulher pertence a uma russa que, de 1725 a 1765, deu à luz 16 vezes gêmeos, 7 vezes trigêmeos e 4 vezes quadrigêmeos ao longo de 29 gestações.

## Nascimento e cultura: mudanças no nascimento*

Os costumes que envolvem o nascimento refletem crenças, valores e recursos de uma cultura. Uma mulher maia em Yucatán dá à luz na rede onde dorme todas as noites; o futuro pai deve estar presente, junto da parteira. Para evitar os maus espíritos, a mãe e a criança permanecem em casa durante uma semana (Jordan, 1993). Em contrapartida, entre os Ngoni, na África Oriental, os homens são excluídos do momento do parto. Na Tailândia rural, a mãe geralmente volta às suas atividades normais poucas horas após dar à luz (Broude, 1995; Gardiner & Kosmitzki, 2005).

Antes do século XX, o nascimento de uma criança na Europa e nos Estados Unidos seguia padrões muito semelhantes. O parto era um ritual social feminino. A mulher, cercada por parentes e vizinhos do sexo feminino, ficava sentada em sua cama, vestida apenas com um lençol; se ela quisesse, podia ficar de pé, andar ou agachar-se sobre uma "cadeira de parto". As fendas das paredes, portas e janelas eram vedadas com panos para manter a friagem e os maus espíritos do lado de fora. O futuro pai não podia estar em nenhum lugar onde pudesse ser visto. Somente a partir do século XV tornou-se costume a presença de um médico, mas apenas para mulheres abastadas e em caso de haver complicações.

A parteira que comandava o evento não tinha nenhum treinamento formal; ela oferecia "conselhos, massagens, poções, irrigações e talismãs". Pomadas feitas de gordura de víbora, bile de enguia, casco de asno em pó, língua de camaleão ou pele de cobra ou de lebre eram esfregadas no abdome da mãe para diminuir a dor ou apressar o parto, mas "os gritos da gestante durante o parto eram considerados tão naturais quanto os do bebê ao nascer" (Fontanel & d'Harcourt, 1997, p. 28).

Em virtude da falta de conhecimento preciso sobre a anatomia feminina e o processo do nascimento, o auxílio das parteiras às vezes prejudicava ainda mais. Um livro do século XVI instruía as parteiras a esticar e dilatar as membranas das partes genitais e cortá-las ou rompê-las com suas unhas, a encorajar a paciente a subir e descer escadas aos berros, para ajudar a pressionar o ventre e expulsar a placenta imediatamente após o parto (Fontanel & d'Harcourt, 1997).

Depois que o bebê nascia, a parteira cortava e amarrava o cordão umbilical, limpava e examinava o recém-nascido, testando seus reflexos e articulações. As outras mulheres ajudavam a nova mãe a lavar-se e a vestir-se, arrumavam a cama com lençóis limpos e serviam-lhe comida para recuperar suas forças. Passadas algumas horas, ou alguns dias, a mãe camponesa estaria de volta ao trabalho no campo; uma mulher mais abastada ou nobre poderia "permanecer em repouso" e descansar por várias semanas.

### Reduzindo os riscos do parto

Naquele tempo, o nascimento de uma criança era "uma luta contra a morte" (Fontanel & d'Harcourt, 1997, p. 34), tanto para a mãe quanto para o bebê. Nos séculos XVII e XVIII, na França, a mulher tinha uma chance em dez de morrer ao dar à luz, ou pouco depois. Milhares de bebês eram natimortos, e um em cada quatro que nascia vivo morria no primeiro ano de vida. No fim do século XIX, na Ingla-

---
*Esta discussão baseia-se principalmente em Eccles, 1982; Fontanel & d'Harcourt, 1997; Gélis, 1991; Scholten, 1985.

terra e no País de Gales, a probabilidade de uma gestante morrer durante o parto era quase 50 vezes maior do que a de uma mulher que dá à luz nos dias atuais (Saunders, 1997).

Quase nada disso mudou em certos países em desenvolvimento da África Subsaariana e no Sul da Ásia. Ali, a cada ano, 60 milhões de mulheres dão à luz em casa, sem o benefício de uma assistência habilitada, e até recentemente mais de 500 mil mulheres e 4 milhões de recém-nascidos morrem durante o nascimento ou logo depois (Sines, Syed, Wall, & Worley, 2007).

Após a virada do século XX, o ato de nascer começou a ser profissionalizado nos Estados Unidos, pelo menos nas áreas urbanas. O uso crescente de maternidades resultou em condições de maior segurança e assepsia. Isso serviu para reduzir a taxa de mortalidade das mulheres, e assim cresceu o novo campo da obstetrícia. Em 1900, apenas 5% dos partos nos Estados Unidos ocorriam em hospitais; em 1920, em algumas cidades, 65% já eram feitos em hospitais (Scholten, 1985). Uma tendência semelhante teve lugar na Europa. Mais recentemente, nos Estados Unidos, 99% dos bebês nascem em hospitais, e 91,5% dos nascimentos são atendidos por médicos. Quase 8% são atendidos por parteiras, geralmente enfermeiras obstetras certificadas (Martin et al., 2009).

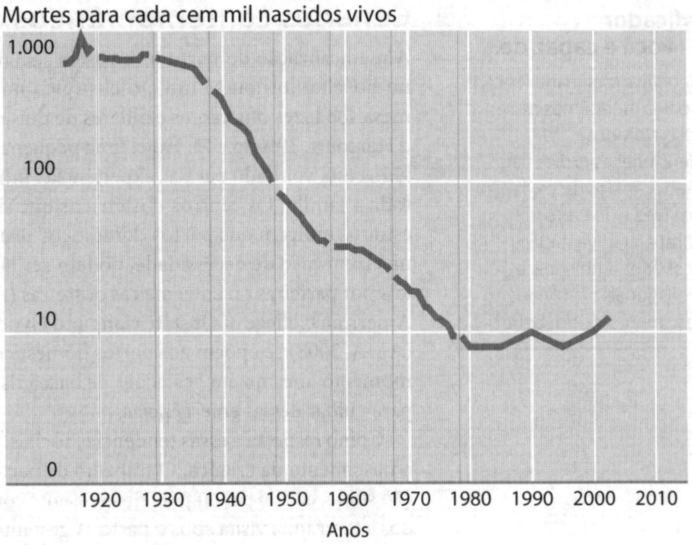

As notáveis reduções nos riscos que envolvem a gravidez e o nascimento de um bebê em países industrializados, especialmente nos últimos 50 anos, são devidas em grande parte à disponibilidade de antibióticos, transfusões de sangue, anestesia segura, melhorias de higiene e medicamentos para induzir o parto. Além disso, o aprimoramento da avaliação e da assistência pré-natais aumenta consideravelmente a probabilidade de o bebê nascer saudável. As taxas de mortalidade tanto para mães quanto para crianças diminuíram drasticamente, como mostram as Figuras 5.1 e 5.2.

Entretanto, o parto ainda não é livre de riscos para mulheres e bebês. Entre aproximadamente 4 milhões de mulheres norte-americanas que deram à luz entre 1993 e 1997, 31% tiveram problemas médicos (Daniel, Berg, Johnson, & Atrash, 2003). Mulheres negras, obesas, com histórias médicas complicadas, que já tiveram partos por cesariana anteriormente, bem como aquelas que tiveram muitos filhos, apresentam alto risco de sofrer hemorragias e outras complicações perigosas; o risco de morte no parto é pelo menos quatro vezes mais alto para as mulheres negras do que para as brancas (Chazotte, citado em Bernstein, 2003).

**FIGURA 5.1**
Taxas de mortalidade materna, Estados Unidos, 1915-2003.
*Desde 1915, as taxas de mortalidade materna nos Estados Unidos diminuíram de 607,9 mortes em cada 100 mil nascidos vivos para 12,1 mortes em cada 100 mil nascidos vivos em 2003.*
Nota: Antes de 1933, os dados se referem apenas aos Estados. Interrupções na curva aparecem entre as sucessivas revisões da *Classificação internacional de doenças*.
*Fonte:* National Center for Health Statistics, 2007; S. L. Clark, 2012

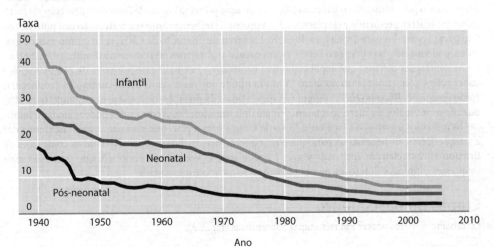

**FIGURA 5.2**
Taxa de mortalidade infantil, neonatal e pós-neonatal, 1940-2006.
*A mortalidade infantil nos Estados Unidos diminuiu de 47 mortes em cada mil nascidos vivos em 1940 para 6,7 em 2006. No mesmo período, a taxa neonatal caiu 85%, de 28,8 para 4,5 mortes em cada mil nascidos vivos, e a taxa pós-neonatal diminuiu em 88%, de 18,3 para 2,2 mortes em cada mil nascidos vivos.*
*Fonte:* Heron et al., 2009.

**PARTE II** • O começo

---

### Verificador
#### você é capaz de...

- Identificar três maneiras como o parto mudou nos países desenvolvidos?
- Mencionar as razões para a redução dos riscos da gravidez e do parto?
- Comparar as vantagens dos vários ambientes e profissionais envolvidos no nascimento de um bebê?

---

### Guia de estudo 2

Como se inicia o trabalho de parto, o que acontece durante cada uma das três etapas do nascimento e quais são os métodos alternativos disponíveis?

**parturição**
Ato ou processo de dar à luz.

---

## Cenários contemporâneos do parto

A medicalização do parto teve custos sociais e emocionais. Para muitas mulheres modernas, "o parto no hospital tornou-se um ato cirúrgico no qual a mulher é ligada a um monitor e deitada em uma mesa sob luzes ofuscantes e olhares de dois ou três estranhos, com seus pés sobre estribos" (Fontanel & d'Harcourt, 1997, p. 57). Hoje, uma pequena, porém crescente, parcela de mulheres em países desenvolvidos está voltando para as experiências íntimas e pessoais de um parto doméstico, que pode envolver toda a família Os centros obstétricos que simulam um ambiente doméstico são outra opção. Alguns estudos indicam que partos domésticos planejados, com rápida transferência para um hospital disponível, em caso de necessidade, podem ser tão seguros quanto os partos de baixo risco feitos em hospitais por parteiras ou enfermeiras obstetras (American College of-Nurse-Midwives, 2005). No entanto, o American College of Obstetricians and Gynecologists (ACOG, 2008) e a American Medical Association (AMA, 2008) se opõem aos partos domésticos, sustentando que complicações podem surgir a qualquer momento, mesmo em gestações de baixo risco, e hospitais ou maternidades estão mais bem equipados para cuidar dessas emergências.

Como resposta a essas tendências sociais, os hospitais também estão buscando meios de "humanizar" o nascimento da criança. O trabalho de parto poderá ocorrer em um quarto confortável, com iluminação suave, com o pai ou parceiro presente como instrutor, e os irmãos mais velhos poderão ser convidados a fazer uma visita após o parto. A gestante recebe anestesia local se quiser e precisar, podendo assistir e participar conscientemente no processo de nascimento e até segurar o bebê sobre o ventre imediatamente após o parto. De acordo com algumas políticas internas, é permitido que o bebê fique bastante ou o tempo todo no quarto da mãe. Para "desmedicalizar a experiência do nascimento, os hospitais estão procurando estabelecer – ou reestabelecer – um ambiente onde ternura, segurança e afeto sejam tão importantes quanto as técnicas da medicina" (Fontanel & d'Harcourt, 1997, p. 57).

## O processo de nascimento

Emily acordou com estranhas sensações em sua barriga. Ela havia sentido o bebê, seu primeiro filho, movimentar-se durante todo o segundo e terceiro trimestres, mas agora era diferente. Ainda faltavam duas semanas para a data do parto. Será que ela estava finalmente sentindo as contrações sobre as quais tanto ouvira falar e lera? Estaria em trabalho de parto? *Trabalho de parto* é um termo apropriado para o processo de dar à luz. Principalmente devido ao tamanho da cabeça do feto, o parto é um trabalho duro para a mãe e para o bebê. Sob uma perspectiva evolutiva, a vantagem de uma cabeça grande que pode conter um cérebro capaz de raciocínio avançado supera a dificuldade de passar pelo canal do parto (Bjorklund & Pellegrini, 2000). No entanto, o fato de os seres humanos caminharem eretos impõe restrições sobre a largura potencial da pélvis da mulher, tornando o parto um processo longo e árduo para a maioria delas.

O que provoca o trabalho de parto, ou o parto vaginal normal, é uma série de mudanças uterinas e cervicais, entre outras, a que se dá o nome de **parturição**. A parturição é o ato de dar à luz e normalmente se inicia por volta de duas semanas antes do parto, quando a repentina elevação dos níveis de estrogênio estimula o útero a se contrair e o colo do útero a ficar mais flexível. O início da parturição parece ser determinado pelo aumento considerável da taxa de uma proteína chamada *hormônio liberador da corticotropina* (CRH), produzida pela placenta. Essa proteína também promove a maturação dos pulmões do feto para prepará-los para a vida fora do útero. Os níveis de produção da CRH, já no quinto mês de gravidez, podem ajudar a prever se o bebê nascerá prematuro, a termo ou pós-termo (Smith, 1999, 2007).

As contrações uterinas que expulsam o feto começam – normalmente por volta de 266 dias após a concepção – como um aperto no útero. A mulher pode por vezes sentir falsas contrações (conhecidas como *contrações Braxton-Hicks*) durante os meses finais da gestação, ou mesmo no segundo trimestre, quando os músculos do útero se retesam por até dois minutos. Essas contrações podem ajudar a tonificar os músculos uterinos e a facilitar o fluxo de sangue para a placenta, mas não causam nenhuma das alterações cervicais necessárias para que o nascimento ocorra. Em comparação com as contrações de Braxton-Hicks, relativamente mais suaves e irregulares, as verdadeiras contrações do parto são mais frequentes, rítmicas e dolorosas, aumentando em frequência e intensidade.

### Etapas do nascimento

O trabalho de parto ocorre em três etapas sobrepostas (Fig. 5.3).

*Etapa 1: Dilatação do colo do útero*
A primeira etapa é a mais longa, normalmente com duração de 12 a 14 horas para uma mulher que está tendo seu primeiro filho. Nos partos subsequentes, a primeira etapa tende a ser mais curta. Durante essa etapa, as contrações uterinas regulares e cada vez mais frequentes — de 15 a 20 minutos de intervalo no início — fazem o colo do útero encurtar e dilatar, ou alargar, para preparar-se para o parto. No fim da primeira etapa, as contrações ocorrem a cada 2 a 5 minutos. Essa etapa persiste até que o colo do útero esteja completamente dilatado (10 cm) de modo que o bebê possa descer para o interior do canal do parto.

*Etapa 2: Expulsão e surgimento do bebê*
A segunda etapa normalmente dura de 1 a 2 horas. Inicia-se quando a cabeça do bebê começa a se deslocar pelo colo do útero em direção ao canal vaginal e termina quando o bebê emerge por completo do corpo da mãe. Se essa etapa durar mais do que 2 horas, sinalizando que o bebê precisa de ajuda, o médico pode segurar a cabeça do bebê com o fórceps ou, o que é mais frequente, usar a extração a vácuo, com uma ventosa de aspiração para puxá-lo para fora do corpo da mãe. No final dessa etapa nasce o bebê, mas ele ainda está ligado à placenta no corpo da mãe pelo cordão umbilical, que deve ser cortado e fechado.

*Etapa 3: Expulsão da placenta*
A terceira etapa dura entre 10 minutos e 1 hora. Durante essa etapa, a placenta e o restante do cordão umbilical são expelidos do corpo da mãe.

No passado, era feita uma *episiotomia*, um corte cirúrgico entre a vagina e o ânus, para alargar a abertura desta, acelerar o parto e evitar que a vagina se rompesse. Partia-se do pressuposto de que uma incisão "limpa" poderia cicatrizar melhor do que uma laceração espontânea. Entretanto, muitos estudos sugerem que esse procedimento é mais prejudicial do que benéfico, e a maioria dos especialistas concorda que a episiotomia não deve ser feita como rotina. É recomendada apenas sob circunstâncias especiais, como no caso de um bebê muito grande, no nascimento com fórceps ou quando há indícios de problemas na frequência cardíaca do bebê.

## Monitoração eletrônica fetal

Apesar de a maioria dos nascimentos ter um final feliz, o trabalho de parto é arriscado. Por essa razão, algumas tecnologias estão sendo desenvolvidas com o objetivo de monitorar o feto antes do nascimento. A **monitoração eletrônica fetal** pode ser usada para acompanhar os batimentos cardíacos do feto durante o trabalho de parto e indicar como o coração do feto responde ao estresse das contrações uterinas. A monitoração é feita, em geral, usando sensores ligados ao ventre da mulher e mantidos no lugar

**monitoração eletrônica fetal**
Monitoração mecânica dos batimentos cardíacos do feto durante o trabalho de parto.

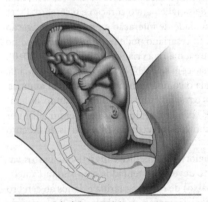
Etapa 1: O bebê se posiciona.

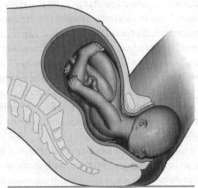
Etapa 2: O bebê começa a surgir.

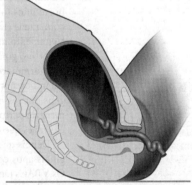
Etapa 3: A placenta é expelida.

**FIGURA 5.3**
As três etapas do nascimento.
*(a) Durante a primeira etapa do trabalho de parto, uma série de contrações cada vez mais fortes dilata o colo do útero, a abertura que leva ao útero. (b) Durante a segunda etapa, a cabeça do bebê desce pelo canal vaginal e surge da vagina. (c) Durante a breve terceira etapa, a placenta e o cordão umbilical são expelidos do útero. Em seguida, corta-se o cordão.*

**PARTE II** • O começo

com um cinto elétrico. Esses sensores monitoram a frequência cardíaca e alertam a equipe médica para alterações potencialmente problemáticas. O procedimento foi utilizado em 85,4% dos nascimentos nos Estados Unidos em 2003 (Martin et al., 2005).

A monitoração eletrônica fetal pode fornecer valiosas informações em partos de alto risco, inclusive naqueles em que o feto é muito pequeno, prematuro, está em posição invertida (pés ou nádegas para baixo) ou parece estar sofrendo, ou quando o trabalho de parto é induzido por meio da administração de medicamentos. No entanto, a monitoração pode apresentar desvantagens se for usada rotineiramente em gestações de baixo risco. É cara; restringe os movimentos da mãe durante o trabalho de parto; e, o que é mais importante, tem uma taxa de falso positivo extremamente alta, sugerindo que o feto está com problemas, quando na verdade não está. Tais advertências podem levar os médicos a fazer o parto pelo método mais arriscado da cesariana, em vez do parto vaginal (Banta & Thacker, 2001; Nelson, Dambrosia, Ting, & Grether, 1996).

## Parto vaginal *versus* parto cesariano

**parto cesariano**
Parto em que o bebê é removido cirurgicamente do útero.

O método mais comum de parto, anteriormente descrito, é o *parto vaginal*. Uma alternativa é o **parto cesariano**, que pode ser usado para remover cirurgicamente o bebê do útero mediante uma incisão no abdome da mãe. Em 2007, 32% dos partos nos Estados Unidos, um recorde, eram feitos com esse procedimento, um aumento de 53% desde 1996 (Menacker & Hamilton, 2010). O uso desse procedimento também aumentou na Europa durante a década de 1990, e, apesar de ter havido uma diminuição modesta para 30% em 2008, os índices de nascimento por cesariana nos Estados Unidos estão entre os mais altos do mundo (Gibbons et al., 2010).

A cirurgia costuma ser executada quando o trabalho de parto progride muito lentamente, o feto parece estar com problemas ou a mãe apresenta sangramento vaginal. A cesariana frequentemente é necessária se o feto está em posição invertida (pés ou nádegas para baixo) ou na posição transversal (atravessado no útero) ou se a cabeça for muito grande para passar pela pélvis da mãe.

O aumento nas taxas de cesarianas é atribuído em grande parte à maior proporção de mães mais velhas que estão gerando seu primeiro bebê, e que tendem a ter nascimentos múltiplos, e de bebês muito prematuros (Martin et al., 2009), para quem o parto cesariano reduz significativamente o risco de morte no primeiro mês de vida (Malloy, 2008). O temor dos médicos de processos por negligência e as preferências das mulheres também podem influenciar a escolha de partos cesarianos (Ecker & Frigoletto, 2007; Martin et al., 2006, 2007, 2009), bem como o aumento na receita dos hospitais quando uma mulher opta pela cesariana, e não pelo parto vaginal.

Partos cesarianos apresentam riscos de graves complicações para a mãe, como sangramento, infecção, danos a órgãos pélvicos, dor pós-operatória, além de aumentar os riscos de problemas em futuras gestações (Ecker & Frigoletto, 2007). Também privam o bebê dos importantes benefícios do nascimento normal, como um súbito aumento no nível de hormônios que limpam os pulmões do excesso de fluido, mobilização de nutrientes para alimentar as células e envio de sangue para o coração e o cérebro. Esses hormônios tornam o bebê mais alerta, aumentam sua capacidade de interação e promovem a ligação com a mãe (Lagercrantz & Slotkin, 1986). Além disso, o parto cesariano pode ter impacto negativo no aleitamento materno, que também pode afetar o vínculo entre a mãe e a criança (Zanardo et al., 2010). O parto vaginal também parece influenciar a vinculação da mãe com seu bebê devido à ação da oxitocina, um hormônio envolvido nas contrações uterinas que estimula o comportamento maternal em animais. Há indicações de que a oxitocina pode ter efeitos semelhantes em seres humanos. Em um estudo, as imagens por ressonância magnética funcional (fMRI, em inglês) do cérebro de mães que deram à luz por meio de partos vaginais mostraram mais sensibilidade ao choro dos recém-nascidos do as do cérebro das mães que tiveram partos cesarianos (Swain et al., 2008).

Depois que a mulher passa por um parto cesariano, a maioria dos médicos adverte que partos vaginais após cesarianas (VBAC, na sigla em inglês) somente devem ser tentados com muita cautela. Os VBACs têm sido associados a um risco maior (embora baixo) de ruptura uterina e danos ao cérebro (Landon et al., 2004), bem como à morte do bebê (Smith, Pell, Cameron, & Dobbie, 2002). À medida que os riscos desses partos passaram a ser amplamente conhecidos, a taxa de VBACs entre mulheres norte-americanas caiu acentuadamente. Hoje, se uma mulher teve um parto cesariano, as chances de

A oxitocina também está envolvida em diversas interações sociais positivas fora da relação materna. Por exemplo, *sprays* nasais de oxitocina podem ajudar pessoas de baixa competência social a interpretar as emoções dos outros.

*Bartz, 2010*

---

*N. de T.: No Brasil, o índice de cesariana está em 52%, conforme a pesquisa "Nascer no Brasil: inquérito nacional sobre parto e nascimento", coordenada pela fundação Oswaldo Cruz (www.ensp.fiocruz.br/portal-ensp/informe/site/arquivos/anexos).

**Capítulo 5 • O nascimento e o recém-nascido** **113**

quaisquer partos subsequentes serem igualmente cesarianos são de 92% (Martin et al., 2009). No entanto, uma cesariana eletiva de repetição antes da 39ª semana de gestação, quando os pulmões do feto estão plenamente maduros, aumenta consideravelmente o risco de que o bebê possa ter problemas respiratórios, infecções ou baixo nível de açúcar no sangue e de que precisará de cuidados intensivos (Tita et al., 2009). Assim, num recente congresso para desenvolvimento de consensos do National Institutes of Health (NIH) (2010), concluiu-se que uma tentativa de trabalho de parto é uma opção razoável para mulheres que previamente tiveram uma incisão uterina transversal baixa.

## Parto medicado *versus* parto não medicado

Durante séculos, a dor foi considerada um elemento inevitável do parto. Depois, em meados do século XIX, a sedação com éter ou clorofórmio tornou-se prática comum à medida que ocorriam mais nascimentos em hospitais (Fontanel & d'Harcourt, 1997).

Devido a preocupações crescentes de que o uso de fármacos possa representar risco para os bebês e ao desejo de possibilitar à mãe e ao pai participar plenamente de uma experiência natural e enriquecedora, durante o século XX foram desenvolvidos vários métodos alternativos de **parto natural** ou **preparado**. Em 1914, o Dr. Grantly Dick-Read, um ginecologista inglês, sugeriu que a dor de parto era causada pelo medo do desconhecido e da tensão muscular resultante. Seu método "parto sem medo" visa educar as gestantes sobre a fisiologia da reprodução, treinando-as para atingir uma boa forma física e para a respiração e o relaxamento durante o trabalho de parto.

O método Lamaze, introduzido pelo obstetra francês Fernand Lamaze no final da década de 1950, ensina as gestantes a trabalhar ativamente com seu corpo por meio de respiração controlada. A mulher é treinada para ofegar e respirar rapidamente em sincronia com a intensidade crescente das contrações e para se concentrar em outras sensações como forma de aplacar a percepção da dor. Ela aprende a relaxar os músculos como uma resposta condicionada à voz de seu instrutor (geralmente o futuro pai ou um amigo), que frequenta as aulas com ela, participa do parto e ajuda nos exercícios. Outros métodos fazem uso de imagens mentais, massagem, expulsão suave e respiração profunda. Outra técnica, desenvolvida pelo médico francês Michael Odent, é a submersão da mãe em uma piscina com água de efeito relaxante. O mais radical talvez seja o método Bradley, que rejeita todos os procedimentos obstétricos e outras intervenções médicas.

Atualmente, o aperfeiçoamento do parto medicado leva muitas mulheres a escolherem o alívio da dor, às vezes combinado com métodos naturais. A *anestesia geral,* que deixa a mulher completamente inconsciente e aumenta significativamente os riscos para a mãe e para o bebê, é usada raramente, mesmo em cesarianas (Eltzschig, Lieberman, & Camann, 2003). Uma mulher poderá receber *anestesia local (vaginal)*, também chamada de *bloqueio pudendo,* se ela preferir e necessitar, normalmente durante a segunda etapa do trabalho de parto ou se for utilizado fórceps. Outra alternativa é ministrar um *analgésico* que reduz a percepção da dor deprimindo a atividade do sistema nervoso central. No entanto, os analgésicos podem tornar o trabalho de parto mais lento, causar complicações na mãe e fazer o bebê ficar menos alerta após o nascimento. Aproximadamente 60% das mulheres em trabalho de parto recebem *anestesia local (peridural ou espinal)* (Eltzschig et al., 2003). A anestesia, que é injetada na medula espinal, no espaço entre as vértebras da região lombar (inferior), bloqueia as vias neurais que transmitem a sensação de dor para o cérebro. As peridurais aplicadas logo no começo podem encurtar o trabalho de parto sem risco adicional de precisar de um parto cesariano (Wong et al., 2005), apesar de existirem alguns riscos menores associados a essas anestesias.

Com qualquer uma dessas formas de anestesia, a mulher pode ver e participar do processo de nascimento e pode segurar o recém-nascido imediatamente. Todos esses medicamentos, porém, atravessam a placenta e entram na corrente sanguínea do feto, podendo pôr em risco o bebê.

O alívio da dor não deve ser a única consideração a ser feita em uma decisão sobre o uso da anestesia. Mais importante para o bem-estar em relação à experiência do parto talvez seja o envolvimento da mulher nas tomadas de decisão, seu relacionamento com os profissionais que cuidam dela e suas expectativas sobre o parto. Atitudes sociais e culturais, bem como os costumes, são importantes (Eltzschig et al., 2003). A mulher e seu médico devem discutir as várias opções logo no início da gravidez, mas as escolhas dela poderão mudar quando se aproximar o momento do parto.

Em muitas culturas tradicionais, e de forma crescente em países desenvolvidos, as gestantes são auxiliadas por uma **doula**, uma mentora, instrutora e ajudante experiente que pode oferecer apoio emocional e informações, além de permanecer na cabeceira da cama da mulher durante todo o trabalho de parto. Diferentemente das parteiras, as doulas não participam ativamente do parto em si, mas dão suporte às mães durante esse processo (Box 5.1). Em 11 estudos randomizados controlados, as mulheres

---

**parto natural ou preparado**
Método de parto que busca reduzir ou eliminar a utilização de fármacos, motiva ambos os pais a participar plenamente e a controlar a percepção de dor.

### Qual a sua opinião?

- Se você, mulher, ou sua parceira – no caso dos homens –, estivesse esperando um bebê e a gravidez parecesse progredir tranquilamente, você preferiria (a) fazer o parto no hospital, na maternidade ou parto em casa, (b) receber atendimento de médico ou parteira e (c) ter parto medicado ou não medicado? Justifique suas respostas.
- Se você fosse o pai, escolheria estar presente no nascimento?
- Se você fosse a mãe, gostaria que seu parceiro estivesse presente?

### Verificador
**você é capaz de...**

- Descrever as três etapas do parto vaginal?
- Explicar a finalidade da monitoração eletrônica fetal e os perigos do uso desse procedimento como rotina?
- Discutir as vantagens e as desvantagens dos partos cesarianos?
- Comparar o parto medicado com o parto natural ou preparado?
- Comparar as funções de uma parteira e de uma doula?

---

**doula**
Uma mentora experiente que fornece apoio emocional e informações à mãe durante o parto.

acompanhadas por doulas tiveram um trabalho de parto mais curto, menos anestesia e menos partos com fórceps e cesarianas do que aquelas que não tiveram a companhia das doulas (Hodnett, Gates, Hofmeyr, & Sakala, 2005). Em 2009, a DONA International, a organização profissional de doulas, tinha 6.994 membros (em comparação com 750 em 1994), entre os quais mais de 5.800 nos Estados Unidos, e 2.636 foram certificadas para ajudar nos nascimentos.

## O recém-nascido

**Guia de estudo 3**
Como o recém-nascido se ajusta à vida fora do útero e como podemos saber se um bebê é saudável e se está se desenvolvendo normalmente?

O **período neonatal**, que são as primeiras quatro semanas de vida, é um tempo de transição do útero, no qual o feto é completamente sustentado pela mãe, para uma existência independente. Quais são as características físicas dos bebês recém-nascidos e como eles estão equipados para essa transição crucial?

### Tamanho e aparência

**período neonatal**
As primeiras quatro semanas de vida, um período de transição entre a dependência intrauterina e a existência independente.

**neonato**
O bebê recém-nascido, com até 4 semanas de idade.

Nos Estados Unidos, o **neonato**, ou recém-nascido, mede em média cerca de 50 cm de comprimento e pesa aproximadamente 3,5 kg. Ao nascer, a maioria dos bebês nascidos a termo pesa entre 2,5 e 4,5 kg e mede entre 45 e 55 cm. Os meninos tendem a ser ligeiramente maiores e mais pesados do que as meninas, e o primogênito provavelmente pesará menos ao nascer do que os filhos posteriores. Em seus primeiros dias de vida, os neonatos perdem 10% de seu peso, principalmente por causa da perda de fluidos. Quando o bebê nasce, a mãe começa a produzir um tipo especial de leite de alto valor proteico chamado colostro. O colostro fornece aos bebês substâncias imunológicas importantes e tem efeitos laxantes que os ajudam a eliminar toxinas. No entanto, o colostro contém menos gordura e menos calorias do que o leite materno. Os bebês começam a ganhar peso por volta do 5º dia, quando o leite habitual da mãe começa a ser produzido, e frequentemente voltam a atingir o peso que tinham ao nascer entre o 10º e o 14º dia.

Bebês recém-nascidos apresentam características distintivas, que incluem uma cabeça grande (um quarto do comprimento do corpo), pele vermelha (que desaparece rapidamente), várias alterações na pele (que são temporárias — veja o Quadro 5.1), marcas de nascença (que são permanentes) e queixo recuado (que facilita a amamentação). Os recém-nascidos também têm áreas na cabeça, conhecidas como *fontanelas*, ou moleiras, nas quais os ossos do crânio ainda não se juntaram. Muitas pessoas se referem a essas áreas como pontos fracos, mas elas são necessárias por conta da cabeça de grandes dimensões que os bebês têm. As fontanelas são cobertas por uma membrana resistente que permite a flexibilidade, facilitando, assim, a passagem do recém-nascido através do canal vaginal. De fato, muitos recém-nascidos de parto normal ficam com o crânio deformado até algumas semanas depois do nascimento. Essa deformação é o resultado da compressão da cabeça através do canal vaginal. Decorrido algum tempo, o crânio volta a ter a forma normal. Nos primeiros 18 meses de vida, as placas do crânio irão se fundir gradativamente.

Muitos recém-nascidos têm uma aparência rosada; sua pele é tão fina que mal esconde os capilares onde o sangue circula. Entretanto, a cor da pele do bebê pode variar bastante, dependendo da idade, da origem racial ou étnica, do estado de saúde, da temperatura, do ambiente e do fato de o bebê estar chorando. Durante os primeiros dias, alguns neonatos são muito peludos porque parte do *lanugo*, uma lanugem felpuda pré-natal nos ombros, nas costas, na testa e nas bochechas, ainda não caiu. Isso aparece com mais frequência nos bebês prematuros. Quase todos os bebês recém-nascidos (exceto os pós-termos, após a 41ª semana de gestação) estão cobertos com um *vérnix caseoso* ("verniz cremoso"), uma substância branca e oleosa, com aparência de queijo, formada no útero pelas secreções das glândulas sebáceas do feto, que o protege contra infecções. Essa cobertura é absorvida pela pele após o nascimento.

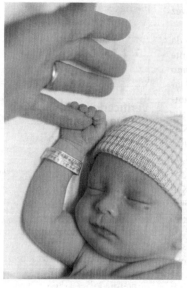

*Os recém-nascidos pesam em média 3,4 kg e têm características distintivas, entre as quais uma cabeça grande.*

Acreditava-se, durante a Idade Média, que o "leite de bruxa", uma secreção que às vezes vaza do peito inchado de meninos e meninas recém-nascidos por volta do terceiro dia de vida, tinha poderes especiais de cura. Assim como o corrimento vaginal esbranquiçado ou tingido de sangue de algumas meninas recém-nascidas, essa emissão fluida resulta dos altos níveis do hormônio estrógeno, que é secretado pela placenta pouco antes do nascimento e desaparece depois de alguns dias ou semanas. Um recém-nascido, especialmente se for prematuro, também poderá ter os genitais inchados.

### Sistemas corporais

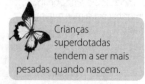

Crianças superdotadas tendem a ser mais pesadas quando nascem.

Antes do nascimento, a circulação sanguínea, a respiração, a nutrição, a eliminação de resíduos e a regulação da temperatura são realizadas por meio do corpo da mãe. Apesar de todos esses sistemas, com ex-

# Pelo mundo

## 5.1 TER UM BEBÊ NO HIMALAIA

*O seguinte relato (Olds, 2002) descreve uma visita que Sally Olds fez a uma parteira da vila de Badel, no Nepal.*

Sabut Maya Mathani Rai ajuda mães em idade de procriação há quase 50 dos seus 75 anos. Cerca de três dias atrás assistiu ao nascimento de uma menina.

Quando assiste uma mãe no momento de dar à luz, Sabut Maya diz: "Primeiro sinto como está a parte externa da barriga da gestante. Procuro ver onde estão a cabeça e os outros órgãos. Ajudo a parturiente a fazer força para baixo quando chega a hora".

Ela não usa fórceps. "Não tenho nenhum instrumento", assegura. "Só uso as minhas mãos. Se o bebê estiver de cabeça para baixo, eu o viro."

As mulheres nepalesas geralmente dão à luz logo após o trabalho doméstico ou durante o dia de trabalho no campo. O parto pode acontecer dentro ou fora de casa, dependendo do momento em que a parturiente iniciar o processo. Elas normalmente dão à luz de joelhos. Essa posição permite que a parturiente use os fortes músculos das coxas e do abdome para empurrar o bebê para fora. Se a mãe já tiver outros filhos, eles normalmente observam o parto, mesmo que eles sejam pequenos. Os maridos, porém, não gostam de assistir, e as mulheres não os querem por perto.

A maioria das mulheres não recebe assistência de nenhuma parteira; elas próprias conduzem o parto e descartam a placenta e o cordão umbilical. Certa vez, a mãe de Buddi deu à luz quando voltava do trabalho no campo e depois pediu a faca de seu marido para cortar o cordão umbilical.

"Se o bebê não vier rapidamente, uso a medicina especial", afirma a parteira. "Coloco ervas no corpo da mãe e massageio com o óleo de uma planta especial. Não ofereço a ela nenhuma erva ou qualquer coisa para comer ou beber, somente água ou chá quente."

Em um parto complicado — se, por exemplo, o bebê não sair ou a mãe ficar cansada —, a parteira invoca o *xamã* (curandeiro espiritual). Inevitavelmente, alguns bebês e algumas mães morrem. Na maioria dos casos, entretanto, tudo corre bem, e os partos são fáceis e rápidos.

Como cuidam do recém-nascido? "Depois que o bebê nasce, eu o lavo", explica a parteira. "Deixo esse comprimento de cordão no bebê [indicando cerca de 1,5 cm] e amarro com algodão de boa qualidade. Depois envolvo um pedaço de tecido de algodão na barriga do bebê. Isso fica por alguns dias até o cordão cair." Às vezes, um pequeno pedaço do cordão umbilical é guardado e inserido em uma argola de metal, que será dada à criança para usar em um cordão pendurado no pescoço para afastar os maus espíritos. Um membro da família lança a placenta para o alto de uma árvore perto da casa para secar completamente; depois é jogada fora.

Ninguém, exceto a mãe — nem mesmo o pai —, tem permissão para segurar o bebê a princípio. Esse costume pode ajudar a proteger a mãe e o bebê das infecções e das doenças nesse período em que estão mais vulneráveis. Em seguida, no 4º dia para as meninas ou no 7º dia para os meninos (considerando-se que as meninas amadureçam mais cedo), são realizados um ritual de purificação e uma cerimônia para atribuir o nome ao recém-nascido.

**Qual a sua opinião?**
- Quais aspectos dos métodos de partos tradicionais podem melhorar as práticas ocidentais sem abrir mão das técnicas da medicina capazes de salvar vidas?
- As técnicas médicas avançadas poderiam ser introduzidas em sociedades tradicionais sem invalidar práticas que parecem estar bem adequadas às mulheres dessas sociedades?

---

ceção dos pulmões, estarem já de algum modo funcionando no momento em que o nascimento a termo ocorre, os próprios sistemas corporais da mãe ainda estão envolvidos, e o feto ainda não é independente. Após o nascimento, todos os sistemas e funções do bebê devem operar por conta própria (Quadro 5.2). A maior parte dessa transição ocorre de 4 a 6 horas após o parto (Ferber & Makhoul, 2004).

Durante a gravidez, o feto e a mãe têm sistemas circulatórios e batimentos cardíacos separados. O sangue do feto é purificado por meio do cordão umbilical, que transporta o sangue "usado" para a placenta e retorna com um novo suprimento (ver Fig. 4.2, no Cap. 4). O sangue do neonato circula inteiramente dentro do corpo do bebê; os batimentos cardíacos a princípio são rápidos e irregulares, e a pressão arterial só se estabiliza por volta do décimo dia de vida.

O feto obtém oxigênio pelo cordão umbilical, o qual também leva o dióxido de carbono embora. Após o nascimento, o recém-nascido deve começar a respirar e controlar essa função sozinho. A maioria dos bebês começa a respirar assim que entra em contato com o ar. Caso a respiração não comece em até cerca de cinco minutos, o bebê pode sofrer dano cerebral permanente causado por **anoxia**, falta de oxigênio, ou *hipoxia*, uma redução no fornecimento de oxigênio. Anoxia ou hipoxia podem ocorrer durante o parto (embora isso seja raro) em decorrência de repetidas compressões da placenta e do cordão umbilical a cada contração. Essa forma de *trauma de nascimento* pode ocasionar danos

**anoxia**
Falta de oxigênio que pode causar dano cerebral.

## PARTE II • O começo

**QUADRO 5.1**   Alterações da pele do recém-nascido

| Condição | Descrição | Causa | Duração |
|---|---|---|---|
| Coloração azul | Cor azulada nas mãos e nos pés* | Circulação sanguínea imatura | A cor normal deve voltar em alguns dias. |
| Miliária | Pontos minúsculos, brancos e duros, semelhantes a espinhas, no nariz, no queixo ou na testa | Glândulas sebáceas imaturas | Desaparecem espontaneamente. |
| Mordidas da cegonha (manchas róseas de nascença) | Pequenas manchas róseas ou vermelhas nas pálpebras, entre os olhos, no lábio superior ou atrás do pescoço, mais visíveis durante o choro | Concentração de vasos sanguíneos imaturos | A maioria logo esmaece e desaparece. |
| Manchas mongólicas | Manchas azuladas ou roxas na parte inferior das costas e nas nádegas | Concentração de células pigmentadas; tende a acontecer em bebês de pele escura | Normalmente desaparece nos primeiros 4 anos. |
| Eritema tóxico | Erupção vermelha semelhante à mordida de pulga, normalmente no peito e nas costas | Causa desconhecida; aparece em metade dos bebês, mas é mais comum nos prematuros | Em geral, desaparece em poucos dias. |
| Acne neonatal (acne do bebê) | Espinhas nas bochechas e na testa | Hormônios da mãe; cerca de um quinto dos neonatos desenvolve esta alteração no 1º mês | Desaparece em poucos meses. |
| Hemangioma do tipo "morango" (marca do tipo "morango") | Área vermelho-clara ou escura, intumescida ou inchada, em geral na cabeça | Concentração de vasos sanguíneos minúsculos e imaturos; geralmente se desenvolve nos 2 primeiros meses; é mais comum em bebês prematuros e em meninas | Em geral, cresce em tamanho durante vários meses e depois diminui gradualmente, desaparecendo por volta dos 9 anos. |
| Mancha de vinho do Porto | Marca de nascença lisa, rosa, vermelha ou púrpura, normalmente na cabeça ou no pescoço, mas pode atingir áreas grandes do corpo | Concentração de vasos capilares dilatados (vasos sanguíneos minúsculos, imaturos) | Não desaparece; pode tornar-se mais escura e sangrar quando a criança fica mais velha; pode ser tratada por cirurgia *a laser*. |

* A coloração azulada em outras partes do corpo é anormal.

**QUADRO 5.2**   Comparação da vida pré-natal e pós-natal

| Característica | Vida pré-natal | Vida pós-natal |
|---|---|---|
| Ambiente | Líquido amniótico | Ar |
| Temperatura | Relativamente constante | Oscila com a atmosfera |
| Estimulação | Mínima | Todos os sentidos despertados por vários estímulos |
| Nutrição | Dependente do sangue da mãe | Dependente de alimento externo e do funcionamento do sistema digestório |
| Suprimento de oxigênio | Passado pela corrente sanguínea da mãe por meio da placenta | Passa dos pulmões do bebê para os vasos sanguíneos pulmonares |
| Eliminação metabólica | Passada para a corrente sanguínea da mãe por meio da placenta | Descartada pela pele, pelos rins, pulmões e trato gastrintestinal |

> Embora ainda em fase experimental, os primeiros dados sugerem que as toucas "Cool Caps", projetadas para baixar a temperatura do cérebro de bebês que sofrem de anoxia, podem diminuir ou impedir danos ao cérebro, reduzindo as necessidades energéticas desse órgão.
>
> *Gluckman et al., 2005*

permanentes ao cérebro, causando deficiência intelectual, problemas comportamentais ou mesmo a morte. Os bebês também podem ter dificuldades para obter oxigênio suficiente após o nascimento. Como os pulmões do bebê têm apenas um décimo da quantidade de alvéolos pulmonares que têm os dos adultos, os bebês (especialmente aqueles que nasceram prematuros) são suscetíveis a apresentar problemas respiratórios.

No útero, o feto depende do cordão umbilical para receber alimento da mãe e para eliminar seus resíduos corporais. Depois do nascimento, os bebês têm de controlar essas funções sozinhos. Muitos bebês nascem alertas e prontos para começar a alimentação. Apresentam um forte reflexo de sucção para ingerir o leite, que é digerido por suas secreções gastrintestinais. Os bebês também têm de eliminar as toxinas dos seus corpos. Durante os primeiros dias, eles excretam o *mecônio*, uma substância pastosa, de cor verde escura, formada no trato intestinal do feto. Além disso, os bebês começam a urinar regularmente, e o volume de urina é proporcional à ingestão de alimentos. Quando os intestinos e a bexiga estão cheios, os músculos dos esfincteres abrem-se automaticamente; o bebê não será capaz de controlá-los durante muitos meses.

As camadas de gordura que se desenvolvem durante os dois últimos meses de vida fetal permitem que bebês saudáveis não prematuros mantenham a temperatura de seus corpos constante após o nascimento, apesar das mudanças na temperatura do ar. Os recém-nascidos também mantêm a temperatura corporal aumentando sua atividade quando a temperatura do ar diminui. Esses depósitos de gordura iniciais também fornecem aos bebês uma reserva de energia até o leite materno começar a descer.

Três ou quatro dias após o nascimento, aproximadamente metade de todos os bebês (e uma proporção ainda maior de bebês nascidos prematuramente) desenvolve **icterícia neonatal**: sua pele e seus globos oculares mostram-se amarelados. Esse tipo de icterícia é causado pela imaturidade do fígado e pela insuficiência de filtragem da bilirrubina, um subproduto resultante da destruição das células vermelhas do sangue. Normalmente não é grave, não precisa de tratamento e não apresenta efeitos de longo prazo. No entanto, como os recém-nascidos saudáveis nos Estados Unidos normalmente vão para casa em 48 horas ou menos, a icterícia pode passar despercebida e causar complicações (AAP Committee on Quality Improvement, 2002). Uma icterícia grave não monitorada e não imediatamente tratada pode resultar em dano cerebral.

**icterícia neonatal**
Condição de muitos neonatos causada por imaturidade do fígado e evidenciada pela aparência amarelada; pode causar dano cerebral se não for tratada imediatamente.

## Avaliação clínica e comportamental

Embora a maioria dos nascimentos seja de bebês normais e saudáveis, alguns não são assim. Os primeiros minutos, dias e semanas após o nascimento são cruciais para o desenvolvimento. É importante saber, o mais rápido possível, se o bebê tem algum problema que necessita de cuidados especiais.

**Escala de Apgar**    Um minuto após o parto, e depois novamente cinco minutos após o nascimento, a maioria dos bebês é avaliada pela **Escala de Apgar** (Quadro 5.3). A escala leva o nome de sua autora, Dra. Virginia Apgar (1953), e é composta de cinco subtestes: aparência (cor), pulsação (frequência cardíaca), expressão facial (irritabilidade reflexa), atividade (tônus muscular) e respiração. O recém-nascido é classificado em 0, 1 ou 2 em cada medida, para uma pontuação total de 10. Uma pontuação aos cinco minutos de 7 a 10 – obtida por 98,4% dos bebês nascidos nos Estados Unidos – indica que o bebê está em uma condição que vai de boa a excelente (Martin et al., 2009). Uma pontuação de 5 a 7 no primeiro minuto pode indicar que o bebê precisa de auxílio para começar a respirar; a enfermeira poderá secá-lo vigorosamente com uma toalha enquanto o oxigênio é mantido sob seu nariz, e o teste deve ser repetido a cada 5 minutos durante os 20 minutos seguintes (AAP Committee on Fetus and Newborn & American College of Obstetricians and Gynecologists [ACOG] Committee on Obstetric Practice, 2006).

Uma pontuação abaixo de 5 (pouco provável, exceto em uma pequena parcela de recém-nascidos prematuros ou nascidos por cesariana de emergência) pode ser indício de vários problemas. Por exemplo, o coração ou o sistema respiratório podem não estar funcionando completamente. Nesse caso, pode ser colocada uma máscara sobre a face do bebê para enviar oxigênio diretamente aos pulmões; se mesmo assim o bebê não começar a respirar, é possível colocar um tubo na traqueia. Além disso, podem ser administrados fluidos e medicamentos por meio dos vasos sanguíneos do cordão umbilical para fortalecer os batimentos cardíacos. Se a ressuscitação for bem-sucedida, elevando a pontuação do bebê para 5 ou mais, não é provável que tenham ocorrido danos de longo prazo. As pontuações entre 0 e 3, aos 10, 15 e 20 minutos após o nascimento, são cada vez mais associadas com paralisia cerebral (deficiência muscu-

**Escala de Apgar**
Medida padronizada da condição de um recém-nascido; avalia aparência, frequência cardíaca, reflexos de irritabilidade, tônus muscular e respiração.

A Escala de Apgar é popular porque é fácil de lembrar e não requer nenhum equipamento médico sofisticado; é útil para avaliar rapidamente a saúde do recém-nascido.

**Verificador**
    você é capaz de...
- Descrever o tamanho e a aparência normais de um recém-nascido e citar as várias alterações de pele e as várias mudanças que ocorrem nos primeiros dias?
- Comparar quatro sistemas corporais fetais e neonatais?
- Identificar duas condições perigosas que podem aparecer logo após o nascimento?

**QUADRO 5.3**    Escala de Apgar

| Sinal* | 0 | 1 | 2 |
|---|---|---|---|
| Aparência (cor) | Azulada, pálida | Corpo rosado, extremidades azuladas | Totalmente rosada |
| Pulsação (frequência cardíaca) | Ausente | Lenta (abaixo de 100 batimentos por minuto) | Rápida (acima de 100 batimentos por minuto) |
| Expressão facial (irritabilidade reflexa) | Nenhuma resposta | Caretas | Tosse, espirro, choro |
| Atividade (tônus muscular) | Flácido | Fraca, inativa; pouca flexão de braços e pernas | Forte, ativa |
| Respiração | Ausente | Irregular, lenta | Boa, choro |

*Cada sinal é classificado em termos de ausência ou presença de 0 a 2; a pontuação geral mais alta é 10.

**PARTE II** • O começo

lar decorrente de lesão cerebral antes ou durante o nascimento) ou com outros problemas neurológicos (AAP Committee on Fetus and Newborn & ACOG Committee on Obstretric Practice, 1996, 2006).

Com frequência, as pontuações de Apgar aos 5 minutos podem prever com segurança a sobrevivência durante o primeiro mês de vida (Martin et al., 2009). No entanto, apenas uma pontuação abaixo desse nível não indica necessariamente anoxia ou previsão de morte do bebê. Prematuridade, baixo peso do recém-nascido, traumas, infecções, malformações congênitas, medicação tomada pela mãe e outros problemas podem afetar as pontuações (AAP Committee on Fetus and Newborn & ACOG Committee on Obstetric Practice, 1996, 2006).

**Escala Brazelton de Avaliação do Comportamento Neonatal (NBAS, na sigla em inglês)**
Teste neurológico e comportamental para medir as respostas do neonato ao ambiente.

**Avaliando a condição neurológica: A Escala Brazelton** A **Escala Brazelton de Avaliação do Comportamento Neonatal (NBAS, na sigla em inglês)** é um teste neurológico e comportamental que mede as respostas do recém-nascido ao ambiente. É utilizada para ajudar pais, profissionais de saúde e pesquisadores a avaliar a resposta de neonatos a seu ambiente físico e social, a identificar pontos fortes e possíveis vulnerabilidades no funcionamento neurológico e prever o desenvolvimento futuro. O teste, adequado para bebês de até 2 meses de idade, leva o nome de seu idealizador, o Dr. T. Berry Brazelton (1973, 1984; Brazelton & Nugent, 1995, 2001). Ele avalia a *organização motora* conforme ela é revelada por comportamentos como nível de atividade e capacidade de levar a mão à boca; *reflexos*; *mudanças de estado*, tais como irritabilidade, excitabilidade e capacidade de se acalmar depois de ficar perturbado; *capacidade de prestar atenção e interagir*, conforme ela é revelada pelo estado de alerta e resposta a estímulos visuais e auditivos; e indicações de *instabilidade no sistema nervoso central*, como tremores e mudanças na cor da pele. A NBAS leva cerca de 30 minutos, e a pontuação se baseia no melhor desempenho do bebê.

**Triagem neonatal para condições clínicas** Como mencionado no Capítulo 3, crianças que herdam o distúrbio enzimático fenilcetonúria, ou PKU, poderão tornar-se deficientes intelectuais, a não ser que sejam alimentadas com uma dieta especial entre a terceira e a sexta semanas de vida (National Institute of Child Health & Human Development, 2010). O rastreamento administrado logo após o nascimento frequentemente pode descobrir essa e outras malformações corrigíveis. Em geral, o sangue é coletado no hospital por meio de uma picada no calcanhar do bebê e usado para detectar essa e outras condições.*

A triagem de rotina em todos os recém-nascidos para condições raras como PKU (1 caso em cada 15 mil nascimentos), hipotireoidismo congênito (1 caso em cada 3.600 a 5 mil nascimentos), galactosemia (1 caso em cada 60 mil a 80 mil nascimentos) e outros distúrbios até mais raros é dispendiosa. Entretanto, o custo de avaliar milhares de recém-nascidos para detectar o caso de uma doença rara pode sair mais barato do que cuidar de uma pessoa com deficiência intelectual por toda a vida. Agora, com exames de sangue mais sofisticados, uma única amostra de sangue pode ser rastreada para 20 ou mais distúrbios; assim, muitos países desenvolvidos expandiram seus programas de triagem obrigatória (Howell, 2006). Em um estudo sobre recém-nascidos de vários Estados que formam a região conhecida como Nova Inglaterra (Estados Unidos), bebês identificados na triagem apresentavam menor probabilidade de desenvolverem deficiência intelectual e de precisarem de hospitalização do que aqueles identificados por diagnóstico clínico. No entanto, os testes podem gerar falsos resultados positivos, indicando que existe um problema quando na verdade não existe, além de trazerem ansiedade e mobilizar tratamento caro e desnecessário (Waisbren et al., 2003).

**Verificador**
  **você é capaz de...**
- Discutir os usos da Escala de Apgar e da Escala Brazelton e pesar os prós e os contras da triagem de rotina para distúrbios raros após o nascimento?

## Estados de alerta e níveis de atividade

Você é do tipo madrugador ou noturno? Tem tendência para a sonolência ou para permanecer acordado em certas horas do dia? Quando você sente fome? Essas tendências estão provavelmente relacionadas com o seu relógio interno. Esse relógio regula os estados de alerta e atividade durante o dia. Os bebês também têm um "relógio" interno que regula seus ciclos diários de alimentação, sono e eliminação e, possivelmente, até seu humor. Esses ciclos periódicos de vigília, sono e atividade, que governam o **estado de alerta** do bebê, ou grau de alerta (Quadro 5.4), parecem ser inatos e altamente individuais. Mudanças de estado são coordenadas por múltiplas áreas do cérebro e são acompanhadas por mudanças no funcionamento de praticamente todos os sistemas corporais (Ingersoll & Thoman, 1999; Scher, Epstein, & Tirosh, 2004). O estabelecimento de estados "estáveis e distintos" de alerta está associado à saúde neonatal e aos resultados positivos desta.

**estado de alerta**
Condição fisiológica e comportamental de um bebê em determinado momento no ciclo periódico diário de vigília, sono e atividade.

---

*N. de T.: No Brasil, este exame é chamado de teste do pezinho.

## QUADRO 5.4  Estados de alerta nos bebês

| Estado | Olhos | Respiração | Movimentos | Resposta |
|---|---|---|---|---|
| Sono regular | Fechados; nenhum movimento | Regular e lenta | Nenhum, exceto sobressaltos generalizados e repentinos | Não pode ser despertado por estímulos leves. |
| Sono irregular | Fechados; rápidos movimentos oculares ocasionais | Irregular | Contrações musculares, mas sem maiores movimentos | Sons ou luzes provocam sorrisos ou esgares (caretas) durante o sono. |
| Sonolência | Abertos ou fechados | Irregular | Ligeiramente ativo | Pode sorrir, sobressaltar-se, mamar ou ter ereções em resposta aos estímulos. |
| Inatividade alerta | Abertos | Estável | Tranquilo; pode mover a cabeça, os membros e o tronco enquanto olha ao redor | Um ambiente interessante (com pessoas ou coisas para observar) pode iniciar ou manter esse estado. |
| Despertar ativo e choro | Abertos | Irregular | Muita atividade | Estímulos externos (como fome, frio, dor, ser contido ou ser colocado para deitar) provocam mais atividade, talvez começando com choramingos e movimentos suaves, tornando-se um crescendo rítmico de choro ou chutes, ou ainda começando e continuando como um espernear descoordenado e gritinhos espasmódicos. |

*Fonte:* Adaptado de Prechtl & Beintema, 1964; Wolff, 1969.

A maioria dos recém-nascidos passa em torno de 75% do seu tempo (até 18 horas por dia) dormindo, mas acorda a cada 3 ou 4 horas, dia e noite, para se alimentar (Ferber & Makhoul, 2004; Hoban, 2004). O sono dos recém-nascidos se alterna entre um sono tranquilo (regular) e um sono ativo (irregular). O sono ativo provavelmente é o equivalente aos movimentos rápidos dos olhos (do inglês, *rapid eye movement* – REM), que nos adultos estão associados aos sonhos. O sono ativo aparece ritmicamente em ciclos de cerca de uma hora e responde por até 50% do tempo total de sono do recém-nascido. A quantidade de sono REM declina para menos de 30% do tempo total de sono aos 3 anos de idade e continua diminuindo ao longo da vida (Hoban, 2004).

Começando no primeiro mês, os períodos de sono noturno aumentam gradualmente, à medida que o bebê fica mais acordado durante o dia e precisa de menos sono de modo geral. Alguns bebês começam a dormir à noite já aos 3 meses de idade. Aos 6 meses, o bebê dorme 6 horas direto à noite, mas um breve despertar noturno é normal, mesmo quando ele já está engatinhando. Uma típica criança de 2 anos dorme aproximadamente 13 horas por dia, o que inclui um único cochilo, normalmente à tarde (Hoban, 2004).

Os ritmos e os horários de sono dos bebês variam de uma cultura para outra. Entre os truk da Micronésia e os hare do Canadá, bebês e crianças não têm horários regulares de sono; caem no sono sempre que se sentem cansados. Alguns pais de países ocidentais tentam cronometrar a alimentação no começo da noite para incentivar o sono noturno. As mães da zona rural do Quênia permitem que seus bebês sejam amamentados quando quiserem, e aqueles de 4 meses continuam dormindo apenas 4 horas seguidas (Broude, 1995). Em muitos países de população predominantemente asiática, as pessoas deitam-se mais tarde, e o tempo total de sono é menor do que nos países onde a população é predominantemente branca (Mindell, Sadeh, Wiegand, How, & Goh, 2010).

Alguns pais e cuidadores despendem muito tempo e energia para tentar mudar o estado do bebê, na maioria das vezes acalmando-o quando está inquieto até que durma. Isso é particularmente importante nos bebês com baixo peso ao nascer porque os mais calmos conseguem manter melhor o peso. O estímulo repetido é uma forma comprovada de acalmar os bebês quando estão chorando: embalando-os ou andando com eles, enrolando-os confortavelmente ou deixando-os ouvir sons ritmados. O Box 5.2 oferece sugestões para acalmar um bebê que esteja chorando.

Além dos ciclos de sono diários, nossos corpos experimentam outros ciclos. Por exemplo, temos ciclos de dominância nasal regulares que só se podem notar quando ficamos com a respiração congestionada por causa de um resfriado. A respiração por uma única narina é dominante, mas vai se alterando regularmente ao longo do dia.

*Eccles, 1978*

### Verificador
**você é capaz de...**
- Discutir os padrões de sono, alerta e atividade e as variações nos estados do recém-nascido?
- Dizer como ocorrem as mudanças dos padrões de sono e como as práticas culturais podem afetar esses padrões?

# Guia de estudo 4

Quais são as complicações do nascimento que podem pôr em perigo a vida de um recém-nascido e quais são as perspectivas para bebês com essas complicações?

**bebês com baixo peso ao nascer**
Bebês com peso menor que 2,5 kg ao nascer, em virtude de prematuridade ou de serem pequenos para a idade gestacional.

**bebês pré-termo (prematuros)**
Bebês que nascem antes de completar a 37ª semana de gestação.

**bebês pequenos para a idade gestacional**
Bebês cujo peso ao nascer é menor que o peso de 90% das crianças da mesma idade gestacional, em virtude de um crescimento fetal lento.

# Complicações do parto e suas consequências

"Deve ser menino", dizem algumas mães cujo trabalho de parto foi longo e difícil. Essa velha história tem algum fundamento: partos de meninos têm maior probabilidade de envolver complicações do que partos de meninas, em parte porque meninos tendem a ser maiores (Bekedam, Engelsbel, Mol, Buitendijk, & van der Pal-de Bruin, 2002; Eogan, Geary, O'Connell, & Keane, 2003).

Embora a grande maioria dos nascimentos resulte em bebês normais e saudáveis, alguns, infelizmente, não são. Alguns nascem prematuramente ou muito pequenos, outros permanecem no útero por muito tempo, outros ainda nascem mortos ou morrem após o nascimento. Vejamos essas possíveis complicações do nascimento e como elas podem ser evitadas ou tratadas, de modo a maximizar as chances de resultados favoráveis.

## Baixo peso ao nascer (BPN)

**Bebês com baixo peso ao nascer** (BPN) pesam menos de 2.500 gramas ao nascerem. Há dois tipos de bebês com BPN: os que nascem cedo e os que nascem pequenos. A gestação típica dura 40 semanas, e os bebês que nascem antes da 37ª semana de gestação são conhecidos como **bebês pré-termo (prematuros)**. Nascer cedo está bastante relacionado, como se poderia esperar, com o fato de o bebê ser menor que um nascido a termo. Mais de 43% dos bebês pré-termo têm baixo peso, em comparação com apenas 3% de bebês nascidos a termo (Martin et al., 2009). Alguns bebês, conhecidos como **bebês pequenos para a idade gestacional (PIG)**, nascem a termo e, no entanto, são menores do que se esperava. Esses bebês pesam menos de 90% do peso dos que têm a mesma idade gestacional. São pequenos não por terem nascido mais cedo, sem oportunidade de ganhar peso, mas por outras razões, em geral nutrição pré-natal inadequada, o que retarda o crescimento fetal.

Estima-se que, no mundo inteiro, 15% de todos os bebês nascem com baixo peso, e as porcentagens são bem maiores em países menos desenvolvidos economicamente (UNICEF, 2008b; Quadro 5.5).

A verdadeira extensão do baixo peso ao nascer pode ser muito mais alta, pois 3 de cada 4 recém-nascidos em países em desenvolvimento não são pesados. O baixo peso ao nascer em regiões em desenvolvimento é resultado principalmente da saúde e nutrição precárias da mãe. Em um ensaio clínico duplo-cego com 8.468 gestantes na Tanzânia, o fornecimento diário de suplementos multivitamínicos reduziu a incidência de baixo peso ao nascer (Fawzi et al., 2007). No mundo industrializado, fumar durante a gravidez é o principal fator do baixo peso ao nascer (UNICEF & WHO, 2004).

Nos Estados Unidos, 8,3% dos bebês nascidos em 2006 apresentavam baixo peso ao nascer – a porcentagem mais alta em quatro décadas. No mesmo ano, 12,8% dos bebês norte-americanos eram pré-termo, 36% a mais do que no começo da década de 1980. Uma boa parte do aumento de nascimentos com baixo peso ao nascer e pré-termo provavelmente deve-se a gravidez tardia, múltiplos nascimentos, uso de medicamentos para fertilidade e parto induzido ou cesariano; contudo, o baixo peso ao nascer e a prematuridade também aumentaram em nascimentos simples (Martin et al., 2009).

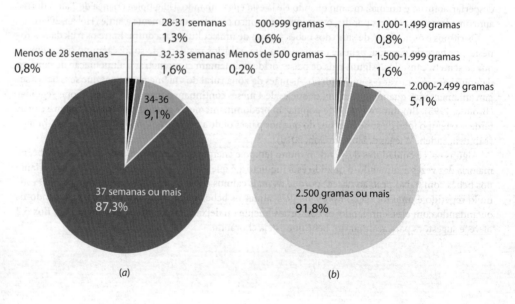

**FIGURA 5.4**
Complicações no nascimento, Estados Unidos, 2005.
*Porcentagens de nascidos vivos (a) pré-termo (menos de 37 semanas de gestação) ou (b) baixo peso ao nascer (menos de 2.500 gramas). Bebês com baixo peso ao nascer podem ser pré-termo ou pequenos para a idade gestacional, ou ambos.*

Fonte: Adaptada de Mathews & MacDorman, 2008, Figuras 2 e 3.

# O mundo social

## ACALMANDO UM BEBÊ QUE CHORA

Todos os bebês choram. São seus primeiros sinais de comunicação e a forma que têm para nos informar de que estão com fome, desconfortáveis, solitários ou infelizes. E, como poucos sons são tão incômodos como o choro de um bebê, os pais ou outros cuidadores normalmente correm para alimentá-lo ou pegá-lo no colo quando está chorando. Depois, o bebê normalmente se acalma e adormece ou apenas observa satisfeito. No entanto, há certos momentos em que o cuidador não consegue compreender o que o bebê quer, e ele continua chorando. É importante tentar encontrar maneiras de ajudar. Os pais que não conseguem descobrir a razão pela qual o bebê continua chorando após um longo período ficam sob tensão, irritados e deprimidos. Além disso, os bebês também são afetados pelo choro frequente. Bebês cujo choro não traz alívio parecem tornar-se menos autoconfiantes, sentindo que não podem controlar sua própria vida.

No Capítulo 8, discutiremos os diversos tipos de choro e o que podem significar. Os padrões de choro persistentes e não habituais podem ser sinais precoces de problemas. Para bebês saudáveis que parecem estar infelizes, os procedimentos a seguir poderão ajudar (Eiger & Olds, 1999):

- Segure o bebê, deitando-o de bruços sobre seu peito, para que ele sinta os batimentos cardíacos e a respiração de quem o segura. Ou, então, sente-se com o bebê em uma cadeira de balanço confortável.
- Ponha o bebê em um porta-bebê encostado em seu peito e ande com ele.
- Se você estiver chateado(a), peça a alguém que segure o bebê; eles, às vezes, são capazes de sentir e reagir ao humor de quem cuida deles.
- Dê palmadinhas ou alise as costas do bebê ou faça movimento de bicicleta com as pernas dele para o caso de alguma bolha de ar estar causando desconforto.
- Enrole o bebê confortavelmente em uma manta pequena; alguns se sentem mais seguros se forem enrolados do pescoço às pontas dos pés, com os braços mantidos próximos às laterais do corpo.
- Aqueça ou refresque o bebê; coloque ou retire peças de roupa ou ajuste a temperatura do quarto.
- Faça uma massagem no bebê ou dê-lhe um banho quente.
- Cante ou fale com o bebê, ou forneça-lhe um som contínuo ou ritmado, como música, batimento cardíaco simulado ou o ruído de fundo de um ventilador, de um aspirador de pó ou de outro eletrodoméstico.
- Leve o bebê para um passeio no carrinho ou na cadeira do automóvel — a qualquer hora do dia ou da noite. Quando o tempo está ruim, há pais que passeiam nos centros comerciais; a distração faz bem a todos.
- Se outra pessoa que não os pais estiver cuidando do bebê, algumas vezes ajuda se ela colocar um robe ou agasalho que a mãe ou o pai tenha utilizado recentemente, de modo que o bebê sinta um cheiro que lhe seja familiar.

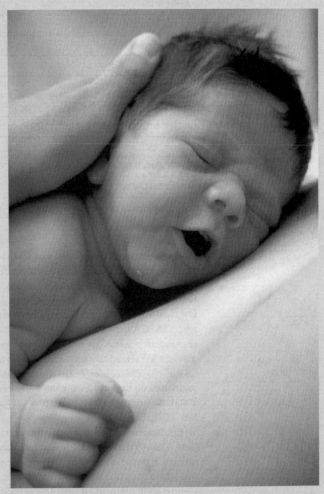

*Este bebê chorando pode se acalmar quando colocado de bruços sobre o peito da mãe.*

**Qual a sua opinião?**
- Você já tentou acalmar um bebê que estava chorando?
- Que técnicas pareceram funcionar melhor?

**QUADRO 5.5**   Porcentagem e número de recém-nascidos com baixo peso, por região, das Nações Unidas, 1999-2006*

| | % de recém-nascidos com baixo peso |
|---|---|
| **MUNDO** | **15** |
| Países desenvolvidos | 7 |
| Países em desenvolvimento | 16 |
| Países com menor grau de desenvolvimento | 17 |
| **ÁFRICA** | |
| África Oriental e África do Sul | 14 |
| África Subsaariana | 14 |
| África Ocidental e Central | 14 |
| Norte da África e Oriente Médio | 16 |
| **ÁSIA** | |
| Ásia Oriental e Pacífico | 6 |
| Sul da Ásia | 29 |
| **LESTE EUROPEU** | **6** |
| **AMÉRICA LATINA E CARIBE** | **9** |

\* Os dados referem-se ao ano mais recente disponível de 1999 a 2006.
*Fonte:* UNICEF, 2008b.

Peso ao nascer e duração da gestação são os dois mais importantes fatores de previsão de sobrevivência e saúde para o bebê (Mathews & MacDorman, 2008). Juntos constituem a segunda causa de morte na primeira infância nos Estados Unidos, depois das malformações congênitas, e a principal causa durante o período neonatal (Kung, Hoyert, Xu, & Murphy, 2008; Hoyert, Heron, Murphy, & Kung, 2006). O nascimento pré-termo está envolvido em quase metade dos problemas neurológicos ao nascer, como a paralisia cerebral, e em mais de um terço das mortes de bebês; ao todo, bebês com baixo peso ao nascer respondem por mais de dois terços das mortes nesse período. Bebês pré-termo tardios, nascidos entre a 34ª e a 36ª semana de gestação, tendem a pesar mais e a apresentar melhores condições do que aqueles que nasceram antes; entretanto, em comparação com bebês a termo, correm maior risco de morte prematura ou de apresentar efeitos adversos (Martin et al., 2006, 2007, 2009; Mathews & MacDorman, 2008). No mundo todo, o baixo peso ao nascer é um fator subjacente entre 60 e 80% das mortes neonatais (UNICEF, 2008b).

Os Estados Unidos têm sido mais bem-sucedidos que qualquer outro país em salvar bebês de baixo peso ao nascer, mas a taxa desses nascimentos em mulheres norte-americanas permanece mais alta do que em algumas nações europeias e asiáticas (UNICEF & WHO, 2004). A prevenção de nascimentos pré-termo aumentaria muito o número de bebês que sobrevivem ao primeiro ano de vida, mas medidas como o aprimoramento da assistência pré-natal, intervenções nutricionais, monitoramento doméstico da atividade uterina e prescrições de medicamentos, repouso e hidratação para mulheres que entram prematuramente em trabalho de parto têm-se mostrado incapazes de erradicar a onda de nascimentos prematuros (Goldenberg & Rouse, 1998; Lockwood, 2002). Um tratamento promissor é uma forma do hormônio progesterona chamado de *caproato de hidroxiprogesterona*, ou *17P*. Em uma experiência que durou dois anos e meio, em 13 grandes centros de pesquisa médica, a prescrição de 17P a mulheres que tinham dado à luz bebês prematuros reduziu a repetição de nascimentos pré-termo em um terço (Meis et al., 2003).

**Quem tem mais chances de ter um bebê com baixo peso ao nascer?**   Entre os fatores que aumentam a probabilidade de uma mulher ter um bebê abaixo do peso estão: (1) *fatores demográficos e socioeconômicos*, como ser afro-americana, ter menos de 17 anos ou mais de 40, ser pobre, não casada ou de baixa instrução e nascer em certas regiões, como os Estados do sul ou os Estados das planícies nos Estados Unidos (Thompson, Goodman, Chang, & Stukel, 2005); (2) *fatores clínicos que antecedem a gravidez*, como não ter filhos ou ter mais de quatro, ter estatura baixa, ser magra, já ter tido um bebê com baixo peso ou vários abortos espontâneos, ela própria ter nascido com baixo peso ou apresentar

Capítulo 5 • O nascimento e o recém-nascido **123**

anomalias genitais ou urinárias ou hipertensão crônica; (3) *fatores pré-natais comportamentais e ambientais*, como subnutrição, assistência pré-natal inadequada, tabagismo, uso de álcool ou de outras drogas (em especial o uso intenso ou compulsivo, o que aumenta o risco de parto prematuro), exposição ao estresse, a altitudes elevadas ou a substâncias tóxicas; e (4) *condições clínicas associadas à gravidez*, tais como sangramento vaginal, infecções, pressão arterial alta ou baixa, anemia, depressão e ganho de peso muito pequeno (Arias, MacDorman, Strobino, & Guyer, 2003; S. S. Brown, 1985; Chomitz, Cheung, & Lieberman, 1995; Nathanielsz, 1995; O'Leary, Nassar, Kurinczuk, & Bower, 2009; Shiono & Behrman, 1995; Wegman, 1992; Zhu, Rolfs, Nangle, & Horan, 1999), além de ter dado à luz pela última vez há menos de 12 meses ou mais de 5 anos (Conde-Agudelo, Rosas-Bermúdez, & Kafury-Goeta, 2006; De-Franco, Stamilio, Boslaugh, Gross, & Muglia, 2007). Depressão durante a gravidez é outro fator de risco; os exames para o diagnóstico de depressão são um aspecto importante do acompanhamento pré-natal (Yonkers, citado em Bernstein, 2003).

A alta proporção (11,85%) de bebês de baixo peso ao nascer na população negra não hispânica – duas vezes maior que a de bebês brancos e hispânicos (Martin e tal., 2009) — é um dos principais fatores das altas taxas de mortalidade em bebês negros (Hoyert, Mathews et al., 2006; Martin et al., 2007; MacDorman & Mathews, 2008; ver Cap. 6). Pesquisadores identificaram uma variante genética que pode ajudar a explicar as altas taxas de parto prematuro entre mulheres afro-americanas (Wang et al., 2006). Outras razões sugeridas para a maior predominância de baixo peso ao nascer, nascimentos pré-termo e mortalidade infantil entre bebês afro-americanos incluem (1) comportamentos relativos à saúde e nível socioeconômico; (2) níveis mais altos de estresse em mulheres afro-americanas; (3) maior suscetibilidade ao estresse; (4) o impacto do racismo, que pode contribuir para ou exacerbar o estresse; e (5) diferenças étnicas nos processos corporais relacionados ao estresse, como pressão arterial e reações imunológicas (Giscombé & Lobel, 2005).

**Tratamento imediato e consequências** O principal medo em relação a bebês muito pequenos é de que morram logo cedo. Como seu sistema imunológico ainda não se desenvolveu por completo, eles estão vulneráveis a infecções, o que tem sido associado a um crescimento lento e a um desenvolvimento atrasado (Stoll et al., 2004). Além disso, sua condição por vezes exige várias intervenções invasivas, que aumentam a probabilidade de infecção. Ainda, o sistema nervoso desses bebês pode não estar suficientemente amadurecido para desempenhar funções básicas à sobrevivência, como sugar, de modo que talvez precisem ser alimentados por via intravenosa (diretamente nas veias). A alimentação com leite materno pode favorecer a prevenção contra infecções (AAP Section on Breastfeeding, 2005; Furman, Taylor, Minich, & Hack, 2003). Como eles não têm uma quantidade suficiente de gordura para servir de isolante e para gerar calor, é difícil manter-se aquecido. Pontuações baixas na Escala de Apgar em recém-nascidos pré-termo são uma forte indicação de necessidade de cuidados intensivos (Weinberger et al., 2000).

Um bebê de baixo peso ao nascer, ou pré-termo de risco, é colocado em uma *incubadora* (berço antisséptico com temperatura controlada) e alimentado por tubos. Para compensar o empobrecimento sensorial em uma incubadora, os funcionários do hospital e os pais são encorajados a dar atenção especial a esses pequenos bebês. Massagens suaves parecem promover crescimento, ganho de peso, atividade motora, vivacidade e organização comportamental, conforme avaliação feita pela Escala Brazelton (NBAS) (T. Field, 1998b; T. Field, Diego, & Hernandez-Reif, 2007) e podem encurtar a permanência no hospital (T. Field, Hernandez-Reif, & Freedman, 2004; Standley, 1998). Contudo, a aparência desses bebês, bem como a tendência a um menor envolvimento com os pais durante as interações, podem causar dificuldades no processo de vinculação.

Bebês prematuros tendem a apresentar um desenvolvimento mais desigual. Comparados aos bebês que nasceram a termo e com a mesma idade, eles são mais alertas e permanecem mais tempo acordados, além de terem períodos mais longos de sono tranquilo e mais períodos REMs durante o sono ativo. Em contrapartida, o sono pode ser mais fragmentado, com mais transições entre o adormecer e o despertar (Holditch-Davis, Schwarts, & Hudson-Barr, 2004; Ingersoll & Thoman, 1999). O **método canguru**, que consiste no contato íntimo entre a mãe e o recém-nascido, que é colocado de bruços entre os seios da mãe por cerca de uma hora após o nascimento, pode ajudar os prematuros – e os nascidos a termo – a fazer a transição da vida fetal para a balbúrdia de estímulos sensoriais que é o mundo exterior. Esse contato materno tranquilizador parece reduzir o estresse no sistema nervoso central e ajuda na autorregulação do sono e da atividade (Ferber & Makhoul, 2004).

A síndrome do sofrimento respiratório, também chamada de *doença da membrana hialina*, é comum em bebês pré-termo que carecem de uma quantidade adequada de uma substância essencial que cobre o pulmão, chamada *surfactante*, e que impede o colapso dos alvéolos pulmonares. Esses bebês podem res-

**método canguru**
Método de contato íntimo em que o recém-nascido é colocado de bruços entre os seios da mãe.

pirar de modo irregular ou parar completamente de respirar. Desde 1994, a administração de surfactante para recém-nascidos de alto risco tem aumentado notavelmente as taxas de sobrevivência (Corbet et al., 1995; Goldenberg & Rouse, 1998; Horbar et al., 1993; Martin et al., 2005; Msall, 2004; Stoelhorst et al., 2005), bem como a condição neurológica e de desenvolvimento do 18º ao 22º mês (Vohr, Wright, Poole, & McDonald no NICHD Neonatal Research Network Follow-up Study, 2005). Desde 2000, a porcentagem de bebês com peso ao nascer extremamente baixo que sobreviveram sem deficiência neurológica tem aumentado ainda mais (Wilson-Costello et al., 2007).

**Consequências de longo prazo** Mesmo que bebês de baixo peso ao nascer sobrevivam aos perigos dos primeiros dias, seu futuro é preocupante. Por exemplo, tanto os bebês pré-termo quanto os bebês PIG poderão correr risco maior de ter diabetes na idade adulta, e estes ainda parecem correr risco maior de desenvolver doença cardiovascular (Hofman et al., 2004; Sperling, 2004). Entre uma coorte nascida na Noruega em 1967, e acompanhada longitudinalmente, nascimentos pré-termo levaram a maior risco de morte ao longo de toda a infância, taxas de reprodução menores na idade adulta e, para as mulheres, aumento do risco de elas mesmas gerarem bebês pré-termo (Swamy, Ostbye, & Skjaerven, 2008). Em outra coorte norueguesa, quanto mais curto o período da gestação, maior a probabilidade de paralisia cerebral, deficiência intelectual, transtornos do espectro autista e baixos níveis de instrução e de renda relativa ao trabalho (Moster, Lie, & Markestad, 2008).

Um lipídio encontrado no cérebro, o ácido docosa-hexaenoico (DHA), não se apresenta adequadamente desenvolvido em bebês nascidos antes da 33ª semana de gestação, o que pode levar a um desenvolvimento mental deficiente. Em um estudo longitudinal de bebês nascidos antes dessa idade gestacional, meninas, mas não meninos, que receberam altas doses compensadoras de ácidos graxos por meio do leite materno ou de fórmulas para lactentes, até o que teria sido a termo, demonstraram melhor desenvolvimento mental aos 18 meses do que meninas prematuras que haviam sido alimentadas com uma dieta baixa em DHA (Makrides et al., 2009).

Em estudos longitudinais de bebês de peso ao nascer extremamente baixo (entre 0,5 e 1 kg ao nascer) e de bebês nascidos antes da 26ª semana de gestação, os sobreviventes tendem a ser menores que crianças a termo e a ter maiores chances de apresentar problemas neurológicos, sensoriais, cognitivos, educacionais e comportamentais (Anderson, Doyle, & Victorian Infant Collaborative Study Group, 2003; Marlow, Wolke, Bracewell, & Samara em EPICure Study Group, 2005; Mikkola et al., 2005; Saigal, Stoskopf, Streiner, & Burrows, 2001; Samara, Marlow, & Wolke do EPICure Study Group, 2008). Entre uma coorte de bebês com peso ao nascer extremamente baixo na Finlândia, entre 1996 e 1997, apenas 26% apresentaram desenvolvimento normal aos 5 anos (Mikkola et al., 2005). Em um estudo de crianças nascidas no Reino Unido e na Irlanda em 1995, aquelas que nasceram na 25ª semana de gestação ou antes – especialmente os meninos – apresentavam uma probabilidade cinco vezes maior de manifestar graves problemas comportamentais aos 6 anos do que um grupo-controle que não havia nascido pré-termo, possivelmente porque a separação prematura da mãe afeta o desenvolvimento do cérebro (Samara et al., 2008).

Quanto menor é o peso de crianças com baixo peso ao nascer, mais baixos tendem a ser seus níveis de QI e de teste de aquisição de competência e maior é a probabilidade de precisarem de educação especial ou de repetir um ano na escola (Saigal, Hoult, Streiner, Stoskopf, & Rosenbaum, 2000). Déficits cognitivos, especialmente na memória e na velocidade de processamento, têm sido observados entre bebês com peso ao nascer muito baixo (de 1 a 1,5 kg ao nascer) até os 5 ou 6 meses, continuando ao longo da infância (Rose & Feldman, 2000; Rose, Feldman, & Jankowski, 2002) até a idade adulta (Fearon et al., 2004; Greene, 2002; Hack et al., 2002; Hardy, Kuh, Langenberg, & Wadsworth, 2003). Crianças e adolescentes com peso ao nascer muito baixo também tendem a apresentar mais problemas comportamentais e mentais do que aqueles que nasceram com peso normal (Hack et al., 2004).

Em contrapartida, em outro estudo longitudinal, com 296 bebês que pesaram, em média, aproximadamente 1 kg ao nascer e considerados com deficiência intelectual leve, a maioria apresentou melhora cognitiva na segunda infância e inteligência normal por volta dos 8 anos. Entre crianças de famílias em que os dois pais estavam presentes, aquelas cujas mães ti-

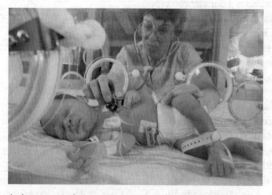

*A câmara antisséptica e com temperatura controlada, ou incubadora, na qual este bebê prematuro está, tem aberturas por meio das quais ele pode ser examinado, tocado e massageado. O contato humano frequente ajuda os recém-nascidos com baixo peso a se desenvolver.*

Capítulo 5 • O nascimento e o recém-nascido

nham alto nível de escolaridade, aquelas que não sofreram lesões cerebrais significativas e aquelas que não precisaram de cuidados especiais demonstraram melhor desempenho (Ment et al., 2003). Em um estudo longitudinal prospectivo com 166 bebês com peso ao nascer extremamente baixo, que nasceram entre 1977 e 1982 em Ontário, no Canadá, onde a assistência médica é universal, a grande maioria superou as dificuldades da infância e tornou-se jovens adultos funcionais, que concluíram o ensino médio, trabalham e vivem de modo independente, e muitos deles cursam o ensino superior. Essas crianças eram predominantemente brancas e de famílias com pai e mãe, cerca de metade delas de alta condição socioeconômica. Crianças com dificuldades foram integradas em escolas regulares e desfrutaram de assistência especial no ensino (Saigal et al., 2006). O peso ao nascer por si só, portanto, não determina necessariamente as consequências. Fatores ambientais fazem diferença, conforme discutiremos mais adiante. Mais especificamente, bebês são muito resistentes, e um ambiente pós-natal de alta qualidade pode suavizar os efeitos potenciais do fato de nascerem pequenos.

## Pós-maturidade

Quando pensamos sobre complicações no parto, consideramos, em geral, as questões relacionadas com o nascimento prematuro ou com o bebê ser muito pequeno. No entanto, bebês também podem ser afetados negativamente por ficarem mais tempo no útero. De fato, cerca de 6% das gestantes nos Estados Unidos não entraram em trabalho de parto após a 42ª semana de gestação (Martin et al., 2009). A essa altura, o bebê é considerado **pós-maturo**. Bebês pós-maturos tendem a ser compridos e magros porque continuaram crescendo no útero, mas, no final da gestação, tiveram uma provisão sanguínea insuficiente. A placenta torna-se menos eficiente à medida que a gravidez vai progredindo, resultando em uma diminuição dos níveis de nutrientes e de oxigênio que estão disponíveis para o bebê. As dimensões do bebê também complicam o parto; a mãe tem de dar à luz uma criança do tamanho de um bebê normal de 1 mês de idade.

**pós-maturo**
Feto que não nasceu até a 42ª semana de gestação.

Como os fetos pós-maturos correm o risco de sofrer danos cerebrais ou mesmo de morte, os médicos por vezes induzem o parto ou fazem cesariana. O uso crescente dessas duas técnicas provavelmente explica o declínio dos nascimentos pós-termo nos últimos anos (Martin et al., 2006).

## Natimortos

O **natimorto** é uma trágica união de opostos – nascimento e morte – que ocorre na 20ª semana de gestação ou após. Às vezes, a morte fetal é diagnosticada na fase pré-natal; em outros casos, a morte é detectada durante o trabalho de parto.

**natimorto**
Morte do feto na ou após a 20ª semana de gestação.

No mundo inteiro, em torno de 3,2 milhões de fetos nascem mortos anualmente (Lawn et al., 2010). Nos Estados Unidos, a incidência de natimortos vem diminuindo constantemente desde 1990, principalmente devido ao declínio de mortes no terceiro trimestre. No entanto, o registro de natimortos – 25.894, ou 6,22 em cada 1.000 nascidos vivos, mais as mortes fetais, em 2005 – é quase tão grande quanto o total de todas as mortes de bebês (Kung et al., 2008; Mac-Dorman & Kirmeyer, 2009). Meninos estão mais propensos a serem natimortos do que meninas; fetos negros não hispânicos, mais do que fetos de outros grupos raciais/étnicos; e gêmeos e outros múltiplos, mais do que bebês isolados. O uso de tecnologias de reprodução assistida pode aumentar o risco de o feto nascer morto (MacDorman & Kirmeyer, 2009).

Embora a causa da morte geralmente não seja clara, muitos fetos natimortos são pequenos para a idade gestacional, o que indica subnutrição no útero (Surkan, Stephansson, Dickman, & Cnattingius, 2004). Em 2005, mais de um terço (35%) dos fetos natimortos nos Estados Unidos pesava menos de 500 gramas no momento do parto, e metade pesava menos de 750 gramas (MacDorman & Kirmeyer de 2009). A redução no número de natimortos pode ser devida à monitoração eletrônica do feto, ao ultrassom e a outras medidas para identificar fetos que correm o risco de restrição no crescimento. Fetos supostamente com problemas podem ser submetidos a uma cirurgia pré-natal no útero para corrigir problemas congênitos ou para serem retirados prematuramente (Goldenberg, Kirby, & Culhane, 2004; Goldenberg & Rouse, 1998).

O natimorto foi chamado de "morte invisível". Os membros da família poderão passar por dificuldades durante anos até se adaptarem à perda em um ambiente social que nega sua legitimidade (Cacciatore, DeFrain, & Jones, 2008, p. 1). O natimorto é o que a terapeuta familiar Pauline Boss (2006, 2007) chama de *perda ambígua*, que deixa os pais enlutados com mais perguntas do que respostas. Eles podem se perguntar: "Por que o bebê morreu? Eu contribuí para sua morte? Devemos ter outro bebê?

## Verificador
### você é capaz de...
- Discutir os fatores de risco, o tratamento e as consequências para bebês com baixo peso ao nascer?
- Explicar os riscos relativos à pós-maturidade?
- Citar fatores de risco para natimortos e explicar por que os índices de natimortos diminuíram?

Embora sejam frágeis e devam ser tratados com cuidado, bebês com baixo peso ao nascer que são abraçados e carregados nos braços ganham peso e recebem alta do hospital mais rápido.

*Graças aos ambientes positivos e a sua resiliência, um terço das crianças em situação de risco, estudadas por Emmy Werner e colaboradores, transformou-se em adultos autoconfiantes e bem-sucedidos.*

**fatores de proteção**
Fatores que reduzem o impacto de influências potencialmente negativas e tendem a prever consequências positivas.

### Verificador
### você é capaz de...
- Citar os nomes de três fatores de proteção identificados no estudo de Kauai?

Isso acontecerá novamente? Eu suportaria?". Embora o natimorto esteja fisicamente ausente, "a presença psicológica do bebê continuará pelo resto das vidas dos membros da família" (Cacciatore et al., 2008, p. 4). A mãe poderá ter vergonha de sua incapacidade de gerar um bebê vivo e saudável e se perguntará se o marido a culpa. Irmãos podem apresentar sintomas físicos como insônia, falta de apetite ou excesso de alimentação, regressão no desenvolvimento, ansiedade, irritabilidade, raiva, apatia, tiques nervosos, tensão muscular, surtos emocionais e crises de choro. (Ver Box 4.1, no Cap. 4, para conhecer formas de aliviar o luto pelo natimorto.)

## Um ambiente favorável pode compensar os efeitos de complicações no nascimento?

Do ponto de vista evolutivo, as pessoas — como os outros seres vivos — se desenvolvem, reproduzem e sobrevivem em ambientes adequados às suas necessidades e expectativas. Assim, as características ambientais apropriadas podem ajudar um bebê a se desenvolver melhor. Além disso, os seres humanos são adaptáveis e resilientes, especialmente durante os primeiros anos de vida. Um estudo longitudinal importante sugere que, se houver um ambiente favorável, a resiliência pode acontecer mesmo diante de um começo difícil de vida.

Durante quase cinco décadas, Emmy E. Werner (1987, 1995; Werner & Smith, 2001) e uma equipe de pediatras, psicólogos, profissionais de saúde pública e assistentes sociais acompanharam 698 crianças nascidas em 1955, na ilha havaiana de Kauai, da gestação até a vida adulta intermediária. Os pesquisadores entrevistaram as futuras mães, monitoraram a gravidez de cada uma delas e as entrevistaram novamente quando as crianças tinham 1, 2 e 10 anos. Observaram as crianças em casa, aplicaram-lhes testes de aptidão, de aquisição de competência e de personalidade, no ensino fundamental e no ensino médio, e obtiveram relatórios de progresso de seus professores. Os próprios jovens foram entrevistados periodicamente depois que atingiram a idade adulta.

O desenvolvimento físico e psicológico de crianças que haviam sofrido de baixo peso ao nascer ou de outras complicações graves era gravemente comprometido *somente* quando as crianças cresciam em circunstâncias ambientais persistentemente precárias. A menos que o dano inicial tenha sido tão grave a ponto de exigir institucionalização, as crianças que tiveram um ambiente estável e enriquecedor foram bem-sucedidas (E. E. Werner, 1985, 1987). De fato, elas tiveram menos problemas linguísticos, perceptuais, emocionais e escolares do que as crianças que *não* haviam experimentado um estresse incomum ao nascer, mas que tinham recebido pouco estímulo intelectual ou apoio emocional no lar (E. E. Werner, 1989; E. E. Werner et al., 1968). As crianças que haviam sido expostas tanto a problemas relacionados ao nascimento quanto a experiências estressantes tinham uma saúde pior e o desenvolvimento atrasado (E. E. Werner, 1987).

O que é mais extraordinário é a capacidade de recuperação de crianças que escaparam dos danos apesar das *múltiplas* fontes de estresse. Mesmo quando se somavam as complicações no nascimento, a pobreza crônica, a discórdia familiar, o divórcio ou pais mentalmente doentes, muitas crianças passaram por tudo isso relativamente incólumes. Das 276 crianças que aos 2 anos de idade foram identificadas com quatro ou mais fatores de risco, dois terços desenvolveram graves problemas de aprendizagem ou comportamento aos 10 anos de idade, ou aos 18 anos já tinham engravidado, se envolvido em problemas com a lei ou eram emocionalmente perturbadas. Entretanto, aos 30 anos, um terço dessas crianças de alto risco havia se tornado "adultos competentes, confiantes e solidários" (E. E. Werner, 1995, p. 82). De toda a amostra, cerca de metade daqueles dos quais os pesquisadores conseguiram obter dados de acompanhamento resistiu à transição dos 30 e dos 40 anos. As mulheres tendiam a ser mais bem adaptadas que os homens (E. Werner & Smith, 2001).

Os **fatores de proteção** que tendiam a reduzir o impacto do estresse inicial dividem-se em três categorias: (1) atributos individuais como energia, sociabilidade e inteligência; (2) laços afetivos com pelo menos um membro da família; e (3) recompensas na escola, no trabalho ou em locais de culto religioso que ofereçam um senso de significado e controle sobre a própria vida (E. E. Werner, 1987). Embora o ambiente doméstico parecesse exercer um efeito marcante sobre a infância, na vida adulta as próprias qualidades do indivíduo fizeram mais diferença (E. E. Werner, 1995).

Esse estudo destaca a necessidade de considerar o desenvolvimento em contexto. Mostra como as influências biológicas e ambientais interagem, tornando possível a recuperação mesmo de bebês nascidos com graves complicações. (Características de crianças resilientes serão discutidas posteriormente, no Cap. 14.)

## Os recém-nascidos e os pais

O nascimento é uma transição importante, não só para o bebê, mas também para os pais. De repente, quase todo o tempo e a energia (ao que parece) estão focados no ser que acabou de entrar em suas vidas. Especialmente em se tratando de um primogênito, o recém-nascido exige cuidados constantes que desafiam a capacidade dos pais – e pode afetar sua relação conjugal. Ao mesmo tempo, os pais (e, talvez, os irmãos) começam a conhecer esse recém-chegado e a desenvolver vínculos emocionais.

### Assistência infantil: uma perspectiva intercultural

Os cuidados e os padrões de interação infantil variam muito pelo mundo, dependendo das condições ambientais e da visão cultural sobre a natureza e as necessidades da criança. Em Bali, os bebês são considerados ancestrais ou deuses trazidos à vida sob a forma humana e, por isso, devem ser tratados com a mais alta dignidade e respeito. Os beng, da África Ocidental, acreditam que os bebês podem entender todas as línguas, enquanto o povo do atol de Ifaluk, na Micronésia, acredita que os bebês não podem entender nenhum idioma, e, portanto, os adultos não falam com eles (DeLoache & Gottlieb, 2000).

Em algumas sociedades, os bebês têm vários cuidadores. Entre o povo efe da África Central, por exemplo, os bebês normalmente recebem cuidados de cinco ou mais pessoas em dado momento, e é comum serem amamentados no seio de outras mulheres além da mãe (Tronick, Morelli, & Ivey, 1992). Entre os gusii, no Quênia Ocidental, onde a mortalidade das crianças no primeiro ano de vida é alta, os pais tendem a manter os bebês mais perto de si, a atendê-los rapidamente quando choram e a alimentá-los quando pedem (LeVine, 1974, 1989, 1994). O mesmo se passa com os aka, uma tribo forrageadora da África Central, que se deslocam frequentemente em grupos pequenos e integrados, caracterizados pelo compartilhamento, pela cooperação e pela preocupação com o perigo. No entanto, os lavradores ngandu, na mesma região, que tendem a viver mais tempo separados e a ser mais sedentários, são mais propensos a deixar os bebês sozinhos e a permitir que façam barulho ou chorem, sorriam, vocalizem ou brinquem (Hewlett, Lamb, Shannon, Leyendecker, & Schölmerich, 1998).

É preciso lembrar, então, que os padrões de interação pais-bebês que adotamos podem ser próprios de uma cultura. Além disso, é logo a partir do primeiro dia de vida do bebê que se inicia seu processo de socialização, de acordo com a forma como são manejados seus desejos e necessidades.

### Nascimento e vinculação

Como e quando se desenvolve o **vínculo mãe-bebê** — a ligação íntima e zelosa entre a mãe e o recém-nascido? Alguns pesquisadores dessa temática seguiram a abordagem etológica (apresentada no Cap. 2), na qual se considera que o comportamento nos seres humanos, assim como nos animais, é determinado biologicamente e são destacados períodos críticos ou particularmente sensíveis para o desenvolvimento de certos comportamentos.

Como mencionado no Capítulo 1, Konrad Lorenz (1957) demonstrou que os patinhos recém-nascidos seguirão o primeiro objeto em movimento que virem, normalmente a mãe — um fenômeno chamado *imprinting*. Entretanto, os pesquisadores concluíram que, diferentemente dos animais que Lorenz estudou, *não* existe um período crítico para o estabelecimento de vínculos nos seres humanos (Chess & Thomas, 1982; Klaus & Kennell, 1982; Lamb, 1983). Os lactentes precisam realmente desenvolver figuras de vinculação, mas, esse processo ocorre ao longo de um período de tempo (em vez de ser instantâneo, como nos pássaros) e pode assumir várias formas. Essa descoberta pode minimizar a preocupação e a culpa que os pais adotivos sentem às vezes e dos pais que tiveram que se separar dos bebês após o nascimento.

Os pais, como as mães, formam vínculos sólidos com seus bebês. Isso até pode ser influenciado do ponto de vista biológico; há indícios de que os pais envolvidos apresentam diminuição nos níveis de testosterona ao longo da gravidez, sugerindo que a fisiologia de seus corpos está ajudando a prepará-los para o envolvimento nos comportamentos parentais (Berg & Wynne-Edwards, 2001; Gettler, McDade, Feranil, & Kuzawa, 2011; Gray, Yang, & Pope Jr., 2006). Os bebês contribuem fazendo o que os recém-nascidos normalmente fazem: abrir os olhos, agarrar os dedos do pai ou mexer-se em seus braços. Os pais que assistem ao nascimento de um bebê consideram, em geral, o evento como uma "experiência emocional extraordinária" (May & Perrin, 1985) ou como a melhor coisa que lhes aconteceu (Longworth & Kingdon, 2010). Os homens, entretanto, podem ficar emocionalmente envolvidos com seus bebês independentemente de terem ou não assistido ao parto (Palkovitz, 1985). Essa relação também é frequentemente afetada pela qualidade da relação entre a mãe e o pai (Fagan, Palkovitz, Roy, & Farrie, 2009).

---

**Guia de estudo 5**

Como os pais criam vínculos com o bebê e cuidam dele?

**vínculo mãe-bebê**
Sentimento de ligação próxima e zelosa da mãe com o filho recém-nascido.

***imprinting***
Forma instintiva de aprendizado na qual, durante um período crítico do desenvolvimento precoce, um animal jovem se vincula ao primeiro objeto móvel que vê, normalmente a mãe.

Charles Darwin (1872) sugeriu que somos programados pela seleção natural para querer cuidar das crianças. Nós as consideramos "bonitinhas" não porque haja algo objetivamente bonito nelas, mas porque nossas mentes as veem dessa forma. Achamos seus gritos aversivos, mas corremos para ajudá-las porque os pais que cuidaram muito bem de suas crianças foram os pais que nos passaram seus genes. Em outras palavras, estamos biologicamente preparados pela evolução para nos envolvermos na parentalidade. Em uma perspectiva evolutiva, a vinculação parental pode ser um mecanismo para assegurar que o casal investe todas as energias e os recursos necessários para permitir que o bebê indefeso sobreviva e se desenvolva. Os psicólogos do desenvolvimento evolucionista apontam que a criação dos filhos envolve a manutenção do equilíbrio entre as necessidades dos pais e as da prole (Bjorklund & Pellegrini, 2000). A vinculação ajuda a assegurar que os benefícios para os pais compensem os custos.

Um estudo que utiliza magnetoencefalografia (MEG) sugere uma base neurológica para a vinculação dos pais. O cérebro dos adultos, em uma área do córtex frontal que está envolvida no processamento de sentimentos de recompensa e de prazer, mostrou um aumento quase imediato da atividade em resposta a rostos de crianças desconhecidas, mas não a rostos igualmente atraentes de adultos desconhecidos (Kringelbach et al., 2008).

## O que os recém-nascidos esperam de suas mães?

Durante muitos anos, os psicólogos pensaram que o vínculo mãe-filho era dirigido por um modelo associacionista. Em outras palavras, os teóricos pensavam que os bebês se vinculavam aos seus pais porque estes lhes forneciam alimentos. Com o passar do tempo, os bebês começariam a associar os pais ao fornecimento de alimentos e, por consequência, vinculariam-se. Por exemplo, tanto os teóricos do modelo da aprendizagem como os teóricos do modelo psicanalítico consideraram a vinculação dessa forma. No entanto, em uma série de experimentos com macacos, feitos por Harry Harlow e colaboradores, constatou-se que o vínculo mãe-bebê envolve muito mais do que a função de alimentar. Nesses experimentos, macacos-rhesus foram separados de suas mães de 6 a 12 horas após o nascimento e cresceram em laboratório. Os macacos bebês foram colocados em gaiolas com um de dois tipos de mães substitutas: um modelo cilíndrico simples, feito de arame, e um modelo coberto por um tecido felpudo. Apesar de terem sido feitas numerosas variações dessa experiência, a questão central era sempre "a qual mãe os macacos bebês iriam se vincular?". Se os teóricos tivessem razão, os bebês iriam se vincular à "mãe" de arame porque ela fornecia alimento. Contudo, o que realmente aconteceu foi que os macacos se vincularam à mãe de tecido felpudo. Quando era permitido aos macacos passar algum tempo com qualquer um dos dois tipos de mães, todos ficavam mais tempo apegados às substitutas de pano, apesar de serem alimentados apenas pela mãe de arame. Em um ambiente não familiar, os bebês "criados" pelas substitutas de pano apresentaram mais interesse natural em explorar do que os "criados" pelas substitutas de arame, mesmo na presença das verdadeiras mães.

Aparentemente, os macacos também se lembravam mais das substitutas de pano. Após uma separação de um ano, os macacos "criados" pelas substitutas de pano correram para abraçá-las, enquanto os macacos "criados" pelo modelo de arame não mostraram interesse por ela (Harlow & Zimmerman, 1959). No entanto, nenhum dos macacos de qualquer um dos grupos cresceu normalmente (Harlow & Harlow, 1962), tampouco foi capaz de alimentar os próprios filhos (Suomi & Harlow, 1972).

Em outro estudo, os ratos bebês cujas mães frequentemente os lambiam tornaram-se menos ansiosos e medrosos e produziram níveis mais baixos do hormônio do estresse do que os ratinhos que não receberam esses cuidados das mães. Os pesquisadores descobriram que o contato maternal ativava um gene que aliviava o estresse (Caldji, Diorio, & Meaney, 2003).

*Em uma série de experimentos clássicos, Harry Harlow e Margaret Harlow demonstraram que a alimentação não é o caminho mais importante para chegar ao coração de um bebê. Quando os macacos-rhesus puderam escolher entre uma mãe substituta de arame e uma de pano felpudo quentinho, eles ficavam mais tempo agarrados às substitutas de pano, apesar de serem alimentados por garrafas acopladas à mãe de arame.*

Não é de surpreender que uma mãe de brinquedo pudesse oferecer os mesmos tipos de estímulo e oportunidades necessários ao desenvolvimento eficaz que a verdadeira mãe consegue proporcionar e que uma demonstração física da mãe conseguisse acalmar o estresse do bebê. Esses experimentos mostram que a alimentação não é o cuidado mais importante que os bebês recebem de suas mães. O papel da mãe também inclui oferecer o conforto do íntimo contato corporal e, pelo menos no caso dos macacos, a satisfação da necessidade inata de apego.

Bebês humanos também têm necessidades que devem ser atendidas para que cresçam normalmente. Cabe aos pais tentar satisfazer essas necessidades.

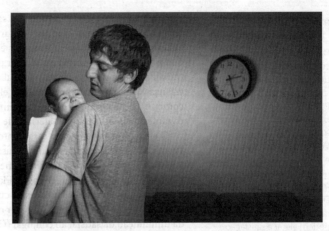

*Os conceitos de paternidade têm mudado nas últimas décadas. Este pai confortando o filho desempenhará um papel importante no desenvolvimento dessa criança.*

## O papel do pai

O papel do pai apresenta significados distintos em culturas diferentes. Seu papel pode ser assumido ou compartilhado por alguém que não seja o pai biológico: um tio, como no Botsuana (onde as mães jovens permanecem com a família até os parceiros completarem 40 anos), ou um avô, como no Vietnã (Engle & Breaux, 1998; Richardson, 1995; Townsend, 1997). Em algumas sociedades, os pais envolvem-se mais na vida dos filhos — em termos econômicos, emocionais e de tempo dedicado — do que em outras culturas. Em muitas partes do mundo, o significado de ser pai tem mudado e continua mudando (Engle & Breaux, 1998).

Entre os povos huhot, da Mongólia Interior, uma província da China, os pais são tradicionalmente responsáveis pelo sustento econômico e pela disciplina, e as mães pela criação (Jankowiak, 1992). Os pais são severos e distantes, e os filhos os respeitam e os temem. Os homens quase nunca seguram as crianças no colo. Eles interagem mais com aquelas que já começaram a andar, mas só cuidam delas se a mãe estiver ausente. Entretanto, a urbanização e o ingresso das mães no mercado de trabalho estão mudando essas atitudes. Os pais — particularmente aqueles com educação de nível superior — hoje buscam manter um relacionamento mais próximo com os filhos, em especial com os meninos. A política oficial do filho único, na China, acentuou essa mudança, levando ambos os genitores a envolverem-se mais profundamente com a única criança que têm (Engle & Breaux, 1998).

Entre os aka da África Central, diferentemente dos huhot, os pais são tão responsáveis pelo sustento e pelo apoio emocional quanto as mães. De fato, "os pais aka dão mais assistência direta às crianças do que os pais de qualquer outra sociedade conhecida" (Hewlett, 1992, p. 169).

Nos Estados Unidos e em alguns outros países, o envolvimento dos pais nos cuidados e nas brincadeiras aumentou muito desde 1970, à medida que cada vez mais mães começaram a trabalhar fora de casa e os conceitos de paternidade foram mudando (Cabrera, Tamis-LeMonda, Bradley, Hoffreth, & Lamb, 2000; Casper, 1997; Pleck, 1997; Wood & Repetti, 2004). O envolvimento frequente e positivo do pai com seu filho, desde os primeiros meses, está diretamente relacionado com o bem-estar e com o desenvolvimento físico, cognitivo e social da criança (Cabrera et al., 2000; Kelley, Smith, Green, Berndt, & Rogers, 1998; Shannon, Tamis-Le Monda, London, & Cabrera, 2002).

## Como a paternidade e a maternidade afetam a satisfação conjugal

Em geral, a satisfação conjugal diminui durante os anos de criação dos filhos. Uma análise de 146 estudos, que incluiu cerca de 48 mil homens e mulheres, constatou que os pais relatam satisfação conjugal inferior à dos indivíduos que nunca foram pais, e quanto mais filhos têm, menor é a satisfação com o respectivo casamento. A diferença é mais marcante entre as mães de lactentes; 38% relatam alta satisfação conjugal, comparadas com 62% das mulheres sem filhos, provavelmente devido à restrição de liberdade das mães e à necessidade de se ajustarem ao seu novo papel (Twenge, Campbell, & Foster, 2003). Dois estudos longitudinais prospectivos obtiveram resultados semelhantes: os casais jovens que tiveram bebês relataram um declínio pequeno, mas constante, na satisfação conjugal, enquanto os casais que permaneceram sem filhos não (Schulz, Cowan, & Cowan, 2006; Shapiro & Gottman, 2003).

> **Qual a sua opinião?**
>
> - "Apesar do crescente papel ativo que muitos pais desempenham na criação de seus filhos, a mãe será sempre mais importante para os bebês e para os filhos pequenos do que o pai." Você concorda ou discorda dessa afirmação?
> - Que diferença teria o relacionamento com seu pai se você tivesse crescido entre os huhot na Mongólia Interior? E entre o povo aka?

> **Qual a sua opinião?**
>
> A satisfação conjugal declina com o nascimento de uma criança. Em geral, casais com filhos são comparados com casais sem filhos. Mas será que os pesquisadores estão usando o grupo certo para a comparação? Poderá haver diferença entre os casais que não têm filhos porque não os querem e os casais que não têm filhos porque não podem?

# PARTE II • O começo

## Verificador
### você é capaz de...

- Dar exemplos de diferenças culturais nos cuidados e no tratamento dos recém--nascidos?
- Resumir as conclusões sobre o vínculo entre pais e recém--nascidos?
- Comparar os papéis dos pais e das mães na satisfação das necessidades dos recém--nascidos?
- Discutir de que forma a maternidade e a paternidade podem afetar a satisfação conjugal?

O que explica o declínio típico na satisfação? Os novos pais são propensos a experimentar diferentes fatores de tensão que podem afetar a saúde e o estado de espírito. Podem se sentir isolados e não enxergarem o fato de que outros pais estão passando por problemas semelhantes. A divisão de tarefas domésticas entre o homem e a mulher pode se tornar um problema: por exemplo, se a mulher que antes trabalhava fora de casa agora não trabalha mais, a carga de trabalho doméstico e de cuidados com a criança vai cair principalmente sobre ela (Cowan & Cowan, 2000; Schulz et al., 2006). Algo tão simples como um bebê chorando, que mantém os pais acordados à noite, pode diminuir a satisfação conjugal durante o primeiro ano de paternidade e maternidade (Meijer & van den Wittenboer, 2007).

O efeito do novo bebê no casamento pode depender da forma como o casal encara a parentalidade. Pesquisadores que entrevistaram 96 casais que estavam à espera de um bebê e os acompanharam durante seis anos após o nascimento do primeiro bebê constataram que os casais que haviam decidido juntos o momento ideal para a mulher engravidar tendem a experimentar tanta ou mais satisfação conjugal após o nascimento como antes. Os casais cuja gravidez não foi planejada, que tinham sentimentos mistos sobre ela ou que discordaram sobre ter ou não um bebê foram quase totalmente responsáveis pela média da diminuição da satisfação conjugal (Cowan & Cowan, 2009).

Os pais que, a partir do último trimestre da gravidez, participaram de reuniões com grupos profissionais de discussão sobre questões da parentalidade e do relacionamento relataram diminuições significativamente menores da satisfação conjugal. Essas discussões podem ajudar os novos pais a fazer um balanço da forma como as mudanças nas suas vidas estão afetando o relacionamento entre eles e com seus bebês, além de incentivá-los a procurar suas próprias soluções (Schulz et al., 2006).

O nascimento do bebê, considerado uma realização importante, marca o início de uma jornada desafiadora, mas gratificante — a jornada pelo mundo da criança. Na Parte III, examinaremos nossa compreensão cada vez maior sobre o desenvolvimento físico, cognitivo e psicossocial durante os três primeiros anos de vida da criança.

# resumo & palavras-chave

## ❶ Nascimento e cultura: mudanças no nascimento

***Como os costumes referentes ao nascimento refletem a cultura e como o nascimento evoluiu em países desenvolvidos?***

- Na Europa e nos Estados Unidos, antes do século XX, o nascimento de uma criança não era muito diferente do que ocorre hoje em dia em alguns países em desenvolvimento. O nascimento era um ritual feminino que acontecia em casa e era atendido por uma parteira. O alívio da dor era mínimo, e os riscos para a mãe e para o bebê eram altos.
- O desenvolvimento da ciência da obstetrícia profissionalizou o nascimento. Este passou a ter lugar em hospitais, com o atendimento de médicos. Os avanços da medicina melhoraram consideravelmente a segurança.
- Atualmente, algumas mulheres optam por partos em casa assistidos por parteiras. No entanto, a segurança do parto doméstico, mesmo que normal e de baixo risco, está sob grande discussão.

## ❷ O processo de nascimento

***Como se inicia o trabalho de parto, o que acontece durante cada uma das três etapas do nascimento e quais são os métodos alternativos disponíveis?***

- O nascimento normalmente ocorre após um período preparatório de parturição.

- O processo de parto vaginal consiste em três etapas: (1) dilatação do colo do útero; (2) descida e nascimento do bebê; e (3) expulsão do cordão umbilical e da placenta.
- A monitoração eletrônica fetal é amplamente utilizada durante a parturição e o parto. Sua finalidade é detectar sinais de sofrimento do feto, especialmente em nascimentos de alto risco.
- A taxa de cesarianas nos Estados Unidos atingiu um nível sem precedentes.
- O parto natural ou preparado pode diminuir a necessidade de analgésicos e maximizar o envolvimento ativo dos pais. Os modernos peridurais podem oferecer alívio efetivo da dor com doses menores de medicação do que no passado.
- A presença de uma parteira (doula) pode oferecer benefícios físicos, além de apoio emocional.

**parturição (110)**
**monitoração eletrônica fetal (111)**
**parto cesariano (112)**
**parto natural ou preparado (113)**
**doula (113)**

## ❸ O recém-nascido

***Como o recém-nascido se ajusta à vida fora do útero e como podemos saber se um bebê é saudável e se está se desenvolvendo normalmente?***

- O período neonatal é um tempo de transição entre a vida intrauterina e a vida extrauterina. Durante os primeiros dias, o neonato perde peso e depois o recupera; o lanugo (penugem pré-natal) cai, e a cobertura protetora de vérnix caseoso seca completamente. As fontanelas (pontos moles) no crânio fecham-se nos primeiros 18 meses.

- No nascimento, os sistemas circulatório, respiratório, gastrintestinal e de regulação da temperatura tornam-se independentes da mãe. Se o recém-nascido não puder respirar após 5 minutos, poderá ocorrer dano cerebral.
- Os recém-nascidos apresentam um forte reflexo de sucção e secretam mecônio do trato intestinal. É comum estarem sujeitos à icterícia neonatal em virtude da imaturidade do fígado.
- Entre 1 e 5 minutos após o nascimento, a pontuação Apgar do neonato pode indicar como ele está se adaptando à vida extrauterina. A Escala Brazelton de Avaliação do Comportamento Neonatal pode avaliar respostas ao ambiente e prever o desenvolvimento futuro.
- A triagem neonatal é feita para certas condições raras, tais como PKU e hipotireoidismo congênito. Esses exames têm sido ampliados para detectar mais patologias.
- O estado de alerta em um recém-nascido é governado por ciclos periódicos de vigília, sono e atividade, que parecem ser inatos.
- Os neonatos dormem durante a maior parte do tempo, mas os períodos de vigília aumentam à medida com que vão ficando mais velhos.
- As diferenças individuais nos níveis de atividade do recém-nascido mostram estabilidade e constituem talvez os primeiros indicadores de seu temperamento.
- A responsividade dos pais aos estados dos bebês e os níveis de atividades espontâneas são uma influência bidirecional importante no desenvolvimento.

**período neonatal (114)**
**neonato (114)**
**anoxia (115)**
**icterícia neonatal (117)**
**Escala de Apgar (117)**
**Escala Brazelton de Avaliação do Comportamento Neonatal (NBAS, na sigla em inglês) (118)**
**estado de alerta (118)**

## ❹ Complicações do parto – e suas consequências

*Quais são as complicações do nascimento que podem pôr em perigo a vida de um recém-nascido e quais são as perspectivas para bebês com essas complicações?*

- Complicações do parto incluem baixo peso ao nascer, nascimento pós-maturo e nascimento de natimorto.
- Bebês de baixo peso ao nascer podem ser pré-termo (prematuros) ou pequenos para a idade gestacional. O baixo peso ao nascer é um importante fator na mortalidade infantil e pode causar problemas físicos e cognitivos de longo prazo. Bebês de peso ao nascer muito baixo apresentam um prognóstico menos promissor do que aqueles que pesam mais.
- Um ambiente pós-natal que oferece apoio e outros fatores de proteção pode melhorar as consequências para bebês que sofrem de complicações do nascimento.
- Os partos pós-termo diminuíram com o aumento de partos cesarianos e induzidos.
- Os natimortos foram substancialmente reduzidos nos Estados Unidos, mas ainda representam metade das mortes perinatais no mundo em desenvolvimento.

**bebês com baixo peso ao nascer (120)**
**bebês pré-termo (prematuros) (120)**
**bebês pequenos para a idade**
**gestacional (120)**
**método canguru (123)**
**pós-maturo (125)**
**natimorto (125)**
**fatores de proteção (126)**

## ❺ Os recém-nascidos e os pais

*Como os pais criam vínculos com o bebê e cuidam dele?*

- Os pesquisadores que adotam a abordagem etológica sugeriram que há um período crítico para a formação do vínculo mãe-bebê, muito parecido com o *imprinting* em alguns animais. No entanto, as pesquisas não confirmaram essa hipótese. O pai pode criar vínculos com o bebê independentemente de ter ou não presenciado o parto.
- Os bebês necessitam muito da proximidade e do calor da mãe, bem como de cuidados físicos.
- A paternidade é uma construção social. Os papéis do pai diferem em várias culturas.
- Os métodos de criação de uma criança e os papéis de seus cuidadores variam ao redor do mundo.

**vínculo mãe-bebê (127)**
*imprinting* **(127)**

## Capítulo 6

## Desenvolvimento físico e saúde durante os três primeiros anos

### Sumário

Crescimento e desenvolvimento físico iniciais

Nutrição e métodos de alimentação

O cérebro e o comportamento reflexo

Capacidades sensoriais iniciais

Desenvolvimento motor

Saúde

Maus-tratos: abuso e negligência

### Você sabia que...

▶ A Academia Americana de Pediatria recomenda que os bebês se alimentem exclusivamente por amamentação durante os 6 primeiros meses?

▶ Embora o desenvolvimento inicial do cérebro seja controlado geneticamente, sua estrutura está continuamente sendo modificada pela experiência ambiental, tanto de forma positiva como negativa?

▶ A visão é o sentido menos desenvolvido no nascimento?

▶ As práticas culturais, como o grau de liberdade que os bebês têm para se movimentar, podem afetar a idade em que eles atingem marcos do desenvolvimento motor?

*Neste capítulo, exploramos como a percepção sensorial é concomitante às capacidades motoras crescentes e molda o rápido desenvolvimento do cérebro. Examinamos padrões típicos de crescimento físico e como um ambiente rico pode estimulá-lo. Vemos como os bebês se tornam crianças ocupadas e ativas e como os pais e outros cuidadores podem promover um crescimento e um desenvolvimento saudáveis. Analisamos as ameaças à vida e à saúde dos bebês, entre as quais abuso e negligência, e as formas de combatê-las.*

**Uma criança de 2 anos é como um liquidificador sem tampa.**
— *Jerry Seinfeld*

**134  PARTE III** • Primeira infância

# Guia de estudo

1. Quais os princípios que regem o crescimento e o desenvolvimento físico iniciais?

2. Como os bebês se alimentam e de que devem ser alimentados?

3. Como o cérebro se desenvolve e como os fatores ambientais afetam seu crescimento inicial?

4. Como se desenvolvem os sentidos durante a primeira infância?

5. Quais são os primeiros marcos do desenvolvimento motor e o que os influencia?

6. Como podemos melhorar a saúde e as chances de sobrevivência do bebê?

7. Quais são as causas e as consequências do abuso e da negligência infantis e o que pode ser feito acerca deles?

---

Guia de **estudo** 1

Quais os princípios que regem o crescimento e o desenvolvimento físico iniciais?

# Crescimento e desenvolvimento físico iniciais

## Princípios do crescimento e do desenvolvimento físico iniciais

O crescimento e o desenvolvimento físico iniciais seguem os princípios da maturação introduzidos no Capítulo 4: os princípios cefalocaudal e próximo-distal. De acordo com o *princípio cefalocaudal*, o crescimento ocorre de cima para baixo. Como o cérebro cresce rapidamente antes do nascimento, a cabeça do recém-nascido é desproporcionalmente grande. Após um ano, o cérebro tem 70% do peso adulto, mas o restante do corpo tem apenas entre 10 e 20% do peso adulto. A cabeça torna-se proporcionalmente menor à medida que a criança cresce em altura e as partes inferiores do corpo se desenvolvem (Fig. 6.1).

O desenvolvimento sensorial e o motor seguem o mesmo princípio; os bebês aprendem a usar as partes superiores do corpo antes das partes inferiores. Por exemplo, o bebê aprende a usar os braços para agarrar antes de aprender a usar as pernas para andar e consegue manter a cabeça ereta antes de conseguir se sentar sem ajuda.

Segundo o *princípio próximo-distal* (de dentro para fora), o crescimento e o desenvolvimento motor ocorrem do centro do corpo para as extremidades. No útero, a cabeça e o tronco se desenvolvem antes dos braços e das pernas, depois são as mãos e os pés e, em seguida, os dedos das mãos e dos pés. Durante a primeira e a segunda infância, os membros superiores e inferiores continuam crescendo mais rápido do que as mãos e os pés. Além disso, os bebês aprendem a usar as partes do corpo que estão mais próximas do centro do corpo antes de aprenderem a usar as partes mais periféricas. Por exemplo, primeiro, o bebê aprende a controlar os braços para alcançar, depois usa as mãos em um movimento de escavação e, por fim, aprende a usar o polegar e o indicador para apertar como uma pinça.

## Padrões de crescimento

As crianças crescem mais rápido durante os três primeiros anos, especialmente durante os primeiros meses, do que em qualquer outro período da vida (Fig. 6.2). Aos cinco meses, o peso natal de um bebê médio norte-americano do sexo masculino dobra para quase 7 kg e, com 1 ano de idade, mais do que triplica, ultrapassando os 10 kg. Essa taxa de crescimento diminui gradualmente durante o segundo e o terceiro anos de vida. O menino ganha pouco mais de 2 kg até seu segundo aniversário e mais 1,5 kg até o terceiro, quando atinge cerca de 15 kg. A altura do menino aumenta 25 centímetros durante o primeiro ano (a altura média de um menino de 1 ano é de aproximadamente 76 centímetros), 12,5 centímetros durante o segundo ano (de modo que a altura média de um menino de 2 anos é em torno de 91 centímetros) e 6 centímetros durante o terceiro ano (chegando aos 99 centímetros). As meninas seguem um padrão semelhante, mas são um pouco menores em quase todas as idades (Kuczmarski et al., 2000; McDowell, Fryar, Ogden, & Flegal, 2008). À medida que o bebê cresce, forma e proporção também se alteram; uma criança de 3 anos é mais esguia do que outra de 1 ano, roliça e barrigudinha.

Os genes herdados pelo bebê têm forte influência sobre o fato de a criança ser alta ou baixa, magra ou incorporada, ou algo intermediário. Essa influência genética interage com influências ambientais como nutrição e condições de vida. Por exemplo, crianças nipo-americanas são mais altas e mais pesadas que crianças da mesma idade no Japão, provavelmente por causa de diferenças na alimentação (Broude,

Capítulo 6 • Desenvolvimento físico e saúde durante os três primeiros anos    135

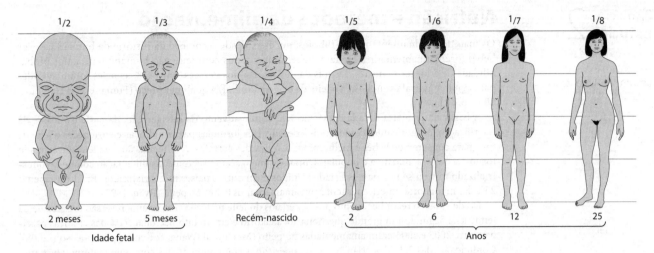

**FIGURA 6.1**
Mudanças de proporção no corpo humano durante o crescimento.
*A mudança mais notável é que a cabeça torna-se menor em relação ao resto do corpo. As frações indicam o tamanho da cabeça como uma proporção do comprimento total do corpo em várias idades. Mais sutil é a estabilidade da proporção do tronco (do pescoço até o ponto de junção das pernas). A proporção crescente das pernas é quase exatamente o inverso da proporção decrescente da cabeça.*

1995). Atualmente, as crianças de muitos países desenvolvidos estão mais altas e amadurecem mais cedo do que as crianças de um século atrás, provavelmente devido à nutrição mais adequada, a condições sanitárias e assistência médica de melhor qualidade e à diminuição do trabalho infantil.

A dentição começa a aparecer por volta dos três ou quatro meses, quando o bebê pega tudo o que vê e põe na boca, mas o primeiro dente talvez se manifeste somente entre o quinto e o nono mês, ou mesmo depois. Ao completar seu primeiro ano de vida, o bebê geralmente tem entre seis e oito dentes. Aos 2 anos e meio, ele já tem todos os 20 dentes.

**Verificador**
**você é capaz de...**

- Discutir os dois princípios que afetam o crescimento e o desenvolvimento físico?
- Resumir os padrões típicos de crescimento durante os três primeiros anos?

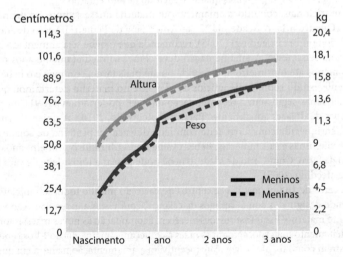

**FIGURA 6.2**
Crescimento em altura e peso durante a primeira infância.
*Os bebês crescem mais rapidamente tanto em altura quanto em peso durante os primeiros meses de vida, e depois o crescimento diminui um pouco até os 3 anos. Os meninos, em média, são ligeiramente maiores que as meninas.*

Nota: As curvas do gráfico referem-se ao percentil 50 para cada sexo.
*Fonte*: McDowell et al., 2008.

**Guia de estudo 2**

Como os bebês se alimentam e de que devem ser alimentados?

## Nutrição e métodos de alimentação

Os mamíferos amamentam seus filhotes; por isso, desde o começo da história da humanidade, os bebês foram amamentados. De fato, bebês alimentados com leite não humano têm maior probabilidade de adoecer e morrer. Depois da descoberta dos germes, em 1878, as mães foram avisadas para evitar a "garrafa venenosa" (o leite de origem animal) a qualquer preço (Fontanel & d'Harcourt, 1997, p. 121).

A partir da primeira década do século XX, com o advento da refrigeração, da pasteurização e da esterilização, os fabricantes começaram a desenvolver fórmulas para modificar e enriquecer o leite de vaca para consumo de bebês e melhoraram o *design* das garrafas. A alimentação com leite engarrafado tornou-se segura, nutritiva e popular. Durante o meio século seguinte, a alimentação com leite industrializado tornou-se norma nos Estados Unidos e em outros países industrializados. Em 1971, apenas 25% das mães norte-americanas tentavam amamentar os bebês no peito (Ryan, 1997).

Desde então, o reconhecimento dos benefícios do leite materno trouxe uma reversão drástica dessa tendência. Segundo um grande questionário, aleatório e em âmbito nacional, 77% das crianças nascidas entre 2005 e 2006 eram amamentadas no peito (McDowell, Wang, & Kennedy-Stephenson, 2008). Contudo, apenas 36% das crianças norte-americanas eram alimentadas com leite materno aos 6 meses, e somente 16% eram alimentadas exclusivamente com o leite da mãe (Forste & Hoffman, 2008). A amamentação varia entre grupos étnicos; apenas 65% das crianças negras não hispânicas são sempre amamentadas, em comparação com 80% dos mexicano-americanos e 79% das crianças brancas não hispânicas (McDowell, Wang et al., 2008). As mulheres imigrantes são mais propensas a amamentar, refletindo presumivelmente os costumes de seus países de origem (Singh, Kogan, & Dee, 2007). Em âmbito mundial, apenas 38% dos bebês com menos de 6 meses de idade são alimentados exclusivamente com leite materno (UNICEF, 2008b).

Em média, 30 mL de leite materno contém cerca de 22 calorias.

*Kellymom Breast Feeding and Parenting, 2006*

### Aleitamento materno ou mamadeira?

Alimentar o bebê é um ato emocional e físico. O contato afetuoso com o corpo da mãe promove um vínculo emocional entre mãe e bebê. Quando o lactente suga no seio, provoca a liberação de oxitocina, um hormônio no cérebro da mãe, que promove a confiança e faz a glândula mamária liberar leite (Rossoni et al., 2008). Mesmo assim, a vinculação pode ser feita por meio da alimentação na mamadeira e de outras atividades assistenciais, a maioria das quais podendo ser executada tanto pelo pai quanto pela mãe. A qualidade do relacionamento entre pais e crianças, bem como o afeto e o aconchego oferecidos à criança, no mínimo, são tão importantes quanto o método de alimentação.

Em termos nutricionais, contudo, a amamentação materna quase sempre é o melhor para o bebê – e para a mãe (Quadro 6.1). A Academia Norte-Americana de Pediatria, Seção de Aleitamento Materno (AAP Section on Breastfeeding) (2005), recomenda que o bebê seja alimentado *exclusivamente* pelo peito durante seis meses. A amamentação deve começar imediatamente após o nascimento e continuar pelo menos até o primeiro ano de vida ou até mais tarde, se a mãe e o bebê assim o desejarem. Um recente estudo sobre os benefícios do aleitamento materno determinou que, se 90% das mães norte-americanas seguissem a recomendação da AAP, poderiam evitar 911 mortes de bebês e poupar 13 bilhões de dólares anualmente (Bartick & Reinhold, 2010). A única alternativa aceitável é uma fórmula enriquecida com ferro, feita com leite de vaca ou proteína de soja, e que contenha suplementos de vitaminas e sais minerais. Bebês desmamados durante o primeiro ano devem receber um suplemento de ferro. Com 1 ano de idade, o bebê pode passar a tomar leite de vaca integral (AAP Section on Breastfeeding, 2005).

Desde 1991, cerca de 16 mil hospitais e centros de parto do mundo todo, sob iniciativa das Nações Unidas, vêm sendo designados como "amigos da criança", com vistas a incentivar o apoio institucional para o aleitamento materno. Essas instituições oferecem acomodação às novas mães, informam sobre os benefícios do aleitamento materno, ajudam as mães a começar a amamentação 1 hora após o nascimento do bebê, mostram como manter a lactação, incentivam a amamentação na hora em que o bebê exige, a dar a ele apenas o leite materno, salvo quando houver orientação médica em contrário, e a criar grupos de apoio contínuos para o aleitamento materno. O aleitamento materno em hospitais norte-americanos e em outros países aumentou bastante depois que o programa foi implantado, e as mães estavam mais propensas a prolongá-lo (Kramer et al., 2001; Labarere et al., 2005; Merewood, Mehta, Chamberlain, Philipp, & Bauchner, 2005).

Nos Estados Unidos, o crescimento do aleitamento materno destaca-se em grupos socioeconômicos que historicamente têm sido menos propensos a essa prática: mulheres negras, adolescentes, pobres, operárias e aquelas com instrução até o ensino médio; no entanto, muitas dessas mulheres não conti-

**QUADRO 6.1** Benefícios do aleitamento materno em relação à alimentação por fórmulas

**Bebês alimentados com leite materno...**

- Estão menos propensos a contrair doenças infecciosas como diarreia, infecções respiratórias, otite média (infecção do ouvido médio) e infecções estafilocócicas, bacterianas e do trato urinário.
- Apresentam menor risco de síndrome da morte súbita infantil e de morte pós-neonatal.
- Apresentam menor risco de doença inflamatória intestinal.
- Têm melhor acuidade visual, desenvolvimento neurológico e saúde cardiovascular de longo prazo, o que inclui níveis de colesterol.
- Estão menos propensos a desenvolver obesidade, asma, eczema, diabetes, linfoma, leucemia infantil e doença de Hodgkin.
- Estão menos propensos a apresentar atraso motor ou na linguagem.
- Apresentam pontuações mais altas em testes cognitivos na idade escolar e no começo da vida adulta, mas os benefícios cognitivos têm sido questionados.
- Têm menos cáries e estão menos propensos a precisar de aparelhos dentários.

**Mães que amamentam...**

- Recuperam-se mais rapidamente do parto, com menor risco de sangramento pós-parto.
- Estão mais propensas a retornar ao seu peso pré-gestação e menos propensas a desenvolver obesidade de longo prazo.
- Apresentam risco reduzido de anemia e quase nenhum risco de reincidência de gravidez durante a amamentação.
- Declaram sentirem-se mais confiantes e menos ansiosas.
- Estão menos propensas a desenvolver osteoporose ou câncer de mama e de ovário pré-menopáusicos.

*Fontes:* AAP Section on Breastfeeding, 2005; Black, Morris, & Bryce, 2003; Chen & Rogan, 2004; Dee, Li, Lee, & Grummer-Strawn, 2007; Kramer et al., 2008; Lanting, Fidler, Huisman, Touwen, & Boersma, 1994; Mortensen, Michaelson, Sanders, & Reinisch, 2002; Ogbuanu, Karmaus, Arshad, Kurukulaaratchy, & Ewart, 2009; Owen, Whincup, Odoki, Gilg, & Cook, 2002; Singhal, Cole, Fewtrell, & Lucas, 2004; Soliday, 2007; United States Breastfeeding Committee, 2002.

nuam o aleitamento. Licença-maternidade, horários flexíveis, capacidade de fazer pausas relativamente frequentes e extensas no trabalho para bombear leite, privacidade para a amamentação no trabalho e na escola, bem como informação sobre os benefícios do aleitamento materno e disponibilidade de bombas de sucção, poderiam aumentar sua presença nesses grupos (Guendelman et al., 2009; Ryan, Wenjun, & Acosta, 2002; Taveras et al., 2003).

O aleitamento materno é desaconselhável se a mãe estiver infectada com o vírus da aids ou se tiver qualquer outra infecção; se tiver tuberculose ativa não tratada; se tiver sido exposta a radiação; ou se estiver fazendo uso de qualquer medicação que não seja segura para o bebê (AAP Section on Breastfeeding, 2005). O risco de transmitir o HIV para a criança continua enquanto a mãe infectada estiver amamentando (Breastfeeding and HIV International Transmission Study Group, 2004). No entanto, ao receberem tratamento com nevirapina ou com nevirapina e zidovudina até a 14ª semana de vida da bebê, lactantes infectadas com HIV podem reduzir significativamente o risco de transmissão (Kumwenda et al., 2008).

## Começando a alimentação com sólidos

Diferentemente das recomendações de gerações anteriores, bebês saudáveis devem consumir apenas leite materno ou fórmulas fortificadas com ferro durante os primeiros seis meses. Os pediatras recomendam que sejam introduzidos, gradualmente, alimentos sólidos enriquecidos com ferro – normalmente começando com os cereais – entre os 6 e os 12 meses de vida. Nesse período, também pode ser introduzida água (AAP Section on Breastfeeding, 2005). Infelizmente, muitos pais não seguem essas orientações. Segundo entrevistas feitas aleatoriamente por telefone com pais e cuidadores de mais de 3 mil bebês e crianças norte-americanas, 29% recebem alimentos sólidos antes dos 4 meses, 17% ingerem sucos antes dos 6 meses e 20% bebem leite de vaca antes de completar 12 meses.

*O leite materno pode ser chamado de "o alimento saudável por excelência" porque oferece muitos benefícios aos bebês – físicos, cognitivos e afetivos.*

## PARTE III • Primeira infância

---

### Qual a sua opinião?

"Todas as mães fisicamente capazes deveriam amamentar." Você concorda ou discorda? Justifique.

---

### Verificador você é capaz de...

■ Resumir as recomendações dos pediatras sobre alimentação infantil e a introdução do leite de vaca, de alimentos sólidos e de sucos de frutas?

■ Citar os fatores que contribuem para o sobrepeso ou a obesidade após a infância?

---

### Guia de estudo 3

Como o cérebro se desenvolve e como os fatores ambientais afetam seu crescimento inicial?

**sistema nervoso central**
O cérebro e a medula espinal.

---

Além disso, assim como as crianças mais velhas e os adultos, muitos bebês e crianças de 1 ou 2 anos comem demais e comem alimentos não adequados. Dos 7 aos 24 meses, a ingestão média de alimentos está de 20 a 30% acima das necessidades diárias normais (Fox, Pac, Devaney, & Jankowski, 2004). Entre o $19^{\underline{o}}$ e o $24^{\underline{o}}$ mês, as batatas fritas tornam-se o vegetal mais consumido. Mais de 30% das crianças dessa idade não comem frutas, mas 60% comem sobremesas cozidas, 20%, doces e 44%, bebidas açucaradas todos os dias (American Heart Association [AHA] et al., 2006).

Enquanto as crianças norte-americanas comem demais, em muitas comunidades de baixa renda existentes no mundo, a desnutrição infantil é generalizada – e frequentemente fatal. A desnutrição está envolvida em mais da metade das mortes de crianças no mundo todo, e muitas crianças estão irreversivelmente prejudicadas já aos 2 anos (World Bank, 2006). A desnutrição e seu impacto no desenvolvimento serão discutidos no Capítulo 9.

### Sobrepeso na infância é um problema?

O número de indivíduos com sobrepeso aumentou na primeira infância, bem como em todas as faixas etárias, nos Estados Unidos. Em 2000-2001, 5,9% dos bebês norte-americanos de até 6 meses eram obesos, isto é, a relação peso-altura estava no percentil 95 para idade e gênero, quando em 1980 eram 3,4%. E mais 11,1% tinham sobrepeso (no percentil 85), para 7% em 1980 (Kim, Peterson, et al., 2006). Um rápido ganho de peso entre o $4^{\underline{o}}$ e o $6^{\underline{o}}$ mês está associado a um futuro risco de sobrepeso (AHA et al., 2006).

Dois fatores parecem exercer forte influência na probabilidade de uma criança com sobrepeso tornar-se um adulto obeso: um dos pais obeso e a idade da criança. Antes dos 3 anos, a obesidade parental é um fator de previsão mais forte para a futura obesidade da criança do que seu próprio peso (AAP Committee on Nutrition, 2003). Entre 70 crianças acompanhadas dos 3 meses aos 6 anos de idade, pouca diferença em peso e composição corporal ocorreu aos 2 anos entre crianças cujas mães apresentavam sobrepeso e crianças com mães magras. Aos 4 anos, porém, aquelas cujas mães apresentavam sobrepeso tendiam a pesar mais e, aos 6 anos, também apresentavam mais gordura corporal do que aquelas cujas mães eram magras (Berkowitz, Stallings, Maislin, & Stunkard, 2005). Assim, uma criança de 1 ano ou 2 anos que tem pai ou mãe obesos – ou especialmente ambos obesos – pode ser uma candidata a ações preventivas. As crianças dessa idade que estão em risco de sofrer de sobrepeso ou obesidade podem passar a consumir leite com gordura reduzida (2%) e, depois dos 2 anos de idade, podem consumir leite desnatado (sem gordura) (Daniels, Greer, & Committee on Nutrition, 2008).

## O cérebro e o comportamento reflexo

O que faz o recém-nascido responder ao mamilo? O que o induz a começar os movimentos de sucção que lhe permitem controlar a ingestão de líquidos? Essas funções pertencem ao **sistema nervoso central** – o cérebro e a *medula espinal* (um feixe de nervos que percorre a coluna vertebral) – e a uma rede periférica crescente de nervos que se estende a todas as partes do corpo (Fig. 6.3). Por intermédio dessa rede, mensagens sensoriais seguem para o cérebro e comandos motores voltam como resposta.

### Construção do cérebro

O crescimento do cérebro é um processo que dura a vida toda e que é fundamental para o desenvolvimento físico, cognitivo e emocional. Por meio de várias técnicas de imagem cerebral, os pesquisadores estão obtendo um quadro mais nítido de como ocorre o desenvolvimento desse órgão. Ao nascer, o cérebro tem somente de um quarto a um terço de seu volume adulto definitivo (Toga, Thompson, & Sowell, 2006); ele atinge cerca de 90% do peso adulto (1,5 kg) por volta dos 3 anos. Aos 6 anos, está próximo do tamanho adulto, mas partes específicas do cérebro continuam crescendo e se desenvolvendo funcionalmente até a idade adulta (Gabbard, 1996).[1] O crescimento do cérebro ocorre de forma intermitente. É o que chamamos de *surtos de crescimento do cérebro*, quando diferentes partes do órgão crescem mais rapidamente em diferentes momentos.

**Principais partes do cérebro**   Começando em torno de três semanas após a fecundação, o cérebro aos poucos se desenvolve, a partir de um tubo oco, em uma massa celular esférica (Fig. 6.4). Até o nascimento, o surto de crescimento da medula espinal e do *tronco encefálico* (a parte do cérebro responsável

---

[1] A menos que referenciado de outra forma, a discussão nesta seção baseia-se amplamente em Gabbard (1996), Society for Neuroscience (2008) e Toga et al. (2006).

**Capítulo 6** • Desenvolvimento físico e saúde durante os três primeiros anos

por funções corporais básicas como respiração, ritmo cardíaco, temperatura do corpo e o ciclo de sono e vigília) está quase concluído. O *cerebelo* (a parte do cérebro que mantém o equilíbrio e a coordenação motora) cresce mais rápido durante o primeiro ano de vida (Casaer, 1993; Knickmeyer et al., 2008).

O *encéfalo*, a maior parte do cérebro, divide-se em metades direita e esquerda, ou hemisférios, cada qual com funções especializadas. Essa especialização dos hemisférios é chamada de **lateralização**. O hemisfério esquerdo ocupa-se principalmente da linguagem e do raciocínio lógico; o hemisfério direito, das funções visuais e espaciais, como a leitura de um mapa e o desenho. Juntando os dois hemisférios, há uma espessa faixa de tecido chamada *corpo caloso*, que lhes permite compartilhar informações e coordenar comandos. O corpo caloso cresce significativamente durante a infância, atingindo o tamanho definitivo aos 10 anos.

Cada hemisfério cerebral apresenta quatro lobos ou seções: *occipital, parietal, temporal* e *frontal*, que controlam diferentes funções (Fig. 6.5). O lobo occipital é o menor dos quatro lobos e rege principalmente o processamento visual. O lobo parietal está envolvido com a integração de informações sensoriais do corpo. Ele nos ajuda a mover o corpo pelo espaço e a manipular objetos. O lobo temporal nos

**lateralização**
Tendência de cada um dos hemisférios cerebrais a apresentar funções especializadas.

O cérebro das mães aumenta de tamanho depois do parto em áreas fundamentais que regulam motivação, processamento das emoções, integração sensorial, raciocínio e julgamento. Os pesquisadores suspeitam que a experiência de segurar e abraçar o recém-nascido dispara esse efeito e que isso ajuda a mãe a ser mais eficaz em suas interações com o bebê.

*Kinsley & Meyer, 2010*

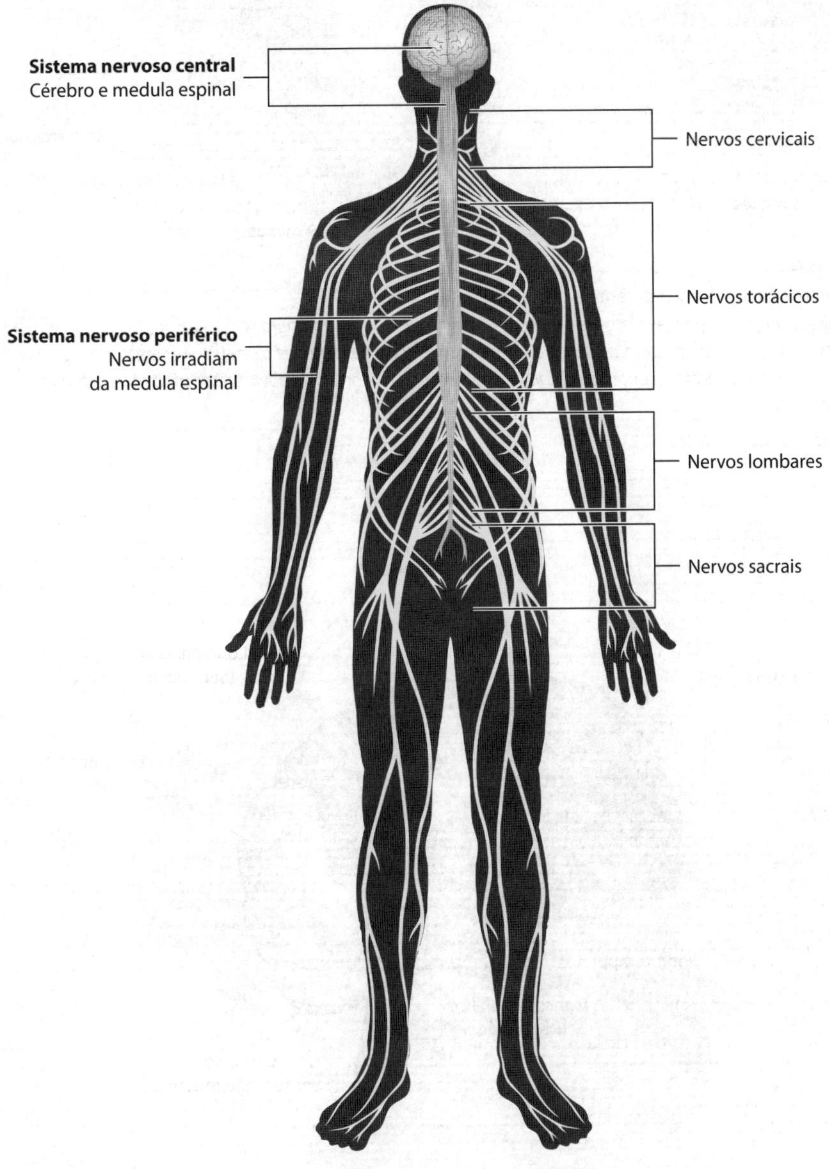

**Sistema nervoso central**
Cérebro e medula espinal

Nervos cervicais

Nervos torácicos

**Sistema nervoso periférico**
Nervos irradiam da medula espinal

Nervos lombares

Nervos sacrais

**FIGURA 6.3**
O sistema nervoso humano.
*O sistema nervoso central é constituído por cérebro e medula espinal. O cérebro envia sinais nervosos para partes específicas do corpo por meio dos nervos cervicais. Os nervos cervicais servem o pescoço e os braços; os nervos torácicos servem a maior parte do corpo; os nervos lombares servem as pernas; e os da região sacral servem os intestinos e a bexiga.*

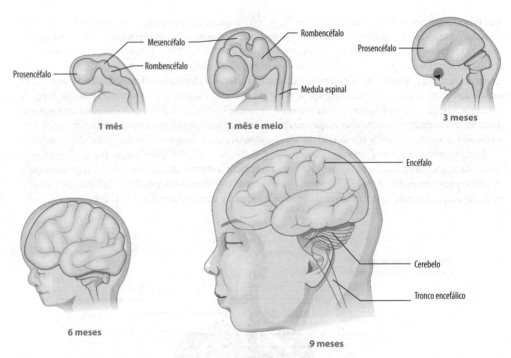

**FIGURA 6.4**
**Desenvolvimento do cérebro durante a gestação.**
*O desenvolvimento do sistema nervoso fetal começa aproximadamente na terceira semana. Com 1 mês, surgem as principais regiões do cérebro: prosencéfalo, mesencéfalo e rombencéfalo. À medida que o cérebro vai crescendo, a parte da frente se expande para formar o encéfalo, lugar da atividade consciente do cérebro. O cerebelo cresce mais rápido durante o primeiro ano de vida.*

Fonte: Adaptada de Cowan, W. M., 1979.

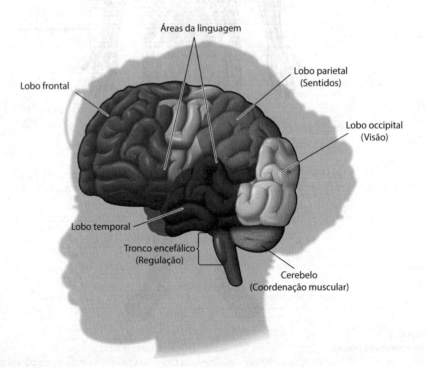

**FIGURA 6.5**
O cérebro humano.

ajuda a interpretar cheiros e sons e está relacionado a memória. Por último, os lobos frontais, a região mais recente do cérebro, estão envolvidos em uma variedade de processos de ordem superior, como estabelecimento de metas, inibição, raciocínio, planejamento e solução de problemas. As regiões do *córtex cerebral* (a superfície mais externa do cérebro) que governam visão, audição e outras informações sensoriais crescem rapidamente nos primeiros meses após o nascimento e amadurecem aos 6 meses de idade, mas as áreas do córtex frontal responsáveis pelo pensamento abstrato, associações mentais, memória e respostas motoras deliberadas crescem pouco durante esse período e permanecem imaturas até a adolescência (Gilmore et al., 2007).

O surto de crescimento do cérebro, que começa por volta do terceiro trimestre da gestação e continua até pelo menos o quarto ano de vida, é importante para o desenvolvimento das funções neurológicas. Sorrir, balbuciar, engatinhar, andar e falar – todos os principais marcos sensoriais, motores e cognitivos que ocorrem até o final do segundo ano de vida – refletem o rápido desenvolvimento do cérebro, em especial do córtex cerebral. (O Box 6.1 discute o autismo, um transtorno relacionado ao crescimento anormal do cérebro.)

**Células cerebrais** O cérebro é composto de *neurônios* e *glia*. Os **neurônios**, ou células nervosas, enviam e recebem informação. A *glia*, ou células gliais, nutre e protege os neurônios. Eles são o sistema de suporte para nossos neurônios.

Começando no segundo mês de gestação, estima-se que 250 mil neurônios não maduros são produzidos a cada minuto por meio da divisão celular (mitose). No nascimento, a maioria dos mais de cem bilhões de neurônios de um cérebro maduro já está formada, mas não ainda plenamente desenvolvida. O número de neurônios aumenta muito rapidamente entre a 25ª semana de gestação e os primeiros meses após o nascimento. Essa proliferação celular é acompanhada de um notável crescimento no tamanho da célula.

Originalmente, os neurônios são simplesmente corpos celulares dotados de um núcleo, ou centro, formado por ácido desoxirribonucleico (DNA), que contém a programação genética da célula. À medida que o cérebro cresce, essas células rudimentares migram para as várias partes do cérebro (Bystron, Rakic, Molnar, & Blakemore, 2006). A maior parte dos neurônios do córtex já está em seu lugar na 20ª semana de gestação, e sua estrutura torna-se razoavelmente bem definida durante as próximas 12 semanas.

Uma vez no lugar, os neurônios dão origem aos *axônios* e aos *dendritos*, que são extensões filamentosas e ramificadas. Os axônios enviam sinais para outros neurônios, e os dendritos recebem essas mensagens que chegam até eles através das *sinapses*, os elos de comunicação do sistema nervoso. As sinapses são pequenas lacunas preenchidas com substâncias químicas chamadas *neurotransmissores*, que são liberadas pelos neurônios. Um determinado neurônio pode vir a ter entre 5 e 100 mil conexões sinápticas com os receptores sensoriais do corpo, músculos e outros neurônios do sistema nervoso central.

A multiplicação de dendritos e conexões sinápticas, especialmente durante os últimos dois meses e meio de gestação e os primeiros 6 meses a 2 anos de vida (Fig. 6.6), é responsável por boa parte do crescimento do cérebro, permitindo a emergência de novas capacidades perceptuais, cognitivas e motoras. À medida que os neurônios se multiplicam, migram para os locais que lhes são designados e desenvolvem conexões, passam pelos processos complementares de *integração* e *diferenciação*. Pela **integração**, neurônios que controlam vários grupos de músculos coordenam suas atividades. Pela **diferenciação**, cada neurônio assume uma estrutura e função específicas e especializadas.

A princípio, o cérebro produz mais neurônios e sinapses do que o necessário. O elevado número de neurônios em excesso oferecidos por essas proliferações que começaram cedo permite flexibilidade ao cérebro – há muito mais ligações do que aquelas que serão necessárias, oferecendo, assim, vias potenciais para o cérebro em crescimento. À medida que as primeiras experiências moldam o cérebro, algumas ligações são selecionadas e outras são eliminadas. Esse processo de **morte celular**, apesar do nome negativo, é uma forma de calibrar o cérebro em desenvolvimento e de ajudá-lo a funcionar de forma mais eficiente. Esse processo começa durante o período pré-natal e continua após o nascimento (Fig. 6.7).

Somente cerca de metade dos neurônios originalmente produzidos sobrevive e funciona na idade adulta (Society for Neuroscience, 2005). No entanto, mesmo quando neurônios desnecessários deixam de existir, outros podem continuar a se formar durante a vida adulta (Eriksson et al., 1998; Gould, Reeves, Graziano, & Gross, 1999). Enquanto isso, conexões entre células corticais continuam a se fortalecer e a se tornar mais confiáveis e precisas, possibilitando que as funções motoras e cognitivas tornem-se mais flexíveis e avançadas (Society for Neuroscience, 2005).

**Mielinização** Boa parte do crédito pela eficiência da comunicação neural vai para as células gliais, que revestem as vias neurais com uma substância gordurosa chamada *mielina*. Esse processo de **mielinização** permite que os sinais se propaguem mais rapidamente e com maior fluidez, per-

**neurônios**
Células nervosas.

**integração**
Processo pelo qual os neurônios coordenam as atividades dos grupos musculares.

**diferenciação**
Processo pelo qual as células adquirem estruturas e funções especializadas.

**morte celular**
No desenvolvimento cerebral, a eliminação normal do excesso de células cerebrais para obter um funcionamento mais eficiente.

Como uma analogia, pense nisso como uma equipe esportiva. A *integração* faz todos os membros da equipe aprenderem a trabalhar em conjunto de forma coordenada. A *diferenciação* faz cada membro da equipe assumir a posição específica em que joga.

**mielinização**
Processo de revestimento de neurônios com mielina, uma substância gordurosa que permite maior rapidez de comunicação entre as células.

# O mundo da pesquisa

## A "EPIDEMIA" DE AUTISMO

**6.1**

Os transtornos do espectro autista (TEA), também conhecidos como transtornos globais do desenvolvimento (TGD), podem causar um grave comprometimento de pensamentos, sentimentos, linguagem, bem como da capacidade de relacionamento com os outros. O *autismo* é um distúrbio no funcionamento do cérebro caracterizado por falta de interação social normal, comunicação deficiente, movimentos repetitivos e um campo de atividades e interesses altamente limitados. A maioria das crianças com autismo também sofre de deficiência intelectual. Os TEAs são geralmente diagnosticados pela primeira vez na infância e variam das formas graves de autismo, desde o transtorno global do desenvolvimento sem outra especificação (TGD-SOE), até formas muito mais leves e à síndrome de Asperger (National Institute of Mental Health [NIMH], 2009).

O autismo aparenta envolver falta de coordenação entre as diferentes regiões do cérebro necessárias para a execução de tarefas complexas (Just, Cherkassky, Keller, Kana, & Minshew, 2007; Williams, Goldstein, & Minshew, 2006). Existem estudos *post-mortem* que encontraram menos neurônios na amígdala do cérebro em pessoas que tinham autismo (Schumann & Amaral, 2006). Essas pessoas também mostram deficiências da função executiva e da teoria da mente, que serão discutidas no Capítulo 10 (Zelazo & Müller, 2002).

A *síndrome de Asperger* é um transtorno relacionado ao autismo, porém menos grave. Crianças com síndrome de Asperger geralmente funcionam em um nível mais elevado que crianças autistas e têm inteligência entre normal e alta. Contudo, são profundamente deficientes no que diz respeito a interpretação e compreensão das interações sociais. Tendem a apresentar um extenso vocabulário, sua fala é afetada, e costumam ser desajeitadas, além de apresentarem coordenação precária. O comportamento estranho e excêntrico dificulta os contatos sociais (NINDS, 2007).

Talvez devido a um maior conhecimento e a diagnósticos mais precisos, o registro da disseminação dessas condições aumentou nitidamente desde meados da década de 1970. A prevalência de TEA nos Estados Unidos em 2007 foi de 110 casos para cada 10 mil crianças. A probabilidade de sofrer de TEA é quatro vezes maior para meninos do que para meninas. Crianças não hispânicas e crianças multirraciais têm menos probabilidade de sofrer de TEA do que as não hispânicas brancas (Kogan et al., 2009). Só na Califórnia, por razões que não estão totalmente explicadas, a incidência de autismo aumentou mais de sete vezes, passando de 6,2 em cada 10 mil crianças nascidas em 1990 para 42,5 em 2001 (Hertz-Picciotto & Delwiche, 2009).

O aumento na disseminação do autismo em meninos tem sido atribuído a vários fatores, entre eles (1) o tamanho maior do cérebro dos meninos e o cérebro maior que a média das crianças com autismo (Gilmore et al., 2007); (2) a maior capacidade natural para a sistematização nos meninos e a propensão das crianças com autismo a sistematizar (Baron-Cohen, 2005); e (3) altos níveis de testosterona fetal no fluido amniótico dos meninos, que tem sido associado com relações sociais precárias e interesses mais restritos aos 4 anos de idade (Knickmeyer, Baron-Cohen, Raggatt, & Taylor, 2005). Essas descobertas sustentam a ideia do autismo como uma versão extrema do cérebro masculino normal. Uma hipótese controversa é a de que o autismo e os transtornos relacionados resultam de desequilíbrios no desenvolvimento do cérebro, devido à manifestação de genes do pai ou à falta de manifestação de genes da mãe, ou ambos (Badcock & Crespi, 2006, 2008; Crespi, 2008).

O autismo e os transtornos a ele relacionados são comuns entre membros de uma mesma família e apresentam uma acentuada base genética (Constantino, 2003; Ramoz et al., 2004; Rodier, 2000). Uma equipe internacional de pesquisadores identificou pelo menos um gene e localizou outro que pode contribuir para o autismo (Szatmari et al., 2007). Deleções e duplicações de cópias de genes no cromossomo 16 podem ser responsáveis por um pequeno número de casos (Eichler & Zimmerman, 2008; Weiss et al, 2008).

Fatores ambientais, como exposição a certos vírus ou substâncias químicas, podem ativar uma tendência herdada ao autismo (Rodier, 2000). Muitos pais culparam o timerosal, um conservante usado em vacinas, pelo aumento na incidência de autismo. A disseminação do transtorno diminuiu quando o Serviço de Saúde Pública norte-americano recomendou o uso de vacinas sem timerosal (Geier & Geier, 2006), mas os Centros para Controle e Prevenção de Doenças (2004), com base em múltiplos estudos sobre o timerosal e seus efeitos, não encontraram nenhum vínculo conclusivo entre o conservante e o autismo. No entanto, o timerosal foi removido das vacinas em uma tentativa de acalmar os receios dos pais sobre seus efeitos. Pesquisas posteriores também não encontraram uma relação entre vacinação infantil e autismo (Baird et al., 2008; Thompson et al., 2007), e, em fevereiro de 2009, um tribunal indeferiu as reivindicações e as compensações que as famílias procuravam por supostas lesões relacionadas com a vacina (Freking & Neergaard, 2009). Outros fatores, como certas complicações da gravidez, idade parental avançada, primeiros nascimentos, ameaça de perda do feto, anestesia peridural, parto induzido e cesariana, têm sido associados a uma incidência mais elevada de autismo (Juul-Dam, Townsend, & Courchesne, 2001; Glasson et al., 2004; Reichenberg et al., 2006).

Estudos de irmãos mais novos de crianças afetadas constataram que aqueles que não respondiam quando chamados pelo nome aos 12 meses de idade, ou que apresentavam déficits em habilidades comunicativas e cognitivas aos 16 meses, estavam propensos a desenvolver um transtorno relacionado ao autismo ou retardo no desenvolvimento (Nadig et al., 2007; Stone, McMahon, Yoder, & Walden, 2007). Estudos dessa natureza prometem detecção e tratamento precoces em um período em que o cérebro apresenta grande plasticidade e os sistemas relacionados à comunicação estão começando a se desenvolver (Dawson, 2007).

Os sinais iniciais de possível autismo ou transtornos a ele relacionados são os seguintes (Johnson, Myers, & The Council on Children with Disabilities, 2007):

- Nenhum olhar de alegria dirigido aos pais ou ao cuidador
- Nenhum balbucio recíproco entre o bebê e os pais (começando por volta dos 5 meses)
- Não reconhecer a voz dos pais

- Não estabelecer contato visual
- Retardo para começar o balbucio (depois dos 9 meses)
- Nenhum ou poucos gestos, como acenar ou apontar
- Movimentos repetitivos com objetos

Mais tarde, à medida que se desenvolve a fala, são estes os sinais importantes:

- Nenhuma palavra até o 16º mês
- Nenhum balbucio, apontamento ou outros gestos de comunicação até 1 ano
- Nenhuma frase com duas palavras até os 2 anos
- Perda das habilidades linguísticas em qualquer idade

Embora não haja cura conhecida disponível, uma melhora substancial pode ocorrer com intervenções educacionais altamente estruturadas, desde cedo, ajudando a criança a desenvolver independência e responsabilidade pessoal; terapias fonoaudiológica e da linguagem; e instrução em habilidades sociais, acompanhadas de gerenciamento médico, se necessário (Myers, Johnson, & Council on Children with Disabilities, 2007).

**Qual a sua opinião?** Você já conheceu alguém com autismo? Em caso afirmativo, em que aspectos o comportamento dessa pessoa lhe pareceu incomum?

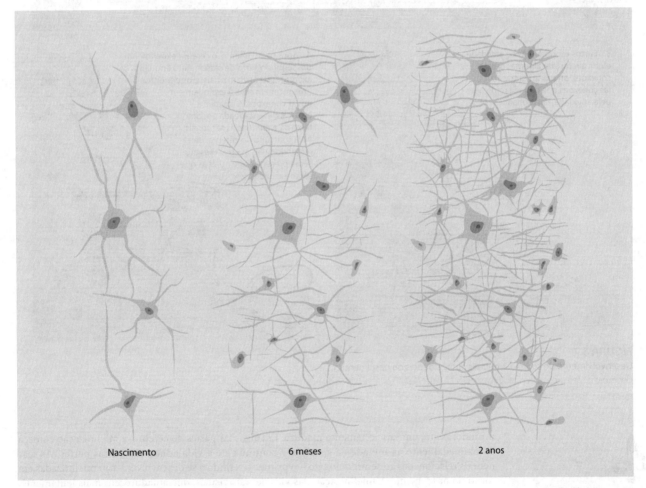

Nascimento     6 meses     2 anos

**FIGURA 6.6**
**Crescimento das conexões neurais durante os dois primeiros anos de vida.**
*O rápido aumento na densidade e no peso do cérebro ocorre, principalmente, por causa da formação de dendritos, extensões dos corpos das células nervosas, e das sinapses que as ligam. Essa rede multiplicadora de comunicações se desenvolve em resposta aos estímulos ambientais e torna possível um crescimento impressionante em cada domínio do desenvolvimento.*

Fonte: Impressa com permissão do editor a partir de *The Postnatal Development of the Human Cerebral Cortex*, Vols. I-VIII, por Jesse LeRoy Conel, Cambridge, Mass.: Harvard University Press. Copyright © 1939, 1941, 1947, 1951, 1955, 1959, 1963, 1967 pelo President and Fellows of Harvard College. Copyright © renovado em 1967, 1969, 1975, 1983, 1987, 1991.

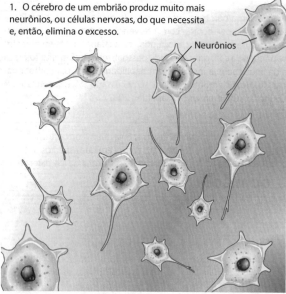
1. O cérebro de um embrião produz muito mais neurônios, ou células nervosas, do que necessita e, então, elimina o excesso.

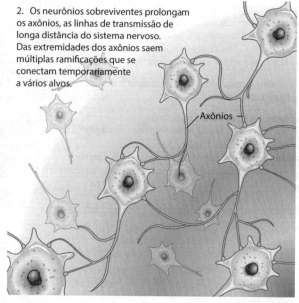
2. Os neurônios sobreviventes prolongam os axônios, as linhas de transmissão de longa distância do sistema nervoso. Das extremidades dos axônios saem múltiplas ramificações que se conectam temporariamente a vários alvos.

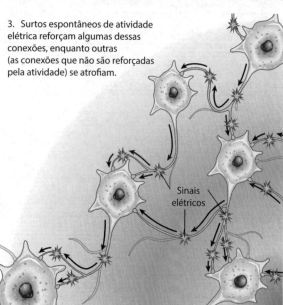
3. Surtos espontâneos de atividade elétrica reforçam algumas dessas conexões, enquanto outras (as conexões que não são reforçadas pela atividade) se atrofiam.

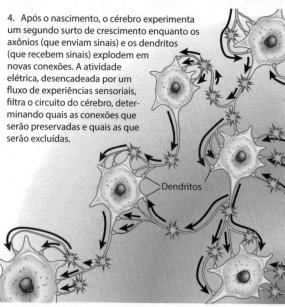
4. Após o nascimento, o cérebro experimenta um segundo surto de crescimento enquanto os axônios (que enviam sinais) e os dendritos (que recebem sinais) explodem em novas conexões. A atividade elétrica, desencadeada por um fluxo de experiências sensoriais, filtra o circuito do cérebro, determinando quais as conexões que serão preservadas e quais as que serão excluídas.

**FIGURA 6.7**
Desenvolvimento de conexões neurais antes e depois do nascimento.
*Conexões do cérebro: o desenvolvimento das conexões neurais antes e depois do nascimento.*
*Fonte*: Nash, 1997, p. 51.

> A mielina é composta principalmente de gordura. Como o leite materno é produzido para ser ideal à nutrição do bebê, ele contém níveis relativamente altos, mas saudáveis, desse ingrediente essencial.

mitindo, assim, um funcionamento maduro. Em algumas partes do cérebro, a mielinização começa aproximadamente na metade da gestação e continua até a vida adulta em outras partes. As vias neurais relacionadas ao sentido do tato – o primeiro sentido a se desenvolver – são mielinizadas em torno do nascimento. A mielinização das vias neurais visuais, que amadurecem mais lentamente, começa no nascimento e continua durante os cinco primeiros meses de vida. As vias relacionadas à audição podem começar a ser mielinizadas já no quinto mês de gestação, mas o processo só é concluído por volta dos 4 anos.

A mielinização das vias sensoriais e motoras, antes do nascimento na medula espinal e após o nascimento no córtex cerebral, pode contribuir para os reflexos primitivos. Tanto o aparecimento como o desaparecimento de reflexos é um sinal de organização neurológica e de saúde.

## Reflexos primitivos

Quando você pisca por causa da intensidade da luz, suas pálpebras agem involuntariamente. Essa resposta automática e inata à estimulação é chamada de **comportamento reflexo**. Os comportamentos reflexos são controlados por centros inferiores do cérebro que governam outros processos involuntários, como a respiração e o ritmo cardíaco.

Estima-se que bebês humanos tenham 27 reflexos importantes, muitos dos quais estão presentes no nascimento ou pouco depois (Gabbard, 1996; ver exemplos no Quadro 6.2). Os *reflexos primitivos*, como o de sucção, rotação (buscar o mamilo) e o reflexo de Moro (resposta a um susto ou quando o bebê começa a cair), estão relacionados a necessidades instintivas por sobrevivência e proteção. Alguns reflexos primitivos possivelmente fazem parte do legado evolucionista da humanidade. Um exemplo é o reflexo de preensão, que permite a macacos bebês se agarrarem ao pelo da mãe. Bebês humanos exibem um reflexo semelhante quando agarram com força qualquer objeto colocado na palma de sua mão, gesto remanescente de nosso passado ancestral.

À medida que os centros superiores do cérebro tornam-se ativos, entre o segundo e o quarto mês de vida, os bebês começam a exibir *reflexos posturais*: reações a mudanças de posição ou de equilíbrio. Por exemplo, bebês que são inclinados para baixo estendem os braços no reflexo de paraquedas, uma tentativa instintiva de amenizar a queda. *Reflexos locomotores*, como o reflexo de marcha automática, lembram movimentos voluntários que só vão aparecer meses depois que os reflexos desaparecerem.

A maior parte dos reflexos iniciais desaparece durante os primeiros 6 a 12 meses. Reflexos que continuam servindo a funções protetoras, como piscar, bocejar, tossir, regurgitar, espirrar, arrepiar e o reflexo pupilar (dilatação das pupilas no escuro), permanecem. O desaparecimento, em determinado momento, de reflexos desnecessários é sinal de que as vias motoras no córtex foram parcialmente mielinizadas, permitindo a passagem para o comportamento voluntário. Assim, podemos avaliar o desenvolvimento neurológico de um bebê observando se certos reflexos estão presentes ou ausentes.

**comportamento reflexo**
Resposta automática, involuntária e inata à estimulação.

## Modelando o cérebro: o papel da experiência

Embora o desenvolvimento inicial do cérebro seja geneticamente orientado, ele é continuamente modificado tanto de modo positivo quanto negativo pela experiência ambiental. A arquitetura física do nosso cérebro é o reflexo das experiências que tivemos ao longo da vida – nosso cérebro não é estático. Em vez disso, está vivo, é um órgão em mudança que responde a influências ambientais. O termo técnico para essa maleabilidade ou modificabilidade do cérebro é **plasticidade**. Essa plasticidade pode ser um mecanismo evolucionista para possibilitar a adaptação às mudanças no ambiente (Pascual--Leone, Amedi, Fregni, & Merabet, 2005; Toga et al., 2006).

A plasticidade possibilita a aprendizagem. As diferenças individuais de inteligência talvez reflitam diferenças na capacidade do cérebro de desenvolver conexões neurais em resposta à experiência (Garlick, 2003). As primeiras experiências podem ter efeitos duradouros na capacidade do sistema nervoso central de aprender e armazenar informações (Society for Neuroscience, 2008).

Cada moeda tem dois lados: assim como a plasticidade permite a aprendizagem em resposta aos *inputs* apropriados do meio ambiente, também pode causar danos em caso de *inputs* prejudiciais. Durante o período formativo no início da vida, quando é mais plástico, o cérebro está especialmente vulnerável. A exposição a drogas perigosas, toxinas ambientais ou estresse materno antes ou após o nascimento pode ameaçar o desenvolvimento do cérebro, e a desnutrição pode interferir no crescimento cognitivo normal. Abusos ou precariedade sensorial nos primeiros anos de vida podem deixar sequelas no cérebro à medida que ele se adapta ao ambiente onde a criança em desenvolvimento deverá viver, retardando o desenvolvimento neural ou afetando a estrutura do cérebro (AAP, Stirling and the Committee on Child Abuse and Neglect and Section on Adoption and Foster Care; American Academy of Child and Adolescent Psychistry, Amaya-Jackson; & National Center for Child Traumatic Stress, Amaya-Jackson, 2008). Em um estudo, um macaco criado até os 6 meses com uma das pálpebras fechadas ficou permanentemente cego daquele olho, aparentemente devido à perda de conexões que operam entre aquele olho e o córtex visual. Assim, quando certas conexões corticais não são estabelecidas no começo da vida, esses circuitos podem vir a se fechar para sempre (Society for Neuroscience, 2008). Outra pesquisa sugere que a falta de *input* ambiental pode inibir o processo normal de morte celular e a otimização das conexões neurais, resultando em uma cabeça de menor tamanho e atividade reduzida do cérebro (C. A. Nelson, 2008).

Em contrapartida, uma experiência enriquecida pode estimular o desenvolvimento do cérebro e até mesmo compensar privações passadas (Black, 1998; Society for Neuroscience, 2008). Animais criados em gaiolas cheias de brinquedos produzem mais axônios, dendritos e sinapses do que aqueles criados em gaiolas vazias (Society for Neuroscience, 2008). A plasticidade continua por toda a vida enquanto os

**plasticidade**
Modificabilidade, ou "modelagem", do cérebro por meio da experiência.

**QUADRO 6.2** Reflexos humanos primitivos

| Reflexo | Estimulação | Comportamento do bebê | Idade típica de aparecimento | Idade típica de desaparecimento |
|---|---|---|---|---|
| Moro | O bebê é derrubado ou ouve um ruído alto. | Estica pernas, braços e dedos; curva-se e joga a cabeça para trás. | 7º mês de gestação | 3 meses |
| Darwiniano (preensão) | Acaricia-se a palma da mão do bebê. | Fecha o punho com força; pode ser erguido se ambos os punhos agarrarem um bastão. | 7º mês de gestação | 4 meses |
| Tônico assimétrico do pescoço | Deita-se o bebê de costas. | Vira a cabeça para o lado, assume posição de "esgrimista", estende braços e pernas para o lado preferido e flexiona os membros opostos. | 7º mês de gestação | 5 meses |
| Babkin | Acariciam-se ao mesmo tempo ambas as palmas das mãos do bebê. | Abre a boca, fecha os olhos, flexiona o pescoço, inclina a cabeça para a frente. | Nascimento | 3 meses |
| Babinski | Acaricia-se a planta do pé do bebê. | Abre os dedos dos pés em leque; o pé se retorce. | Nascimento | 4 meses |
| Sucção | Acaricia-se a bochecha ou o lábio inferior do bebê com o dedo ou o mamilo. | A cabeça vira, a boca abre e os movimentos de sucção começam. | Nascimento | 9 meses |
| Marcha automática | Segura-se o bebê por baixo dos braços, com os pés descalços tocando uma superfície plana. | Faz movimentos semelhantes aos de uma caminhada coordenada. | 1 mês | 4 meses |
| Natatório | O bebê é colocado na água com o rosto voltado para baixo. | Faz movimentos natatórios coordenados, segura a respiração. | 1 mês | 4 meses |

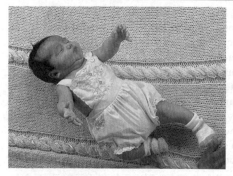
Reflexo de Moro

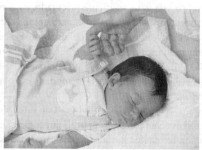
Reflexo darwiniano (de preensão)

Reflexo tônico assimétrico do pescoço

Reflexo de Babinski

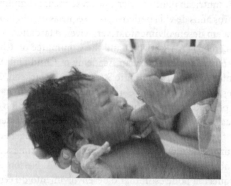
Reflexo de sucção

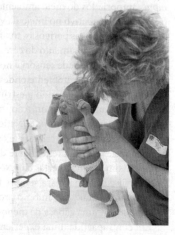
Reflexo de marcha automática

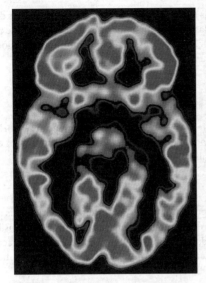
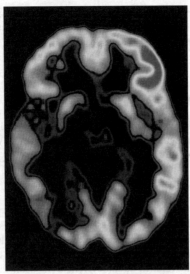

*Privações ambientais extremas na infância podem afetar a estrutura do cérebro, resultando em problemas cognitivos e emocionais. Uma tomografia por emissão de pósitrons (PET) do cérebro de uma criança sadia (esquerda) mostra regiões de alta (cor cinza) e baixa (cinza escuro e preta) atividade. Uma tomografia idêntica do cérebro de um órfão romeno internado após o nascimento (direita) apresenta pouca atividade.*

neurônios mudam de tamanho e de formato em resposta à experiência ambiental (Rutter, 2002). Essas descobertas foram um incentivo para esforços bem-sucedidos em estimular o desenvolvimento do cérebro de bebês prematuros (Als et al., 2004) e de crianças com síndrome de Down, bem como em ajudar vítimas de dano cerebral a recuperarem suas funções.

Restrições éticas impedem a realização de experimentos controlados sobre os efeitos da privação ambiental em bebês humanos e em crianças pequenas, das quais um vasto número vive em instituições no Leste e no Centro da Europa, na China e na América Latina (C. A. Nelson, 2008). No entanto, a descoberta de milhares de bebês e crianças pequenas que haviam passado praticamente sua vida toda em orfanatos romenos superlotados proporcionou a oportunidade para um experimento natural (Ames, 1997; Beckett et al., 2006). Essas crianças abandonadas pareciam famintas, passivas e apáticas. Haviam passado muito tempo deitadas em seus berços ou em camas, sem nada para olhar. A maioria das crianças com 2 e 3 anos não andava nem falava, e as mais velhas brincavam sem propósito. Escaneamentos de PET feitos em seu cérebro mostraram extrema inatividade nos lobos temporais, que regulam a emoção e a entrada de informação sensorial.

Algumas dessas crianças foram encaminhadas para lares adotivos no Canadá ou no Reino Unido. Idade da adoção, duração de institucionalização prévia e aspectos específicos da experiência institucional foram fatores-chave na perspectiva de melhora para as crianças (MacLean, 2003; C. A. Nelson, 2008; Rutter, O'Connor, & ERA Study Team, 2004). Em um estudo longitudinal, por exemplo, crianças romenas que haviam sido removidas de instituições *antes* dos 6 meses de idade e adotadas por famílias inglesas não apresentaram nenhuma deficiência cognitiva até os 11 anos, comparadas a um grupo-controle de crianças inglesas adotadas no próprio Reino Unido. Em contrapartida, o QI médio das crianças romenas adotadas por famílias inglesas *após* os 6 meses de idade era 15 pontos mais baixo. Aos 6 e aos 11 anos, aqueles que foram adotados mais tarde eram os que tinham maior deficiência cognitiva, embora esse grupo tenha progredido modestamente (Beckett et al., 2006). Aparentemente, portanto, talvez seja preciso muita estimulação ambiental inicial para superar os efeitos da privação extrema.

O Bucharest Early Intervention Project (BEIP) estuda três grupos de crianças romenas – um grupo abandonado ao nascer e encaminhado para instituições, onde permanecem; um segundo grupo abandonado ao nascer, enviado para instituições e depois aleatoriamente encaminhado para adoção; e um grupo de comparação que vive com os pais biológicos. Constatou-se que a assistência institucional em ambientes de grande carência "produziu um efeito profundamente negativo no crescimento físico e no desenvolvimento linguístico, cognitivo, socioemocional e cerebral, e as crianças encaminhadas para adoção apresentaram melhoras em muitos [...] domínios" (C. A. Nelson, 2008, p. 15). Quando se mostrou aos três grupos fotografias de faces adultas felizes, zangadas, temerosas e tristes, as imagens do cérebro das crianças ainda institucionalizadas apresentaram menor ativação no córtex cerebral do que nos outros dois grupos no 30º e no 42º mês, provavelmente porque tiveram menos oportunidades de ver e interpretar expressões faciais adultas. No 42º mês, as crianças que estavam em lares adotivos

> **Verificador**
> **você é capaz de...**
> - Descrever características importantes do início do desenvolvimento do cérebro?
> - Explicar as funções dos comportamentos reflexos e por que alguns desaparecem durante os primeiros meses?
> - Discutir como as primeiras experiências afetam o crescimento e o desenvolvimento do cérebro?

**Qual a sua opinião?**

Com base no que é conhecido sobre a plasticidade do cérebro do recém-nascido, todos os bebês deveriam ter acesso a um ambiente adequadamente estimulante? Em caso afirmativo, como alcançar essa meta?

apresentaram maior ativação cortical do que aquelas ainda institucionalizadas, embora menos do que as crianças que viviam com seus pais. Essas descobertas sugerem que a adoção de alta qualidade pode em parte superar os efeitos adversos da institucionalização no processamento de informação socioemocional (Moulson, Fox, Zeanah, & Nelson, 2009).

Guia de estudo 4
Como se desenvolvem os sentidos durante a primeira infância?

# Capacidades sensoriais iniciais

As áreas de recompensa do cérebro em desenvolvimento, que controlam a informação sensorial, crescem rapidamente durante os primeiros meses de vida, permitindo ao recém-nascido ter um entendimento razoável daquilo que ele toca, vê, cheira, degusta e ouve (Gilmore et al., 2007).

## Tato e dor

O tato é o primeiro sentido a se desenvolver e, nos primeiros meses, é o sistema sensorial mais maduro. Por volta da 32ª semana de gestação, todas as partes do corpo são sensíveis ao toque, e essa sensibilidade aumenta durante os primeiros 5 dias de vida (Field, 2010; Haith, 1986). Quando se toca a face de um recém-nascido próximo à boca, o bebê responde tentando encontrar um mamilo, provavelmente um mecanismo evolutivo de sobrevivência (Rakison, 2005).

No passado, os médicos que faziam cirurgia (como, por exemplo, a circuncisão) em recém-nascidos geralmente não usavam anestesia, em virtude de uma crença equivocada de que o neonato não sente dor, de que a sente apenas por um breve momento ou de que a memória do neonato não tem capacidade de se lembrar e, por isso, ele não é afetado pela dor. Na verdade, há evidências de que a capacidade de percepção da dor pode surgir no terceiro trimestre da gestação (Lee, Ralston, Drey, Partridge, & Rosen, 2005). Os recém-nascidos podem sentir e de fato sentem dor e tornam-se mais sensíveis com o passar dos dias. A American Academy of Pediatrics e a Canadian Paediatric Society (2000) sustentam atualmente que a dor prolongada ou intensa pode causar danos de longo prazo ao recém-nascido e que o alívio da dor durante uma cirurgia é essencial.

## Olfato e paladar

Os sentidos do olfato e do paladar começam a se desenvolver no útero. A preferência por odores agradáveis parece ser aprendida no útero e durante os primeiros dias após o nascimento, e os odores transmitidos pelo leite materno podem ainda contribuir para essa preferência (Bartoshuk & Beauchamp, 1994). Essa atração pela fragrância do leite materno pode ser devida a outro mecanismo evolucionista de sobrevivência (Rakison, 2005).

Certas preferências olfativas parecem ser, em grande parte, inatas (Bartoshuk & Beauchamp, 1994). Recém-nascidos preferem sabores doces a sabores azedos, amargos ou salgados (Haith, 1986). Um desejo inato por doce pode ajudar o bebê a se adaptar à vida fora do útero, já que o leite materno é bem doce (Harris, 1997; Ventura & Mennella, 2011). A rejeição a sabores amargos provavelmente é mais um mecanismo de sobrevivência, pois muitas substâncias amargas são tóxicas (Bartoshuk & Beauchamp, 1994; Beauchamp & Mennella, 2009).

As preferências de paladar desenvolvidas nos primeiros meses podem durar por toda a segunda infância. Em um estudo, crianças de 4 e de 5 anos que, quando bebês, haviam sido alimentadas com diferentes tipos de fórmulas tinham preferências alimentares diferentes (Mennella & Beauchamp, 2002). A exposição aos sabores de alimentos saudáveis por meio da amamentação pode favorecer a aceitação de alimentos saudáveis após o desmame e mais tarde na vida (AHA et al., 2006).

*Muitos bebês começam a comer alimentos sólidos após os 6 meses. Mesmo nessa idade, os bebês já definiram as suas preferências de paladar. Um bebê exposto a sabores de alimentos saudáveis por meio do aleitamento materno tem maior probabilidade de aceitar alimentos saudáveis, como frutas e vegetais.*

## Audição

A audição também é funcional antes do nascimento; fetos respondem a sons e parecem aprender a reconhecê-los. De um ponto de vista evolucionista, o reconhecimento de vozes e da linguagem ouvidas no útero pode ser a base do relacionamento com a mãe, que é fundamental para a sobrevivência no começo da vida (Rakison, 2005).

**Capítulo 6** • Desenvolvimento físico e saúde durante os três primeiros anos **149**

A discriminação auditiva se desenvolve rapidamente após o nascimento. Mesmo bebês de três dias podem distinguir novos sons de fala daqueles que já ouviram antes (L. R. Brody, Zelazo, & Chaika, 1984). Além disso, bebês de 2 dias de vida foram capazes de reconhecer uma palavra ouvida no dia anterior (Swain, Zelano, & Clifton, 1993). Com 1 mês de idade, bebês pode distinguir sons tão parecidos quanto *ba* e *pa* (Eimas, Siqueland, Jusczyk, & Vigorito, 1971).

Como a audição é fundamental para o desenvolvimento da linguagem, e as deficiências auditivas são a causa mais comum de atrasos na fala, estas devem ser identificadas o mais cedo possível. A perda da audição ocorre entre 1 e 3 de cada mil nascidos vivos (Gaffney, Gamble, Costa, Holstrum, & Boyle, 2003).

## Visão

A visão é o sentido menos desenvolvido quando o bebê nasce, talvez porque há tão pouco para ver no útero. De uma perspectiva desenvolvimentista evolucionista, os outros sentidos estão mais diretamente relacionados à sobrevivência do recém-nascido. A percepção visual e a capacidade de utilizar a informação visual – identificar cuidadores, encontrar alimento e evitar perigos – tornam-se mais importantes à medida que os bebês ficam mais alertas e ativos (Rakison, 2005).

Os olhos do recém-nascido são proporcionalmente menores do que os de um adulto, as estruturas da retina estão incompletas, e o nervo óptico ainda não se desenvolveu totalmente. Os olhos do neonato focalizam melhor a uma distância de 30 cm – aproximadamente a distância típica da face de uma pessoa que segura um recém-nascido. Essa distância focal pode ter-se desenvolvido para promover o vínculo mãe-bebê.

Recém-nascidos piscam em presença de luz intensa. Seu campo de visão periférico é muito estreito; ele mais do que dobra entre a 2ª e 10ª semana de vida (Tronick, 1972). A capacidade de seguir um alvo móvel também se desenvolve rapidamente nos primeiros meses, assim como a percepção das cores (Haith, 1986).

A acuidade visual é de aproximadamente 20/400, mas melhora rapidamente, alcançando o nível 20/20 por volta dos 8 meses (Kellman & Arterberry, 1998; Kellman & Banks, 1998). A *visão binocular* – o uso de ambos os olhos para focar, possibilitando a percepção de profundidade e distância – geralmente não se desenvolve antes do 4º ou 5º mês (Bushnell & Boudreau, 1993).

Uma triagem feita logo no começo é essencial para detectar quaisquer problemas que possam interferir na visão. Os bebês devem ser examinados aos 6 meses para verificar a preferência da fixação visual, o alinhamento ocular e quaisquer sinais de doenças nos olhos. A avaliação formal da visão deve começar aos 3 anos (AAP Committee on Practice and Ambulatory Medicine and Section on Ophthalmology, 2002).

# Desenvolvimento motor

Ninguém precisa ensinar aos bebês habilidades motoras básicas como agarrar, engatinhar e andar. Eles apenas precisam de espaço para se movimentar e liberdade para ver o que podem fazer. Quando o sistema nervoso central, os músculos e os ossos estão preparados, e o ambiente oferece as devidas oportunidades para a exploração e a prática, os bebês continuam surpreendendo os adultos ao seu redor com novas habilidades.

## Marcos do desenvolvimento motor

O desenvolvimento motor é caracterizado por uma série de marcos: realizações que se desenvolvem sistematicamente; cada habilidade recém-adquirida prepara o bebê para lidar com a próxima. Os bebês primeiro aprendem habilidades simples e depois as combinam em **sistemas de ação** cada vez mais complexos, permitindo um espectro mais amplo ou mais preciso de movimentos e um controle mais eficaz do ambiente. Ao desenvolver a preensão, por exemplo, o bebê primeiro tenta pegar as coisas com a mão inteira, fechando os dedos sobre a palma da mão. Mais tarde, ele passa a dominar o *movimento em pinça*, em que polegar e indicador se tocam nas extremidades formando um círculo, o que torna possível pegar objetos pequenos. Quando aprende a andar, o bebê consegue controlar movimentos separados dos braços, das pernas e dos pés antes de juntar esses movimentos para dar aquele importante primeiro passo.

O **Teste de Avaliação do Desenvolvimento de Denver** (Frankenburg, Dodds, Fandal, Kazuk, & Cohrs, 1975) é utilizado para mapear o progresso de crianças de 1 mês a 6 anos, e para identificar aquelas que não estão se desenvolvendo normalmente. O teste avalia as **habilidades motoras amplas** (as que

---

**Verificador**
**você é capaz de...**

■ Descrever o desenvolvimento inicial dos sentidos?

■ Dizer como o aleitamento materno desempenha seu papel no desenvolvimento do olfato e do paladar?

■ Descrever por que os testes de audição e visão são importantes?

---

Guia de **5** estudo

Quais são os primeiros marcos do desenvolvimento motor e o que os influencia?

**sistemas de ação**
Combinações cada vez mais complexas de habilidades motoras que permitem um espectro mais amplo ou mais preciso de movimentos e um maior controle do ambiente.

**Teste de Avaliação do Desenvolvimento de Denver**
Teste aplicado a crianças de 1 mês a 6 anos para determinar se elas estão se desenvolvendo normalmente.

**habilidades motoras amplas**
Habilidades físicas que envolvem os músculos maiores.

**habilidades motoras finas**
Habilidades físicas que envolvem músculos menores e coordenação olhos-mãos.

envolvem os músculos maiores), como rolar e apanhar uma bola, e as **habilidades motoras finas** (as que envolvem os músculos menores), como pegar um chocalho e desenhar um círculo. Também avalia o desenvolvimento da linguagem (p. ex., saber a definição das palavras), da personalidade e social (como sorrir espontaneamente e se vestir sem ajuda). A edição mais recente, a Escala Denver II (Frankenburg et al., 1992), inclui normas revisadas (o Quadro 6.3 fornece alguns exemplos).

Quando falamos sobre o que um bebê "mediano" sabe fazer, referimo-nos ao percentil 50 das normas de Denver. Na verdade, normalidade abrange uma ampla faixa; cerca de metade de todos os bebês domina essas habilidades antes da idade referida, e metade depois. As normas de Denver foram desenvolvidas com referência a uma população ocidental e não são necessariamente válidas para avaliar crianças de outras culturas.

Quando acompanhamos o progresso típico do controle da cabeça, das mãos e da locomoção, notamos como esses desenvolvimentos seguem os princípios cefalocaudal (da cabeça para a cauda) e próximo-distal (do centro para as extremidades) apresentados anteriormente. Observe, também, que, embora os bebês do sexo masculino tendam a ser um pouco maiores e mais ativos do que os do sexo feminino, não há diferenças de gênero no desenvolvimento motor (Mondschein, Adolph, & Tamis-LeMonda, 2000).

**Controle da cabeça**  Ao nascer, a maioria dos bebês consegue virar a cabeça de um lado para o outro enquanto estão deitados de costas. Enquanto deitados de bruços, muitos podem erguer a cabeça o suficiente para virá-la. Nos 2 ou 3 primeiros meses, eles erguem a cabeça cada vez mais alto – às vezes a ponto de perder o equilíbrio e virar de costas. Por volta dos 4 meses de idade, quase todos os bebês conseguem manter a cabeça ereta quando alguém os segura ou os apoia em posição sentada.

**Controle da mão**  Os bebês nascem com um reflexo de preensão. Se a palma da mão do bebê for acariciada, a mão fecha com firmeza. Por volta dos 3 meses e meio de idade, a maioria dos bebês consegue agarrar um objeto de tamanho moderado, como um chocalho, mas tem dificuldade em segurar objetos pequenos. Depois, eles começam a pegar objetos com uma das mãos e transferi-los para a outra e, em seguida, segurar (mas não apanhar) pequenos objetos. Entre 7 e 11 meses, as mãos tornam-se suficientemente coordenadas para apanhar objetos pequenos, como uma ervilha, usando a preensão em pinça. Por volta dos 15 meses, um bebê mediano sabe montar uma torre com dois cubos. Alguns meses após o terceiro aniversário, uma criança mediana consegue copiar um círculo razoavelmente.

**Locomoção**  Depois dos 3 meses, um bebê mediano começa a rolar deliberadamente (e não acidentalmente, como antes) – primeiro de frente para trás, depois de trás para a frente. Um bebê mediano consegue sentar-se sem apoio por volta dos 6 meses de idade e assume a posição sentada sem auxílio por volta dos 8 meses e meio.

**QUADRO 6.3**  Marcos do desenvolvimento motor

| Habilidade | 50% | 90% |
| --- | --- | --- |
| Rolar | 3,2 meses | 5,4 meses |
| Pegar um chocalho | 3,3 meses | 3,9 meses |
| Sentar-se sem apoio | 5,9 meses | 6,8 meses |
| Ficar em pé apoiando-se em algo | 7,2 meses | 8,5 meses |
| Pegar com o polegar e o indicador | 8,2 meses | 10,2 meses |
| Ficar em pé sozinho com firmeza | 11,5 meses | 13,7 meses |
| Andar bem | 12,3 meses | 14,9 meses |
| Montar uma torre com dois cubos | 14,8 meses | 20,6 meses |
| Subir escadas | 16,6 meses | 21,6 meses |
| Pular no mesmo lugar | 23,8 meses | 2,4 anos |
| Copiar um círculo | 3,4 anos | 4 anos |

Nota: Este quadro mostra as idades aproximadas em que 50% e 90% das crianças podem executar cada habilidade, de acordo com o Denver Training Manual II.

*Fonte:* Adaptado de Frankenburg et al., 1992.

Entre os 6 e os 10 meses, a maioria dos bebês começa a se deslocar por conta própria arrastando-se ou engatinhando. Essa nova realização de *autolocomoção* tem notáveis ramificações cognitivas e psicossociais (Bertenthal & Campos, 1987; Bertenthal, Campos, & Barrett, 1984; Bertenthal, Campos, & Kermoian, 1994; J. Campos, Bertenthal, & Benson, 1980; Karasik, Tamis-LeMonda, & Adolph, 2011). Bebês que engatinham tornam-se mais sensíveis ao lugar onde os objetos estão, a seu tamanho, se eles (os objetos) podem ser deslocados e como se parecem. O ato de engatinhar ajuda a avaliar distâncias e a perceber profundidade. Os bebês aprendem a olhar para os cuidadores para saber se uma situação é segura ou perigosa – uma habilidade conhecida como *referência social* (Hertenstein & Campos, 2004), que discutiremos no Capítulo 8.

Segurando na mão de alguém ou apoiando-se em um móvel, o bebê mediano consegue ficar de pé pouco depois dos 7 meses. O bebê médio pode largar o apoio e ficar de pé sozinho por volta dos 11 meses e meio.

Todos esses desenvolvimentos são marcos que levam à principal realização da infância: andar. Os humanos começam a andar mais tarde que as outras espécies, provavelmente porque a cabeça pesada e as pernas curtas do bebê dificultam o equilíbrio. Novamente, o treino é o fator mais importante para superar essas dificuldades (Adolph, Vereijken, & Shrout, 2003). Durante alguns meses antes de poderem ficar de pé sem apoio, os bebês ficam circulando apoiando-se nos móveis. Logo depois de poder ficar em pé sozinha, a maioria das crianças dá seu primeiro passo sem precisar de ajuda. Nessa fase, o bebê tenta ficar em pé e andar durante mais de 6 horas por dia, intermitentemente, e pode caminhar o suficiente (9 mil passos) para percorrer o comprimento de 29 campos de futebol. Depois de algumas semanas, logo após o primeiro aniversário, um bebê mediano consegue andar razoavelmente bem, atingindo, assim, a condição de "criança".

Durante o segundo ano, a criança começa a subir degraus, um de cada vez, colocando um pé após o outro no mesmo degrau; mais tarde ela alternará os pés. Só depois ela passa a descer degraus. Também no segundo ano, a criança corre e pula. Aos 3 anos e meio, a maioria delas consegue equilibrar-se brevemente em um pé só e começa a saltar.

*Aos 4 meses, este bebê consegue erguer a cabeça a partir de uma posição pronada. Ele apresenta um pequeno atraso em comparação a outros bebês, mas essas variações no tempo são normais.*

## Desenvolvimento motor e percepção

A percepção sensorial permite aos bebês aprenderem sobre si próprios e seu ambiente, de modo que possam fazer melhores avaliações sobre como percorrê-lo. A experiência motora, junto com a consciência das mudanças que ocorrem em seus corpos, molda e modifica a compreensão perceptual do que provavelmente acontecerá se eles se movimentarem de determinada maneira. Essa conexão bidirecional entre percepção e ação, mediada pelo cérebro em desenvolvimento, proporciona aos bebês muitas informações úteis sobre si próprios e sobre seu mundo (Adolph & Eppler, 2002).

As atividades sensoriais e motoras parecem se coordenar razoavelmente bem a partir do nascimento (Bertenthal & Clifton, 1998; von Hofsten, 2004). Crianças com apenas 2 meses percebem que o tamanho e a forma de um objeto são constantes, mesmo que o objeto pareça menor por estar mais distante (Bower, 1966).

Os bebês começam a querer agarrar objetos por volta dos 4 ou 5 meses; em torno dos 5 meses e meio, podem preferir movimentar ou fazer girar objetos (Wentworth, Benson, & Haith, 2000). Há muito que Piaget e outros pesquisadores sustentavam que alcançar as coisas dependia da **orientação visual**: o uso dos olhos para guiar o movimento das mãos (ou de outras partes do corpo). Agora, pesquisas revelam que crianças dessa faixa etária podem fazer uso de outros indicadores sensoriais para pegar um objeto. Elas podem localizar, pelo som, um chocalho que está fora do alcance da visão e podem esticar as mãos e pegar um objeto luminoso no escuro, mesmo que não possam ver suas mãos (Clifton, Muir, Ashmead, & Clarkson, 1993; McCall & Clifton, 1999). Conseguem até alcançar um objeto com base apenas na memória de sua localização (McCarty, Clifton, Ashmead, Lee, & Goubet, 2001). Crianças um pouco mais velhas, entre 5 e 7 meses e meio, podem agarrar um objeto fluorescente em movimento no escuro – um feito que requer consciência não só de como as mãos se movem, mas também do percurso e da velocidade do objeto, de modo a antecipar o provável ponto de contato (Robin, Berthier, & Clifton, 1996).

Durante os 6 primeiros meses de vida, os bebês revelam uma ligeira preferência por virar a cabeça para a direita, e não para a esquerda. Pesquisadores sugerem que nossa propensão adulta a beijar com a cabeça inclinada para a direita – como o fazem 64% dos adultos – é um ressurgimento desse viés da infância.

*Gunturkun, 2003*

Embora nossa tendência seja pensar que o engatinhar é um marco do desenvolvimento, isso não é universal. Alguns bebês passam diretamente do sentar-se para o andar, sem engatinhar.

**orientação visual**
O uso dos olhos para orientar movimentos das mãos ou de outras partes do corpo.

Qual a sua **opinião?**

O uso pelos bebês de aparelhos que promovem o desenvolvimento é necessário ou aconselhável?

## PARTE III • Primeira infância

**percepção de profundidade**
Capacidade para perceber objetos e superfícies em três dimensões.

**percepção tátil**
Capacidade de adquirir informação sobre propriedades de objetos, como tamanho, peso e textura, por meio de seu manuseio.

**abismo visual**
Aparato projetado para dar a ilusão de profundidade e utilizado para avaliar a percepção de profundidade em bebês.

**teoria ecológica da percepção**
Teoria desenvolvida por Eleanor e James Gibson que descreve o desenvolvimento das habilidades motoras e perceptuais como partes interdependentes de um sistema funcional que orienta o comportamento em diversos contextos.

A **percepção de profundidade**, capacidade de perceber objetos e superfícies em três dimensões, depende de vários tipos de indicativos que afetam a imagem de um objeto na retina. Esses indicativos envolvem não apenas a coordenação binocular, mas também o controle motor (Bushnell & Boudreau, 1993). *Indicativos cinéticos* são produzidos pelo movimento, seja do objeto, seja do observador, ou de ambos. Para saber se um objeto se move, o bebê poderia manter a cabeça parada por um momento, habilidade que já está bem estabelecida por volta dos 3 meses.

Entre 5 e 7 meses de idade, os bebês respondem a sinais como comparação de tamanhos, diferenças de texturas e matizes. Esses sinais dependem da **percepção tátil**, a capacidade de adquirir informações por meio do manuseio de objetos sem ter de olhar para eles. A percepção tátil só surge depois que os bebês desenvolvem suficientemente a coordenação olhos-mão para procurar objetos e agarrá-los (Bushnell & Boudreau, 1993).

# Teoria ecológica da percepção, de Eleanor e James Gibson

A percepção de profundidade tem implicações no que diz respeito ao desenvolvimento do movimento autopropulsionado, o qual, para a maioria dos bebês, envolve aprender a engatinhar. Em um experimento clássico feito por Richard Walk e Eleanor Gibson (1961), bebês de 6 meses foram colocados sobre uma mesa de plástico transparente, apoiada em dois suportes finos. O espaço entre os suportes simulava uma queda. Essa queda ilusória era ainda mais proeminente devido ao uso de pouca luz e a um tapete, entre os suportes, com um padrão similar a um tabuleiro de damas. Do outro lado da mesa, suas mães os chamavam. Parecia, para os bebês, que suas mães pediam para que engatinhassem para um **abismo visual** – um degrau no chão. Walk e Gribson queriam saber se os bebês engatinhariam sobre o abismo visual quando incentivado por suas mães.

O que Walk e Gibson estavam investigando eram os fatores que ajudavam os bebês a decidir por onde iriam se deslocar – ao longo dos suportes ou no declive –, e os experimentos desse tipo foram importantes para o desenvolvimento da **teoria ecológica da percepção**, de Eleanor Gibson e James J. Gibson (E. J. Gibson, 1969; J. J. Gibson, 1979; Gibson & Pick, 2000). Nessa abordagem, o desenvolvimento locomotor depende do aumento da sensibilidade à interação entre suas características físicas em transformação e as novas e variadas características de seu ambiente. Os corpos dos bebês transformam-se continuamente com a idade (seu peso, centro de gravidade, força muscular e habilidades). E cada ambiente novo proporciona mais um desafio para os bebês dominarem. Por exemplo, às vezes o bebê pode ter de percorrer um caminho com uma ligeira inclinação e, outras vezes, pode ter de subir escadas. Com a experiência, em vez de confiarem em soluções que funcionaram anteriormente, os bebês aprendem a avaliar continuamente suas capacidades e a adaptar seus movimentos para atender às exigências do ambiente atual.

Esse processo de "aprender a aprender" (Adolph, 2008, p. 214) é uma consequência tanto da percepção quanto da ação. Envolve exploração visual e manual, testagem de alternativas e resolução flexível de problemas. O que funcionou uma vez pode não funcionar agora, e o que funcionou em um ambiente pode não funcionar bem em outro. Por exemplo, quando estão diante de declives reais, bebês que recém começaram a engatinhar ou a andar parecem desconhecer os limites de suas habilidades e estão mais propensos a mergulhar de forma imprudente em declives íngremes. No entanto, bebês que engatinham já há algum tempo são melhores em avaliar declives e sabem até aonde podem ir sem perder o equilíbrio. Eles também começam a explorar o declive antes de tentarem descer (Adolph, 2000, 2008; Adolph et al., 2003; Adolph & Eppler, 2002). Por exemplo, eles podem medir a inclinação com as mãos ou descer recuando. Eles aprenderam *como* aprender sobre o declive por meio de suas experiências cotidianas.

Essa não é uma abordagem por etapas e, portanto, não implica que a locomoção se desenvolva em estágios universais, funcionalmente relacionados. Em vez disso, o bebê é como um pequeno cientista que testa ideias novas em cada situação. De acordo com Gibson, "cada espaço de problema tem seu próprio conjunto de comportamentos geradores de informação e sua própria curva de aprendizagem" (Adolph, 2008, p. 214). Assim, por exemplo, bebês que aprendem até aonde podem ir para agarrar um brinquedo por meio de uma abertura quando estão sentados e sem cair devem adquirir esse novo conhecimento para situações que envolvem engatinhar. Da mesma forma, quando bebês que engatinham e que já dominaram declives começam a andar, eles têm de aprender novamente a lidar com declives (Adolph & Eppler, 2002).

## Como ocorre o desenvolvimento motor: a teoria dos sistemas dinâmicos de Thelen

Tradicionalmente, pensava-se que o desenvolvimento motor era determinado geneticamente e, em grande parte, de forma automática. Presumivelmente, o cérebro em amadurecimento produziria um conjunto predeterminado de habilidades motoras nos pontos apropriados do desenvolvimento. Hoje, muitos pesquisadores do desenvolvimento consideram essa visão muito simplista. Em vez disso, o desenvolvimento motor é considerado um processo contínuo de interação entre o bebê e o ambiente (Thelen, 1995; Smith & Thelen, 2003).

Ester Thelen, em sua influente **teoria dos sistemas dinâmicos (TSD)**, argumentou que "o comportamento surge em determinado momento da auto-organização de componentes múltiplos" (Spencer et al., 2006, p. 1.523). Bebê e meio ambiente formam um sistema interligado e dinâmico. As oportunidades e os constrangimentos apresentados pelas características físicas da criança, como motivação, nível de energia, força motora e posição no meio ambiente em determinado momento no tempo, afetam a forma como a criança atinge um objetivo. Por fim, surge uma solução enquanto o bebê experimenta várias combinações de movimentos e seleciona e junta os movimentos que contribuem com mais eficiência para aquele fim. Além disso, a solução deve ser flexível e sujeita a modificação em circunstâncias variáveis. Em vez de ser o único responsável por esse processo dinâmico, o cérebro em amadurecimento é apenas parte dele. Realmente, nenhum fator determina o ritmo do desenvolvimento, e não existe nenhum cronograma predeterminado que especifique quando determinada capacidade irá surgir. Em vez disso, bebês sadios tendem a desenvolver as mesmas habilidades na mesma ordem porque elas são construídas aproximadamente da mesma maneira e passam por desafios físicos e necessidades semelhantes. No entanto, como esses fatores podem variar de bebê para bebê, essa abordagem também permite a variabilidade no cronograma de desenvolvimento individual.

Thelen usou o reflexo de marcha automática para ilustrar sua abordagem. Quando recém-nascidos são ajudados a se erguerem e ficam com os pés tocando uma superfície, fazem espontaneamente movimentos coordenados, como se estivessem pisando nela. Esse comportamento normalmente desaparece no 4º mês. Só pouco antes de completar o primeiro ano de vida, quando o bebê se prepara para andar, é que esses movimentos aparecem novamente. A explicação habitual é a passagem para o controle cortical: a marcha deliberada de um bebê mais amadurecido é vista como uma nova habilidade que reflete o desenvolvimento do cérebro. No entanto, essa explicação não fazia sentido para Thelen. Ela perguntou-se por que razão o reflexo de andar – que usava a mesma série de movimentos que constituem o andar – teria que ser interrompido, principalmente porque outros comportamentos precoces, como chutar, persistiam. Thelen sugeriu que a resposta poderia residir em outras variáveis relevantes que pudessem afetar o movimento. Por exemplo, as pernas do bebê engrossam e ficam mais pesadas durante os primeiros meses, mas ainda não estão suficientemente fortes para carregar seu peso cada vez maior (Thelen & Fisher, 1982; 1983). Para sustentar essa hipótese, quando bebês que haviam parado de dar passos eram segurados em água morna, os passos reapareceram. Presumivelmente, a água ajudou a apoiar as pernas e diminuiu a ação da força da gravidade nos músculos, permitindo-lhes voltar a executar a habilidade. A capacidade de produzir o movimento não havia mudado – apenas as condições físicas e ambientais que o inibiam ou promoviam. Assim, apenas a maturação não pode explicar essa observação, dizia Thelen. Esses mesmos sistemas de influências dinâmicas afetam todos os movimentos motores do bebê, de chegar até o chocalho a sentar-se sozinho.

**teoria dos sistemas dinâmicos (TSD)**
Teoria de Thelen, segundo a qual o desenvolvimento motor é um processo dinâmico de coordenação ativa de múltiplos sistemas do bebê em relação ao ambiente.

*Não importa o quão atraentes sejam os braços da mãe, este bebê fica longe deles. Apesar da idade, ele pode perceber a profundidade e não quer cair no que lhe parece ser um abismo.*

**154** **PARTE III** • Primeira infância

### Verificador
#### você é capaz de...

- Descrever o progresso típico de um bebê no controle da cabeça, das mãos e da locomoção segundo as normas de Denver?
- Discutir como a maturação, a percepção e as influências culturais estão relacionadas ao início do desenvolvimento motor?

## Influências culturais sobre o desenvolvimento motor

Embora o desenvolvimento motor siga uma sequência praticamente universal, seu ritmo não responde a certos fatores culturais. De acordo com algumas pesquisas, bebês africanos tendem a ser mais avançados do que os norte-americanos e os europeus em sentar, andar e correr. Em Uganda, por exemplo, os bebês costumam andar aos 10 meses, enquanto nos Estados Unidos o mais comum é isso ocorrer aos 12 meses, e na França, aos 15 meses (Gardiner & Kozmitzki, 2005). Bebês asiáticos tendem a desenvolver essas capacidades de forma mais lenta. Essas diferenças podem estar relacionadas, em parte, a diferenças étnicas de temperamento (Kaplan & Dove, 1987; ver Cap. 8) ou podem refletir práticas de educação infantil próprias de uma cultura (Gardiner & Kozmitzki, 2005).

Algumas culturas encorajam desde muito cedo o desenvolvimento das habilidades motoras. Em muitas culturas africanas e das Índias Ocidentais, onde os bebês demonstram um avançado desenvolvimento motor, os adultos usam *rotinas de ambientação* especiais, tais como exercícios de pulo e de marcha, para fortalecer os músculos do bebê. Em um estudo, bebês jamaicanos – cujas mães utilizavam diariamente essas rotinas de ambientação – sentavam, engatinhavam e andavam mais cedo que os bebês ingleses, cujas mães não lhes davam nenhum treinamento especial.

Em contrapartida, algumas culturas desencorajam o desenvolvimento motor precoce. As crianças ache, no leste do Paraguai, só começam a andar entre os 18 e os 20 meses de idade (Kaplan & Dove, 1987). As mães ache puxam seus bebês de volta ao colo quando eles começam a engatinhar e se afastar. Elas supervisionam bem de perto os bebês para protegê-los dos perigos da vida nômade. Entre os 8 e 10 anos de idade, contudo, as crianças ache sobem em árvores altas, cortam galhos e brincam de modo a incrementar suas habilidades motoras (Kaplan & Dove, 1987). O desenvolvimento normal, portanto, não precisa seguir o mesmo cronograma para atingir os mesmo fins, e há muitos caminhos que levam à proficiência dos movimentos motores.

### Guia de estudo 6

Como podemos melhorar a saúde e as chances de sobrevivência do bebê?

## Saúde

### Reduzindo a mortalidade infantil

Grandes passos já foram dados para proteger a vida de novos bebês, mas esses avanços não estão distribuídos por igual. No mundo inteiro, 47 bebês morrem durante o primeiro ano de vida para cada mil nascidos vivos – cerca de 6 milhões de mortes de bebês. Cerca de 60% dessas mortes, 3,7 milhões, ocorrem durante o primeiro mês – aproximadamente três quartos na primeira semana e entre um quarto e metade nas primeiras 24 horas. De fato, um bebê tem uma probabilidade 500 vezes maior de morrer no primeiro dia de vida do que com 1 mês de idade. A grande maioria dessas mortes prematuras ocorre em países em desenvolvimento, especialmente do Sul da Ásia e na África Ocidental e Central (UNICEF, 2007, 2008b; Fig. 6.8).

As principais causas de morte neonatal no mundo, responsáveis por 86% de todas as mortes neonatais, são infecções graves, que incluem sepse ou pneumonia, tétano e diarreia (36%); parto pré-termo (27%); e asfixia (dificuldade para respirar) ao nascer (23%) (UNICEF, 2008b). Muitas dessas mortes podem ser evitadas; elas resultam de uma combinação de pobreza, saúde e nutrição materna precárias, infecção e assistência médica inadequada (Lawn et al., 2005; UNICEF, 2008b). Cerca de dois terços das mortes maternas devidas a complicações no parto ocorrem durante o período pós-natal imediato, e bebês cujas mães morreram estão mais propensos a morrer do que bebês cujas mães continuam vivas (Sines, Syed, Wall, & Worley, 2007; UNICEF, 2008b). A assistência pós-natal comunitária para mães e bebês nos primeiros dias após o nascimento poderia salvar muitas dessas vidas.

**taxa de mortalidade infantil**
Proporção de bebês nascidos vivos que morrem no primeiro ano de vida.

Nos Estados Unidos, a **taxa de mortalidade infantil** – a proporção de bebês que morrem no primeiro ano de vida – tem diminuído quase constantemente desde o começo do século XX, quando cem bebês morriam para cada mil nascidos vivos. No entanto, a taxa estabilizou-se de 2000 a 2006, quando 6,7 bebês morriam para cada mil nascidos vivos, em grande parte devido ao aumento de 9% nos nascimentos prematuros durante esse período de seis anos. Mais da metade de todas as mortes de bebês nos Estados Unidos ocorre na primeira semana de vida, e cerca de dois terços durante o período neonatal (Heron et al., 2009).

**síndrome da morte súbita infantil (SMSI)**
Morte súbita inexplicável de um bebê aparentemente saudável.

As malformações congênitas são a principal causa de mortes infantis nos Estados Unidos, seguidas por distúrbios relacionados a prematuridade ou baixo peso ao nascer, **síndrome da morte súbita infantil (SMSI)**, complicações na gravidez e complicações da placenta, do cordão umbilical e das membranas (Heron et al., 2009). A proporção de bebês prematuros e de baixo peso ao nascer tem aumentado desde meados da década de 1980. Em 2005, mais de dois terços das mortes na primeira infância foram de bebês pré-termo, e mais da metade foi de bebês pré-termo muito prematuros. No mesmo ano, somen-

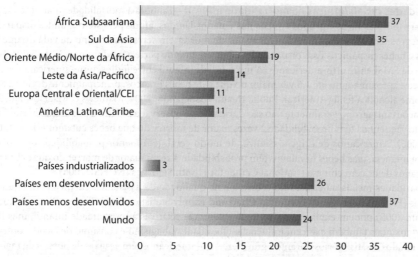

**FIGURA 6.8**
Taxas de mortalidade neonatal, 2011.
*A maior parte das mortes neonatais ocorre na África Subsaariana e na Ásia.*
Fonte: UNICEF, 2012.

te 0,8% dos bebês norte-americanos nasceu pesando menos de 1 kg, mas representava quase metade (48,2%) de todas as mortes de bebês (Mathews & MacDorman, 2008; Fig. 6.9).

A queda geral nas taxas de mortalidade infantil nos Estados Unidos desde 1990 é atribuída em grande parte à prevenção da SMSI (discutida adiante), bem como ao tratamento eficaz de distúrbios respiratórios e aos avanços da medicina que permitem manter vivos bebês que nascem muito pequenos (Arias, MacDorman, Strobino, & Guyer, 2003). Outro fator é a grande redução da poluição do ar em algumas cidades devido à diminuição da produção industrial (Greenstone & Chay, 2003). No entanto, principalmente por causa do predomínio dos nascimentos pré-termo e do baixo peso ao nascer, bebês norte-americanos têm menos chance de chegar ao seu primeiro aniversário do que bebês de muitos outros países desenvolvidos A taxa de mortalidade infantil nos Estados Unidos, em 2008, foi maior do que em outros 44 países (U.S. Census Bureau, 2009a).

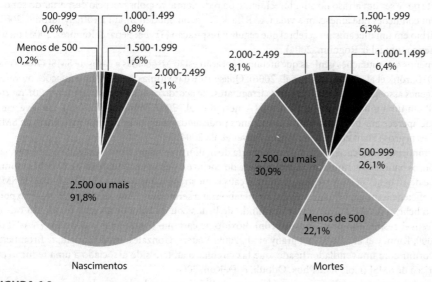

**FIGURA 6.9**
Porcentagens de nascidos vivos e óbitos infantis em função do peso ao nascer, em gramas: Estados Unidos, 2005.
*Bebês de baixo peso ao nascer constituem menos de 10% dos nascimentos, mas cerca de 70% das mortes infantis.*
Fonte: Mathews & MacDorman, 2008, Figuras 2 e 3.

**Disparidades raciais/étnicas na mortalidade infantil** Embora a mortalidade infantil tenha declinado para todas as raças e grupos étnicos nos Estados Unidos, ainda persistem grandes disparidades. Bebês negros têm chance quase 2,5 vezes maior de morrer em seu primeiro ano de vida do que bebês brancos e bebês hispânicos Essa disparidade reflete em grande parte a predominância do baixo peso ao nascer e da SMSI entre afro-americanos. A mortalidade infantil entre índios norte-americanos e nativos do Alasca é aproximadamente 1,5 vez maior do que a de bebês brancos, principalmente devido à SMSI e à síndrome alcoólica fetal (American Public Health Association, 2004; Mathews & MacDorman, 2008).

Variações intragrupo geralmente não são devidamente observadas. Entre a população hispânica, bebês porto-riquenhos têm probabilidade 2 vezes maior de morrer do que bebês cubanos (Hoyert, Heron et al., 2006). Americanos de origem asiática, de modo geral, têm menor probabilidade de morrer na primeira infância, mas bebês havaianos têm probabilidade 3 vezes maior de morrer do que bebês norte-americanos de origem chinesa (National Center for Health Statistics [NCHS], 2006).

Disparidades raciais ou étnicas no acesso à e na qualidade da assistência médica para crianças de minorias (Federal Interagency Forum on Child and Family Statistics, 2005; Flores, Olson, & Tomany-Korman, 2005) podem explicar, em parte, as diferenças relativas à mortalidade infantil, mas fatores comportamentais também exercem influência. Obesidade, tabagismo e consumo de álcool contribuem para resultados insatisfatórios durante a gravidez. Afro-americanos têm as taxas de obesidade mais altas; já os índios norte-americanos e os nativos do Alasca tendem a fumar e a beber mais. As taxas de assistência pré-natal variam de 89% nas gestantes brancas até 76% nas índias norte-americanas e nas nativas do Alasca (NCHS, 2006). Como as causas e os fatores de risco para mortalidade infantil variam entre os grupos étnicos, os esforços para reduzir ainda mais as mortes infantis precisam concentrar-se em fatores específicos para cada grupo (Hesso & Fuentes, 2005).

**Síndrome da morte súbita infantil (SMSI)** Às vezes chamada de *morte no berço*, a **SMSI** é a morte repentina de uma criança com menos de um ano de idade, em que a causa da morte permanece sem explicação após uma completa investigação, que inclui autópsia. A SMSI é a principal causa de morte do lactente pós-neonatal nos Estados Unidos (Anderson & Smith, 2005). Atinge o seu máximo entre o segundo e o terceiro meses de vida e é mais comum entre bebês afro-americanos e nativos americanos e alasquianos; bebês do sexo masculino; aqueles nascidos pré-termo; e aqueles cujas mães são jovens e a assistência pré-natal é tardia ou inexistente (AAP Task Force on Sudden Infant Death Syndrome, 2005).

Cerca de 20% das mortes por SMSI acontecem quando o bebê está sob os cuidados de outras pessoas, e não dos pais (AAP Task Force on Sudden Infant Death Syndrome, 2005), e 16,5% em bebês de orfanatos (Moon, Sprague, & Patel, 2005). A SMSI provavelmente resulta de uma combinação de fatores. Uma malformação congênita subjacente pode, durante um período crítico, tornar muitos bebês vulneráveis a certas experiências desencadeadoras, tais como a exposição pré-natal ao tabaco – um dos principais fatores de risco identificados (AAP Task Force on Sudden Infant Death Syndrome, 2005). A malformação subjacente pode ser um atraso no amadurecimento da rede neural responsável pelo despertar do sono se ocorrerem condições que ameaçam a vida (AAP Task Force on Sudden Infant Death Syndrome, 2005), um distúrbio em um mecanismo cerebral que regula a respiração (Tryba, Peña, & Ramirez, 2006) ou um fator genético (Opdal & Rognum, 2004).

Pelo menos seis mutações gênicas que afetam o coração estão associadas a casos de SMSI (Ackerman et al., 2001; Cronk et al., 2006; Tester et al., 2006). Quase 10% das vítimas apresentam mutações ou variações em genes associados a ritmos cardíacos irregulares, de acordo com uma pesquisa sobre 201 mortes por SMSI em uma única coorte na Noruega (Arnestad et al., 2007; Wang et al., 2007). Uma variante gênica que aparece em 1 de cada 9 afro-americanos pode ajudar a explicar a maior incidência de SMSI entre bebês negros (Plant et al., 2006; Weese-Mayer et al., 2004).

Uma importante indicação surgiu da descoberta de malformações no tronco encefálico, que regula a respiração, os batimentos cardíacos, a temperatura do corpo e o despertar. Autópsias de 31 bebês vítimas de SMSI e de 10 bebês que morreram por outras causas mostraram que todos os bebês vítimas de SMSI tinham deficiências na capacidade cerebral de metabolizar a serotonina (Paterson et al., 2006). Isso pode impedir o bebê com SMSI, que estiver dormindo de bruços ou de lado, de acordar ou virar a cabeça quando estiver respirando o ar "viciado" com dióxido de carbono contido sob o cobertor (AAP Task Force, 2000; Kinney et al., 1995; Panigrahy et al., 2000; Waters, Gonzales, Jean, Morielli, & Brouillette, 1996). Dormir com um ventilador ligado, que faz circular o ar, tem sido associado a uma redução em 72% no risco de SMSI (Coleman-Phox, Odouli, & DeKun, 2008).

A pesquisa sustenta enfaticamente a relação entre SMSI e o ato de dormir de bruços. As taxas de SMSI declinaram nos Estados Unidos em 53% entre 1992 e 2001 (AAP Task Force on Sudden Infant Death Syndrome, 2005), e em outros países até 70%, seguindo-se a recomendação de colocar os bebês saudáveis para dormir de costas (Dwyer, Ponsonby, Blizzard, Newman, & Cochrane, 1995; Hunt, 1996;

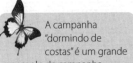

A campanha "dormindo de costas" é um grande exemplo de campanha pública de saúde bem-sucedida. No entanto, traz consequências inesperadas. Como os bebês passam menos tempo tentando se erguer para ver o mundo à sua volta, vários marcos indicadores do desenvolvimento motor (como rolar o corpo) agora sofrem atraso em relação ao momento em que costumavam ocorrer.

*Davis, Moon, Sachs, & Ottolini, 1998*

Skadberg, Morild, & Markestad, 1998; Willinger, Hoffman, & Hartford, 1994). Em contrapartida, as taxas de mortalidade infantil dos Estados Unidos atribuídas a asfixia ou a estrangulamento acidental na cama quadruplicaram entre 1984 e 2004, de 2,8 para 12,5 mortes por mil nascidos vivos, com maior aumento a partir de 1996, especialmente nos meninos negros com menos de 4 meses de idade (Shapiro-Mendoza, Kimball, Tomashek, Anderson, & Blanding, 2009). Essa mudança pode, em parte, refletir uma distinção mais precisa entre SMSI e asfixia acidental. Compartilhar a cama com a mãe é uma prática comum em algumas culturas; o possível papel que esse hábito desempenha na SMSI e na asfixia tem sido controverso, como discutiremos no Box 6.2.

Os médicos recomendam que os bebês não durmam em superfícies moles ou muito macias, como travesseiros, acolchoados ou cobertores de lã, ou sob cobertas soltas, o que, especialmente quando o bebê está com a face para baixo, pode aumentar o risco de superaquecimento ou reinalação (a respiração do próprio dióxido de carbono exalado) (AAP Task Force on Sudden Infant Death Syndrome, 2005; ver no Quadro 6.4 uma lista de recomendações da Task Force). O risco da SMSI aumenta 20 vezes quando os bebês dormem em camas de adultos, sofás ou poltronas ou em outras superfícies que não foram projetadas para eles (Scheers, Rutherford, & Kemp, 2003). Estudos associam o uso de chupetas com o baixo risco para a SMSI (AAP Task Force on Sudden Infant Death Syndrome, 2005; Hauck, Omojokun, & Siadaty, 2003, 2005; Mitchell, Blair, & L'Hoir, 2006). Diferentemente dos relatos populares, os estudos não mostram qualquer conexão entre imunizações e SMSI (AAP Task Force on Sudden Infant Death Syndrome, 2005).

Pesquisas recentes sugerem que o uso de ventiladores pode reduzir significativamente o risco de SMSI, especialmente em salas quentes, e em bebês que dormem de lado ou de bruços.

*Coleman-Phox, Odouli, & Li, 2008*

**Lesões**  Lesões involuntárias constituem a quinta causa de morte na primeira infância nos Estados Unidos (Heron, et al., 2009) e a terceira causa de morte após as quatro primeiras semanas de vida, depois da SMSI e das malformações congênitas (Anderson & Smith, 2005). Os bebês apresentam a segunda maior taxa de mortalidade por lesões não intencionais entre as crianças e os adolescentes, superados apenas por jovens de 15 a 19 anos. Em torno de dois terços das mortes por lesão no primeiro ano de vida são por sufocação. Entre crianças de 1 a 4 anos, os acidentes de trânsito são a principal causa de mortes por lesão não intencional, seguidos de afogamento e queimaduras. As quedas são de longe a maior causa de lesões não fatais entre os bebês (52%) e entre as crianças de 2 anos (43%). Os meninos de todas as idades são mais propensos a ser feridos e morrer em consequência dos ferimenos do que as meninas (Borse et al., 2008). Bebês negros têm chance 2,5 vezes maior de morrer de lesões do que bebês brancos e 3 vezes maior de serem vítimas de homicídio (Tomashek, Hsia, & Iyasu, 2003).

O artigo do Dr. Andrew Wakefield, publicado em 1998, que pela primeira vez associou autismo e vacinas, foi desmentido em fevereiro de 2010 pelo *The Lancet* entre alegações de viés e conduta antiética do Dr. Wakefield.

Em um estudo com 990 crianças levadas às salas de emergência em Kingston, Ontário, a maioria dos ferimentos era causada por quedas (61,1%), ingestão de substâncias nocivas (6,6%) e queimaduras (5,7%) (Pickett, Streight, Simpson, & Brison, 2003). Essas estatísticas mostram a importância da preparação do ambiente doméstico para a criança, porque muitos acidentes são evitáveis.

## Imunização para uma saúde melhor

Doenças infantis outrora muito conhecidas e às vezes fatais, como sarampo, coqueluche e poliomielite, agora, em sua maior parte, podem ser evitadas graças ao desenvolvimento de vacinas que mobilizam as defesas naturais do corpo. Infelizmente, muitas crianças ainda não estão adequadamente protegidas.

No mundo, mais de 78% das crianças agora recebem vacinações rotineiras durante o primeiro ano de vida (UNICEF, 2007). No entanto, durante o ano de 2002, 2,5 milhões de mortes evitáveis por vacina ocorreram entre crianças de até 5 anos, das quais quase 2 milhões na África e no Sudeste Asiático. A Visão Estratégica Global de Imunização para 2006-2015 procura estender as vacinações rotineiras a todas as pessoas elegíveis (Department of Immunization, Vaccines, and Biologicals, WHO; United Nations Children's Fund; Global Immunization Division, National Center for Immunization and Respiratory Diseases, & McMorrow, 2006).

Nos Estados Unidos, graças a uma iniciativa de imunização nacional, 77,4% das crianças entre 19 e 35 meses, de todos os grupos raciais/étnicos, completaram uma série recomendada de vacinações para crianças[2] em 2007, um recorde, e pelo menos 90% tinham tomado a maior parte das vacinas recomendadas (Darling, Kolasa, & Wooten, 2008). Entretanto, muitas crianças, especialmente pobres, ficam sem

---

[2] A série consiste em quatro doses de vacinas para difteria, tétano e coqueluche; três doses para poliomielite; uma ou mais doses para sarampo, caxumba e rubéola; três doses para *Haemophilus influenza* do tipo B (bactéria que provoca meningites e septicemias); três doses para hepatite B; e uma ou mais doses para varicela ou catapora (Darling et al., 2008).

# Pelo mundo

## HÁBITOS DO SONO

Em muitas culturas, os bebês não têm um lugar especial para dormir. Os bebês gusii, no Quênia, dormem nos braços de alguém ou nas costas de um cuidador. Em muitas sociedades, as crianças dormem no mesmo local que suas mães durante os primeiros anos de vida e, frequentemente, na mesma cama, o que torna a amamentação noturna mais fácil (Broude, 1995). Nos Estados Unidos, é comum o bebê ficar em uma cama ou um quarto separados, mas, entre famílias mais jovens e de baixa renda do centro das cidades, afro-americanos e asiáticos, bem como no Sul do país, o bebê costuma compartilhar a cama com os pais ou cuidadores. De acordo com uma pesquisa nacional, a porcentagem de bebês que dorme com um dos pais ou com um cuidador mais do que duplicou entre 1993 e 2000 (Brenner et al., 2003; Willinger, Ko, Hoffman, Kessler, & Corman, 2003). Essa prática tornou-se polêmica.

Em entrevistas, pais de classe média dos Estados Unidos e mães maias da Guatemala revelaram quais os valores e as metas para a educação de crianças nas suas sociedades durante explicações sobre a preparação para a hora de dormir (Morelli, Rogoff, Oppenheim, & Goldsmith, 1992). Os pais norte-americanos, muitos dos quais mantinham os filhos no mesmo quarto, mas não na mesma cama durante os primeiros 3 a 6 meses, afirmaram que mudaram os bebês para outro quarto porque queriam torná-los autoconfiantes e independentes. As mães maias mantinham os bebês e as crianças pequenas na cama delas até o nascimento de outro bebê; a partir daí, a criança mais velha passaria a dormir com outro membro da família ou em outra cama no quarto da mãe. As mães maias valorizavam as relações próximas entre os pais e a criança e ficaram chocadas com a ideia de que alguém pudesse deixar um bebê dormir em um quarto sozinho.

Alguns pesquisadores encontram benefícios no padrão de sono compartilhado, por vezes denominado *cama compartilhada* ou *coleito*. Estudos de observação descobriram que a proximidade física entre mãe e bebê tende a facilitar a amamentação, o contato físico e a sensibilidade materna (AAP Task Force on Sudden Infant Death Syndrome, 2005; Baddock, Galland, Bolton, Williams, & Taylor, 2006; McKenna & Mosko, 1993; McKenna, Mosko, & Richard, 1997). Aninhando-se juntos, a mãe e o bebê ficam atentos aos sutis sinais corporais um do outro, e as mães podem responder rápida e facilmente aos primeiros choramingos de fome do bebê.

No entanto, em certas condições, a cama compartilhada pode aumentar o risco de síndrome da morte súbita infantil porque um dos pais pode, acidentalmente, rolar sobre o bebê enquanto dorme. O risco parece ser particularmente alto quando o bebê tem menos de 11 semanas, quando mais do que uma pessoa compartilha a cama com o bebê ou quando um dos que compartilham a cama fumou, ingeriu álcool ou está excessivamente cansado (AAP Task Force on Sudden Infant Death Syndrome, 2005). Tanto o United Kingdom Department of Health como a American Academy of Pediatrics advertem que o lugar mais seguro para o bebê dormir é em um berço no quarto dos pais durante os primeiros 6 meses (AAP Task Force on Sudden Infant Death Syndrome, 2005).

**Qual a sua opinião?** Analisando evidências médicas que afirmam que a cama compartilhada entre mãe e bebê pode contribuir para a SMSI, as famílias que pertencem a culturas em que essa prática é normal deveriam ser desestimuladas a realizar essa ação?

**QUADRO 6.4** Recomendações médicas para evitar a SMSI

| | |
|---|---|
| 1. | Coloque o bebê para dormir de costas (não de bruços nem de lado). |
| 2. | Use uma superfície firme para o bebê dormir. |
| 3. | Não ponha objetos macios e cobertores soltos no berço. |
| 4. | Não fume durante a gravidez e evite expor o bebê ao fumo passivo. |
| 5. | Deixe o bebê dormir em seu próprio berço, próximo da mãe. |
| 6. | Considere a hipótese de dar uma chupeta ao bebê nos períodos noturnos de sono durante o primeiro ano de vida. Para bebês alimentados com leite materno, atrase a introdução da chupeta até 1 mês, até que a amamentação esteja firmemente estabelecida. |
| 7. | Evite superaquecer e agasalhar demais o bebê. Ele deve usar roupas leves, e a temperatura ambiente deve estar confortável para um adulto. |
| 8. | Evite medicamentos, produtos e afins que afirmem reduzir o risco de SMSI. Eles não foram testados em relação à eficácia nem à segurança. |
| 9. | Não use monitores domésticos para reduzir o risco de SMSI; não há evidências de sua eficácia. |
| 10. | Coloque o bebê de bruços quando ele estiver acordado e estiver sendo observado. |

*Fonte:* AAP Task Force on Sudden Infant Death Syndrome, 2005.

*As taxas de doenças infecciosas diminuíram drasticamente nos Estados Unidos graças à imunização em massa. No entanto, muitas crianças, especialmente nas áreas urbanas de baixa renda, não recebem, ou recebem tardiamente, todas as doses necessárias de vacinas. Em países em desenvolvimento, cerca de 1 em cada 5 mortes de crianças é causada por doenças que são evitáveis com vacinas.*

Capítulo 6 • Desenvolvimento físico e saúde durante os três primeiros anos

uma ou mais doses necessárias, e a abrangência do atendimento apresenta diferenças regionais (Darling et al., 2008).

Alguns pais hesitam em imunizar seus filhos por causa da especulação de que certas vacinas – particularmente as vacinas contra difteria-coqueluche-tétano (DCT) e sarampo-caxumba-rubéola (SCR) – podem causar autismo ou outros transtornos do desenvolvimento neurológico, mas não há nenhuma evidência concreta dessa suposição (Hornig et al., 2008; ver Box 6.1). Com quase 8% das crianças em condições de vacinação deixadas desprotegidas contra o sarampo, surtos recentes da doença ocorreram em certas comunidades (Darling et al., 2008), e as taxas continuam subindo.

Outra preocupação dos pais é os filhos tomarem vacinas demais e o sistema imunológico não dar conta. Na verdade, ocorre justamente o oposto. Vacinas múltiplas fortificam o sistema imunológico contra uma série de bactérias e vírus e reduzem as infecções relacionadas (Offit et al., 2002).

# Maus-tratos: abuso e negligência

Embora a maioria dos pais seja amorosa e afetuosa, alguns não podem ou não querem prestar os devidos cuidados a seus filhos, e outros deliberadamente lhes causam danos. Os *maus-tratos*, sejam eles perpetrados pelos pais ou por outras pessoas, consistem em pôr a criança em risco, propositadamente ou quando isso poderia ser evitado.

Os maus-tratos podem assumir diversas formas específicas, e a mesma criança pode ser vítima de mais de um tipo (USDHHS, Administration on Children, Youth and Families, 2008). Esses tipos incluem:

- **Abuso físico**: envolve ferimentos causados por socos, espancamentos, chutes ou queimaduras
- **Negligência**: o não atendimento das necessidades básicas da criança, como alimento, vestuário, assistência médica, proteção e supervisão
- **Abuso sexual**: qualquer atividade sexual que envolva uma criança e uma pessoa mais velha
- **Maus-tratos emocionais**: incluem rejeição, aterrorização, isolamento, exploração, degradação, ridicularização ou negação de apoio emocional, amor e afeição

Estima-se que as agências estaduais e locais de proteção à criança tenham recebido 3,3 milhões de queixas de maus-tratos de aproximadamente 6 milhões de crianças em 2006 e comprovaram em torno de 905 mil casos (USDHHS, Administration on Children, Youth and Families, 2008). Quase dois terços (64,1%) das crianças identificadas por maus-tratos foram negligenciadas, 16% sofreram abusos físicos, 8,8% sofreram abusos sexuais e 6,6% foram vítimas de abusos emocionais. Estima-se que 1.530 crianças morreram por maus-tratos, e a quantidade real pode ser bem mais alta. Dessas mortes, 41% foram atribuídas a negligência, 22,4% a violência física e 31,4% a mais de um tipo de maus-tratos (Child Welfare Information Gateway, 2008a; USDHHS, Administration on Children, Youth and Families, 2008).

## Maus-tratos na primeira infância

As crianças são vítimas de abuso e negligência em todas as idades, mas os índices mais altos de vitimização e morte por maus-tratos são para aquelas de 3 anos ou menos (Child Welfare Information Gateway, 2008a; USDHHS, Administration on Children, Youth and Families, 2008). Em 2006, cerca de 19% das vítimas que morreram de maus-tratos eram bebês. Além disso, 91.278 bebês foram maltratados, mas não morreram. Destes, mais de um terço (38,8%) era neonato. Quase um terço (32,7%) estava na primeira semana de vida, e mais de dois terços (68,5%) desses recém-nascidos foram vítimas de negligência (Brodowski et al., 2008).

Alguns bebês morrem de **déficit de crescimento não orgânico**, um tipo de crescimento físico mais lento ou retardado, sem causa clínica conhecida, acompanhado de desenvolvimento precário e problemas emocionais. Os sintomas podem incluir ganho de peso insuficiente, irritabilidade, sonolência excessiva e fadiga, evitação de contato visual, ausência de sorriso ou vocalização e desenvolvimento motor retardado. O déficit de crescimento pode resultar de uma combinação de nutrição inadequada, dificuldades na amamentação, preparação de fórmulas ou técnicas de alimentação impróprias e interações conturbadas com os pais. No mundo inteiro, a pobreza é o maior fator de risco do déficit de crescimento. Bebês cuja mãe ou cuidador principal é deprimido, abusa do álcool ou de outras substâncias, vive sob forte estresse ou não demonstra afeto ou afeição também correm maior risco (Block, Krebs, the Committee on Child Abuse and Neglect, & Committee on Nutrition, 2005; Lucile Packard Children's Hospital at Stanford, 2009).

---

**Verificador**
**você é capaz de...**

■ Resumir as tendências da mortalidade infantil e explicar por que os bebês negros têm menos probabilidade de sobreviver do que os brancos?

■ Discutir os fatores de risco, causas e prevenção da síndrome da morte súbita infantil?

■ Explicar por que a completa imunização de todos os bebês e crianças em idade pré-escolar é importante?

---

Guia de
**estudo** 7

Quais são as causas e as consequências do abuso e da negligência infantis e o que pode ser feito acerca deles?

---

**déficit de crescimento não orgânico**
Crescimento físico mais lento ou retardado, sem causa clínica conhecida, acompanhado de desenvolvimento precário e problemas emocionais.

## síndrome do bebê sacudido
Forma de maus-tratos em que sacudir um bebê ou uma criança pequena pode causar danos cerebrais, paralisia ou morte.

A **síndrome do bebê sacudido** é uma forma de maus-tratos encontrada principalmente em crianças com menos de 2 anos, geralmente bebês. Como o bebê tem uma musculatura fraca no pescoço e uma cabeça grande e pesada, sacudi-lo faz o cérebro deslocar-se de um lado para outro dentro do caixa craniana. Isso causa hematomas, sangramento e inchaço e pode trazer danos permanentes ao cérebro, paralisia e até mesmo morte (AAP, 2000; National Institute of Neurological Disorders and Stroke [NINDS], 2006). Os danos serão piores se o bebê for jogado na cama ou contra a parede. Traumas cranianos são a causa principal de morte em casos de abusos contra crianças nos Estados Unidos (Dowshen, Crowley, & Palusci, 2004). Aproximadamente 20% dos bebês sacudidos morrem em poucos dias. Os sobreviventes podem apresentar um amplo espectro de deficiências, desde transtornos da aprendizagem e comportamentais até lesões neurológicas, paralisia ou cegueira, ou mesmo um estado vegetativo permanente (King, McKay, Sirnick, & The Canadian Shaken Baby Study Group, 2003; National Center on Shaken Baby Syndrome, 2000; NINDS, 2006).

## Fatores contribuintes: uma visão ecológica

Conforme sugere a teoria bioecológica de Bronfenbrenner, abuso e negligência refletem a interação de múltiplos níveis de fatores que envolvem a família, a comunidade e a sociedade como um todo.

**Características de pais e familiares abusivos e negligentes**   Aproximadamente 80% dos casos de maus-tratos são perpetrados pelos pais da criança, normalmente a mãe, e 90% dos autores são os pais biológicos das vítimas (USDHHS, Administration on Children, Youth, & Families, 2008). Maus-tratos por parte dos pais são sintomas de extrema perturbação na criação dos filhos, geralmente agravados por outros problemas da família, como pobreza, falta de instrução, alcoolismo, depressão ou comportamento antissocial. Embora a maioria dos casos de negligência ocorra em famílias muito pobres, a maioria dos pais de baixa renda não negligencia seus filhos.

A probabilidade de uma criança ser vítima de abusos físicos tem pouco a ver com suas próprias características e mais com o ambiente doméstico (Jaffee et al., 2004). O abuso pode começar quando um dos pais, que já está ansioso, deprimido ou hostil, tenta controlar o filho fisicamente, mas perde o autocontrole e termina por sacudir ou agredir a criança. Pais que agridem os filhos tendem a ter problemas conjugais e a brigar fisicamente. O lar geralmente é desorganizado, e eles passam por situações mais estressantes do que as outras famílias.

Abuso e negligência às vezes ocorrem nas mesmas famílias (USDHHS, Administration on Children, Youth and Families, 2006). O abuso de substâncias químicas é um dos fatores que em um a dois terços dos casos leva à agressão e à negligência (USDHHS, 2009). O abuso sexual frequentemente ocorre junto com outros distúrbios familiares, como abuso físico, maus-tratos emocionais, abuso de substâncias químicas e violência doméstica (Kellogg & Committee on Child Abuse and Neglect, 2005).

**Características da comunidade e valores culturais**   O que torna um bairro de baixa renda um lugar onde as crianças estão altamente propensas a serem maltratadas e outro, de mesma população étnica e do mesmo nível de renda, mais seguro? Dois fatores culturais associados à agressão contra crianças são a violência social e a punição física dos filhos. Em países onde o crime violento não é frequente e raramente se bate nas crianças, como Japão, China e Taiti, as agressões contra crianças são raras (Celis, 1990). Além disso, nas sociedades, o uso mais frequente dos castigos corporais está relacionado a índices maiores de violência (Lansford & Dodge, 2008).

Nos Estados Unidos, homicídio, violência doméstica e estupro são comuns, e em muitos Estados ainda se permite a punição física nas escolas. Segundo uma amostra representativa, mais de 90% dos pais de crianças entre 3 e 4 de idade, e cerca de 50% dos pais de crianças com 12 anos de idade, relatam que recorrem ao uso de punição física em casa (Straus, 2010; Straus & Stewart, 1999; ver Box 11.2, no Cap. 11, para uma discussão dos efeitos das punições físicas).

## Ajudando famílias com problemas

Depois de determinar a existência de um incidente relacionado a maus-tratos, agências de serviços locais e estaduais de proteção à criança (Child Protective Services) avaliam quais as medidas a serem tomadas e organizam recursos na comunidade para oferecer ajuda. Os funcionários da agência podem tentar ajudar a família a resolver seus problemas ou providenciar cuidados alternativos para as crianças que não puderem permanecer em casa. Serviços para crianças que foram vítimas de abuso e para seus pais incluem abrigos, orientação na criação dos filhos e terapia. Há organizações anônimas de pais (Parents Anonymous) e outras instituições que oferecem acesso gratuito a grupos confidenciais de apoio. No entanto, a disponibilidade dos serviços geralmente é limitada (Burns et al., 2004).

Quando as autoridades removem uma criança de seu lar, geralmente a alternativa são os lares adotivos temporários (também chamados de abrigos). O lar adotivo temporário afasta a criança do perigo imediato, mas geralmente é instável, aliena ainda mais a criança da família e pode tornar-se mais uma situação de abuso. É comum as necessidades básicas de saúde e educação da criança não serem atendidas (David and Lucile Packard Foundation, 2004; National Research Council [NRC], 1993b). Embora a maioria das crianças abrigadas que deixam o sistema volte para suas famílias, cerca de 28% retornam à situação de abrigo nos próximos 10 anos (Wulczyn, 2004). Crianças que estiveram sob os cuidados de lares temporários estão mais propensas a viver na rua, cometer crimes e se tornar mães na adolescência (David and Lucile Packard Foundation, 2004).

Uma alternativa melhor do que lidar com os resultados dos maus-tratos é evitar que eles ocorram. Existem algumas atividades de prevenção, como as campanhas públicas de educação, que visam à sensibilização da população em geral. Outras, como as aulas de parentalidade para mães adolescentes solteiras, são direcionadas para famílias de alto risco ou para famílias nas quais já ocorreu abuso ou negligência (Child Welfare Information Gateway, 2008b).

### Efeitos de longo prazo dos maus-tratos

Sem ajuda, muitas vezes as crianças maltratadas crescem com problemas graves e podem continuar o ciclo de maus-tratos quando tiverem seus próprios filhos. Estima-se que um terço dos adultos que sofreram abusos e foram negligenciados na infância vitimiza seus próprios filhos (National Clearinghouse on Child Abuse and Neglect Information [NCCANI], 2004).

Mesmo crianças de pré-escola podem passar por experiências de depressão clínica, embora esta possa parecer um pouco diferente daquela dos adultos. Por exemplo, crianças deprimidas na pré-escola podem ter experiências normais entremeadas por períodos de tristeza ou irritação ao longo do dia.

Consequências de longo prazo devidas a maus-tratos podem incluir saúde física, mental e emocional deficiente; desenvolvimento cerebral comprometido; dificuldades cognitivas, linguísticas e no desempenho escolar; problemas de memória; instabilidade emocional; problemas na formação de vínculos afetivos e relacionamentos sociais; e transtornos de atenção e de comportamento (AAP, Stirling, Committee on Child Abuse and Neglect and Section on Adoption and Foster Care, American Academy of Child and Adolescent Psychiatry, Amaya-Jackson, & National Center for Child Traumatic Stress, 2008; Brunson et al., 2005; Glaser, 2000; NCCANI, 2004; Pollack, 2008). Quando crianças que foram alvo de abusos ou negligência chegam à adolescência, têm maior risco de fraco desempenho escolar, delinquência, gravidez, uso de álcool e drogas e suicídio (Dube et al, 2001, 2003; Lansford et al., 2002; NCCANI, 2004). Como adultos, tendem a sofrer de más condições de saúde e a desenvolver doenças fatais, como acidente vascular cerebral, câncer e doenças cardíacas (AAP, American Academy of Child and Adolescent Psychiatry & National Center for Child Traumatic Stress, 2008). Adultos que sofreram maus-tratos no início da vida tendem a ser ansiosos ou deprimidos; os que já eram mais velhos quando maltratados são mais propensos a mostrar agressividade e a envolver-se no abuso de drogas (Kaplow & Widom, 2007). Reações de longo prazo ao estresse crônico dos maus-tratos podem desencadear visões, sons ou cheiros que evocam lembranças ou sonhos dos traumas da infância (AAP, American Academy of Child and Adolescent Psychiatry & National Center for Child Traumatic Stress, 2008).

Como os maus-tratos produzem tais efeitos? O abuso infantil ou a negligência podem atrasar ou alterar o desenvolvimento do cérebro e prejudicar a regulação emocional (AAP, American Academy of Child and Adolescent Psychiatry & National Center for Child Traumatic Stress, 2008; Pollack, 2008). Crianças que sofreram violência física tendem a julgar expressões faciais ambíguas como expressões de raiva, e a atividade elétrica no cérebro aumenta quando procuram por rostos raivosos (Pollak & Kistler, 2002; Shackman, Shackman, & Pollak, 2007; Tupler & DeBellis, 2006). Essas crianças podem interpretar uma repressão leve ou um pouco mais severa como ameaça e pensar erroneamente que estão em perigo, respondendo de forma inadequada. A resposta exagerada pode provocar uma reação negativa da outra pessoa, parecendo confirmar a avaliação original que a criança fez da situação. Como o comportamento da criança está enraizado em adaptações fisiológicas a um ambiente anormal, o comportamento é altamente resistente à mudança (AAP, American Academy of Child and Adolescent Psychiatry & National Center for Child Traumatic Stress, 2008).

Negligência grave pode alterar as respostas hormonais ao estresse, prejudicar a resposta imunológica e diminuir os níveis de oxitocina, enfraquecendo os vínculos sociais (Wismer, Fries, Ziegler, Kurian, Jacoris, & Pollak, 2005). Crianças gravemente negligenciadas tendem a ser exigentes, ansiosas e difíceis de

## Verificador
### você é capaz de...

- Definir quatro tipos de abuso e negligência infantis?
- Discutir duas formas de maus-tratos que normalmente afetam as crianças?
- Identificar fatores relacionados aos maus-tratos e que tenham relação com a família, a comunidade e a cultura?
- Citar maneiras de evitar ou eliminar os maus-tratos e de ajudar as vítimas?
- Listar e explicar os efeitos de longo prazo do abuso e da negligência infantis?

consolar, e seus pais, já com seus próprios problemas, podem responder raivosamente ou distanciar-se ainda mais da criança (AAP, American Academy of Child and Adolescent Psychiatry & National Center for Child Traumatic Stress, 2008).

Crianças vítimas de abusos sexuais tendem a apresentar comportamento perturbado, níveis baixos de autoestima, desenvolver transtornos alimentares e depressão, ansiedade ou infelicidade (Putnam, 2002; Smolak & Murnen, 2002; Swanston, Tebbutt, O'Toole, & Oates, 1997) e podem tornar-se sexualmente ativas precocemente (Fiscella, Kitzman, Cole, Sidora, & Olds, 1998; Noll, Trickett, & Putnam, 2003). Adultos vítimas de abuso sexual quando crianças tendem a ser ansiosos, deprimidos, raivosos ou hostis; a não confiar nas pessoas; a se sentir isolados e estigmatizados; a ser sexualmente desajustados e a abusar de álcool ou drogas (Browne & Finkelhor, 1986; Dube et al., 2003; Fergusson, Boden, & Horwood, 2008; NRC, 1993b; USDHHS, 1999a).

Por que algumas crianças que sofreram abuso crescem e tornam-se antissociais ou abusivas, enquanto outras não? Uma possível diferença é genética; alguns genótipos podem ser mais resistentes a traumas do que outros (Caspi et al., 2002; Jaffee et al., 2005; Pollack, 2008). O apoio social também pode estabelecer outra diferença (Pollack, 2008). Em um estudo, crianças maltratadas que apresentavam o alelo curto 5-HTTLPR e pouco apoio social sofriam de altos níveis de depressão, porém, crianças maltratadas que também tinham o mesmo alelo, mas que tiveram apoio social de adultos, apresentaram sintomas depressivos mínimos (Kaufman et al., 2004).

Pesquisas com macacos-rhesus sugerem outra resposta. Quando macacos bebês sofreram altos índices de rejeição e abuso maternos no primeiro mês de vida, produziu-se menos serotonina. Baixos níveis de serotonina estão associados a ansiedade, depressão e agressão impulsiva tanto em seres humanos quanto em macacos. Macacas que sofreram abuso e que se tornaram mães abusivas tinham menos serotonina no cérebro do que fêmeas que sofreram abuso e que não se tornaram mães abusivas. Essa descoberta sugere que o tratamento com medicamentos que aumentam os níveis de serotonina logo no começo da vida pode impedir que uma criança que sofreu abuso cresça e abuse de seus próprios filhos (Maestripieri et al., 2006).

Muitas crianças maltratadas apresentam resiliência extraordinária. Otimismo, autoestima, inteligência, criatividade, humor e independência são fatores de proteção, assim como o apoio social de um adulto afetuoso (NCCANI, 2004). No Capítulo 14, discutimos com mais detalhes os fatores que afetam a resiliência.

Felizmente, a maioria dos bebês sobrevive e cresce de forma saudável e bem cuidada. O desenvolvimento físico constitui a base para o desenvolvimento cognitivo e psicossocial, que permite aos bebês e às crianças sentirem-se mais à vontade em seus mundos, como veremos nos Capítulos 7 e 8.

# resumo & palavras-chave

## ❶ Crescimento e desenvolvimento físico iniciais

**Quais os princípios que regem o crescimento e o desenvolvimento físico iniciais?**

- O crescimento físico normal e o desenvolvimento sensório-motor ocorrem de acordo com os princípios cefalocaudal e próximo-distal.
- O corpo de uma criança cresce muito mais durante o primeiro ano de vida; o crescimento prossegue em ritmo acelerado, mas decrescente, ao longo dos três primeiros anos.

## ❷ Nutrição e métodos de alimentação

**Como os bebês se alimentam e de que devem ser alimentados?**

- As mudanças históricas na forma de alimentar refletiram os esforços para melhorar os índices de sobrevivência e saúde dos bebês.
- O aleitamento materno oferece muitas vantagens para a saúde e benefícios sensoriais e cognitivos. No entanto, a qualidade da relação entre pais e bebês pode ser mais importante do que o método de alimentação.

- Os bebês não devem ingerir alimentos sólidos nem sucos de frutas antes dos 6 meses e só devem ser alimentados com leite de vaca depois de 1 ano de idade.
- Bebês com sobrepeso não correm risco especial de se tornarem adultos obesos, a não ser que tenham pais obesos.

## ❸ O cérebro e o comportamento reflexo

**Como o cérebro se desenvolve e como os fatores ambientais afetam seu crescimento inicial?**

- O sistema nervoso central controla a atividade sensório-motora. A lateralização possibilita a cada hemisfério do cérebro especializar-se em diferentes funções.
- O cérebro cresce mais rápido durante os meses que precedem e imediatamente após o nascimento, quando os neurônios migram para suas posições assinaladas, formam conexões sinápticas e sofrem integração e diferenciação. A morte celular e a mielinização melhoram a eficiência do sistema nervoso.
- Comportamentos reflexos – primitivo, locomotor e postural – são indicações da condição neurológica. A maior parte dos reflexos desaparece no primeiro ano de vida à medida que se desenvolve o controle cortical voluntário.

**Capítulo 6** • Desenvolvimento físico e saúde durante os três primeiros anos

- Especialmente durante o período inicial de rápido crescimento, a experiência ambiental pode influenciar o desenvolvimento do cérebro positiva ou negativamente.

  **sistema nervoso central (138)**
  **lateralização (139)**
  **neurônios (141)**
  **integração (141)**
  **diferenciação (141)**
  **morte celular (141)**
  **mielinização (141)**
  **comportamentos reflexos (145)**
  **plasticidade (145)**

### ④ Capacidades sensoriais iniciais

*Como se desenvolvem os sentidos durante a primeira infância?*

- Capacidades sensoriais, presentes desde o nascimento e mesmo no útero, desenvolvem-se rapidamente nos primeiros meses de vida. Bebês muito novos conseguem distinguir estímulos.
- O tato é o primeiro sentido a se desenvolver e amadurecer. Recém-nascidos são sensíveis à dor. Olfato, tato e audição também começam a se desenvolver no útero.
- A visão é o sentido menos desenvolvido no nascimento, mas ganha precisão nos primeiros 6 meses.

### ⑤ Desenvolvimento motor

*Quais são os primeiros marcos do desenvolvimento motor e o que os influencia?*

- Habilidades motoras desenvolvem-se em certa sequência, que pode depender em grande parte da maturação, mas também do contexto, da experiência e da motivação. Habilidades simples se combinam em sistemas complexos cada vez maiores.
- O Teste de Avaliação do Desenvolvimento de Denver avalia as habilidades motoras amplas e finas, bem como o desenvolvimento social, da linguagem e da personalidade.
- A percepção de profundidade está presente desde cedo e relaciona-se com o desenvolvimento motor.
- Segundo a teoria ecológica de Gibson, a percepção sensorial e a atividade motora estão coordenadas desde o nascimento, ajudando os bebês a "navegar" em seu ambiente.
- A teoria dos sistemas dinâmicos de Thelen sustenta que os bebês desenvolvem habilidades motoras não somente devido à maturação, mas também pela coordenação ativa de múltiplos sistemas de ação dentro de um ambiente em transformação.
- Fatores ambientais, que incluem práticas culturais, podem influenciar o ritmo no início do desenvolvimento motor.

  **sistemas de ação (149)**
  **Teste de Avaliação do Desenvolvimento de Denver (149)**
  **habilidades motoras amplas (150)**

  **habilidades motoras finas (150)**
  **orientação visual (151)**
  **percepção de profundidade (152)**
  **percepção tátil (152)**
  **abismo visual (152)**
  **teoria ecológica da percepção (152)**
  **teoria dos sistemas dinâmicos (TSD) (153)**

### ⑥ Saúde

*Como podemos melhorar a saúde e as chances de sobreviência do bebê?*

- Em âmbito mundial, a mortalidade infantil é prevalente durante o primeiro mês de vida, especialmente na primeira semana e principalmente em regiões menos desenvolvidas.
- Embora a mortalidade infantil tenha diminuído nos Estados Unidos, ainda é alta, especialmente entre bebês afro-americanos. Malformações congênitas são a principal causa de morte no primeiro ano; nos bebês negros, o baixo peso ao nascer é a principal causa.
- A síndrome da morte súbita infantil (SMSI) é a terceira principal causa de morte pós-natal nos Estados Unidos. Os principais fatores de risco incluem o tabagismo e dormir de bruços. As taxas de SMSI têm diminuído acentuadamente com as recomendações de deitar os bebês de costas antes de dormir.
- Lesões são a terceira principal causa de morte de bebês após o primeiro mês nos Estados Unidos.
- As doenças que podem ser prevenidas com vacinação diminuíram à medida que as taxas de imunização subiram, mas muitas crianças em idade pré-escolar não estão totalmente protegidas.

  **taxa de mortalidade infantil (154)**
  **síndrome da morte súbita infantil (SMSI) (154)**

### ⑦ Maus-tratos: abuso e negligência

*Quais são as causas e as consequências do abuso e da negligência infantis e o que pode ser feito acerca deles?*

- A incidência de maus-tratos confirmados é incerta porque muitos casos podem não ser comunicados.
- Os maus-tratos podem se manifestar sob a forma de abuso físico, negligência, abuso sexual e maus-tratos emocionais.
- As características de quem pratica o abuso ou a negligência, a família, a comunidade e a cultura de modo geral contribuem para o abuso e a negligência infantis.
- Os maus-tratos podem interferir no desenvolvimento físico, cognitivo, emocional e social, e seus efeitos podem continuar na idade adulta. Entretanto, muitas crianças maltratadas demonstram uma notável resiliência.
- A prevenção ou a eliminação dos maus-tratos exigem esforços múltiplos e coordenados da comunidade.

  **déficit de crescimento não orgânico (159)**
  **síndrome do bebê sacudido (160)**

## Capítulo 7

### Sumário

Estudando o desenvolvimento cognitivo: seis abordagens

Abordagem behaviorista: os mecanismos básicos da aprendizagem

Abordagem psicométrica: testes de desenvolvimento e de inteligência

Abordagem piagetiana: o estágio sensório-motor

Abordagem do processamento de informações: percepções e representações

Abordagem da neurociência cognitiva: as estruturas cognitivas do cérebro

Abordagem sociocontextual: aprendendo nas interações com cuidadores

Desenvolvimento da linguagem

### Você sabia que...

▸ Recém-nascidos com 2 dias preferem ver cenas novas a cenas familiares?

▸ Os surtos de crescimento cerebral coincidem com mudanças do comportamento cognitivo?

▸ Bebês e crianças pequenas cujos pais leem para elas frequentemente aprendem a ler mais cedo?

*Neste capítulo, tratamos das habilidades cognitivas de bebês e de crianças até 3 anos, partindo de várias perspectivas: behaviorista, psicométrica, piagetiana, processamento de informações, neurociência cognitiva e sociocontextual. Abordamos o início do desenvolvimento da linguagem e discutimos como ele acontece.*

# Desenvolvimento cognitivo durante os três primeiros anos

> **Você não pode escrever para crianças. Elas são muito complicadas. Apenas se consegue escrever livros que sejam interessantes para elas.**
>
> — *Maurice Sendak* (Boston Globe, *4 de janeiro de 1987*)

## PARTE III • Primeira infância

# Guia de estudo

1. Quais são as seis abordagens ao estudo do desenvolvimento cognitivo?

2. Como os bebês aprendem e por quanto tempo podem lembrar?

3. A inteligência dos bebês e de crianças até 3 anos pode ser medida? E como pode ser aprimorada?

4. Como Piaget descreveu o desenvolvimento cognitivo de bebês e crianças pequenas e como suas convicções foram sustentadas?

5. Como podemos medir a capacidade dos bebês de processar informações, e quando eles começam a entender as características do mundo físico?

6. O que a pesquisa sobre o cérebro pode revelar a respeito do desenvolvimento das habilidades cognitivas?

7. De que maneira a interação social com adultos faz a competência cognitiva avançar?

8. Como os bebês desenvolvem a linguagem e quais são as influências que contribuem para o progresso linguístico?

---

### Guia de estudo 1

Quais são as seis abordagens ao estudo do desenvolvimento cognitivo?

**abordagem behaviorista**
Abordagem ao estudo do desenvolvimento cognitivo cuja preocupação é conhecer os mecanismos básicos da aprendizagem.

**Verificador**
**você é capaz de...**

■ Comparar as seis abordagens ao estudo do desenvolvimento cognitivo e identificar seus objetivos?

# Estudando o desenvolvimento cognitivo: seis abordagens

Como os bebês aprendem a resolver problemas? Quando a memória se desenvolve? Como explicar as diferenças individuais nas habilidades cognitivas? Podemos medir a inteligência de um bebê ou prever seu grau de esperteza no futuro? Essas questões há muito intrigam os cientistas do desenvolvimento, muitos dos quais escolheram uma entre seis abordagens para seus estudos:

- A **abordagem behaviorista** estuda os *mecanismos* básicos da aprendizagem. Os behavioristas querem saber como o comportamento muda em resposta à experiência.
- A **abordagem psicométrica** mede as *diferenças quantitativas* nas habilidades que compõem a inteligência, utilizando testes que indicam ou preveem essas habilidades.
- A **abordagem piagetiana** volta-se para as mudanças, ou estágios, na *qualidade* do funcionamento cognitivo. Ela quer saber como a mente estrutura suas atividades e se adapta ao ambiente.
- A **abordagem do processamento de informações** focaliza a percepção, a aprendizagem, a memória e a resolução de problemas. Seu objetivo é descobrir como as crianças processam as informações do momento em que as recebem até utilizá-las.
- A **abordagem da neurociência cognitiva** examina o *hardware* do nosso sistema nervoso e busca identificar quais são as estruturas do cérebro envolvidas em aspectos específicos da cognição.
- A **abordagem sociocontextual** examina os efeitos dos aspectos ambientais dos processos de aprendizagem, particularmente o papel dos pais e de outros cuidadores.

Todas essas seis abordagens nos ajudam a entender como se desenvolve a cognição.

---

### Guia de estudo 2

Como os bebês aprendem e por quanto tempo podem lembrar?

# Abordagem behaviorista: os mecanismos básicos de aprendizagem

Bebês nascem com a capacidade de aprender com aquilo que veem, ouvem, cheiram, degustam e tocam, além de terem certa capacidade de lembrar o que aprenderam. Embora os teóricos da aprendizagem reconheçam a maturação como fator limitante, seu principal interesse são os mecanismos da aprendizagem. Primeiro vejamos dois processos de aprendizagem estudados pelos behavioristas: *condicionamento clássico* e *condicionamento operante*. Depois consideraremos a *habituação*, uma forma de aprendizagem estudada pelos pesquisadores do processamento de informação.

## Condicionamentos clássico e operante

Ansioso por captar os momentos memoráveis de Anna, seu pai fotografou o bebê sorrindo, engatinhando e fazendo outras proezas. Toda vez que disparava o *flash*, Anna piscava. Certa noite, quando a menina tinha 11 meses, ela viu o pai segurando a câmera na altura dos olhos – e ela piscou *antes* do *flash*. Ela havia aprendido a associar a câmera ao brilho da luz, de modo que a simples visão da câmera ativou seu reflexo de piscar.

O ato de Anna piscar ao ver a câmera é um exemplo de **condicionamento clássico**, em que a pessoa aprende a emitir uma resposta reflexa, ou involuntária (nesse caso, piscar), diante de um estímulo (a câmera) que originalmente não foi aquele que provocou a resposta. O condicionamento clássico permite aos bebês antecipar um evento antes que aconteça, formando associações entre estímulos (como a câmera e o *flash*) que normalmente ocorrem juntos. A aprendizagem por condicionamento clássico será *extinta* ou desaparecerá aos poucos, se não for reforçada por repetição. Assim, se Anna frequentemente visse a câmera sem o *flash*, ela acabaria parando de piscar.

Enquanto o condicionamento clássico se concentra na previsão de eventos (*flash*) com base em suas associações (câmera), o **condicionamento operante** é focado nas consequências dos comportamentos e na forma como eles afetam a probabilidade de ocorrer novamente. Especificamente, os comportamentos podem ser reforçados e tornarem-se mais prováveis de ocorrer ou podem ser punidos e tornarem-se menos prováveis de acontecer. Por exemplo, um bebê pode aprender que, quando balbucia, os pais respondem com sorrisos e atenção e, portanto, poderá aumentar esse comportamento com a intenção de receber ainda mais sorrisos e mais atenção. Em outras palavras, foi reforçado a balbuciar. Em contrapartida, um bebê pode notar que, quando atira alimento, os pais tendem a franzir a testa e a falar bruscamente com ele; assim, poderá aprender a não atirar alimento para manter os pais felizes. Foi, portanto, punido por atirar alimento.

## Memória dos bebês

Você consegue lembrar-se de alguma coisa que aconteceu antes dos seus 2 anos de idade? Provavelmente não. Os cientistas do desenvolvimento propuseram várias explicações para esse fenômeno comum. Piaget (1969) argumentou que os eventos ocorridos no início da vida não são armazenados na memória, porque o cérebro ainda não está suficientemente desenvolvido. Freud, por sua vez, acreditava que as primeiras lembranças estão armazenadas, porém reprimidas, porque são emocionalmente perturba-

**abordagem psicométrica**
Abordagem ao estudo do desenvolvimento cognitivo que procura medir a inteligência quantitativamente.

**abordagem piagetiana**
Abordagem ao estudo do desenvolvimento cognitivo que descreve estágios qualitativos no funcionamento cognitivo.

**abordagem do processamento de informações**
Abordagem ao estudo do desenvolvimento cognitivo que analisa os processos envolvidos na percepção e no tratamento da informação.

**abordagem da neurociência cognitiva**
Abordagem ao estudo do desenvolvimento cognitivo que vincula os processos cerebrais aos processos cognitivos.

**abordagem sociocontextual**
Abordagem ao estudo do desenvolvimento cognitivo que focaliza as influências ambientais, em especial os pais e outros cuidadores.

**condicionamento clássico**
Aprendizagem baseada na associação de um estímulo que normalmente não provoca uma resposta com outro que a provoca.

**condicionamento operante**
Aprendizagem baseada no reforço ou na punição.

*As técnicas de condicionamento operante podem nos ajudar a "perguntar" às crianças do que se lembram. Bebês de 2 a 6 meses que aprendem que seus chutes ativam um móbile lembram-se dessa habilidade mesmo se o móbile for removido por até duas semanas. Quando o móbile retorna, o bebê começa a chutar logo que vê o brinquedo.*

**168** **PARTE III** • Primeira infância

doras. Outros pesquisadores (Nelson, 2005) têm uma abordagem evolucionista do desenvolvimento e argumentam que as habilidades são desenvolvidas à medida que se tornam úteis para a adaptação ao ambiente. O conhecimento processual e perceptivo inicial não é o mesmo que as memórias explícitas posteriores baseadas na linguagem de eventos específicos usadas pelos adultos. A infância é um momento de grande mudança, e a retenção dessas experiências iniciais não será útil por muito tempo. Desse modo, não nos lembramos dos eventos que ocorreram na infância, e isso explica a amnésia infantil vivida pela maioria dos adultos.

Felizmente, podemos usar técnicas de condicionamento operante para "fazer" perguntas às crianças sobre o que se lembram. Por exemplo, Carolyn Rovee-Collier e colaboradores (1996, 1999) levaram crianças de 2 a 6 meses de idade para seu laboratório e ataram um fio entre um de seus tornozelos e um móbile. Os bebês aprendiam rapidamente que quando levantavam a perna o móbile se movia. Como isso era um reforço para os bebês, o número de chutes aumentou. Mais tarde, quando foram levados para o mesmo laboratório, os bebês repetiram o ato de chutar, apesar de os tornozelos não estarem ligados ao móbile. O fato de darem mais chutes do que os bebês que não tinham sido condicionados dessa forma demonstrou que o reconhecimento dos móbiles desencadeou a memória da experiência inicial. Foi realizada uma pesquisa semelhante com bebês mais velhos e crianças de até 3 anos, e, dessa forma, os pesquisadores foram capazes de determinar que o tempo de duração da resposta condicionada aumenta com a idade. Aos 2 meses de idade, a criança poderá se lembrar de uma resposta condicionada durante dois dias, enquanto crianças com 18 meses podem se lembrar durante 13 semanas (Hartshorn et al., 1998; Rovee-Collier, 1996, 1999).

Enquanto bebês pequenos têm a capacidade de se lembrar de eventos, essa memória é menos desenvolvida em crianças mais velhas. A memória dos bebês parece estar especificamente ligada às pistas originais codificadas durante o condicionamento. Por exemplo, crianças com idades entre 2 e 6 meses, treinadas para pressionar uma alavanca que fazia um trenzinho circular em um trilho, repetiram o comportamento aprendido apenas quando viram o trenzinho original. Mas, entre 9 e 12 meses, as crianças conseguiam generalizar suas memórias e pressionavam a alavanca de uma miniatura de trem diferente para fazê-lo andar se não tivesse passado, no máximo, duas semanas desde o condicionamento. Da mesma forma, crianças com 3, 9 e 12 meses podiam reconhecer o móbile ou o trem em um ambiente diferente daquele onde foram treinadas. No entanto, depois de ter decorrido bastante tempo, deixaram de ser capazes de fazê-lo (Rovee-Collier, 1999).

A pesquisa que recorreu a técnicas de condicionamento operante demonstrou que os processos de memória dos bebês não se diferenciam, fundamentalmente, dos processos das crianças mais velhas e dos adultos, com a exceção de que seus tempos de retenção são menores e a memória está mais dependente das pistas de codificação. Além disso, os estudos descobriram que, tal como ocorre com os adultos, a memória pode ser auxiliada por lembretes. Uma exposição curta não verbal ao estímulo original pode sustentar uma memória desde a primeira infância até a idade entre 1 ano e meio e 2 anos (Rovee-Collier, 1999).

---

**Verificador**
**você é capaz de...**

- Dar exemplos de condicionamento clássico e condicionamento operante em bebês?
- Resumir o que os estudos de condicionamento operante descobriram sobre a memória dos bebês?

---

**Guia de estudo 3**

A inteligência dos bebês e de crianças até 3 anos pode ser medida? E como pode ser aprimorada?

**comportamento inteligente**
Comportamento que é orientado para uma meta e que se adapta às circunstâncias e condições de vida.

---

# Abordagem psicométrica: testes de desenvolvimento e de inteligência

Embora não haja consenso científico claro sobre a definição de comportamento inteligente, a maioria dos profissionais concorda sobre alguns critérios básicos. A inteligência permite às pessoas adquirir, lembrar e utilizar conhecimento; entender conceitos e relações; e resolver os problemas do dia a dia. Além disso, presume-se que o **comportamento inteligente** seja *orientado para uma meta*, isto é, existe para possibilitar o alcance de uma meta. Presume-se também que seja *adaptativo*, porque ajuda o organismo a se ajustar às circunstâncias variáveis da vida.

A natureza precisa da inteligência tem sido debatida por muitos anos, assim como a melhor maneira de medi-la. O movimento moderno para testar a inteligência teve início no começo do século XX, quando administradores de escolas em Paris pediram ao psicólogo Alfred Binet que elaborasse um modo de identificar crianças que não pudessem acompanhar o trabalho escolar e precisassem de instruções especiais. O teste desenvolvido por Binet e seu colega Theodore Simon foi o precursor dos testes psicométricos que avaliam a inteligência por números.

O objetivo da aplicação de testes psicométricos é medir quantitativamente os fatores que supostamente constituem a inteligência (como compreensão e raciocínio) e, a partir dos resultados dessa medida, prever o desempenho futuro (como desempenho escolar). Os **testes de QI (quociente de inteligência)** consistem em perguntas ou tarefas que devem mostrar quanto das habilidades medidas a pessoa apresenta, comparando seu desempenho com normas estabelecidas para um grupo extenso que compôs a amostra de padronização.

Para crianças em idade escolar, as pontuações no teste de inteligência podem servir para prever o desempenho na escola com razoável precisão e confiabilidade, como será discutido no Capítulo 13. Testar bebês e crianças pequenas já é outra questão. Como os bebês não podem nos dizer o que sabem e como pensam, a maneira mais óbvia de aferir sua inteligência é avaliando o que sabem fazer. No entanto, se eles não pegarem um chocalho, é difícil saber se não o fizeram porque não sabiam como, não estavam com vontade, não perceberam o que se esperava deles ou simplesmente perderam o interesse.

## Testando bebês e crianças com idades entre 1 e 3 anos

Embora seja praticamente impossível medir a inteligência de um bebê, é possível testar seu desempenho em testes de desenvolvimento. Esses testes avaliam bebês na execução de tarefas e comparam seus desempenhos com normas estabelecidas baseadas na observação do que um grande número de bebês e crianças pequenas sabe fazer em determinadas idades. Assim, por exemplo, se a criança não for capaz de executar uma tarefa que a "criança média" consegue executar em determinada idade, pode sofrer de um atraso nessa área. Em contrapartida, a criança também pode estar adiantada porque alcança um desempenho melhor do que outras crianças da mesma idade.

As **Escalas Bayley de Desenvolvimento Infantil** (Bayley, 1969, 1993, 2005) constituem um teste de desenvolvimento amplamente utilizado e elaborado para avaliar crianças entre 1 mês e 3 anos e meio. Pontuações na Bayley-III (Bayley, 2005) indicam os pontos fortes e fracos e as competências de uma criança em cada uma das cinco áreas do desenvolvimento: *cognitivo, linguagem, motor, socioemocional* e *comportamento adaptativo*. Pontuações separadas, chamadas de *quocientes de desenvolvimento* (*QDs*), são calculadas para cada escala. Os QDs são muito úteis para detectar, logo no início, perturbações emocionais e déficits sensoriais, neurológicos e ambientais e podem ajudar pais e profissionais a planejar o atendimento das necessidades da criança.

## Avaliando o impacto do ambiente doméstico

A inteligência já foi considerada como algo fixado desde o nascimento, mas agora sabemos que é influenciada tanto pela hereditariedade quanto pela experiência. Conforme foi discutido no Capítulo 6, a estimulação precoce do cérebro é fundamental para o desenvolvimento cognitivo futuro. Quais as características do ambiente doméstico da infância que podem influenciar as medidas de inteligência e outras medidas do desenvolvimento cognitivo?

Utilizando o **Inventário HOME** (R. H. Bradley, 1989; Caldwell, & Bradley, 1984), observadores treinados entrevistam o principal cuidador e classificam com "sim" ou "não" a estimulação intelectual e o suporte observado no lar da criança. A versão do HOME para bebês e crianças de até 3 anos (Quadro 7.1) dura cerca de 1 hora. As pontuações do HOME estão significativamente relacionadas às medidas do desenvolvimento cognitivo (Totsika & Sylva, 2004).

Um fator importante avaliado pelo HOME é a responsividade parental. O HOME dá pontos aos pais que acariciam e beijam o filho durante a visita do examinador. Os examinadores prestam particular atenção a isso devido a um estudo longitudinal que encontrou correlações positivas entre a responsividade dos pais a seus filhos de 6 meses e o QI da criança, escores em testes de desempenho e o comportamento em sala de aula de crianças aos 13 anos (Bradley, Corwyn, Burchinal, McAdoo, & Coll, 2001).

Outras variáveis importantes identificadas com o HOME incluem o número de livros na casa, a presença de brinquedos que incentivam o desenvolvimento de conceitos e o envolvimento dos pais nas brincadeiras dos filhos. Em uma análise de avaliações HOME de 29.264 crianças norte-americanas, a simulação de aprendizagem mostrou-se sistematicamente associada aos escores de desempenho no jardim de infância, bem como à competência na linguagem e aos desenvolvimentos motor e social (Bradley, Corwyn, Burchinal, et al., 2001).

---

**testes de QI (quociente de inteligência)**
Testes psicométricos que procuram medir a inteligência comparando o desempenho de quem responde ao teste com normas padronizadas.

Piaget, que você conhecerá mais adiante, interessou-se pela cognição das crianças quando trabalhava nesse projeto. Designado para padronizar tarefas para o raciocínio em testes de inteligência, ele acabou se interessando mais pelos erros lógicos cometidos pelas crianças do que pelas respostas corretas.

**Escalas Bayley de Desenvolvimento Infantil**
Teste padronizado que avalia o desenvolvimento mental e motor de bebês e crianças até 3 anos.

**Inventário HOME**
Instrumento para medir a influência do ambiente doméstico no desenvolvimento cognitivo da criança.

**Verificador**
você é capaz de...
- Dizer por que são aplicados testes para medir o desenvolvimento de bebês e crianças de até 3 anos e descrever um teste muito utilizado?

**QUADRO 7.1** Inventário HOME de observação de bebês e crianças de até 3 anos

| Nome da subescala | Descrição | Exemplo |
|---|---|---|
| Responsividade emocional e verbal do principal cuidador (itens 1 a 11) | Interações comunicativas e afetivas entre o cuidador e a criança. | A mãe vocaliza espontaneamente para a criança pelo menos duas vezes durante a visita. |
| | | A mãe acaricia ou beija a criança pelo menos uma vez durante a visita. |
| Evitação de punição e restrição (itens 12 a 19) | A forma como o adulto disciplina a criança. | O principal cuidador (PC) não grita com a criança durante a visita. |
| | | O PC não expressa contrariedade ou hostilidade visível em relação às atitudes da criança. |
| Organização do ambiente físico e temporal (itens 20 a 25) | A forma como é organizado o tempo da criança fora da casa da família. Como é o espaço individual da criança. | Na ausência do PC, o cuidado com a criança é responsabilidade de apenas um de três substitutos regulares. |
| | | O ambiente onde a criança brinca parece seguro e livre de perigos. |
| Disponibilidade de materiais lúdicos apropriados (itens 26 a 34) | Presença de diversos tipos de brinquedos para a criança e adequados à sua idade. | A criança tem um ou mais brinquedos ou equipamentos para a atividade dos músculos longos. |
| | | Existem equipamentos adequados para a idade, como cadeira para bebê, cadeira de balanço e cercadinho. |
| Envolvimento parental com a criança (itens 35 a 40) | A forma como o adulto interage fisicamente com a criança. | O PC tende a manter a criança dentro de seu campo visual e olha para ela com frequência. |
| | | O PC fala com a criança enquanto executa suas tarefas. |
| Oportunidades de variação na estimulação diária (itens 40 a 45) | A forma como a rotina diária da criança é planejada para incluir encontros sociais com outras pessoas além da mãe. | O pai cuida da criança por algum momento, todos os dias. |
| | | A família visita ou recebe a visita de familiares pelo menos uma vez por mês. |

*Fonte:* Totsika & Sylva (2004).

Somente dois itens das Escalas Bayley se correlacionam com o futuro QI: velocidade de habituação (quanto tempo levam para ficar entediados com os objetos) e preferência por novidade (se eles gostam ou não de novos estímulos). Outras informações sobre isso mais adiante.

Muitos *sites* sobre a parentalidade incluem listas de marcos para ajudar os pais a acompanhar o desenvolvimento do bebê. Esses marcos são semelhantes aos itens da Escala Bayley porque descrevem o que a média de bebês de certa idade deve ser capaz de fazer.

**intervenção precoce**
Processo sistemático de atendimento que ajuda as famílias a satisfazer as necessidades de desenvolvimento das crianças.

É claro que alguns itens do HOME podem ser menos culturalmente pertinentes em famílias não ocidentais do que em famílias ocidentais (Bradley, Corwyn, McAdoo, & Coll, 2001). Também não se pode ter certeza, com base em dados correlacionais, de que a responsividade parental ou um ambiente doméstico enriquecido realmente incrementem a inteligência de uma criança. Tudo o que podemos dizer é que esses fatores estão associados a inteligência elevada e alto desempenho. É mais provável que pais inteligentes e instruídos proporcionem um ambiente doméstico positivo e estimulante; e, como eles transmitem seus genes para os filhos, talvez haja uma influência genética também. Esse é um exemplo da *correlação genótipo-ambiente passiva*, descrita no Capítulo 3.

Outra pesquisa identificou sete aspectos do ambiente doméstico nos primeiros meses de vida que possibilitam o desenvolvimento cognitivo e psicossocial e ajudam a preparar as crianças para a escola. Esses aspectos são (1) incentivo para explorar o ambiente; (2) supervisão do desenvolvimento de habilidades cognitivas e sociais básicas; (3) elogios às realizações; (4) orientação para a prática e para a expansão de habilidades; (5) proteção contra desaprovação imprópria, provocações e punições; (6) enriquecimento da comunicação e responsividade; e (7) orientação e limitação do comportamento. A presença constante dessas sete condições logo no começo da vida "forma um vínculo causal com muitas áreas do funcionamento do cérebro e do desenvolvimento cognitivo" (Ramey & Ramey, 2003, p. 4). O Quadro 7.2 lista sugestões específicas para ajudar bebês a desenvolver competências cognitivas.

## Intervenção precoce

A **intervenção precoce** é um processo sistemático de planejamento e fornecimento de serviços terapêuticos e educacionais para famílias que precisam de ajuda para satisfazer as necessidades de desenvolvimento de bebês e crianças até a idade pré-escolar. Esses programas são caros e necessitam ser avaliados para justificar o investimento contínuo.

Assim, um grande número de programas de pesquisa tem procurado determinar a eficácia dos programas de intervenção. Por exemplo, tanto o Project CARE (Wasik, Ramey, Bryant, & Sparling, 1990) como o Abcedarian (ABC) (Campbell, Ramey, Pungello, Sparling, & Miller-Johnson, 2002) foram pesquisados com distribuição aleatória e planos experimentais controlados. Esses programas envolveram 174 bebês em risco, com idades entre 6 semanas e 5 anos. Em cada projeto, um grupo experimental foi inscrito no Partners for Learning, um programa para educação infantil precoce, em turno integral, que dura o ano inteiro e está localizado em um centro universitário de desenvolvimento infantil. Os grupos-

-controle receberam serviços pediátricos e de assistência social, mas não estavam inscritos no Partners for Learning (Ramey & Ramey, 2003).

Em ambos os projetos, as crianças que receberam a intervenção precoce apresentaram grande vantagem sobre os grupos-controle na pontuação do teste de desenvolvimento entre 12 e 18 meses e tiveram um desempenho igual ou melhor do que a média da população. Aos 3 anos, o QI médio das crianças do Abecedarian era 101, e o das crianças do CARE, 105. Em contrapartida, os grupos-controle tinham QI de 84 e 93, respectivamente (Ramey & Ramey, 1998b).

Essas constatações, e outras similares, mostram que a intervenção educacional precoce pode ajudar a compensar os riscos que o ambiente oferece e fornecer benefícios significativos, mesmo que os ganhos iniciais marcantes, que muitas vezes existem, não persistam. As intervenções precoces mais eficazes são aquelas que (1) começam bem cedo e continuam ao longo dos anos pré-escolares; (2) são intensivas (i. e., ocupam mais tempo em um dia ou mais dias em uma semana, mês ou ano); (3) são centralizadas, proporcionando experiências educacionais diretas, não apenas treinamento parental; (4) incluem saúde, aconselhamento familiar e serviços sociais; e (5) são adaptadas às diferenças e necessidades individuais. Como aconteceu nos dois projetos na Carolina do Norte, sem apoio ambiental suficiente, os ganhos iniciais tendem a diminuir (Brooks-Gunn, 2003; Ramey & Ramey, 1996, 1998a).

A Early Head Start, uma entidade que auxilia famílias de baixa renda, financiada pelo governo norte-americano, é discutida no Capítulo 10.

Prevenção é quando se intervém antes de surgir o problema, normalmente com base em fatores de risco conhecidos. Intervenção é quando se age para ajudar em um problema já existente.

**Verificador**
**você é capaz de...**

■ Identificar aspectos do ambiente doméstico que podem influenciar a inteligência e dizer por que é difícil demonstrar essa influência?

# Abordagem piagetiana: o estágio sensório-motor

O primeiro dos quatro estágios de Piaget para o desenvolvimento cognitivo é o **estágio sensório-motor**. Durante esse estágio (do nascimento até os 2 anos, aproximadamente), os bebês aprendem sobre si mesmos e sobre o mundo mediante suas atividades sensoriais e motoras em desenvolvimento, à medida que vão se transformando em seres que respondem principalmente por meio de reflexos e comportamentos aleatórios, em crianças pequenas orientadas por objetivos.

## Subestágios do estágio sensório-motor

O estágio sensório-motor consiste em seis subestágios (Quadro 7.3), que fluem de um para o outro à medida que os **esquemas** do bebê, os padrões de pensamento e comportamento, tornam-se mais elaborados. Durante os cinco primeiros subestágios, o bebê aprende a coordenar os dados provenientes dos sentidos e a organizar suas atividades em relação ao ambiente. Durante o sexto e último subestágio, ele evolui da aprendizagem por tentativa e erro para o uso de símbolos e conceitos a fim de resolver problemas simples.

Boa parte desse crescimento cognitivo inicial surge por meio de **reações circulares**, quando o bebê aprende a reproduzir eventos agradáveis ou interessantes originalmente descobertos ao acaso. Inicialmente, uma simples atividade produz uma sensação tão agradável que o bebê quer repeti-la. A repetição novamente gera prazer e passa a ser um ciclo contínuo no qual causa e efeito se revezam (Fig. 7.1). O comportamento originalmente aleatório foi consolidado em um novo esquema.

No *primeiro subestágio* (do nascimento a 1 mês, aproximadamente), os neonatos começam a exercitar algum controle sobre seus reflexos inatos, iniciando um comportamento mesmo quando o estímulo normal não está presente. Por exemplo, recém-nascidos fazem o movimento de sucção por reflexo quando seus lábios são tocados, mas logo aprendem a encontrar o mamilo, mesmo quando seus lábios não são tocados, e sugam em momentos em que não têm fome. Esses comportamentos mais recentes ilustram como os bebês modificam e ampliam o esquema para sucção.

No *segundo subestágio* (por volta de 1 a 4 meses), o bebê aprende a repetir propositadamente uma sensação corporal agradável obtida ao acaso (sugando o polegar, como na Fig. 7.1a). Piaget chamou esse comportamento de *reação circular primária*. Eles também começam a se voltar para os sons, demonstrando a capacidade de coordenar diferentes tipos de informação sensorial (visão e audição).

O *terceiro subestágio* (em torno de 4 a 8 meses) coincide com um novo interesse em manipular objetos e aprender sobre suas propriedades. Os bebês envolvem-se em *reações circulares secundárias*: ações intencionais repetidas não simplesmente por repetir, como no segundo subestágio, mas para obter resultados *além do próprio corpo da criança*. Por exemplo, um bebê repetidamente vai agitar o chocalho para ouvir o barulho ou emitirá balbucios quando aparecer uma face amigável (como na Fig. 7.1b), para que ela fique mais tempo.

Na época em que os bebês chegam ao *quarto subestágio, coordenação de esquemas secundários* (em torno de 8 a 12 meses), já ampliaram os poucos esquemas com que nasceram. Aprenderam a generalizar,

## Guia de estudo 4

Como Piaget descreveu o desenvolvimento cognitivo de bebês e crianças pequenas e como suas convicções foram sustentadas?

**estágio sensório-motor**
Na teoria de Piaget, o primeiro estágio do desenvolvimento cognitivo, durante o qual os bebês aprendem por meio dos sentidos e da atividade motora.

**esquemas**
Na terminologia de Piaget, padrões de pensamento e comportamento utilizados em determinadas situações.

**reações circulares**
Na terminologia de Piaget, processos pelos quais o bebê aprende a reproduzir ocorrências desejadas originalmente descobertas ao acaso.

**Qual a sua opinião?**

Com base nos sete aspectos essenciais para o ambiente doméstico listados no texto, você consegue sugerir formas específicas de ajudar bebês e crianças pequenas na preparação para a vida escolar?

**172** **PARTE III** • Primeira infância

## QUADRO 7.2 Promovendo competência

Descobertas feitas pelo Inventário HOME e por estudos neurológicos e outras pesquisas sugerem as seguintes diretrizes para promover o desenvolvimento cognitivo de bebês e crianças pequenas:

- ▶ Nos primeiros meses, *forneça estimulação sensorial*, mas evite a superestimulação e os ruídos que distraem.
- ▶ À medida que o bebê for crescendo, *crie um ambiente que promova a aprendizagem* – um ambiente que inclua livros, objetos interessantes (que não precisam ser brinquedos caros) e um lugar para brincar.
- ▶ *Responda aos sinais do bebê.* Isso estabelece um senso de confiança de que o mundo é um lugar amigável e lhe dá um senso de controle sobre sua vida.
- ▶ *Dê ao bebê poder de efetuar mudanças* com brinquedos que possam ser chacoalhados, moldados ou movimentados. Ajude o bebê a descobrir que girar a maçaneta faz abrir a porta, pressionar um interruptor faz acender a luz e abrir uma torneira faz correr a água para tomar banho.
- ▶ *Dê ao bebê liberdade para explorar.* Não o confine regularmente, durante o dia, em um berço, cadeirinha ou em um quarto pequeno e, mesmo por curtos períodos, em um cercado. Torne o ambiente seguro para ele e solte-o!
- ▶ *Converse com o bebê.* Ele não vai aprender a falar ouvindo rádio ou televisão; precisa de interação com adultos.
- ▶ Ao falar ou brincar com o bebê, *envolva-se naquilo que ele estiver interessado* no momento, em vez de tentar redirecionar a atenção dele para outra coisa.
- ▶ *Arranje oportunidades para ele aprender as habilidades básicas,* como nomear, comparar e separar objetos (por tamanho, cor, etc.), colocar itens em sequência e observar as consequências das ações.
- ▶ *Aplauda as novas habilidades e ajude o bebê a praticá-las e expandi-las.* Fique por perto, mas não sufoque.
- ▶ *Desde a mais tenra idade, leia para o bebê em um ambiente aconchegante e afetuoso.* Ler em voz alta e falar sobre as histórias desenvolve as habilidades de prontidão para a alfabetização.
- ▶ *Utilize a punição com moderação.* Não puna nem ridicularize os resultados da exploração normal de tentativa e erro.

*Fontes*: R. R. Bradley & Caldwell, 1982; R. R. Bradley, Caldwell, & Rock, 1988; R. H. Bradley et al.; 1989; C. T. Ramey & Ramey, 1998a, 1998b, 2003; S. L. Ramey & Ramey, 1992; Staso, citado em Blakeslee, 1997; J. H. Stevens & Bakeman, 1985; B. L. White, 1971; B. L. White, Kaban, & Attanucci, 1979.

## QUADRO 7.3 Os seis subestágios do estágio sensório-motor do desenvolvimento cognitivo de Piaget*

| Subestágios | Idades | Descrição | Comportamento |
|---|---|---|---|
| 1. Uso de reflexos | Nascimento até 1 mês | Os bebês exercitam seus reflexos inatos e obtêm algum controle sobre eles. Não coordenam as informações dos sentidos. Não agarram um objeto para o qual estejam olhando. | Dorri começa a sugar quando o peito de mãe está em sua boca. |
| 2. Reações circulares primárias | 1 a 4 meses | Os bebês repetem comportamentos agradáveis que primeiro ocorrem ao acaso (como sugar o dedo). As atividades são focadas em seu corpo, e não nos efeitos do comportamento sobre o ambiente. Fazem as primeiras adaptações adquiridas; ou seja, sugam diferentes objetos de maneira diferente. Começam a coordenar a informação sensorial e agarrar objetos. | Quando lhe dão a mamadeira, Dylan, que normalmente mama no peito, consegue ajustar a sucção ao bico de borracha. |
| 3. Reações circulares secundárias | 4 a 8 meses | Os bebês tornam-se mais interessados no ambiente; repetem ações que produzem resultados interessantes (como agitar um chocalho) e prolongam experiências interessantes. As ações são intencionais, mas inicialmente não orientadas para uma meta. | Alejandro empurra pedacinhos de cereal até a borda de sua cadeirinha e observa cada pedaço caindo no chão. |
| 4. Coordenação de esquemas secundários | 8 a 12 meses | O comportamento é mais deliberado e proposital (intencional) à medida que os bebês coordenam esquemas previamente aprendidos (como olhar para um chocalho e agarrá-lo) e usam comportamentos previamente aprendidos para atingir suas metas (como atravessar a sala engatinhando para pegar um brinquedo desejado). Podem antecipar eventos. | Anica aperta o botão de seu livrinho de músicas infantis e ouve "Brilha, brilha estrelinha". Em vez de apertar os botões das outras músicas, ela prefere apertar esse botão repetidas vezes. |
| 5. Reações circulares terciárias | 12 a 18 meses | As crianças demonstram curiosidade e experimentação; variam propositadamente suas ações para ver os resultados (agitando diferentes chocalhos para ouvir os sons). Exploram ativamente seu mundo para determinar o que é novidade sobre um objeto, evento ou situação. Experimentam novas atividades e fazem uso da tentativa e erro para resolver problemas. | Quando a irmã mais velha de Bjorn segura o livro favorito dele próximo às grades do berço, ele tenta agarrá-lo. Ele estica os braços para pegá-lo, mas não consegue porque o livro é muito largo. Logo, porém, Bjorn vira o livro de lado e o abraça, encantado com o sucesso. |
| 6. Combinações mentais | 18 a 24 meses | Como as crianças já podem representar eventos mentalmente, não estão mais limitadas à tentativa e erro para resolver problemas. O pensamento simbólico permite pensar sobre eventos e antecipar suas consequências sem precisar recorrer sempre à ação. Elas começam a demonstrar *insights*. Sabem usar símbolos como gestos e palavras e sabem fingir. | Jenny brinca com sua caixa de peças, procurando cuidadosamente o encaixe certo para cada forma antes de tentar – e conseguir. |

* Nota: Os bebês apresentam um enorme crescimento cognitivo durante o estágio sensório-motor de Piaget, pois aprendem sobre o mundo por meio dos sentidos e das atividades motoras. Observe seu progresso na resolução de problemas e a coordenação de informações sensoriais. Todas as idades são aproximadas.

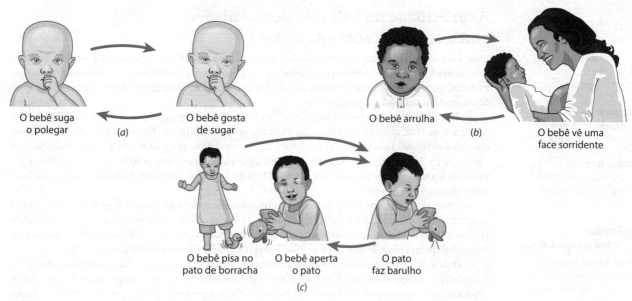

**FIGURA 7.1**
Reações circulares primárias, secundárias e terciárias. *(a)* Reação circular primária: ação e resposta, ambos envolvem o próprio corpo do bebê (1 a 4 meses). *(b)* Reação circular secundária: a ação obtém uma resposta de outra pessoa ou de outro objeto que leva o bebê a repetir a ação original (4 a 8 meses). *(c)* Reação circular terciária: a ação gera um resultado agradável que leva o bebê a realizar ações semelhantes para obter resultados semelhantes (12 a 18 meses).

a partir da experiência passada, para resolver novos problemas e podem distinguir os meios dos fins. Eles vão engatinhar para pegar algo que desejam, vão agarrá-lo ou afastar um obstáculo que esteja no caminho (p. ex., a mão de alguém). Eles colocam à prova, modificam e coordenam esquemas anteriores para encontrar um que funcione. Esse subestágio marca o desenvolvimento de comportamentos complexos orientados para uma meta.

No *quinto subestágio* (entre 12 e 18 meses), os bebês começam a experimentar novos comportamentos para ver o que acontece. Quando começam a andar, poderão explorar com mais facilidade o ambiente. Agora eles se envolvem em *reações circulares terciárias*, variando uma ação para obter resultado semelhante, em vez de meramente repetir o comportamento agradável que acidentalmente descobriram. Por exemplo, a criança poderá apertar um pato de borracha que fez barulho quando ela pisou nele, para ver se fará o barulho novamente (como na Fig. 7.1c). Pela primeira vez, as crianças demonstram originalidade na resolução de problemas. Por tentativa e erro, elas experimentam comportamentos até encontrarem a melhor maneira de atingir uma meta.

O *sexto subestágio* (entre 18 meses e 2 anos) é uma transição para o estágio pré-operatório e a segunda infância. A **capacidade de representação** – capacidade de representar mentalmente objetos e ações na memória, principalmente por meio de símbolos como palavras, números e imagens mentais – liberta as crianças a partir dos 2 anos da experiência imediata. Elas sabem fingir, e sua capacidade de representação afeta a sofisticação de seu fingimento (Bornstein, Haynes, O'Reilly, & Painter, 1996). Elas sabem pensar em ações antes de realizá-las. Não precisam mais recorrer à laboriosa tentativa e erro para resolver problemas.

Durante esses seis subestágios, os bebês desenvolvem a capacidade de pensar e lembrar. Também desenvolvem conhecimento sobre certos aspectos do mundo físico, como objetos e relações espaciais. Pesquisadores inspirados por Piaget descobriram que alguns desses desenvolvimentos estão muito próximos das observações desse autor, mas outros desenvolvimentos, inclusive a capacidade de representação, podem ocorrer mais cedo do que ele afirmava ser possível. (O Quadro 7.4 compara as opiniões de Piaget sobre esses e outros tópicos com descobertas mais recentes; consulte esse quadro enquanto continua a leitura.)

**capacidade de representação**
Terminologia de Piaget para a capacidade de armazenar imagens mentais ou símbolos de objetos e eventos.

*Este bebê de 8 meses de idade, que engatinha atrás da bola, está no quarto subestágio sensório-motor de Piaget, a coordenação dos esquemas secundários.*

## A capacidade de imitação desenvolve-se antes do que Piaget imaginava?

Com 1 ano de idade, Clara observa cuidadosamente como a irmã mais velha escova o cabelo. Quando a irmã acaba, Clara pega na escova com cuidado e tenta escovar seu cabelo. Embora tenha começado mal, escovando com o lado plano da escova em vez de com as cerdas, Clara aprendeu algo sobre a função do objeto que viu sua irmã mais velha usar.

A imitação é uma maneira importante de aprender e torna-se especialmente valiosa no final do primeiro ano de vida, quando os bebês experimentam novas habilidades. (Nelson, 2005). Piaget constatou esse comportamento em suas próprias observações e sustentou que a **imitação visível** – imitação que utiliza partes do corpo, como as mãos ou os pés, que podem ser vistos pelo bebê – desenvolve-se em primeiro lugar e é depois seguida pela **imitação invisível** – imitação usando partes do corpo que o bebê não pode ver – aos 9 meses.

No entanto, parece que as capacidades de imitação podem ter raízes ainda anteriores ao que Piaget imaginava. Por exemplo, há estudos que têm mostrado que bebês com menos de 72 horas de idade podem imitar os adultos, abrindo a boca e mostrando a língua (Meltzoff & Moore, 1989), embora essa capacidade pareça desaparecer por volta dos 2 meses de idade (Bjorklund & Pellegrini, 2000).

Pesquisadores têm proposto várias explicações para esse comportamento. Alguns argumentam que o comportamento imitativo inicial é a base para a *cognição social* posterior – a capacidade de entender os objetivos, ações e sentimentos dos outros (Meltzoff, 2007). Nessa perspectiva, presume-se que os bebês tenham um mecanismo evoluído "como eu" subjacente a sua capacidade posterior para compreender a interação social. Em outras palavras, antes de a criança conseguir modelar os pensamentos e as mentes dos outros, ela modela seu comportamento, e essa imitação física inicial leva, por fim, à compreensão dos estados mentais. Pesquisadores também argumentam que os bebês têm uma predisposição inata a imitar faces humanas, o que pode servir ao propósito evolucionista de comunicação com um cuidador (Rakinson, 2005). Por último, alguns estudiosos argumentam que mostrar a língua pode simplesmente ser um comportamento exploratório despertado pela visão da língua de um adulto – ou de outro objeto estreito e pontiagudo aproximando-se da boca de um bebê (Kagan, 2008). Se for assim, o uso do termo *imitação* para descrever ambos os tipos de comportamento pode ser enganoso.

Piaget também sustentava que crianças com menos de 18 meses não podiam fazer **imitação diferida** – reprodução de um comportamento observado após algum tempo. Como o comportamento já não está acontecendo, a imitação diferida, portanto, exige que o símbolo armazenado da ação possa ser recordado. Piaget argumentava que as crianças não conseguiam se envolver na imitação diferida porque não tinham a capacidade de reter representações mentais.

Entretanto, Piaget baseou-se muito nas explicações que as crianças davam sobre seu comportamento na pesquisa e, como as crianças têm uma limitada capacidade de descrever o que lembram, ele pode ter subestimado suas habilidades. De fato, mesmo bebês com 6 semanas parecem ser capazes de imitar movimentos faciais de um adulto depois de terem decorrido 24 horas, desde que estejam na presença desse adulto. Essa descoberta sugere que até mesmo bebês muito jovens podem reter uma representação mental de eventos simples, pelo menos durante intervalos relativamente curtos (Meltzoff & Moore, 1994). As capacidades de imitação diferida tornam-se mais sofisticadas com a idade. A imitação diferida de eventos novos ou complexos parece começar entre 6 e 9 meses (Bauer, 2002). Percebe-se que as constatações feitas sobre a imitação diferida concordam com as do condicionamento operante (Rovee-Collier, 1999), e ambos os conjuntos de dados sugerem que as crianças são capazes de se lembrar depois de um intervalo de tempo.

Em outra forma de imitação, a **imitação induzida**, bebês e crianças de até 3 anos são induzidos a imitar uma série específica de ações que já tinham visto, mas não tinham sido realizadas antes. Por exemplo, mais de 40% das crianças com 9 meses de idade pode reproduzir um procedimento simples de duas etapas, como deixar um carro de brinquedo descer por um tubo e depois empurrá-lo para fazê-lo seguir até o final de uma pista e acender uma luz. Além disso, as crianças

---

**imitação visível**
Imitação usando partes do corpo que a criança pode ver.

**imitação invisível**
Imitação usando partes do corpo que a criança não pode ver.

### Verificador você é capaz de...
- Resumir os principais desenvolvimentos durante os seis subestágios do estágio sensório-motor?
- Explicar como funcionam as reações circulares primárias, secundárias e terciárias?
- Dizer por que o desenvolvimento da capacidade de representação é importante?

**imitação diferida**
Na terminologia de Piaget, a reprodução de um comportamento observado após algum tempo, evocando-se um símbolo armazenado desse comportamento.

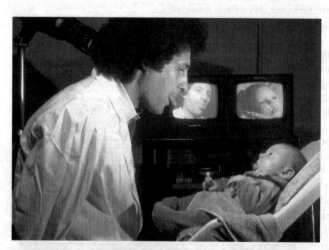

*Este bebê está imitando a "língua de fora" do pesquisador? Estudos de Andrew N. Meltzoff sugerem que bebês com apenas 2 semanas de vida são capazes de fazer a imitação invisível. Contudo, outros pesquisadores descobriram que apenas os bebês mais novos respondem dessa forma, sugerindo que o movimento da língua pode ser simplesmente um comportamento exploratório.*

## Capítulo 7 • Desenvolvimento cognitivo durante os três primeiros anos

**QUADRO 7.4** Desenvolvimentos fundamentais do estágio sensório-motor

| Conceito ou habilidade | Visão de Piaget | Descobertas mais recentes |
|---|---|---|
| Imitação | A imitação invisível desenvolve-se por volta dos 9 meses; a imitação diferida começa após o desenvolvimento de representações mentais no sexto subestágio (18-24 meses). | Estudos controversos constataram a imitação invisível em recém-nascidos e a imitação diferida já na sexta semana. A imitação diferida de atividades complexas parece existir já aos 6 meses. |
| Permanência do objeto | Desenvolve-se gradualmente entre o terceiro e o sexto subestágios. Bebês no quarto subestágio (8-12 meses) cometem o erro A-não-B. | Bebês ainda com 3 meses e meio (segundo subestágio) parecem demonstrar conhecimento do objeto, embora a interpretação da descoberta seja controversa. |
| Desenvolvimento simbólico | Depende do pensamento representativo, que se desenvolve no sexto subestágio (18-24 meses). | O entendimento de que as imagens representam outra coisa ocorre por volta dos 19 meses. Crianças com menos de 3 anos tendem a ter dificuldade em interpretar modelos de escala. |
| Categorização | Depende do pensamento representativo, que se desenvolve durante o sexto subestágio (18-24 meses). | Bebês de 3 meses parecem reconhecer categorias perceptuais, e aos 7 meses sabem categorizar por função. |
| Causalidade | Desenvolve-se lentamente entre 4-6 meses e 1 ano, com base nas descobertas do bebê, primeiro dos efeitos de suas próprias ações e, depois, dos efeitos das forças externas. | Algumas evidências sugerem consciência de eventos causais específicos no mundo físico nos primeiros meses, mas a compreensão geral de causalidade talvez se desenvolva mais lentamente. |
| Número | Depende do uso de símbolos, que começa no sexto subestágio (18-24 meses). | Bebês de 5 meses podem reconhecer e manipular mentalmente números pequenos, mas a interpretação desses dados ainda é controversa. |

conseguem fazê-lo depois de ter passado um mês de intervalo, baseando-se apenas na demonstração inicial e em uma explicação e sem qualquer treino complementar (Bauer, 2002; Bauer, Wiebe, Carver, Waters, & Nelson, 2003). É provável que a execução bem-sucedida dessa tarefa esteja relacionada ao modo como consolidaram a memória para o armazenamento de longo prazo. Estudos de neuroimagem de crianças que viram fotografias do procedimento uma semana depois da sessão inicial indicam que os traços na memória daquelas que tiveram bom desempenho na tarefa eram mais robustos do que os traços nas imagens do cérebro das crianças que não se saíram tão bem (Bauer et al., 2003).

A imitação induzida é muito mais confiável durante o segundo ano de vida; cerca de 8 em cada 10 crianças de 13 a 20 meses de idade conseguem repetir uma sequência desconhecida com várias etapas (como montar um gongo de metal e fazê-lo soar) até um ano mais tarde (Bauer, 1996; Bauer, Wenner, Dropik, & Wewerka, 2000). O treino anterior ajuda a reativar as memórias das crianças, especialmente se novos itens tiverem substituído alguns dos originais (Hayne, Barr, & Herbert, 2003). Quatro fatores parecem determinar a recordação (ou memória) de longo prazo: (1) o número de vezes em que os eventos foram experimentados, (2) se a criança participa ativamente ou apenas observa, (3) se a criança recebe lembretes verbais da experiência e (4) se a sequência de eventos ocorre em ordem lógica e causal (Bauer et al., 2000).

## Desenvolvimento do conhecimento sobre objetos e espaço

A capacidade de perceber o tamanho e a forma de objetos e discernir seus movimentos pode ser um mecanismo que evoluiu para evitar os predadores (Rakison, 2005). O *conceito de objeto* – a ideia de que os objetos têm sua própria existência independente, características e localizações próprias no espaço – é um desenvolvimento *cognitivo* tardio fundamental para uma visão ordenada da realidade física. O conceito de objeto é a base para a consciência que as crianças têm de que elas próprias existem separadamente dos objetos e das outras pessoas. É fundamental para entender um mundo cheio de objetos e eventos.

**Quando a permanência do objeto se desenvolve?** Um aspecto do conceito de objeto é a **permanência do objeto**, a percepção de que ele ou uma pessoa continua existindo quando está fora do campo de visão. De acordo com Piaget, a permanência do objeto se desenvolve gradualmente durante o estágio sensório-motor. A princípio, o bebê não tem essa noção. Por volta do terceiro subestágio, entre 4 e 8 meses, ele vai procurar algo que tenha derrubado, mas, se não conseguir encontrar, agirá como se

**imitação induzida**
Método de pesquisa em que os bebês ou crianças de até 3 anos são induzidos a imitarem uma série específica de ações que já viram, mas não necessariamente realizaram.

**permanência do objeto**
Na terminologia de Piaget, compreensão de que uma pessoa ou objeto ainda existe quando está fora do campo de visão.

## PARTE III • Primeira infância

**erro A-não-B**
Tendência de bebês de 8 a 12 meses a procurar um objeto escondido em um lugar onde já o encontraram antes, em vez de procurarem no lugar onde viram o objeto ser escondido mais recentemente.

o objeto não mais existisse. No quarto subestágio, entre 8 e 12 meses, ele procurará o objeto no lugar onde o encontrou pela primeira vez após vê-lo escondido, mesmo se depois ele o viu ser removido para outro lugar. Piaget chamou isso de **erro A-não-B**. No quinto subestágio, entre 12 e 18 meses, o bebê não mais comete esse erro; ele vai procurar o objeto no último lugar em que o viu escondido. Entretanto, não procurará em um lugar onde não o viu escondido. Por volta do sexto subestágio, entre 18 e 24 meses, a permanência do objeto é plenamente conquistada; crianças pequenas procuram um objeto mesmo se não o virem escondido.

A teoria dos sistemas dinâmicos de Esther Thelen propõe que a decisão de onde procurar um objeto escondido não é sobre o que os bebês *sabem*, mas o que eles *fazem*, e por quê. Um dos fatores é o tempo decorrido entre o momento em que o bebê vê o objeto escondido em um lugar diferente e o momento em que ele o alcança na nova localização. Se o tempo decorrido for breve, há maior probabilidade de o bebê alcançá-lo na nova localização. Quando o intervalo de tempo for mais longo, porém, a memória de ter previamente encontrado o objeto no lugar antigo inclina o bebê a procurar ali novamente, e essa inclinação torna-se mais forte quanto mais o bebê o tenha encontrado ali (Smith & Thelen, 2003; Spencer, Smith, & Thelen, 2001; Spencer et al., 2006).

Outra pesquisa sugere que os bebês talvez não consigam procurar objetos escondidos porque ainda não podem executar uma sequência de ações em duas etapas ou com as duas mãos, como deslocar uma almofada ou levantar a tampa de uma caixa para pegar o objeto. Quando repetidas oportunidades lhes são dadas, no período entre 1 e 3 meses, para explorar, manipular e aprender sobre uma tarefa, bebês entre 6 e 12 meses podem ser bem-sucedidos (Bojczyk & Corbetta, 2004).

Quando a permanência do objeto é testada escondendo-se o objeto apenas pela escuridão, tornando--o recuperável com apenas um movimento, bebês no terceiro subestágio (entre 4 e 8 meses) têm um desempenho surpreendentemente positivo (Goubet & Clifton, 1998).

Métodos baseados somente no comportamento visual do bebê eliminam a necessidade de qualquer atividade motora e, assim, podem ser utilizados em idades bem precoces. Conforme discutiremos a seguir, pesquisas que utilizam a metodologia de processamento de informação sugerem que bebês já aos 3 ou 4 meses parecem não apenas ter um senso de permanência do objeto, mas também ter algum conhecimento de causalidade, categorização, números, além de conhecer outros princípios que governam o mundo físico.

**Desenvolvimento simbólico, competência imagética e compreensão de escala**   Boa parte do conhecimento que as pessoas adquirem sobre seu mundo é obtida não por meio da observação ou da experiência direta, mas de *símbolos*, que são representações intencionais da realidade. Aprender a interpretar símbolos é, portanto, uma tarefa essencial na infância. Um aspecto do desenvolvimento simbólico é o crescimento da *competência imagética*, a capacidade de entender a natureza das imagens (DeLoache, Pierroutsakos, & Uttal, 2003). Por exemplo, considere a forma como o sol é representado nos livros infantis. Normalmente é desenhado como um círculo amarelo com setas irradiantes. A criança que já entendeu que esse gráfico simples significa a bola de luz no céu atingiu um certo grau de competência imagética.

Em estudos realizados tanto nos Estados Unidos quanto na Costa do Marfim, África, Judy DeLoache e colaboradores (DeLoache et al., 2003; DeLoache, Pierroutsakos, Uttal, Rosengren, & Gottlieb, 1998; Pierroutsakos & DeLoache, 2003) observaram bebês utilizando as mãos para explorar figuras como se fossem objetos – sentindo, esfregando, dando tapinhas, agarrando ou tentando puxar o objeto retratado para fora da página. Essa exploração manual de imagens diminui aos 15 meses, mas somente por volta dos 19 meses é que as crianças são capazes de apontar para a figura de um urso ou de um telefone enquanto a nomeiam ("usso" ou "teefone"), demonstrando uma compreensão de que a imagem ou figura é símbolo de uma outra coisa. Por volta dos 2 anos de idade, as crianças entendem que uma imagem é *tanto* um objeto *quanto* um símbolo (Preissler & Bloom, 2007).

Embora as crianças de até 3 anos passem boa parte do tempo assistindo à televisão, a princípio elas parecem não perceber que estão vendo uma representação da realidade (Troseth, Saylor, & Archer, 2006). Em uma série de experimentos, crianças de 2 e 2 anos e meio de idade observavam um vídeo em que um adulto escondia um objeto em uma sala ao lado. Quando levadas para a sala, as crianças de 2 anos e meio encontravam o objeto escondido com facilidade, mas as de 2 anos não conseguiam fazê-lo. Ainda, as crianças mais novas conseguiam encontrar o objeto somente quando o observavam sendo escondido através de uma janela (Troseth & DeLoache, 1998). Aparentemente, o que faltava às crianças de 2 anos era o entendimento da representação das imagens na tela. Em um experimento de acompanhamento, crianças de 2 anos, às quais se contou, face a face, onde poderiam achar um brinquedo escondido, conseguiram fazê-lo, enquanto outras da mesma idade que receberam a mesma informação, mas de uma pessoa em um vídeo, não conseguiram encontrar o brinquedo (Troseth et al., 2006).

Você já viu crianças pequenas tentando pôr na cabeça um chapéu que é muito pequeno, ou sentando em uma cadeira muito pequena para aguentá-las? Isso é conhecido como *erro de escala* – um equívoco momentâneo sobre o tamanho relativo dos objetos. Em um estudo, crianças entre 18 e 36 meses foram autorizadas primeiro a interagir com brinquedos que se adaptavam ao tamanho de seus corpos, como um carrinho no qual podiam entrar, uma cadeira para sentar ou um escorregador para escorregar. Depois, esses objetos foram substituídos por réplicas em miniatura. As crianças foram gravadas tentando escorregar em escorregadores minúsculos, sentar em cadeiras de casas de bonecas e encolher os corpos para dentro de carros em miniatura. Por que estariam utilizando os objetos como se eles fossem do tamanho real?

Os pesquisadores sugeriram que essas ações podem, em parte, ser baseadas na falta de controle dos impulsos – as crianças queriam tanto brincar com os objetos que ignoraram a informação perceptiva sobre o respectivo tamanho. No entanto, as crianças também podem estar mostrando falhas na comunicação entre sistemas cerebrais imaturos que normalmente trabalham em conjunto durante as interações com objetos familiares. Um sistema cerebral permite que a criança reconheça e classifique um objeto ("Isto é uma cadeira") e planeje o que pode fazer com ele ("Vou me sentar nela"). Pode haver um sistema separado que esteja envolvido na percepção do tamanho do objeto e no uso da informação visual para controlar as ações relacionadas a ele ("é grande o suficiente para eu me sentar"). Quando a comunicação entre essas áreas não funciona, as crianças, momentaneamente e de uma forma divertida, tratam os objetos como se tivessem o tamanho real (DeLoache, Uttal, & Rosengreen, 2004).

A **hipótese da dupla representação** oferece ainda outra possível explicação para os erros de escala. Um objeto, como uma cadeira de brincar, tem duas representações potenciais. A cadeira é tanto um objeto por direito próprio quanto um símbolo para uma classe de coisas ("cadeiras"). Segundo essa hipótese, é difícil para as crianças pequenas representarem mentalmente e ao mesmo tempo tanto o objeto real quanto a natureza simbólica que ele representa. Em outras palavras, podem concentrar-se na cadeira especial que lhes é apresentada ("Esta é uma cadeira em miniatura") ou no símbolo e no que ele representa ("As cadeiras são para nos sentarmos") e, dessa forma, confundir os dois (DeLoache, 2006; DeLoache et al., 2003).

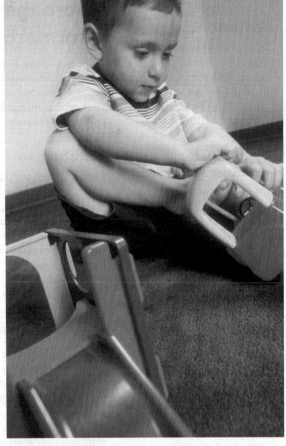

*Em um estudo, crianças entre 18 e 36 meses foram observadas tentando escorregar em escorregadores minúsculo e entrar em carros de brinquedo depois que objetos similares, mas do tamanho da criança, haviam sido removidos da sala de brinquedos.*

**hipótese da dupla representação**
Hipótese segundo a qual as crianças com menos de 3 anos têm dificuldade para entender relações espaciais devido à necessidade de manter mais de uma representação mental ao mesmo tempo.

## Avaliando o estágio sensório-motor de Piaget

Segundo Piaget, a jornada entre o comportamento reflexo e o começo do pensamento é longa e lenta. Durante aproximadamente um ano e meio, o bebê aprende apenas a partir de seus sentidos e movimentos; somente na última metade do segundo ano é que ele avança para o pensamento conceitual. Agora, como já vimos, as pesquisas que fazem uso de tarefas simplificadas e instrumentos modernos sugerem que certas limitações vistas por Piaget nas primeiras habilidades cognitivas da criança, como a permanência do objeto, talvez reflitam habilidades linguísticas e motoras ainda imaturas. As respostas obtidas por Piaget foram tanto uma função do modo como ele formulou as perguntas quanto um reflexo das reais capacidades de uma criança pequena.

Em termos de descrever o que crianças fazem em certas circunstâncias e a progressão básica de suas habilidades, Piaget estava certo. Era um observador astuto do comportamento da criança. Entretanto, em alguns aspectos, bebês e crianças pequenas têm mais competências cognitivas do que Piaget imaginava. Isso não significa que os bebês vêm ao mundo com a mente já formada. Como ele observou, formas imaturas de cognição precedem formas mais maduras. Isso pode ser visto, por exemplo, nos erros cometidos pelos bebês quando procuram objetos escondidos. Piaget, no entanto, pode ter-se equivocado em sua ênfase na experiência motora como o principal mecanismo de desenvolvimento cognitivo. A percepção dos bebês está bem à frente de suas habilidades motoras, e os métodos atuais permitem aos pesquisadores fazer observações e inferências sobre essas percepções. A relação entre percepção e cognição é uma importante área de investigação e será discutida na próxima seção.

**Qual a sua opinião?**

Com base nas observações de Piaget e nas pesquisas que elas geraram, que fatores você consideraria ao comprar um brinquedo para um bebê ou para uma criança pequena?

**PARTE III** • Primeira infância

## Guia de estudo 5

Como podemos medir a capacidade dos bebês de processar informações, e quando eles começam a entender as características do mundo físico?

### Verificador
**você é capaz de...**

■ Resumir a visão de Piaget sobre imitação, permanência do objeto, capacidade imagética e compreensão de escala?

■ Explicar por que Piaget pode ter subestimado algumas capacidades cognitivas dos bebês e discutir as implicações de pesquisas mais recentes?

**habituação**
Tipo de aprendizagem em que a familiaridade com um estímulo reduz, torna mais lenta ou faz cessar uma resposta.

**desabituação**
Aumento da resposta após a apresentação de um novo estímulo.

**preferência visual**
Tendência dos bebês a passar mais tempo olhando para uma imagem e não para outra.

# Abordagem do processamento de informações: percepções e representações

Os pesquisadores do processamento de informações analisam separadamente cada parte de uma tarefa complexa, como aquelas de busca de objeto de Piaget, para tentar entender quais são as habilidades necessárias para cada parte da tarefa e em que idade essas habilidades se desenvolvem. Esses pesquisadores também medem aquilo a que os bebês prestam atenção, e por quanto tempo, e fazem inferências com base nesses dados.

## Habituação

Com cerca de 6 semanas de vida, Stefan está deitado calmamente em seu berço perto de uma janela com uma chupeta na boca. O dia está nublado, mas de repente o sol aparece, e um raio de luz surge na extremidade do berço. Por alguns momentos, Stefan para de sugar sua chupeta e fica olhando para o padrão de luz e sombra. Então, ele desvia o olhar e começa a sugar novamente.

Não sabemos o que se passou na mente de Stefan quando ele viu o raio de luz, mas podemos identificar, por seu comportamento de sucção e por seu olhar, em que momento ele começou a prestar atenção e quando parou.

Com o objetivo de fazer uma pesquisa com bebês, os pesquisadores precisam descobrir como fazer perguntas de uma forma que os bebês possam responder. Comportamentos naturais, como os de Stefan, oferecem aos pesquisadores o modo como fazer isso. A **habituação** é um tipo de aprendizagem em que a exposição repetida e contínua a um estímulo (como o raio de luz) reduz a atenção a esse estímulo (como desviar o olhar). Isso pode ser comparado ao tédio, e a taxa de habituação (a rapidez com que os bebês desviam o olhar) pode ser utilizada para questionar seu interesse em determinados objetos.

Os pesquisadores estudam a habituação em recém-nascidos apresentando repetidamente um estímulo (como um padrão sonoro ou visual) e depois monitorando respostas como ritmo cardíaco, sucção, movimento dos olhos e atividade cerebral. O bebê que vinha sugando costuma parar, ou suga com menos vigor, quando o estímulo é apresentado pela primeira vez, e presta atenção ao novo estímulo. Depois que o estímulo deixa de ser novidade, a criança recomeça vigorosamente a sugar. Isso demonstra que ocorreu habituação ao estímulo. Se uma nova visão ou som forem apresentados, entretanto, a atenção do bebê será capturada mais uma vez, ele redirecionará sua atenção para o estímulo interessante e novamente sugará com menos vigor. Essa resposta a um novo estímulo é chamada de **desabituação**.

Os pesquisadores aferem a eficiência do processamento de informação por parte do bebê medindo a rapidez com que a criança se habitua a estímulos familiares, recupera a atenção quando exposta a um novo estímulo e quanto tempo se entretém olhando para o novo e para o velho estímulo. Gostar de olhar para coisas novas e a elas habituar-se rapidamente correlaciona-se com sinais posteriores de desenvolvimento cognitivo, como preferência pela complexidade, rápida exploração do ambiente, brincadeiras sofisticadas, rápida resolução de problemas e a capacidade de comparar figuras. De fato, como veremos, a velocidade de habituação e outras habilidades de processamento de informação mostram-se promissoras como indicadores de inteligência (Bornstein & Sigman, 1986; Colombo, 1993; Fagan, Holland, & Wheeler, 2007; McCall & Carriger, 1993).

## Capacidades de percepção e processamento visual e auditivo

A quantidade de tempo que o bebê dedica a olhar para um padrão em vez de outro é conhecida como **preferência visual**. Os pesquisadores podem usar essa tendência natural para perguntar ao bebê qual de dois objetos ele prefere. Por exemplo, se os bebês puderem escolher entre olhar para uma linha curva ou uma linha reta e passarem mais tempo focados na linha curva, a implicação é a de que eles preferem linhas curvas a linhas retas. Com essa técnica, os pesquisadores determinaram que bebês com menos de 2 dias de idade preferem linhas curvas a linhas retas, padrões complexos a padrões simples, objetos tridimensionais a objetos bidimensionais, e objetos móveis a objetos fixos. Recém-nascidos também têm preferência por rostos ou representações semelhantes a eles do que por outras imagens. Por último, bebês preferem estímulos visuais novos a estímulos visuais familiares (Fantz, 1963, 1964, 1965; Fantz,

## Capítulo 7 • Desenvolvimento cognitivo durante os três primeiros anos

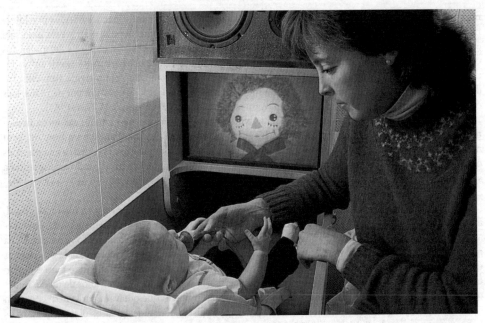

*Será que este bebê consegue perceber a diferença entre a boneca Ann e o boneco Andy? Esta pesquisadora pode descobrir, por meio de observação, se o bebê se habituou – se acostumou – a um rosto (como mostrado sugando um bico). O bebê para de sugar quando vê um rosto novo, mostrando que notou a diferença.*

Fagen, & Miranda, 1975; Fantz & Nevis, 1967; Rakison, 2005; Turati, Simion, Milani, & Umilta, 2002), uma tendência conhecida como *preferência por novidade*.

A constatação de que os bebês gostam de olhar para coisas novas ofereceu aos pesquisadores mais uma ferramenta para fazer perguntas. Pode-se mostrar o estímulo ao bebê e esperar que ele se habitue. Em seguida, apresenta-se simultaneamente o estímulo familiar e um estímulo novo, medindo a preferência visual. Se o bebê passar mais tempo olhando para o estímulo novo, isso sugere que ele reconheceu o estímulo familiar. Em outras palavras, como o estímulo novo é novidade, e os bebês preferem novidades, torna-se mais interessante e, portanto, justifica um olhar mais atento do que o do estímulo anterior, potencialmente mais enfadonho. Esse comportamento demonstra a **memória de reconhecimento visual**, que depende da capacidade de formar e referir-se a representações mentais (P. R. Zelazo, Kearsley, & Stack, 1995).

Contrários à visão de Piaget, esses estudos indicam que pelo menos uma capacidade de representação rudimentar já existe desde o nascimento ou logo após e que ela rapidamente torna-se mais eficiente. Diferenças individuais na eficiência do processamento de informação refletem a velocidade com que os bebês formam e se referem a imagens mentais. Quando duas imagens lhes são mostradas ao mesmo tempo, os bebês que rapidamente deslocam a atenção de uma para a outra tendem a ter uma memória de reconhecimento melhor e uma preferência por novidade mais acentuada do que aqueles que se detêm mais tempo em uma única imagem (Jankowski, Rose, & Feldman, 2001; Rose, Feldman, & Jankowski, 2001; Stoecker, Colombo, Frick, & Allen, 1998).

A velocidade de processamento aumenta rapidamente durante o primeiro ano de vida. Continua a aumentar durante o segundo e o terceiro anos à medida que a criança torna-se mais capacitada para distinguir novas informações das informações que já processou (Rose, Jankowski, & Feldman, 2002; P. R. Zelazo et al., 1995).

Estudos sobre discriminação auditiva também se baseiam na preferência da atenção. Esses estudos constataram que recém-nascidos conseguem distinguir sons que já ouviram daqueles que ainda não ouviram. Em um estudo, bebês que ouviram o som de certa fala um dia após o nascimento pareceram lembrar-se dele 24 horas depois, conforme foi revelado pela reduzida tendência a virar a cabeça na direção desse som e mesmo a tendência a desviar a atenção (Swain, Zelazo, & Clifton, 1993).

Piaget sustentava que os sentidos não estão interligados desde o nascimento e só gradualmente são integrados mediante a experiência. Assim, essa integração começa quase imediatamente. O fato de os neonatos olharem para uma fonte sonora mostra que eles associam audição e visão. Uma habilidade

**memória de reconhecimento visual**
Capacidade de distinguir um estímulo visual familiar de outro não familiar quando ambos são mostrados ao mesmo tempo.

**transferência intermodal**
Capacidade de utilizar informações obtidas por meio de um dos sentidos para orientar outro.

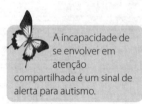
A incapacidade de se envolver em atenção compartilhada é um sinal de alerta para autismo.

mais sofisticada é a **transferência intermodal**, a capacidade de utilizar informações obtidas por intermédio de um dos sentidos para orientar outro – por exemplo, quando uma pessoa atravessa uma sala escura tateando para localizar objetos familiares ou identifica objetos pela visão depois de apalpá-los com os olhos fechados. Em um estudo, bebês de 1 mês mostraram que conseguiam transferir informações obtidas do ato de sugar (tato) para a visão. Quando os bebês viam um objeto rígido (um cilindro de plástico duro) e outro flexível (uma esponja molhada) sendo manipulados por um par de mãos, eles olhavam por mais tempo para o objeto que haviam acabado de sugar (Gibson & Walker, 1984).

Os pesquisadores também estudam o desenvolvimento da atenção. Do nascimento até aproximadamente o segundo mês de vida, a quantidade de tempo que os bebês ficam olhando para uma imagem nova aumenta. Entre 2 e 9 meses, o tempo de visão diminui à medida que eles aprendem a examinar os objetos com mais eficiência e a deslocar a atenção. Mais tarde, no primeiro e no segundo ano, quando a sustentação da atenção torna-se mais voluntária e orientada para uma tarefa, o tempo de visão permanece o mesmo ou aumenta (Colombo, 2002; Colombo et al., 2004).

A capacidade de *atenção compartilhada* – que é de fundamental importância para a interação social, a aquisição da linguagem e a compreensão dos estados mentais e das intenções alheias – desenvolve-se entre 10 e 12 meses, quando os bebês acompanham o olhar dos adultos, olhando ou apontando na mesma direção (Brooks & Meltzoff, 2002, 2005). Em um estudo longitudinal, a capacidade de crianças de 10 e 11 meses de acompanhar o olhar de um adulto e o tempo que passaram olhando para o objeto em que o adulto fixava o olhar podiam prever seu vocabulário aos 18 meses e aos 2 anos de idade. Bebês que espontaneamente apontavam para o objeto ao mesmo tempo em que olhavam para ele tiveram um crescimento mais rápido no vocabulário, talvez porque os pais tendem a designar os objetos quando os bebês apontam (Brooks & Meltzoff, 2005, 2008).

Alguns pesquisadores sugerem que ver televisão (Box 7.1) pode dificultar o desenvolvimento da atenção. Em um estudo longitudinal, nacionalmente representativo, quanto mais horas crianças de 1 e 3 anos passavam assistindo à televisão, maior era a probabilidade de apresentarem problemas de atenção aos 7 anos (Christakis, Zimmerman, DiGiuseppe, & McCarty, 2004). No entanto, outra pesquisa sugere que, se essa ligação existe de fato, poderá ocorrer apenas em relação aos níveis mais altos de tempo gasto vendo televisão (Foster & Watkins, 2010).

## O processamento de informação como indicador de inteligência

Em virtude da fraca correlação entre a pontuação de bebês nos testes de desenvolvimento, como as Escalas Bayley, e posteriormente seu QI, muitos psicólogos presumiam que o funcionamento cognitivo dos bebês tinha pouco em comum com o de crianças mais velhas e adultos – em outras palavras, que havia uma descontinuidade no desenvolvimento cognitivo. Piaget também acreditava nisso. Entretanto, quando os pesquisadores avaliam como os bebês e as crianças pequenas processam informação, alguns aspectos do desenvolvimento mental parecem razoavelmente contínuos desde o nascimento (Bornstein et al., 2006; McCall & Carriger, 1993). Crianças que desde o começo são eficientes em assimilar e interpretar informações sensoriais apresentam, mais tarde, boas pontuações em testes de inteligência.

Em muitos estudos longitudinais, a habituação e as habilidades de recuperação da atenção dos 6 meses a 1 ano foram moderadamente úteis em prever o QI na infância. O mesmo aconteceu com a memória de reconhecimento visual (Bornstein & Sigman, 1986; Colombo, 1993; McCall & Carriger, 1993). Em um estudo, uma combinação da memória de reconhecimento visual aos 7 meses de idade e transferência intermodal com 1 ano pôde prever o QI aos 11 anos e também mostrou uma modesta relação com a velocidade de processamento e a memória nessa idade (Rose & Feldman, 1995, 1997).

O *tempo de reação visual* e a *antecipação visual* podem ser medidos pelo *paradigma da expectativa visual*. Nesse método de pesquisa, uma série de imagens geradas por computador aparece brevemente, algumas do lado direito e algumas do lado esquerdo do campo visual periférico. A mesma sequência de imagens é repetida várias vezes. Os movimentos dos olhos do bebê são medidos para verificar a rapidez com que ele passa a olhar para uma imagem que acabou de surgir (tempo de reação visual) ou para o lugar onde o bebê espera que a próxima imagem apareça (antecipação visual). Acredita-se que essas medidas indicam nível de atenção e velocidade de processamento, bem como a tendência a formar expectativas com base na experiência. Em um estudo longitudinal, o tempo de reação visual e a antecipação visual aos 3 meses e meio correlacionaram-se com o QI aos 4 anos de idade (Dougherty & Haith, 1997).

**Verificador**
*você é capaz de...*
- Explicar como a habituação mede a eficiência do processamento de informação no bebê?
- Identificar várias habilidades perceptuais e de processamento que servem como indicadores de inteligência?

Há, todavia, muitas evidências de que as habilidades que as crianças usam para processar informações sensoriais estão relacionadas às habilidades cognitivas medidas pelos testes de inteligência. É preciso, no entanto, ser cauteloso ao interpretar essas descobertas. A maioria dos estudos usou amostras pequenas. A previsibilidade do QI na infância a partir de medidas de habituação e de memória de reconhecimento é apenas razoável. Além disso, previsões com base tão somente nas medidas de processamento de informação não levam em conta a influência de fatores ambientais (Colombo & Janowsky, 1998; Laucht, Esser, & Schmidt, 1994; McCall & Carriger, 1993). Por exemplo, a responsividade materna na primeira infância parece desempenhar um papel no vínculo entre as primeiras habilidades de atenção e as habilidades cognitivas que surgem posteriormente na infância (Bornstein & Tamis-LeMonda, 1994) e até mesmo aos 18 anos (Sigman, Cohen, & Beckwith, 1997).

## Processamento de informação e desenvolvimento das capacidades piagetianas

Conforme discutimos anteriormente neste capítulo, há evidências de que várias das habilidades cognitivas que, segundo Piaget, se desenvolvem por volta do final do estágio sensório-motor parecem surgir bem antes. Pesquisas baseadas no processamento visual de bebês têm apresentado aos cientistas do desenvolvimento uma perspectiva sobre a evolução cronológica de desenvolvimentos cognitivos como categorização, causalidade, permanência do objeto e número, todos eles dependentes da formação de representações mentais (ver Quadro 7.4).

*Em virtude do crescente uso de leitores digitais, tablets, computadores e smartphones, os pesquisadores agora estão voltando sua atenção também a essas mídias, teorizando que elas também podem afetar os processos cognitivos em crianças pequenas.*

**Categorização** Os adultos conseguem compreender que plantas e animais são coisas vivas. Além disso, podem entender que alguns animais são de estimação, os quais podem ser cães e gatos, e que um chihuahua é um tipo de cão. Essas relações são conhecidas como *categorias*. Dividir o mundo em categorias significativas é essencial para pensar os objetos ou conceitos e suas relações. É o fundamento da linguagem, raciocínio, resolução de problemas e memória; sem ela o mundo pareceria caótico e sem sentido (Rakison, 2005).

Segundo Piaget, a capacidade de classificar ou agrupar as coisas em categorias só aparece no sexto subestágio sensório-motor, por volta dos 18 meses. No entanto, ao observarem por mais tempo itens em uma nova categoria, mesmo crianças de 3 meses parecem saber, por exemplo, que um cão não é um gato (French, Mareschal, Mermillod, & Quinn, 2004; Quinn, Eimas, & Rosenkrantz, 1993). De fato, técnicas de imagem cerebral mostraram que componentes básicos das estruturas neurais necessários para sustentar a categorização são funcionais nos primeiros 6 meses de vida (Quinn, Westerlund, & Nelson, 2006).

A princípio, os bebês parecem categorizar com base em aspectos *perceptuais*, como forma, cor e padrão, mas, entre 12 e 14 meses suas categorias tornam-se *conceituais*, baseadas no conhecimento do mundo real, particularmente da função (Mandler, 1998, 2007; Mandler & McDonough, 1993, 1996, 1998; Oakes, Coppage, & Dingel, 1997). Em uma série de experimentos, crianças de 10 e 11 meses identificaram que cadeiras com estofado de listras semelhantes às de uma zebra pertencem à categoria dos móveis, e não à dos animais (Pauen, 2000). Quando os bebês puderam manipular modelos minúsculos, mesmo aqueles de 7 meses sabiam distinguir animais de mobília. À medida que o tempo passa, esses conceitos amplos tornam-se mais específicos. Por exemplo, crianças de 2 anos identificam categorias particulares como "carro" e "avião" dentro da categoria mais geral de "veículos" (Mandler, 2007).

**Causalidade** Aviva, com 8 meses de idade, apertou acidentalmente o pato de borracha, e ele grasnou. Assustada, ela o deixou cair. Em seguida, olhou para o pato com atenção e apertou-o novamente. Riu quando o pato grasnou outra vez e olhou para a mãe com um largo sorriso. Aviva está começando a entender a causalidade – o princípio de que um evento (apertar) causa outro (grasnar). Piaget sustentava que esse entendimento desenvolve-se lentamente durante o primeiro ano de vida. Entre 4 e 6 meses, quando o bebê torna-se capaz de agarrar objetos, ele começa a reconhecer que pode agir sobre o ambiente. Assim, afirma Piaget, o conceito de causalidade surge quando se desperta a consciência do poder das próprias intenções. Entretanto, segundo Piaget, o bebê ainda não sabe que as causas vêm antes dos efeitos, e somente quando está próximo de completar 1 ano é que ele percebe que forças externas podem fazer as coisas acontecerem.

# O mundo social

## BEBÊS E CRIANÇAS PEQUENAS VEEM MUITA TELEVISÃO?

**7.1**

Caitlin, 6 meses de idade, dá pulos, bate palmas e ri bem alto enquanto as imagens reluzentes de seu DVD do Bebê Einstein lampejam na tela. Caitlin assiste aos vídeos do Bebê Einstein desde que tinha 5 semanas de idade.

Ela não é precoce nem incomum. Segundo uma pesquisa feita com mil pais de crianças em idade pré-escolar, escolhidos aleatoriamente (Zimmerman, Christakis, & Meltzoff, 2007), aos 3 meses de idade, 40% dos bebês norte-americanos assistem a uma hora de televisão, DVDs ou vídeos por dia. Aos 2 anos, 90% das crianças norte-americanas veem em média uma hora e meia de televisão todos os dias. Outra pesquisa nacional (Vandewater et al., 2007) constatou que 68% das crianças de 2 anos ou menos assistiam diariamente à televisão, e quase um quinto tinha televisor no quarto. Muitas dessas crianças assistem sozinhas, apesar das evidências de que o envolvimento e a participação parental aumentam o impacto positivo dos programas educacionais.

Nos últimos 10 anos, uma verdadeira avalanche de mídias dirigidas a bebês e crianças de até 3 anos tornou-se comercialmente disponível. Programas de televisão agora são dirigidos a crianças de 12 meses; jogos para computador foram desenvolvidos com teclado especial para bebês de 9 meses; e DVDs educacionais têm como alvo bebês de 1 mês.

Esse tempo cada vez maior diante de uma tela é contrário às recomendações da American Academy of Pediatrics Committee on Public Education (2001) de que crianças com menos de 2 anos sejam desencorajadas a ver televisão. O comitê recomenda que elas se envolvam em atividades que promovam o desenvolvimento do cérebro, como conversar, brincar, cantar e ler com os pais. Em uma pesquisa (Rideout, Vandewater, & Wartella, 2003), crianças com menos de 2 anos passavam um tempo duas vezes maior assistindo à televisão do que ouvindo uma leitura (ver figura). Crianças que passavam muito tempo diante da televisão estavam menos propensas a aprender a ler aos 6 anos.

Em vista dos riscos potenciais para o desenvolvimento, por que os pais expõem seus bebês e crianças pequenas à televisão e outras mídias visuais? Uma das razões é a crença de que a mídia é educacional (Zimmerman et al., 2007). Entretanto, em um estudo longitudinal prospectivo, o tempo que se passou vendo televisão entre o nascimento e os 2 anos de idade não aprimorou as habilidades linguísticas ou visuomotoras aos 3 anos (Schmidt, Rich, Rifas-Shiman, Oken, & Taveras, 2009).

Outras razões dadas pelos pais para exporem seus bebês às mídias são a crença de que elas são agradáveis ou relaxantes para a criança, bem como seu uso como babá eletrônica (Zimmerman et al., 2007). Em uma pesquisa nacional, constatou-se que quase um quinto das crianças de 2 anos ou menos que viam televisão diariamente tinha um televisor no quarto. Os dois motivos mais comuns para essa prática eram liberar o televisor da família para outros membros da família e manter a criança ocupada (Vandewater et al., 2007).

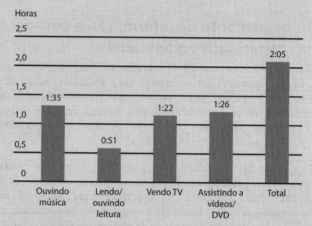

*Tempo médio que crianças com menos de 2 anos passam com mídias e outras atividades em um dia típico, segundo informação das mães.*
Nota: Esses dados incluem apenas crianças que participam dessas atividades.
*Fonte:* Rideout et al., 2003.

Qual o impacto do uso constante de mídias no desenvolvimento neurológico e cognitivo? Estimula o comportamento agressivo? A presença de um televisor no quarto interfere no sono? Os *videogames* e os jogos para computador ajudam a promover as habilidades visuais e espaciais, ou corre-se o risco de fadiga ocular e problemas ergonômicos? Já há evidências de que as mídias de fundo interferem na concentração de crianças pequenas quando elas brincam (Anderson & Pempek, 2005), mas é preciso realizar mais estudos para determinar como a exposição maciça à televisão afeta o desenvolvimento de bebês e crianças até 3 anos. Uma coisa está clara: o tempo gasto com as mídias é tempo que se perde em brincadeiras exploratórias e na interação com membros da família, atividades importantes para o desenvolvimento.

*Fonte:* A menos que expressamente mencionado, este quadro baseia-se em Rideout, Vandewater e Wartella (2003); Vandewater et al. (2007); e Zimmerman et al. (2007).

**Qual a sua opinião?** Com que idade você deixaria um bebê ver televisão ou jogar no computador, e quais restrições, se houver alguma, você imporia sobre essas atividades?

Alguns pesquisadores do processamento de informação sugerem que o mecanismo de reconhecimento da causalidade pode existir antes (Mandler, 1998), possivelmente já no nascimento. No entanto, estudos em processamento de informação sugerem que algum entendimento sobre causalidade pode surgir mais cedo, quando os bebês tiveram a experiência de observar como e quando os objetos se movem (Saxe & Carey, 2006). Bebês de 6 meses e meio demonstraram, pela habituação e desabituação, que parecem ver uma diferença entre eventos que são a causa imediata de outros eventos (como um tijolo que atinge um segundo tijolo, que então é deslocado de sua posição) e eventos que ocorrem sem causa aparente (como um tijolo que se afasta de outro tijolo sem ter sido atingido por ele) (Leslie, 1982, 1984, 1995).

Outros pesquisadores replicaram essas descobertas somente com bebês de 6 meses e meio, mas não com bebês mais novos (Cohen & Amsel, 1998). Eles atribuem o desenvolvimento da compreensão causal a um aprimoramento gradual das habilidades de processamento de informação. À medida que os bebês acumulam mais informações sobre o comportamento dos objetos, tornam-se mais aptos a ver a causalidade como um princípio geral que opera em diversas situações (Cohen & Amsel, 1998; Cohen, Chaput, & Cashon, 2002; Cohen & Oakes, 1993; Cohen, Rundell, Spellman, & Cashon, 1999; Oakes, 1994).

Uma equipe de pesquisa criou um "blickets detection" que se iluminava e tocava música apenas quando certos objetos (chamados "blickets") eram colocados sobre ele. Crianças pequenas de até 2 anos foram capazes de determinar, ao observarem o dispositivo funcionando, quais objetos eram "blickets" (porque ativavam o detector) e quais não eram (Gopnik, Sobel, Schulz, & Glymour, 2001). Em um estudo de acompanhamento, crianças de 2 anos colocaram corretamente os blickets no detector, mesmo quando a decisão dependia de fazer inferências a partir de informações ambíguas, como quando dois objetos diferentes (um era um blickets e o outro não) tinham sido colocados simultaneamente no detector (Sobel, Tenenbaum, & Gopnik, 2004).

Pesquisas também exploraram as expectativas dos bebês sobre causas ocultas. Em um experimento, crianças entre 10 e 12 meses olharam por mais tempo quando certa mão humana emergiu do lado oposto de um palco iluminado onde um pacote de feijão havia sido atirado do que quando a mão emergiu do mesmo lado que o pacote de feijão, sugerindo que os bebês entenderam que a mão provavelmente havia atirado o pacote. Os bebês *não* tiveram a mesma reação quando apareceu um trem de brinquedo, e não a mão, ou quando o objeto atirado era uma marionete de autopropulsão (Saxe, Tenenbaum, & Carey, 2005). Em outro conjunto de experimentos, bebês de 7 meses usaram o movimento de um pacote de feijão para inferir a posição da mão, mas não de um bloco de brinquedos (Saxe, Tzelnic, & Carey, 2007). Assim, crianças de 7 meses parecem saber que (1) um objeto incapaz de autolocomoção deve ter um agente causal para colocá-lo em movimento, (2) a mão é um agente causal mais provável do que um trem de brinquedo ou um bloco, e (3) a existência e a posição de um agente causal não visto podem ser inferidas do movimento de um objeto inanimado. Ainda, em outra experiência, crianças de 7 meses que tinham começado a engatinhar reconheceram a autopropulsão dos objetos, mas crianças da mesma idade que não engatinhavam não reconheceram. Essa constatação sugere que a capacidade dos bebês de identificar o movimento autopropulsado está ligada ao desenvolvimento da autolocomoção, que lhes confere novas maneiras de entender os objetos de seu mundo (Cicchino & Rakison, 2008).

**Permanência do objeto**   Quando Piaget investigou a permanência do objeto, utilizou as respostas motoras dos bebês para avaliar se eles entendiam que o objeto escondido ainda existia. O fracasso para alcançar o objeto escondido foi interpretado com o significado de que não entendiam. No entanto, era possível que as crianças tivessem entendido a permanência do objeto, mas não tivessem conseguido demonstrar esse conhecimento por meio de atividade motora. Naquela época, as metodologias da pesquisa sobre o desenvolvimento infantil eram mais limitadas, e não existiam melhores meios de investigação. Entretanto, depois que os pesquisadores desenvolveram a habituação básica e os paradigmas da preferência visual, descritos anteriormente, passaram a conseguir perguntar às crianças a questão de uma forma diferente, usando o que se tornou conhecido como o paradigma da violação de expectativas.

A pesquisa em **violação de expectativas** começa com uma fase de familiarização em que bebês veem um evento acontecer normalmente. Depois que a criança fica entediada e se habitua a esse procedimento, o evento é alterado de modo a conflitar com – ou violar – as expectativas normais. Se a tendência do bebê for olhar durante mais tempo para o evento que foi alterado, os pesquisadores assumem que o interesse adicional mostrado significa que o bebê foi surpreendido.

**violação de expectativas**
Método de pesquisa em que a desabituação a um estímulo que conflita com a experiência é tomada como evidência de que o bebê reconhece o novo estímulo como algo que o surpreende.

**Eventos de habituação**

Evento da cenoura pequena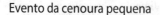

Evento da cenoura grande

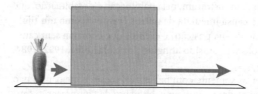
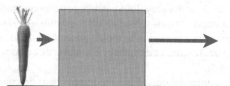

**Eventos para teste**

Evento possível

Evento impossível

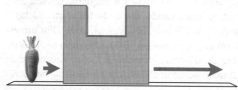
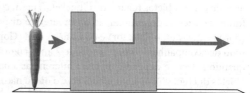

**FIGURA 7.2**
Com que idade os bebês passam a entender a permanência do objeto?
*Neste experimento, crianças de 3 meses e meio observavam uma cenoura pequena e depois uma cenoura grande deslocarem-se ao longo de um trilho, desaparecerem atrás de uma tela e depois reaparecerem. Depois que as crianças se acostumaram a ver esses eventos, a tela opaca foi substituída por uma tela com uma abertura na parte superior. A cenoura pequena não apareceu na abertura quando passou atrás da tela; a cenoura grande, que devia ter aparecido na abertura, também não apareceu. Os bebês olhavam por mais tempo para o evento da cenoura grande do que para o evento da cenoura pequena, o que sugere que ficaram surpresos com o fato de a cenoura grande não reaparecer na abertura.*
Fonte: Baillargeon & DeVos, 1991.

Por exemplo, em um experimento, bebês a partir de 3 meses e meio viram pela primeira vez a animação de uma cenoura aparecer e desaparecer por trás de uma tela (Hespos & Baillargeon, 2008). O centro da tela tinha uma abertura, de modo que uma cenoura, com certa altura, teria que ser vista momentaneamente quando se deslocasse na abertura. No evento "possível", a cenoura pode ser vista quando passa na abertura. No evento "impossível", a cenoura aparece de um lado, nunca surge no centro e, a seguir, surge no lado oposto. As crianças mostram surpresa porque olham durante mais tempo para o evento "impossível", indicando que esse evento violou suas expectativas.

A razão pela qual esse procedimento foi importante para o estudo da permanência do objeto é a de que, para surpreender os bebês com o fato de a cenoura não aparecer, eles tinham de ser capazes de lembrar que a cenoura continuava existindo. Assim, estudos como esses sugerem que pelo menos uma forma rudimentar de permanência do objeto pode estar presente nos primeiros meses de vida. Em contrapartida, os críticos apontam que a percepção do bebê de que um objeto que desaparece de um lado de uma barreira visual parece ser o mesmo objeto que reaparece do outro lado não implica necessariamente o conhecimento cognitivo de que o objeto continua existindo atrás da barreira (Meltzoff & Moore, 1998).

**Número** O paradigma da violação de expectativas também pode ser usado para indagar bebês sobre questões relacionadas com a compreensão numérica. Karen Wynn (1992) verificou se bebês de 5 meses sabem adicionar e subtrair pequenos números de objetos. Os bebês observavam uma tela enquanto bonecos do Mickey eram colocados em sua parte posterior; em seguida, um boneco era adicionado ou retirado. A tela, então, era erguida para revelar o número esperado ou um número diferente de bonecos. Os bebês olhavam por mais tempo para as respostas surpreendentemente "erradas" do que para as respostas "certas" esperadas, sugerindo, segundo Wynn, que haviam calculado mentalmente as respostas certas. Essa compreensão numérica parece começar muito antes do sexto subestágio de Piaget.

De acordo com Wynn, essa pesquisa sugere que os conceitos numéricos são inatos. Céticos apontam, no entanto, que essa ideia é mera especulação, pois os bebês nesses estudos já tinham entre 5 e 6 meses de idade. Além disso, os bebês poderiam estar simplesmente respondendo *perceptualmente* à enigmática presença de um boneco que viram ser removido de trás da tela ou à ausência de outro que viram ser colocado ali (Cohen & Marks, 2002; Haith, 1998; Haith & Benson, 1998). Outros pesquisadores sugerem que, embora os bebês pareçam discriminar visualmente entre, digamos, dois e três objetos, eles talvez possam apenas notar diferenças nos contornos gerais, na área ou na massa coletiva do conjunto de objetos, e não comparar o número de objetos nos conjuntos (Clearfield & Mix, 1999; Mix, Huttenlocher, & Levine, 2002).

Em resposta a essas críticas, McCrink e Wynn (2004) elaboraram um experimento para descobrir se crianças de 9 meses podem adicionar e subtrair números que sejam grandes demais para uma mera discriminação perceptual. Os bebês viram cinco objetos abstratos irem para trás de um quadrado opaco. Cinco outros objetos depois apareceram e foram para trás do quadrado. Os bebês olharam por mais tempo quando a tela caiu revelando cinco objetos do que quando revelou 10 objetos. Do mesmo modo, quando 10 objetos foram para trás do quadrado e cinco emergiram e foram embora, os bebês olharam por mais tempo quando a tela caiu revelando 10 objetos do que quando revelou cinco. Os autores concluíram que os "seres humanos apresentam um sistema primitivo que permite a combinação e a manipulação numérica" (p. 780). Mais uma vez, porém, essa descoberta não estabelece se os conceitos numéricos estão presentes ao nascer.

É provável que existam diferenças qualitativas entre as representações numéricas dos bebês e o conceito numérico das crianças em idade escolar – provavelmente devido às enormes mudanças na estrutura cerebral, na organização e na função durante e após o primeiro ano de vida. Por exemplo, até mesmo crianças de 3 anos não parecem saber se o número de itens de uma matriz permanece o mesmo se forem reorganizados – um aspecto importante do conceito numérico. Como escreveu um eminente cientista do desenvolvimento, "Atribuir conceitos de número a bebês simplesmente porque eles sabem discriminar entre séries contendo diferentes números de elementos é análogo a atribuir competência numérica a pombos que podem ser ensinados a bicar uma chave exatamente quatro vezes" (Kagan, 2008, p. 1.613). Provavelmente, os conceitos numéricos desenvolvem-se lentamente por muitos anos.

> Os bebês talvez façam uso de uma compreensão rudimentar de probabilidade para descobrir as preferências das outras pessoas. Por exemplo, se virem alguém pegar um brinquedo azul de uma caixa cheia de brinquedos vermelhos, irão supor que a pessoa gosta de brinquedos azuis. Se alguém pegar um brinquedo azul de uma caixa cheia de quantidades iguais de brinquedos vermelhos e azuis, estarão menos propensos a supor que havia uma preferência por brinquedos azuis. De certo modo, estão executando uma análise estatística da probabilidade de cada ato e baseando suas suposições nisso.
>
> *Kushnir & Wellman, 2010*

## Avaliando pesquisas em processamento de informação com bebês

Os estudos de violação de expectativas e outras pesquisas recentes em processamento de informação com bebês trazem a possibilidade de que pelo menos formas rudimentares de categorização, raciocínio causal, permanência do objeto e noção de número estejam presentes nos primeiros meses de vida. Uma das propostas é a de que os bebês nascem com capacidade de raciocínio – *mecanismos inatos de aprendizagem* que os ajudam a fazer sentido das informações que encontram – ou que adquirem essas capacidades já bem cedo (Baillargeon, 1994). Alguns pesquisadores vão além, sugerindo que os bebês ao nascerem já podem ter um *conhecimento essencial* intuitivo dos princípios físicos básicos na forma de módulos especializados do cérebro que ajudam os bebês a organizarem suas percepções e experiências (Spelke, 1994, 1998).

No entanto, essas interpretações são controversas. Os teóricos discutem se o interesse visual de um bebê em uma condição impossível revela uma consciência *perceptual* de que algo incomum aconteceu ou uma compreensão *conceitual* de como as coisas funcionam. Por exemplo, se um bebê observa uma cena durante mais tempo do que outra, talvez mostre que ele conseguiu perceptualmente ver a diferença entre as duas cenas. Em outras palavras, as duas cenas *parecem* ser diferentes uma da outra, e, como as crianças gostam de olhar para as novidades, olham durante mais tempo para a condição "impossível". De modo alternativo, é possível que uma criança, ao se acostumar com um evento de habituação, desenvolva uma expectativa sobre o que deverá acontecer, que depois é violada pelo evento surpreendente. Em outras palavras, elas olham por mais tempo porque seu *conceito* do que devia ter acontecido foi desafiado (Goubet & Clifton, 1998; Haith, 1998; Haith & Benson, 1998; Kagan, 2008; Mandler, 1998; Munakata, 2001; Munakata, McClelland, Johnson, & Siegler, 1997).

Os defensores dessa pesquisa em violação de expectativas insistem em que a interpretação conceitual explica melhor o que foi constatado (Baillargeon, 1999; Spelke, 1998), mas uma variação de um dos experimentos de Baillargeon sugere cautela. Em sua pesquisa original, Baillargeon (1994) mostrou a bebês de várias idades uma "ponte levadiça" que girava 180 graus. Quando eles se habituaram à rotação, introduziu-se uma barreira na forma de uma caixa. Aos 4 meses e meio, os bebês pareciam demonstrar (olhando por mais tempo) que entenderam que a ponte levadiça não podia atravessar a caixa, mas só

## PARTE III • Primeira infância

### Verificador
#### você é capaz de...

- Descrever o método de pesquisa em violação de expectativas, dizer como e por que ele é usado e mencionar algumas críticas que lhe são feitas?
- Discutir sobre quatro áreas em que a pesquisa em processamento de informação questiona a explicação de Piaget sobre o desenvolvimento?

### Guia de estudo 6

O que a pesquisa sobre o cérebro pode revelar a respeito do desenvolvimento das habilidades cognitivas?

**memória implícita**
Recordação inconsciente, em geral de hábitos e habilidades; às vezes chamada de memória procedural.

**memória explícita**
Memória intencional e consciente, em geral de fatos, nomes e eventos; às vezes chamada de memória declarativa.

**memória de trabalho**
Armazenamento de curto prazo de informações que estão sendo ativamente processadas.

### Verificador
#### você é capaz de...

- Identificar as estruturas do cérebro aparentemente envolvidas nas memórias explícita, implícita e de trabalho, e mencionar uma tarefa praticada em cada uma delas?
- Dizer como a pesquisa do cérebro ajuda a explicar os desenvolvimentos piagetianos e as operações de memória?
- Explicar como os padrões culturais afetam a participação orientada na aprendizagem das crianças pequenas?

aos 6 meses e meio reconheceram que a ponte levadiça não pode atravessar 80% da caixa. Mais tarde, pesquisadores replicaram o experimento, mas eliminaram a caixa. Mesmo assim, crianças de 5 meses olhavam por mais tempo para a rotação de 180 graus do que para um grau menor de giro, mesmo não havendo nenhuma barreira – sugerindo que simplesmente estavam demonstrando preferência por um movimento maior (Rivera, Wakeley, & Langer, 1999). Outros pesquisadores mostraram ainda que o "efeito ponte levadiça" poderia resultar simplesmente da mecânica de habituação e desabituação (Schöner & Thelen, 2006). Assim, dizem os críticos, devemos ser cautelosos com a superestimação das habilidades cognitivas dos bebês com base em dados que podem ter explicações mais simples ou talvez representem apenas conquistas parciais de habilidades maduras (Haith, 1998; Kagan, 2008).

É plausível que os mecanismos para a conquista dos conhecimentos de princípios físicos possam tornar-se funcionais muito antes de os bebês colocarem esse conhecimento em prática? Segundo alguns teóricos evolucionistas, a resposta é negativa (Nelson, 2005; Rakison, 2005). Princípios evolucionistas sugerem que as pessoas desenvolvem várias capacidades em momentos da vida nos quais são úteis ou adaptáveis. Assim, ao nascerem, os bebês são providos de capacidades básicas de atenção, percepção e aprendizagem, atendendo adequadamente às suas necessidades nesse período da vida. É provável que a capacidade para encontrar significados se desenvolva mais tarde, como acontece com as capacidades da aprendizagem em domínios específicos, como, por exemplo, a linguagem (Rakison, 2005).

## Abordagem da neurociência cognitiva: as estruturas cognitivas do cérebro

A pesquisa recente sobre o cérebro corrobora a suposição de Piaget de que a maturação neurológica é um importante fator no desenvolvimento cognitivo. Os surtos de crescimento do cérebro (períodos de rápido crescimento e desenvolvimento) coincidem com as mudanças no comportamento cognitivo segundo a descrição de Piaget (Fischer, 2008; Fischer & Rose, 1994, 1995).

Alguns pesquisadores têm utilizado técnicas de neuroimagem para determinar quais as funções cognitivas afetadas por determinadas estruturas do cérebro e mapear as mudanças no desenvolvimento. Essas técnicas fornecem evidências físicas da localização de dois sistemas distintos de memória de longo prazo – *implícita* e *explícita* – que adquirem e armazenam diferentes tipos de informação (Vargha-Khadem et al., 1997). A **memória implícita** refere-se à recordação que ocorre sem esforço ou mesmo inconscientemente – por exemplo, saber como amarrar um sapato ou jogar uma bola – e, em geral, pertence a hábitos e habilidades. A memória implícita parece desenvolver-se cedo no desenvolvimento e é demonstrada por determinadas ações, como os chutes de um bebê quando vê um móbile familiar (Nelson, 2005). A **memória explícita**, também chamada de *memória declarativa*, é a recordação consciente ou intencional, em geral de fatos, nomes, eventos ou outras coisas que podem ser enunciadas ou declaradas. A demora na imitação de comportamentos complexos é evidência de que a memória declarativa está se desenvolvendo no final do primeiro ano de vida e durante a primeira infância.

No começo da primeira infância, quando as estruturas responsáveis pelo armazenamento da memória não estão plenamente formadas, as lembranças são relativamente fugazes. A maturação do *hipocampo*, uma estrutura localizada no interior dos lobos temporais, em conjunto com o desenvolvimento de estruturas corticais coordenadas pela formação do hipocampo, torna possível a memória de maior duração (Bauer, 2002; Bauer et al., 2003).

Acredita-se que o *córtex pré-frontal* (uma extensa região localizada no lobo frontal bem atrás da testa) controle muitos aspectos da cognição. Essa parte do cérebro desenvolve-se mais lentamente que qualquer outra (Diamond, 2002; M. H. Johnson, 1998). Durante a segunda metade do primeiro ano, o córtex pré-frontal e circuitos associados desenvolvem a capacidade para a **memória de trabalho**. Essa memória é o armazenamento de informações de curto prazo que o cérebro está ativamente processando ou utilizando. Por exemplo, quando você está tentando descobrir o preço que vai pagar no caixa do supermercado por vários produtos, está utilizando a memória de trabalho para fazer os cálculos. A memória de trabalho pode ser sobrecarregada, como acontece quando alguém começar a falar com você enquanto está tentando calcular o preço que vai pagar, interrompendo esse processo.

O aparecimento relativamente tardio da memória de trabalho pode ser o grande responsável pelo desenvolvimento lento da permanência do objeto, que parece localizar-se em uma área de recompensa do córtex pré-frontal (Nelson, 1995). Aos 12 meses, essa região pode estar suficientemente desenvolvida para permitir que o bebê evite o erro A-não-B, controlando o impulso de procurar no lugar onde o objeto foi encontrado anteriormente (Bell & Fox, 1992; Diamond, 1991).

Embora sistemas de memória continuem a se desenvolver após a primeira infância, o surgimento das estruturas de memória do cérebro destaca a importância da estimulação ambiental a partir dos primeiros meses de vida. Teóricos e pesquisadores sociocontextuais dão especial atenção ao impacto das influências ambientais.

## Abordagem sociocontextual: aprendendo nas interações com cuidadores

Pesquisadores influenciados pela teoria sociocultural de Vygotsky estudam como o contexto cultural afeta as primeiras interações sociais que podem promover a competência cognitiva. A **participação guiada** refere-se a interações mútuas com adultos que ajudam a estruturar as atividades da criança e preenchem a distância entre a compreensão da criança e a do adulto. Esse conceito foi inspirado pela visão que Vygotsky tinha da aprendizagem como um processo colaborativo. A participação guiada normalmente ocorre em brincadeiras compartilhadas e nas atividades normais do dia a dia, quando a criança aprende informalmente as habilidades, o conhecimento e os valores importantes em sua cultura.

Em um estudo transcultural (Göncü, Mistry, & Mosier, 2000; Rogoff, Mistry, Göncü, & Mosier, 1993), os pesquisadores visitaram os lares de 14 crianças entre 1 e 2 anos de idade, distribuídos em quatro localidades culturalmente diferentes: uma cidade maia na Guatemala, uma vila tribal na Índia e áreas urbanas de classe média em Salt Lake City e na Turquia. Os investigadores entrevistaram os cuidadores sobre suas práticas de educação e os observaram enquanto ajudavam as crianças pequenas a se vestir e a brincar com brinquedos que não lhes eram familiares.

As diferenças culturais afetaram os tipos de participação guiada que os pesquisadores observaram. Na cidade da Guatemala e na vila indiana onde as crianças viam a mãe costurar e a acompanhavam no trabalho no campo, elas costumavam brincar sozinhas ou com os irmãos mais velhos, enquanto a mãe estava por perto trabalhando. Após demonstração e instrução iniciais, a maior parte não verbal, sobre como, por exemplo, amarrar os sapatos, a criança assumia o controle, enquanto os pais ou outros cuidadores permaneciam disponíveis para ajudar. As crianças norte-americanas, que tinham cuidadores em tempo integral, interagiam com os adultos no contexto das brincadeiras infantis, e não no trabalho ou no mundo social. Os cuidadores administravam e motivavam a aprendizagem das crianças com elogios e entusiasmo. Famílias turcas, que viviam uma transição entre o modo de vida rural e o urbano, exibiam um padrão intermediário.

O contexto cultural influencia o modo como os cuidadores contribuem para o desenvolvimento cognitivo. O envolvimento direto do adulto nas brincadeiras e no aprendizado das crianças pode estar mais bem adaptado a uma comunidade urbana de classe média, em que pais ou cuidadores dispõem de mais tempo, maior habilidade verbal e possivelmente mais interesse na brincadeira e na aprendizagem das crianças do que em uma comunidade rural de um país em desenvolvimento, onde as crianças frequentemente observam as atividades de trabalho dos adultos e também participam (Rogoff et al., 1993). No entanto, apesar das diferentes formas como os pais ensinam capacidades valiosas para a vida dos filhos, todas as crianças aprendem o que precisam aprender para ser membros efetivos da sociedade.

> ### Guia de estudo 7
> De que maneira a interação social com adultos faz a competência cognitiva avançar?
>
> **participação guiada**
> Participação do adulto em uma atividade da criança, ajudando a estruturá-la e a aproximar a compreensão da criança da compreensão do próprio adulto.

Rogoff mostra que, apesar das várias maneiras como as crianças aprendem, todas aprendem o que precisam aprender para serem adultos eficazes em sua cultura. Ela argumenta que não existe uma "melhor maneira"; em vez disso, há múltiplas maneiras igualmente válidas de aprender.

## Desenvolvimento da linguagem

No dia em que William Erasmus Darwin, carinhosamente conhecido como Doddy, nasceu, seu pai, Charles, começou a escrever um diário com observações sobre o filho recém-nascido. Essas notas, publicadas em 1877, chamaram a atenção científica para a natureza do desenvolvimento do comportamento infantil.

Darwin estava particularmente interessado em documentar o progresso do filho na autoexpressão, primeiro de forma não verbal e depois por meio da linguagem. Usando sorrisos, choro, riso, expressões faciais e sons de prazer ou de dor, Doddy já conseguia se comunicar com os pais antes mesmo de dizer a primeira palavra. Uma das primeiras expressões verbais significativas foi "Ah!", proferida quando reconheceu uma imagem em um espelho.

A exclamação de Doddy é um exemplo notável da relação entre **linguagem**, um sistema de comunicação baseado em palavras e gramática, e desenvolvimento cognitivo. Uma vez conhecidas as palavras, a criança pode usá-las

### Guia de estudo 8
Como os bebês desenvolvem a linguagem e quais são as influências que contribuem para o progresso linguístico?

*Charles e "Doddy" Darwin*

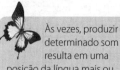

Às vezes, produzir determinado som resulta em uma posição da língua mais ou menos adequada para produzir outro som. Assim, por exemplo, é mais fácil para o bebê dizer "da" do que "bi". Quando procuramos termos de maior afinidade entre as diversas culturas, quase todas usam alguma variação de "ba", "pa", "da" e "ma". E não é coincidência que esses sejam os sons mais fáceis para o bebê reproduzir.

**linguagem**
Sistema de comunicação baseado em palavras e na gramática.

**fala pré-linguística**
Precursora da fala linguística; emissão de sons que não são palavras. Inclui choro, arrulho, balbucio e imitação acidental e deliberada de sons sem compreensão do significado.

para representar objetos e ações. Ela pode refletir sobre pessoas, lugares e coisas e pode comunicar suas necessidades, sentimentos e ideias a fim de exercer mais controle sobre sua vida. Como os bebês "decifram" o código comunicativo?

Vejamos primeiramente a sequência típica de marcos no desenvolvimento da linguagem (Quadro 7.5). Depois, vamos observar algumas características especiais da fala inicial e, em seguida, examinar as várias teses que competem na explicação da forma como bebês adquirem a linguagem.

## Sequência do desenvolvimento inicial da linguagem

Antes de utilizar palavras, o bebê faz suas necessidades e sentimentos serem conhecidos por meio de sons que evoluem do choro para o arrulho e o balbucio, depois para a imitação acidental e, então, para a imitação deliberada. Esses sons são conhecidos como **fala pré-linguística**. Também evolui a capacidade do bebê de reconhecer e entender sons de fala e usar gestos significativos. É comum o bebê pronunciar sua primeira palavra por volta do final do primeiro ano de vida e começar a falar utilizando sentenças entre 8 meses e 1 ano depois.

**Vocalização inicial**   O *choro* é o primeiro meio de comunicação do recém-nascido. Diferentes tons, padrões e intensidades sinalizam fome, sono ou raiva (Lester & Boukydis, 1985). Os adultos têm aversão ao choro por um motivo – motiva-os a encontrar a causa do problema e resolvê-lo. Assim, o choro tem um grande valor adaptativo.

Entre 6 semanas e 3 meses, o bebê começa a *arrulhar* quando está feliz – emitindo gritos agudos, gorgolejando e pronunciando sons de vogal como "ahhh". Entre 3 e 6 meses, o bebê começa a brincar com os sons da fala, imitando os sons que ouve de pessoas ao seu redor.

O *balbucio* – repetição de sequências de consoantes e vogais, como "ma-ma-ma-ma" – ocorre entre 6 e 10 meses de idade e frequentemente é confundido com a primeira palavra do bebê. O balbucio, no entanto, não é uma linguagem de verdade, pois não tem nenhum significado para a criança, embora com o tempo se torne cada vez mais parecido com palavras.

A imitação é a chave para o início do desenvolvimento da linguagem. Primeiro, os bebês *acidentalmente* imitam sons do idioma e depois imitam a si próprios produzindo esses sons. Em geral, são incentivados pelas respostas positivas de seus pais e, assim, são encorajados a produzir mais sons com o passar do tempo. Entre 9 e 10 meses, os bebês imitam sons *deliberadamente,* sem entendê-los. Quando já dispõem de um repertório de sons, juntam-nos em padrões que soam como uma comunicação pré-linguística semelhante à linguagem, mas que parece não ter significado. Por fim, quando se familiarizam com os sons de palavras e frases, os bebês começam a lhes atribuir significados (Fernald, Perfors, & Marchman, 2006; Jusczyk & Hohne, 1997).

**Reconhecendo os sons e a estrutura da linguagem**   A imitação dos sons da linguagem requer a capacidade de perceber sutis diferenças entre sons, e os bebês podem fazê-lo desde o nascimento, ou mesmo antes. Seu cérebro parece estar pré-configurado para discriminar as unidades linguísticas básicas, perceber padrões linguísticos e categorizá-los como semelhantes ou diferentes (Kuhl, 2004). Esse processo de discriminação sonora aparentemente começa no útero, como descrevemos no Capítulo 4 (DeCasper, Lecanuet, Busnel, Granier-Deferre, & Maugeais, 1994), e continua no primeiro ano de vida, quando os bebês se tornam rapidamente sensibilizados para sua língua nativa.

Os fonemas são as menores unidades de som da fala. Por exemplo, a palavra *cão* tem 3 fonemas: o som do *c*, do *ã* e do *o*. Cada linguagem tem sua própria fonologia, ou sistema de sons, que são utilizados na produção da fala. No início, as crianças conseguem discriminar os fonemas de qualquer idioma. Com o tempo, no entanto, o processo contínuo de percepção de padrões e de categorização acomete as redes neurais do cérebro para a continuação da aprendizagem dos padrões da língua materna da criança e reprime a aprendizagem futura de padrões não nativos (Kuhl & Rivera-Gaxiola, 2008). Entre os 6 e 7 meses de idade, os bebês ouvintes aprenderam a reconhecer os aproximadamente 40 fonemas de sua língua nativa e a se adaptar às pequenas diferenças no modo como os falantes produzem esses sons (Kuhl, Williams, Lacerda, Stevens, & Lindblom, 1992). A capacidade de discriminar sons da língua nativa nessa idade prevê diferenças individuais na capacidade linguística durante o segundo ano de vida (Tsao, Liu, & Kuhl, 2004), o que não acontece com a discriminação de sons não nativos (Kuhl, Conboy, Padden, Nelson, & Pruitt, 2005).

**Capítulo 7** • Desenvolvimento cognitivo durante os três primeiros anos

**QUADRO 7.5**  Marcos no desenvolvimento da linguagem: do nascimento aos 3 anos

| Idade em meses | Desenvolvimento |
| --- | --- |
| Nascimento | É capaz de perceber a fala, chorar, dar alguma resposta ao som. |
| 1,5 a 3 | Arrulhos e risos. |
| 3 | Brinca com os sons da fala. |
| 5 a 6 | Frequentemente reconhece os padrões sonoros ouvidos. |
| 6 a 7 | Reconhece todos os fonemas da língua nativa. |
| 6 a 10 | Balbucia sequências de consoantes e vogais. |
| 9 | Utiliza gestos para se comunicar e brinca de gesticular. |
| 9 a 10 | Imita sons intencionalmente. |
| 9 a 12 | Utiliza alguns gestos sociais. |
| 10 a 12 | Não consegue mais discriminar sons que não sejam da sua própria língua. |
| 10 a 14 | Fala a primeira palavra (em geral a designação de alguma coisa). |
| 10 a 18 | Fala palavras simples. |
| 12 a 13 | Entende a função simbólica da nomeação; cresce o vocabulário passivo. |
| 13 | Faz gestos mais elaborados. |
| 14 | Faz gesticulação simbólica. |
| 16 a 24 | Aprende muitas palavras novas, expandindo rapidamente o vocabulário expressivo, passando de cerca de 50 palavras para 400; utiliza verbos e adjetivos. |
| 18 a 24 | Fala a primeira sentença (duas palavras). |
| 20 | Utiliza menos gestos; nomeia mais coisas. |
| 20 a 22 | Tem surto de compreensão. |
| 24 | Utiliza muitas frases de duas palavras; deixa de balbuciar; quer conversar. |
| 30 | Aprende palavras novas quase todos os dias; fala em combinações de três ou mais palavras; comete erros gramaticais. |
| 36 | Sabe dizer até 1.000 palavras, 80% inteligíveis; comete alguns erros de sintaxe. |

*Fonte:* Bates, O'Connell, & Shore, 1987; Capute, Shapiro, & Palmer, 1987; Kuhl, 2004; Lalonde & Werker, 1995; Lenneberg, 1969; Newman, 2005.

Começando já aos 6 meses para as vogais e 10 meses para as consoantes, o reconhecimento dos sons fonéticos nativos aumenta significativamente, enquanto declina a discriminação dos sons não nativos. Até o final do primeiro ano de vida, os bebês perdem sua sensibilidade aos sons que não fazem parte da língua ou das línguas que eles costumam ouvir (Kuhl & Rivera-Gaxiola, 2008). Embora a capacidade de perceber sons não nativos não seja inteiramente perdida, o cérebro já não os diferencia rotineiramente (Bates, O'Connell, & Shore, 1987; Lalonde & Werker, 1995; Werker, 1989). Bebês surdos passam por um processo restritivo semelhante com respeito ao reconhecimento de sinais (Kuhl & Rivera-Gaxiola, 2008). Presumivelmente, o aumento da sensibilização aos sons nativos ou aos gestos ajuda a criança a adquirir linguagem de forma mais eficiente. Na verdade, bebês que não foram expostos a esses padrões da língua – seja falada, seja sinalizada – durante um período crítico ou sensível provavelmente não irão adquiri-la normalmente (Kuhl, 2004; Kuhl et al., 2005; ver Box 1.3 no Cap. 1). Como essa mudança ocorre? Uma das hipóteses, para a qual há evidências de estudos comportamentais e de imagens do cérebro, é a de que os bebês computam mentalmente a frequência relativa de determinadas sequências fonéticas de sua língua e aprendem a ignorar sequências que pouco ouvem (Kuhl, 2004). Outra hipótese, também sustentada por estudos comportamentais e de imagens do cérebro, é a de que as primeiras experiências com a linguagem modificam a estrutura neural do cérebro, facilitando um rápido progresso para a detecção de padrões de palavras na língua nativa, enquanto suprimem a atenção a padrões não nativos que tornariam mais lenta a aprendizagem da língua nativa. Essas habilidades de detecção de padrão que se desenvolvem muito cedo preveem a continuidade do desenvolvimento da língua. Em um

**PARTE III** • Primeira infância

Uma das maneiras em que se reflete essa estrutura é no balbucio dos bebês. Crianças de 1 ano balbuciam na sua língua nativa. Em outras palavras, seu balbucio segue as regras fonéticas de sua língua nativa.

Os bebês, em geral, começam apontando com a mão inteira e depois passam a usar o dedo indicador.

estudo, crianças de até 3 anos, que aos 7 meses e meio haviam demonstrado melhor discriminação neural de fonemas nativos, eram mais avançadas na produção de palavras em complexidade de sentenças aos 24 meses e aos 30 meses do que crianças que, aos 7 meses e meio, tinham sido mais capacitadas a discriminar contrastes fonéticos em outras línguas não nativas (Kuhl & Rivera-Gaxiola, 2008).

Além de aprenderem o que são os fonemas de sua língua, os bebês aprendem também as regras para encaixá-los. Por exemplo, em inglês, a combinação de som em "kib" é aceitável, embora "kib" não seja uma palavra. No entanto, a palavra sem sentido "bnik" viola as regras fonológicas do inglês porque o "b" e o "n" não se encontram normalmente um ao lado do outro na mesma palavra. Entre 6 e 12 meses, os bebês começam a tomar consciência das regras fonológicas de sua língua. Em uma série de experimentos, crianças de 7 meses ouviam por mais tempo "sentenças" que continham uma ordem diferente de sons sem sentido daquela com a qual elas haviam se habituado. Os sons usados no teste eram diferentes daqueles utilizados na fase de habituação, portanto a discriminação feita pelas crianças deve ter sido feita tão somente a partir dos padrões de repetição. Essa descoberta sugere que os bebês podem ter um mecanismo para discernir regras abstratas da estrutura da sentença (Saffran, Pollak, Seibel, & Shkolnik, 2007).

**Gestos**   Antes de poderem falar, os bebês apontam (Liszkowski, Carpenter, & Tomasello, 2008). Apontar é importante para a aquisição da linguagem e serve a várias funções. Aos 11 meses, Maika apontava para sua xícara para mostrar que a queria. Ela também apontava para um cão que perseguia o próprio rabo, usando o gesto para se comunicar com a mãe sobre uma cena interessante. Aos 12 meses, ela apontava para uma caneta que o irmão derrubara e procurava. Esse uso do apontamento para fornecer informação mostrava que a menina fazia uma inferência sobre o estado do irmão e queria ajudar – uma indicação precoce de *cognição social*, discutida no Capítulo 8 (Liszkowski, Carpenter, Striano, & Tomasello, 2006; Liszkowski et al., 2008; Tomasello, Carpenter, & Liszkowski, 2007). O gesto de apontar ajuda a regular as interações conjuntas e não precisa ser ensinado.

Também aos 12 meses, Maika aprendeu alguns *gestos sociais convencionais*: dar tchau, inclinar a cabeça para sinalizar *sim* e balançar a cabeça para significar *não*. Por volta dos 13 meses, ela usava *gestos representacionais* mais elaborados; por exemplo, segurava uma xícara vazia na altura da boca para mostrar que queria beber alguma coisa ou esticava os braços para mostrar que queria que a pegassem no colo.

*Gestos simbólicos*, como soprar para significar *quente* ou cheirar para significar *flor*, frequentemente surgem próximo da mesma idade em que o bebê pronuncia suas primeiras palavras e acabam funcionando como tais. Tanto bebês ouvintes quanto bebês surdos utilizam esses gestos quase do mesmo modo (Goldin-Meadow, 2007). Ao utilizá-los, os bebês demonstram o entendimento de que símbolos podem referir-se a objetos, eventos, desejos e condições específicos. Os gestos normalmente aparecem antes de a criança possuir um vocabulário de 25 palavras e são abandonados quando ela aprende a palavra correspondente à ideia do gesto e pode pronunciá-la (Lock, Young, Service, & Chandler, 1990).

Aprender gestos parece ajudar o bebê a aprender a falar. Os primeiros gestos são um bom indicador do tamanho do vocabulário futuro (Goldin-Meadow, 2007). Em um estudo, pesquisadores captaram, por vídeo, interações entre crianças pequenas e seus pais em casa durante 90 minutos a cada quatro meses. O uso que os pais faziam dos gestos pôde prever os gestos do filho aos 14 meses, o que, por sua vez, previu o tamanho do vocabulário da criança aos 42 meses (Rowe, Özçaliskan, & Goldin-Meadow, 2008).

Crianças de até 3 anos frequentemente combinam gestos e palavras. As combinações gesto-palavra servem como um sinal de que a criança está prestes a usar sentenças com várias palavras (Goldin-Meadow, 2007).

**Primeiras palavras**   Em média, os bebês dizem a primeira palavra entre 10 e 14 meses, dando início, assim, à **fala linguística** – expressão verbal que transmite significado. A princípio, o repertório verbal se resume a "mama" ou "papa" ou a uma única sílaba que apresenta mais de um significado, dependendo do contexto em que a criança a pronuncia. "Pa" pode significar "eu quero aquilo", "eu quero sair" ou "onde está o papai?". Uma palavra como essa, que expressa um pensamento completo, é chamada de **holofrase**.

Muito antes de os bebês poderem associar sons a significados, eles aprendem a reconhecer padrões sonoros que ouvem frequentemente, como o próprio nome. Bebês de 5 meses ouvem seu nome por mais tempo do que qualquer outro nome (Newman, 2005). Um dos métodos que os pesquisadores usam para medir a percepção do som das palavras pelos bebês é o de gravar os movimentos de seus olhos quando ouvem os nomes dos objetos projetados em uma tela, como *maçã* ou *cão*. Bebês de 8 meses ou mais no-

**fala linguística**
Expressão verbal designada para transmitir significado.

**holofrase**
Uma única palavra que transmite um pensamento completo.

vos começam a aprender as formas das palavras discernindo indicações perceptuais como sílabas que frequentemente ocorrem juntas (como *pa* e *pai*) e armazenam essas formas possíveis de palavras na memória. Eles também notam a pronúncia, a ênfase nas sílabas e mudanças de tom. Esse aprendizado auditório inicial é a base para o crescimento do vocabulário (Swingley, 2008).

Os bebês entendem muitas palavras antes de poder usá-las. Crianças de 6 meses olham por mais tempo para um vídeo em que aparece a mãe quando ouvem a palavra "mamãe", e, no caso do pai, quando ouvem a palavra "papai", o que sugere que estão começando a associar som com significado – pelo menos no que diz respeito a pessoas especiais (Tincoff & Jusczyk, 1999). Por volta dos 13 meses, a maioria das crianças entende que uma palavra representa uma coisa ou evento específico e pode aprender rapidamente o significado de uma palavra nova (Woodward, Markman, & Fitzsimmons, 1994).

Entre 10 meses e 2 anos, o processo pelo qual os bebês aprendem as palavras muda gradualmente de simples associação para detecção de indicações sociais. Aos 10 meses, bebês associam um nome que eles ouvem a um objeto que consideram interessante, independentemente de o nome ser correto ou não para aquele objeto. Aos 12 meses, começam a prestar atenção a indicações dos adultos, como olhar ou apontar para um objeto enquanto dizem seu nome. Entretanto, eles ainda aprendem nomes somente para objetos interessantes e ignoram os não interessantes. Entre 18 e 24 meses, as crianças seguem indicações sociais na aprendizagem dos nomes, não importando o interesse intrínseco dos objetos (Golinkoff & Hirsh-Pasek, 2006; Pruden, Hirsh-Pasek, Golinkoff, & Hennon, 2006). Apontar é um dos principais suportes para aprender o significado das palavras. Aos 24 meses, as crianças reconhecem rapidamente nomes de objetos familiares na ausência de indicações visuais (Swingley & Fernald, 2002).

*Esta criança está se comunicando com a mãe apontando para algo que lhe chama a atenção. A gesticulação parece surgir naturalmente nas crianças pequenas e talvez seja parte importante do aprendizado da linguagem.*

O *vocabulário receptivo* – aquilo que os bebês compreendem – continua a crescer à medida que a compreensão verbal torna-se cada vez mais rápida, precisa e eficiente (Fernald et al., 2006). Em geral, bebês têm um vocabulário receptivo muito maior do que o expressivo – ou falado. Aos 18 meses, 3 de cada 4 crianças conseguem entender 150 palavras e pronunciar 50 delas (Kuhl, 2004). Crianças com vocabulários maiores e tempo de reação mais rápido reconhecem palavras faladas já na primeira parte da palavra. Por exemplo, quando ouvem "bo" ou "ga", apontarão para a imagem de uma bola ou um gato (Fernald, Swingley, & Pinto, 2001). Essa aprendizagem inicial da língua está intimamente ligada ao desenvolvimento cognitivo posterior. Em um estudo longitudinal, a velocidade de reconhecimento de palavras faladas e tamanho de vocabulário em crianças de 25 meses pôde prever habilidades linguísticas e cognitivas, inclusive a eficiência da memória de trabalho em crianças de 8 anos (Marchman & Fernald, 2008).

O acréscimo de novas palavras ao *vocabulário expressivo* (falado) é lento. Depois, entre 16 e 24 meses, pode ocorrer uma "explosão de vocabulário", embora esse fenômeno nem sempre aconteça com todas as crianças (Ganger & Brent, 2004). Dentro de alguns meses, muitas crianças que antes diziam por volta de 50 palavras passam a dizer várias centenas (Courage & Howe, 2002). Rápidas aquisições no vocabulário falado refletem aumentos na velocidade e na precisão do reconhecimento das palavras durante o segundo ano de vida (Fernald, Pinto, Swingley, Weinberg, & McRoberts, 1998; Fernald et al., 2006), bem como uma compreensão de que as coisas pertencem a categorias (Courage & Howe, 2002).

Os substantivos parecem ser o tipo de palavra mais fácil de aprender. Em um estudo transcultural, pais espanhóis, holandeses, franceses, israelenses, italianos, coreanos e norte-americanos relataram que seus filhos de 20 meses conheciam mais substantivos do que qualquer outra classe de palavras (Bornstein & Cote, 2004). Aos 24 meses, as crianças reconhecem rapidamente nomes de objetos familiares quando há ausência de pistas visuais (Swingley & Fernald, 2002).

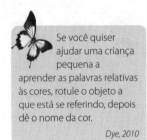

Se você quiser ajudar uma criança pequena a aprender as palavras relativas às cores, rotule o objeto a que está se referindo, depois dê o nome da cor.

*Dye, 2010*

**Primeiras sentenças**  O próximo avanço linguístico importante ocorre quando a criança junta duas palavras para expressar uma ideia ("Dolly caiu"). Normalmente ela faz isso entre 18 e 24 meses, mas essa faixa etária varia bastante. Embora a fala pré-linguística esteja, até certo ponto, intimamente ligada à idade cronológica, a fala linguística não está. A maioria das crianças que começa a falar tardiamente acaba alcançando as outras – e muitas compensam o tempo perdido falando sem parar com quem se disponha a ouvir. (O verdadeiro atraso no desenvolvimento da linguagem será discutido no Cap. 10.)

As primeiras sentenças de uma criança frequentemente tratam de eventos, coisas, pessoas ou atividades do dia a dia (Braine, 1976; Rice, 1989; Slobin, 1973). As crianças em geral usam a **fala telegráfica**, que consiste em apenas algumas poucas palavras essenciais. Quando Rita diz "Bobó endo", parece querer dizer "Vovó está varrendo o chão". O uso da fala telegráfica por parte das crianças e a forma assumida variam dependendo da língua a ser aprendida (Braine, 1976; Slobin, 1983). A ordem das palavras está de acordo com aquilo que a criança ouve; Rita não diz "Endo bobó" quando vê a avó varrendo. Em outras palavras, as crianças ilustram o entendimento implícito da estrutura de sua língua com a ordem das palavras que usam.

A omissão de palavras funcionais, como *é* ou *o/a* significa que a criança não conhece essas palavras? Não necessariamente. A criança pode simplesmente achar que são difíceis de reproduzir. Mesmo durante o primeiro ano, os bebês são sensíveis ao uso de palavras funcionais. Aos 10 meses e meio, podem distinguir entre uma frase normal e outra na qual as palavras funcionais tenham sido substituídas por palavras sem sentido e com som semelhante (Jusczyk, 2003).

A certa altura, entre 20 e 30 meses, as crianças demonstram uma competência cada vez maior na **sintaxe**, as regras para juntar sentenças em sua língua. A sintaxe é a razão pela qual uma frase como "o homem morde cão" difere de "cão morde o homem", e isso nos permite compreender e produzir um número infinito de enunciados. As crianças também ficam cada vez mais conscientes do propósito comunicativo da fala e do fato de suas palavras serem entendidas (Dunham, Dunham, & O'Keefe, 2000; Shwe & Markman, 1997), um sinal de crescente sensibilidade à vida mental dos outros. Por volta dos 3 anos, a fala é fluente, mais longa e mais complexa. Embora a criança frequentemente omita partes do discurso, ela consegue comunicar com sucesso o que quer dizer.

## Características da fala inicial

A fala inicial tem uma característica bastante própria – não importa que língua a criança esteja falando (Slobin, 1970, 1990). Como já vimos, as crianças *simplificam*. Elas usam a fala telegráfica para dizer o suficiente sobre suas intenções ("Não toma leite!").

As crianças *entendem relações gramaticais que ainda não conseguem expressar*. A princípio, Nina talvez entenda que o cão está correndo atrás do gato, mas não consegue pôr em sequência palavras suficientes para expressar a ação completa. Sua sentença sai como "Cachorro corre", e não "Cachorro corre atrás do gato".

As crianças também cometem erros em relação à categoria que uma palavra descreve, restringindo ou generalizando o significado da palavra. Quando *restringem o significado das palavras*, usam-nas de uma forma demasiado restrita para que se tornem uma categoria. O tio de Lisa deu-lhe um carro de brinquedo que a menina de 13 meses chamou de "cuca". Depois, o pai chegou a casa com um presente dizendo: "Olha, Lisa, um carrinho pra você". Lisa balançou a cabeça. "Cuca", ela disse, e correu e pegou aquele que o tio lhe havia dado. Para ela, *aquele* carro – e *somente* aquele carro – era um carrinho, e levou algum tempo até ela chamar qualquer outro carrinho de brinquedo pelo mesmo nome. Lisa estava restringindo a palavra *carro* a um único objeto.

Alternativamente, as crianças também *supergeneralizam os significados das palavras*. Aos 14 meses, Ajay pulou de alegria ao ver um homem de cabelo grisalho na televisão e gritou "vovô!". Ajay estava *supergeneralizando* uma palavra; ele pensou que, em virtude de seu avô ter o cabelo grisalho, todos os homens de cabelo grisalho poderiam ser chamados "avô". À medida que a criança desenvolve um vocabulário maior e obtém *feedback* dos adultos sobre a propriedade do que diz, ela generaliza menos. ("Não, querido, aquele homem parece ser o vovô, mas ele é vovô de outra pessoa, não o seu.")

As crianças *super-regularizam regras*. A super-regularização é um erro de linguagem, mas, apesar disso, ilustra o conhecimento crescente das crianças sobre sintaxe. Ela ocorre quando as crianças aplicam uma regra sintática de forma inadequada. Demora algum tempo até as crianças aprenderem as regras, bem como as respectivas exceções, e elas nos demonstram esse processo nas palavras que dizem. Por exemplo, as crianças em geral usam as exceções à regra em primeiro lugar. Costumam aprendê-las de cor a partir das frases que ouvem mais vezes. Depois, aprendem a regra e usam-na para preencher os espaços em branco quando não conseguem se lembrar da exceção. É só no início da idade escolar, quando se tornam mais proficientes na língua, que memorizam as exceções e começam a aplicá-las.

---

**fala telegráfica**
Forma inicial do uso de sentenças que consiste em falar apenas algumas palavras essenciais.

**sintaxe**
Regras para formar sentenças em determinada língua.

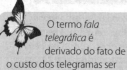

O termo *fala telegráfica* é derivado do fato de o custo dos telegramas ser calculado pelo número de palavras. Para economizar dinheiro, as pessoas eliminam todos os componentes do discurso, menos os essenciais, de uma forma muito parecida com a que os bebês usam, recorrendo apenas às palavras necessárias para comunicar as intenções.

## Teorias clássicas de aquisição da linguagem: o debate genética-ambiente

A capacidade linguística é aprendida ou inata? Na década de 1950, travou-se um debate entre duas escolas de pensamento: uma liderada por B. F. Skinner, o principal proponente da teoria da aprendizagem, e outra pelo linguista Noam Chomsky.

Skinner (1957) sustentava que o aprendizado da linguagem, como qualquer outro aprendizado, baseia-se na experiência e nas associações aprendidas. Segundo a teoria clássica da aprendizagem, a criança aprende a linguagem por meio de condicionamento operante. A princípio, o bebê emite sons aleatórios. Os cuidadores reforçam os sons que se assemelham à fala adulta. Os bebês, então, repetem esses sons reforçados, e a linguagem é gradualmente moldada. Os teóricos da aprendizagem social estendem esse modelo inicial para explicar a imitação. Segundo a teoria da aprendizagem social, o bebê imita os sons que ouve dos adultos e, novamente, é reforçado a fazer isso.

Por exemplo, Lila, enquanto balbucia para si mesma, descuidadamente diz "Pa". Seus pais ouvem-na e sorriem, prestam atenção e a elogiam pelo som. Lila é assim reforçada e, por isso, continua a dizer "Pa". A certa altura, os pais cansam disso e deixam de reforçar o som. Mas, a seguir, Lila diz "papa". Agora os pais irão novamente recompensá-la. Contudo, mais uma vez, a atenção vai diminuindo gradualmente, e agora a palavra só é reforçada quando o pai está presente. Com o passar do tempo, o reforço seletivo dos pais às aproximações cada vez mais parecidas com a fala no contexto certo resulta na formação da linguagem. Além disso, a imitação das expressões pelos pais dá às crianças uma variedade de sons e de palavras para reforçar.

Observação, imitação e reforço contribuem para o desenvolvimento da linguagem, mas, como persuasivamente argumentou Chomsky (1957), não podem explicá-lo totalmente. Em primeiro lugar, as combinações e nuanças de palavras são tão numerosas e tão complexas que não podem ser todas adquiridas por imitação específica e reforço. Além disso, os cuidadores em geral reforçam expressões que não são estritamente gramaticais, contanto que façam sentido ("Vovô vai tchau tchau"). A própria fala do adulto não é um modelo confiável para imitar, pois frequentemente é agramatical e contém falsos inícios, sentenças inacabadas e desvios do idioma. E a teoria da aprendizagem não explica as maneiras imaginativas que as crianças têm de dizer coisas que nunca ouviram – como quando Anna, de 2 anos, descreveu um tornozelo torcido como um "tornozido" e disse que ainda não queria ir dormir porque não estava "bocejenta".

A concepção de Chomsky é chamada de **inatismo**. Diferentemente da teoria da aprendizagem de Skinner, o inatismo enfatiza o papel ativo daquele que aprende. Chomsky (1957, 1972, 1995) propôs que o cérebro humano tem uma capacidade inata para adquirir linguagem; bebês aprendem a falar tão naturalmente quanto aprendem a andar. Ele sugeriu que um **dispositivo de aquisição da linguagem (DAL)** programa o cérebro da criança para analisar a língua que ela ouve e a inferir suas regras.

O fundamento da concepção inatista vem da capacidade dos recém-nascidos de diferenciar sons similares, o que sugere que eles "nascem com mecanismos perceptivos que são sintonizados de acordo com as propriedades da fala" (Eimas, 1985, p. 49). Os inatistas apontam para o fato de que quase todas as crianças dominam sua língua natal na mesma sequência relacionada à idade sem aprendizagem formal. Além disso, o cérebro do ser humano, o único animal com linguagem plenamente desenvolvida, contém uma estrutura que é maior em um dos lados, indicando que pode haver um mecanismo inato para processar som e linguagem localizado no hemisfério maior – o esquerdo, para a maioria das pessoas (Gannon, Holloway, Broadfield, & Braun, 1998). A existência de períodos de sensibilidade para a linguagem também sustenta a posição inatista.

Entretanto, a abordagem inatista não explica exatamente como opera esse mecanismo. Não nos diz por que algumas crianças adquirem linguagem com mais rapidez e eficiência que outras, por que as crianças diferem em habilidade e fluência linguística ou por que (como veremos) o desenvolvimento da fala parece depender de se ter alguém para conversar, e não somente de ouvir a linguagem falada. O inatismo também não aborda os aspectos motivacionais do desenvolvimento – que os bebês são compelidos para a comunicação e recompensados por comunicar.

Bebês surdos parecem aprender a linguagem de sinais da mesma maneira e pela mesma sequência que as crianças ouvintes aprendem a falar. Assim como bebês ouvintes de pais ouvintes imitam expres-

---

**Verificador**
**você é capaz de...**

- Traçar uma típica sequência de marcos no desenvolvimento inicial da linguagem, destacando a influência da linguagem que os bebês ouvem a sua volta?
- Descrever cinco aspectos em que a fala inicial difere da fala adulta?

O inglês é, de modo geral, considerado uma segunda língua desafiadora para se aprender. Parte disso é porque esse idioma tem diversas exceções às regras.

**inatismo**
Teoria de que os seres humanos têm uma capacidade inata para adquirir linguagem.

**dispositivo de aquisição da linguagem (DAL)**
Na terminologia de Chomsky, mecanismo inato que permite à criança inferir regras linguísticas do idioma que ouve.

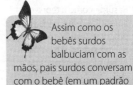
Assim como os bebês surdos balbuciam com as mãos, pais surdos conversam com o bebê (em um padrão típico de fala infantilizada) por meio de gestos.

# Pelo mundo

## INVENTANDO A LÍNGUA DE SINAIS

**7.2**

Todas as comunidades humanas têm *linguagem*, um sistema de símbolos para comunicar pensamentos. Crianças normalmente aprendem a linguagem a que estão expostas desde o nascimento sem instruções especiais. Mas o que acontece se as crianças não puderem adquirir a linguagem que as rodeia? Será que inventarão alguma?

Para responder a essa questão, pesquisadores estudaram crianças nascidas surdas e que vivem com pais que não dominam a língua de sinais e, por isso, não podem expor seus filhos a ela. Essas crianças se comunicam espontaneamente por meio de gestos que são organizados de forma diferente dos gestos casuais que os pais usam. Os gestos das crianças são semelhantes à linguagem; correspondem a partes da fala, como substantivos e verbos, que são combinados em sequências como as frases. Por exemplo, uma criança convida um adulto para dividir o lanche: primeiro aponta para o lanche, a seguir, leva a mão à boca para fazer o gesto de comer e, depois, aponta para o adulto. Ainda assim, esses sinais não constituem um sistema completo de linguagem porque as crianças não têm parceiros surdos para se comunicar.

Na década de 1980, quando crianças surdas da Nicarágua em idade escolar que estavam aprendendo leitura labial em espanhol foram reunidas pela primeira vez, desenvolveram uma verdadeira língua de sinais, que tem sido adaptada por muitas crianças surdas e que evoluiu a partir de gestos simples para palavras e frases que seguem regras linguísticas (Senghas & Coppola, 2001; Senghas, Kita, & Ozyürek, 2004). Da mesma forma, a Língua de Sinais Al-Sayyid Beduína que surgiu espontaneamente em uma aldeia isolada do deserto do Negev, em Israel, tem uma estrutura gramatical sistemática diferente, ao contrário da Língua de Sinais de Israel (Israeli Sign Language) ou do dialeto árabe falado por membros ouvintes da comunidade (Sandler, Meir, Padden, & Aronoff, 2005). Diferentemente da Língua de Sinais da Nicarágua (Nicaraguan Sign Language), a Língua de Sinais Beduína (Bedouin Sign Language) é transmitida de pais para filhos, como ocorre em famílias ouvintes.

Todas as línguas de sinais, inclusive a americana (American Sign Language), devem a existência a um processo semelhante. Essas línguas são estruturadas de uma forma muito parecida com a língua falada, e as crianças expostas a elas desde o nascimento adquirem-nas tão naturalmente como as crianças ouvintes adquirem sua língua. Uma diferença, porém, é a de que a língua de sinais é mais fácil de compreender e de inventar do que a fala. Assim, o desenvolvimento de novas línguas de sinais oferece "uma oportunidade única para vislumbrar a linguagem nos seus primeiros estágios e vê-la crescer" (Goldin-Meadow, 2007, p. 4).

*Fonte:* Se não houver citação em contrário, a matéria deste box deve-se a Goldin-Meadow (2007).

**Qual a sua opinião?** A criação da Língua de Sinais da Nicarágua parece apoiar as teorias inatistas de aquisição da linguagem ou as teorias de aprendizagem?

---

**Verificador**
**você é capaz de...**

■ Resumir como a teoria da aprendizagem e o inatismo procuram explicar a aquisição da linguagem, e mostrar os pontos fortes e fracos de cada teoria?

---

sões vocais, bebês surdos de pais igualmente surdos parecem imitar a linguagem de sinais que veem os pais utilizar, primeiro formando uma sequência de movimentos sem sentido e depois repetindo-os seguidamente no que tem sido chamado de *balbucio manual*. À medida que os pais reforçam esses gestos, os bebês associam significado a eles (Petitto & Marentette, 1991; Petitto, Holowka, Sergio, & Ostry, 2001). Para saber mais sobre o desenvolvimento da linguagem de sinais, especialmente em crianças sem modelos linguísticos, ver o Box 7.2.

A teoria da aprendizagem não explica a correspondência entre as idades em que ocorrem os avanços linguísticos tanto em bebês que ouvem quanto em bebês surdos (Padden, 1996; Petitto, Katerelos et al., 2001; Petitto & Kovelman, 2003). Bebês surdos começam o balbucio manual entre 7 e 10 meses, aproximadamente a idade em que bebês sadios começam o balbucio vocal (Petitto, Holowka et al., 2001; Petitto & Marentette, 1991). Bebês surdos também começam a usar sentenças na língua de sinais por volta da mesma idade em que bebês que ouvem começam a falar por meio de sentenças (Meier, 1991; Newport & Meier, 1985). Essas descobertas sugerem que uma capacidade inata para a linguagem pode estar subjacente à aquisição tanto da língua falada quanto da língua de sinais e que os avanços em ambas as linguagens estão vinculados à maturação do cérebro.

Hoje, a maioria dos cientistas do desenvolvimento sustenta que a aquisição da linguagem, assim como muitos outros aspectos do desenvolvimento, depende de um entrelaçamento de genética e ambiente. As crianças, sejam ouvintes ou surdas, provavelmente têm uma capacidade inata de adquirir linguagem, o que pode ser ativado ou restringido pela experiência.

# Influências no desenvolvimento da linguagem

O que determina a rapidez e a eficácia com que a criança aprende a entender e usar a linguagem? As pesquisas têm-se concentrado nas influências tanto internas quanto externas.

**Desenvolvimento do cérebro**   O enorme crescimento do cérebro durante os primeiros meses e anos está intimamente ligado ao desenvolvimento da linguagem. O choro do recém-nascido é controlado pelo *tronco encefálico* e pela *ponte*, as partes mais primitivas do cérebro e as primeiras a se desenvolverem (ver Cap. 6). É possível que o balbucio repetitivo surja com a maturação de partes do *córtex motor,* que controla os movimentos da face e da laringe. Um estudo de imagem do cérebro aponta para o aparecimento de um vínculo entre a percepção fonética e os sistemas motores do cérebro já aos 6 meses – uma ligação que se fortalece dos 6 aos 12 meses (Imada et al., 2006). O desenvolvimento da linguagem afeta ativa as redes neurais, comprometendo-as com o reconhecimento dos sons da língua nativa apenas (Kuhl, 2004; Kuhl et al., 2005). Em outras palavras, a exposição à linguagem ajuda a moldar o cérebro em desenvolvimento, e, por sua vez, o desenvolvimento do cérebro ajuda a criança a aprender a língua.

Estudos de neuroimagem, que medem mudanças no potencial elétrico em determinadas partes desse órgão durante a atividade cognitiva, confirmam a sequência do desenvolvimento do vocabulário esboçada anteriormente neste capítulo. Em crianças pequenas com vocabulário extenso, a ativação do cérebro tende a focalizar os lobos temporal e parietal esquerdos, enquanto em crianças com vocabulário mais modesto a ativação é mais dispersada (Kuhl & Rivera-Gaxiola, 2008). As regiões corticais associadas à linguagem continuam a se desenvolver até pelo menos os últimos anos da pré-escola ou além – algumas até a idade adulta.

Em cerca de 98% das pessoas, o hemisfério esquerdo é dominante para a linguagem, embora o hemisfério direito também participe (Knecht et al., 2000; Nobre & Plunkett, 1997; Owens, 1996). Imagens de bebês balbuciando mostram que, assim como na fala adulta, a boca abre mais do lado direito do que do lado esquerdo. Como o hemisfério esquerdo do cérebro controla a atividade do lado direito do corpo, a a lateralização das funções linguísticas aparentemente começa muito cedo (Holowka & Petitto, 2002; ver Cap. 6). A lateralização da linguagem aumenta no início da idade adulta, permitindo o desenvolvimento contínuo das habilidades de linguagem (Szaflarski, Holland, Schmithorst, & Weber-Byars, 2004).

**Interação social: o papel dos pais e cuidadores**   A linguagem é um ato social. Exige interação. Não bastam o mecanismo biológico e a capacidade cognitiva necessários, é preciso também interação com um interlocutor vivo. Crianças que crescem sem um contato social normal – por exemplo, aquelas que estão linguisticamente isoladas ou que sofrem de autismo – não desenvolvem a linguagem normalmente. E aquelas que aprendem a linguagem apenas por meio da televisão e não interagem com um parceiro ao vivo também não conseguirão aprender a falar aquela língua. Em um experimento de laboratório, falantes nativos do mandarim leram para e brincaram com bebês de 9 meses, regularmente, de 4 a 6 semanas. Testes comportamentais e estudos de neuroimagem feitos até um mês depois da última sessão mostraram que os bebês haviam aprendido – e retido – sílabas do mandarim não usadas no inglês. Em contrapartida, um grupo-controle que havia sido exposto à mesma fala mandarim por intermédio de tutores televisados ou apenas por meio de áudio não teve desempenho melhor que outro grupo-controle que somente ouviu inglês (Kuhl & Rivera-Gaxiola, 2008).

Os pais e outros cuidadores desempenham um papel importante em cada fase do desenvolvimento da linguagem. Fazem-no (1) proporcionando *oportunidades para experiências comunicativas,* o que motiva os bebês a aprender a língua, e (2) fornecendo *modelos de uso da linguagem* (Hoff, 2006). A idade dos pais ou dos cuidadores, o modo como eles interagem e conversam com o bebê, a ordem de nascimento da criança, a experiência em cuidar de criança e, mais tarde, a escolaridade, os colegas e a exposição à televisão afetam o ritmo da aquisição da linguagem. O mesmo acontece com a cultura em um sentido mais amplo. Os marcos indicadores do desenvolvimento da linguagem descritos neste capítulo são típicos de crianças ocidentais de classe média envolvidas em diálogos diretos. Não são necessariamente típicos de todas as culturas, nem de todos os níveis socioeconômicos (Hoff, 2006).

**Período pré-linguístico**   Na fase de balbucio, os adultos ajudam o bebê a avançar na direção da fala verdadeira repetindo os sons que ele emite e recompensando seus esforços. O bebê logo adere à brincadeira e repete de volta os sons. A imitação dos sons da criança por parte dos pais afeta a quantidade de vocalização do bebê (Goldstein, King, & West, 2003) e o ritmo de aprendizagem da linguagem (Hardy-Brown & Plomin, 1985; Hardy-Brown, Plomin, & DeFries, 1981; Schmitt, Simpson, & Friend, 2011). Isso também ajuda os bebês a experimentar o aspecto social da fala, a noção de que uma conversa consiste em falas alternadas (Kuhl, 2004), uma ideia que a maioria dos bebês parece compreender entre

> **Verificador**
> **você é capaz de...**
>
> ■ Citar áreas do cérebro envolvidas no desenvolvimento inicial da linguagem e dizer a função de cada uma delas?

*Brincar de esconder. Essa brincadeira, jogada em todo o mundo, ajuda bebês a desenvolver conceitos cognitivos, como a antecipação.*

Brincar de esconder envolve revezamento, o mesmo que acontece nas conversas e na maior parte das interações sociais.

A pesquisa mostrou que as mães que levaram seus bebês a aulas de língua de sinais sofriam de mais estresse do que as mães que não o fizeram. Dado que a quantidade de tempo gasto nas aulas não estava relacionada ao aumento do estresse, os pesquisadores concluíram que não foram as aulas que o causaram. Qual poderá ser a explicação alternativa para a descoberta?

*Howlett, Kirk, & Pine, 2010*

**mistura de código**
O uso de elementos de duas línguas, às vezes na mesma expressão, por crianças pequenas em lares onde ambas as línguas são faladas.

**troca de código**
Mudança na fala para corresponder à situação, como acontece com pessoas que são bilíngues.

7 meses e meio e 8 meses. Já aos 4 meses, o bebê, ao brincar de esconder, demonstra sensibilidade à estrutura de troca social com o adulto (Rochat, Querido, & Striano, 1999).

O ato de apontar também é importante na aquisição da linguagem. Os cuidadores podem ajudar os bebês a entenderem palavras faladas apontando, por exemplo, para uma boneca e dizendo "Por favor, me dê a boneca", incentivando o bebê a seguir o olhar do cuidador (Kuhl, 2004). Se o bebê não responder, o adulto pode pegar na boneca e dizer "boneca". Em um estudo longitudinal, a responsividade das mães a crianças de 9 meses e, sobretudo, à vocalização e às brincadeiras de crianças de 13 meses previu o momento dos marcos de desenvolvimento da linguagem, como as primeiras palavras faladas e as primeiras sentenças (Tamis-LeMonda, Bornstein, & Baumwell, 2001).

**Desenvolvimento do vocabulário**    Como os pais poderão facilitar o desenvolvimento da linguagem nas crianças? Quando o bebê começa a falar, os pais ou cuidadores podem incrementar o desenvolvimento do vocabulário repetindo as primeiras palavras e pronunciado-as corretamente. A atenção compartilhada, discutida anteriormente neste capítulo, resulta em um desenvolvimento mais rápido do vocabulário (Hoff, 2006). Isso não é surpreendente – a compreensão compartilhada e o foco em um evento ou um objeto aliado à atribuição de um nome ao objeto pela mãe compõem um quadro extremamente favorável para a aquisição da linguagem.

Existe uma forte relação entre a frequência de palavras específicas na fala das mães e a ordem em que a criança as aprende (Brent & Siskind, 2001; Huttenlocher, Haight, Bryk, Seltzer, & Lyons, 1991), bem como entre a loquacidade das mães e o tamanho do vocabulário dos bebês (Huttenlocher, 1998; Schmitt, Simpson, & Friend, 2011). Mães de condição socioeconômica mais elevada tendem a usar vocabulários mais ricos e expressões mais longas, e seus filhos de 2 anos têm um vocabulário falado mais extenso – chegando a ser oito vezes maior que o de crianças da mesma idade de baixo nível socioeconômico (Hoff, 2003; Ramey & Ramey, 2003). Aos 3 anos, o vocabulário de crianças de baixa renda varia muito, dependendo, em grande parte, da diversidade dos tipos de palavra que ouvem a mãe usar (Pan, Rowe, Singer, & Snow, 2005).

Entretanto, a sensibilidade e a responsividade parentais podem ser ainda mais importantes que o número de palavras usado pela mãe. Em um estudo que durou um ano e envolveu 290 famílias de baixa renda com crianças de 2 anos, tanto a sensibilidade quanto a consideração positiva dos pais pela criança e a estimulação cognitiva que proporcionavam durante as brincadeiras puderam prever o vocabulário e o desenvolvimento cognitivo da criança aos 2 e aos 3 anos de idade (Tamis-LeMonda et al., 2004).

Em lares onde se fala mais de uma língua, os bebês atingem marcos de desenvolvimento semelhantes em cada uma das línguas, no mesmo esquema de crianças que ouvem apenas uma (Petitto, Katerelos et al., 2001; Petitto & Kovelman, 2003). Crianças que aprendem duas línguas tendem, no entanto, a ter vocabulário menor em cada uma delas do que crianças que aprendem somente uma língua (Hoff, 2006). Crianças bilíngues com frequência utilizam elementos de ambas as línguas, às vezes na mesma expressão – um fenômeno chamado **mistura de código** (Petitto, Katerelos et al., 2001; Petitto & Kovelman, 2003). Em Montreal, crianças de 2 anos de lares bilíngues sabem diferenciar as duas línguas, utilizando o francês com o pai, que fala predominantemente esse idioma, e o inglês com a mãe, que habitualmente fala o inglês (Genesee, Nicoladis, & Paradis, 1995). Essa capacidade de mudar de uma língua para outra se chama **troca de código** (o Cap. 13 discute a aprendizagem do segundo idioma).

**Fala dirigida à criança**    Você não precisa ser mãe (ou pai) para falar o "manhês". Se ao falar com um bebê ou com uma criança pequena você fala devagar, com a voz em um tom agudo e exagerando nos altos e baixos, simplifica sua fala, exagera nos sons vocais e utiliza palavras e sentenças curtas, além de muita repetição, você está praticando a **fala dirigida à criança (FDC)**, às vezes chamada de *manhês* ou *conversa de bebê*. A maioria dos adultos e mesmo crianças o fazem naturalmente, e até mesmo outros estímulos relacionados com bebês, como cachorros e gatos, podem provocar esse tipo de fala.

Essa "conversa de bebê" já foi documentada em muitas línguas e culturas (Kuhl et al., 1997), sugerindo que é universal na natureza. Em um estudo transcultural de observação, mães nos Estados Unidos, na Rússia e na Suécia eram gravadas falando com seus filhos entre 2 e 5 meses de idade. Independentemente do idioma falado – inglês, russo ou sueco –, as mães exageravam nos sons das vogais quando falavam com seus bebês, o que não acontecia quando falavam com adultos. Com 20 semanas, o balbucio dos bebês continha vogais distintas que refletiam diferenças fonéticas para as quais a fala de suas mães os havia alertado (Kuhl et al., 1997).

Muitos pesquisadores acreditam que a FDC ajuda o bebê a aprender sua língua nativa ou pelo menos a captá-la mais rápido ao exagerar e direcionar a atenção para os aspectos distintivos dos sons da fala (Kuhl et al., 2005). Além disso, a atenção das crianças é "capturada" pelo som porque elas o consideram muito envolvente, o que resulta em aprendizagem mais rápida (Fernauld, 1985). Outros estudiosos questionam o valor da FDC. Eles afirmam que os bebês falam mais cedo e melhor se ouvirem e puderem responder à fala adulta mais complexa (Gleitman, Newport, & Gleitman, 1984; Oshima-Takane, Goodz, & Derevensky, 1996). No entanto, os próprios bebês preferem ouvir a fala simplificada. Essa preferência fica clara praticamente desde o nascimento e parece não depender de nenhuma experiência específica (Cooper & Aslin, 1990; Kuhl et al., 1997; Kuhl & Rivera-Gaxiola, 2008; Werker, Pegg, & McLeod, 1994).

## Preparação para o letramento: os benefícios da leitura em voz alta

A maioria dos bebês adora ouvir uma leitura. A frequência com que os cuidadores leem para eles pode influenciar a qualidade da fala de uma criança e, por fim, a qualidade e a época do **letramento** – a capacidade de ler e escrever. Em um estudo com 2.581 famílias de baixa renda, aproximadamente metade das mães declarou que lia diariamente para seus filhos em idade pré-escolar entre 14 meses e 3 anos. Crianças para quem os pais haviam lido diariamente tinham melhores habilidades cognitivas e linguísticas com 3 anos (Paikes et al., 2006) e melhor compreensão de leitura aos 7 anos do que seus pares (Crain-Thoreson & Dale, 1992; Sénéchal & LeFevre, 2002; Wells, 1985).

O modo como os pais ou cuidadores leem para as crianças faz diferença. Os adultos tendem a utilizar três estilos de leitura para criança: descritor, entendedor e orientado para o desempenho. O estilo *descritor* preocupa-se em descrever o que está acontecendo nas figuras e convida a criança a fazer o mesmo ("O que a mamãe e o papai estão comendo no café da manhã?"). O *entendedor* incentiva a criança a olhar mais profundamente para o significado da história e a fazer inferências e previsões ("O que você acha que o leão vai fazer agora?"). O leitor *orientado para o desempenho* lê a história até o fim, apresentando de antemão os temas principais e fazendo perguntas depois. O estilo de leitura do adulto deve se adaptar às necessidades e habilidades da criança. Em um estudo experimental com 50 crianças de 4 anos, realizado em Dunedin, Nova Zelândia, o estilo descritor foi o mais benéfico para habilidades relacionadas ao vocabulário e às ilustrações, mas o estilo orientado para o desempenho foi mais benéfico para crianças que já tinham um vocabulário extenso (Reese & Cox, 1999).

A interação social na leitura em voz alta e outras atividades diárias são fundamentais para uma boa parte do desenvolvimento infantil. As crianças provocam respostas nas pessoas ao seu redor e, por sua vez, reagem a essas respostas. No Capítulo 8, veremos mais de perto essas influências bidirecionais à medida que explorarmos o desenvolvimento psicossocial.

**fala dirigida à criança (FDC)**
Tipo de fala frequentemente usada para conversar com bebês ou crianças pequenas; trata-se de uma fala lenta e simplificada, com tonalidade alta, sons vogais exagerados, palavras e sentenças curtas e muita repetição; também chamada de *manhês*.

Quando os bebês ouvem a FDC, o ritmo cardíaco diminui, um estado fisiológico coerente com a orientação para e a absorção da informação.

**letramento**
Habilidade para ler e escrever.

**Verificador**
você é capaz de...
- Explicar a importância da interação social e dar pelo menos três exemplos de como os pais ou cuidadores ajudam os bebês a aprender a falar?
- Avaliar os argumentos a favor e contra o valor da fala dirigida à criança (FDC)?
- Dizer por que é benéfico ler em voz alta para a criança quando ela ainda é pequena, e descrever um modo eficaz de fazê-lo?

*Apesar da controvérsia sobre o valor da fala dirigida à criança, ou manhês, essa forma simplificada de falar atrai os bebês e é altamente favorável à aquisição da linguagem.*

# resumo & palavras-chave

## ❶ Estudando o desenvolvimento cognitivo: seis abordagens

***Quais são as seis abordagens ao estudo do desenvolvimento cognitivo?***

- As seis abordagens ao estudo do desenvolvimento cognitivo são: behaviorista, psicométrica, piagetiana, processamento de informações, neurociência cognitiva e sociocontextual.
- Todas essas abordagens podem esclarecer como a cognição se desenvolve no início da vida.
  **abordagem behaviorista (166)**
  **abordagem psicométrica (167)**
  **abordagem piagetiana (167)**
  **abordagem do processamento de informações (167)**
  **abordagem da neurociência cognitiva (167)**
  **abordagem sociocontextual (167)**

## ❷ Abordagem behaviorista: os mecanismos básicos da aprendizagem

***Como os bebês aprendem e por quanto tempo podem lembrar?***

- Dois tipos de aprendizagem simples estudados pelos behavioristas são o condicionamento clássico e o condicionamento operante.
  **condicionamento clássico (167)**
  **condicionamento operante (167)**
- A pesquisa de Rovee-Collier sugere que os processos da memória nos bebês são muito semelhantes aos dos adultos, embora essa conclusão tenha sido questionada. As memórias dos bebês podem ser estimuladas por lembretes periódicos.

## ❸ Abordagem psicométrica: testes de desenvolvimento e de inteligência

***A inteligência dos bebês e de crianças até 3 anos pode ser medida? E como pode ser aprimorada?***

- Os testes psicométricos medem fatores que supostamente constituem a inteligência.
- Testes de desenvolvimento, como as Escalas Bayley de Desenvolvimento Infantil, podem indicar o atual funcionamento da inteligência, mas, em geral, têm pouca utilidade para prever o funcionamento futuro.
- O nível socioeconômico, as práticas familiares e o ambiente doméstico podem afetar a inteligência medida.
- Se o ambiente doméstico não oferecer as condições necessárias que servirão de base para a competência cognitiva, talvez seja preciso fazer uma intervenção precoce.
  **comportamento inteligente (168)**
  **testes de QI (quociente de inteligência) (169)**
  **Escalas Bayley de Desenvolvimento Infantil (169)**
  **Inventário HOME (169)**
  **intervenção precoce (170)**

## ❹ Abordagem piagetiana: o estágio sensório-motor

***Como Piaget descreveu o desenvolvimento cognitivo de bebês e crianças pequenas e como suas convicções foram sustentadas?***

- Durante o estágio sensório-motor proposto por Piaget, os esquemas dos bebês tornam-se mais elaborados. Eles progridem de reações circulares primárias para secundárias e terciárias e, por fim, para o desenvolvimento da capacidade de representação, que torna possível a imitação diferida, a simulação e a resolução de problemas.
- A permanência do objeto desenvolve-se gradualmente, segundo Piaget.
- A pesquisa sugere que várias capacidades, inclusive a imitação e a permanência do objeto, desenvolvem-se antes do que Piaget descreveu. Ele pode ter subestimado o entendimento dos bebês sobre a prática da permanência do objeto e sobre suas capacidades de imitação.
  **estágio sensório-motor (171)**
  **esquemas (171)**
  **reações circulares (171)**
  **capacidade de representação (173)**
  **imitação visível (174)**
  **imitação invisível (174)**
  **imitação diferida (174)**
  **imitação induzida (175)**
  **permanência do objecto (175)**
  **erro A-não-B (176)**
  **hipótese da dupla representação (177)**

## ❺ Abordagem do processamento de informações: percepções e representações

***Como podemos medir a capacidade dos bebês de processar informações, e quando eles começam a entender as características do mundo físico?***

- Os pesquisadores em processamento de informação medem processos mentais por meio da habituação e de outros indicativos de habilidades visuais e perceptuais. Contrariamente às ideias de Piaget, essa pesquisa sugere que a capacidade de representação interna está presente praticamente desde o nascimento.
- Indicadores da eficiência do processamento de informação no bebê, como a velocidade de habituação, tendem a prever a inteligência futura.
- Técnicas de processamento de informação como habituação, preferência por novidade e o método da violação de expectativas têm produzido evidências de que bebês entre 3 meses e meio e 5 meses podem ter um entendimento rudimentar das habilidades propostas por Piaget, como categorização, causalidade, permanência do objeto, noção de número e capacidade de raciocinar sobre características do mundo físico. Alguns pesquisadores sugerem que os bebês podem ter mecanismos inatos de aprendizagem para a aquisição desse conhecimento. Entretanto, o significado dessas descobertas é controverso.
  **habituação (178)**
  **desabituação (178)**
  **preferência visual (178)**
  **memória de reconhecimento visual (179)**
  **transferência intermodal (180)**
  **violação de expectativas (183)**

## Capítulo 7 • Desenvolvimento cognitivo durante os três primeiros anos

**199**

### ⑥ Abordagem da neurociência cognitiva: as estruturas cognitivas do cérebro

***O que a pesquisa sobre o cérebro pode revelar a respeito do desenvolvimento das habilidades cognitivas?***

- Memória explícita e memória implícita estão localizadas em estruturas distintas do cérebro.
- A memória de trabalho surge entre os 6 e os 12 meses de vida.
- Os desenvolvimentos neurológicos ajudam a explicar o surgimento das habilidades piagetianas e as habilidades de memória.
  **memória implícita (186)**
  **memória explícita (186)**
  **memória de trabalho (186)**

### ⑦ Abordagem sociocontextual: aprendendo nas interações com cuidadores

***De que maneira a interação social com adultos faz a competência cognitiva avançar?***

- As interações sociais com adultos contribuem para a competência cognitiva por intermédio de atividades compartilhadas que ajudam a criança a aprender habilidades, conhecimentos e valores importantes em sua cultura.
  **participação guiada (187)**

### ⑧ Desenvolvimento da linguagem

***Como os bebês desenvolvem a linguagem e quais são as influências que contribuem para o progresso linguístico?***

- A aquisição da linguagem é um aspecto importante do desenvolvimento cognitivo.
- A fala pré-linguística inclui choro, arrulho, balbucio e imitação dos sons da língua. Aos 6 meses, o bebê aprendeu os sons básicos de sua língua e começou a vincular som e significado. A percepção das categorias sonoras na linguagem nativa pode comprometer os circuitos neurais com o futuro aprendizado dessa língua apenas.
- Antes de pronunciarem sua primeira palavra, os bebês utilizam gestos.

- A primeira palavra costuma surgir entre 10 e 14 meses, dando início à fala linguística. Para muitas crianças, ocorre um "surto de nomeação" entre os 16 e os 24 meses de idade.
- As primeiras sentenças breves normalmente surgem entre 18 e 24 meses. Por volta dos 3 anos, a sintaxe e a capacidade de comunicação estão razoavelmente desenvolvidas.
- A fala inicial é caracterizada pela simplificação, restrição e supergeneralização dos significados das palavras e universalização das regras.
- Duas visões teóricas clássicas sobre como a criança adquire a linguagem são a teoria da aprendizagem e o inatismo. Hoje, a maioria dos cientistas do desenvolvimento afirma que a capacidade inata de aprender a linguagem pode ser ativada ou restringida pela experiência.
- As influências sobre o desenvolvimento da linguagem são a maturação do cérebro e a interação social.
- Características de família, como nível socioeconômico, uso da língua adulta e responsividade materna, afetam o desenvolvimento do vocabulário da criança.
- Crianças que ouvem duas línguas em casa frequentemente aprendem ambas no mesmo ritmo que crianças que ouvem apenas uma língua e sabem utilizar cada uma delas na circunstância apropriada.
- A fala dirigida à criança (FDC) parece trazer benefícios cognitivos, emocionais e sociais, e os bebês demonstram preferência por ela. Entretanto, alguns pesquisadores questionam esse valor.
- Ler em voz alta para uma criança desde os primeiros meses ajuda a preparar o caminho para o letramento.
  **linguagem (188)**
  **fala pré-linguística (188)**
  **fala linguística (190)**
  **holofrase (190)**
  **fala telegráfica (192)**
  **sintaxe (192)**
  **inatismo (193)**
  **dispositivo de aquisição da linguagem (DAL) (193)**
  **mistura de código (196)**
  **troca de código (196)**
  **fala dirigida à criança (FDC) (197)**
  **letramento (197)**

*Capítulo* **8**

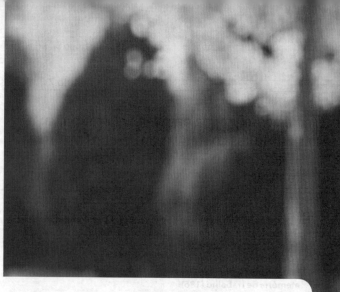

# Desenvolvimento psicossocial durante os três primeiros anos

## Sumário

Fundamentos do desenvolvimento psicossocial

Questões de desenvolvimento dos bebês

Questões de desenvolvimento do 1º ao 3º ano

Gênero: qual a diferença entre meninos e meninas?

Contato com outras crianças

Filhos de pais que trabalham fora

## Você sabia que...

▶ Orgulho, vergonha e culpa são as últimas emoções a serem desenvolvidas?

▶ Conflitos com irmãos e amigos podem ajudar crianças pequenas a aprenderem a negociar e resolver disputas?

▶ O impacto do emprego dos pais e da creche é muito menor do que o das características familiares, como a sensibilidade da mãe para com o filho?

*Neste capítulo, traçamos a mudança da dependência para a independência na infância. Examinamos primeiro as bases do desenvolvimento psicossocial: emoções, temperamento, gênero e primeiras experiências com os pais. Consideramos as ideias de Erikson sobre o desenvolvimento da confiança e da autonomia. Focalizamos o relacionamento com cuidadores, o senso emergente do self e as bases da consciência. Exploramos o relacionamento com os irmãos e com outras crianças. Por fim, consideramos o impacto cada vez maior do emprego dos pais e da creche.*

Brincar é a melhor forma de pesquisa.

— Albert Einstein

**202** **PARTE III** • Primeira infância

# Guia de estudo

1. Quando e como se desenvolvem as emoções e como os bebês as demonstram?
2. Como os bebês demonstram diferenças de temperamento e por quanto tempo elas se mantêm?
3. Como os bebês adquirem confiança em seu mundo e formam vínculos afetivos e como bebês e cuidadores leem os sinais não verbais uns dos outros?
4. Quando e como surge o senso de *self* e como as crianças pequenas exercitam a autonomia e desenvolvem padrões para comportamentos socialmente aceitáveis?
5. Quando e como aparecem as diferenças de gênero?
6. Como os bebês e as crianças pequenas interagem com os irmãos e com as outras crianças?
7. Como o fato de os pais trabalharem fora e a creche afetam o desenvolvimento dos bebês e das crianças pequenas?

## Guia de estudo 1

Quando e como se desenvolvem as emoções e como os bebês as demonstram?

**personalidade**
Combinação relativamente consistente de emoções, temperamento, pensamento e comportamento que torna cada pessoa única.

**emoções**
Reações subjetivas a experiências que estão associadas a mudanças fisiológicas e comportamentais.

# Fundamentos do desenvolvimento psicossocial

Embora os bebês apresentem os mesmos padrões de desenvolvimento, cada um deles, desde o início, exibe uma **personalidade** distinta: a combinação relativamente coerente de emoções, temperamento, pensamento e comportamento que torna cada pessoa única. De maneira geral, um bebê pode ser alegre; outro se irrita com facilidade. Há crianças que gostam de brincar com as demais; outras preferem brincar sozinhas. Esses modos característicos de sentir, pensar e agir, que refletem influências tanto inatas quanto ambientais, afetam a maneira como a criança responde aos outros e se adapta ao seu mundo. Da primeira infância em diante, o desenvolvimento da personalidade se entrelaça com as relações sociais (Quadro 8.1). Essa combinação chama-se *desenvolvimento psicossocial*.

Ao explorarmos o desenvolvimento psicossocial, primeiro focalizaremos as emoções, que moldam as respostas ao mundo. Em seguida, abordaremos o temperamento, um bloco inicial de construção da personalidade. Por último, discutiremos as primeiras experiências sociais da criança na família e como os pais podem influenciar as diferenças comportamentais entre meninos e meninas.

## Emoções

Lembre-se da última vez em que um filme de terror o assustou. Provavelmente seu coração disparou no peito, e você até pode ter tido dificuldades para respirar. É provável que seus olhos estivessem presos à tela e você estivesse muito concentrado na ação que se desenrolava a sua frente. Se alguém lhe tocasse de forma repentina, provavelmente você teria se assustado. Você estava sentindo a emoção do medo. **Emoções**, como o medo, são reações subjetivas à experiência e que estão associadas a mudanças fisiológicas e comportamentais. O padrão característico de reações emocionais de uma pessoa começa a se desenvolver durante a primeira infância e constitui um elemento básico da personalidade. As pessoas diferem na frequência e na intensidade com que sentem determinada emoção, nos tipos de eventos que podem produzi-la, nas manifestações físicas que demonstram e no modo como agem em consequência disso. A cultura influencia o modo como as pessoas se sentem em relação a uma situação e a maneira como expressam suas emoções. Por exemplo, algumas culturas asiáticas, que enfatizam a harmonia social, desencorajam expressões de raiva, mas dão muita importância à vergonha. O oposto frequentemente é verdadeiro na cultura norte-americana, que enfatiza a autoexpressão, a autoafirmação e a autoestima (Cole, Bruschi, & Tamang, 2002).

**Os primeiros sinais de emoção** Os recém-nascidos deixam bem claro quando estão se sentindo infelizes. Dão gritos agudos, agitam os braços e as pernas e enrijecem o corpo. É mais difícil saber quando estão felizes. Durante o primeiro mês, ficam quietos ao som de uma voz humana ou quando alguém os pega no colo e poderão sorrir quando um adulto pegar suas mãos para fazer com que batam palmas. À medida que o tempo passa, os bebês tornam-se mais responsivos às pessoas – sorriem, arrulham, esticam os braços e, por fim, vão ao seu encontro.

**QUADRO 8.1** Aspectos mais importantes do desenvolvimento psicossocial, do nascimento ao 36º mês

| Idade aproximada, em meses | Características |
|---|---|
| 0-3 | Os bebês estão abertos à estimulação. Eles começam a demonstrar interesse e curiosidade e sorriem prontamente para as pessoas. |
| 3-6 | Os bebês podem antecipar o que está prestes a acontecer e se decepcionam em caso contrário. Demonstram isso ficando zangados ou agindo de modo cauteloso. Sorriem, arrulham e riem com frequência. Essa é uma fase de despertar social e de trocas recíprocas entre o bebê e o cuidador. |
| 6-9 | Os bebês brincam de "jogos sociais" e tentam obter respostas das pessoas. Eles "conversam", tocam e agradam outros bebês para fazê-los responder. Expressam emoções mais diferenciadas, demonstrando alegria, medo, raiva e surpresa. |
| 9-12 | Os bebês preocupam-se muito com seu cuidador principal, podem ter medo de estranhos e agem de modo submisso em situações novas. Por volta de 1 ano, comunicam suas emoções de maneira mais clara, demonstrando variações de humor, ambivalência e gradação de sentimentos. |
| 12-18 | As crianças exploram seu ambiente utilizando as pessoas que estão mais ligadas como base segura. À medida que vão dominando o ambiente, tornam-se mais confiantes e mais ansiosas por se autoafirmar. |
| 18-36 | Crianças pequenas às vezes ficam ansiosas porque agora percebem o quanto estão se separando do cuidador. Elaboram a consciência de suas limitações na fantasia, nas brincadeiras e identificando-se com os adultos. |

*Fonte:* Adaptado de Sroufe, 1979.

Esses primeiros sinais ou indícios de sentimentos nos bebês são importantes indicativos de desenvolvimento. Quando eles querem ou precisam de alguma coisa, choram; quando se sentem sociáveis, sorriem ou dão risada. Quando suas mensagens trazem uma resposta, aumenta a sensação de ligação com outras pessoas. A sensação de controle sobre seu mundo também aumenta quando percebem que seu choro traz ajuda e conforto e que seu sorriso e sua risada provocam uma reação também de sorriso e risada. Eles se tornam mais aptos a participar ativamente na regulação de seus estados de excitação e de sua vida emocional.

**Choro** Chorar é a maneira mais veemente – e às vezes a única – de os bebês comunicarem suas necessidades. Algumas pesquisas distinguiram quatro padrões de choro (Wolff, 1969): o básico *choro de fome* (um choro rítmico, que nem sempre está associado à fome); o *choro de raiva* (uma variação do choro rítmico em que o excesso de ar é forçado pelas cordas vocais); o *choro de dor* (um súbito ataque de choro intenso sem gemidos preliminares, às vezes seguido por retenção do fôlego); e o *choro de frustração* (dois ou três choros prolongados, sem retenção prolongada do fôlego) (Wood & Gustafson, 2001).

Alguns pais preocupam-se com o fato de, ao pegarem constantemente o bebê chorão no colo, estarem mimando a criança. Contudo, se os pais deixarem o choro de aflição transformar-se em gritos estridentes de fúria, talvez fique mais difícil acalmar o bebê, e esse padrão, se repetidamente vivenciado, poderá interferir na capacidade da criança de regular ou administrar seus próprios estados emocionais (R. A. Thompson, 1991, 2011). Em termos ideais, o método mais saudável, do ponto de vista do desenvolvimento, talvez seja *evitar* a aflição, tornando desnecessária a tranquilização.

**Sorriso e risada** Os primeiros sorrisos ocorrem espontaneamente logo após o nascimento, aparentemente como resultado da atividade do sistema nervoso subcortical. Esses sorrisos involuntários aparecem frequentemente durante os períodos de sono REM (ver Cap. 5). Com 1 mês de idade, os sorrisos normalmente são induzidos por tonalidades altas, quando o bebê está sonolento. Durante o segundo mês, à medida que desenvolve o reconhecimento visual, o bebê passa a sorrir mais com os estímulos visuais, como os de faces que ele conhece (Sroufe, 1997; Wolff, 1963).

O sorriso social, quando os recém-nascidos olham para os pais e sorriem para eles, não se desenvolve antes do segundo mês de vida. Esse sorriso sinaliza a participação ativa e positiva do bebê no relacionamento. O desenvolvimento do sorriso envolve alterações tanto no momento em que surgem quanto no formato dos próprios sorrisos. A risada é uma vocalização ligada ao sorriso que se torna mais comum entre os 4 e os 12 meses, quando pode significar a mais intensa e positiva emoção (Salkind, 2005).

Quando um bebê saudável chora mais de três horas por dia, três dias por semana, por mais de três semanas sem uma causa aparente, o motivo em geral é cólica.

Esses primeiros sorrisos às vezes são conhecidos como "sorrisos instintivos" porque frequentemente ocorrem em resposta a processos fisiológicos.

*O choro permite a este bebê comunicar suas necessidades. Os pais, em geral, aprendem a reconhecer se o bebê está chorando de fome, raiva, frustração ou dor.*

**emoções autoconscientes**
Emoções como constrangimento, empatia e inveja, que dependem da autoconsciência.

**autoconsciência**
Percepção de que a própria existência e funcionamento estão separados daqueles de outras pessoas e coisas.

**emoções autoavaliadoras**
Emoções como orgulho, vergonha e culpa, que dependem tanto da autoconsciência quanto do conhecimento de padrões de comportamento socialmente aceitos.

*Os primeiros sorrisos do bebê são involuntários, mas a partir do primeiro mês se tornam mais frequentes e sociais. Este bebê pode estar sorrindo porque está vendo os pais ou os cuidadores.*

Aos 6 meses de idade, os sorrisos do bebê refletem uma troca emocional com um parceiro. Conforme ele cresce, torna-se mais ativamente envolvido em comportamentos divertidos de ação mútua. Um bebê de 6 meses poderá dar risadinhas em resposta à mãe quando esta produzir sons incomuns ou aparecer com uma toalha cobrindo o rosto; aos 10 meses, se a toalha cair, talvez tente, rindo, colocá-la de volta no rosto da mãe. Essa mudança reflete o desenvolvimento cognitivo: quando ri do inesperado, o bebê demonstra que sabe o que espera; ao inverter as ações, ele mostra que tem consciência de que pode fazer as coisas acontecerem. A risada também ajuda o bebê a descarregar tensões, como o medo de um objeto ameaçador (Sroufe, 1997).

Dos 12 aos 15 meses, os bebês comunicam-se intencionalmente com o parceiro a respeito de objetos. O sorriso antecipatório – quando os bebês sorriem ao ver um objeto e depois olham para um adulto enquanto continuam sorrindo – pode ser o primeiro passo. O sorriso antecipatório aumenta abruptamente sua frequência entre os 8 e os 10 meses e parece estar entre os primeiros tipos de comunicação em que o bebê se refere a um objeto ou experiência.

Os primeiros sorrisos podem ajudar a prever o desenvolvimento futuro. Bebês de 4 meses que sorriem mais em resposta a um móbile tendem a ser mais exuberantes aos 4 anos, mais propensos a conversarem e a participarem. Bebês de 6 meses que sorriem para um rosto imóvel têm maior probabilidade de ter uma vinculação segura aos 12 meses. Assim, a forma como o bebê sorri, bem como os momentos em que o faz, mudam com o desenvolvimento. À medida que o bebê exerce maior controle quando sorri entre os 3 e os 6 meses, ele se torna mais capacitado a sorrir intensamente para participar de situações sociais altamente excitantes.

**Quando aparecem as emoções?** O desenvolvimento emocional é um processo ordenado; emoções complexas desdobram-se de outras mais simples. De acordo com um modelo de desenvolvimento emocional (Lewis, 1997; Fig. 8.1), o bebê revela sinais de contentamento, interesse e aflição logo após o nascimento. Trata-se de respostas difusas, reflexas, a maior parte fisiológicas, à estimulação sensorial ou a processos internos. Durante os próximos 6 meses, esses estados emocionais iniciais se diferenciam em verdadeiras emoções: alegria, surpresa, tristeza, repugnância e, depois, raiva e medo – reações a eventos que têm significado para o bebê. Conforme será discutido na próxima seção, o surgimento dessas emoções básicas, ou primárias, está relacionado com o relógio biológico da maturação neurológica.

As **emoções autoconscientes**, como o constrangimento, a inveja e a empatia (discutida mais detalhadamente na seção subsequente), surgem somente depois que a criança desenvolveu a **autoconsciência**: compreensão cognitiva de que ela tem uma identidade reconhecível, separada e diferente do resto de seu mundo. Essa consciência da *self* parece surgir entre 15 e 24 meses. A autoconsciência é necessária para que a criança possa estar consciente de ser o foco da atenção, identificar-se com o que outros "*selves*" estão sentindo ou desejar o que outra pessoa tem. Por volta dos 3 anos, tendo adquirido autoconsciência e mais algum conhecimento sobre os padrões, as regras e as metas aceitos de sua sociedade, a criança torna-se mais capacitada para avaliar seus próprios pensamentos, planos, desejos e comportamento com relação àquilo que é considerado socialmente apropriado. Só então ela pode demonstrar **emoções autoavaliadoras** como orgulho, culpa e vergonha (Lewis, 1995, 1997, 1998, 2007). Em outras palavras, as crianças devem entender que estão separadas de todas as outras pessoas — e que os outros podem ter opiniões sobre seus comportamentos serem corretos ou incorretos — antes que possam compreender e sentir essas emoções sociais.

Culpa e vergonha são emoções distintas, embora ambas possam ser respostas a transgressões. Crianças que fracassam ao colocar em prática os padrões comportamentais podem se sentir culpadas (i.e., lamentar seu comportamento), mas não sentem necessariamente falta de autoestima, como quando se sentem envergonhadas. Seu foco é sobre o *ato* ruim, não sobre o *self* ruim (Eisenberg, 2000).

**Crescimento do cérebro e desenvolvimento emocional** O desenvolvimento do cérebro após o nascimento está intimamente ligado a mudanças na

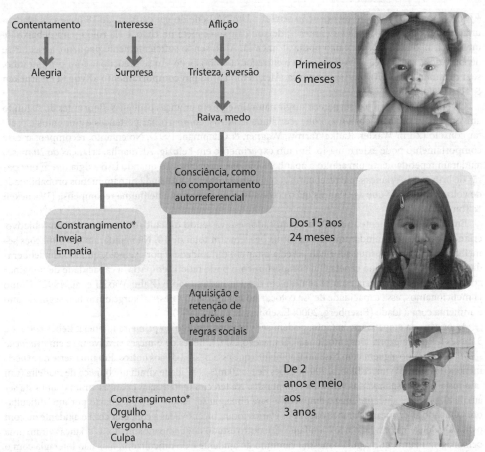

**FIGURA 8.1**
Diferenciação das emoções durante os três primeiros anos.
*Emoções primárias, ou básicas, surgem aproximadamente durante os primeiros seis meses; as emoções autoconscientes desenvolvem-se por volta dos 18 aos 24 meses, como resultado do surgimento da autoconsciência (consciência do self) junto com a acumulação de conhecimento sobre regras e padrões sociais.*
Fonte: Adaptada de Lewis, 1997, Fig. 1, p. 120.

\* Nota: Há dois tipos de constrangimento. O primeiro tipo não envolve avaliação de comportamento e pode simplesmente ser uma resposta ao fato de ser objeto de atenção. O segundo tipo, o constrangimento avaliativo, que surge durante o terceiro ano, é uma forma branda do sentimento de vergonha.

vida emocional. Esse processo é bidirecional: as experiências emocionais não apenas são afetadas pelo desenvolvimento do cérebro como podem causar efeitos duradouros na estrutura cerebral (Mlot, 1998; Sroufe, 1997).

Quatro importantes mudanças na organização do cérebro correspondem aproximadamente a mudanças no processamento emocional (Schore, 1994; Sroufe, 1997; ver Figura 6.6). Durante os três primeiros meses, começa a diferenciação das emoções básicas à medida que o *córtex cerebral* torna-se funcional e faz surgir as percepções cognitivas. Diminuem o sono REM e o comportamento reflexo, inclusive o sorriso neonatal espontâneo.

A segunda mudança ocorre por volta dos 9 ou 10 meses, quando os *lobos frontais* começam a interagir com o *sistema límbico*, uma das regiões do cérebro associada às reações emocionais. Ao mesmo tempo, estruturas límbicas como o *hipocampo* tornam-se maiores e mais semelhantes à estrutura adulta. Conexões entre o córtex frontal e o *hipotálamo* e o sistema límbico, que processam a informação sensorial, podem facilitar a relação entre as esferas cognitiva e emocional. À medida que essas conexões tornam-se mais densas e mais elaboradas, o bebê poderá ao mesmo tempo experimentar e interpretar emoções.

A terceira mudança ocorre durante o segundo ano, quando o bebê desenvolve a autoconsciência, as emoções autoconscientes e maior capacidade para regular suas emoções e atividades. Essas mudanças, que podem estar relacionadas à mielinização dos lobos frontais, são acompanhadas por uma maior mobilidade física e comportamento exploratório.

A quarta mudança ocorre por volta dos 3 anos, quando alterações hormonais no sistema nervoso autônomo (involuntário) coincidem com o surgimento das emoções avaliadoras. Subjacente ao desenvolvimento de emoções como a vergonha pode estar um afastamento da dominância por parte do *sistema simpático*, a parte do sistema autônomo que prepara o corpo para a ação, enquanto amadurece o *sistema parassimpático*, a parte do sistema autônomo envolvida na excreção e na excitação sexual.

## Ajuda altruísta, empatia e cognição social

**comportamento altruísta**
Atividade em que se pretende ajudar outra pessoa sem esperar recompensa.

**empatia**
Capacidade de se colocar no lugar de outra pessoa e sentir o que ela sente.

**neurônios-espelhos**
Neurônios que são ativados quando uma pessoa faz alguma coisa ou observa outro fazendo a mesma coisa.

**cognição social**
Capacidade de entender que os outros têm estados mentais e de avaliar seus sentimentos e ações.

**egocentrismo**
Terminologia de Piaget para a incapacidade de considerar o ponto de vista de outra pessoa; uma característica do pensamento de crianças pequenas.

Crianças pequenas em geral se empenham em algo conhecido como superimitação, copiando detalhadamente todas as ações dos adultos, mesmo se algumas dessas ações forem irrelevantes ou impraticáveis. Chimpanzés, em contrapartida, pulam as etapas nas quais nada acontece. Os pesquisadores pensam que a propensão universal a superimitar pode estar ligada à complexidade de nossa cultura.

*Nielsen & Tomaselli, 2010*

**Ajuda altruísta, empatia e cognição social** Um hóspede do pai de Alex, de 18 meses de idade – uma pessoa que Alex nunca vira antes –, deixou cair sua caneta no chão, e ela rolou para debaixo de um armário, onde o hóspede não podia alcançá-la. Alex, sendo suficientemente pequeno, arrastou-se debaixo do armário, recuperou a caneta e entregou-a ao hóspede. Ao se preocupar com um estranho, sem nenhuma expectativa de recompensa, Alex demonstrou um **comportamento altruísta** (Warneken & Tomasello, 2006).

O comportamento altruísta parece surgir naturalmente em crianças pequenas. Bem antes do segundo aniversário, as crianças costumam oferecer ajuda a outros, compartilhar pertences e alimentos e prestar consolo (Zahn-Waxler, Radke-Yarrow, Wagner, & Chapman, 1992). No entanto, recompensar esse comportamento pode exterminá-lo. Em um experimento em Leipzig, Alemanha, crianças de 20 meses ajudaram repetidamente um adulto a apanhar objetos caídos, mesmo quando isso exigia terem que parar de brincar. As crianças que receberam recompensa material pela ajuda tinham menos probabilidade de voltar a ajudar do que as crianças que receberam apenas elogios e nenhuma recompensa (Warneken & Tomasello, 2008).

Em outro experimento, quando o pesquisador estava tendo dificuldade em alcançar um objetivo, crianças de 18 meses ajudaram em seis situações, em um total de 10. Não ajudaram em situações semelhantes em que o pesquisador não parecia estar em dificuldade – por exemplo, quando ele deliberadamente deixou cair uma caneta. Tal comportamento pode refletir **empatia**, a capacidade de imaginar como outra pessoa poderia estar se sentido em determinada situação (Zahn-Waxler et al., 1992). Como já mencionamos, essa capacidade de "se colocar no lugar de outra pessoa" surge durante o segundo ano e aumenta com a idade (Eisenberg, 2000; Eisenberg & Fabes, 1998).

As origens da empatia, no entanto, podem ser vistas no começo da primeira infância. Bebês entre 2 e 3 meses reagem a expressões emocionais (Tomasello, 2007). Bebês de 6 meses envolvem-se em *avaliação social*, valorizando alguém com base no tratamento que essa pessoa dá aos outros. Em uma série de experimentos (Hamlin, Wynn, & Bloom, 2007), bebês de 6 e 10 meses de idade viram um boneco de madeira (um "alpinista") tentar subir várias vezes uma montanha. Na terceira tentativa, as crianças viram o alpinista ser auxiliado por um "ajudante", que o empurrava para cima, ou ser empurrado para baixo por um "dificultador". Quando as crianças de ambos os grupos etários foram incentivadas a cooperar com o ajudante ou com o dificultador, a maioria escolheu o ajudante. Em outro estudo de acompanhamento, as crianças viram uma personagem neutra, que seguia o mesmo caminho do ajudante e do dificultador, mas não interagia com o alpinista. Quando lhes pediram para escolher entre o ajudante e a personagem neutra, as crianças preferiram o ajudante, e, entre a personagem neutra e o dificultador, preferiram a personagem neutra.

As pesquisas em neurobiologia identificaram recentemente células especiais do cérebro chamadas *neurônios espelhos*, que podem ser a base da empatia e do altruísmo. Os **neurônios-espelhos**, localizados em várias partes do cérebro, são ativados quando uma pessoa faz alguma coisa, mas também quando ela observa outro indivíduo fazendo o mesmo. Ao "espelharem" as atividades e motivações dos outros, permitem que se veja o mundo do ponto de vista da outra pessoa. Os neurônios-espelhos têm sido associados à aprendizagem por imitação, bem como à gênese do autoconhecimento, da linguagem e do raciocínio abstrato. Transtornos do espectro autista (ver Box 6.1 no Cap. 6) podem representar mau funcionamento ou supressão do sistema de espelhamento; crianças com autismo e transtornos relacionados têm menos empatia, menor ligação emocional, são pouco capazes de ler estados emocionais em relação a outras crianças, e seus exames de imagem cerebral mostram menor atividade dos neurônios-espelhos (Iacoboni, 2008; Iacoboni & Mazziotta, 2007; Oberman & Ramachandran, 2007).

A empatia depende da **cognição social**, a capacidade de entender que os outros têm estados mentais e de avaliar seus sentimentos e intenções. Piaget sustentava que o **egocentrismo** (incapacidade de entender o ponto de vista de outra pessoa) atrasa o desenvolvimento dessa capacidade até o estágio das operações concretas, na terceira infância, mas uma pesquisa mais recente sugere que a cognição social começa muito mais cedo. Em um estudo, crianças de 9 meses (mas não as de 6 meses) reagiram de formas diferentes a uma pessoa que não estava disposta a lhes dar um brinquedo e a outra que tentava lhes dar um brinquedo, mas que acidentalmente o deixou cair. Essa constatação sugere que as crianças mais velhas de certa forma haviam entendido as intenções de outra pessoa (Behne, Carpenter, Call, & Tomasello, 2005).

**Intencionalidade compartilhada e atividade colaborativa** A motivação para ajudar e compartilhar e a capacidade de compreender as intenções dos outros contribuem em conjunto para um desenvolvimento importante entre 9 e 12 meses de idade. A colaboração com os cuidadores em atividades

# Capítulo 8 • Desenvolvimento psicossocial durante os três primeiros anos

conjuntas, como a criança segurar e entregar um par de meias quando o cuidador a está vestindo, é um exemplo de atividade que exige **intencionalidade compartilhada:** atenção compartilhada para um objetivo comum (Tomasello, 2007).

As atividades colaborativas aumentam durante o segundo ano de vida, à medida que as crianças se tornam mais hábeis na comunicação — primeiro por gestos, depois com palavras. Aos 12 meses, Jasmine apontou para a bola para mostrar que queria jogar com o pai. Quando a bola rolou para debaixo de uma cadeira, apontou para o móvel para ajudar o pai a saber onde a bola estava. E, quando o pai perdeu o interesse no jogo, apontou para a bola para lembrá-lo de que era a vez dele. A explosão de vocabulário que ocorre com frequência durante o segundo ano permite uma comunicação colaborativa complexa melhor e mais flexível (Tomasello, 2007).

## Temperamento

Todos os bebês são únicos, logo a partir do primeiro dia de vida. Alguns são exigentes, enquanto outros são felizes e tranquilos. Alguns são ativos, dão chutes e se contorcem inquietos à menor provocação, outros ficam calmamente deitados enquanto observam quem os rodeia por meio dos olhos arregalados. Alguns bebês gostam de conhecer pessoas, outros evitam o contato.

Os psicólogos chamam essas diferenças individuais iniciais de **temperamento**, que pode ser definido como a tendência precoce e de origem biológica para responder ao meio ambiente de forma previsível. O temperamento afeta o modo como as crianças se aproximam do mundo exterior e reagem a ele, bem como a forma como elas regulam suas funções mentais e emocionais e seu comportamento (Rothbart, Ahadi, & Evans, 2000; Rueda & Rothbart, 2009). O temperamento está intimamente ligado às respostas emocionais ao meio ambiente, porque sorrisos ou gritos são, na maioria das vezes, de natureza emocional. No entanto, diferentemente de emoções como o medo, a excitação e o tédio, que aparecem e desaparecem, ele é relativamente estável e duradouro. As diferenças individuais no temperamento, que, acredita-se, derivam da constituição biológica básica da pessoa, formam o núcleo da personalidade em desenvolvimento.

**Estudando os padrões de temperamento: o Estudo Longitudinal de Nova York**   Para melhor apreciar como o temperamento afeta o comportamento, vejamos três irmãs. Amy, a mais velha, era um bebê alegre e calmo que comia, dormia e evacuava regularmente. Ela saudava cada dia e a maioria das pessoas com um sorriso, e o único indício de que estava acordada durante a noite era o tilintar do pianinho de brinquedo em seu berço. Quando Brooke, a irmã do meio, despertava, ela abria a boca para chorar antes mesmo de abrir os olhos. Ela dormia e comia pouco e de modo irregular; ria e chorava alto, esbravejando com frequência; e tinha de ser convencida de que desconhecidos e experiências novas não eram ameaçadores antes de vivenciar a novidade. A irmã mais nova, Christina, era moderada em suas respostas. Desconfiava de novas situações, mas acabava por se entrosar. Por exemplo, se fosse à casa de um novo amigo para brincar, esconderia-se primeiro atrás de sua mãe, espiando timidamente. No entanto, depois de cerca de meia hora, estaria feliz, conversando e brincando com o novo amigo.

Amy, Brooke e Christina são exemplos dos três tipos principais de temperamento encontrados pelo Estudo Longitudinal de Nova York (NYLS, em inglês). Nesse estudo pioneiro sobre o temperamento, pesquisadores acompanharam 133 bebês até a idade adulta. Eles observaram o nível de atividade das crianças; o grau de regularidade de seus hábitos de alimentação, sono e evacuação; a disposição para aceitar pessoas e situações novas; como se adaptavam a mudanças na rotina; sua sensibilidade a ruídos, luz forte e outros estímulos sensoriais; a intensidade de suas respostas; se tendiam a ser agradáveis, alegres e amistosas, ou desagradáveis, infelizes e hostis; e se eram persistentes em suas tarefas ou se distraíam com facilidade (Thomas, Chess, & Birch, 1968).

Os pesquisadores conseguiram incluir a maioria das crianças do estudo em uma destas três categorias (Quadro 8.2):

- Quarenta por cento eram **crianças fáceis**, como Amy: em geral alegres, funcionam dentro do ritmo biológico e aceitam experiências novas.
- Dez por cento eram o que os pesquisadores chamaram de **crianças difíceis**, como Brooke: mais irritáveis e mais difíceis de agradar, com ritmos biológicos irregulares e mais intensas na expressão emocional.

---

**intencionalidade compartilhada**
Atenção compartilhada para um objetivo comum.

### ▶ Verificador
**você é capaz de...**

- Explicar o significado de padrões de choro, sorriso e risada?
- Traçar um sequência típica de aparecimento das emoções básicas, autoconscientes e avaliativas e explicar sua conexão com o desenvolvimento neurológico e cognitivo?
- Discutir o surgimento do comportamento altruísta, da empatia, da cognição social e da atividade colaborativa, explicando como esses desenvolvimentos estão relacionados?

---

## Guia de estudo 2

Como os bebês demonstram diferenças de temperamento e por quanto tempo elas se mantêm?

**temperamento**
Disposição característica ou estilo de abordagem e reação às situações.

**crianças fáceis**
Crianças de temperamento alegre, ritmos biológicos regulares e dispostas a aceitar novas experiências.

**crianças difíceis**
Crianças de temperamento irritadiço, ritmos biológicos irregulares e respostas emocionais intensas.

**QUADRO 8.2** Três padrões de temperamento (segundo o Estudo Longitudinal de Nova York)

| Criança fácil | Criança difícil | Criança de "aquecimento lento" |
|---|---|---|
| O humor oscila entre brando e moderado e em geral é positivo. | Expressa humores intensos e normalmente negativos; chora com frequência e aos berros; ri com estardalhaço. | Apresenta reações razoavelmente intensas, tanto positivas quanto negativas. |
| Responde bem à novidade e à mudança. Desenvolve rapidamente horários regulares para o sono e a alimentação. | Não responde bem à novidade e à mudança. Dorme e se alimenta de maneira irregular. | Responde lentamente à novidade e à mudança. Dorme e se alimenta com mais regularidade que a criança difícil e com menos regularidade que a criança fácil. |
| Passa a ingerir novos alimentos com facilidade. Sorri para estranhos. | Demora a aceitar novos alimentos. Desconfia de estranhos. | A resposta inicial a novos estímulos é moderadamente negativa (primeiros contatos com pessoas, lugares ou situações desconhecidos). |
| Adapta-se facilmente a novas situações. | Adapta-se lentamente a novas situações. | |
| Aceita a maior parte das frustrações sem muito estardalhaço. | Reage furiosamente à frustração. | |
| Adapta-se rapidamente a novas rotinas e a regras de novas brincadeiras. | Ajusta-se lentamente à novas rotinas. | Aceita gradualmente novos estímulos, depois de repetidas exposições e sem pressão. |

*Fonte:* Adaptado de A. Thomas & Chess, "Genesis and evolution of behavioral disorders: From infancy to early adult life". *American Journal of Psychiatry*, 141 (1) 1984, pp. 1-9. Copyright © 1984 da American Psychiatric Association. Reproduzido com autorização.

**crianças de "aquecimento lento"**
Crianças cujo temperamento é em geral moderado, mas que hesitam em aceitar novas experiências.

*Os bebês fáceis, como esta menininha, respondem felizes a uma grande variedade de situações e com medo mínimo.*

- Quinze por cento eram **crianças de "aquecimento lento"**, como Christina: moderadas, mas lentas em se adaptar a pessoas desconhecidas e a situações novas (Thomas & Chess, 1977, 1984).

Algumas crianças não se encaixam perfeitamente em nenhuma dessas três categorias. Um bebê pode comer e dormir regularmente, mas ter medo de estranhos. Uma criança pode ser fácil a maior parte do tempo, mas nem sempre. Outra criança pode interessar-se lentamente por novos alimentos, mas adaptar-se rapidamente a novas babás (Thomas & Chess, 1984). Uma criança pode rir intensamente, mas não demonstrar frustração intensa, e outra com hábitos regulares de higiene pode apresentar padrão de sono irregular (Rothbart et al., 2000). Todas essas variações são normais.

**Como o temperamento é medido?** Como os procedimentos de entrevista e a classificação usados no NYLS são complexos, muitos pesquisadores utilizam um formulário com questionários resumidos. Um instrumento de autorrelato dos pais, o Questionário do Comportamento do Bebê (IBQ) de Rothbart (Gartstein & Rothbart, 2003; Rothbart et al., 2000), aborda várias dimensões do temperamento do bebê, semelhantes às do NYLS: nível de atividade, emoções positivas (sorrir e gargalhar), medo, frustração, capacidade de serem tranquilizados e duração da orientação (uma combinação do tempo de duração da distração e da atenção), bem como fatores adicionais, como intensidade de prazer, sensibilidade perceptiva e mudanças na atenção. Os pais avaliam seus bebês em relação a eventos e comportamentos concretos recentes ("Com que frequência durante a última semana o bebê sorriu quando lhe deram um brinquedo?", em vez de "O bebê responde positivamente a novos eventos?").

Embora as avaliações dos pais sejam as medidas mais comumente usadas para o temperamento das crianças, sua validade é questionável. Por exemplo, estudos de gêmeos constataram que os pais tendem a classificar o temperamento da criança por comparação com as outras crianças da família — como classificar a criança como inativa pelo contraste com o irmão mais ativo (Saudino, 2003a). No entanto, as observações dos pesquisadores podem, da mesma forma, refletir vieses (Seifer, 2003). Os pais veem seus filhos em diversas situações do dia a dia, enquanto os estudiosos observam apenas como a criança reage a determinadas situações padronizadas. Portanto, a combinação de métodos poderá fornecer uma imagem mais precisa da forma como o temperamento afeta o desenvolvimento da criança (Rothbart & Hwang, 2002; Saudino, 2003a, 2003b).

**O quão estável é o temperamento?** Recém-nascidos mostram diferentes padrões de sono, agitação e atividade, e essas diferenças tendem a persistir até certo ponto (Korner, 1996; Korner et al., 1985). Estudos que usaram o IBQ encontraram fortes ligações entre o temperamento do bebê e a personalidade da criança aos 7 anos (Rothbart, Ahadi, Hershey, & Fisher, 2001; Rothbart et al., 2000). Outros pesquisadores, usando tipos de temperamentos semelhantes àqueles do NYLS, descobriram que o temperamento aos 3 anos prevê aproximadamente a personalidade aos 18 e aos 21 anos (Caspi, 2000; Caspi & Silva, 1995; Newman, Caspi, Moffitt, & Silva, 1997).

O fato de o temperamento ser relativamente estável está relacionado com as influências biológicas subjacentes a ele. O temperamento parece ser em grande parte inato, provavelmente hereditário (Braungart, Plomin, DeFries, & Fulker, 1992; Emde et al., 1992; Schmitz, Saudino, Plomin, Fulker, & DeFries, 1996; Thomas & Chess, 1984). Assim, não é surpreendente que se encontre a estabilidade do temperamento ao longo do tempo. Isso não significa, porém, que o temperamento esteja plenamente formado no nascimento. Ele se desenvolve à medida que aparecem as várias emoções e capacidades autorregulatórias (Rothbart et al., 2000) e pode mudar em resposta ao tratamento dado pelos pais e a outras experiências da vida (Belsky, Fish, & Isabella, 1991; Kagan & Snidman, 2004).

Por exemplo, o temperamento é afetado por práticas de educação infantil influenciadas pela cultura. Bebês da Malásia, um grupo de ilhas no sudeste da Ásia, tendem a ser menos adaptáveis, mais cautelosos em relação a novas experiências e mais prontamente responsivos a estímulos do que bebês norte-americanos, talvez porque os pais malásios não costumam expor crianças pequenas a situações que exijam adaptabilidade e encorajam-nas a ter uma percepção aguda das sensações, como a necessidade de troca de fralda (Banks, 1989).

A maneira como você faz uma pergunta influencia a resposta que terá. Os pesquisadores deste estudo basearam seus dados em relatos dos pais – o que os pais disseram sobre seus filhos –, portanto não causa surpresa que as dimensões mais destacadas foram aquelas relativas à dificuldade ou à facilidade dos filhos.

**Temperamento e adaptação: adequação da educação**   Segundo o NYLS, a chave para uma adaptação saudável é a **adequação da educação** – a combinação entre o temperamento de uma criança e as exigências e restrições ambientais que ela deve enfrentar. Podemos considerar a adequação da educação como um descritor da relação cuidador-criança ou a adequação entre a criança e o contexto social mais amplo. Se o que se espera é que uma criança muito ativa fique quieta por longos períodos, se uma criança de aquecimento lento for constantemente forçada a lidar com novas situações, ou se uma criança persistente for constantemente afastada de projetos interessantes, poderá haver tensões. Bebês com temperamentos difíceis podem ser mais suscetíveis à qualidade dos cuidados parentais do que bebês de temperamento fácil ou de "aquecimento lento" e talvez precisem de mais apoio emocional combinado com respeito por sua autonomia (Belsky, 1997, 2005; Stright, Gallagher, & Kelley, 2008). Cuidadores que reconhecem que a criança age de certa maneira, não de propósito, por preguiça ou estupidez ou para irritá-los, mas por causa principalmente de um temperamento inato, estão menos propensos a sentir culpa, ansiedade ou hostilidade, a perder o controle ou a se tornarem rígidos ou impacientes. Poderão prever as reações da criança e ajudá-la a se adaptar – por exemplo, avisando antecipadamente a necessidade de interromper uma atividade ou apresentando novas situações gradualmente à criança.

**adequação da educação**
Adequação das exigências e restrições ambientais ao temperamento da criança.

**Timidez e ousadia: influências da biologia e da cultura**   Como já mencionamos, o temperamento tem uma base biológica. Uma diferença individual de base biológica que tem sido identificada como importante é a *inibição comportamental*. A inibição comportamental é um traço, que tem a ver com a forma como corajosa ou cautelosamente a criança se aproxima de objetos e situações não familiares, e está associada a certas características biológicas (Kagan & Snidman, 2004).

A inibição comportamental é mais evidente quando os bebês são apresentados a novos estímulos. Quando bebês com altos índices de inibição comportamental foram apresentados a algo novo, ficaram excessivamente agitados, movimentando os braços e as pernas vigorosamente e, às vezes, arqueando as costas. Essa sensação de agitação excessiva acabou se tornando desagradável para eles, e a maioria chorou. Aproximadamente 20% dos bebês responderam dessa forma. Bebês com baixos níveis de inibição comportamental, no entanto, responderam de forma bastante diferente. Quando são apresentados ao novo estímulo, continuam relaxados. Mostram pouca tensão e pouca atividade motora e muitas vezes olham calmamente para a novidade, chegando até a sorrir para ela às vezes. Cerca de 40% dos bebês respondem dessa forma. Acredita-se que essas disparidades entre os bebês resultem da diferença na fisiologia subjacente. Os pesquisadores sugeriram que crianças inibidas podem ter nascido com uma amígdala mais excitável do que a média. A amígdala detecta e reage a eventos não familiares e, no caso de crianças comportamentalmente inibidas, reage vigorosa e facilmente à maioria dos novos eventos (Kagan & Snidman, 2004).

Bebês identificados como inibidos ou desinibidos pareciam manter esses padrões até certo ponto durante a infância (Kagan, 1997; Kagan & Snidman, 2004), além de diferenças específicas em características fisiológicas. Crianças inibidas estavam mais propensas a serem magras, a terem rosto

Há uma relação entre o que o pai ou a mãe dizem sobre como o bebê será antes de nascer e o que dizem depois que ele já nasceu. A percepção específica de que a criança será difícil precede o nascimento dessa criança. O que explica isso?

*Pauli-Pott, Mertesacker, Bade, Haverkock, & Beckman, 2003*

**Qual a sua opinião?**

Nos Estados Unidos, muitas pessoas consideram a timidez indesejável. Como os pais devem lidar com uma criança tímida? Você acha que é melhor aceitar o temperamento da criança ou tentar mudá-lo?

## Verificador
### você é capaz de...
- Descrever os três padrões de temperamento identificados pelo Estudo Longitudinal de Nova York?
- Avaliar evidências de estabilidade do temperamento?
- Explicar a importância da adequação da educação?
- Discutir as evidências de influências biológicas na inibição comportamental?

## Guia de estudo 3

Como os bebês adquirem confiança em seu mundo e formam vínculos afetivos e como bebês e cuidadores leem os sinais não verbais uns dos outros?

**confiança básica *versus* desconfiança**
Primeiro estágio no desenvolvimento psicossocial, segundo Erikson, quando os bebês desenvolvem um senso de confiança nas pessoas e nos objetos.

---

mais estreito e a terem olhos azuis, enquanto as crianças desinibidas eram mais altas, mais pesadas e com maior frequência tinham olhos castanhos. Além disso, crianças inibidas apresentavam ritmos cardíacos mais altos e menos variáveis do que crianças desinibidas, e as pupilas de seus olhos dilatavam-se mais (Arcus & Kagan, 1995). É possível que os genes que contribuem para a reatividade e para o comportamento inibido ou desinibido também influenciem esses traços fisiológicos (Kagan & Snidman, 2004).

Esses resultados sugerem novamente que a experiência pode moderar ou acentuar as tendências iniciais. Crianças pequenas do sexo masculino que tendiam a ser mais temerosas e tímidas apresentavam maior probabilidade de continuar assim aos 3 anos se houvesse, por parte dos pais, grande aceitação de suas reações. Em contrapartida, se os pais expusessem os filhos a situações um pouco assustadoras, os meninos tendiam a se tornar menos inibidos com o tempo, à medida que desenvolviam estratégias para lidar com a agitação (Park, Belsky, Putnam, & Crnic, 1997). Em outra pesquisa, quando mães responderam de forma neutra a bebês inibidos, a inibição tendeu a permanecer estável ou aumentar. Esses autores sugeriram que a sensibilidade dos cuidadores pode afetar os sistemas neurais que formam a base das reações ao estresse e à novidade (Fox, Hane, & Pine, 2007). Em outras palavras, quando os pais se adequavam bem ao temperamento inibido inato dos filhos, as crianças se tornavam mais propensas a superar a inibição. Outras influências ambientais, como ordem de nascimento, raça/etnia, cultura, relacionamento com professores e com os pares, bem como eventos imprevisíveis, também podem reforçar ou abrandar o viés original do temperamento de uma criança (Kagan & Snidman, 2004).

# Questões de desenvolvimento na primeira infância

Como um recém-nascido dependente, com um repertório emocional limitado e necessidades físicas urgentes, torna-se uma criança com sentimentos complexos e com a capacidade de entendê-los e controlá-los? Uma grande parte desse desenvolvimento gira em torno das relações com os cuidadores.

## Desenvolvendo a confiança

Os bebês humanos dependem dos outros para obter alimento e proteção, bem como para sobreviver, por um período muito mais longo do que qualquer outro mamífero. Segundo Erikson (1950), esse período extenso resulta no primeiro estágio do desenvolvimento psicossocial, centrado na formação de um sentimento de confiança.

Erikson (1950) argumentou que em cada estágio da vida enfrentamos um desafio e um risco complementar (ver Quadro 2.2, no Cap. 2). Na condição de bebês, nosso primeiro desafio envolve a formação da **confiança básica *versus* desconfiança**. Se formos bem-sucedidos, desenvolvemos um senso de confiança nas pessoas e nos objetos de nosso mundo. Sentimo-nos seguros e amados. O risco, porém, é que, em vez disso, venhamos a desenvolver um senso de desconfiança e a sentir que, em tempos de necessidade, não poderemos contar com o apoio dos que nos rodeiam.

Esse estágio depende fortemente das experiências iniciais. Começa na primeira infância e continua até por volta dos 18 meses. De maneira ideal, os bebês desenvolvem um equilíbrio entre confiança (o que permite que formem relacionamentos íntimos) e desconfiança (o que permite que se protejam). Se predominar a confiança, como deveria, a criança desenvolve a "virtude" da esperança e a crença de que poderá satisfazer suas necessidades e desejos (Erikson, 1982). Se predominar a desconfiança, a criança verá o mundo como hostil e imprevisível e terá dificuldade para estabelecer relacionamentos.

O elemento crítico no desenvolvimento da confiança é uma educação sensível, responsiva e coerente. Erikson via a situação da alimentação como o cenário onde é estabelecida a verdadeira combinação de confiança e desconfiança. O bebê poderá contar com o fato de que será alimentado quando tiver fome e poderá, portanto, confiar na mãe como representante do mundo? A confiança permite ao bebê prescindir da presença visual da mãe "porque ela se tornou uma certeza interna e uma previsibilidade externa" (Erikson, 1950, p. 247).

## Desenvolvendo o apego

Quando a mãe de Ahmed está por perto, ele olha para ela, sorri, balbucia e vai engatinhando até ela. Quando ela sai, ele chora; quando ela volta, ele solta um gritinho estridente de alegria. Quando ele está assustado ou infeliz, agarra-se a ela. Ahmed formou seu primeiro apego a outra pessoa.

O **apego** é um vínculo recíproco e duradouro entre o bebê e o cuidador, em que cada um contribui para a qualidade do relacionamento. De um ponto de vista evolucionista, o apego tem valor adaptativo para o bebê, assegurando que suas necessidades tanto psicossociais quanto físicas sejam satisfeitas (MacDonald, 1998). Segundo a teoria etológica, bebês e seus pais estão biologicamente predispostos a se apegarem entre si, e o apego promove a sobrevivência da criança.

Estudos de imagem por ressonância magnética funcional (fMRI) feitos com mães japonesas e norte-americanas identificaram bases neurais para o apego. No estudo japonês, certas áreas do cérebro da mãe foram ativadas quando elas viam seu próprio bebê de 16 meses de idade sorrindo ou chorando, mas não quando viam comportamento semelhante em outros bebês (Noriuchi, Kikuchi, & Senoo, 2008). Um estudo realizado nos Estados Unidos destacou o prazer que a mãe alcança ao ver o rosto sorridente de seu bebê. Nesse estudo longitudinal, os pesquisadores filmaram os rostos dos bebês enquanto brincavam entre 5 e 10 meses de idade. Cerca de três meses mais tarde, as mães viram essas imagens pela primeira vez. As imagens dos rostos felizes de seus próprios filhos — mas não as de outras crianças — ativaram regiões do cérebro relacionadas com o processamento de recompensa que estão associadas à dopamina, uma substância química do cérebro. Por razões que não estão claras, as expressões faciais tristes de seus próprios filhos e de outras crianças *não* provocaram respostas diferentes das mães (Stratheam, Li, Fonagy, & Montague, 2008).

**Estudos sobre padrões de apego**  O estudo sobre o apego deve muito ao etólogo John Bowlby (1951), um pioneiro na pesquisa sobre vínculos. A partir de seu conhecimento da obra seminal de Harlow com macacos-rhesus, a qual demonstrou a importância do contato e do conforto em vez da alimentação (ver Cap. 5), e de observações de crianças com distúrbios em uma clínica psicanalítica em Londres, Bowlby convenceu-se da importância da ligação entre a mãe e o bebê e advertiu que não se deve separá-los sem que haja a devida substituição dos cuidados maternos. Mary Ainsworth (1967), uma aluna de Bowlby do começo da década de 1950, foi estudar o apego em bebês africanos em Uganda por meio de observação naturalista em seus lares. Mais tarde, Ainsworth criou a **situação estranha**, uma técnica clássica de laboratório elaborada para avaliar padrões de apego entre bebês e adultos. Normalmente, o adulto é a mãe (embora outros adultos também tenham participado), e o bebê tem entre 10 e 24 meses de idade.

**apego**
Vínculo recíproco e duradouro entre duas pessoas, especialmente entre bebê e cuidador – cada um contribuindo para a qualidade do relacionamento.

**Verificador**
**você é capaz de...**
- Explicar a importância da confiança básica e identificar o elemento crítico em seu desenvolvimento?

**situação estranha**
Técnica de laboratório utilizada para estudar o apego do bebê.

*A sensibilidade de Diane para as necessidades de Anna contribui para o desenvolvimento do senso de confiança básica de Anna — sua capacidade de confiar nas pessoas e nas coisas do seu mundo. A confiança é necessária, segundo Erikson, para as crianças estabelecerem relações íntimas.*

**PARTE III** • Primeira infância

A situação estranha consiste em uma sequência de oito episódios com uma tensão gradualmente crescente que dura menos de meia hora. Os episódios são elaborados para ativar o surgimento de comportamentos relacionados ao apego. Durante esse tempo, a mãe deixa o bebê duas vezes em um ambiente não familiar, a primeira vez com um estranho. Na segunda vez, ela deixa o bebê sozinho, e o estranho volta antes de a mãe chegar. A mãe, então, incentiva o bebê a explorar e brincar novamente e o conforta se ele precisar (Ainsworth, Blehar, Waters, & Wall, 1978). É de particular interesse a resposta do bebê a cada vez que a mãe retorna.

Quando Ainsworth e colaboradores observaram crianças de 1 ano na situação estranha e em casa, identificaram três padrões principais de apego: o apego *seguro* (a categoria mais comum, a que pertencem entre 60 e 75% dos bebês norte-americanos de baixo risco) e duas formas de apego ansioso ou inseguro – *evitativo* (entre 15 e 25%) e *ambivalente* ou *resistente* (entre 10 e 15%) (Vondra & Barnett, 1999).

Bebês com **apego seguro** podem chorar ou protestar quando o cuidador se ausenta, mas são capazes de obter o conforto de que precisam, com eficácia e rapidamente, quando o cuidador retorna. Alguns bebês com apego seguro ficam confortáveis se forem deixados com um estranho durante um curto período de tempo; no entanto, indicam claramente que preferem o cuidador em vez do estranho, muitas vezes sorrindo para ele, acenando ou aproximando-se dele no momento do reencontro. Bebês seguros são flexíveis e resilientes ao estresse. Bebês com **apego evitativo**, em contrapartida, aparentemente não são afetados por um cuidador que se ausenta ou retorna. Em geral, continuam brincando na sala e frequentemente interagem com o estranho. No entanto, após o retorno do cuidador, agem como se o ignorassem ou rejeitassem e, às vezes, afastam-se deliberadamente. Bebês com apego evitativo tendem a mostrar pouca emoção, seja positiva, seja negativa. Por fim, bebês que apresentam **apego ambivalente (resistente)** frequentemente ficam ansiosos antes mesmo de o cuidador se ausentar, às vezes aproximando-se do cuidador para receber conforto quando o estranho olha ou se aproxima deles em busca de interação. São extremamente reativos à ausência do cuidador e em geral ficam muito perturbados. Na volta do cuidador, esses bebês tendem a permanecer perturbados por longos períodos de tempo, chutando, gritando, recusando distração com brinquedos e, às vezes, recuando para evitarem contato. Demonstram uma mistura de busca por aproximação com comportamentos de raiva e são muito difíceis de acalmar. Observe que, em todos os casos, o comportamento do bebê durante a ausência do cuidador não determina a categoria de apego. Alguns bebês choram, outros não. O que determina esse diagnóstico, no entanto, é o que os bebês fazem quando o cuidador retorna. O principal componente é a relação de apego e a forma como os bebês usam o cuidador para obter conforto *quando estão* na sua presença.

Esses três *padrões* de apego são universais em todas as culturas onde foram estudados – culturas tão diferentes como as da África, da China e de Israel –, embora a porcentagem de bebês em cada categoria tenha variado (van IJzendoorn & Kroonenberg, 1988; van IJzendoorn & Sagi, 1999). Os *comportamentos* de apego, contudo, variam de uma cultura para outra. Entre os gusii do leste da África, na parte ocidental do Quênia, os bebês são cumprimentados pelos pais com apertos de mão, estendendo os braços para segurá-la, assim como os bebês ocidentais se aconchegam para um abraço (van IJzendoorn & Sagi, 1999).

Outra pesquisa (Main & Solomon, 1986) identificou um quarto padrão, o **apego desorganizado-desorientado**. Bebês que apresentam o padrão desorganizado parecem não ter uma estratégia coesa para lidar com o estresse da situação estranha. Em vez disso, apresentam comportamentos contraditórios, repetitivos ou mal direcionados (como procurar intimidade com o estranho, e não com a mãe, ou apresentar uma resposta de medo quando o cuidador retorna). Poderão saudar a mãe com entusiasmo quando ela voltar, mas depois se afastam ou se aproximam sem olhar para ela. Parecem confusos e temerosos (Carlson, 1998; van IJzendoorn, Schuengel, & Baermans-Kranenburg, 1999).

Acredita-se que o apego desorganizado ocorra em pelo menos 10% de bebês de baixo risco, mas em proporções muito mais altas em certas populações de risco, como crianças prematuras e aquelas cujas mães abusam do álcool ou das drogas (Vondra & Barnett, 1999). Predomina em bebês cujas mães são insensíveis, intrusivas ou abusivas, temerosas ou assustadas, deixando-os, assim, sem ninguém que possa aliviar o medo que a mãe faz despertar, ou cujas mães sofreram perdas não resolvidas ou apresentam sentimentos não resolvidos sobre o apego aos seus próprios pais na infância. A tendência natural dos bebês é de se aproximar da mãe quando estão com medo. Quando são assustados *pela*

---

**apego seguro**
Padrão em que um bebê é capaz de encontrar, de forma rápida e eficaz, conforto de um cuidador quando confrontado com uma situação de estresse.

**apego evitativo**
Padrão em que o bebê raramente chora quando separado do cuidador principal, evitando o contato quando ele retorna.

**apego ambivalente (resistente)**
Padrão em que o bebê torna-se ansioso antes da ausência do cuidador principal, fica extremamente perturbado com sua ausência e, ao mesmo tempo que procura o cuidador quando este retorna, resiste ao contato.

**apego desorganizado-desorientado**
Padrão em que o bebê, após a ausência do cuidador principal, demonstra comportamentos contraditórios quando ele retorna.

Determina-se melhor o estilo de apego de um bebê pelo modo como a mãe tranquiliza uma criança inquieta do que pelo modo como a criança age quando a mãe não está por perto.

mãe, isso dá lugar a um sistema motivacional incompatível e resulta em um colapso de estratégias. A probabilidade de apego desorganizado aumenta na presença de múltiplos fatores de risco, como insensibilidade materna, discórdia conjugal e estresse parental. O apego desorganizado é um previsor confiável do comportamento futuro e de problemas de ajustamento (Bernier & Meins, 2008; Carlson, 1998; van IJzendoorn et al., 1999).

Alguns bebês parecem ser mais suscetíveis ao apego desorganizado do que outros. Alguns conseguem formar apegos organizados apesar dos cuidados parentais atípicos, enquanto outros que *não* estão expostos a cuidados parentais atípicos formam apegos desorganizados (Bernier & Meins, 2008). Uma explicação pode ser a *interação gene-ambiente* (discutida no Cap. 3). Estudos identificaram uma variante do gene DRD4 como um possível fator de risco para o apego desorganizado, e o risco aumenta quase 19 vezes quando a mãe tem uma perda não resolvida (Gervai et al., 2005; Lakatos et al., 2000, 2002; van IJzendoorn & Bakermans-Kranenburg, 2006). Outra explicação pode ser a *correlação gene-ambiente* (também discutida no Cap. 3). As características inatas do bebê podem estabelecer demandas estressantes para o pai ou para a mãe e, assim, induzir comportamentos parentais que promovem o apego desorganizado (Bernier & Meins, 2008).

Diferentemente das constatações originais de Ainsworth, bebês parecem desenvolver apegos com ambos os pais ao mesmo tempo, e a segurança desses apegos é normalmente similar (Brown, Schoppe-Sullivan, Mangelsdorf, & Neff, 2010; Fox, Kimmerly, & Schafer, 1991).

*Bebês com apego desorganizado-desorientado podem parecer confusos ou temerosos quando são confrontados com a situação estranha.*

**Como se estabelece o apego**   Quando os bebês atingem 1 ano de idade, já estabeleceram um estilo característico de apego. Segundo Bowlby, os estilos de apego são o resultado de expectativas formadas devido a repetidas interações com o cuidador. Por exemplo, se cada vez que o bebê chorar a mãe responder rapidamente e com sensibilidade, oferecendo conforto, depois, ao longo do tempo, o bebê passa a esperar uma resposta idêntica. Em contrapartida, se a mãe responder de forma inconsistente ao choro, os bebês formam um conjunto muito diferente de expectativas relacionadas com as prováveis respostas da mãe ao choro.

Bowlby chamou esses conjuntos de expectativas de modelos de trabalho e teorizou que os primeiros modelos são a matriz para a dinâmica desse relacionamento. Contanto que a mãe continue agindo da mesma maneira, o modelo se sustenta. Se o comportamento dela mudar – não só uma ou duas vezes, mas constantemente –, o bebê poderá rever esse modelo, e a segurança do apego poderá ser alterada. Observe que, como o modelo surge devido a interações entre ambos os parceiros na relação, os bebês podem ter diferentes modelos de trabalho (e estilos de apego) com pessoas diferentes.

O modelo de trabalho do apego de um bebê está relacionado ao conceito de confiança básica de Erikson. O apego seguro reflete confiança; o apego inseguro, desconfiança. Bebês de apego seguro aprenderam a confiar não só em seus cuidadores, mas em sua própria capacidade para obter aquilo de que precisam. Não surpreendentemente, mães de bebês e crianças pequenas com apego seguro tendem a ser sensíveis e responsivas (Ainsworth et al., 1978; Braungart-Rieker, Garwood, Powers, & Wang, 2001; De Wolff & van IJzendoorn, 1997; Isabella, 1993; NICHD Early Child Care Research Network, 1997). Igualmente importantes são a interação mútua, a estimulação, a atitude positiva, o conforto e a aceitação e o suporte emocional (De Wolff & van IJzendoorn, 1997; Lundy, 2003).

**Métodos alternativos para estudar o apego**   Embora muitas pesquisas sobre o apego tenham-se baseado na situação estranha, alguns investigadores questionam sua validade. A situação estranha é estranha; também é artificial. Pede à mãe que não inicie uma interação, expõe os bebês a constantes idas e vindas de adultos e espera que os bebês prestem atenção a eles. A situação estranha também pode ser menos válida em culturas não ocidentais. Uma pesquisa com bebês japoneses, que costumam se separar menos da mãe do que bebês norte-americanos, mostrou altas taxas de apego resistente, o que pode refletir a extrema condição de estresse da situação estranha para essas crianças (Miyake, Chen, & Campos, 1985).

Como o apego influencia um espectro mais amplo de comportamentos do que aqueles vistos na situação estranha, outros pesquisadores elaboraram métodos para estudar crianças em ambientes na-

Cuidados maternos sensíveis estão relacionados a outra importante realização do desenvolvimento, pelo menos aos olhos dos pais. Mães que respondem de modo sensível aos seus bebês têm como resultado bebês que adormecem mais rápido, dormem por mais tempo e despertam com menor frequência.

*Teti, Bo-Ram, Mayer, & Countermine, 2010*

turais. O Questionário de Classificação do Apego (AQS, na sigla em inglês), de Waters e Deane (1985), pede que as mães ou outros observadores da família escolham um conjunto de palavras ou frases descritivas ("chora muito"; "tende a ficar agarrado") em categorias que variam de o mais característico até o menos característico da criança e depois compara essas descrições com as de especialistas sobre a criança segura prototípica. Uma análise de 139 estudos constatou a versão do observador (mas não a versão do relato da mãe) como medida válida da segurança do apego, com boa correlação com os resultados da situação estranha e com as medidas da sensibilidade materna. O AQS também parece ter validade transcultural (van IJzendoorn, Vereijken, Bakermans-Kranenburg, & Riksen-Walraven, 2004). Em um estudo em que se utilizou o AQS, mães da China, da Colômbia, da Alemanha, de Israel, do Japão, da Noruega e dos Estados Unidos descreveram o comportamento do filho como mais semelhante do que diferente do comportamento da "criança mais segura". Além disso, as descrições feitas pelas mães sobre o comportamento de "base segura" foram muito semelhantes tanto entre culturas diferentes quanto dentro de uma cultura específica. Essas constatações sugerem que a tendência a usar a mãe como base segura é universal, embora possa assumir formas variadas (Posada et al., 1995).

**O papel do temperamento**   Até que ponto e de que maneira o temperamento influencia o apego? Os resultados variam (Susman-Stillman, Kalkoske, Egeland, & Waldman, 1996; Vaughn et al., 1992). Em um estudo com crianças de 6 a 12 meses e suas famílias, tanto a sensibilidade da mãe quanto o temperamento do bebê influenciaram os padrões de apego (Seifer, Schiller, Sameroff, Resnick, & Riordan, 1996). Condições neurológicas ou fisiológicas podem ser a base das diferenças de temperamento no apego. Por exemplo, a variabilidade no ritmo cardíaco de um bebê está associada à irritabilidade, e o ritmo cardíaco parece variar mais em bebês de apego inseguro (Izard, Porges, Simons, Haynes, & Cohen, 1991).

O temperamento do bebê pode não só ter impacto direto sobre o apego como também pode causar um impacto indireto a partir de seu efeito nos pais. Em uma série de estudos realizados na Holanda (Van den Boom, 1989, 1994), bebês de 15 dias, avaliados como irritáveis, estavam muito mais propensos do que bebês não irritáveis a apresentar apego inseguro (normalmente evitativo) com 1 ano de idade. No entanto, bebês irritáveis cujas mães receberam visitas em casa e instruções sobre como acalmar seus filhos foram tão propensos a serem avaliados como de apego seguro quanto os bebês não irritáveis. Assim, a irritabilidade do bebê pode impedir o desenvolvimento de um apego seguro, mas não se a mãe tiver habilidade para lidar com o temperamento do filho (Rothbart et al., 2000). A adequação da educação entre pais e filhos pode muito bem ser a chave para entender a segurança do apego.

**Ansiedade diante de estranhos e ansiedade de separação**   Chloe costumava ser um bebê amistoso, sorria para estranhos e se deixava pegar, continuando a arrulhar feliz, contanto que alguém – qualquer um – estivesse por perto. Agora, aos 8 meses, ela se afasta quando uma pessoa desconhecida se aproxima e berra quando os pais tentam deixá-la com uma babá. Chloe está vivenciando a **ansiedade diante de estranhos**, cautela com pessoas que não conhece, e a **ansiedade de separação**, aflição sentida quando um cuidador familiar se ausenta.

A ansiedade diante de estranhos e a ansiedade de separação costumavam ser consideradas marcos emocionais e cognitivos da segunda metade da primeira infância, refletindo o apego à mãe. No entanto, pesquisas mais recentes sugerem que, embora a ansiedade diante de estranhos e a ansiedade de separação sejam razoavelmente comuns, não são universais. Se o bebê chora quando um dos pais se ausenta ou quando um desconhecido se aproxima, isso poderá caracterizar mais o temperamento ou as circunstâncias de vida do bebê do que a segurança do apego (R. J. Davidson & Fox, 1989).

Os bebês raramente reagem de forma negativa a estranhos antes dos 6 meses de idade, mas é comum fazê-lo aos 8 ou 9 meses, e depois fazem-no mais durante o resto do primeiro ano (Sroufe, 1997). Essa mudança talvez reflita o desenvolvimento cognitivo. A ansiedade diante de estranhos em Chloe envolve a memória de faces, a capacidade de comparar a aparência do estranho com a da mãe e, talvez, a recordação de situações em que foi deixada com um estranho. Se permitirem a Chloe acostumar-se aos poucos com o estranho em um ambiente familiar, talvez ela possa reagir positivamente (Lewis, 1997; Sroufe, 1997).

A ansiedade de separação deve-se, por vezes, menos à separação em si do que à qualidade dos cuidados substitutos. Quando cuidadores substitutos são afetuosos e responsivos e brincam com crianças de 9 meses *antes* que elas chorem, a tendência dessas crianças é de chorar menos do que quando estão com cuidadores pouco responsivos (Gunnar, Larson, Hertsgaard, Harris, & Brodersen, 1992).

**ansiedade diante de estranhos**
Cautela diante de pessoas e lugares desconhecidos demonstrada por alguns bebês entre 6 e 12 meses.

**ansiedade de separação**
Aflição demonstrada por alguém, em geral um bebê, na ausência de um cuidador familiar.

A estabilidade nos cuidados com o bebê também é importante. O trabalho pioneiro de René Spitz (1945, 1946) sobre crianças em instituições enfatiza a necessidade de os cuidados substitutos estarem tão próximos quanto possível de uma boa atenção materna. A pesquisa tem destacado o valor da continuidade e da consistência nos cuidados com a criança, de modo que esta possa formar vínculos emocionais com seus cuidadores.

Hoje, nem o medo intenso de estranhos, nem um intenso protesto quando a mãe se ausenta são considerados sinais de apego seguro. Os pesquisadores medem o apego mais pelo que acontece quando a mãe retorna do que pelo tanto de lágrimas que o bebê derrama com sua partida.

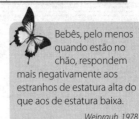

Bebês, pelo menos quando estão no chão, respondem mais negativamente aos estranhos de estatura alta do que aos de estatura baixa.

*Weinraub, 1978*

**Efeitos de longo prazo do apego**   Conforme propõe a teoria do apego, a segurança do apego parece afetar a competência emocional, social e cognitiva (Sroufe, Coffino, & Carlson, 2001; van IJzendoorn & Sagi, 1997), presumivelmente por meio da ação de modelos de trabalho internos. Quanto mais seguro o apego com um adulto atencioso, maior a probabilidade de a criança desenvolver um bom relacionamento com os outros. Se as crianças, assim como os bebês, tiverem uma base segura e puderem contar com a responsividade dos pais e dos cuidadores, elas terão confiança suficiente para se envolver ativamente em seu mundo (Jacobsen & Hofmann, 1997). Em um estudo com 70 bebês de 15 meses, aqueles que tinham apego seguro com as mães, conforme medido pela situação estranha, apresentaram menos estresse para se adaptar a uma creche do que crianças de apego inseguro (Ahnert, Gunnar, Lamb, & Barthel, 2004).

Crianças pequenas de apego seguro tendem a ter vocabulário maior e mais variado do que aquelas de apego inseguro (Meins, 1998). Apresentam interações mais positivas com seus pares, e suas tentativas de aproximação tendem a ser aceitas (Fagot, 1997). Crianças de apego inseguro tendem a demonstrar mais medo, aflição e raiva, ao passo que crianças de apego seguro são mais alegres (Kochanska, 2001).

Entre 3 e 5 anos, crianças de apego seguro provavelmente são mais curiosas, competentes, empáticas, resilientes e autoconfiantes, têm um melhor relacionamento com outras crianças e formam amizades mais íntimas do que aquelas de apego inseguro quando eram bebês (Arend, Gove, & Sroufe, 1979; Elicker, Englund, & Sroufe, 1992; J. L. Jacobson & Wille, 1986; Waters, Wippman, & Sroufe, 1979; Youngblade & Belsky, 1992). Elas interagem mais positivamente com os pais, os professores da pré-escola e seus pares e estão mais aptas a resolver conflitos (Elicker et al., 1992; Sroufe, Egeland, Carlson, & Collins, 2005). Tendem a ter uma autoimagem mais positiva (Elicker et al., 1992; Verschueren, Marcoen, & Schoefs, 1996).

O apego seguro parece preparar as crianças para a intimidade da amizade (Carlson, Sroufe, & Egeland, 2004). Na terceira infância e na adolescência, crianças de apego seguro (pelo menos nas culturas ocidentais, onde foi realizada a maioria dos estudos) tendem a ter as amizades mais íntimas e estáveis (Schneider, Atkinson, & Tardif, 2001; Sroufe, Carlson, & Shulman, 1993).

Crianças de apego inseguro, em contrapartida, costumam apresentar inibições e emoções negativas entre 1 e 3 anos de idade, hostilidade em relação a outras crianças aos 5 anos e dependência durante a fase escolar (Calkins & Fox, 1992; Fearon, Bakersmans-Kranenburg, van Ijzendoorn, Lapsley, & Roisman, 2010; Kochanska, 2001; Lyons-Ruth, Alpern, & Repacholi, 1993; Sroufe et al., 1993). Aquelas com apego desorganizado tendem a apresentar problemas de comportamento em todos os níveis de escolaridade e transtornos psiquiátricos aos 17 anos (Carlson, 1998).

Em um estudo longitudinal de 1.364 famílias com bebês de 1 mês de idade, as crianças com apego evitativo aos 15 meses tendiam a ser classificadas pela mãe como menos competentes socialmente do que crianças com apego seguro e, pelos seus professores, como mais agressivas ou ansiosas durante a pré-escola e os anos escolares. Entretanto, os efeitos dos cuidados parentais no comportamento da criança durante esses anos foram mais importantes do que o apego inicial. Crianças inseguras e desorganizadas cujos cuidados parentais haviam melhorado eram menos agressivas na escola do que aquelas cujos cuidados parentais não haviam melhorado ou haviam piorado. Crianças seguras, em contrapartida, eram relativamente imunes aos cuidados parentais que se tornaram menos sensíveis, talvez porque seus modelos anteriores tornavam-nas confiantes mesmo em condições alteradas. O estudo sugere que a continuidade frequentemente encontrada entre apego e comportamento posterior pode ser explicada pela continuidade no ambiente doméstico (NICHD Early Child Care Research Network, 2006).

**216** **PARTE III** • Primeira infância

**Transmissão intergeracional de padrões de apego**  A *Entrevista de Apego do Adulto* (EAA) (George, Kaplan, & Main, 1985; Main, 1995; Main, Kaplan, & Cassidy, 1985) solicita ao adulto que recorde e interprete sentimentos e experiências relacionadas aos apegos da infância. Estudos que fazem uso da EAA constataram que o modo como os adultos se recordam das primeiras experiências com os pais ou cuidadores está relacionado ao seu bem-estar emocional e pode influenciar a maneira como respondem a seus próprios filhos (Adam, Gunnar, & Tanaka, 2004; Dozier, Stovall, Albus, & Bates, 2001; Pesonen, Raïkkönen, Keltikangas-Järvinen, Strandberg, & Järvenpää, 2003; Slade, Belsky, Aber, & Phelps, 1999). Uma mãe que tinha um apego seguro com a *própria* mãe ou que entende por que tinha um apego inseguro pode identificar com precisão os comportamentos de apego do bebê, responder com incentivos e ajudar a criança a formar um apego seguro com ela (Bretherton, 1990). Mães que estão preocupadas com suas relações de apego passadas tendem a demonstrar raiva e intromissão nas interações com os filhos. Mães deprimidas que rejeitam as lembranças de seus apegos passados tendem a ser frias e não responsivas com os filhos (Adam et al., 2004). A história de apego dos pais também influencia a percepção do temperamento de seu bebê, e essas percepções podem afetar a relação entre pais e filhos (Pesonen et al., 2003).

Felizmente, um ciclo de apego inseguro pode ser interrompido. Em um estudo, 54 mulheres holandesas, mães pela primeira vez, que foram classificadas pela EAA como de apego inseguro, receberam visitas domésticas em que lhes foram apresentadas informações em vídeo para aprimorar os cuidados parentais ou participaram de discussões sobre suas experiências na infância em relação aos atuais cuidados com os filhos. Após as intervenções, essas mães estavam mais sensíveis do que um grupo-controle que não havia recebido as visitas. O aumento da sensibilidade das mães em relação às necessidades dos filhos afetou consideravelmente a segurança dos bebês com temperamentos negativamente emocionais (Klein-Velderman, Bakermans-Kranenburg, Juffer, & van IJzendoorn, 2006).

## Comunicação emocional com os cuidadores: regulação mútua

Com 1 mês de idade, Max olha com atenção para o rosto de sua mãe. Aos 2 meses, quando a mãe sorri para ele e esfrega sua barriguinha, ele também sorri. Aos 3 meses, Max sorri primeiro, convidando a mãe para brincar (Lavelli e Fogel, 2005).

Bebês são seres comunicativos; eles têm um forte desejo de interagir com os outros. A capacidade tanto do bebê quanto do cuidador de responder adequadamente e com sensibilidade aos estados mentais e emocionais um do outro é conhecida como **regulação mútua**. Os bebês participam ativamente na regulação mútua enviando sinais comportamentais, como o sorriso de Max, que influenciam o modo como os cuidadores se comportam em relação a eles (Lundy, 2003). A regulação mútua pode ser considerada como uma dança emocional entre bebê e cuidador, e, quando acontece de forma correta, tanto o cuidador quanto o bebê leem com precisão e respondem aos estímulos um do outro. Quando as metas do bebê são atingidas, este fica contente ou pelo menos interessado (Tronick, 1989). Se o cuidador ignorar um convite para brincar ou insistir em brincar quando o bebê sinalizou que "não está com vontade", este poderá sentir-se frustrado ou triste. Quando o bebê não atinge os resultados desejados, ele continua tentando remediar a interação. Normalmente, a interação oscila entre estados bem regulados e mal regulados, e com essa alternância o bebê aprende como enviar sinais e o que fazer quando seus sinais iniciais não são eficazes. A regulação mútua ajuda os bebês a aprenderem a ler o comportamento dos outros e a desenvolver expectativas. Até mesmo crianças muito novas podem perceber as emoções expressas pelos outros e podem ajustar seu comportamento de acordo (Legerstee & Varghese, 2001; Montague & Walker-Andrews, 2001; Termine & Izard, 1988), mas ficam perturbadas quando alguém – seja a mãe, seja um estranho, e independentemente do motivo – rompe o contato interpessoal (Striano, 2004). (O Box 8.1 discute como a depressão da mãe pode levar a problemas no desenvolvimento do bebê.)

**Medindo a regulação mútua: o paradigma do "rosto sem expressão"**  O **paradigma do "rosto sem expressão"** (Tronick, Als, Adamson, Wise, & Brazelton, 1978) é um procedimento de pesquisa uti-

---

> **Verificador**
> **você é capaz de...**
>
> ■ Descrever quatro padrões de apego?
> ■ Discutir como se estabelece o apego, considerando o papel do temperamento?
> ■ Identificar os fatores que afetam a ansiedade diante de estranhos e a ansiedade de separação?
> ■ Descrever como as diferenças comportamentais de longo prazo são influenciadas pelos padrões de apego?

**regulação mútua**
Processo em que o bebê e o cuidador comunicam estados emocionais um para o outro e respondem de acordo.

**paradigma do "rosto sem expressão"**
Procedimento de pesquisa utilizado para medir a regulação mútua em bebês entre 2 e 9 meses de idade.

# O mundo social

## COMO A DEPRESSÃO PÓS-PARTO AFETA O DESENVOLVIMENTO INICIAL

A leitura dos sinais emocionais permite à mãe avaliar e satisfazer as necessidades do bebê e ajuda o bebê a responder ao comportamento da mãe em relação a ele. O que acontece quando esse sistema de comunicação entra em colapso, e o que pode ser feito?

A mídia tem dado muita atenção à questão da depressão pós-parto (DPP). Celebridades como Brooke Shields e Marie Osmond compartilharam suas batalhas pessoais contra essa dolorosa condição.

A DPP – uma acentuada ou ligeira depressão que ocorre em um período de quatro semanas após o parto – afeta cerca de 12 a 20% de novas mães, segundo uma pesquisa realizada em 17 Estados norte-americanos. Mães mais jovens, mães solteiras, as que têm menor grau de escolaridade e as que receberam benefícios do Medicaid para o parto são mais propensas a relatar sintomas de DPP (Centers for Disease Control and Prevention, 2008b).

A depressão também pode ser provocada pelas profundas mudanças emocionais e de estilo de vida que a nova mãe passa a enfrentar. Mulheres que têm seu primeiro filho correm maior risco (Munk-Olsen, Laursen, Pedersen, Mors, & Mortensen, 2006). Os altos níveis do hormônio liberador de corticotropina, que ajuda os corpos das gestantes a preparar-se para o estresse do parto, podem desencadear a DPP (Yim et al., 2009). Mulheres de baixa renda e que sofrem de diabetes têm um risco acrescido em mais de 50% de DPP (Kozhimannil, Pereira, & Harlow, 2009).

A não ser que seja tratada imediatamente, a DPP poderá afetar o modo como a mãe interage com o bebê, com efeitos prejudiciais sobre o desenvolvimento emocional e cognitivo da criança (Gjerdingen, 2003). Mães deprimidas são menos sensíveis aos seus bebês do que mães não deprimidas, e suas interações com os filhos em geral são menos positivas (NICHD Early Child Care Research Network, 1999b). Mães deprimidas estão menos propensas a interpretar e a responder aos choros do bebê (Donovan, Leavitt, & Walsh, 1998).

Bebês de mães deprimidas podem desistir de enviar sinais emocionais e aprendem que não têm nenhum poder para obter respostas de outras pessoas, que a mãe não é confiável e que o mundo não é digno de confiança. Eles próprios poderão ficar deprimidos (Ashman & Dawson, 2002; Gelfand & Teti, 1995; Teti, Gelfand, Messinger, & Isabella, 1995), devido à falta de regulação mútua, a uma predisposição herdada à depressão ou à exposição a influências hormonais ou a outras influências bioquímicas no ambiente pré-natal. É possível que uma combinação de fatores genéticos, pré-natais e ambientais coloque em risco bebês de mães deprimidas. Uma influência bidirecional pode estar ocorrendo; um bebê que não responde normalmente talvez deixe a mãe ainda mais deprimida, e a falta de responsividade desta poderá, por sua vez, deprimir ainda mais o bebê (T. Field, 1995, 1998a, 1998c; Lundy et al., 1999). Mães deprimidas que são capazes de manter boas interações com seus bebês tendem a cuidar melhor da regulação emocional em seus filhos do que outras mães deprimidas (Field, Diego, Hernandez-Reif, Schanberg, & Kuhn, 2003). Interações com um adulto não deprimido podem ajudar os bebês a compensar os efeitos da depressão materna (T. Field, 1995, 1998a, 1998c).

Bebês de mães deprimidas tendem a apresentar padrões incomuns de atividade cerebral, semelhantes ao padrão da mãe. Vinte e quatro horas após o nascimento, eles apresentam menos atividade na região frontal esquerda do cérebro, que parece ser especializada em emoções de abordagem, como alegria e raiva, e mais atividade na região frontal direita, que controla emoções de *retraimento*, como aflição e desgosto (G. Dawson et al., 1992, 1999; T. Field, 1998a, 1998c; T. Field, Fox, Pickens, Nawrocki, & Soutollo, 1995; N. A. Jones, Field, Fox, Lundy, & Davalos, 1997). Recém-nascidos de mães deprimidas também tendem a apresentar níveis mais altos de hormônios do estresse (Lundy et al., 1999), pontuações mais baixas na Escala Brazelton de Avaliação do Comportamento Neonatal e tônus vagal mais baixo, o qual está associado à atenção e à aprendizagem (T. Field, 1998a, 1998c; N. A. Jones et al., 1998). Essas descobertas sugerem que a depressão em uma mulher durante a gravidez pode afetar o funcionamento neurológico e comportamental do próprio recém-nascido.

Crianças com mães deprimidas tendem a demonstrar apego inseguro (Gelfand & Teti, 1995; Teti et al., 1995). Provavelmente terão um crescimento precário, desempenho sofrível em avaliações cognitivas e linguísticas e problemas de comportamento (T. Field, 1998a, 1998c; T. M. Field et al., 1985; Gelfand & Teti, 1995; NICHD Early Child Care Research Network, 1999b; Zuckerman & Beardslee, 1987). Quando são muito novas, essas crianças tendem a ter dificuldade em tolerar a frustração e a tensão (Cole, Barrett, & Zahn-Waxler, 1992; Seiner & Gelfand, 1995) e, no começo da adolescência, correm o risco de apresentar comportamento violento (Hay, 2003).

Medicamentos antidepressivos como o Zoloft (um inibidor seletivo da recaptação de serotonina) e a nortriptilina (um tricíclico) parecem ser seguros e eficazes no tratamento da depressão pós-parto (Wisner, Chambers, & Sit, 2006). Outras técnicas que podem ajudar a melhorar o humor de uma mãe deprimida incluem música, imagens visuais, ginástica aeróbica, ioga, relaxamento e massagem terapêutica (T. Field, 1995, 1998a, 1998c). A massagem também pode ajudar os bebês deprimidos (T. Field, 1998a, 1998b; T. Field et al., 1996), possivelmente devido aos efeitos sobre a atividade neurológica (N. A. Jones et al., 1997). Em um estudo, essas medidas de promoção do humor positivo – além de reabilitação social, educacional e vocacional para a mãe e serviço de creche para o filho – trouxeram melhoras no comportamento interativo. As crianças apresentaram um crescimento mais rápido e tiveram menos problemas pediátricos, valores bioquímicos mais próximos do normal e melhores pontuações em testes de desenvolvimento do que um grupo-controle (T. Field, 1998a, 1998b).

**Qual a sua opinião?** Você consegue sugerir algumas técnicas para ajudar mães e bebês deprimidos, além daquelas aqui mencionadas?

**PARTE III** • Primeira infância

lizado frequentemente para medir a regulação mútua em bebês entre 2 e 9 meses, embora até mesmo os recém-nascidos tenham demonstrado essa resposta (Nagy, 2008). No episódio do *rosto sem expressão*, que segue uma interação normal face a face, a mãe, de repente, oculta sua expressão, fica silenciosa e não responsiva. Então, alguns minutos mais tarde, retoma a interação normal, que é o episódio da *reunião*. Durante o episódio do rosto sem expressão, os bebês tendem a parar de sorrir e a observar a mãe. Podem fazer expressões faciais, sons ou gestos ou podem tocar em si mesmos, em suas roupas ou em um objeto, aparentemente para se consolarem ou para aliviarem o estresse emocional criado pelo comportamento inesperado da mãe (Cohn & Tronick, 1983; E. Z. Tronick, 1989; Weinberg & Tronick, 1996). Basicamente, ficam desregulados.

Como os bebês reagem durante o episódio da reunião? Em um estudo, bebês de 6 meses demonstraram um comportamento ainda mais positivo durante o episódio — expressões alegres, observações e gestos dirigidos à mãe — do que antes do episódio do rosto sem expressão. Contudo, a persistência de expressões faciais tristes ou zangadas, os gestos de "pegue-me no colo", o distanciamento e as indicações de estresse, bem como a tendência crescente para reclamar e chorar, sugeriram que os sentimentos negativos provocados por uma quebra na regulação mútua não foram prontamente acalmados (Weinberg & Tronick, 1996).

**Referenciação social**   Ann anda cautelosamente em direção ao parquinho que não conhece e para na entrada, olhando para as crianças que riem, gritam e escalam a estrutura brilhante. Insegura de si mesma, vira-se para a mãe e estabelece contato visual. A mãe sorri para ela, e Ann, encorajada pela resposta da mãe, entra e começa a escalar a estrutura. Quando bebês olham para seus cuidadores após se depararem com um evento ambíguo, estão fazendo uma **referenciação social**, procurando informação emocional para orientar seu comportamento (Hertenstein & Campos, 2004). Na referenciação social, a pessoa é levada à compreensão de como agir em uma situação ambígua, confusa ou não familiar, verificando e interpretando a percepção que outro indivíduo tem dessa situação.

A pesquisa oferece evidências experimentais de referenciação social aos 12 meses (Moses, Baldwin, Rosicky, & Tidball, 2001). Quando expostos a brinquedos que, fixados no chão ou no teto, balançavam de um lado para o outro, ou vibravam, crianças de 12 e 18 meses aproximavam-se ou se afastavam dos brinquedos dependendo das reações emocionais expressas pelos experimentadores ("Ihh!" ou "Legal!"). Em um par de estudos (Mumme & Fernald, 2003), bebês de 12 meses (mas não os de 10 meses) ajustavam seu comportamento em relação a certos objetos não familiares de acordo com sinais emocionais não vocalizados dados por uma atriz em uma tela de televisão. Em outro par de experimentos (Hertenstein & Campos, 2004), bebês de 14 meses tocavam criaturas de plástico que caíam perto delas, e isso estava relacionado às emoções positivas ou negativas que tinham visto um adulto expressar a respeito dos mesmos objetos uma hora antes. Bebês de 11 meses respondiam a essas sinalizações emocionais somente se a demora fosse muito breve (três minutos).

A referenciação social e a capacidade de reter informação obtida com ela podem desempenhar um papel importante em desenvolvimentos fundamentais na infância, como o surgimento das emoções inibitórias (constrangimento e orgulho), o desenvolvimento do senso de identidade e os processos de *socialização* e *internalização*, que veremos mais adiante neste capítulo.

---

**referenciação social**
Compreensão de uma situação ambígua baseada na percepção de outra pessoa.

> ## Qual a sua **opinião?**
>
> Você consegue discernir qualquer problema ético no paradigma do rosto sem expressão ou na situação estranha? Em caso positivo, acha que os benefícios desses tipos de pesquisa compensam algum risco potencial?

**Verificador**
  **você é capaz de...**

- Descrever como funciona a regulação mútua e explicar sua importância?
- Dar exemplos de como os bebês parecem usar a referenciação social?

---

Guia de estudo 4

Quando e como surge o senso de *self*, e como as crianças pequenas exercitam a autonomia e desenvolvem padrões para comportamentos socialmente aceitáveis?

# Questões de desenvolvimento do 1º ao 3º ano

Aproximadamente no ponto médio entre o primeiro e o segundo aniversário, o bebê entra na primeira infância. Essa transformação pode ser vista não apenas em habilidades físicas e cognitivas como andar e falar, mas na maneira como a criança expressa sua personalidade e interage com os outros. A criança pequena torna-se um parceiro mais ativo e intencional nas interações e, às vezes, é ela quem toma a iniciativa. Os cuidadores agora podem interpretar de modo mais claro os sinais da criança. Essas interações sincronizadas ajudam as crianças pequenas a adquirir habilidades comunicativas e competência social e motivam a aquiescência aos desejos dos pais (Harrist & Waugh, 2002).

Vejamos três questões psicológicas com as quais as crianças pequenas – e seus cuidadores – têm de lidar: surgimento do *senso de self*; crescimento da *autonomia* ou autodeterminação; e *socialização* ou *internalização de padrões comportamentais*.

## O surgimento do senso de *self*

O **autoconceito** é a imagem que temos de nós mesmos – o quadro total de nossas capacidades e traços. Descreve o que sabemos e sentimos sobre nós mesmos e orienta nossas ações (Harter, 1996, 1998). A criança incorpora em sua autoimagem o quadro que os outros refletem de volta para ela.

Quando e como se desenvolve o autoconceito? De uma miscelânea de experiências aparentemente isoladas (entre uma sessão de amamentação e outra), o bebê começa a extrair padrões regulares que formam conceitos rudimentares de si mesmo e do outro. Dependendo do tipo de cuidado recebido pelo bebê e de como ele responde, emoções agradáveis ou desagradáveis são associadas a experiências que desempenham um papel importante no desenvolvimento do conceito de identidade (Harter, 1998).

Em geral, bebês de 3 meses de idade prestam atenção a sua imagem no espelho (Courage & Howe, 2002). Entre 4 e 9 meses, demonstram mais interesse em imagens dos outros do que de si próprios (Rochat & Striano, 2002). Essa discriminação *perceptual* inicial pode ser o fundamento da autoconsciência *conceitual* que se desenvolve entre 15 e 18 meses.

Entre 4 e 10 meses, quando os bebês aprendem a esticar os braços, a agarrar e a fazer as coisas acontecerem, eles passam a ter a experiência da *atuação* pessoal, a percepção de que podem controlar eventos externos. É aproximadamente nessa época que o bebê desenvolve a *autocoerência*, a noção de ser uma totalidade física com limites separados do resto do mundo (Harter, 1998). Esses desenvolvimentos ocorrem, na interação com cuidadores, em brincadeiras como a de esconder, em que o bebê torna-se cada vez mais consciente da diferença entre ele e o outro ("Eu vejo você!").

O surgimento da *autoconsciência* ("a ideia do eu") – conhecimento consciente de si como um ser distinto e identificável (Lewis, 2003) – apoia-se nesse despertar da distinção perceptual entre si e os outros. A autoconsciência pode ser testada examinando-se se o bebê reconhece sua própria imagem em um espelho (Lewis & Carmody, 2008). Em uma linha de pesquisa clássica, investigadores aplicaram ruge no nariz de crianças entre 6 e 24 meses e colocaram-nas diante de um espelho. Três quartos dos bebês de 18 meses e todas as crianças de 24 meses tocaram o próprio nariz, agora vermelho, com mais frequência do que antes, ao passo que bebês com menos de 15 meses não o fizeram. Esse comportamento sugere que essas crianças tinham autoconsciência. Elas sabiam que normalmente seu nariz não era vermelho e reconheceram a imagem no espelho como de si próprias (Lewis, 1997; Lewis & Brooks, 1974). Em um estudo posterior, crianças entre 18 e 24 meses tocavam tanto em um adesivo que estava em sua perna, que somente era visível no espelho, quanto em um adesivo que estava no rosto (Nielsen, Suddendorf, & Slaughter, 2006). Uma vez que possam reconhecer a si mesmas, as crianças preferem olhar para sua própria imagem no vídeo em vez de para a imagem de outra criança da mesma idade (Nielsen, Dissanayake, & Kashima, 2003).

Brincadeiras de "faz de conta", que normalmente começam durante a última metade do 2º ano, são outra medida ou sinal de autoconsciência — uma indicação inicial da capacidade das crianças de compreender os estados mentais dos outros, bem como seu próprio estado mental (Lewis & Carmody, 2008). Uma terceira medida ou sinal de autoconsciência é a utilização dos pronomes na primeira pessoa, como *eu* e *meus*, que normalmente começa entre 20 e 24 meses (Lewis, 1997; Lewis & Carmody, 2008). Entre 19 e 30 meses, elas começam a aplicar a si mesmas termos descritivos ("grande" ou "pequeno"; "cabelo liso" ou "cabelo encaracolado") e valorativos ("bom", "bonita" ou "forte"). O rápido desenvolvimento da linguagem permite à criança pensar e falar sobre si própria e incorporar descrições verbais dos pais ("Você é tão inteligente!", "Que menino grande!") a sua autoimagem emergente (Stipek, Gralinski, & Kopp, 1990). Da mesma forma, crianças dessa idade demonstram autoconhecimento ao reconhecerem objetos que lhes pertencem e objetos que pertencem a outros (Fasig, 2000).

O amadurecimento do cérebro é subjacente ao desenvolvimento da autoconsciência. Os exames de MRI feitos em crianças entre 15 e 30 meses demonstraram que a intensidade de sinais em uma região específica do cérebro (junção temporoparietal esquerda) era mais forte naquelas que, independentemente da idade, reconheciam sua imagem em um espelho, se envolviam em brincadeiras com outras crianças e usavam pronomes pessoais (Lewis & Carmody, 2008).

## Desenvolvimento da autonomia

À medida que a criança amadurece – física, cognitiva e emocionalmente –, ela é levada a buscar sua independência em relação aos vários adultos aos quais está apegada. "Eu fazer!" é a frase típica da criança quando começa a usar seus músculos e sua mente para tentar fazer tudo sozinha – não somente andar, mas alimentar-se, vestir-se e explorar o mundo.

**autoconceito**
Senso de *self*; quadro mental descritivo e valorativo de nossas capacidades e traços.

A autoconsciência e a compreensão de que os outros podem pensar sobre as coisas que você sabe que não são verdadeiras também estão relacionadas com outro marco do desenvolvimento: a mentira. Em geral, não pensamos nela dessa maneira, mas a mentira é realmente uma grande conquista do nosso desenvolvimento.

Passar ruge no nariz da criança é conhecido como a Tarefa do Ruge, e a pesquisa tem mostrado que golfinhos, chimpanzés e elefantes também compartilham nossa capacidade de autorreconhecimento.

*Esta criança demonstra autonomia — o mecanismo para exercer seu próprio poder sobre o ambiente.*

## PARTE III • Primeira infância

**autonomia *versus* vergonha e dúvida**
Para Erikson, é o segundo estágio do desenvolvimento psicossocial, quando a criança atinge o equilíbrio entre a autodeterminação e o controle por parte de outros.

**Verificador
você é capaz de...**

- Traçar o desenvolvimento inicial do senso de *self*?
- Descrever o conflito autonomia *versus* vergonha e dúvida?
- Explicar por que os "terríveis 2 anos" são considerados um fenômeno normal e sugerir razões pelas quais essa transição pode não existir em algumas culturas?

**socialização**
O desenvolvimento de hábitos, habilidades, valores e motivações compartilhados por membros responsáveis e produtivos de uma sociedade.

**internalização**
Durante a socialização, processo em que as crianças aceitam padrões de conduta da sociedade como seus.

**autorregulação**
Controle independente do comportamento que uma pessoa apresenta em conformidade com as expectativas sociais entendidas.

Erikson (1950) identificou o período entre 18 meses e 3 anos como o segundo estágio no desenvolvimento psicossocial, **autonomia *versus* vergonha e dúvida**, marcado pela passagem do controle externo para o autocontrole. Tendo atravessado a primeira infância com um senso de confiança básica no mundo e uma autoconsciência florescente, a criança pequena começa a substituir o julgamento dos cuidadores pelo seu próprio. A "virtude" que emerge durante esse estágio é a *vontade*. O treinamento do controle das necessidades fisiológicas é um passo importante em direção à autonomia e ao autocontrole; o mesmo acontece com a linguagem. À medida que a criança torna-se mais apta a expressar seus desejos, ela passa a ter mais poder e independência. Como a liberdade sem limites não é segura nem saudável, disse Erikson, vergonha e dúvida ocupam um lugar necessário. As crianças pequenas precisam que os adultos estabeleçam limites apropriados; assim, a vergonha e a dúvida ajudam-nas a reconhecer a necessidade desses limites.

Nos Estados Unidos, os "terríveis 2 anos" assinalam um desejo de autonomia. Crianças pequenas precisam testar as noções de que são indivíduos, têm algum controle sobre seu mundo e têm novos e emocionantes poderes. São levadas a experimentar suas novas ideias, exercitar suas próprias preferências e tomar suas próprias decisões. Esse desejo se manifesta na forma de *negativismo*, a tendência a gritar "Não!" só para resistir à autoridade. Quase todas as crianças norte-americanas exibem algum grau de negativismo; normalmente ele começa antes dos 2 anos de idade, com tendência a atingir o máximo aos 3 anos e meio ou 4 anos e declinar por volta dos 6 anos. Cuidadores que consideram as expressões de autoafirmação da criança como um esforço normal e saudável por independência contribuem para seu senso de competência e evitam excesso de conflitos. (O Quadro 8.3 oferece sugestões específicas, baseadas em pesquisa, para lidar com os terríveis 2 anos.)

Muitos pais norte-americanos poderão ficar surpresos ao ouvirem que os terríveis 2 anos não são universais. Em alguns países em desenvolvimento, a transição da primeira para a segunda infância é relativamente suave e harmoniosa, como discutimos no Box 8.2.

## Raízes do desenvolvimento moral: socialização e internalização

**Socialização** é o processo pelo qual a criança desenvolve hábitos, habilidades, valores e motivações que as tornam membros responsáveis e produtivos de uma sociedade. A aquiescência às expectativas parentais pode ser vista como um primeiro passo em direção à submissão aos padrões sociais. A socialização depende da **internalização** desses padrões. Crianças bem-sucedidas na socialização não mais obedecem a regras ou comandos apenas para obter recompensas ou evitar punições; elas fazem dos padrões da sociedade seus próprios padrões (Grusec & Goodnow, 1994; Kochanska, 2002; Kochanska & Aksan, 1995; Kochanska, Tjebkes, & Forman, 1998). Crianças obedecem a ordens sociais ou dos pais não porque tenham medo das consequências, mas porque elas próprias acreditam que as ordens estão certas e são verdadeiras.

**O desenvolvimento da autorregulação**   Laticia, de 2 anos, está prestes a introduzir o dedo em uma tomada elétrica. No apartamento onde ela vive, as tomadas são cobertas, mas não na casa da vovó. Quando Laticia ouve o grito do pai "Não!", ela recolhe o braço. Na próxima vez que chegar perto de uma tomada e começar a introduzir o dedo, ela hesitará e depois dirá "Não". Ela não se permitiu fazer algo que ela lembrou que não deve fazer. Laticia começa a demonstrar **autorregulação**: o controle de seu próprio comportamento para se conformar às exigências ou expectativas de um cuidador, mesmo quando este não está presente.

A autorregulação é a base da socialização e vincula todos os domínios do desenvolvimento – físico, cognitivo, emocional e social. Até que Laticia se tornasse fisicamente capaz de cuidar de si própria, tomadas elétricas não constituíam perigo. Para não introduzir o dedo na tomada, é preciso que ela conscientemente lembre e entenda o que o pai havia lhe dito. A consciência cognitiva, porém, não é suficiente; a autorrestrição também requer controle emocional. Ao interpretar as respostas emocionais dos pais ao seu comportamento, a criança continuamente absorve informação sobre a conduta que os pais aprovam. À medida que a criança processa, armazena e age com base nessa informação, seu forte desejo de agradar aos pais a leva a fazer o que os pais querem, estejam eles presentes ou não.

Antes que possa controlar o próprio comportamento, a criança talvez precise regular, ou controlar, seus *processos de atenção* e modular as emoções negativas (Eisenberg, 2000). A regulação da atenção permite-lhe desenvolver a força de vontade e lidar com a frustração (Sethi, Mischel, Aber, Shoda, & Rodriguez, 2000). Por exemplo, o controle de processos de atenção pode permitir que a criança se

**Capítulo 8** • Desenvolvimento psicossocial durante os três primeiros anos

**QUADRO 8.3** Lidando com os "terríveis 2 anos"

As seguintes diretrizes, baseadas em pesquisas, podem ajudar pais de crianças pequenas a desencorajar o negativismo e incentivar o comportamento socialmente aceito.

▶ *Seja flexível.* Conheça os ritmos naturais da criança, o que ela gosta e o que não gosta.

▶ *Imagine que você é um porto seguro,* com limites seguros, a partir do qual a criança pode descobrir o mundo e ao qual ela pode retornar em busca de apoio.

▶ *Faça do lar um ambiente favorável à criança.* Ofereça objetos resistentes que ela possa explorar com segurança.

▶ *Evite a punição física.* Em geral é ineficaz e pode até levar a criança a causar mais estragos.

▶ *Ofereça uma opção* — mesmo que seja limitada — para dar à criança algum controle. ("Você prefere tomar seu banho agora ou depois de lermos um livro?")

▶ *Seja coerente* ao fazer cumprir o que é necessário.

▶ *Só interrompa uma atividade se for absolutamente necessário.* Procure esperar até que a atenção da criança tenha-se desviado.

▶ *Se tiver de interromper, avise antes.* ("Daqui a pouco teremos que sair do parquinho.")

▶ *Sugira atividades alternativas* quando o comportamento tornar-se censurável. (Quando Ashley estiver jogando areia no rosto de Keiko, diga "Olha! Não tem ninguém nos balanços agora. Vamos lá que eu te empurro!").

▶ *Sugira; não ordene.* Ao fazer uma declaração do que deve ser feito, faça-o com sorrisos ou abraços, não com críticas, ameaças ou coerção física.

▶ *Associe as declarações do que deve ser feito a atividades agradáveis.* ("É hora de parar de brincar para você ir à loja comigo.")

▶ *Lembre a criança do que você quer.* ("Quando formos ao parque, nunca passe do portão.")

▶ *Espere um pouco antes de repetir uma declaração do que deve ser feito* quando a criança não obedecer imediatamente.

▶ *Faça uma "pausa" para encerrar conflitos.* De um modo não punitivo, retire a criança ou a si mesmo de uma situação.

▶ *Espere menos autocontrole em períodos de estresse* (doença, divórcio, nascimento de um irmão ou irmã ou mudança de residência).

▶ *Será mais difícil para a criança cumprir seus "deveres" do que deixar de fazer o que é "proibido".* "Arrume o seu quarto" exige mais esforço do que "Não rabisque em cima dos móveis".

▶ *Mantenha o clima o mais positivo possível.* Faça o seu filho querer cooperar.

*Fontes:* Haswell, Hock, & Wenar, 1981; Kochanska & Aksan, 1995; Kopp, 1982; Kuczynski & Kochanska, 1995; Power & Chapieski, 1986.

---

distraia o suficiente para conseguir não roubar os biscoitos que esfriam tentadoramente em cima do balcão da cozinha.

O desenvolvimento da autorregulação segue paralelamente ao desenvolvimento das emoções autoconscientes e valorativas como empatia, vergonha e culpa (Lewis, 1995, 1997, 1998). Requer a capacidade de esperar pela gratificação. Está correlacionado às medidas de desenvolvimento da consciência, como resistir à tentação e corrigir os erros (Eisenberg, 2000). Na maioria das crianças, o pleno desenvolvimento da autorregulação leva pelo menos três anos (Kopp, 1982).

**Origens da consciência: obediência comprometida** As crianças, quando são pequenas, cooperam com as ordens dos pais porque sabem que isso é o esperado. Apesar de a autorregulação ser importante, o objetivo da educação é, muitas vezes, a internalização dos costumes dos pais. Os pais gostariam que as crianças fizessem o que é correto e evitassem fazer o que é errado porque acreditam realmente nisso. Em outras palavras, o objetivo final é o desenvolvimento de uma **consciência,** que envolve tanto a capacidade de se abster de fazer algo errado quanto a de produzir desconforto emocional pelo erro cometido

Grazyna Kochanska (1993, 1995, 1997a, 1997b) e colaboradores buscaram as origens da consciência moral em um estudo longitudinal de um grupo de crianças pequenas e mães de Iowa. Os pesquisado-

**consciência**
Padrões internos de comportamento que normalmente controlam a conduta e que, ao serem violados, produzem desconforto emocional.

# Pelo mundo

## AS DIFICULDADES COM AS CRIANÇAS PEQUENAS SÃO NECESSÁRIAS?

Os terríveis 2 anos constituem uma fase normal no desenvolvimento da criança? Muitos pais e psicólogos ocidentais acham que sim. Na verdade, no entanto, essa transição não parece ser universal.

Em Zinacantan, México, crianças pequenas não costumam ser exigentes e resistentes ao controle parental. Em vez disso, essa fase em Zinacantan é quando a criança deixa de ser o bebê da mamãe e passa a ser o ajudante da mamãe, uma criança responsável que cuida de um novo bebê e ajuda nas tarefas domésticas (Edwards, 1994). Um padrão semelhante de desenvolvimento parece ocorrer em famílias mazahua no México e entre famílias maias em San Pedro, Guatemala. Os pais em San Pedro "não mencionam uma idade específica dos filhos que seja caracterizada por negativismo ou tendência à oposição particularmente acentuados" (Mosier & Rogoff, 2003, p. 1058).

Um dos cenários em que questões de autonomia e controle aparecem nas culturas ocidentais encontra-se nos conflitos entre irmãos, motivados por disputas por brinquedos, e no modo como as crianças respondem à maneira como os pais lidam com esses conflitos. Para explorar essas questões, um estudo transcultural comparou 16 famílias de San Pedro com outras 16 famílias euro-americanas de classe média em Salt Lake City. Todas as famílias tinham crianças pequenas entre 14 e 20 meses e irmãs e irmãos mais velhos entre 3 e 5 anos. Os pesquisadores entrevistaram cada uma das mães sobre as práticas de educação da criança. Em seguida, entregaram à mãe uma série de objetos atraentes (bonecas e marionetes) e, na presença da irmã ou do irmão mais velho, pediram à mãe que ajudasse o menor a manejá-los, sem dar qualquer orientação em relação à criança mais velha. Pesquisadores constataram diferenças surpreendentes no modo como irmãos interagem nas duas culturas e no modo como as mães viam e lidavam com o conflito.

Enquanto os irmãos mais velhos de Salt Lake City frequentemente tentavam pegar e brincar com os objetos, isso quase não acontecia em San Pedro. As crianças mais velhas de San Pedro ofereciam-se para ajudar os irmãos mais novos, ou as duas crianças brincavam juntas com os brinquedos. Quando havia um conflito envolvendo a posse dos brinquedos, as mães de ambas as comunidades mostraram maior propensão de reforçar o direito do irmão mais novo de ter a posse do brinquedo, mas essa tendência foi muito mais característica das mães de San Pedro do que das de Salt Lake City. As mães de San Pedro favoreciam os pequenos 94% das vezes, até mesmo tirando o objeto da criança mais velha se a mais nova o quisesse; e os irmãos mais velhos tendiam a concordar, entregando de bom grado os objetos para os mais novos ou deixando-os com eles desde o início. Em contrapartida, em mais de um terço das interações em Salt Lake City, as mães tentavam tratar as duas crianças igualmente, negociando com elas ou sugerindo que se revezassem ou compartilhassem os objetos. Essas observações eram coerentes com relatos de mães de ambas as culturas quanto ao modo como lidavam com essas questões em casa. As crianças de San Pedro têm privilégios até os 3 anos; depois, espera-se que elas cooperem espontaneamente com as expectativas sociais.

Qual a explicação para esses contrastes culturais? Uma pista surgiu quando se perguntou às mães com que idade as crianças são consideradas responsáveis por seus atos. A maioria das mães de Salt Lake City sustentou que seus filhos menores entendiam as consequências de mexer em objetos proibidos; várias delas afirmaram que essa compreensão surge já aos 7 meses. No entanto, todas as mães de San Pedro, exceto uma, identificaram bem mais tarde a idade em que se entende as consequências sociais das ações – entre 2 e 3 anos. As mães de Salt Lake City consideravam seus filhos pequenos capazes de mau comportamento intencional e os puniam por isso; o mesmo não acontecia com a maioria das mães de San Pedro. Todas as crianças em idade pré-escolar de Salt Lake City (crianças pequenas e seus irmãos) estavam sob a supervisão direta de um cuidador; 11 das 16 crianças de San Pedro em idade pré-escolar ficavam sozinhas boa parte do tempo e assumiam responsabilidades domésticas que exigiam maior maturidade.

Os pesquisadores sugerem que os terríveis 2 anos sejam talvez uma fase específica de sociedades que colocam a liberdade individual acima das necessidades do grupo. A pesquisa etnográfica indica que, em sociedades que dão mais valor às necessidades do grupo, existe, sim, a liberdade de escolha, mas ela segue lado a lado com a interdependência, a responsabilidade e as expectativas de cooperação. Os pais de Salt Lake City parecem acreditar que o comportamento responsável se desenvolve gradualmente a partir do envolvimento em competições e negociações justas. Os pais de San Pedro parecem acreditar que o comportamento responsável se desenvolve rapidamente quando a criança já tem idade suficiente para entender a necessidade de respeitar os desejos dos outros tanto quanto os seus próprios.

**Qual a sua opinião?** De acordo com sua experiência ou observação de crianças pequenas, qual dos dois métodos você considera mais eficaz para lidar com o conflito entre irmãos?

res estudaram 103 crianças, cuja idade variava entre 26 e 41 meses, e suas mães enquanto brincavam juntos por duas ou três horas, tanto em casa quanto em um cenário no laboratório semelhante a um lar (Kochanska & Aksan, 1995). Após um período em que a criança poderia brincar livremente, a mãe lhe dava 15 minutos para guardar os brinquedos. O laboratório tinha um armário especial com outros brinquedos, pouco comuns e atraentes, como uma máquina de chicletes, um *walkie-talkie* e uma caixa de música. A criança foi avisada para não mexer em nada que estivesse naquele armário. Depois de aproximadamente uma hora, o experimentador pediu à mãe para que entrasse em uma sala ao lado, deixando a criança sozinha com os brinquedos. Passados alguns minutos, uma mulher entrava, brincava com vários daqueles brinquedos proibidos e depois saía, deixando a criança sozinha novamente por oito minutos.

Algumas crianças conseguiram ficar longe dos brinquedos desde que as mães estivessem lá para lembrá-las. Essas crianças apresentavam o que é chamado de **obediência situacional**. Precisaram de assistência extra fornecida por lembretes e instruções das mães para completar a tarefa e, em uma situação diferente, que não incluísse esses lembretes, poderiam falhar em se manter afastadas dos brinquedos. No entanto, outras crianças pareciam ter internalizado mais as instruções das mães. Essas crianças demonstraram **obediência comprometida** — ou seja, comprometeram-se em cumprir o solicitado e poderiam tê-lo feito sem a intervenção direta das mães (Kochanska, Coy, & Murray, 2001).

As raízes da obediência comprometida remontam à primeira infância. Obedientes comprometidos, mais provavelmente meninas que meninos, tendem a ser aqueles que, entre 8 e 10 meses, podem deixar de mexer nas coisas quando alguém lhes diz "Não!". A obediência comprometida tende a aumentar com a idade, enquanto a obediência situacional diminui (Kochanska et al., 1998). Mães de obedientes comprometidos, diferentemente de mães de obedientes situacionais, tendem a adotar uma orientação delicada, em vez de fazer uso de força, ameaças ou outras formas de controle negativo (Eisenberg, 2000; Kochanska & Aksan, 1995; Kochanska, Aksan, Knaack, & Rhines, 2004).

A **cooperação receptiva** vai além da obediência comprometida. Trata-se de uma ansiosa disposição da criança em cooperar harmoniosamente com o pai ou a mãe, não apenas em situações disciplinares, mas em diversas interações cotidianas, o que inclui rotinas, pequenas tarefas, higiene e brincadeiras. A cooperação receptiva permite à criança ser um parceiro ativo na socialização. Em um estudo longitudinal envolvendo 101 crianças, que começou quando elas tinham 7 meses de idade, aquelas propensas a manifestações de raiva, que recebiam cuidados parentais não responsivos ou que tinham apego inseguro aos 15 meses tendiam a apresentar baixa cooperação receptiva aos 7 meses. Crianças de apego seguro e cujas mães tinham sido responsivas ao filho durante a primeira infância tendiam a apresentar alta cooperação receptiva (Kochanska, Aksan, & Carlson, 2005).

**Fatores que favorecem a socialização** O modo como os pais promovem a socialização do filho, juntamente com o temperamento deste e a qualidade do relacionamento entre eles, podem ajudar a prever se a socialização será fácil ou difícil. Os fatores que favorecem a socialização incluem o apego seguro, a aprendizagem observacional do comportamento dos pais e a responsividade mútua entre os pais e a criança (Kochanska et al., 2004; Maccoby, 1992). Todos esses fatores, bem como fatores socioeconômicos e culturais (Harwood, Schoelmerich, Ventura-Cook, Schulze, & Wilson, 1996), desempenham um papel na motivação para a obediência. No entanto, nem todas as crianças respondem da mesma maneira. Por exemplo, uma criança de temperamento temeroso poderá responder melhor a lembretes gentis do que a duras repreensões, enquanto uma criança mais ousada poderá exigir ações mais categóricas (Kochanska, Aksan, & Joy, 2007).

O apego seguro e um relacionamento afetuoso e mutuamente responsivo entre pais e filhos parecem favorecer a obediência comprometida e o desenvolvimento da consciência. Do segundo ano de vida da criança até o início da idade escolar, os pesquisadores observaram mais de 200 mães e filhos em longas interações naturais: cuidados rotineiros, prepara a ingestão de refeições, brincadeiras, relaxamento e pequenas tarefas domésticas. Crianças que estabelecem relações mutuamente responsivas com a mãe tendiam a apresentar *emoções morais* como culpa e empatia; *conduta moral* diante da forte tentação de desobedecer às normas ou violar padrões de comportamento; e *cognição moral*, de acordo com sua resposta a dilemas morais hipotéticos apropriados para a idade (Kochanska, 2002).

O conflito construtivo relacionado ao comportamento inadequado da criança – conflito que envolve negociação, argumentação e solução – pode ajudar a desenvolver sua compreensão moral, permitindo que ela veja outro ponto de vista. Em um estudo observacional, crianças de 2 anos e meio cujas mães

**obediência situacional**
Na terminologia de Kochanska, obediência às ordens parentais somente na presença de sinais de controle constante dos pais.

**obediência comprometida**
Na terminologia de Kochanska, obediência incondicional às ordens dos pais, sem advertências ou deslizes.

**cooperação receptiva**
Na terminologia de Kochanska, disposição ansiosa para cooperar harmoniosamente com o pai ou a mãe nas interações cotidianas, o que inclui rotinas, pequenas tarefas, higiene e brincadeiras.

### Qual a sua opinião?

Tendo em vista a pesquisa de Kochanska sobre as raízes da consciência, que questões você levantaria sobre a socialização inicial de adolescentes e adultos antissociais?

**Verificador**
você é capaz de...

- Dizer quando e como a autorregulação se desenvolve e como ela contribui para a socialização?
- Distinguir entre obediência comprometida, obediência situacional e cooperação receptiva?
- Discutir como o temperamento e os cuidados parentais afetam a socialização?

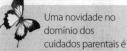

Uma novidade no domínio dos cuidados parentais é a influência da tecnologia imediata e sempre disponível. Uma pesquisa feita por Sherry Turkle do Massachusetts Institute of Technology (MIT) sugere que crianças pequenas experimentam cada vez mais sentimentos de mágoa como resultado da competição com computadores e *smartphones*.

*Turkle, 2011*

deram explicações claras para suas ordens, negociaram ou barganharam com o filho mostraram-se mais capazes de resistir à tentação com 3 anos do que crianças cujas mães haviam recorrido a ameaças ou provocações ou que insistiram ou desistiram. A discussão sobre emoções em situações de conflito ("Como você se sentiria se...") também levou ao desenvolvimento da consciência moral, provavelmente por promover o desenvolvimento das emoções morais (Laible & Thompson, 2002).

## Guia de estudo 5
Quando e como aparecem as diferenças de gênero?

**gênero**
O significado de ser homem ou mulher.

### Qual a sua opinião?
Os pais devem tratar meninos e meninas até os 3 anos da mesma maneira?

# Gênero: qual a diferença entre meninos e meninas?

Ser homem ou mulher afeta a aparência das pessoas, o modo como elas movimentam o corpo e como trabalham, se vestem e se divertem. Influencia o que pensam de si próprias e o que os outros pensam delas. Todas essas características – e outras mais – estão incluídas na palavra **gênero**: o que significa ser *homem* ou *mulher*.

## Diferenças de gênero em bebês e crianças pequenas

Diferenças mensuráveis entre bebês do sexo masculino e do sexo feminino são poucas, pelo menos em amostras norte-americanas. Meninos são um pouco mais compridos e mais pesados e talvez ligeiramente mais fortes, mas são fisicamente mais vulneráveis desde a concepção. Como mencionado no Capítulo 4, começando no período pré-natal, os meninos são mais ativos que as meninas. As meninas são menos reativas ao estresse e mais propensas a sobreviverem à primeira infância (Davis & Emory, 1995; Keenan & Shaw, 1997; Stevenson et al., 2000). O cérebro dos meninos ao nascer é aproximadamente 10% maior que o das meninas, uma diferença que continua na vida adulta (Gilmore et al., 2007). Em contrapartida, os dois sexos são igualmente sensíveis ao toque e tendem a ter a primeira dentição, a sentar-se e a andar por volta da mesma idade (Maccoby, 1980). Também atingem outros marcos motores da primeira infância mais ou menos no mesmo tempo.

Umas das primeiras diferenças *comportamentais* entre meninos e meninas, e que aparece entre 1 e 2 anos, está na preferência por brinquedos e brincadeiras e por amiguinhos do mesmo sexo (Campbell, Shirley, Heywood, & Crook, 2000; Serbin, Poulin-Dubois, Colburne, Sen, & Eichstedt, 2001; Turner & Gervai, 1995). Meninos já aos 17 meses tendem a brincar mais agressivamente do que as meninas (Baillargeon et al., 2007). Entre 2 e 3 anos, meninos e meninas tendem a dizer mais palavras pertinentes a seu próprio sexo (como "trator" *versus* "colar") do que a do outro sexo (Stennes, Burch, Sen, & Bauer, 2005).

Utilizando tarefas adequadas à idade, psicólogos cognitivos encontraram evidência de que bebês começam a perceber diferenças entre homens e mulheres bem antes de seu comportamento ser diferenciado por gênero e mesmo antes de poderem falar. Estudos de habituação constataram que bebês de 6 meses respondem diferentemente a vozes masculinas e femininas. Entre 9 e 12 meses, os bebês conseguem distinguir a diferença entre faces masculinas e femininas, aparentemente com base no cabelo e no vestuário. Dos 24 aos 36 meses, as crianças começam a associar brinquedos típicos de gênero, como bonecas, com a face do gênero apropriado. Meninos são mais lentos para desenvolver esse conhecimento do que meninas (Martin, Ruble, & Szkrybalo, 2002). Em estudos de imitação induzida (ver Cap. 7), meninos de 25 meses passam mais tempo imitando tarefas de "menino", como barbear um ursinho de pelúcia, enquanto as meninas passam aproximadamente o mesmo tempo imitando atividades associadas a cada um dos sexos (Bauer, 1993).

## Como os pais moldam as diferenças de gênero

Pais e mães norte-americanos tendem a *pensar* que bebês do sexo masculino e do sexo feminino são mais diferentes do que realmente são. Em um estudo com bebês de 11 meses que recentemente haviam começado a engatinhar, as mães tinham maiores expectativas de sucesso de que seus filhos descessem rampas em comprovação com suas filhas. Quando, porém, testados nas rampas, meninas e meninos revelavam os mesmos níveis de desempenho (Mondschein, Adolph, & Tamis-LeMonda, 2000).

*A tipificação de gênero é fortemente apoiada pelos pais, porque tendem a gastar mais tempo e brincam de forma mais brusca com os filhos do que com as filhas.*

Os pais e as mães norte-americanos também começam já muito cedo a influenciar a personalidade de meninos e meninas. Os pais tratam filhos e filhas mais diferenciadamente do que as mães, mesmo durante o primeiro ano (M. E. Snow, Jacklin, & Maccoby, 1983; Tenebaum & Leaper, 2003). Durante o segundo ano, os pais conversam mais e passam mais tempo com os filhos do que com as filhas (Lamb, 1981). As mães conversam mais e são mais atenciosas com as filhas do que com os filhos (Leaper, Anderson, & Sanders, 1998), e as meninas nessa idade tendem a ser mais falantes do que os meninos (Leaper & Smith, 2004). Os pais de crianças pequenas brincam de modo mais brusco com os filhos e demonstram mais sensibilidade com as filhas (Kelley, Smith, Green, Berndt, & Rogers, 1998; Lindsey, Cremeens, & Caldera, 2010). Esses processos de socialização são conhecidos como **tipificação de gênero** (Lytton & Romney, 1991). Por meio da tipificação de gênero, crianças aprendem o comportamento que sua cultura considera adequado para cada sexo.

Como as culturas podem ter diferentes concepções do que significa ser homem ou mulher, as atividades de tipificação de gênero são diferentes. Por exemplo, o estilo marcadamente físico de brincar, característico de muitos pais nos Estados Unidos, não é comum entre pais de outras culturas. Normalmente, os pais suecos e alemães não brincam com seus bebês dessa forma (Lamb, Frodi, Frodi, & Hwang, 1982; Parke, Grossman, & Tinsley, 1981). Pais africanos aka (Hewlett, 1987) e de Nova Deli, na Índia, também tendem a brincar delicadamente com crianças pequenas (Roopnarine, Hooper, Ahmeduzzaman, & Pollack 1993; Roopnarine, Talokder, Jain, Josh, & Srivastav, 1992). Essas variações transculturais sugerem que a brincadeira ríspida pode ser uma diferença biológica baseada nas diferenças de gênero e também influenciada pela cultura.

Discutiremos a tipificação e as diferenças de gênero com mais detalhes no Capítulo 11.

> **tipificação de gênero**
> Processo de socialização em que as crianças, ainda em tenra idade, aprendem os papéis apropriados de gênero.

> ◤ **Verificador**
> você é capaz de...
>
> ■ Comparar os papéis de mães e pais na tipificação de gêneros?

# Contato com outras crianças

Embora os pais e as mães exerçam grande influência sobre a vida dos filhos, o relacionamento com as outras crianças – seja dentro de casa, seja fora – também é importante já a partir da primeira infância.

## Irmãos

Se você tem irmãos ou irmãs, seu relacionamento com eles será, provavelmente, o mais longo que terá em sua vida. Eles compartilham suas raízes: eles conheciam você quando era jovem, aceitaram ou rejeitaram os mesmos valores parentais e, certamente, lidam com você de forma mais sincera do que qualquer outra pessoa que conheça.

As relações entre irmãos começam no nascimento de um novo bebê e continuam se desenvolvendo, positiva e negativamente, ao longo da infância.

> **Guia de 6 estudo**
> Como os bebês e as crianças pequenas interagem com os irmãos e com as outras crianças?

**A chegada de um novo bebê**   Crianças reagem de várias formas à chegada de um irmão. Na disputa pela atenção da mãe, algumas chupam os dedos, molham as calças ou falam como bebês. Outras regridem. Algumas sugerem que o bebê seja devolvido ao hospital ou que seja descartado no vaso sanitário. Outras se orgulham de serem "as mais velhas", as que conseguem se vestir, usar o penico e ajudar a cuidar do bebê.

Muito da variação na adaptação das crianças a um novo bebê pode estar relacionado com fatores como a idade da criança mais velha, a qualidade de sua relação com a mãe e a atmosfera familiar. Sem qualquer surpresa, muitas vezes o vínculo com a mãe torna-se temporariamente menos seguro (Teti, Sakin, Kucera, Corns, & Eiden, 1996).

O nascimento de um irmão mais novo pode alterar a forma como a mãe age em relação à criança mais velha, pelo menos até que o recém-chegado se acomode. A mãe tende a brincar menos com a criança mais velha, a ser menos sensível aos interesses dela, a dar mais ordens, a ter mais confrontos, a usar punição física e a iniciar menos conversas e jogos que ajudam a desenvolver habilidades. Um menino mais velho, em especial, pode demonstrar problemas temporários de comportamento (Baydar, Greek, & Brooks-Gunn, 1997; Baydar, Hyle, & Brooks-Gunn, 1997; Dunn, 1985; Dunn & Kendrick, 1982). Pelo lado positivo, a chegada do bebê tende a aperfeiçoar o desenvolvimento da linguagem da criança mais velha, talvez porque agora fale mais com o pai e com os outros membros da família (Baydar, Greek, & Brooks-Gunn, 1997; Baydar, Hyle, & Brooks-Gunn, 1997).

**Como os irmãos interagem**   O relacionamento entre irmãos desempenha um papel distinto na socialização, diferentemente do papel das relações com os pais ou com os pares (Vandell, 2000). Conflitos

*O afeto e a cooperação são comuns no relacionamento entre irmãos, como no caso em que o irmão mais novo aprende com o mais velho.*

**Verificador**
**você é capaz de...**
- Discutir os fatores que afetam a adaptação da criança ao novo irmão ou irmã?
- Descrever as mudanças nas interações e nos conflitos entre irmãos durante a primeira infância?
- Identificar mudanças na sociabilidade durante os três primeiros anos e citar dois fatores que a influenciam?

**Guia de estudo 7**
Como o fato de os pais trabalharem fora e a creche afetam o desenvolvimento dos bebês e das crianças pequenas?

entre irmãos podem tornar-se um veículo para a compreensão de relações sociais (Dunn & Munn, 1985; Ram & Ross, 2001). Lições e habilidades aprendidas nas interações com os irmãos são passadas para os relacionamentos fora de casa (Ji--Yeon, McHale, Couter, & Osgood, 2007; Brody, 1998).

É comum os bebês se apegarem a seus irmãos e irmãs mais velhos. Embora a rivalidade possa estar presente, a afeição também estará. Quanto mais o apego dos irmãos aos pais for um apego seguro, melhor será o relacionamento entre eles (Teti & Ablard, 1989).

No entanto, à medida que os bebês tornam-se mais independentes e autoconfiantes, inevitavelmente entram em conflito com os irmãos – pelo menos na cultura norte-americana (ver Box 8.2). O conflito entre irmãos aumenta drasticamente depois que a criança mais nova atinge os 18 meses (Vandell & Bailey, 1992). Durante os próximos meses, os irmãos mais novos começam a ter uma participação mais intensa nas interações familiares e se envolvem com maior frequência nas disputas em família. À medida que isso acontece, eles se tornam mais conscientes das intenções e dos sentimentos dos outros. Começam a reconhecer o tipo de comportamento que vai transtornar ou irritar os irmãos mais velhos e quais os comportamentos considerados adequados ou inadequados (Dunn & Munn, 1985; Recchia & Howe, 2009).

À medida que se desenvolve a compreensão cognitiva e social, o conflito entre irmãos tende a se tornar mais construtivo, e o irmão mais novo participa de tentativas de reconciliação. O conflito construtivo entre irmãos ajuda as crianças a reconhecerem as necessidades, os desejos e os pontos de vista umas das outras, bem como a aprenderem como brigar, discordar e chegar a um acordo no contexto de um relacionamento seguro e estável (Kramer, 2010; Vandell & Bailey, 1992).

## Sociabilidade com outras crianças

Bebês e – mais ainda – crianças pequenas mostram interesse em pessoas de fora do círculo familiar, principalmente pessoas de seu tamanho. Nos primeiros meses, eles olham, sorriem e arrulham para outros bebês (T. M. Field, 1978). Dos 6 aos 12 meses, cada vez mais querem tocá-los, além de sorrir e balbuciar para eles (Hay, Pedersen, & Nash, 1982). Por volta de 1 ano, quando os principais itens de sua agenda são aprender a andar e a manipular objetos, os bebês prestam menos atenção às outras pessoas (T. M. Field & Roopnarine, 1982). Essa fase, porém, é curta. A partir de aproximadamente 1 ano e meio até quase 3 anos de idade, a criança demonstra cada vez mais interesse no que as outras crianças fazem e uma compreensão cada vez maior de como lidar com elas (Eckerman, Davis, & Didow, 1989; Eckerman & Stein, 1982).

Crianças pequenas aprendem imitando umas às outras. Brincadeiras como a de seguir o líder ajudam a estabelecer um vínculo com as outras crianças, preparando-as para brincadeiras mais complexas durante os anos pré-escolares (Eckerman et al., 1989). A imitação das ações uns dos outros resulta em uma comunicação verbal mais frequente (algo como "Entre na casinha", "Não faça isso!" ou "Olhe pra mim"), que ajuda os pares a coordenar atividades conjuntas (Eckerman & Didow, 1996). A atividade cooperativa desenvolve-se durante o segundo e o terceiro ano à medida que cresce a compreensão social (Brownell, Ramani, & Zerwas, 2006). Assim como acontece com os irmãos, o conflito também pode ter um propósito: ajuda a criança a aprender a negociar e a resolver disputas (Caplan, Vespo, Pedersen, & Hay, 1991; Kramer, 2010). Aprendemos tanto com os agressores quanto com os amigos.

Algumas crianças, é claro, são mais sociáveis que outras, refletindo traços de temperamento como seu humor habitual, disposição para aceitar pessoas desconhecidas e capacidade para se adaptar à mudança. A sociabilidade também é influenciada pela experiência. Bebês que passam algum tempo com outros bebês, como nas creches, tornam-se sociáveis mais cedo do que aqueles que passam quase todo o tempo em casa.

## Filhos de pais que trabalham fora

O trabalho dos pais é mais determinante do que os recursos financeiros da família. Boa parte do tempo, do esforço e do envolvimento emocional dos adultos é dirigida à vida profissional. Como o trabalho e a creche afetam os bebês e as crianças pequenas? A maior parte das pesquisas sobre o assunto refere-se ao trabalho da mãe. (Discutiremos o impacto do emprego dos pais sobre os filhos mais velhos em capítulos posteriores.)

## Efeitos do trabalho da mãe

Mais da metade (55,8%) das mães de bebês de até 1 ano e 54% das mulheres com filhos menores de 3 anos estavam inseridos no mercado de trabalho em 2011, um notável aumento desde 1975 (U.S. Bureau of Labor Statistics, 2008a, 2012; Figura 8.2). No entanto, a participação na força de trabalho de mães *casadas* e com filhos de até 1 ano de idade, que alcançou o máximo em 1997 com 59,2%, diminuiu para 54,6% em 2007, e a taxa de participação de mães casadas e com filhos de menos de 3 anos de idade diminuiu de cerca de 64% em 1997-1998 para pouco mais de 60% em 2007 (Cohany & Sok, 2007; U.S. Bureau of Labor Statistics, 2008a, 2008b).

Como o trabalho precoce da mãe afeta os filhos? Dados longitudinais do Instituto Nacional de Saúde Infantil e Desenvolvimento Humano (NICHD, na sigla em inglês) sobre 900 crianças euro-americanas, discutidos na próxima seção, mostraram efeitos negativos no desenvolvimento cognitivo entre 15 meses e 3 anos, quando as mães trabalhavam 30 horas ou mais por semana até o nono mês de vida da criança. No entanto, a sensibilidade materna, a alta qualidade do ambiente doméstico e a qualidade dos cuidados com criança minimizavam esses efeitos negativos (Brooks-Gunn, Han, & Waldfogel, 2002).

Do mesmo modo, entre 6.114 crianças do Estudo Longitudinal Nacional sobre a Juventude (NLSY, na sigla em inglês), aquelas cujas mães trabalharam em tempo integral no primeiro ano de vida do bebê tinham maior probabilidade de apresentar resultados cognitivos e comportamentais negativos entre 3 e 8 anos do que as crianças cujas mães trabalharam meio turno ou não trabalharam durante o primeiro ano. Entretanto, crianças de famílias desfavorecidas apresentaram menos efeitos cognitivos negativos do que crianças de famílias mais favorecidas (Hill, Waldfogel, Brooks-Gunn, & Han, 2005).

Em contrapartida, um estudo longitudinal feito sobre uma amostra com diferenças étnicas, socioeconômicas e geográficas com 1.364 crianças durante os seus primeiros três anos de idade sugere que os benefícios econômicos e sociais do trabalho da mãe podem suplantar quaisquer desvantagens resultantes da redução do tempo passado com os filhos. As mães que trabalhavam fora de casa compensavam a parte do tempo que estavam no trabalho reduzindo o tempo que era passado com todas as atividades que não fossem relacionadas a cuidar dos filhos. As diferenças no tempo gasto com as crianças estavam relacionadas com a sensibilidade materna, mas não pareciam afetar as respostas sociais ou cognitivas. Os filhos aos quais as mães dedicavam mais tempo tinham ambientes domésticos mais estimulantes, mas isso também acontecia com as crianças cujas mães ficavam mais tempo no trabalho. Aparentemente, as mães que, por temperamento, são propensas a ser sensíveis e a proporcionar ambientes domésticos calorosos e estimulantes conseguem encontrar formas de fazê-lo estando ou não trabalhando fora (Huston & Aronson, 2005).

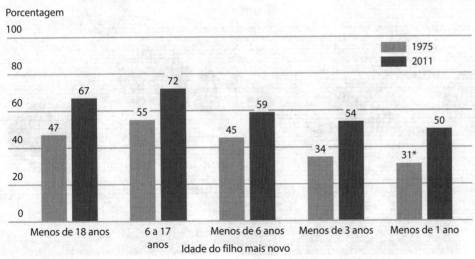

**FIGURA 8.2**
Índices de participação de mães com crianças no mercado de trabalho, 1975 e 2011.

*A participação de mães com crianças de todas as idades no mercado de trabalho aumentou consideravelmente nas últimas três décadas. Em 1975, menos de metade de todas as mães trabalhava fora de casa ou procurava emprego. Em 2011, aproximadamente 7 em cada 10 mães estavam no mercado de trabalho. Os índices de participação em 2011 variavam de 50% para mães cujos filhos mais novos tinham menos de 1 ano a 72% para mães cujos filhos tinham entre 6 e 17 anos.*

Fontes: Dados de Hayghe, 1986; U.S Bureau of Labor Statistics, 2012.

*Mães casadas

## Serviços de creche

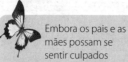

*Embora os pais e as mães possam se sentir culpados pelo tempo que passam com seus filhos, considerando-se as demandas modernas conflitantes do trabalho e da família, pesquisas sugerem que na verdade eles passam mais tempo com suas crianças do que as gerações anteriores. Como eles se adaptam? Aparentemente, as mães passam menos tempo cozinhando e fazendo limpeza, e os pais passam menos tempo no escritório.*
—Ramey & Ramey, 2010

Um dos fatores associados ao impacto da ausência da mãe que trabalha fora é o tipo de assistência substituta recebido pela criança. Dados recentes estimam que cerca de 60% das crianças norte-americanas que ainda não estavam no jardim de infância frequentavam regularmente algum tipo de creche (Iruka & Carver, 2006). Mais de 50% das 11,3 milhões de crianças que ainda não estavam no jardim de infância, e cujas mães trabalhavam fora, recebiam cuidados de parentes: 30% dos avós, 25% do pai, 3% dos irmãos e 8% de outros parentes. Mais de 30% estavam em creches ou pré-escolas. Como os cuidados fornecidos por pessoas que não fazem parte da família custam em média cerca de 129 dólares por semana (U.S. Census Bureau, 2008b), e os cuidados oferecidos por centros de assistência organizados em 33 Estados e no distrito de Columbia são mais dispendiosos do que os custos para frequentar um curso em uma universidade pública (Children's Defense Fund, 2008b), a acessibilidade e a qualidade dos cuidados são questões urgentes.

**Fatores de impacto da creche**  O impacto da creche pode depender do tipo, da duração, da qualidade e da estabilidade do serviço, bem como da renda da família e da idade em que a criança começa a receber cuidados não maternos. Aos 9 meses de idade, cerca de 50% dos bebês norte-americanos recebem cuidados não parentais de profissionais, e 86% vão para creches antes dos 6 meses. Mais de 50% desses bebês ficam em creches mais de 30 horas por semana (NCES, 2005).

Temperamento e gênero também podem fazer diferença (Crockenberg, 2003). Crianças tímidas ficam mais estressadas, conforme indicam os níveis de cortisona, do que as sociáveis (Watamura, Donzella, Alwin, & Gunnar, 2003), e crianças com apego inseguro ficam mais estressadas do que crianças com apego seguro quando a creche é de período integral (Ahnert et al., 2004). Os meninos são mais vulneráveis ao estresse, na creche e em outros lugares, do que as meninas (Crockenberg, 2003).

*Em 2009, os custos anuais com o serviço de creche em tempo integral superaram a média das anuidades de faculdades em 40 Estados norte-americanos.*
—National Association of Child Care Resource and Referral Agencies (NACCRRA), 2010

A qualidade dos cuidados contribui para a competência cognitiva e psicossocial (Marshall, 2004; de Schipper, Riksen-Walraven, & Geurts, 2006). A qualidade da creche pode ser medida por *características estruturais*, como treinamento dos funcionários e proporção entre crianças e cuidadores; e por *características de processo*, como afetuosidade, sensibilidade e responsividade dos cuidadores e adequação das atividades ao nível de desenvolvimento da criança. A qualidade estrutural e a qualidade do processo podem estar relacionadas. Em um estudo, cuidadores bem treinados e a baixa proporção criança-funcionário estão associados a um processo de alta qualidade, o que, por sua vez, está associado a melhores resultados cognitivos e sociais (Marshall, 2004).

O elemento mais importante na qualidade da assistência prestada à criança é o cuidador. Interações estimulantes com adultos responsivos são cruciais para o desenvolvimento cognitivo, linguístico e psicossocial. Uma baixa rotatividade de funcionários é outro importante fator na qualidade da creche.

*A responsividade às necessidades das crianças pelos cuidadores é o fator mais importante em uma creche de alta qualidade.*

**QUADRO 8.4** Critérios para a escolha de uma boa creche

► As instalações estão licenciadas? Atendem aos requisitos mínimos de saúde, incêndio e segurança? (Muitas creches não têm instalações devidamente licenciadas ou regulamentadas.)

► As instalações são limpas e seguras? Contam com espaços cobertos e ao ar livre suficientes?

► A creche funciona com pequenos grupos, apresenta alta proporção adulto-criança e um quadro de funcionários estável, competente e com alto grau de envolvimento?

► Os cuidadores receberam treinamento em desenvolvimento infantil?

► Os cuidadores são afetuosos, carinhosos, acolhedores, responsivos e sensíveis? Fazem valer sua autoridade, mas sem serem muito restritivos ou controladores, ou apenas tomam conta das crianças?

► O programa promove bons hábitos de saúde?

► A creche proporciona equilíbrio entre atividades estruturadas e liberdade para brincar? As atividades são apropriadas para a idade?

► As crianças têm acesso a materiais e a brinquedos educativos que estimulam o domínio das habilidades cognitivas e comunicativas, respeitando o ritmo da criança?

► O programa incentiva a autoconfiança, a curiosidade, a criatividade e a autodisciplina?

► A creche encoraja as crianças a fazerem perguntas, a resolverem problemas, a expressarem sentimentos e opiniões e a tomarem decisões?

► Promove a autoestima, o respeito pelos outros e as habilidades sociais?

► Ajuda os pais a aprimorar habilidades para educar a criança?

► Promove a cooperação com escolas públicas e privadas e com a comunidade?

*Fontes:* American Academy of Pediatrics [AAP], 1986; Belsky, 1984; K. A. Clarke-Stewart, 1987; NICHD Early Child Care Research Network, 1996; S. W. Olds, 1989; Scarr, 1998.

As crianças precisam de coerência nos cuidados para que possam desenvolver confiança e relações de apego seguras (Burchinal, Roberts, Nabors, & Bryant, 1996; Shonkoff & Phillips, 2000). A estabilidade facilita a coordenação entre os pais e os cuidadores da creche, o que pode ajudar a evitar os efeitos negativos das longas horas de permanência nesse lugar (Ahnert & Lamb, 2003). O Quadro 8.4 oferece algumas orientações para a escolha de uma creche de alta qualidade.

**O estudo do NICHD: identificando os efeitos da creche**   Como a creche é parte integrante daquilo que Bronfenbrenner chama de sistema bioecológico da criança (ver Cap. 2), é difícil medir sua influência isoladamente. A tentativa mais abrangente de separar os efeitos da creche dos efeitos de outros fatores, como as características da família, da criança e os cuidados que esta recebe em casa, é um estudo promovido pelo NICHD.

O estudo longitudinal de 1.364 crianças e suas famílias começou em 1991, em 10 centros universitários dos Estados Unidos, pouco depois do nascimento das crianças. A amostra era diversificada em termos socioeconômicos, educacionais e étnicos; quase 35% das famílias eram pobres ou quase pobres. A maioria dos bebês entrou na creche antes dos 4 meses de idade e recebeu, em média, 33 horas de cuidados por semana. Os esquemas das creches variavam significativamente em tipo e qualidade. Os pesquisadores mediram os desenvolvimentos social, emocional, cognitivo e físico das crianças, em intervalos frequentes, a partir de 1 mês de idade.

O estudo mostrou que a quantidade e a qualidade dos cuidados recebidos, além do tipo e da estabilidade, influenciaram aspectos específicos do desenvolvimento. Longos períodos na creche foram associados a estresse para crianças de 3 e 4 anos (Belsky et al., 2007; NICHD Early Child Care Research Network, 2003), e os 15% de crianças de 2 e 3 anos de idade que passam por mais de uma creche têm maior risco de apresentar problemas comportamentais e estão menos propensos a ajudar e a compartilhar (Morrissey, 2009).

Em contrapartida, crianças em creches com baixa proporção criança-funcionário, grupos pequenos e cuidadores treinados, sensíveis e responsivos, que proporcionaram interações positivas e estimulação linguística, pontuaram mais alto em testes de compreensão linguística, cognição e disposição para ir à escola do que aquelas em creches de baixa qualidade. Suas mães também relataram menos problemas de comportamento (NICHD Early Child Care Research Network, 1999a, 2000, 2002). Crianças que haviam recebido cuidados de alta qualidade antes de entrar no jardim de infância tiveram melhores pontuações

# PARTE III • Primeira infância

## Qual a sua opinião?

À luz das descobertas sobre os efeitos da creche, que conselhos você daria a uma nova mãe sobre o momento que ela escolheu para voltar a trabalhar e sobre a seleção de uma creche?

## Verificador
### você é capaz de...

■ Avaliar o impacto do trabalho materno no bem-estar do bebê?

■ Citar pelo menos cinco critérios de uma boa creche?

■ Discutir o impacto da creche e das características da família no desenvolvimento emocional, social e cognitivo?

em vocabulário no 6º ano do ensino fundamental do que aquelas que haviam recebido cuidados de baixa qualidade (Belsky et al., 2007).

Fatores relacionados à creche, no entanto, foram menos influentes do que as características da família, como renda, ambiente doméstico, quantidade de estimulação mental oferecida pela mãe e sensibilidade da mãe ao filho. Essas características com muita frequência preveem com fidedignidade resultados relacionados ao desenvolvimento, independentemente do tempo passado pela criança na creche (Belsky et al., 2007; Marshall, 2004; NICHD Early Child Care Research Network, 1998a, 1998b, 2000, 2003).

A creche não tem um efeito direto no apego. No entanto, quando são instáveis ou de má qualidade, ou quando as crianças são recebidas durante mais de 10 horas por semana (o tempo máximo recomendado), e quando há insensibilidade e falta de responsividade dos cuidadores, há maior probabilidade de ocorrer apego inseguro. Em contrapartida, a creche de alta qualidade parece ajudar a compensar os cuidados maternos insensíveis (NICHD Early Child Care Research Network, 1997, 2001b).

Não causa surpresa que aquilo que parece ser efeito da creche frequentemente está relacionado a características da família. Afinal, famílias estáveis, com ambiente doméstico favorável, estão mais propensas a colocar seus filhos em creches de boa qualidade. Uma área em que o estudo do NICHD de fato constatou efeitos do serviço de creche não relacionados às características da família foi nas interações das crianças entre si. Entre 2 e 3 anos, as crianças cujos cuidadores eram sensíveis e responsivos tendiam a se tornar mais positivas e competentes nas brincadeiras com as outras (NICHD Early Child Care Research Network, 2001a).

Resumindo, as constatações do NICHD, até agora, dão boa avaliação geral às creches de boa qualidade, especialmente quanto ao impacto que têm sobre o desenvolvimento cognitivo e a interação com os pares. Alguns observadores dizem que as áreas importantes identificadas pelo estudo – níveis de estresse em bebês e crianças pequenas e possíveis problemas comportamentais relacionados à frequência dos cuidados e a múltiplos esquemas para cuidar da criança – podem ser neutralizadas com atividades que façam aumentar o vínculo de apego com os cuidadores e com as outras crianças, enfatizem a aprendizagem e a motivação internalizada pela criança e se concentrem no desenvolvimento social em grupo (Maccoby & Lewis, 2003).

As experiências dos primeiros três anos estabelecem as bases para o desenvolvimento futuro. Na Parte IV, veremos como as crianças pequenas constroem essa base.

# resumo & palavras-chave

## ❶ Fundamentos do desenvolvimento psicossocial

### *Quando e como se desenvolvem as emoções e como os bebês as demonstram?*

- Chorar, sorrir e rir são os primeiros sinais de emoção.
- O desenvolvimento emocional é ordenado; emoções complexas parecem desenvolver-se de emoções anteriores mais simples.
- Emoções autoconscientes e autovalorativas surgem após o desenvolvimento da autoconsciência.
- O desenvolvimento emocional está intimamente ligado ao desenvolvimento do cérebro.
- O comportamento altruísta e a empatia costumam surgir durante o 2º ano de vida e podem resultar da atividade dos neurônios-espelhos. As raízes da empatia podem ser vistas no início da primeira infância.
- A empatia baseia-se na cognição social. Piaget sugeriu que o egocentrismo atrasa o desenvolvimento dessa capacidade até a terceira infância, mas pesquisas posteriores sugeriram que ela começa muito mais cedo.
- Entre 9 e 12 meses, as crianças começam a colaborar com os cuidadores em atividades conjuntas com base na intencionalidade compartilhada.

**personalidade (202)**
**emoções (202)**
**emoções autoconscientes (204)**

**autoconsciência (204)**
**emoções autoavaliadoras (204)**
**comportamento altruísta (206)**
**empatia (206)**
**neurônios-espelhos (206)**
**cognição social (206)**
**egocentrismo (206)**
**intencionalidade compartilhada (207)**

## ❷ Como os bebês demonstram diferenças de temperamento e por quanto tempo elas se mantêm?

- Muitas crianças parecem pertencer a uma das três categorias de temperamento: fácil, difícil e de "aquecimento lento". Padrões de temperamento parecem ser, em grande parte, inatos e de base biológica. Normalmente são estáveis, mas podem ser modificados pela experiência.
- A adequação da educação entre o temperamento da criança e as exigências ambientais ajuda na adaptação.
- Diferenças transculturais no temperamento podem refletir práticas de educação dos filhos.

**temperamento (207)**
**crianças fáceis (207)**
**crianças difíceis (207)**
**crianças de "aquecimento lento" (208)**
**adequação da educação (209)**

## ❸ Questões de desenvolvimento da primeira infância

***Como os bebês adquirem confiança em seu mundo e formam vínculos afetivos e como bebês e cuidadores leem os sinais não verbais uns dos outros?***

- Segundo Erikson, os bebês nos primeiros 18 meses de idade estão no primeiro estágio de desenvolvimento da personalidade, confiança básica *versus* desconfiança. Uma assistência sensível, responsiva e coerente é a chave para o êxito na resolução desse conflito.
- Uma pesquisa baseada na situação estranha constatou a existência de quatro padrões de apego: seguro, evitativo, ambivalente (resistente) e desorganizado-desorientado.
- Instrumentos mais recentes medem o apego no ambiente cotidiano e na pesquisa transcultural.
- Os padrões de apego podem depender do temperamento do bebê, bem como da qualidade da educação dos filhos, e podem apresentar implicações de longo prazo para o desenvolvimento. As memórias do progenitor sobre o apego na infância podem influenciar o apego de seu filho.
- A ansiedade diante de estranhos e a ansiedade de separação podem surgir entre 6 e 12 meses de idade e parecem estar relacionadas ao temperamento e às circunstâncias.
- A regulação mútua permite ao bebê desempenhar um papel ativo na regulação de seus estados emocionais. Pesquisadores utilizam o paradigma do rosto sem expressão como medida de regulação mútua.
- A depressão materna, principalmente se for grave ou crônica, poderá ter graves consequências para o desenvolvimento do bebê.
- A referenciação social tem sido observada aos 12 meses.
  **confiança básica *versus* desconfiança (210)**
  **apego (211)**
  **situação estranha (211)**
  **apego seguro (212)**
  **apego evitativo (212)**
  **apego ambivalente (resistente) (212)**
  **apego desorganizado-desorientado (212)**
  **ansiedade diante de estranhos (214)**
  **ansiedade de separação (214)**
  **regulação mútua (216)**
  **paradigma do rosto sem expressão (216)**
  **referenciação social (218)**

## ❹ Questões de desenvolvimento do 1º ao 3º ano

***Quando e como surge o senso de self e como as crianças pequenas exercitam a autonomia e desenvolvem padrões para comportamentos socialmente aceitáveis?***

- O autoconceito se desenvolve entre 15 e 18 meses e depende da autoconsciência, ou autorreconhecimento.
- O segundo estágio de Erikson diz respeito à autonomia *versus* vergonha e dúvida. O negativismo é uma manifestação normal da passagem do controle externo para o autocontrole.
- A socialização, que tem por base a internalização de padrões socialmente aprovados, começa com o desenvolvimento da autorregulação.
- Um precursor da consciência moral é a obediência comprometida com as exigências do cuidador; crianças pequenas que demonstram

esse comprometimento tendem a internalizar as regras dos adultos mais prontamente do que aquelas que demonstram obediência situacional. Crianças que demonstram cooperação receptiva podem ser parceiros ativos de sua socialização.
- A maneira de educar os filhos, o temperamento da criança, a qualidade da relação entre pais e filhos e fatores culturais e socioeconômicos podem afetar o sucesso da socialização.
  **autoconceito (219)**
  **autonomia *versus* vergonha e dúvida (220)**
  **socialização (220)**
  **internalização (220)**
  **autorregulação (220)**
  **consciência (221)**
  **obediência situacional (223)**
  **obediência comprometida (223)**
  **cooperação receptiva (223)**

## ❺ Gênero: qual a diferença entre meninos e meninas?

***Quando e como aparecem as diferenças de gênero?***

- Embora diferenças significativas de gênero não costumem aparecer antes da primeira infância, o pai promove desde cedo a tipificação de gênero.
  **gênero (224)**
  **tipificação de gênero (225)**

## ❻ Contato com outras crianças

***Como os bebês e as crianças pequenas interagem com os irmãos e com as outras crianças?***

- A adaptação da criança a um novo bebê depende da idade da criança, da qualidade da relação com a mãe e da atmosfera familiar.
- O relacionamento entre irmãos desempenha um importante papel na socialização; o que as crianças aprendem na relação com os irmãos é transferido para os relacionamentos fora de casa.
- Entre 1 ano e meio e 3 anos, a criança tende a demonstrar mais interesse nas outras crianças e entende cada vez mais como lidar com elas.

## ❼ Filhos de pais que trabalham fora

***Como o fato de os pais trabalharem fora e a creche afetam o desenvolvimento dos bebês e das crianças pequenas?***

- De modo geral, o fato de a mãe trabalhar fora durante os três primeiros anos parece ter pouco impacto sobre o desenvolvimento, mas problemas cognitivos e comportamentais podem ocorrer se a mãe trabalha 30 horas ou mais por semana durante o primeiro ano de vida da criança.
- Os serviços de creche variam largamente em tipo e qualidade. O elemento mais importante na qualidade da assistência é o cuidador.
- Embora qualidade, frequência, estabilidade e tipo de assistência prestado pela creche influenciem o desenvolvimento psicossocial e cognitivo, de modo geral, a influência das características da família parece ser maior.

# Capítulo 9

## Desenvolvimento físico e saúde na segunda infância

### Sumário

Aspectos do desenvolvimento fisiológico

Padrões e distúrbios do sono

Desenvolvimento do cérebro

Desenvolvimento motor

Saúde e segurança

### Você sabia que...

▶ Duas crianças de 6 anos, normais e saudáveis, podem ter uma diferença de até 50% no volume do cérebro devido a variações no desenvolvimento desse órgão na segunda infância?

▶ Mais de 22 milhões de crianças no mundo são obesas?

▶ No mundo todo, mais de 8 milhões de crianças morrem antes de completarem o quinto aniversário, a maioria devido a causas evitáveis?

*À medida que estudarmos o desenvolvimento físico entre 3 e 6 anos, encontraremos outros exemplos de sua relação com os desenvolvimentos cognitivo e psicossocial. A nutrição e a lateralidade manual são influenciadas por atitudes culturais, e os padrões de sono, por experiências emocionais. As influências ambientais, inclusive as circunstâncias de vida dos pais, afetam a saúde e a segurança.*

> Uma coisa que aprendi ao observar os chimpanzés com seus filhotes é que ter um filho deve ser divertido.
>
> — Jane Goodall

## Guia de estudo

1. Como os corpos das crianças se modificam entre 3 e 6 anos de idade?
2. Quais os padrões e os distúrbios do sono que tendem a se desenvolver durante a segunda infância?
3. Como o cérebro das crianças se desenvolve entre 3 e 6 anos de idade?
4. Quais as principais conquistas motoras da segunda infância?
5. Quais são as necessidades nutricionais das crianças pequenas e que riscos estão associados à subnutrição e à obesidade? Quais são os principais riscos à saúde e à segurança dessas crianças?

---

**Guia de estudo 1**
Como os corpos das crianças se modificam entre 3 e 6 anos de idade?

## Aspectos do desenvolvimento fisiológico

Na segunda infância, as crianças emagrecem e crescem rapidamente. Necessitam dormir menos do que antes e têm maior probabilidade de desenvolver distúrbios do sono. Melhoram a capacidade para correr, saltitar, pular e jogar bola. Tornam-se também melhores em dar laços em calçados (fazem laços, em vez de nós), desenhar com lápis de cor (no papel, e não nas paredes) e despejar os cereais (na tigela, em vez de no chão), além de começarem a demonstrar preferência por usar a mão direita ou esquerda.

### Crescimento e alteração corporal

*Com aproximadamente 6 anos e 127 cm de altura, esta menina é alta para sua idade.*

As crianças crescem rapidamente entre 3 e 6 anos, mas em um ritmo diferente do que ao nascerem e diferente da primeira infância. Com aproximadamente 3 anos, as crianças começam a assumir a aparência mais esguia e atlética da infância. À medida que os músculos abdominais se desenvolvem, a barriga grande da criança entre 1 e 3 anos se fortalece. O tronco, os braços e as pernas ficam mais longos. A cabeça ainda é relativamente grande, mas as outras partes do corpo continuam a se amoldar à medida que as proporções corporais se tornam gradualmente mais similares às de um adulto.

A marca de lápis na parede mostra que a altura de Eve é de 96 cm a partir do chão e que essa menina de 3 anos pesa aproximadamente 15,4 kg. Seu irmão gêmeo, Isaac, como a maioria dos meninos dessa idade, é um pouco mais alto, mais pesado e tem mais músculos por quilograma de peso corporal, ao passo que Eve, à semelhança da maioria das meninas, tem mais tecido adiposo. Tanto meninos quanto meninas normalmente crescem aproximadamente de 5 a 7,6 cm por ano durante a segunda infância e ganham cerca de 1,8 a 2,7 kg anualmente (Quadro 9.1). A ligeira margem de peso e altura dos meninos prossegue até o salto de crescimento que ocorre na puberdade.

O crescimento muscular e esquelético avança, tornando a criança mais forte. Cartilagens transformam-se em ossos a uma taxa mais rápida do que antes, e os ossos se tornam mais rígidos, dando à criança uma forma mais firme e garantindo a proteção dos órgãos internos. Essas mudanças, coordenadas pelo cérebro ainda em amadurecimento e pelo sistema nervoso, promovem o desenvolvimento de uma ampla variedade de habilidades motoras. O aumento da capacidade dos sistemas respiratório e circulatório cria vigor físico e, juntamente com o sistema imunológico em desenvolvimento, mantém a criança mais saudável.

**Guia de estudo 2**
Quais os padrões e os distúrbios do sono que tendem a se desenvolver durante a segunda infância?

## Padrões e distúrbios do sono

Os padrões de sono se modificam ao longo da fase de crescimento (Iglowstein, Jenni, Molinari, & Largo, 2003; Fig. 9.1), e a segunda infância tem seus próprios ritmos distintos. As crianças pequenas normalmente dormem mais profundamente à noite do que mais tarde em sua vida. Aos 5 anos, a maioria das crianças norte-americanas dorme em média cerca de 11 horas por noite e deixa de cochilar durante o dia (Hoban, 2004). Em algumas outras culturas, a hora de dormir pode variar. Entre a comunidade gusii do Quênia, os javaneses da Indonésia e os zuni do Novo México, as crianças pequenas não têm horário fixo para ir para a cama e têm permissão para ficarem acordadas até sentirem sono. Entre os hare canadenses, crianças de 3 anos não tiram cochilos, mas são postas para dormir logo após o jantar e dormem o quanto quiserem de manhã (Broude, 1995).

**QUADRO 9.1**   Crescimento físico dos 3 aos 6 anos (percentil 50)*

| | Altura (cm) | | Peso (kg) | |
|---|---|---|---|---|
| Idade | Meninos | Meninas | Meninos | Meninas |
| 3 | 98,2 | 98 | 15,3 | 15,5 |
| 4 | 106,9 | 105,1 | 18 | 17,5 |
| 5 | 114,5 | 111,7 | 21 | 19,6 |
| 6 | 120,9 | 118,3 | 23,6 | 22,1 |

*Cinquenta por cento das crianças de cada categoria estão acima desse nível de altura ou de peso, e 50% estão abaixo dele.

*Fonte:* McDowell, Fryar, Ogden, & Flegal, 2008; dados de *Anthropometric Reference Data for Children and Adults: United States, 2003-2006,* National Health Statistics Report, No. 10, 22 de Outubro de 2008.

A hora de dormir pode trazer algum tipo de ansiedade devido à separação, e as crianças podem fazer de tudo para evitá-la. Elas podem desenvolver rotinas elaboradas para adiar o momento de ir para a cama, levando mais tempo para adormecerem. Nos Estados Unidos, mais da metade dos pais ou dos cuidadores relata que as crianças em idade pré-escolar adiam a hora de ir para a cama e levam 15 minutos ou mais até adormecer. Cerca de um terço das crianças em idade pré-escolar resiste energicamente à ida para a cama, e mais de um terço acorda pelo menos uma vez todas as noites (National Sleep Foundation, 2004). As rotinas de sono regulares e consistentes podem ajudar a minimizar esses problemas. As crianças em geral querem que uma luz fique acesa e gostam de dormir com um brinquedo ou cobertor favoritos. Esses *objetos de transição,* utilizados repetidamente como companheiros da hora de dormir, ajudam a criança a fazer a transição da dependência dos 12 primeiros meses para a independência dos anos seguintes. As crianças que se habituaram a adormecer enquanto eram alimentadas ou eram embaladas, no entanto, podem ter dificuldade em adormecer sozinhas (Hoban, 2004).

## Transtornos e distúrbios do sono

Cerca de 1 em cada 10 pais ou cuidadores de crianças em idade escolar norte-americanos diz que seu filho tem um distúrbio do sono (National Sleep Foundation, 2004). Distúrbios do sono podem ser causados por ativação acidental do sistema de controle motor do cérebro (Hobson & Silvestri, 1999), pelo despertar incompleto de um sono profundo (Hoban, 2004) ou ser desencadeados pela respiração desordenada ou movimentos agitados das pernas (Guilleminault, Palombini, Pelayo, & Chervin, 2003). Esses distúrbios tendem a se manifestar em famílias (American Academy of Child & Adolescent Psychiatry [AACAP], 1997; Hobson & Silvestri, 1999; Hoban, 2004) e estão frequentemente associados com ansiedade de separação (Petit, Touchette, Tremblay, Boivin, & Montplaisir, 2007). Na maioria dos casos, os distúrbios do sono são apenas ocasionais e normalmente desaparecem. Alguns podem resultar de práticas parentais ineficazes que pioram o problema, em vez de resolvê-lo. Problemas persistentes do sono podem indicar uma perturbação emocional, psicológica ou neurológica, que precisa ser examinada.

Uma criança que experimenta *terror do sono* (ou *noturno*) parece despertar abruptamente no início da noite de um sono profundo em estado de agitação. A criança pode gritar e sentar-se na cama, ofegante e com os olhos arregalados. Contudo, ela não está realmente acordada, se acalma rapidamente e, na manhã seguinte, não lembra nada sobre o episódio. Os terrores do sono ocorrem principalmente entre 3 e 13 anos (Laberge, Tremblay, Vitaro, & Montplaisir, 2000) e afetam meninos mais frequentemente que meninas (AACAP, 1997; Hobson & Silvestri, 1999).

Caminhar e falar durante o sono são comportamentos razoavelmente comuns na segunda e na terceira infâncias (Petit et al., 2007). Embora o sonambulismo em si seja inofensivo, os sonâmbulos podem correr o risco de ferir-se (AACAP, 1997; Hoban, 2004; Vgontzas & Kales, 1999). Contudo, é melhor não interromper o sonambulismo ou os terrores noturnos, uma vez que interrupções podem confundir e amedrontar ainda mais a criança (Hoban, 2004; Vgontzas & Kales, 1999).

Pesadelos são comuns durante a segunda infância (Petit et al., 2007). Eles normalmente ocorrem perto da manhã e com frequência se manifestam quando a criança vai para a cama muito tarde, faz uma refeição pesada antes de deitar-se ou apresenta excitação excessiva — por exemplo, assiste a um programa de televisão muito agitado, um filme de terror ou ouve uma história assustadora antes de dormir (Vgontzas & Kales, 1999). Um sonho ruim ocasional não é causa de alarme, mas pesadelos frequentes ou persistentes, especialmente os que fazem a criança continuar com medo ou ansiosa depois de acordar, podem indicar estresse excessivo (Hoban, 2004).

**FIGURA 9.1**
Exigências de sono típicas da infância.

*Diferentemente dos bebês, que dormem durante o dia e à noite, crianças em idade pré-escolar reservam todo ou quase todo seu sono para o período de uma noite inteira. O número de horas de sono diminui regularmente ao longo da infância, mas cada criança pode precisar de mais ou menos horas do que é mostrado aqui.*

*Fonte:* Ferber, 1985; dados similares em Iglowstein et al., 2003. Reimpresso com a autorização de Simon & Schuster, Inc., de *Solve Your Child's Sleep Problems*, por Richard Ferber. Copyright © 1985, 2006 por Richard Ferber, M.D. Todos os direitos reservados.

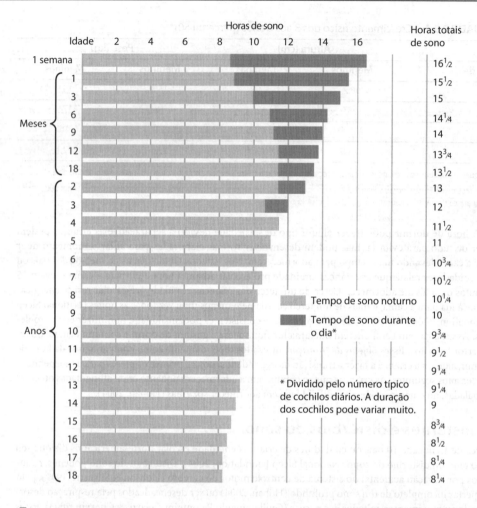

**enurese**
Urinação repetida nas roupas ou na cama.

## Enurese noturna

A maioria das crianças permanece seca, dia e noite, dos 3 aos 5 anos, mas a **enurese** – urinação involuntária e repetida à noite por crianças com idade suficiente para manter o controle da bexiga – não é incomum. Cerca de 10 a 15% das crianças de 5 anos, mais comumente os meninos, urinam na cama regularmente, talvez enquanto dormem profundamente. Mais da metade supera a condição por volta dos 8 anos sem ajuda especial (Community Paediatrics Committee, 2005).

Crianças em idade pré-escolar normalmente reconhecem a sensação de bexiga cheia se estão acordadas e despertas o suficiente para irem ao banheiro e esvaziá-la. Aquelas que urinam na cama ainda não têm essa consciência. Menos de 1% das crianças com enurese apresenta algum distúrbio físico, mesmo tendo uma bexiga com pouca capacidade. Tampouco podemos considerar a enurese persistente um problema essencialmente emocional, mental ou comportamental — embora esses problemas venham a se desenvolver por causa da maneira como as crianças que urinam na cama são tratadas pelos colegas e pela família (Community Paediatrics Committee, 2005; National Enuresis Society, 1995; Schmitt, 1997).

A enurese é um problema de família. Cerca de 75% das crianças com esse distúrbio têm algum parente próximo que também urina na cama, e gêmeos idênticos são mais concordantes com rela-

*Rotinas regulares e consistentes para adormecer, como a leitura antes de dormir, podem minimizar a resistência a ir para a cama.*

ção a essa condição do que gêmeos fraternais (American Psychiatric Association, 1994; Fergusson, Horwood, & Shannon, 1986). A descoberta do local aproximado de um gene ligado à enurese (von Gontard, Heron, & Joinson, 2011) identificou a hereditariedade como um fator importante, possivelmente associado a retardo da maturação motora, alergias ou deficiência do controle comportamental (Goleman, 1995). O gene não parece ser responsável pela urina ocasional na cama. Muitas crianças que urinam na cama são desprovidas de um hormônio antidiurético que concentra a urina durante o sono. Consequentemente, produzem mais urina do que suas bexigas podem suportar (National Enuresis Society, 1995).

O tratamento é mais eficaz se for adiado até que a criança seja capaz de entender e de aderir às instruções. Os alarmes de enurese que acordam a criança quando ela começa a urinar podem ser úteis; no entanto, a taxa de sucesso é inferior a 50%, mesmo com crianças mais velhas que estão altamente motivadas a superar o problema. A terapia farmacológica com desmopressina, um substituto sintético do hormônio que reduz a produção de urina durante o sono, tornou-se o tratamento padrão (Ramakrishnan, 2008). Estudos recentes sobre um programa de tratamento que combina a desmopressina com a tolterodina, um medicamento para o controle da bexiga, mostraram diminuição significativa do risco de enurese noturna (Austin et al., 2008).

As crianças e seus pais precisam ser tranquilizados de que a enurese é comum e não é grave. A criança não deve ser culpada e não deve ser punida. Geralmente, os pais não não devem fazer nada, a menos que as próprias crianças estejam sofrendo por urinar na cama. A enurese que persiste além das idades de 8 a 10 anos pode ser um sinal de autoestima baixa ou de outros problemas psicológicos (Community Paedriatics Committee, 2005).

Os pais frequentemente consideram o comportamento prolongado de urinar na cama deliberado, mas em geral ele não é. Trata-se de um problema do desenvolvimento, e nenhuma quantidade de adesivos, estrelas ou punições ajudará uma criança a superar a enurese até que ela esteja pronta em seu desenvolvimento.

**Verificador**
**você é capaz de...**

- Discutir as diferenças de idade e as variações culturais nos padrões do sono?
- Identificar quatro distúrbios do sono comuns e fazer recomendações para seu tratamento?

## Desenvolvimento do cérebro

Durante os primeiros anos de vida, o desenvolvimento do cérebro é rápido e profundo. Esse crescimento acelerado continua até, aproximadamente, os 3 anos. Nessa idade, o cérebro já tem cerca de 90% do peso adulto (Gabbard, 1996). A partir dos 3 e até os 6 anos de idade, o crescimento do cérebro é mais rápido nas áreas frontais que regulam o planejamento e o estabelecimento de objetivos. As sinapses que ligam os neurônios vizinhos continuam a se formar durante esse período, e a densidade de sinapses no córtex pré-frontal atinge o valor máximo aos 4 anos (Lenroot & Giedd, 2006). Além disso, a mielina (substância gordurosa que reveste os axônios das fibras nervosas e acelera a condução neural) continua a se formar, e a mielinação das vias para a audição fica concluída (Benes, Turtle, Khan, & Farol, 1994). Aos 6 anos de idade, o cérebro alcançou aproximadamente 95% de seu volume máximo. Entretanto, existem amplas diferenças individuais. Duas crianças saudáveis da mesma idade, em condições normais, poderiam ter até 50% de diferença no volume cerebral (Lenroot & Giedd, 2006). Dos 6 aos 11 anos, o crescimento mais rápido é em uma área que primariamente apoia o pensamento associativo, a linguagem e as relações espaciais (P. M. Thompson et al., 2000).

O *corpo caloso* é uma faixa espessa de fibras nervosas que liga os dois hemisférios do cérebro e lhes permite a comunicação um com o outro. A mielinação progressiva do corpo caloso continua até os 15 anos. Isso permite uma integração mais rápida e eficiente entre os hemisférios (Toga, Thompson, & Sowell, 2006) e melhora funções como coordenação dos sentidos, atenção e excitação, e fala e audição (Lenroot & Giedd, 2006).

O desenvolvimento cerebral afeta outros aspectos do desenvolvimento. Um deles é o desenvolvimento das habilidades motoras.

**Guia de estudo 3**

Como o cérebro das crianças se desenvolve entre 3 e 6 anos de idade?

**Verificador**
**você é capaz de...**

- Descrever os principais desenvolvimentos no cérebro de uma criança entre as idades de 3 e 6 anos?

## Desenvolvimento motor

Crianças entre 3 e 6 anos fazem grandes avanços nas habilidades motoras — as quais compreendem as **habilidades motoras amplas**, que envolvem os grandes músculos, como correr e pular (Quadro 9.2), e as **habilidades motoras finas**, as capacidades de manipulação que compreendem a coordenação olhos-mãos e os pequenos músculos, como os usados para abotoar e desenhar. As crianças também começam a demonstrar preferência pelo uso da mão direita ou da esquerda.

### Habilidades motoras amplas e finas

Aos 3 anos, David conseguia andar em linha reta e pular uma distância curta. Aos 4 anos, era capaz de pular alguns degraus em um pé só. Aos 5, já conseguia pular cerca de 1 metro, saltitar por 5 metros e estava aprendendo a andar de *skate*.

**Guia de estudo 4**

Quais as principais conquistas motoras da segunda infância?

## PARTE IV • Segunda infância

**habilidades motoras amplas**
Habilidades físicas que envolvem os grandes músculos.

**habilidades motoras finas**
Habilidades físicas que envolvem os pequenos músculos e a coordenação olhos-mãos.

**sistemas de ação**
Combinações cada vez mais complexas de habilidades, que permitem uma variedade mais ampla ou mais precisa de movimentos e maior controle do ambiente.

As habilidades motoras não se desenvolvem isoladamente. Aquelas que surgem na segunda infância são originárias das conquistas que aconteceram do período neonatal até a primeira infância. O desenvolvimento das áreas sensorial e motora do córtex cerebral proporciona melhor coordenação entre o que a criança quer fazer e o que ela de fato consegue fazer. Seus ossos e músculos estão mais fortes, e sua capacidade pulmonar é maior, o que lhe possibilita correr, pular e subir mais longe, mais rápido e melhor. À medida que os corpos das crianças mudam, ampliando seus escopos de ações, integram as novas e as velhas habilidades adquiridas em **sistemas de ação**, que produzem capacidades ainda mais complexas.

Aos 2 anos e meio, as crianças começam a pular com os dois pés, uma habilidade que elas não apresentavam antes, provavelmente porque os músculos de suas pernas ainda não estavam suficientemente fortes para impulsionar o peso do corpo para cima. O salto é difícil de dominar até os 4 anos. Subir escadas é mais fácil do que descer. Aos 3 anos e meio, a maioria das crianças alterna os pés confortavelmente quando sobe, mas somente aos 5 anos elas conseguem descer com mais facilidade dessa maneira. Por volta dos 4 anos, as crianças começam a correr; aos 5, fazem isso razoavelmente bem; e aos 6 anos e meio já estão bastante hábeis nessa tarefa. Pular corda é mais difícil, e, embora algumas crianças de 4 anos consigam fazê-lo, a maioria não consegue antes dos 6 anos (Corbin, 1973). É claro que as crianças variam em sua capacidade de adaptação, dependendo de sua dotação genética e de suas oportunidades para aprender e praticar as habilidades motoras.

As habilidades motoras amplas desenvolvidas durante a segunda infância são a base para os esportes, a dança e outras atividades que começam durante a terceira infância e podem continuar por toda a vida. No entanto, crianças com menos de 6 anos raramente estão prontas para praticar qualquer esporte organizado. Se as exigências do esporte excederem as capacidades físicas e motoras da criança, é possível observar sentimentos de frustração por parte dela (AAP Committee on Sports Medicine and Fitness and Committee on School Health, 2001).

As crianças desenvolvem-se melhor fisicamente quando conseguem participar ativamente em atividades livres adequadas ao seu nível de maturidade. Portanto, pais e professores podem ajudar dando-lhes oportunidade de subir e de pular em equipamentos apropriados e seguros, fornecendo-lhes bolas e outros brinquedos de tamanho adequado e suficientemente macios para que sejam agarrados com facilidade sem provocar danos e oferecendo apoio quando a criança precisar de ajuda.

Os avanços nas *habilidades motoras finas,* como amarrar os cadarços dos sapatos e cortar com a tesoura, permitem que as crianças sejam mais responsáveis por seus cuidados pessoais. Aos 3 anos, Madison consegue colocar o leite e os cereais na tigela, comer com talheres e usar o banheiro sozinha. Ela também consegue fazer desenhos simples como círculos e até a forma básica de uma pessoa — sem braços. Aos 4 anos, Jordan é capaz de vestir-se com ajuda. Ele consegue cortar seguindo uma linha, desenhar uma figura humana razoavelmente completa, fazer desenhos e letras rudimentares e dobrar uma folha de papel em um duplo triângulo. Aos 5 anos, Juan é capaz de vestir-se sem muita ajuda, copiar um quadrado ou um triângulo e desenhar uma figura humana mais elaborada do que antes.

**QUADRO 9.2**  Habilidades motoras amplas na segunda infância

| 3 anos | 4 anos | 5 anos |
|---|---|---|
| Não sabe desviar ou parar de repente ou rapidamente. | Tem um controle mais eficiente do ato de parar, arrancar e desviar. | Pode arrancar, desviar e parar efetivamente em jogos. |
| Pode saltar uma distância de 38 a 60 centímetros. | Pode saltar uma distância de 60 a 84 centímetros. | Pode correr e saltar uma distância de 71 a 91 centímetros. |
| Pode subir uma escadaria sem ajuda, alternando os pés. | Pode descer uma escadaria alternando os pés se estiver apoiada. | Pode descer uma longa escadaria sem ajuda, alternando os pés. |
| Pode saltitar usando amplamente uma série de saltos irregulares, com a adição de algumas variações. | Pode saltitar de 4 a 6 passos com um único pé. | Pode saltitar facilmente uma distância de 5 metros. |

*Fonte:* Corbin, 1973.

## Lateralidade manual

A **lateralidade manual**, a preferência por usar uma das mãos em vez da outra, é geralmente evidente por volta dos 3 anos de idade. Uma vez que o hemisfério esquerdo do cérebro, o qual controla o lado direito do corpo, costuma ser dominante, a maioria das pessoas prefere seu lado direito. Em pessoas cujo cérebro é mais simétrico do ponto de vista funcional, o hemisfério direito tende a predominar, tornando-as canhotas. A lateralidade manual nem sempre é bem definida; nem todos preferem uma das mãos para cada tarefa. Meninos têm mais probabilidade de serem canhotos do que meninas. Para cada 100 meninas canhotas há 123 meninos canhotos (Papadatou-Pastou, Martin, Munafo, & Jones, 2008).

A lateralidade manual é genética ou aprendida? Alguns pesquisadores defendem explicações genéticas, citando, por exemplo, variantes genéticas que tornam mais provável a criança ser canhota (Klar, 1996). Outros argumentam que as influências ambientais são suscetíveis de ser fundamentais porque fatores como o baixo peso no nascimento e os partos difíceis estão associados aos canhotos (Alibeik & Angaji, 2010). Por exemplo, um grande estudo com mais de 30 mil adultos indicou que gêmeos e trigêmeos tinham mais probabilidades de ser canhotos do que partos individuais, sugerindo que o ambiente pré-natal pode ter influência (Vuoksimaa, Koskenvuo, Rose, & Kaprio, 2009). Como evidência adicional, gêmeos geralmente não são concordantes em relação ao canhotismo, o que sugere que a genética tem menos a ver com a lateralidade manual do que o ambiente (Vuoksimaa, et al., 2009; Medland, et al., 2009).

## Desenvolvimento artístico

Em um estudo de referência dos trabalhos artísticos de crianças, Rhoda Kellogg (1970) examinou mais de 1 milhão de desenhos feitos por crianças, metade delas com menos de 6 anos de idade. Ela descobriu o que acreditou ser uma progressão universal de mudanças refletindo amadurecimento do cérebro, bem como dos músculos (Fig. 9.2). Ela verificou que crianças com 2 anos de idade *rabiscam* – não aleatoriamente, mas em padrões como linhas verticais e em zigue-zague. Com 3 anos, as crianças desenham *formas* – círculos, quadrados, triângulos, cruzes e Xs – e depois começam a combinar as formas em *desenhos* mais complexos. O estágio *pictórico* tipicamente se inicia entre 4 e 5 anos de idade. A mudança de forma e desenho abstratos para representar objetos reais marca uma alteração fundamental no propósito do desenho feito pelas crianças, refletindo o desenvolvimento cognitivo da capacidade representacional.

Na visão de Kellogg, essa sequência do desenvolvimento ocorre por processos internos da criança, e quanto menos envolvimento do adulto, melhor. Ao perguntar às crianças o que seus desenhos representam, Kellogg advertiu: os adultos podem encorajar maior precisão pictórica, mas reprimem a energia e a liberdade tipicamente mostradas em suas primeiras tentativas.

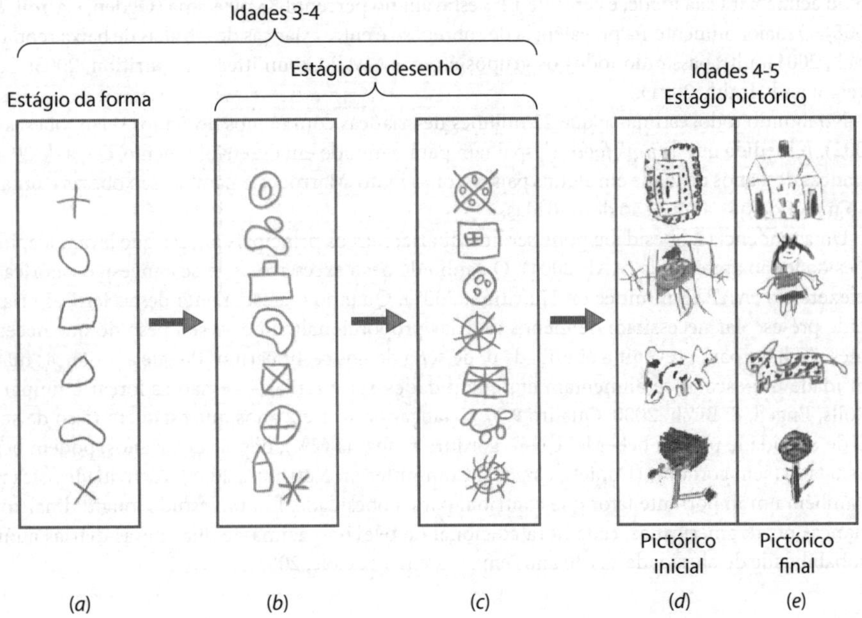

**lateralidade manual**
Preferência por usar uma das mãos.

**Qual a sua opinião?**

Os desenhos do estágio pictórico inicial mostram energia e liberdade; aqueles do estágio pictórico mais tardio mostram cuidado e precisão. Por que você acha que essas mudanças ocorrem?

**FIGURA 9.2**
Desenvolvimento artístico na segunda infância.
*Há grande diferença entre as formas muito simples mostradas em (a) e os desenhos pictóricos detalhados em (e).*

**Verificador**
**você é capaz de...**
- Descrever as alterações fisiológicas típicas entre os 3 e os 6 anos de idade?
- Dizer como o funcionamento cerebral está relacionado à lateralidade manual?
- Identificar os quatro estágios de desenho das crianças pequenas?

**Guia de estudo 5**
Quais são as necessidades nutricionais das crianças pequenas e que riscos estão associados à subnutrição e à obesidade? Quais são os principais riscos à saúde e à segurança dessas crianças?

Em 2008, o estúdio cinematográfico Pixar lançou Wall-E, uma animação de ficção científica na qual os seres humanos são retratados como obesos e sedentários, flutuando em um ambiente mecanizado. Onde você acha que os seres humanos vão acabar se não mudarmos nossos caminhos? Essa visão da humanidade pode um dia tornar-se realidade?

**Qual a sua opinião?**

Muitos comerciais de televisão que têm como alvo crianças pequenas incentivam a má nutrição e o ganho de peso ao promoverem gorduras e açúcares em vez de proteínas e vitaminas. Como os pais poderiam enfrentar essas pressões?

Esse modelo individualista é dominante nos Estados Unidos, mas não é o único modelo. Vygotsky, por exemplo, entendia que o desenvolvimento das habilidades de desenhar ocorria no contexto de interações sociais (Braswell, 2006). As crianças pegam os aspectos do desenho do adulto que estão dentro de sua zona de desenvolvimento proximal (ZPD; ver Cap. 10). As crianças entre 4 e 5 anos que já desenham figuras simples podem imitar a forma como a mãe desenha uma mão, por exemplo, enquanto as crianças que ainda estão na fase dos rabiscos não o fazem (Braswell & Callanan, 2003). As crianças também aprendem olhando e falando sobre os desenhos umas das outras (Braswell, 2006).

Além disso, os padrões que Kellogg descreveu nos desenhos das crianças não são universais. Existem variações transculturais, por exemplo, na forma como as crianças desenham uma pessoa ou um animal. Por fim, a visão de Kellogg de que a intervenção do adulto tem influência negativa sobre o desenho das crianças, embora amplamente compartilhada por muitos educadores norte-americanos, também é ligada à cultura. Os pais chineses, por exemplo, fornecem instrução ou modelos artísticos para seus filhos, e as crianças chinesas tendem a ser mais avançadas artisticamente do que crianças norte-americanas (Braswell, 2006).

## Saúde e segurança

Em razão das amplas campanhas de imunização, muitas daquelas que outrora eram as maiores doenças da infância hoje são muito menos comuns nas nações ocidentais industrializadas (Box 9.1). Nos países em desenvolvimento, entretanto, doenças que poderiam ser evitadas, como pneumonia, diarreia e malária, ainda são responsáveis por um grande número de mortes.

Nos Estados Unidos, a mortalidade infantil é relativamente pequena se for comparada à dos adultos, e a maior parte dela é causada mais por ferimentos do que por doenças (Heron et al., 2009). Ainda assim, influências ambientais tornam essa época menos saudável para algumas crianças do que para outras.

### Nutrição: prevenção da obesidade

Assim como ocorre no período neonatal até a primeira infância, um crescimento apropriado e uma boa saúde dependem de boa nutrição e sono adequado. Contudo, as necessidades alimentares e de sono das crianças em idade pré-escolar (discutidas posteriormente neste capítulo) são bem diferentes daquelas dos bebês e das outras crianças. A partir dos 2 anos, uma dieta saudável é equivalente à dos adultos: basicamente frutas e vegetais, grãos integrais, derivados do leite com pouca ou nenhuma gordura, feijões, peixe e carnes magras (American Heart Association et al., 2006).

A obesidade é um problema sério entre crianças em idade pré-escolar nos Estados Unidos. Entre 2003 e 2006, mais de 12% de crianças de 2 a 5 anos tinham índice de massa corporal (IMC) no percentil 95 ou acima para sua idade, e cerca de 12% estavam no percentil 85 ou acima (Ogden, Carroll, & Flegal, 2008). O maior aumento na prevalência de sobrepeso é entre crianças de famílias de baixa renda (Ritchie et al., 2001), ultrapassando todos os grupos étnicos (AAP Committee on Nutrition, 2003; Center for Weight and Health, 2001).

No mundo todo, estima-se que 22 milhões de crianças com menos de 5 anos sejam obesas (Belizzi, 2002). À medida que as *junk food* se espalham para o mundo em desenvolvimento, cerca de 20 a 25% de crianças de 4 anos de idade em alguns países, como Egito, Marrocos e Zâmbia, são obesas – uma proporção maior do que as que são desnutridas.

Uma tendência à obesidade pode ser hereditária, mas os principais fatores que levam à epidemia de obesidade são ambientais (AAP, 2004). O ganho de peso excessivo deve-se à ingestão calórica e à falta de exercício (AAP Committee on Nutrition, 2003). Quando o crescimento desacelera, as crianças em idade pré-escolar necessitam de menos calorias proporcionalmente ao seu peso do que necessitavam antes. A chave para prevenir a obesidade pode ser a de nos certificarmos de que as crianças mais velhas em idade pré-escolar se alimentam em quantidades apropriadas — e não as forçar a limpar o prato (Rolls, Engell, & Birch, 2000; Quadro 9.3). Crianças entre 1 e 2 anos que estão em risco de sobrepeso ou de obesidade podem beber leite com gordura reduzida (2%); depois dos 2 anos, podem beber leite desnatado (sem gordura) (Daniels, Greer, & Committee on Nutrition, 2008). A atividade física reduzida é também um importante fator que contribui para a obesidade. Em um estudo longitudinal com 8.158 crianças norte-americanas, cada hora adicional de televisão acima de duas horas diárias aumentou a probabilidade de obesidade aos 30 anos em 7% (Viner & Cole, 2005).

# Pelo mundo

## SOBREVIVENDO AOS PRIMEIROS CINCO ANOS DE VIDA

As chances de uma criança sobreviver ao seu quinto aniversário duplicaram durante as quatro últimas décadas, mas a perspectiva de sobrevivência depende em grande medida de onde a criança vive. No mundo todo, mais de 17 milhões de crianças com menos de 5 anos de idade morreram em 1970. Hoje, o número de mortes nesse grupo etário caiu para 8,8 milhões a cada ano – o que ainda é muito (UNICEF, 2009). E, embora a mortalidade infantil tenha diminuído na maior parte do mundo, esses ganhos não beneficiaram todas as crianças igualmente.

Os esforços internacionais para melhorar a saúde da criança focalizam-se nos primeiros cinco anos porque quase 90% das mortes de crianças com menos de 15 anos ocorrem durante aqueles anos. Um total de 98% de mortes de crianças ocorrem em regiões rurais pobres de países em desenvolvimento, onde a nutrição é inadequada, a água é imprópria para consumo e faltam instalações sanitárias; como mostrado na Figura 1, as taxas de mortalidade infantil são quase o dobro na África quando comparadas àquelas no resto do mundo (UNICEF, 2009). Um bebê nascido em Serra Leoa tem probabilidade 3,5 vezes maior de morrer antes dos 5 anos do que uma criança nascida na Índia e probabilidade mais de 100 vezes maior de morrer do que uma criança nascida na Islândia, que tem a taxa de mortalidade infantil mais baixa do mundo (WHO, 2003).

No mundo todo, as quatro principais causas de morte, responsáveis por mais da metade das mortes em crianças com menos de 5 anos de idade, são doenças transmissíveis: pneumonia, diarreia, malária e assepsia neonatal (ver a Fig. 2 deste Box). A pneumonia mata mais crianças do que qualquer outra doença. Em mais da metade dessas mortes, a subnutrição é uma causa subjacente. Noventa e quatro por cento das mortes por malária ocorrem na África (Bryce, Boschi-Pinto, Shibuya, Black, & WHO Child Health Epidemiology Reference Group, 2005).

Países em desenvolvimento mais avançados da região leste do Mediterrâneo, da América Latina e da Ásia estão vivenciando uma mudança para um padrão de países mais desenvolvidos, onde a mortalidade infantil tem mais probabilidade de ser causada por complicações do parto (ver Cap. 6). Mais de 60 países reduziram sua taxa de mortalidade para crianças com menos de 5 anos de idade em 50% (UNICEF, 2007). Em geral, a maior melhora ocorreu em nações industrializadas ricas e naqueles países em desenvolvimento onde a mortalidade infantil já era relativamente baixa. Portanto, embora a diferença nas taxas de mortalidade entre os mundos desenvolvido e em desenvolvimento tenha diminuído, as disparidades entre regiões em desenvolvimento aumentaram (WHO, 2003).

Em alguns países africanos, o HIV/aids é responsável por até 60% da mortalidade infantil, frequentemente de crianças que perderam suas mães para a doença. Quatorze países africanos, após alcançarem reduções significativas na mortalidade infantil durante as décadas de 1970 e 1980, viram mais crianças pequenas morrer em 2002 do que em 1990. Por sua vez, oito países na região, entre eles Gabão, Gâmbia e Gana, reduziram a mortalidade infantil em mais de 50% desde 1970 (WHO, 2003).

Na América Latina, as reduções mais drásticas na mortalidade infantil ocorreram no Chile, na Costa Rica e em Cuba, onde as mortes de crianças diminuíram em mais de 80% desde 1970. Em contrapartida, crianças haitianas ainda morrem a uma taxa de 133 a cada mil, quase o dobro da taxa na Bolívia, que tem o próximo pior recorde de mortalidade nas Américas (WHO, 2003).

Na maioria dos países, com exceção de China, Índia, Paquistão e Nepal, os meninos têm mais probabilidade de morrer do que as meninas. Na China, onde as famílias tradicionalmente preferem os meninos, as meninas pequenas têm um risco de morrer 33% maior – frequentemente, como tem sido relatado, por abandono e infanticídio (Carmichael, 2004; Hudson & den Boer, 2004; Lee, 2004; Rosenthal, 2003) ou negligência. As crianças em países pobres e as crianças de famílias pobres em países ricos têm mais probabilidade de morrer quando pequenas. Os ganhos de sobrevivência têm sido mais lentos em áreas rurais do que em áreas urbanas e, em alguns países, como nos Estados Unidos, têm beneficiado desproporcionalmente aqueles com rendas mais altas. Contudo, mesmo as crianças pobres norte-americanas têm menor probabilidade de morrer quando pequenas do que crianças em melhor situação na África (WHO, 2003).

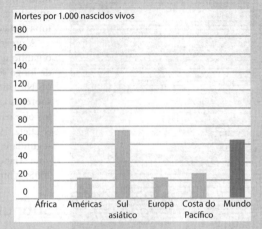

*Comparação da mortalidade infantil em cinco regiões do mundo, 2008.*
Fonte: UNICEF, 2009.

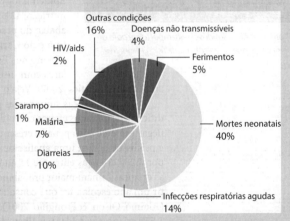

*Principais causas de morte em crianças com menos de 5 anos e em recém-nascidos (média anual, 2010).*
Fonte: WHO, 2010.

**Qual a sua opinião?** O que poderia ser feito para produzir melhorias mais rápidas e mais uniformemente distribuídas na mortalidade infantil em todo o mundo?

*Embora uma dieta saudável seja importante para a prevenção de obesidade, atividade física também é essencial.*

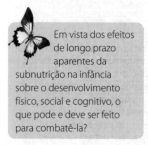

Em vista dos efeitos de longo prazo aparentes da subnutrição na infância sobre o desenvolvimento físico, social e cognitivo, o que pode e deve ser feito para combatê-la?

*O que* as crianças comem é tão importante quanto a quantidade que comem. Para evitar a obesidade e prevenir problemas cardíacos, crianças pequenas devem ingerir somente cerca de 30% de gordura de suas calorias totais, e apenas um terço das calorias da gordura deve ser de gorduras saturadas. Carne magra e derivados do leite devem permanecer na dieta para fornecerem proteína, ferro e cálcio. Leite e outros laticínios devem ser desnatados ou com baixo teor de gordura (AAP Committee on Nutrition, 2006). Em estudos não foram encontrados efeitos negativos em altura, peso, massa corporal ou desenvolvimento neurológico com base em uma dieta com pouca gordura (Rask-Nissilä et al., 2000; Shea et al., 1993).

A prevenção da obesidade nos primeiros anos de vida, quando normalmente o ganho de peso passa a ser excessivo, é fundamental; o sucesso do tratamento de longo prazo, especialmente quando postergado, é limitado (AAP Committee on Nutrition, 2003; Quattrin, Liu, Shaw, Shine, & Chiang, 2005). Crianças com sobrepeso, principalmente aquelas cujos pais são obesos, tendem a tornar-se adultos obesos (AAP Committee on Nutrition, 2003; Whitaker, Wright, Pepe, Seidel, & Dietz, 1997), e o excesso de massa corporal é uma ameaça à saúde. Portanto, a segunda infância é um bom momento para tratar o sobrepeso, quando a dieta de uma criança ainda está sujeita à influência e ao controle dos pais (Quattrin et al., 2005; Whitaker et al., 1997).

## Subnutrição

A subnutrição é uma causa subjacente em mais da metade de todas as mortes antes dos 5 anos de idade (Bryce, Boschi-Pinto, Shibuya, Black &, WHO Child Health Epidemiology Reference Group, 2005). O sul da Ásia tem o nível mais alto de subnutrição; 42% das crianças pequenas no sul da Ásia estão moderada ou gravemente abaixo do peso comparadas com 28% na África Subsaariana, 7% na América Latina e no Caribe e 25% de crianças pequenas no mundo todo (UNICEF, 2008a). Mesmo nos Estados Unidos, 17% das crianças com menos de 18 anos viviam em lares com insegurança alimentar em 2007 (Federal Interagency Forum on Child and Family Statistics, 2007). Veja o Box 9.2 para mais informações sobre a insegurança alimentar.

Visto que crianças subnutridas geralmente vivem em circunstâncias de extrema privação, pode ser difícil determinar os efeitos específicos da má nutrição. Entretanto, juntas, essas privações podem afetar negativamente não apenas o crescimento e o bem-estar físico, mas também o desenvolvimento cognitivo e psicossocial. Em uma análise de dados de uma amostra representativa a âmbito nacional composta por 3.286 crianças entre 6 e 11 anos de idade, cujas famílias não dispunham de alimentos suficientes, as crianças tinham maior probabilidade de obter maus resultados nos testes de aritmética, ter que repetir um ano escolar, ter que consultar um psicólogo e ter dificuldades no convívio com outras crianças (Alaimo, Olson, & Frongillo, 2001). Além disso, os efeitos da subnutrição podem ser duradouros. Entre 1.559 crianças nascidas nas Ilhas Maurício em um único ano, aquelas que foram subnutridas aos 3 anos tinham capacidades verbais e espaciais, habilidades de leitura e desempenho neuropsicológico mais insatisfatórios do que seus pares aos 11 anos de idade (Liu, Raine, Venables, Dalais, & Mednick, 2003).

Alguns estudos sugerem que os efeitos da subnutrição sobre o crescimento podem ser diminuídos com a melhora da dieta (Engle et al, 2007; Lewit & Kerrebrock, 1997), mas os tratamentos mais efetivos vão além do cuidado físico. Um estudo longitudinal (Grantham-McGregor, Powell, Walker, Chang, & Fletcher, 1994) acompanhou dois grupos de crianças jamaicanas com níveis de desenvolvimento baixos que tinham sido hospitalizadas por subnutrição grave quando bebês e na primeira infância e que vinham de lares extremamente pobres, frequentemente instáveis. Os profissionais acompanharam um grupo experimental no hospital e, após a alta, visitaram-nos em casa semanalmente por três anos, mostrando às mães como fazer brinquedos e encorajando-as a interagir com seus filhos. Três anos após o programa ser interrompido, os QIs das crianças do grupo experimental estavam acima dos daquelas de um grupo-controle que tinha recebido apenas tratamento médico padrão (embora não tão altos quanto os QIs de um terceiro grupo, bem nutrido). Além disso, os QIs das crianças do grupo experimental permaneceram mais altos do que os das crianças do grupo-controle 14 anos após a alta do hospital.

A educação precoce pode ajudar a combater os efeitos da subnutrição. Em um estudo jamaicano, as mães do grupo experimental matricularam os filhos em creches em uma idade mais precoce do que as mães do grupo-controle. Em outro estudo nas Ilhas Maurício, cem crianças entre 3 e 5 anos receberam

## QUADRO 9.3 Incentivando hábitos de alimentação saudáveis

▶ São os pais, não as crianças, que devem escolher os horários das refeições.

▶ Se a criança não tiver sobrepeso, permita que ela decida a quantidade que deseja comer. Não pressione a criança para limpar o prato.

▶ Sirva doses de acordo com o tamanho e a idade da criança.

▶ Sirva alimentos simples, facilmente identificáveis. Crianças em idade pré-escolar muitas vezes recusam-se a comer pratos misturados, como guisados.

▶ Sirva alimentos que possam ser comidos à mão sempre que possível.

▶ Apresente apenas um alimento novo de cada vez, juntamente com alimentos familiares dos quais a criança goste. Ofereça doses pequenas de alimentos novos ou dos que a criança não gostou. Se a criança pedir, sirva uma dose adicional.

▶ Depois de decorrido um período razoável, remova a comida e não sirva mais nada até a próxima refeição. Uma criança saudável não vai sofrer com a falta de uma refeição, e elas precisam aprender que há horas determinadas para se alimentar.

▶ Dê à criança uma opção de alimentos que contenha nutrientes semelhantes: pão de centeio ou pão de trigo integral, um pêssego ou uma maçã, iogurte ou leite.

▶ Sirva laticínios com baixo teor de gordura ou desnatados como fontes de cálcio e proteína.

▶ Encoraje a criança a ajudar na preparação dos alimentos; ela pode ajudar a fazer sanduíches ou a misturar a massa de biscoito e fazer os biscoitos com a colher, colocando-os no forno.

▶ Limite os petiscos enquanto a criança vê televisão ou vídeos. Desencoraje o consumo de alimentos pobres em nutrientes, como salgadinhos, frituras, sorvetes, bolachas e bebidas açucaradas; como substituição, sugira alimentos nutritivos que possam ser comidos à mão, como frutas e vegetais crus.

▶ Tire proveito do prazer infantil. Sirva os alimentos em pratos atraentes, enfeite-os com pequenos brinquedos, faça uma festa para cada refeição.

▶ Não tente mudar rituais que a criança utiliza para comer, como, por exemplo, comer certos alimentos um de cada vez ou em determinada ordem.

▶ Cultive o hábito das refeições em família. Torne as refeições momentos agradáveis, com conversas sobre assuntos interessantes, e fale o mínimo possível sobre comida.

*Fontes:* American Heart Association et al., 2006; Rolls, Engell, & Birch, 2000; Williams & Caliendo, 1984.

Em 2010, a rede norte-americana ABC lançou uma minissérie chamada *A Revolução Alimentar por Jamie Oliver*. Muitas pessoas ficaram chocadas com sua demonstração de quão distantes as crianças apresentadas em seu programa estavam da comida de verdade. Em um episódio marcante, crianças do 1º ano do ensino fundamental foram incapazes de identificar tomates frescos, couve-flor, cogumelos, berinjela ou batatas.

suplementos nutricionais e acompanhamento médico e foram colocadas em creches especiais com turmas pequenas. Aos 17 anos, essas crianças tiveram menores taxas de comportamento antissocial e menos problemas de saúde mental do que os indivíduos do grupo-controle. Os efeitos foram maiores entre as crianças que eram subnutridas no início do estudo (Raine, Mellingen, Liu, Venables, & Mednick, 2003).

## Alergias alimentares

Uma alergia alimentar é uma resposta anormal do sistema imunológico a um alimento específico. As reações podem variar de formigamento na boca e urticária a reações mais graves e potencialmente fatais, como falta de ar e mesmo morte. Noventa por cento das alergias alimentares podem ser atribuídas a sete alimentos: leite, ovos, nozes, amendoim, peixe, soja e trigo (Sampson, 2004; Sicherer, 2002). As alergias alimentares são mais prevalentes em crianças do que em adultos, e a maioria das crianças superará suas alergias (Branum & Lukas, 2008). Em 2007, 4 em cada 100 crianças já sofreram de algum tipo de alergia alimentar.

Pesquisas sobre crianças com menos de 18 anos demonstraram aumento na prevalência de alergias alimentares durante os últimos 10 anos (Branum e Lukacs, 2008). As hospitalizações relacionadas a essas alergias cresceram significativamente, como mostra a Figura 9.3. Mudanças na dieta, a forma como os alimentos são processados e a diminuição da vitamina D com base em menos exposição ao sol foram sugeridas como contribuições para o aumento nas taxas de alergia. Outra teoria — a de que a sociedade é muito limpa e de que os sistemas imunológicos das crianças são menos maduros porque elas não são suficientemente expostas a sujeira e germes — também tem sido explorada. Embora haja muitas explicações possíveis, não existe evidência suficiente para apontar uma causa.

# O mundo social

## SEGURANÇA ALIMENTAR

A maioria das famílias nos Estados Unidos tem segurança alimentar – elas têm acesso assegurado a alimento suficiente para sustentar uma vida saudável. Infelizmente, um número cada vez maior de famílias precisa lidar com os desafios de suprimentos de alimentos insuficientes para seus lares. A insegurança alimentar é experimentada quando (1) a disponibilidade de alimento no futuro é incerta, (2) a quantidade e o tipo de alimento necessário para um estilo de vida saudável são insuficientes, ou (3) os indivíduos precisam apelar para formas socialmente inaceitáveis para obter alimento (NRC, 2006, p. 44).

Em um estudo recente, o Departamento de Agricultura dos Estados Unidos verificou que mais de 36 milhões de pessoas sofriam de "segurança alimentar muito baixa", um número que representa 12% de todos os norte-americanos. O número na categoria em pior situação, isto é, que sofre os maiores níveis de fome, cresceu 40% desde 2000, e a prevalência de insegurança alimentar nos lares com crianças é aproximadamente duas vezes maior que nos lares sem crianças (Nord, Andrews, & Carlson, 2008).

Famílias com recursos insuficientes para prover alimento para todos os seus membros geralmente tentam proteger as crianças da ingestão reduzida de alimentos. Ainda assim, 691 mil crianças passaram fome em 2007, um aumento de 50% em relação às estatísticas de 2006 (Nord et al., 2008). Com as condições econômicas desafiadoras que os Estados Unidos enfrentam nos dias atuais, é altamente provável que esse número continue a subir: "o aumento da procura pelo vale-refeição, agências de serviços sociais e fornecedores de alimentos de emergência mostra que a crescente deslocalização econômica está esmagando as principais instituições de distribuição livre de alimentos", observa Jim Weill, presidente da Food Research and Action Center (FRAC).

Não surpreendentemente, a insegurança alimentar afeta de modo adverso a saúde, as capacidades cognitivas e o bem-estar socioemocional das crianças. A qualidade do alimento consumido é afetada juntamente com sua quantidade. À medida que os orçamentos para alimentação encolhem, os primeiros itens a serem retirados da dieta são geralmente alimentos saudáveis, como grãos integrais, carnes magras, laticínios, vegetais e frutas. Amidos, doces e gorduras ricos em calorias, que costumam ser pobres em nutrientes, normalmente oferecem a forma mais barata de encher estômagos famintos (Drewnowski & Eichelsdoerfer, 2009). Níveis relativamente moderados de insegurança alimentar e dieta de qualidade mais baixa foram associados a saúde precária, capacidades de aprendizagem diminuídas, níveis de motivação mais baixos e ansiedade e depressão aumentadas.

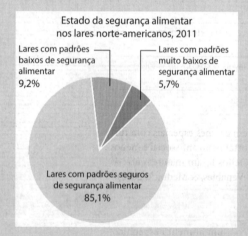

*As famílias com insegurança alimentar incluem segurança alimentar baixa e muito baixa.*
*Fonte: Dados do U.S. Department of Agriculture Economic Research Service, 2011.*

 **Qual a sua opinião?** Em algumas nações em desenvolvimento, a escassez de alimento é generalizada, e a subnutrição grave é prevalente. Nos Estados Unidos, os efeitos da fome são geralmente menos graves, em parte porque programas federais de nutrição fornecem assistência a famílias de baixa renda. De quais programas você tem conhecimento? Quais são os benefícios (e desvantagens) desses tipos de programas?

### Saúde bucal

Aos 3 anos, todos os dentes primários, ou primeira dentição, estão no lugar, e os dentes permanentes, que aparecem mais ou menos aos 6 anos, já começam a se desenvolver. Dessa forma, em geral, os pais podem até ignorar o hábito que as crianças com menos de 4 anos têm de chupar o dedo. Se as crianças param de chupar o dedo até essa idade, seus dentes permanentes provavelmente não serão afetados (American Dental Association, 2007).

O uso de flúor e o aprimoramento dos cuidados dentais reduziram consideravelmente a incidência da cárie dentária desde os anos de 1970, mas crianças carentes ainda têm mais cáries não tratadas do que crianças em melhor situação econômica (Bloom, Cohen, Vickerie, & Wondimu, 2003; Brown, Wall,

## Capítulo 9 • Desenvolvimento físico e saúde na segunda infância

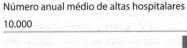

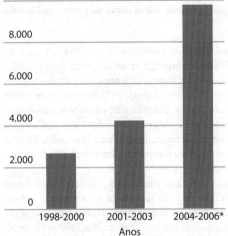

\* Tendência estatisticamente significativa.

**FIGURA 9.3**
Número médio de altas hospitalares por ano entre crianças com menos de 18 anos com qualquer diagnóstico relacionado a alergia alimentar: Estados Unidos, 1998-2006.
*Dados recentes mostram que os diagnósticos relacionados a alergias alimentares aumentaram entre crianças do nascimento aos 17 anos.*

*A partir do CDC/NCHS, National Health Interview Survey.
*Fonte*: Branum & Lukacs, 2008.

& Lazar, 2000). Em geral, a cárie dentária na segunda infância é decorrente do consumo excessivo de leites açucarados e sucos no primeiro ano de vida, somado à falta de cuidados regulares com os dentes. Alguns dos piores problemas foram encontrados em crianças que levavam garrafas para a cama e banhavam seus dentes em açúcar durante a tarde ou a noite (American Academy of Pediatrics, 2000). Em um estudo longitudinal com 642 crianças de Iowa que foram acompanhadas do 1º ao 5º ano de vida, o consumo de refrigerantes normais (não dietéticos), o pó para preparo de refrescos e, em menor extensão, os sucos 100% naturais aumentaram o risco da cárie dentária (Marshall et al., 2003). Embora a cárie na primeira dentição tenha em geral diminuído a partir do início da década de 1970, houve uma ligeira inversão dessa tendência desde o início da década de 1990 (Centers for Disease Control and Prevention, 2007b).

## Mortes e ferimentos acidentais

Como as crianças são ousadas por natureza e geralmente não têm consciência do perigo, é difícil para os cuidadores protegê-las dos riscos sem *super*protegê-las. Embora muitos cortes, pancadas e arranhões sejam "curados com um beijinho" e rapidamente esquecidos, alguns ferimentos provocam danos mais duradouros e até mesmo a morte. Na verdade, nos Estados Unidos, os ferimentos por acidentes são a maior causa de morte após os primeiros 12 meses de vida, da infância à adolescência (Heron et al., 2009). No mundo, mais de 800 mil crianças morrem anualmente por causa de queimaduras, afogamentos, acidentes de carro, quedas, intoxicações etc. (WHO, 2008).

Muitas crianças que frequentam creches ou estão nos primeiros anos escolares vão para a escola sozinhas e, por vezes, têm de atravessar ruas movimentadas sem sinais de trânsito, apesar de provavelmente não saberem como fazer isso em segurança (Zeedyk, Wallace, & Spry, 2002). Algumas são mais suscetíveis ao risco. Em um estudo com crianças de 5 e 6 anos que tinham maior propensão a assumir riscos em jogos de apostas foram as que mais afirmaram ser seguro atravessar uma rua movimentada caminhando por entre os carros sem um sinal de trânsito ou faixa de pedestres (Hoffrage, Weber, Hertwig, & Chase, 2003).

Todos os 50 Estados e o Distrito de Colúmbia exigem a condução de crianças nos carros em assentos especialmente projetados ou o uso de cintos de segurança padronizados. Crianças de 4 anos que trocam o colo por assentos e cintos de segurança podem precisar de assentos mais reforçados até crescerem mais. *Airbags* são projetados para proteger os adultos, não as crianças. Foi provado que eles *aumentam* o risco de ferimentos fatais em crianças com menos de 13 anos que viajam no banco da frente. As campanhas para que as crianças viajem nos bancos de trás reduziram o número de mortes em 200 por ano entre 1996 e 2003 (Glassbrenner, Carra, & Nichols, 2005).

A maioria das mortes por ferimentos, especialmente entre crianças em idade pré-escolar, acontece em casa — grande parte delas causada por fogo, afogamento na banheira, asfixia, envenenamento e queda (Nagaraja et al., 2005). Medicamentos rotineiros, como aspirina, paracetamol e até mesmo vitaminas e sais minerais, podem ser perigosos para as crianças curiosas, a menos que sejam armazenados fora do alcance delas. Durante o período de 2001 a 2003, estima-se que cerca de 50 mil crianças de 4 anos ou menos foram tratadas anualmente nos postos de emergência dos hospitais norte-americanos por causa de exposição não intencional a remédios prescritos e de venda livre (Burt, Annest, Ballesteros, & Budnitz, 2006).

As leis norte-americanas que exigem o uso de tampas à prova de crianças nos vidros de remédio e em outros produtos domésticos perigosos, a regulamentação da segurança dos produtos, capacetes obrigatórios para ciclistas e armazenamento seguro de armas de fogo e de remédios melhoraram a segurança da criança. Tornar os *playgrounds* mais seguros é outra medida valiosa. (O Quadro 9.4 resume sugestões para a redução de riscos de acidentes em várias situações.)

---

**Verificador**
**você é capaz de...**
- Resumir as necessidades nutricionais das crianças em idade pré-escolar e explicar por que a obesidade e a cárie dentária tornam-se preocupações nessa idade?
- Identificar os efeitos da subnutrição e os fatores que podem influenciar seus resultados de longo prazo?
- Identificar os alimentos mais comuns que causam reações alérgicas?

---

 Nos Estados Unidos, o símbolo típico usado para venenos agora é o "Mr. Yuk" – uma careta de desenho animado, verde, mostrando a língua. Essa imagem foi adotada quando os pesquisadores e os órgãos de saúde pública perceberam que a tradicional caveira com ossos cruzados, em vez de indicar perigo para crianças pequenas, as intrigava e deixava-as interessadas pelos conteúdos das embalagens.

---

**Verificador**
**você é capaz de...**
- Comparar o nível de saúde das crianças pequenas nos países desenvolvidos e nos países em desenvolvimento?
- Dizer onde e como as crianças pequenas têm mais probabilidade de sofrerem ferimentos, e listar formas de evitar acidentes?

## A saúde no contexto: influências ambientais

Por que algumas crianças têm mais doenças ou lesões do que outras? A herança genética contribui: algumas crianças parecem predispostas a certas condições médicas. Além disso, os fatores ambientais desempenham papéis importantes.

**Nível socioeconômico e raça/etnia** Quanto mais baixo o nível socioeconômico (NSE) de uma família, maiores os riscos de a criança enfrentar doenças, lesões e morte (Chen, Matthews, & Boyce, 2002). As crianças pobres — que representam 1 em cada 5 crianças com menos de 6 anos nos Estados Unidos que pertencem desproporcionalmente a minorias — têm mais probabilidade do que outras de terem condições crônicas e limitações de atividade, de não terem planos de saúde e de não terem suas necessidades médicas e dentárias atendidas. Entretanto, a saúde geral de crianças pobres tem melhorado; entre 1984 e 2003, a porcentagem de crianças pobres com saúde muito boa ou excelente subiu de 62% para 71%, em comparação com 86 a 89% para crianças não pobres durante o mesmo período de tempo (Federal Interagency Forum on Child and Family Statistics, 2005, 2007).

O Medicaid, um programa governamental norte-americano que providencia assistência médica a pessoas e famílias de baixa renda habilitadas, tem sido uma rede de segurança para crianças pobres desde 1965. Entretanto, ele não atinge milhares de crianças cujas famílias ganham demais para se qualificarem, mas muito pouco para dar-se o luxo de terem um plano de saúde particular. Em 1997, o Governo Federal criou o State Children's Health Insurance Program (SCHIP) para ajudar os Estados a estender a cobertura de cuidados de saúde a crianças não seguradas de famílias pobres e quase pobres. Agora conhecida simplesmente como CHIP, a lei aprovada em 2009 expandiu o programa e estendeu a cobertura de 7 milhões para 11 milhões de crianças (Centers for Medicare & Medicaid Services, 2009). Mesmo com a expansão, as autoridades da saúde estimam que havia aproximadamente 7,3 milhões de crianças não seguradas nos Estados Unidos em 2010 (Federal Interagency Forum on Child and Family Statistics, 2012). As crianças sem plano de saúde têm probabilidade mais de 14 vezes maior que crianças com plano de saúde de não terem uma fonte habiual de tratamento de saúde (Federal Interagency Forum on Child and Family Statistics, 2007).

O acesso a cuidados de saúde de qualidade é um problema particular entre crianças negras e de origem latina, especialmente as que são pobres ou quase pobres (Flores, Olson, & Tomany-Korman, 2005). De acordo com o Children's Defense Fund (2008), 1 em cada 5 crianças latinas e 1 em cada 8 crianças negras não têm plano de saúde, em comparação com uma taxa de 1 em cada 13 para crianças brancas. (Children's Defense Fund, 2008b). Barreiras linguísticas e culturais e a necessidade de mais profissionais de saúde latino-americanos podem ajudar a explicar algumas dessas disparidades (Flores et al., 2002).

Mesmo as crianças asiático-americanas, que tendem a ter saúde melhor do que brancas não hispânicas, têm menos possibilidade de acessar e usar os recursos de assistência à saúde, talvez devido a barreiras similares (NCHS, 2005; Yu, Huang, & Singh, 2004).

**Falta de moradia** Esse problema resulta de circunstâncias complexas que forçam as pessoas a escolher entre alimento, abrigo e outras necessidades básicas (National Coalition for the Homeless, 2009). Desde a década de 1980, à medida que o número de casas com preços acessíveis foi diminuindo e a pobreza se disseminou, o número de pessoas desabrigadas aumentou consideravelmente nos Estados Unidos. Estima-se que, por ano, 1,35 milhão de crianças não tenham moradia.

Atualmente, as famílias constituem 33% da população de pessoas sem moradia, e essa proporção pode ser maior em áreas rurais (National Coalition for the Homeless, 2009). De fato, com a crise econômica no final da primeira década de 2000, o número de crianças desabrigadas tem aumentado para cerca de 1 em cada 45 crianças (America's Youngest Outcasts, 2011; Fig. 9.4). Muitas famílias sem moradia são encabeçadas por mães solteiras na faixa dos 20 anos (Buckner, Bassuk, Weinreb, & Brooks, 1999; Park, Metraux, & Culhane, 2010). Com frequência, essas famílias estão fugindo da violência doméstica (National Coalition for the Homeless, 2009).

Muitas crianças sem moradia passam seus primeiros anos em ambientes instáveis, inseguros e frequentemente anti-higiênicos.

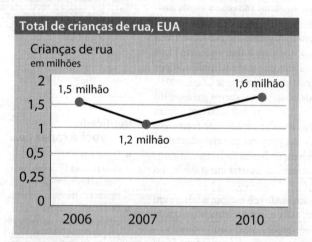

**FIGURA 9.4**
Porcentagem de famílias com crianças sem moradia em função da população de pessoas sem moradia nas cidades dos Estados Unidos.

*Quando as pessoas começaram a perder o emprego devido à crise econômica na primeira década dos anos 2000, o número de crianças sem moradia aumentou, como este gráfico indica.*

Fonte: America's Youngest Outcasts, 2011.

**Capítulo 9** • Desenvolvimento físico e saúde na segunda infância

**QUADRO 9.4** Reduzindo os riscos de acidentes com crianças

| Atividade | Precauções |
|---|---|
| Andar de bicicleta | Os capacetes reduzem o risco de lesão na cabeça em 85% e o de lesões cerebrais em 88%. |
| Andar de *skate* e patins | As crianças devem usar capacetes e almofadas protetoras nos joelhos, nos cotovelos e nos pulsos. |
| Manusear fogos de artifício | As famílias não devem comprar fogos de artifício para uso em casa. |
| Cortar grama | Crianças com menos de 12 anos não devem operar cortadores de empurrar; aquelas com menos de 14 anos não devem operar cortadores dirigíveis; e as demais crianças não devem permanecer perto de cortadores de grama. |
| Nadar | As piscinas não devem ser instaladas em quintais de casas com crianças com menos de 5 anos; as que já estiverem instaladas precisam de cercas altas por toda a volta e portões que tenham trancas elevadas, fora do alcance das crianças. Os adultos precisam ter atenção constante às crianças que estão perto de piscinas, de lagos e outros locais com água. |
| Brincar no *playground* | Construa uma superfície segura debaixo dos balanços, escorregadores e outros equipamentos usando uma caixa de areia de 30 cm de profundidade, aparas de madeira de 25 cm de profundidade ou tapetes externos de borracha; devem ser mantidas áreas separadas para as brincadeiras mais enérgicas e as mais calmas e para crianças mais velhas e mais novas. |
| Manusear armas de fogo | As armas devem ser mantidas descarregadas e travadas, com as balas trancadas em local separado; as crianças não devem ter acesso às chaves; os adultos devem falar com as crianças sobre os riscos de ferimentos por arma de fogo. |
| Comer | Para prevenir asfixia, as crianças menores não devem comer balas duras, amendoins, uvas e cachorro-quente (a menos que sejam fatiados no comprimento e depois transversalmente); os alimentos devem ser cortados em pedaços pequenos; as crianças não devem comer enquanto falam, correm, pulam ou estiverem deitadas. |
| Ingerir substâncias tóxicas | Devem ser utilizados somente remédios e produtos domésticos com tampas seguras; produtos tóxicos devem ser armazenados fora do alcance das crianças. A suspeita de envenenamento precisa ser comunicada imediatamente ao centro de controle mais próximo. |
| Andar em veículos motorizados | As crianças menores devem ser conduzidas em assentos aprovados para carros e no banco de trás. Os adultos devem obedecer às leis de trânsito e evitar os motoristas agressivos. |

*Fonte:* Adaptado parcialmente de American Academy of Pediatrics (AAP) Committee on Injury and Poison Prevention, 1995, 2000; Rivara, 1999; Shannon, 2000.

*Famílias com crianças são a parte da população sem moradia de crescimento mais rápido. Crianças sem moradia tendem a ter mais problemas de saúde do que crianças com moradias.*

Juntamente com os pais, são privadas de uma comunidade de apoio, laços familiares, recursos institucionais e acesso à assistência médica e escolar; além disso, são em geral incapazes de encontrar novamente um local estável para residir. Essas crianças sofrem de mais problemas de saúde do que as crianças pobres que têm moradia, além de terem mais probabilidade de morrer na infância. São três vezes mais propensas a não serem vacinadas e têm 2 a 3 vezes mais chances de contrair anemia por deficiência de ferro. Sofrem de altas taxas de vários problemas de saúde, entre os quais diarreia, infecções respiratórias, de pele, olhos e ouvidos, asma e outras doenças crônicas. As crianças sem moradia também tendem a sofrer de depressão e ansiedade graves e a apresentar déficits neurológicos e visuais, atrasos no desenvolvimento, problemas comportamentais e dificuldades de aprendizagem. Quase metade dessas crianças não frequenta a escola e, quando frequenta, tende a ter problemas, em parte por perder muitas aulas e por não ter um lugar para fazer os deveres de casa. Costumam ter baixo desempenho nos testes padronizados de leitura e de matemática, mesmo quando seu funcionamento cognitivo é normal, além de serem mais propensas a repetir anos letivos ou a ser colocadas em classes especiais do que as crianças que têm moradia (AAP Committee on Community Health Services, 1996; Children's Defense Fund, 2004; Rubin et al.; 1996; Weinreb et al., 2002). Em grandes cidades que forneceram alojamento seguro para famílias pobres e sem moradia em bairros estáveis, o comportamento e o desempenho escolar das crianças melhoraram muito (CDF, 2004).

**Exposição a fumaça de cigarro, poluição do ar, pesticidas e chumbo** O hábito de fumar dos pais é uma causa evitável de doença e morte na infância. O dano potencial causado pela exposição ao tabaco é maior durante os primeiros anos de vida (DiFranza, Aligne, & Weitzman, 2004), quando os corpos das crianças ainda estão se desenvolvendo. Crianças expostas ao tabagismo dos pais têm risco aumentado de infecções respiratórias como bronquite e pneumonia, problemas de ouvido, agravamento da asma e desenvolvimento pulmonar retardado.

A poluição atmosférica está associada a riscos aumentados de morte e de doença respiratória crônica. Os contaminantes ambientais também podem desempenhar um papel em certos tipos de câncer, transtornos neurológicos, transtorno de déficit de atenção/hiperatividade e deficiência intelectual (Goldman et al., 2004; Woodruff et al., 2004). Em 2006, 55% das crianças norte-americanas até 17 anos viviam em cidades que não satisfaziam um ou mais padrões nacionais de qualidade do ar (Federal Interagency Forum on Child and Family Statistics, 2009).

As crianças são mais vulneráveis que os adultos ao dano crônico causado por pesticidas (Goldman et al., 2004). Há algumas evidências, ainda que não definitivas, de que a exposição a baixas doses de pesticidas pode afetar o desenvolvimento cerebral (Weiss, Amler, & Amler, 2004). A exposição a pesticidas é maior entre crianças de famílias de agricultores e de famílias de cidades do interior (Dilworth-Bart & Moore, 2006). Mais da metade de todos os relatos de envenenamento por pesticida — quase 50 mil por ano — acontece com crianças menores de 6 anos (Weiss et al., 2004).

As crianças podem apresentar concentrações elevadas de chumbo pela ingestão de alimentos ou água contaminados, por resíduos industriais no ar, por colocar dedos contaminados na boca ou por inalar poeira ou brincar com lascas de tinta em lugares onde haja raspagem de tinta à base de chumbo. Não existe nível seguro de exposição ao chumbo (AAP Committee on Environmental Health, 2005). Mesmo os níveis baixos de exposição podem ter efeitos prejudiciais em crianças na idade pré-escolar, em particular naquelas que estão expostas a outros fatores de risco, como a pobreza e a depressão materna (Canfield et al., 2003).

O envenenamento por chumbo pode interferir no desenvolvimento cognitivo e pode levar a problemas neurológicos e comportamentais irreversíveis (AAP Committee on Environmental Health, 2005; Federal Interagency Forum on Child and Family Statistics, 2005). Níveis muito altos de chumbo na corrente sanguínea podem causar cefaleias, dores abdominais, perda de apetite, agitação ou letargia e, por fim, vômito, estupor e convulsões (AAP Committee on Environmental Health, 2005). Contudo, todos esses efeitos são completamente evitáveis.

Os níveis sanguíneos médios de chumbo das crianças caíram em 89% nos Estados Unidos em comparação com os níveis de 1976-1980 devido a leis que obrigaram a retirada de chumbo da gasolina e de tintas e a redução das emissões de fumaça das chaminés (Federal Interagency Forum on Child and Family Statistics, 2005). Os níveis elevados de chumbo no sangue diminuíram de 8,6%, entre 1988 e 1991, para 1,4%, entre 1999 e 2004 (Jones et al., 2009). Contudo, cerca de 25% das crianças norte-americanas vivem em casas com pintura à base de chumbo deteriorada (AAP Committee on Environmental Health, 2005), uma condição que prevalece nas zonas mais pobres.

*Crianças que vivem em prédios velhos ou deteriorados, pintados com tintas à base de chumbo, correm o risco de envenenamento por essa substância, o que pode afetar gravemente o cérebro em desenvolvimento.*

**Capítulo 9** • Desenvolvimento físico e saúde na segunda infância

Em um estudo longitudinal de cinco anos, o tratamento de crianças expostas ao chumbo diminuiu as concentrações da substância no sangue, mas mostrou-se ineficaz na melhoria do funcionamento psicológico, comportamental e cognitivo. Assim, a prevenção é fundamental (Rogan et al., 2001).

> **Verificador**
> **você é capaz de...**
> ■ Discutir as várias influências ambientais que põem em risco a saúde e o desenvolvimento das crianças?

# resumo & palavras-chave

## ❶ Aspectos do desenvolvimento fisiológico

**Como os corpos das crianças se modificam entre 3 e 6 anos de idade?**

- O crescimento físico aumenta entre 3 e 6 anos, mas é mais lento do que no período neonatal até a primeira infância. Em média, os meninos são um pouco mais altos, mais pesados e mais musculosos do que as meninas. Os sistemas internos do corpo estão amadurecendo.

## ❷ Padrões e distúrbios do sono

**Quais os padrões e os distúrbios do sono que tendem a se desenvolver durante a segunda infância?**

- Os padrões de sono mudam durante a segunda infância, assim como no resto da vida, e são afetados por expectativas culturais.
- É normal que as crianças em idade pré-escolar desenvolvam rituais na hora de dormir que atrasam a ida para a cama. As dificuldades para adormecer ou os terrores noturnos e os pesadelos persistentes talvez indiquem perturbações emocionais que necessitem de atenção.
- A enurese noturna é comum e normalmente pode ser resolvida sem ajuda especial.
  **enurese (236)**

## ❸ Desenvolvimento do cérebro

**Como o cérebro das crianças se desenvolve entre 3 e 6 anos de idade?**

- Aos 6 anos, o cérebro atinge cerca de 95% de seu volume máximo. Há uma mudança gradual no corpo caloso que permite uma transmissão melhor e mais rápida de informações e melhor integração entre os hemisférios.
- Entre 3 e 6 anos, o crescimento mais rápido ocorre nas áreas frontais que regulam o planejamento e a organização de ações.

## ❹ Desenvolvimento motor

**Quais as principais conquistas motoras da segunda infância?**

- As crianças progridem rapidamente nas habilidades motoras amplas e finas e na coordenação olhos-mãos, desenvolvendo sistemas de ação mais complexos.

- Em geral, a lateralidade manual é evidente aos 3 anos, refletindo a predominância de um dos hemisférios do cérebro.
- Os estágios de produção artística, que refletem o desenvolvimento cerebral e a coordenação motora fina, são o estágio do rabisco, o estágio das formas, o estágio do desenho e o estágio pictórico.
  **habilidades motoras amplas (238)**
  **habilidades motoras finas (238)**
  **sistemas de ação (238)**
  **lateralidade manual (239)**

## ❺ Saúde e segurança

**Quais são as necessidades nutricionais das crianças pequenas e que riscos estão associados à subnutrição e à obesidade? Quais são os principais riscos à saúde e à segurança dessas crianças?**

- Crianças em idade pré-escolar geralmente comem menos em relação ao seu peso do que antes — e precisam de menos —, mas a prevalência da obesidade tem aumentado.
- A cárie dentária tem diminuído desde a década de 1970, mas continua a ser um problema entre as crianças com menos recursos.
- O ato de chupar o dedo pode ser ignorado sem risco, se não continuar depois dos 4 anos, quando os dentes permanentes começam a se desenvolver.
- Embora as principais doenças contagiosas sejam raras atualmente nos países industrializados em razão das campanhas de vacinação em massa, doenças evitáveis continuam a ser um grande problema nos países em desenvolvimento.
- Doenças secundárias, como resfriados e outras infecções respiratórias, são comuns durante a segunda infância e ajudam a desenvolver imunidade contra doenças.
- Os acidentes, com mais frequência aqueles com veículos motorizados, são a principal causa de mortalidade infantil nos Estados Unidos. A maioria dos acidentes fatais que não são causados por veículos motorizados acontece em casa.
- Fatores ambientais como exposição a doenças, tabagismo, pobreza e falta de moradia aumentam o risco de doenças ou lesões. O envenenamento por chumbo pode ter graves efeitos físicos, cognitivos e comportamentais.

# Capítulo 10

## Desenvolvimento cognitivo na segunda infância

## Sumário

Abordagem piagetiana: a criança no estágio pré-operatório

Abordagem do processamento de informação: o desenvolvimento da memória

Inteligência: abordagens psicométrica e vygotskiana

Desenvolvimento da linguagem

Educação na segunda infância

## Você sabia que...

▶ Até os 3 anos de idade, a maioria das crianças não entende a relação entre as imagens e os objetos que elas representam?

▶ A forma como os pais conversam com uma criança sobre uma memória compartilhada pode afetar o quão bem a criança se lembrará dela?

▶ Quando as crianças falam sozinhas, elas podem estar tentando resolver um problema pensando em voz alta?

▶ As companhias imaginárias são uma parte normal da infância e são encontradas com mais frequência em primogênitos e filhos únicos?

*Neste capítulo, examinaremos vários aspectos do desenvolvimento cognitivo na segunda infância. Veremos como o pensamento das crianças avança após a primeira infância e de que maneiras permanece imaturo. Abordaremos o aumento da fluência linguística das crianças e o impacto que isso tem sobre outros aspectos do desenvolvimento. Examinaremos o início da memória autobiográfica e comparamos os testes psicométricos de inteligência. Isso será feito no contexto da análise das descobertas de teóricos clássicos como Piaget e Vygotsky, bem como no contexto da teoria e da pesquisa atuais.*

> Verdadeiramente maravilhosa, a mente de uma criança é.
>
> — *Yoda,* Star Wars, Episódio II, O ataque dos clones

## Guia de estudo

1. Quais são os avanços cognitivos e os aspectos imaturos típicos do pensamento de crianças em idade pré-escolar?

2. Quais são as capacidades da memória que se expandem na segunda infância?

3. Como é medida a inteligência de crianças em idade pré-escolar e quais fatores a influenciam?

4. De que forma a linguagem melhora durante a segunda infância e o que acontece quando seu desenvolvimento é atrasado?

5. Para que serve a educação na segunda infância e como as crianças fazem a transição para o jardim de infância?

---

### Guia de estudo 1

Quais são os avanços cognitivos e os aspectos imaturos típicos do pensamento de crianças em idade pré-escolar?

**estágio pré-operatório**
Na teoria de Piaget, o segundo maior estágio do desenvolvimento cognitivo, no qual o pensamento simbólico se expande, mas as crianças ainda não são capazes de usar a lógica.

**função simbólica**
Termo de Piaget para a capacidade de usar representações mentais (palavras, números ou imagens) às quais uma criança atribui um significado.

**brincadeira de faz de conta**
Brincadeira que envolve pessoas e situações imaginárias; também chamada de *jogo de fantasia, jogo dramático* ou *jogo imaginativo.*

# Abordagem piagetiana: a criança no estágio pré-operatório

No Capítulo 7, abordamos os avanços cognitivos que ocorreram durante o primeiro estágio da teoria de Jean Piaget, o estágio sensório-motor. Nesse estágio, as crianças aprendem sobre o mundo por meio dos sentidos e da atividade motora. Agora, voltamos a nossa atenção para o segundo estágio. Jean Piaget o denominou **estágio pré-operatório**. Esse estágio, que vai aproximadamente dos 2 aos 7 anos, é caracterizado por grande expansão na utilização do pensamento simbólico. Isso é ilustrado mais claramente com o advento do nosso sistema mais profundo de representação simbólica — a linguagem. Considere-se, porém, que, apesar de as crianças mostrarem facilidade cada vez maior no domínio da linguagem, ainda não estão prontas para se envolver em operações mentais lógicas. Vamos examinar alguns aspectos do pensamento pré-operatório (Quadros 10.1 e 10.2), bem como a pesquisa recente, algumas das quais contestam as conclusões de Piaget.

## Avanços do pensamento pré-operatório

Os avanços no pensamento simbólico são acompanhados por um crescente entendimento de causalidade, identidades, categorização e número. Alguns desses entendimentos têm raízes na fase em que a criança ainda é bebê e começa a andar; outros começam a desenvolver-se na segunda infância, mas ainda não estão plenamente incorporados à criança até que ela atinja a terceira infância.

**A função simbólica** "Quero sorvete!", anuncia Kerstin, de 4 anos, andando porta adentro, fugindo do quintal quente e empoeirado. Ela não viu nada que pudesse ter acionado esse desejo – nenhuma porta de geladeira aberta, nenhum comercial de televisão, nenhuma tigela cheia de sorvete tentador em cima do balcão da cozinha à espera de ser comida. Em vez disso, foi buscar o conceito em suas memórias. Ela não precisa mais desse tipo de estímulo sensorial para pensar em algo. Ela se lembra do sorvete, de seu frescor e sabor, e intencionalmente o procura.

Ser capaz de pensar sobre algo na ausência de estímulos sensoriais ou motores caracteriza a **função simbólica**. As crianças que atingem a função simbólica são capazes de usar símbolos ou representações mentais, como palavras, números ou imagens, para os quais uma pessoa atribui um significado. Essa é uma conquista muito importante, porque sem símbolos as pessoas não poderiam comunicar-se verbalmente, fazer mudanças, ler mapas ou guardar fotografias de pessoas queridas distantes. Os símbolos ajudam as crianças a se lembrar e a pensar em coisas que não estão fisicamente presentes.

As crianças na idade pré-escolar demonstram a função simbólica de várias maneiras. Por exemplo, a *imitação diferida* (ver Cap. 7), na qual as crianças imitam uma ação algum tempo depois de a terem observado, torna-se mais sólida após os 18 meses. Essa imitação está relacionada com a função simbólica porque necessita que a criança armazene previamente a representação mental da ação observada. A criança tem de buscar na memória a representação para poder repetir a ação. Outro exemplo da função simbólica é a **brincadeira de faz de conta**. Nela, também chamada de *jogo de fantasia, jogo dramático* ou *jogo imaginativo,* as crianças utilizam um objeto para representar outra coisa. Por exemplo, uma criança pode encostar o controle da TV no ouvido para fingir que está falando no telefone. O controle simboliza o telefone que a criança viu a mãe usar. Entretanto, a principal utilização para a função simbólica é a linguagem. Esta, em sua essência, é um sistema de símbolos. Por exemplo, a palavra "chave" é um

## Capítulo 10 • Desenvolvimento cognitivo na segunda infância

**QUADRO 10.1** Avanços cognitivos durante a segunda infância

| Avanço | Significância | Exemplo |
|---|---|---|
| Uso de símbolos | As crianças não precisam estar em contato sensório-motor com um objeto, pessoa ou evento para pensar neles. | Simon pergunta a sua mãe sobre os elefantes que viram na ida ao circo vários meses atrás. |
|  | As crianças podem imaginar que objetos ou pessoas têm outras propriedades além daquelas que eles realmente têm. | Rolf faz de conta que uma fatia de maçã é um aspirador de pó "limpando" a mesa da cozinha. |
| Compreensão de identidades | As crianças têm consciência de que alterações superficiais não mudam a natureza das coisas. | Antonio sabe que seu professor está vestido como um pirata, mas ele ainda é seu professor que está sob a vestimenta. |
| Entendimento de causa e efeito | As crianças percebem que os acontecimentos têm causas. | Ao ver uma bola rolar por trás de um muro, Aneko olha por cima do muro para ver a pessoa que a chutou. |
| Capacidade de classificar | As crianças organizam objetos, pessoas e eventos em categorias significativas. | Rosa classifica as pinhas que coletou em um passeio no parque em duas pilhas: "grandes" e "pequenas". |
| Compreensão de números | As crianças sabem contar e lidar com quantidades. | Lindsay reparte suas balas com suas amigas, contando para certificar-se de que cada uma receba a mesma quantidade. |
| Empatia | As crianças tornam-se mais capazes de imaginar como os outros podem se sentir. | Emílio tenta consolar seu amigo quando vê que ele está chateado. |
| Teoria da mente | As crianças tornam-se mais conscientes da atividade mental e do funcionamento da mente. | Bianca quer guardar alguns biscoitos para si mesma, de forma que os esconde de seu irmão em um pacote de macarrão. Ela sabe que seus biscoitos estarão seguros lá, porque seu irmão não procurará em um lugar onde ele não espera encontrar biscoitos. |

símbolo de uma classe de objetos utilizados para abrir portas. Assim, quando assistimos ao surgimento da linguagem nas crianças, estamos diante de uma ampla e clara janela para a utilização cada vez maior da função simbólica por elas.

**Entendimento de objetos no espaço** Para além da capacidade crescente de utilizar a função simbólica, as crianças também começam a ser capazes de compreender os símbolos que descrevem os espaços físicos, embora esse processo seja lento. Como descrito no Capítulo 7, até pelo menos os 3 anos de idade a maioria das crianças não entende seguramente a relação entre figuras, mapas ou maquetes e os objetos ou espaços que eles representam. Crianças em idade pré-escolar mais velhas sabem usar mapas simples e conseguem transferir o entendimento espacial adquirido do trabalho com modelos para mapas, e vice-versa (DeLoache, Miller, & Pierroutsakos, 1998; Sharon & DeLoache, 2003). Em uma série de experimentos, crianças em idade pré-escolar foram solicitadas a usar um mapa simples para encontrar ou colocar um objeto na localização correspondente em um espaço de formato semelhante, mas muito maior. Noventa por centro das crianças de 5 anos, mas apenas 60% das crianças de 4 anos, foram capazes de fazê-lo (Vasilyeva & Huttenlocher, 2004).

**Entendimento da causalidade** Piaget afirmava que a criança pré-operatória ainda não era capaz de raciocinar de modo lógico sobre causa e efeito. Em vez disso, dizia ele, elas raciocinam por **transdução**. Elas vinculam mentalmente dois eventos, sobretudo os que são próximos no tempo, haja ou não uma relação causal lógica. Por exemplo, Luis pode achar que seus "maus" pensamentos ou comportamentos fizeram que ele próprio ou sua irmã ficassem doentes ou que tenham causado o divórcio de seus pais.

Piaget estava errado quanto à crença de que as crianças pequenas não compreendiam a causalidade. Quando testadas sobre situações que são capazes de entender, as crianças pequenas compreendem causa e efeito. Em observações de conversas diárias espontâneas de crianças de 2 anos e meio a 5 anos de idade com seus pais, elas demonstraram um raciocínio causal flexível, apropriado ao assunto. Os tipos de explicação variavam de físicos ("a tesoura precisa estar limpa para que eu possa cortar melhor") a socioconvencionais ("preciso parar agora porque você pediu") (Hickling & Wellman, 2001). Entretanto, crianças em idade pré-escolar parecem ver todas as relações causais como algo igual e absolutamente

Crianças com amigos imaginários têm melhores habilidades para contar histórias.

*Trionfi & Reese, 2009*

**transdução**
Termo de Piaget para a tendência de uma criança pré-operatória a vincular mentalmente determinadas experiências, havendo ou não uma relação causal lógica.

**QUADRO 10.2** Aspectos imaturos do pensamento pré-operatório (de acordo com Piaget)

| Limitação | Descrição | Exemplo |
|---|---|---|
| Centração: incapacidade para descentrar | As crianças concentram-se em um aspecto de uma situação e negligenciam outros. | Jacob provoca sua irmã mais nova afirmando que tem mais suco do que ela porque sua caixa de suco foi despejada em um copo alto e estreito, mas a dela foi despejada em um copo baixo e largo. |
| Irreversibilidade | As crianças não entendem que algumas operações ou ações podem ser revertidas, restaurando a situação original. | Jacob não percebe que o líquido contido em cada copo pode ser despejado novamente nas respectivas caixas, contradizendo sua afirmação de que ele tem mais suco do que sua irmã. |
| Foco mais nos estados do que nas transformações | As crianças não entendem a importância da transformação entre estados. | Na tarefa de conservação, Jacob não entende que transformar a forma de um líquido (despejá-lo de um recipiente para outro) não altera a quantidade. |
| Raciocínio transdutivo | As crianças não usam raciocínio dedutivo ou indutivo; em vez disso, elas pulam de um detalhe para outro e veem uma causa onde não existe nenhuma. | Luis foi mesquinho com sua irmã. Sua irmã fica doente. Luis conclui que ele a fez adoecer. |
| Egocentrismo | As crianças presumem que todas as pessoas pensam, percebem e sentem do mesmo jeito que elas. | Kara não percebe que precisa virar um livro ao contrário para que seu pai possa ver a figura que ela quer que ele lhe explique. Dessa forma, segura o livro diretamente na frente dele, mas somente ela pode ver a figura. |
| Animismo | As crianças atribuem vida a objetos inanimados. | Amanda diz que a primavera está querendo chegar, mas o inverno está dizendo: "Eu não vou embora! Não vou embora!". |
| Incapacidade de distinguir a aparência da realidade | Elas confundem o que é real com a aparência externa. | Courtney está confusa porque uma esponja parece uma pedra. Ela afirma que parece uma pedra e é realmente uma pedra. |

previsível. Em uma série de experimentos, crianças de 3 a 5 anos, diferentemente dos adultos, tinham tanta certeza de que uma pessoa que não lava as mãos antes de comer ficará doente quanto tinham de que uma pessoa que salta voltará para baixo (Kalish, 1998).

**Entendimento de identidades e categorização** O mundo torna-se mais ordenado e previsível quando a criança em idade pré-escolar desenvolve um melhor entendimento do que são *identidades*: o conceito segundo o qual as pessoas e muitas coisas basicamente são as mesmas, mesmo que mudem de forma, tamanho ou aparência. Por exemplo, colocar uma peruca não faz uma pessoa transformar-se em outra; é apenas uma mudança superficial na aparência. Esse entendimento fundamenta o surgimento do conceito de *self* (ver Cap. 11), e muitos dos processos envolvidos no entendimento de identidade dos outros são espelhados no entendimento da nossa própria identidade.

A categorização, ou classificação, exige que a criança identifique similaridades e diferenças. Aos 4 anos, muitas crianças sabem classificar por meio de dois critérios – por exemplo, cor e forma. Elas usam essa capacidade para organizar muitos aspectos de suas vidas, categorizando pessoas como "boas" ou "más", "legais" ou "chatas", e assim por diante.

Um tipo de categorização é a capacidade de distinguir coisas vivas de coisas inanimadas. Quando Piaget perguntou a crianças pequenas se o vento e as nuvens estavam vivos, suas respostas levaram-no a pensar que elas confundiam o que era vivo e o que não era. A tendência de atribuir vida a objetos não vivos é chamada de **animismo**. Entretanto, quando pesquisadores perguntaram a crianças de 3 e 4 anos sobre coisas que

*Esta criança, ao fazer de conta que escuta o coração do pai, está demonstrando um avanço cognitivo importante, a imitação diferida — a capacidade de imitar um comportamento que ela observou há algum tempo.*

**Capítulo 10** • Desenvolvimento cognitivo na segunda infância    **255**

lhes eram mais familiares – as diferenças entre uma pedra, uma pessoa e uma boneca –, elas demonstraram que entendiam que as pessoas estavam vivas e que as pedras e as bonecas não. Elas não atribuíram pensamentos ou emoções a pedras e citaram o fato de as bonecas não poderem se mover sozinhas para provar que elas não têm vida (Gelman, Spelke, & Meck, 1983; Jipson & Gelman, 2007). Em geral, parece que as crianças atribuem animismo a itens que compartilham características com os seres vivos, como coisas que se movem, fazem barulho ou têm características realistas, como olhos.

**animismo**
Tendência a atribuir vida a objetos inanimados.

**Entendimento de números**    Como discutimos no Capítulo 7, a pesquisa realizada por Karen Wynn sugere que bebês já aos 4 meses e meio têm um conceito rudimentar de número. Eles parecem saber que, se uma boneca for acrescentada a outra boneca, deve haver duas bonecas, não apenas uma. Outra pesquisa verificou que a *ordinalidade* – o conceito de comparar quantidades (*mais* ou *menos*, *maior* ou *menor*) – parece iniciar-se por volta dos 9 aos 11 meses e, a princípio, limita-se a comparações de poucos objetos (Brannon, 2002; Siegler, 1998). Aos 4 anos, a maioria das crianças conhece palavras para comparar quantidades. Elas podem dizer que uma árvore é *maior* que outra ou que um copo contém *mais* suco que outro. Elas sabem que, se elas têm um biscoito e, então, pegarem outro biscoito, elas terão mais biscoitos do que tinham antes e que, se derem um biscoito para outra criança, elas terão menos biscoitos. Também são capazes de resolver problemas de ordinalidade numérica simples ("Megan pegou seis maçãs, e Joshua pegou quatro; qual criança pegou mais?") até um máximo de nove objetos (Byrnes & Fox, 1998).

Apenas com a idade de 3 anos e meio ou mais é que a maioria das crianças consegue aplicar consistentemente o princípio da *cardinalidade* na contagem (Sarnecka & Carey, 2007; Wynn, 1990). Ou seja, quando solicitadas a contar seis itens, crianças com menos de 3 anos e meio tendem a recitar os nomes dos números (1 a 6), mas não a dizer quantos itens há ao todo (6). Entretanto, há alguma evidência de que crianças já aos 2 anos e meio usam a cardinalidade em situações práticas, como verificar qual prato tem mais biscoitos (Gelman, 2006). Aos 5 anos de idade, a maioria das crianças consegue contar até 20 ou mais e sabe os tamanhos relativos dos números de 1 a 10 (Siegler, 1998). As crianças intuitivamente criam estratégias para somar contando os dedos ou usando outros objetos (Naito & Miura, 2001).

Quando entram no ensino fundamental, a maioria das crianças desenvolve o "sentido numérico" básico (Jordan, Kaplan, Oláh, & Locunia, 2006). Esse nível básico de habilidades numéricas (ver Quadro 10.3) inclui *contagem, conhecimento numérico* (ordinalidade), *transformações numéricas* (adição e subtração simples), *estimativa* ("este grupo de pontos é maior ou menor que 5?") e reconhecimento de *padrões numéricos* (2 mais 2 é igual a 4, do mesmo modo que 3 mais 1).

O nível socioeconômico (NSE) e a experiência da pré-escola afetam o ritmo em que a criança avançará em matemática. Aos 4 anos de idade, as crianças de famílias de renda média têm habilidades numéricas marcadamente melhores do que crianças de NSE baixo, e sua vantagem inicial tende a continuar. Crianças cujos professores da pré-escola fazem muita "conversa matemática" (como pedir às crianças para ajudar a contar os dias em um calendário) tendem a fazer maiores progressos (Klibanoff,

**QUADRO 10.3**    Elementos básicos da percepção de números em crianças pequenas

| Área | Componentes |
|---|---|
| Contagem | Compreensão da correspondência exata |
| | Conhecimento da ordem estável e dos princípios da cardinalidade |
| | Conhecimento da sequência numérica |
| Conhecimento numérico | Discriminação e coordenação de quantidades |
| | Comparações de grandeza numérica |
| Transformações numéricas | Adição e subtração simples |
| | Cálculos contextualizados em problemas verbais e não verbais |
| | Cálculos mentais |
| Estimativa | Aproximação ou estimativa de tamanhos definidos |
| | Uso de pontos de referência |
| Padrões numéricos | Cópia de padrões numéricos |
| | Extensão de padrões numéricos |
| | Discernimento de relações numéricas |

*Fonte:* Adaptado de Jordan et al., 2006.

**Verificador**
**você é capaz de...**

■ Resumir as descobertas sobre o entendimento das crianças em idade pré-escolar de símbolos, espaço, causalidade, identidades, categorização e números?

**centração**
Na teoria de Piaget, a tendência da criança pré-operatória a concentrar-se em um aspecto de uma situação e negligenciar outros.

**descentrar**
Na terminologia de Piaget, pensar simultaneamente a respeito de diversos aspectos de uma situação.

**egocentrismo**
Termo usado por Piaget para denominar a incapacidade de considerar o ponto de vista de outra pessoa; uma característica do pensamento das crianças pequenas.

Levine, Huttenlocher, Vasilyeva, & Hedges, 2006). Além disso, jogos de tabuleiro que envolvem números aumentam o conhecimento numérico das crianças. Em um estudo recente, crianças de famílias de baixa renda que brincavam com jogos de tabuleiro que envolviam números demonstraram progressos maiores e estáveis em conhecimento numérico depois de apenas quatro sessões de 15 a 20 minutos (Ramani & Siegler, 2008).

## Aspectos imaturos do pensamento pré-operatório

Segundo Piaget, uma das principais características do pensamento pré-operatório é a **centração**: a tendência a concentrar-se em um aspecto de uma situação e negligenciar outros. Ele afirmou que as crianças em idade pré-escolar chegam a conclusões ilógicas porque não sabem **descentrar** – pensar em diversos aspectos de uma situação simultaneamente. A centração pode limitar o pensamento das crianças pequenas tanto sobre relacionamentos sociais como sobre relacionamentos físicos.

**Egocentrismo** O **egocentrismo** é uma forma de centração. De acordo com Piaget, as crianças pequenas centram-se de tal modo em seus próprios pontos de vista que não conseguem assumir outro. Crianças de 3 anos não são tão egocêntricas quanto os bebês recém-nascidos, mas, segundo Piaget, elas ainda acham que o universo se centraliza nelas. O egocentrismo pode ajudar a explicar por que as crianças pequenas às vezes têm problemas para separar a realidade daquilo que se passa em suas mentes e por que demonstram confusão sobre qual é a causa de cada coisa. Quando Emily acredita que seus "maus pensamentos" acarretaram a doença de seu irmão ou causaram os problemas conjugais de seus pais, ela está pensando egocentricamente.

Para estudar o egocentrismo, Piaget idealizou a *tarefa das três montanhas* (Fig. 10.1). Uma criança senta-se diante de uma mesa que contém três grandes montes. Uma boneca é colocada em uma cadeira no lado oposto da mesa. O pesquisador pergunta à criança como as montanhas seriam vistas pela boneca. Piaget descobriu que as crianças pequenas geralmente não sabiam responder à pergunta de maneira correta; em vez disso, descreviam as montanhas baseando-se em suas próprias perspectivas. Piaget via isso como uma prova de que as crianças em idade pré-operatória não conseguem imaginar um ponto de vista diferente (Piaget & Inhelder, 1967).

Entretanto, apresentar o problema de maneira diferente pode produzir outros resultados. Em um estudo, uma criança recebeu instruções para selecionar um objeto a partir de um conjunto de objetos, e o experimentador só podia ver alguns deles. Os pesquisadores descobriram que crianças a partir dos 3 anos foram capazes de considerar a perspectiva do experimentador. Por exemplo, dois dos objetos eram patos de borracha. Em uma situação, o experimentador só podia ver um dos patos de borracha. Quando a criança ouvia instruções para pegar o pato de borracha, ela escolhia com mais frequência o pato que o experimentador podia ver, mesmo que ela pudesse ver ambos (Nilsen & Graham, 2009).

**FIGURA 10.1**
Tarefa das três montanhas de Piaget.
*Uma criança em idade pré-operatória é incapaz de descrever as montanhas do ponto de vista da boneca – um indício de egocentrismo, de acordo com Piaget.*

**Capítulo 10** • Desenvolvimento cognitivo na segunda infância **257**

Por que essas crianças eram capazes de assumir o ponto de vista de outra pessoa, ao passo que aquelas que participaram da tarefa da montanha não eram? Talvez se deva ao fato de a tarefa do "pato de borracha" exigir um raciocínio mais familiar e menos abstrato e de forma menos complexa. A maioria das crianças não olha para montanhas e não pensa sobre o que outras pessoas poderiam ver quando olham para uma, mas grande parte das crianças em idade pré-escolar sabe alguma coisa sobre passar objetos para outras pessoas. Portanto, as crianças pequenas podem demonstrar egocentrismo primeiramente em situações que estão além de suas experiências imediatas.

**Conservação**  Outro exemplo clássico de centração é o fracasso em entender a **conservação**, que é o fato de duas coisas permanecerem iguais se sua aparência for alterada, desde que nada seja acrescentado ou retirado. Piaget descobriu que as crianças não entendem plenamente esse princípio até atingirem o estágio operatório-concreto. (O Quadro 10.4 mostra como as várias dimensões da conservação foram testadas.)

Em um tipo de tarefa de conservação de líquidos, são apresentados dois copos transparentes a uma criança de 5 anos, Justin; cada um deles é baixo e largo e contém a mesma quantidade de água. Pergunta-se a Justin: "A quantidade de água nos dois copos é igual?". Quando ele concorda, o pesquisador despeja a água de um dos copos em um terceiro, alto e delgado. Pergunta-se agora a Justin: "Ambos os copos contêm a mesma quantidade de água? Ou um deles contém mais? Por quê?". Na segunda infância – depois de observar a água ser despejada de um dos copos baixo e largo para um copo alto e delgado, ou até mesmo ele próprio despejá-la –, Justin dirá que o copo mais alto ou o mais largo contém mais água.

Por que as crianças cometem esse erro? Suas respostas são influenciadas por dois aspectos imaturos do pensamento: centração e **irreversibilidade**. A centração envolve focar em uma dimensão enquanto se ignora a outra. As crianças no estágio pré-operatório não sabem considerar altura e largura simultaneamente, uma vez que elas não conseguem *descentrar*, ou considerar múltiplos atributos de um objeto ou situação. Além disso, estão limitadas pela irreversibilidade: não conseguir entender que uma operação ou ação pode ir em duas ou mais direções. Como o pensamento das crianças no estágio pré-operatório é concreto, elas não conseguem reverter a ação e compreender que o estado original da água pode ser revertido despejando-a novamente em outro copo e, por isso, deve ser o mesmo. As crianças no estágio pré-operatório comumente pensam como se estivessem assistindo a uma apresentação de *slides* com uma série de quadros estáticos: elas se *concentram em estados sucessivos*, dizia Piaget, e não reconhecem transformações de um estado para outro.

## Crianças pequenas têm teorias da mente?

A **teoria da mente** é a consciência da ampla variedade de estados mentais humanos – crenças, intenções, desejos, sonhos, etc. – e o entendimento de que os outros têm suas próprias crenças, desejos e intenções particulares. Ter uma teoria da mente nos permite entender e prever o comportamento dos outros e torna o mundo social compreensível.

Piaget (1929) foi o primeiro estudioso a investigar a teoria da mente. Ele fazia às crianças perguntas do tipo "De onde vêm os sonhos?" e "Com o que você pensa?". Com base nas respostas, ele concluiu que crianças com menos de 6 anos não sabem estabelecer a distinção entre pensamentos ou sonhos e entidades físicas reais e não têm teoria da mente. No entanto, pesquisas mais recentes indicam que entre os 2 e os 5 anos o conhecimento das crianças sobre processos mentais cresce drasticamente.

Mais uma vez, a metodologia parece ter feito a diferença. As perguntas de Piaget eram abstratas, e ele esperava que as crianças fossem capazes de colocar sua compreensão em palavras. Os pesquisadores contemporâneos observam as crianças em suas atividades diárias ou lhes dão exemplos concretos. Dessa maneira, sabemos, por exemplo, que crianças com 3 anos de idade sabem dizer qual é a diferença entre um menino que tem um biscoito e um menino que está pensando em um biscoito, assim como sabem qual menino pode pegá-lo, reparti-lo e comê-lo (Astington, 1993). Examinemos os diversos aspectos da teoria da mente.

**Conhecimento do pensamento e de estados mentais**  Entre os 3 e os 5 anos, as crianças passam a entender que o pensamento ocorre dentro da mente; que ela pode lidar com coisas reais ou imaginárias; que uma pessoa pode pensar em uma coisa enquanto faz ou olha para outra; que uma pessoa cujos olhos e ouvidos estão cobertos pode pensar em objetos; que alguém que parece pensativo provavelmente está pensando; e que pensar é diferente de ver, falar, tocar e saber (Flavell, 2000; Flavell, Green & Flavell, 1995).

---

**conservação**
Termo de Piaget para a consciência de que dois objetos que são iguais, de acordo com determinada medida, permanecem iguais mesmo em face de alteração da percepção, desde que nada seja acrescentado ou retirado de nenhum deles.

**irreversibilidade**
Termo de Piaget para o fracasso da criança no estágio pré-operatório em entender que uma operação pode seguir em duas ou mais direções.

**teoria da mente**
Consciência e entendimento de processos mentais.

**▶ Verificador**
**você é capaz de...**

- Dizer como a centração limita o pensamento pré-operatório?
- Discutir a pesquisa que contesta as opiniões de Piaget sobre egocentrismo na segunda infância?
- Citar algumas razões pelas quais as crianças no estágio pré-operatório têm dificuldades em relação à conservação?

**QUADRO 10.4** Testes de vários tipos de conservação

| Tarefa de conservação | O que é mostrado à criança* | Transformação | Pergunta à criança | Respostas habituais da criança pré-operatória |
|---|---|---|---|---|
| Número | Duas fileiras de balas iguais e paralelas. | Espaçar as balas em uma única fileira separadas. | "Há o mesmo número de balas em cada fileira ou uma fileira tem mais?" | "A mais longa tem mais." |
| Tamanho | Dois palitos paralelos do mesmo tamanho. | Mover um palito para a direita. | "Ambos os palitos têm o mesmo tamanho ou um deles é maior?" | "O da direita (ou esquerda) é maior." |
| Líquido | Dois copos idênticos contendo quantidades iguais de líquido. | Despejar o líquido de um copo em um copo mais alto e em um mais estreito. | "Ambos os copos têm a mesma quantidade de líquido ou um deles tem mais?" | "O mais alto tem mais." |
| Matéria (massa) | Duas bolas de argila do mesmo tamanho. | Rolar uma bola até que ela adquira um formato de salsicha. | "Ambos os pedaços têm a mesma quantidade de argila ou um deles tem mais?" | "A salsicha tem mais." |
| Peso | Duas bolas de argila de pesos iguais. | Rolar uma bola até que ela adquira um formato de salsicha. | "Ambos têm o mesmo peso ou um deles é mais pesado?" | "A salsicha pesa mais." |
| Área | Dois coelhos de brinquedo, dois pedaços de papelão (representando campos cobertos de grama), com blocos ou brinquedos (representando celeiros nos campos); números iguais de "celeiros" em cada pedaço de papelão. | Reorganizar os blocos em um único pedaço de papelão. | "Cada coelho tem a mesma quantidade de grama ou um deles tem mais?" | "O que tem blocos mais próximos tem mais grama para comer." |
| Volume | Dois copos de água com duas bolas de argila de igual tamanho em cada um deles. | Rolar uma bola até que ela adquira um formato de salsicha. | "Se eu colocar a argila em forma de salsicha de volta no copo, a altura da água em cada copo será a mesma ou uma será mais alta?" | "A água no copo com a salsicha será mais alta." |

* A criança reconhece, portanto, que ambos os itens são iguais.

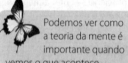

Podemos ver como a teoria da mente é importante quando vemos o que acontece quando ela está prejudicada, como no autismo. Os pesquisadores acreditam que o fracasso em desenvolver adequadamente a teoria da mente é um dos déficits fundamentais encontrados nesse transtorno.

*Baron-Cohen, Leslie, & Frith, 1985*

Entretanto, as crianças em idade pré-escolar geralmente acreditam que a atividade mental inicia-se e para. Somente na terceira infância é que elas sabem que a mente está continuamente ativa (Flavell, 1993; Flavell, 2000; Flavell et al., 1995). As crianças em idade pré-escolar também têm pouca ou nenhuma consciência de que elas ou outras pessoas pensam em palavras ou "pensam para si mesmas em suas mentes" ou que pensam enquanto olham, ouvem, leem ou conversam (Flavell, Green, Flavell, & Grossman, 1997).

As crianças em idade pré-escolar normalmente acreditam que podem sonhar com qualquer coisa que desejem. Crianças de 5 anos demonstram uma compreensão mais adulta, ao reconhecerem que experiências físicas, emoções, conhecimento e pensamentos podem afetar o conteúdo dos sonhos. Somente aos 11 anos, entretanto, as crianças percebem totalmente que não podem controlar seus sonhos (Woolley & Boerger, 2002).

A *cognição social*, o reconhecimento de que outras pessoas têm estados mentais, acompanha o declínio do egocentrismo e o desenvolvimento da empatia. Aos 3 anos, as crianças percebem que se alguém consegue o que quer fica feliz e, se não consegue, fica triste (Wellman & Woolley, 1990). Crianças de 4 anos começam a entender que as pessoas têm diferentes crenças a respeito do mundo – verdadeiras ou falsas – e que essas crenças afetam suas ações.

**Falsas crenças e dissimulação**   Um pesquisador mostra a Madeline, de 3 anos, uma caixa de doces e pergunta o que está dentro da caixa. "Doces", ela diz. Contudo, quando abre a caixa, Madeline encontra lápis, e não doces. "O que uma criança que ainda não abriu a caixa vai pensar que está lá dentro?", pergunta o pesquisador. "Lápis", diz Madeline, não entendendo que outra criança poderia ser enganada pela caixa da mesma forma que ela foi. Ela, então, afirma que inicialmente pensou que havia lápis na caixa (Flavell, 1993; Flavell et al., 1995).

O entendimento de que as pessoas podem sustentar falsas crenças decorre da percepção de que elas mantêm representações mentais da realidade, as quais, às vezes, podem estar erradas. Crianças de 3 anos, como Madeline, parecem ter dificuldade para esse entendimento (Flavell et al., 1995). Uma análise de 178 estudos realizados em vários países, usando um número de variações sobre tarefas de falsas crenças, constatou esse padrão do desenvolvimento (Wellman & Cross, 2001; Wellman, Cross, & Watson, 2001).

Entretanto, quando algumas crianças em idade pré-escolar foram ensinadas a responder a tarefas de falsas crenças com gestos mais do que com palavras, as crianças com quase 4 anos — e não as mais novas — demonstraram melhor desempenho do que nas tarefas com respostas verbais tradicionais. Assim, os gestos podem ajudar as crianças a compreender a ideia das falsas crenças para dar esse salto conceitual (Carlson, Wong, Lemke, & Cosser, 2005).

*A menina da direita já tem idade suficiente para saber que sua prima precisa de consolo. A empatia, capacidade de entender os sentimentos de outra pessoa, surge muito cedo.*

O fato de as crianças de 3 anos não conseguirem reconhecer falsas crenças pode originar-se do pensamento egocêntrico. Nessa idade, as crianças tendem a acreditar que todos sabem o que elas sabem e acreditam no que elas acreditam e, como Madeline, têm dificuldade para entender que suas próprias crenças podem ser falsas (Lillard & Curenton, 1999). Crianças de 4 anos entendem que as pessoas que veem ou ouvem diferentes versões do mesmo evento podem assumir crenças diferentes. Somente por volta dos 6 anos, entretanto, elas percebem que duas pessoas que veem ou ouvem a mesma coisa podem interpretá-la diferentemente (Pillow & Henrichon, 1996).

Visto que a dissimulação é um esforço para plantar uma falsa crença na mente de outra pessoa, ela requer que a criança refreie o impulso de dizer a verdade. Alguns estudos descobriram que as crianças são capazes de dissimular com até 2 ou 3 anos de idade; outras, com 4 ou 5. A diferença pode se relacionar com os meios de dissimulação que se espera que a criança use. Em uma série de experimentos, crianças de 3 anos foram convidadas a dizer se gostariam de pregar uma peça em um pesquisador dando-lhe uma pista falsa sobre qual de duas caixas continha uma bola que haviam escondido. As crianças foram capazes de realizar melhor a dissimulação quando lhes foi pedido para pintar uma imagem da bola na caixa errada ou apontar para essa caixa com uma seta do que quando apontavam com o dedo, algo que as crianças dessa idade estão acostumadas a fazer de modo verdadeiro (Carlson, Moses, & Hix, 1998).

Piaget sustentava que crianças pequenas consideram mentira tudo aquilo que é falso — seja intencional ou não. No entanto, quando, entre 3 e 6 anos, ouviram uma história sobre o perigo de comer um alimento contaminado e foram questionadas sobre se a afirmação incorreta de uma personagem foi um erro ou uma mentira, cerca de três quartos das crianças de todas as idades souberam caracterizá-la com precisão (Siegal & Peterson, 1998). Aparentemente, portanto, mesmo crianças de 3 anos já têm algum entendimento do papel da intenção de dissimular.

**Distinção entre aparência e realidade** De acordo com Piaget, somente aos 5 ou 6 anos de idade as crianças começam a entender a distinção entre aquilo que *parece* ser e aquilo que *é*. Muitas pesquisas corroboram suas afirmações, embora alguns estudos tenham revelado que essa capacidade começa a surgir antes dos 4 anos. (Friend & Davis, 1993; Rice, Koinis, Sullivan, Tager-Flusberg, & Winner, 1997).

Em uma série clássica de experimentos (Flavell, Green, & Flavell, 1986), crianças de 3 anos pareciam confundir aparência e realidade em uma grande variedade de testes. Por exemplo, quando elas colocavam óculos de sol que faziam o leite parecer verde, diziam que o leite *era* verde, embora tivessem acabado de ver o leite branco. No entanto, a dificuldade que crianças de 3 anos têm para distinguir aparência de realidade pode ser, ela própria, mais aparente do que real. Quando elas foram perguntadas a respeito do uso de certos objetos, como uma vela embalada como um lápis de cor, somente 3 entre 10 crianças responderam corretamente. Contudo, quando solicitadas a responder com ações em vez de palavras ("Eu quero uma vela para pôr em um bolo de aniversário"), 9 entre 10 crianças entregaram ao pesquisador a vela em forma de lápis de cor (Sapp, Lee, & Muir, 2000).

**Distinção entre fantasia e realidade** Em algum momento entre os 18 meses e os 3 anos, as crianças aprendem a distinguir entre eventos reais e imaginados. Crianças de 3 anos sabem a diferença entre um cachorro real e um cachorro em um sonho e entre algo invisível (como o ar) e algo imaginário. Elas sabem fingir e sabem dizer quando alguém está fingindo (Flavell, 2000). Aos 3 anos e, em alguns casos, aos 2 anos, elas sabem que o faz de conta é intencional; elas podem dizer a diferença entre tentar fazer algo e fingir que se faz a mesma coisa (Rakoczy, Tomasello, & Striano, 2004).

# O mundo social

## AMIGOS IMAGINÁRIOS

**10.1**

Aos 3 anos e meio, Anna tinha 23 "irmãs" com nomes como Och, Elmo, Zeni, Aggie e Ankie. Falava frequentemente com as "irmãs" por telefone, porque elas moravam a cerca de 160 km de distância, na cidade onde a família de Anna morava antes. Durante o ano seguinte, a maioria das irmãs desapareceu, mas Och continuou a visitá-la, especialmente nas festas de aniversário. Och tinha um gato e um cão (pelos quais Anna implorou em vão), e a qualquer hora que fosse negada a Anna alguma coisa que ela visse ser anunciada na televisão, ela dizia que já tinha aquela coisa na casa da irmã. Entretanto, quando uma amiga real chegava e acontecia de a mãe de Anna mencionar uma de suas amigas imaginárias, Anna rapidamente mudava de assunto.

Todas as 23 irmãs — e alguns "meninos" e "meninas" que as seguiam — viviam somente na imaginação de Anna, como ela bem sabia. Como acontece com aproximadamente 25 a 65% das crianças entre 3 e 10 anos (Wooley, 1997), ela criou amigos imaginários, com os quais brincava e falava. Esse fenômeno normal da infância é visto mais frequentemente em primogênitos e filhos únicos, que sentem falta da companhia de irmãos. Como Anna, a maioria das crianças que cria amigos imaginários tem vários deles (Gleason, Sebanc, & Hartup, 2000). As meninas têm maior propensão do que os meninos a ter amigos imaginários, ou pelo menos a reconhecê-los; os meninos têm maior propensão a criar personagens imaginários impessoais (Carlson & Taylor, 2005).

As crianças que têm amigos imaginários conseguem distinguir fantasia de realidade, mas, em sessões de atividades livres, têm maior probabilidade de entrar em jogos imaginários do que as outras crianças (M. Taylor, Cartwright, & Carlson, 1993). Elas brincam mais alegremente e com mais imaginação e são também mais cooperativas com outras crianças e adultos (D. G. Singer & Singer, 1990; J. L. Singer & Singer, 1981), além de não sentirem falta de amigos na pré-escola (Gleason et al.; 2000). São também mais fluentes na linguagem, assistem menos à televisão e demonstram mais curiosidade, entusiasmo e persistência durante as brincadeiras. Em um estudo com 152 crianças em idade pré-escolar, as crianças de 4 anos que relataram ter amigos imaginários obtiveram melhores resultados nas tarefas da teoria da mente (como a diferenciação entre aparência e realidade e reconhecimento de falsas crenças) do que aquelas que não criavam esses companheiros (M. Taylor & Carlson, 1997), além de demonstrarem maior compreensão emocional três anos depois. O fato de a criança ter amigos imaginários continua a ser comum nos primeiros anos de escola. Quase um terço das que relataram ter tido companheiros imaginários (65% da amostra total) ainda brincava com eles aos 7 anos (Taylor, Carlson, Maring, Gerow, & Charley, 2004).

O relacionamento das crianças com amigos imaginários é igual com os colegas; elas são normalmente sociáveis e amistosas, diferentemente da maneira como as crianças "tomam conta" de objetos personificados, como animais de pelúcia e bonecas (Gleason et al., 2000). Os amigos imaginários são ótima companhia para filhos únicos como Anna. Eles proporcionam mecanismos de realização de desejos ("Tinha um monstro no meu quarto, mas Elmo o expulsou com pó mágico"), bodes expiatórios ("Eu não comi aqueles biscoitos — Och deve ter comido!"), uma maneira segura para a criança expressar os próprios medos ("Aggie está com medo de cair no bueiro") e apoio em situações difíceis (quando Anna foi assistir a um filme assustador, "levou" sua amiga imaginária com ela).

**Qual a sua opinião?** Como os pais devem reagir quando as crianças falam sobre amigos imaginários?

Apesar de tudo, a linha entre fantasia e realidade pode parecer obscura algumas vezes. Em um estudo (Harris, Brown, Marriott, Whittall, & Harmer, 1991), crianças entre 4 e 6 anos deixadas sozinhas em uma sala preferiram tocar em uma caixa com um coelhinho imaginário a tocar em outra com um monstro imaginário, mesmo quando a maioria das crianças alegava estar apenas fingindo. Entretanto, em uma repetição parcial do estudo, na qual o pesquisador ficou na sala e claramente terminou com o faz de conta, somente 10% das crianças tocaram ou olharam o conteúdo de uma das caixas, e quase todas demonstraram compreensão clara de que as criaturas eram imaginárias (Golomb & Galasso, 1995). Assim, é difícil saber, quando as crianças são questionadas sobre objetos imaginários, se estão dando respostas sérias ou se estão mantendo o faz de conta (M. Taylor, 1997).

O *pensamento mágico* em crianças de 3 anos ou mais não parece originar-se da confusão entre fantasia e realidade. Frequentemente, o pensamento mágico é uma forma de explicar eventos que não parecem ter explicações realistas óbvias (normalmente porque lhes falta o conhecimento sobre elas) ou simplesmente é uma maneira de se entregar aos prazeres de brincar de faz de conta — como ocorre com a crença em companhias imaginárias, que discutimos no Box 10.1. O pensamento mágico tende a diminuir perto do final do período pré-escolar (Woolley, Phelps, Davis, & Mandell, 1999).

Resumindo, as pesquisas sobre vários tópicos da teoria da mente sugerem que as crianças pequenas podem ter uma imagem mais clara da realidade do que aquela em que Piaget acreditava.

**Influências sobre as diferenças individuais no desenvolvimento da teoria da mente** Algumas crianças desenvolvem capacidades de teoria da mente antes de outras. Em parte, esse desenvolvimento reflete o amadurecimento do cérebro e melhorias gerais de cognição. Quais outras influências explicam essas diferenças individuais?

Em geral, os bebês são extremamente interessados nos olhos das outras pessoas. Que relação isso poderia ter com a teoria da mente? Que tipo de informação social o olhar transmite?

A atenção social do bebê tem sido estreitamente associada ao desenvolvimento da teoria da mente (Wellman & Liu, 2004). Em um estudo recente, 45 crianças foram avaliadas no primeiro ano de vida e novamente aos 4 anos. As medidas de atenção social do bebê previram significativamente o desenvolvimento da teoria da mente. O fato de as crianças que foram melhores em prestar atenção terem demonstrado depois maior facilidade com tarefas da teoria da mente sugere que há uma continuidade na cognição social e que as capacidades vão sendo construídas umas sobre as outras ao longo do tempo (Wellman, Lopez-Duran, LaBounty, & Hamilton, 2008).

A competência social e o desenvolvimento da linguagem também contribuem para um entendimento dos pensamentos e das emoções (Cassidy, Werner, Rourke, Zubernis, & Balaraman, 2003). Crianças cujos professores e colegas avaliam que elas têm um nível elevado de habilidades sociais são mais capazes de reconhecer crenças falsas, distinguir entre emoção real e simulada e adotar o ponto de vista de outra pessoa. Essas crianças também tendem a ter fortes habilidades de linguagem (Cassidy et al., 2003; Watson, Nixon, Wilson, & Capage, 1999). O *tipo* de conversa que uma criança ouve em casa pode afetar seu entendimento dos estados mentais. A referência de uma mãe a pensamentos e conhecimento de outros é um preditor consistente da linguagem do estado mental posterior de uma criança. As crianças apresentam o maior benefício da "conversa de mãe" quando ela se ajusta ao nível de entendimento atual da criança. A empatia normalmente surge mais cedo em crianças cujas famílias conversam muito sobre sentimentos e causalidade (Dunn, 1991; Dunn 2006; Dunn, Brown, Slomkowski, Tesla, & Youngblade, 1991).

Famílias que encorajam brincadeiras de faz de conta estimulam o desenvolvimento de habilidades de teoria da mente. Quando as crianças desempenham papéis, elas tentam assumir as perspectivas das outras pessoas. Conversar com elas sobre como os personagens de uma história se sentem ajuda no desenvolvimento do entendimento social (Lillard & Curenton, 1999).

Crianças bilíngues, que falam e ouvem mais de um idioma em casa, são mais bem-sucedidas do que aquelas que se comunicam em um só idioma em certas tarefas de teoria da mente (Bialystok & Senman, 2004; Goetz, 2003). Crianças bilíngues sabem que um objeto ou ideia podem ser representados de mais de uma maneira, e esse conhecimento pode ajudá-las a ver que diferentes pessoas podem ter perspectivas diferentes. Elas também reconhecem a necessidade de coincidir o idioma que usam com o de seus colegas, e esse reconhecimento pode torná-las mais conscientes dos estados mentais dos outros. Por fim, as crianças bilíngues tendem a ter melhor controle da atenção, que pode lhes permitir concentrar-se no que é verdadeiro ou real, não no que somente parece ser (Bialystok & Senman, 2004; Goetz, 2003).

Uma teoria da mente incompleta ou ineficaz pode ser sinal de prejuízo cognitivo ou do desenvolvimento. Indivíduos com esse tipo de prejuízo têm dificuldade para entender as coisas de qualquer outro ponto de vista que não o seu. Portanto, eles têm dificuldade para determinar as intenções dos outros, não entendem como seu comportamento afeta os outros e têm dificuldade com a reciprocidade social. A pesquisa sugere que crianças com autismo não empregam uma teoria da mente e que têm dificuldades particulares com tarefas que exigem que elas entendam o estado mental de outra pessoa (Baron-Cohen, Leslie, & Frith, 1985).

**Verificador**
**você é capaz de...**
- Dar exemplos de pesquisas que contestam os pontos de vista de Piaget sobre as limitações cognitivas das crianças pequenas?
- Descrever as mudanças que ocorrem entre 3 e 6 anos de idade no conhecimento das crianças sobre como suas mentes funcionam?

# Abordagem do processamento de informação: o desenvolvimento da memória

Guia de estudo 2

Quais são as capacidades da memória que se expandem na segunda infância?

Durante a segunda infância, as crianças melhoram a atenção, a rapidez e a eficiência com que processam as informações e começam a formar memórias de longo prazo. Ainda assim, crianças pequenas não se lembram tão bem quanto as mais velhas. Por um lado, as crianças pequenas tendem a concentrar-se em detalhes exatos de um evento, os quais são facilmente esquecidos, ao passo que as mais velhas e os adultos em geral se concentram na essência daquilo que aconteceu. Além disso, as crianças pequenas, em razão de seu menor conhecimento do mundo, podem deixar de notar aspectos importantes de uma situação, por exemplo, quando e onde ocorreu, os quais poderiam ajudar a reavivar a memória.

## Processos e capacidades básicos

Os teóricos do processamento de informação focam nos processos que afetam a cognição. De acordo com essa abordagem, a memória pode ser descrita como um sistema de arquivamento que tem três passos ou processos: *codificação, armazenamento* e *recuperação*. A **codificação** é como colocar informações em uma pasta para ser arquivada na memória; ela anexa um "código" ou "rótulo" à informação a fim de que ela seja mais fácil de se encontrar, quando necessário. Por exemplo, se pedissem para você listar "coisas que são vermelhas", você poderia colocar na lista maçãs, sinais de *pare* e corações. Presumivelmente, todos esses itens teriam sido marcados na memória com o conceito "vermelho" quando foram originalmente codificados. Esse código é, a partir de agora, o que lhe permite acessar esses objetos aparentemente tão diferentes entre si. O **armazenamento** é a colocação da pasta no arquivo. É onde a informação é mantida. Quando a informação é necessária, você acessa o armazenamento e, por meio do processo de **recuperação**, procura o arquivo e o pega.

Acredita-se que a maneira como o cérebro armazena informações seja universal, embora a eficiência do sistema varie de uma pessoa para outra (Siegler, 1998). Os modelos de processamento de informação descrevem o cérebro como um sistema que contém três depósitos: memória sensorial, memória de trabalho e memória de longo prazo. A memória sensorial é um depósito temporário para a informação sensorial recebida. Por exemplo, o rastro de luz que é visível quando uma fagulha voa rapidamente em uma noite escura ilustra a memória sensorial visual. A memória sensorial apresenta pouca mudança da primeira infância em diante (Siegler, 1998). Entretanto, sem processamento (codificação), a memória sensorial desaparece rapidamente.

A informação a ser codificada ou recuperada é mantida na **memória de trabalho**, um depósito de armazenamento de curto prazo para informações em que a pessoa está trabalhando ativamente: tentando entender, lembrar ou pensar em algo. Estudos de imagem cerebral revelaram que a memória de trabalho está localizada parcialmente no *córtex pré-frontal*, a grande porção do lobo frontal diretamente atrás da fronte (Nelson et al., 2000). A memória de trabalho tem capacidade limitada. Os pesquisadores podem avaliar a capacidade de memória de trabalho pedindo às crianças para se lembrarem de uma série de dígitos embaralhados na ordem inversa (p. ex., 2-8-3-7-5-1 se elas tiverem ouvido 1-5-7-3-8-2). A capacidade da memória de trabalho — o número de dígitos que uma criança pode recordar – aumenta rapidamente (Cowan, Nugent, Elliott, Ponomarev, & Saults, 1999). Com 4 anos, as crianças habitualmente se lembram somente de dois dígitos; aos 12 anos, normalmente se lembram de seis (Zelazo, Müller, Frye, & Marcovitch, 2003). O aumento da memória de trabalho permite o desenvolvimento da **função executiva**, o controle consciente de pensamentos, emoções e ações para atingir metas ou solucionar problemas. A função executiva permite que as crianças planejem e executem atividade mental dirigida ao objetivo. Acredita-se que ela surja em torno do final do primeiro ano de um bebê e se desenvolva em estirões com a idade. Alterações na função executiva entre as idades de 2 e 5 anos permitem que as crianças criem e usem regras complexas para resolver problemas (Zelazo et al., 2003; Zelazo & Müller, 2002).

A **memória de longo prazo** é um depósito de capacidade praticamente ilimitada que guarda a informação durante longos intervalos de tempo. Presumivelmente, essa informação é transferida da memória de trabalho se for considerada suficientemente importante. Mas quem decide sua importância? De acordo com um modelo muito usado, o **executivo central** controla as operações de processamento na memória de trabalho (Baddeley, 1981, 1986, 1992, 1996, 1998, 2001). O executivo central organiza a informação codificada a ser transferida para a memória de longo prazo. O executivo central também recupera informações da memória de longo prazo para processamento adicional. Ele pode expandir temporariamente a capacidade da memória de trabalho deslocando informações para dois sistemas subsidiários separados enquanto o executivo central está ocupado com outras tarefas. Um desses sistemas subsidiários guarda informações verbais (como na tarefa dos dígitos), e o outro, imagens visuais/espaciais.

## Reconhecimento e lembrança

O reconhecimento e a lembrança são tipos de recuperação. Reconhecimento é a capacidade de identificar algo encontrado antes (p. ex., reconhecer uma luva em uma caixa de achados e perdidos). Lembrança é a capacidade de reproduzir conhecimento contido na memória (p. ex., descrever a luva para alguém). Crianças em idade pré-escolar, como todos os grupos etários, saem-se melhor no reconhecimento do que na lembrança, mas ambas as capacidades melhoram com a idade. Quanto mais familiaridade uma criança tem com um item, melhor ela se lembra dele.

---

**codificação**
Processo pelo qual a informação é preparada para armazenamento de longo prazo e posterior recuperação.

**armazenamento**
Retenção da informação na memória para uso futuro.

**recuperação**
Processo pelo qual a informação é acessada ou trazida de volta do armazenamento na memória.

**memória sensorial**
Armazenamento inicial, breve, temporário, de informação sensorial.

**memória de trabalho**
Armazenamento de curto prazo de informações que estão sendo processadas ativamente.

**função executiva**
O controle consciente de pensamentos, emoções e ações para alcançar metas ou solucionar problemas.

**memória de longo prazo**
Depósito com capacidade praticamente ilimitada que retém informações por longos períodos.

**executivo central**
No modelo de Baddeley, um elemento da memória de trabalho que controla o processamento de informação.

Aos 3 ou 4 anos de idade, as crianças diferenciam entre os mundos dos desenhos animados ficcionais. Portanto, se Barney aparecesse na Vila Sésamo, elas ficariam extremamente surpresas.

*Skolnick Weisberg & Bloom, 2009*

### Verificador
**você é capaz de...**

- Identificar três processos básicos e três depósitos da memória e discutir seu desenvolvimento?
- Descrever o propósito e o desenvolvimento da função executiva?
- Comparar as capacidades de reconhecimento e de lembrança das crianças em idade pré-escolar?

**Capítulo 10** • Desenvolvimento cognitivo na segunda infância **263**

Crianças pequenas com frequência não são capazes de usar estratégias para lembrar-se – até mesmo estratégias que elas já sabem –, a menos que sejam lembradas (Flavell, 1970). Essa tendência de não gerar estratégias eficientes pode refletir a falta de consciência do quanto uma estratégia seria útil (Sophian, Wood, & Vong, 1995). Crianças mais velhas tornam-se mais eficientes na utilização espontânea de estratégias de uso da memória, conforme discutiremos no Capítulo 13.

## Formação e retenção de memória na infância

A memória de experiências vividas na segunda infância raramente é deliberada: as crianças pequenas simplesmente se lembram de eventos que lhes causaram uma impressão forte, e a maioria dessas primeiras lembranças conscientes parece ser de curta duração.

**Memória na infância: três tipos**  Um pesquisador distinguiu três tipos de memória infantil que servem a três funções diferentes: genérica, episódica e autobiográfica (Nelson, 1993).

A **memória genérica**, que se inicia aproximadamente aos 2 anos de idade, produz um **roteiro** (*script*), ou esboço geral de um evento familiar, repetido, como ir de ônibus à pré-escola ou almoçar na casa da vovó. Ela ajuda uma criança a saber o que esperar e como agir.

A **memória episódica** se refere à consciência de ter experimentado um evento ou episódio em particular em um tempo e lugar específicos. As crianças pequenas lembram-se mais claramente de eventos que são novos para elas. Dada a capacidade de memória limitada de uma criança pequena, as memórias episódicas são temporárias. A menos que se repitam diversas vezes (nesse caso são transferidas para a memória genérica), elas perduram algumas semanas ou meses e depois se desvanecem. Por exemplo, ser vacinado no consultório do pediatra pode ser originalmente uma memória episódica — a criança poderá lembrar desse evento específico. Com o passar do tempo e as visitas repetidas, a criança pode formar uma memória genérica do consultório do médico como o lugar onde as injeções são administradas.

A **memória autobiográfica**, um tipo de memória episódica, refere-se a memórias de experiências características que formam a história de vida de uma pessoa. Nem tudo na memória episódica torna-se parte da memória autobiográfica – apenas aquelas memórias que têm um significado especial e pessoal para a criança (Fivush & Nelson, 2004). A memória autobiográfica geralmente surge entre as idades de 3 ou 4 anos (Howe, 2003; Fivush & Nelson, 2004; Nelson, 2005; Nelson & Fivush, 2004).

Uma explicação sugerida para a chegada relativamente lenta da memória autobiográfica é que as crianças não sabem armazenar na memória eventos que pertençam às suas próprias vidas até desenvolverem um conceito de *self* (Howe, 2003; Howe, & Courage, 1993, 1997; Nelson & Fivush, 2004). Fundamental também é o surgimento da linguagem, que permite que as crianças compartilhem memórias e as organizem em suas mentes em narrativas pessoais (Fivush & Nelson, 2004; Nelson, 2005; Nelson & Fivush, 2004).

**Influências na retenção da memórias**  Por que algumas lembranças remotas perduram mais tempo e mais claramente do que outras? Um fator importante é a singularidade do evento. Quando eles se repetem com frequência, as crianças tendem a recordar incorretamente detalhes específicos. Por exemplo, podem confundir determinado evento, como uma ida ao supermercado, com outros eventos semelhantes. Quando os eventos são raros ou incomuns, as crianças parecem lembrar melhor deles (Powell & Thomson, 1996). Além disso, eventos com impacto emocional parecem ser mais bem lembrados (Powell & Thomson, 1996), embora existam algumas provas que sugerem que a atenção está focada nos aspectos centrais da situação, em vez de em detalhes periféricos (Levine & Edelstein, 2009). Assim, por exemplo, se você se assustou com um filme de terror, pode lembrar melhor de certos eventos do filme, mas esquecer se comprou pipoca ou a cor da blusa que tinha vestido naquele dia. Outro fator, ainda, é a participação ativa das crianças ou no próprio evento, ou ao recontá-lo ou representá-lo. As crianças em idade pré-escolar tendem a lembrar melhor das coisas que fizeram do que das coisas que simplesmente viram (Murachver, Pipe, Gordon, Owens, & Fivush, 1996). Outro fator é a autoconsciência. Em um experimento, crianças que tinham demonstrado níveis mais altos de autoconsciência aos 2 anos recontaram suas memórias mais precisamente aos 3 anos (Reese & Newcombe, 2007).

Por fim, e mais importante, a forma como os adultos falam com uma criança sobre experiências compartilhadas afeta fortemente a memória autobiográfica, bem como outras habilidades cognitivas e linguísticas (Cleveland & Reese, 2005; Fivush & Haden, 2006; Nelson & Fivush, 2004; McGuigan & Salmon, 2004). Qual a razão disso? O **modelo de interação social**, baseado na abordagem sociocultural de Vygotsky, fornece uma explicação racional para esse processo. Os teóricos afirmam que as crianças constroem colaborativamente memórias autobiográficas com seus pais ou outros adultos ao conversa-

---

**reconhecimento**
A capacidade de identificar um estímulo encontrado anteriormente.

**lembrança**
A capacidade de reproduzir material da memória.

**memória genérica**
Memória que produz roteiros de rotinas familiares para guiar o comportamento.

**roteiro (*script*)**
Esboço geral memorizado de um evento familiar e repetido, usado para guiar o comportamento.

**memória episódica**
Memória de longo prazo de experiências ou eventos específicos, ligados a um tempo e lugar.

**memória autobiográfica**
Um tipo de memória episódica de experiências características que formam a história de vida de uma pessoa.

**modelo de interação social**
Modelo baseado na teoria sociocultural de Vygotsky que propõe que as crianças constroem memórias autobiográficas por meio da conversação com adultos sobre eventos compartilhados.

rem a respeito de eventos compartilhados. Os adultos iniciam e orientam essas conversas, mostrando-lhes como as lembranças são organizadas de forma narrativa em suas respectivas culturas, e colocam eventos passados em uma estrutura significativa coerente (Fivush & Haden, 2006). Por exemplo, pense em uma mãe sentada e seu filho(a) folheando um álbum de fotografias. À medida que vão folheando o álbum, a mãe tende a guiar a lembrança da criança sobre os eventos. "Veja — aqui foi quando fomos à casa da vovó. Você se lembra de como brincamos juntos na sala de estar e você montou aquele quebra-cabeça? Foi divertido, não foi?"

As crianças tendem a se lembrar de eventos que são frequentemente ensaiados com os pais por meio de conversas sobre eventos passados. E os pais tendem a ter estilos consistentes de conversa com as crianças sobre experiências compartilhadas (Fivush & Haden, 2006). Quando uma criança fica confusa, os adultos com um estilo *elaborativo baixo* repetem suas próprias afirmações ou perguntas anteriores. Por exemplo, um pai poderia perguntar "Você lembra como viajamos para a Flórida?" e, então, sem receber uma resposta, pergunta "Como chegamos lá? Nós fomos no ...". Um pai com estilo *elaborativo alto* faria uma pergunta que traz mais informação: "Nós fomos de carro ou de avião?". Em um estudo, crianças de 2 e 3 anos cujas mães tinham sido treinadas para usar técnicas altamente elaborativas para conversar com seus filhos tinham memórias mais ricas do que crianças de mães não treinadas (Reese & Newcombe, 2007). As mães tendem a falar mais elaboradamente com as meninas do que com os meninos. Esse achado pode explicar por que as mulheres tendem a ter lembranças mais detalhadas e vívidas de experiências da infância desde uma tenra idade do que os homens (Fivush & Haden, 2006; Nelson & Fivush, 2004).

De que forma a conversa elaborativa promove a memória autobiográfica? Ela o faz fornecendo rótulos verbais para aspectos de um evento e dando-lhe uma estrutura ordenada, compreensível (Nelson & Fivush, 2004). Ao recordarem eventos passados, as crianças aprendem a interpretar aqueles eventos e os pensamentos e emoções associados a eles. Elas constroem um sentido de *self* como contínuo no tempo e aprendem que seu próprio ponto de vista sobre uma experiência pode ser diferente do ponto de vista de outra pessoa sobre a mesma experiência (Fivush & Haden, 2006).

**Influência da cultura**  A relação entre memória elaborativa, lembrança guiada pelos pais e memória autobiográfica das crianças foi reproduzida amplamente entre culturas (Fivush & Haden, 2006). Entretanto, mães de classe média de culturas ocidentais tendem a ser mais elaborativas do que mães em culturas não ocidentais, como a China (Fivush & Haden, 2006). Nas conversas com crianças de 3 anos de idade, as mães norte-americanas poderiam dizer: "Você lembra de quando foi nadar na casa da vovó? O que vocês fizeram que foi realmente bom?". As mães chinesas tendem a fazer perguntas dirigidas deixando pouco para a criança acrescentar ("Do que você brincou na estação de esqui? Sentou-se no navio de gelo, não foi?") (Nelson & Fivush, 2004).

**Verificador**
**você é capaz de...**

- Identificar três tipos de memórias na segunda infância?
- Identificar vários fatores que afetam a maneira como uma criança em idade pré-escolar se lembrará de um evento?
- Discutir como as conversas com adultos influenciam a construção e a retenção da memória?
- Dar um exemplo de como a cultura influencia as memórias?

Guia de estudo **3**

Como é medida a inteligência de crianças em idade pré-escolar e quais fatores a influenciam?

# Inteligência: abordagens psicométrica e vygotskiana

Um fator que pode afetar a intensidade das primeiras habilidades cognitivas é a inteligência. Embora a definição de inteligência seja controversa, a maioria dos psicólogos concorda que a inteligência envolve a capacidade de aprender a partir de situações, adaptar-se a novas experiências e manipular conceitos abstratos. Vamos examinar duas maneiras como a inteligência é medida – por meio de testes psicométricos tradicionais e por meio de testes mais modernos do potencial cognitivo – e as influências sobre o desempenho das crianças.

## Medidas psicométricas tradicionais

Embora crianças em idade pré-escolar sejam mais fáceis de testar do que bebês e crianças na primeira infância, ainda assim elas precisam ser testadas individualmente. Uma vez que as crianças de 3 a 5 anos são mais proficientes com a linguagem do que as mais novas, os testes de inteligência para essa faixa etária podem incluir mais itens verbais, e esses testes produzem resultados mais confiáveis do que os testes não verbais utilizados no primeiro ano de vida. Os dois testes individuais mais comumente usados para crianças em idade pré-escolar são as Escalas de Inteligência de Stanford-Binet (Stanford-Binet Intelligence Scales) e a Escala de Inteligência Wechsler Pré-escolar e Primária (Wechsler Preschool and Primary Scale of Intelligence – WPPSI).

# Capítulo 10 • Desenvolvimento cognitivo na segunda infância

As **Escalas de Inteligência de Stanford-Binet** são usadas para crianças a partir dos 2 anos e têm duração de 45 a 60 minutos. A criança é solicitada a definir palavras, colocar contas em uma linha, construir com blocos, identificar partes que faltam em uma figura, traçar o percurso em labirintos e demonstrar o entendimento de números. A pontuação obtida pretende medir a fluidez de raciocínio (a capacidade para resolver problemas abstratos ou novos), conhecimento, raciocínio quantitativo, processamento visual e espacial e memória de trabalho. A quinta edição inclui métodos não verbais de teste de todas essas cinco dimensões da cognição e permite comparações do desempenho verbal e não verbal. Além de fornecer o QI da escala total, a Escala de Stanford-Binet produz medições separadas do QI verbal e não verbal, além de pontuações compostas que abrangem as cinco dimensões cognitivas.

A **Escala de Inteligência Wechsler Pré-Escolar e Primária Revisada (WPPSI-III)** é um teste individual que demora de 30 a 60 minutos; ela tem níveis separados para as idades de 2 anos e meio a 4 anos e de 4 a 7 anos e produz pontuações verbais e de desempenho separadas, bem como uma pontuação conjunta. A última revisão inclui novos testes secundários idealizados para medir a fluidez de raciocínio tanto verbal como não verbal, o vocabulário receptivo *versus* o expressivo e a velocidade de processamento. Tanto a Escala de Stanford-Binet quanto a Wechsler tiveram suas padronizações revistas em amostras de crianças representantes da população de pré-escolares nos Estados Unidos. A Escala Wechsler também foi validada para populações especiais, como crianças com deficiências intelectuais, atrasos de desenvolvimento, transtornos da linguagem e transtornos do espectro autista.

**Escalas de Inteligência de Stanford-Binet**
Testes individuais de inteligência para crianças a partir de 2 anos usados para medir a fluidez de raciocínio, o conhecimento, o raciocínio quantitativo e a memória de trabalho.

**Escala de Inteligência Wechsler Pré-escolar e Primária Revisada (WPPSI-III)**
Teste de inteligência individual para crianças de 2 anos e meio a 7 anos de idade que produz pontuações verbais e de desempenho, bem como uma pontuação combinada.

## Influências sobre a inteligência medida

Um equívoco comum é o de que as pontuações de QI representam uma quantidade fixa de inteligência inata. Na realidade, uma pontuação de QI é simplesmente uma medida do quanto uma criança pode realizar certas tarefas em um tempo determinado em comparação com outras crianças da mesma idade. De fato, as pontuações de testes de crianças em muitos países industrializados se elevaram abruptamente desde seu aparecimento, obrigando seus criadores a produzirem normas padronizadas (Flynn, 1984, 1987). Acreditava-se que essa tendência pudesse refletir a exposição à televisão educativa, a pré-escolas, a pais mais bem-educados, a famílias menores nas quais cada criança recebe mais atenção e a uma ampla variedade de jogos que exigem habilidades mentais, bem como a alterações nos próprios testes. Entretanto, em testes de recrutas do exército norueguês e dinamarquês, a tendência desacelerou e mesmo reverteu desde as décadas de 1970 e 1980, talvez porque essas influências tenham alcançado um ponto de saturação (Sundet, Barlaug, & Torjussen, 2004; Teasdale & Owen, 2008).

O grau com que o ambiente familiar influencia a inteligência de uma criança é questionado. Não sabemos o quanto da influência dos pais sobre a inteligência vem da contribuição genética e o quanto provém do fato de eles oferecerem um ambiente de aprendizagem mais precoce. Estudos de gêmeos e de casos de adoção sugerem que a vida familiar tem sua mais forte influência na segunda infância, mas esta diminui muito na adolescência (Bouchard & McGue, 2003; McGue, 1997; Neisser et al., 1996), quando a exposição das crianças a diferentes experiências é mais autodirigida. Entretanto, esses estudos são resultados de amostras de indivíduos brancos da classe média; talvez por isso não se apliquem a famílias de baixa renda e a não brancos (Neisser et al., 1996). Em um estudo longitudinal de crianças afro-americanas de baixa renda, a influência do ambiente familiar permaneceu substancial – pelo menos tão forte quanto a do QI da mãe (Burchinal, Campbell, Bryant, Wassik, & Ramey, 1997).

A correlação entre nível socioeconômico e QI é bem documentada (Neisser et al., 1996). A renda familiar está associada ao desenvolvimento e à realização cognitivos a partir da idade pré-escolar. As circunstâncias econômicas familiares podem exercer uma influência poderosa, não apenas isoladamente, mas pela forma como afetam outros fatores como a saúde, o estresse, a parentalidade e a atmosfera do lar (Brooks-Gunn, 2003; Evans, 2004; McLoyd, 1990, 1998; NICHD Early Child Care Research Network, 2005a; Rouse, Brooks-Gunn, & McLanahan, 2005).

Contudo, algumas crianças com privação econômica se saem melhor em testes de QI do que outras. Tanto os fatores genéticos quanto os ambientais estão envolvidos. Em um estudo de 1.116 pares de gêmeos nascidos na Inglaterra e no País de Gales, entre 1994 e 1995, e avaliados aos 5 anos (Kim-Cohen, Moffitt, Caspi, & Taylor, 2004), as crianças de famílias carentes tendiam, como em outros estudos, a ter QIs mais baixos. Entretanto, crianças pobres com um temperamento expansivo, mães afetuosas e atividades estimulantes em casa (as quais, novamente, podem ser influenciadas pelo QI dos pais) tendiam a se sair melhor do que outras crianças com privação econômica.

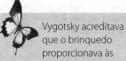

> Vygotsky acreditava que o brinquedo proporcionava às crianças uma grande quantidade de andaime conceitual, permitindo-lhes funcionar na extremidade mais alta de sua ZDP. Se solicitadas a fingir ser uma estátua, as crianças provavelmente são capazes de permanecer imóveis por mais tempo do que se solicitadas a simplesmente permanecer paradas. As "regras" de ser uma estátua fornecem apoio para as capacidades reguladoras emergentes das crianças.

*Dar sugestões e estratégias para a solução de um quebra-cabeça ou de um problema — sem demonstrar aprovação ou desaprovação — pode estimular o progresso cognitivo. A influência dos pais no progresso cognitivo pode ser mais forte na segunda infância.*

## Teste e ensino baseados na teoria de Vygotsky

**zona de desenvolvimento proximal (ZDP)**
Termo de Vygotsky para a diferença entre o que uma criança pode fazer sozinha e o que a criança pode fazer com ajuda.

**andaime conceitual**
Apoio temporário para ajudar uma criança a dominar uma tarefa.

De acordo com Vygotsky, as crianças aprendem interiorizando os resultados das interações com os adultos. Essa aprendizagem interativa é mais eficaz para ajudá-las a cruzarem a **zona de desenvolvimento proximal (ZDP)**, o espaço psicológico imaginário entre aquilo que elas já são capazes de fazer e aquilo que ainda não estão preparadas para realizar sem ajuda (Ver Cap. 2.) A ZDP pode ser avaliada por meio de *testes dinâmicos* (ver Cap. 13), os quais, de acordo com a teoria de Vygotsky, fornecem uma medida melhor do potencial intelectual das crianças do que os testes psicométricos tradicionais, que medem aquilo que a criança já dominou. Os testes dinâmicos enfatizam mais o potencial do que a realização atual. Os testes de realização tradicionais medem as capacidades atuais de uma criança, enquanto os testes dinâmicos empenham-se em medir os processos de aprendizagem diretamente em vez de medi-los por meio dos produtos de aprendizagem passada. Os examinadores podem ajudar a criança quando necessário fazendo perguntas, dando exemplos ou demonstrações e oferecendo *feedback*, tornando o próprio teste uma situação de aprendizagem.

A ZDP, em combinação com o conceito relacionado de **andaime conceitual**, também pode ajudar eficientemente pais e professores a orientarem o progresso cognitivo das crianças. O andaime conceitual é o apoio que um parceiro mais sofisticado de interação fornece e, idealmente, deve ser destinado à ZDP. Por exemplo, considere o que acontece quando você está tentando aprender uma nova habilidade, como jogar sinuca. Quando joga com alguém que é pior do que você, provavelmente você não melhora sua habilidade. Da mesma forma, se jogar com um mestre, as habilidades dele são tão superiores às suas que provavelmente você também não conseguirá aprender muito. No entanto, se jogar com uma pessoa que é apenas um pouco melhor do que você, é provável que isso o desafie e que você descubra estratégias que poderão ser bem-sucedidas, resultando em uma quantidade maior de aprendizagem. A razão para isso é que o modelo fornecido apoiou suas capacidades emergentes. De maneira ideal, o andaime conceitual deverá diminuir à medida que as crianças ganham habilidades. Quanto menos capaz uma criança é de realizar uma tarefa, mais "andaime", ou apoio, um adulto precisa dar. Quanto mais ela é capaz de fazer, menos ajuda o adulto dá. Quando a criança é capaz de fazer a tarefa sozinha, o adulto retira o "andaime", que não mais é necessário.

Ao possibilitarem que as crianças tenham consciência, monitorem seus próprios processos cognitivos e reconheçam quando precisam de ajuda, os pais podem ajudar os filhos a assumir responsabilidade pelo aprendizado. Crianças em idade pré-escolar que recebem o andaime conceitual estão mais bem

**Qual a sua opinião?**

Se você fosse professor(a) de pré-escola ou jardim de infância, você acharia mais útil saber o QI ou a ZDP de uma criança?

Capítulo 10 • Desenvolvimento cognitivo na segunda infância **267**

capacitadas a regularem sua própria aprendizagem quando chegam ao jardim de infância (Neitzel & Stright, 2003). Em um estudo longitudinal de 289 famílias com bebês, as habilidades que as crianças desenvolveram durante as interações com suas mães aos 2 e 3 anos e meio possibilitaram-lhes, aos 4 anos e meio, regular a resolução de problemas dirigida ao objetivo e iniciar interações sociais. Além disso, crianças de 2 anos de idade cujas mães as ajudavam a manter o interesse em uma atividade – por exemplo, fazendo perguntas, sugestões ou comentários ou oferecendo escolhas – tendiam, aos 3 anos e meio e aos 4 anos e meio, a mostrar independência nas habilidades cognitivas e sociais, como solucionar um problema e iniciar interação social (Landry, Smith, Swank, & Miller-Loncar, 2000).

# Desenvolvimento da linguagem

Crianças em idade pré-escolar são cheias de perguntas: "Quanto falta para chegar amanhã?", "Quem encheu o rio de água?", "Bebês têm músculos?", "Os cheiros vêm de dentro do meu nariz?". A crescente facilidade das crianças pequenas com a linguagem ajuda-as a expressar sua visão de mundo particular. Entre as idades de 3 e 6 anos, as crianças fazem avanços rápidos no vocabulário, na gramática e na sintaxe. A criança que, aos 3 anos, descreve como o papai "machada" a madeira (corta-a com um machado) ou pede à mamãe para "dividir" sua comida (cortá-la em pedaços menores) pode, aos 5 anos, dizer à mãe "Não seja ridícula!" ou apontar orgulhosamente para seus brinquedos e dizer "Vê como eu organizei tudo?".

## Vocabulário

Na idade de 3 anos, as crianças, em média, sabem e podem usar de 900 a mil palavras. Aos 6, uma criança típica tem um vocabulário (fala) *expressivo* de 2,6 mil palavras e entende mais de 20 mil. Com a ajuda de instrução escolar formal, o vocabulário (palavras que ela pode entender) *passivo*, ou *receptivo*, de uma criança se quadruplicará para 80 mil palavras quando ela entrar na escola (Owens, 1996).

Essa rápida expansão do vocabulário pode ocorrer por meio de **associação rápida**, a qual permite à criança captar o significado aproximado de uma nova palavra depois de ouvi-la uma ou duas vezes em uma conversa. A partir do contexto, as crianças parecem formar uma hipótese rápida a respeito do significado da palavra, que é, então, aprimorada com a exposição e o uso adicionais. Por exemplo, suponha que uma criança esteja no zoológico e veja uma ema pela primeira vez. A mãe aponta para o animal e diz: "Olha aquela ema". A criança usa o que já sabe sobre as regras de formação das palavras, sobre palavras similares, sobre o contexto imediato e sobre o assunto que está em discussão para formar uma hipótese sobre o significado da palavra *ema*. Nomes de objetos (substantivos) parecem ser mais fáceis de associar rapidamente do que os nomes de ações (verbos), que são menos concretos. Contudo, um experimento demonstrou que crianças com idades pouco abaixo de 3 anos sabem associar rapidamente um novo verbo e aplicá-lo a outra situação em que a mesma ação é executada (Golinkoff, Jacquet, Hirsh--Pasek, & Nandakumar, 1996).

Muitas crianças de 3 e 4 anos parecem capazes de dizer quando duas palavras se referem ao mesmo objeto ou ação (Savage & Au, 1996). Elas também sabem que mais de um adjetivo pode aplicar-se ao mesmo substantivo ("Fido é malhado e peludo") e que um adjetivo pode ser combinado com um nome próprio ("Fido esperto!") (Hall & Graham, 1999).

## Gramática e sintaxe

A maneira como as crianças combinam sílabas em palavras e palavras em sentenças torna-se cada vez mais sofisticada durante a segunda infância. Isso acontece porque a compreensão da gramática e da sintaxe torna-se mais complexa. Quando os psicólogos falam de gramática, não estão se referindo às lições de português aprendidas na escola, mas à profunda estrutura subjacente de um idioma que nos permite produzir e também compreender frases. A sintaxe é um conceito relacionado e envolve regras para a formação de frases em um idioma específico.

Na idade de 3 anos, as crianças normalmente começam a usar plurais, possessivos e pretérito e sabem a diferença entre eu, você e nós. Elas podem fazer – e responder – perguntas de *o que* e *onde*. (*Por que* e *como* são mais difíceis de entender nessa idade.) Entretanto, suas sentenças geralmente são curtas, simples e declarativas ("Kitty quer leite").

---

**Verificador**
**você é capaz de...**

- Descrever dois testes de inteligência individuais para crianças de idade pré-escolar?
- Listar e discutir as influências sobre a inteligência medida?
- Descrever a zona de desenvolvimento proximal (ZDP) de Vygotsky?

---

Guia de **4**
**estudo**

De que forma a linguagem melhora durante a segunda infância e o que acontece quando seu desenvolvimento é atrasado?

**associação rápida**
Processo pelo qual uma criança absorve o significado de uma palavra nova após ouvi-la uma ou duas vezes em uma conversa.

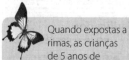

Quando expostas a rimas, as crianças de 5 anos de famílias mais ricas mostram mais localização da linguagem no hemisfério esquerdo (exatamente como os adultos) do que crianças de famílias mais pobres. Isso pode ocorrer em virtude de as crianças de famílias mais ricas serem expostas a vocabulário e sintaxe mais complexos.

*Raizada, Richards, Metlzoff, & Kuhl, 2008*

### Verificador
**você é capaz de...**

- Traçar o progresso normal no vocabulário, na gramática, na sintaxe, e nas capacidades conversacionais de crianças de 3 a 6 anos?
- Citar algumas razões pelas quais crianças de várias idades usam a fala privada?

**pragmática**
O conhecimento prático necessário para usar a linguagem para fins de comunicação.

**fala social**
Fala que se destina a ser entendida por um ouvinte.

**fala privada**
Conversar em voz alta consigo mesmo, sem nenhuma intenção de comunicar-se com os outros.

Entre as idades de 4 e 5 anos, as frases têm, em média, de 4 a 5 palavras e podem ser declarativas ("Eu sou grande!"), negativas ("Não estou com fome"), interrogativas ("Por que eu não posso ir lá fora?") ou imperativas ("Pegue a bola!"). Crianças de 4 anos usam frases complexas, de múltiplas regras gramaticais ("Estou comendo porque estou com fome"), com mais frequência se seus pais assim o fizerem (Huttenlocher, Vasilyeva, Cymerman, & Levine, 2002). As crianças dessa idade tendem a encadear frases em longas narrativas contínuas ("[...] E então [...] E então [...]"). Sob certos aspectos, a compreensão pode ser imatura. Por exemplo, Noah, de 4 anos, sabe executar uma ordem que inclui mais de um passo ("Pegue seus brinquedos e coloque-os no armário"). Entretanto, se sua mãe lhe disser "Você pode assistir à TV depois de pegar seus brinquedos", ele pode processar as palavras na ordem em que as ouviu, assistindo à televisão primeiro e pegando os brinquedos depois.

Dos 5 aos 7 anos, a fala das crianças assemelha-se muito à dos adultos. Elas falam utilizando frases mais longas e mais complicadas. Usam mais conjunções, preposições e artigos. Usam frases compostas e complexas e podem lidar com todas as partes da fala.

Ainda assim, embora as crianças dessa idade falem fluentemente, compreensivelmente e razoavelmente bem do ponto de vista gramatical, elas ainda precisam dominar muitas sutilezas da linguagem. Raramente elas usam a voz passiva ("Eu fui vestido pelo vovô"), frases condicionais ("Se eu fosse grande, poderia dirigir o ônibus") ou o verbo auxiliar *ter* ("Eu tinha visto aquela senhora antes") (C. S. Chomsky, 1969). As crianças pequenas frequentemente cometem erros porque ainda não aprenderam as regras e suas exceções. Dizer "prendido" em vez de "preso" ou "fazido" em vez de "feito" é um sinal normal de progresso linguístico. Quando as crianças pequenas descobrem uma regra, como adicionar *–ado* para formar o particípio de um verbo, elas tendem a supergeneralizar – a usá-la mesmo com palavras às quais a regra não se aplica. Por fim, percebem que o *–ado* nem sempre é utilizado para formar o particípio. O treinamento pode ajudar as crianças a dominar essas formas sintáticas (Vasilyeva, Huttenlocher, & Waterfall, 2006).

## Pragmática e fala social

A linguagem é um processo social. À medida que as crianças aprendem vocabulário, gramática e sintaxe, elas se tornam mais competentes em **pragmática**. A pragmática é o conhecimento prático de como usar a linguagem para se comunicar. Por exemplo, uma criança tem maior probabilidade de ser bem-sucedida com um pedido do tipo "Você pode me dar uma bolacha, por favor?" do que com "Quero uma bolacha agora".

A pragmática está relacionada com a teoria da mente, porque para começarmos a utilizar a linguagem socialmente temos que ser capazes de nos colocar na posição da outra pessoa. Isso inclui saber pedir coisas, contar uma história ou piada, iniciar e continuar uma conversa e ajustar os comentários à perspectiva do ouvinte (M. L. Rice, 1982). Todos eles são aspectos do discurso social: a fala que se destina a ser entendida por um ouvinte.

Com a melhora da pronúncia e da gramática torna-se mais fácil para os outros entender o que as crianças dizem. A maioria das crianças de 3 anos é tagarela e presta atenção no efeito de sua fala sobre os outros. Se as pessoas não puderem entendê-las, elas tentarão explicar-se mais claramente. A maior parte das crianças de 4 anos, principalmente meninas, simplifica sua linguagem quando fala com crianças de 2 anos (Owens, 1996; Shatz & Gelman, 1973; ver Cap. 7).

A maioria das crianças de 5 anos sabe adaptar aquilo que diz àquilo que o ouvinte sabe. Elas também sabem usar palavras para resolver disputas e usam uma linguagem mais polida com menos ordens diretas ao conversarem com adultos do que com outras crianças. Quase metade das crianças de 5 anos sabe ater-se a um tópico conversacional durante aproximadamente uma dúzia de vezes – se estiverem à vontade com seu interlocutor e se o tópico referir-se a algo que conhecem e com o qual se importam (Owens, 1996).

**Fala privada** A **fala privada**, falar alto consigo mesmo, sem nenhuma intenção de comunicar-se com os outros, é normal e comum na infância. Piaget via a fala privada como um sinal de imaturidade cognitiva, enquanto Vygotsky a considerava uma forma especial de comunicação. A pesquisa geralmente apoia Vygotsky no que diz respeito às funções da fala privada (Berk, 1986a). O Box 10.2 descreve as semelhanças e as diferenças entre as convicções de Vygotsky e Piaget.

*Esta menina em idade pré-escolar consegue usar seu vocabulário e conhecimento de gramática e sintaxe para comunicar-se de modo mais eficaz. Aprendeu a pedir coisas ao pai, a manter uma conversação e a contar uma história, talvez sobre o que aconteceu na pré-escola.*

# O mundo da pesquisa

## FALA PRIVADA: PIAGET *VERSUS* VYGOTSKY

**10.2**

Jacob, de 4 anos, estava sozinho em seu quarto pintando. Quando terminou, ouviram-no dizer em voz alta: "Agora eu preciso colocar os quadros em algum lugar para secar. Vou colocá-los na janela. Eles precisam secar agora. Vou pintar mais alguns dinossauros".

A *fala privada* — falar sozinho, como Jacob fez — é normal e comum na infância, contribuindo para 20 a 50% do que as crianças dos 4 aos 10 anos dizem (Berk, 1986a). Crianças dos 2 aos 3 anos adotam o "discurso do berço", brincando com sons e palavras. Crianças de 4 e 5 anos usam a fala privada como forma de expressar fantasias e emoções (Berk, 1992; Small, 1990). Crianças mais velhas "pensam alto" ou resmungam em tons quase inaudíveis.

Piaget (1962/1923) via a fala privada como um sinal de imaturidade cognitiva e entendia que esse discurso era um mero reflexo da atividade mental em andamento. Em virtude das crianças pequenas serem egocêntricas, ele sugeriu, elas são incapazes de reconhecer os pontos de vista dos outros e, portanto, são incapazes de comunicar-se de maneira significativa. Em vez disso, elas simplesmente vocalizam qualquer coisa que lhes passe pela mente. Outra razão para que as crianças falem enquanto fazem as coisas, segundo Piaget, é que elas ainda não sabem diferenciar as palavras e as ações que estas representam ou simbolizam. No final do estágio pré-operatório, com o amadurecimento cognitivo e a experiência social, as crianças tornam-se menos egocêntricas e mais capacitadas para o pensamento simbólico e, portanto, abandonam a fala privada.

Como Piaget, Vygotsky (1962/1934) acreditava que a fala privada ajudava as crianças pequenas a integrar a linguagem com o pensamento. Contudo, não via a fala privada como egocêntrica, mas como uma forma especial de comunicação: conversação consigo mesmo. Dessa forma, afirmou Vygotsky, esse discurso atende uma função importante na transição entre o início da fala social (frequentemente experimentada sob a forma de comandos dos adultos) e a fala interior (pensar por palavras) — uma mudança no sentido da internalização do controle do comportamento socialmente produzido ("Agora, tenho que pôr as pinturas num lugar qualquer para secarem.").

A pesquisa geralmente apoia Vygotsky em relação às funções da fala privada. Em um estudo observacional com crianças de 3 a 5 anos, 86% dos comentários das crianças *não* eram egocêntricos (Berk, 1986a). As crianças mais sociáveis e aquelas que se envolvem mais em falas sociais tendem também a usar mais a fala privada, sustentando o ponto de vista de Vygotsky de que a fala privada é estimulada pela experiência social (Berk, 1986a, 1986b, 1992; Berk & Garvin, 1984; Kohlberg, Yaeger, & Hjertholm, 1968). Também há evidência de um papel da fala privada na autorregulação, como Jacob estava fazendo (Berk & Garvin, 1984; Furrow, 1984). A fala privada tende a aumentar quando a criança está tentando realizar tarefas difíceis, especialmente sem a supervisão de um adulto (Berk, 1992; Berk & Garvin, 1984).

Vygotsky propôs que a fala privada aumenta durante os anos da pré-escola e, então, diminui durante a primeira parte da terceira infância, quando as crianças tornam-se mais capazes de guiar e dominar suas ações. Entretanto, o padrão agora parece ser mais complexo do que Vygotsky sugeriu. Alguns estudos relataram que não há mudanças na utilização geral da fala privada decorrentes da idade; outros encontraram variações quanto à época de seu declínio. As crianças mais brilhantes tendem a usá-la mais cedo. Embora Vygotsky considerasse a necessidade da fala privada um estágio universal do desenvolvimento cognitivo, estudos encontraram uma ampla variedade de diferenças individuais, com algumas crianças usando-a muito pouco ou simplesmente não a usando (Berk, 1992).

A compreensão do significado da fala privada tem implicações práticas, especialmente na escola (Berk, 1986a). Falar sozinho ou murmurar não deve ser considerado mau comportamento; a criança pode estar lutando para resolver um problema, e o ato de pensar alto pode ajudá-la a encontrar uma solução.

**Qual a sua opinião?** Você alguma vez já viu uma criança falando consigo mesma? Qual finalidade o discurso pareceu ter?

## Atraso no desenvolvimento da linguagem

O fato de Albert Einstein só ter começado a usar as palavras quando tinha entre 2 e 3 anos de idade (Isaacson, 2007) pode encorajar os pais de outras crianças cuja fala se desenvolve mais tarde do que o habitual. Aproximadamente 5 a 8% de crianças em idade pré-escolar apresentam atrasos de fala e linguagem (U. S. Preventive Services Task Force, 2006).

Não se sabe com clareza por que algumas crianças falam tardiamente. Não lhes falta necessariamente um estímulo linguístico em casa. Problemas de audição e malformações da cabeça e da face podem estar associados com atrasos de fala e linguagem, assim como nascimento prematuro, histórico familiar, fatores socioeconômicos e outros atrasos do desenvolvimento (Dale et al., 1998; U. S. Preventive Services

Task Force, 2006). A hereditariedade parece desempenhar um papel importante (Lyytinen, Poikkeus, Laakso, Eklund, & Lyytinen, 2001; Spinath, Price, Dale, & Plomin, 2004). Os meninos têm maior probabilidade do que as meninas de começar a falar tardiamente (Dale et al., 1998; U. S. Preventive Services Task Force, 2006). Crianças com atraso de linguagem podem ter problemas de associação rápida; talvez precisem ouvir uma palavra nova mais frequentemente do que as outras antes de poderem incorporá-la a seu vocabulário (Rice, Oetting, Marquis, Bode, & Pae, 1994).

Muitas crianças que falam tardiamente – especialmente aquelas cuja compreensão é normal – acabam recuperando o tempo perdido. Um dos maiores estudos feitos até hoje determinou que 80% das crianças com atrasos de linguagem aos 2 anos de idade emparelham com seus pares aos 7 anos de idade (Rice, Taylor, & Zubrick, 2008). Entretanto, cerca de 40 a 60% das crianças com atrasos da primeira linguagem, se não forem tratadas, podem experimentar consequências cognitivas, sociais e emocionais de longo alcance (U. S. Preventive Services Task Force, 2006).

## Preparação para a alfabetização

Para entender o conteúdo de uma página impressa, as crianças primeiramente precisam dominar certas habilidades de pré-leitura (Lonigan, Burgess, & Anthony, 2000; Muter, Hulme, Snowling, & Stevenson, 2004). O desenvolvimento das habilidades fundamentais que tornam possível ler é conhecido como **alfabetização emergente**.

As habilidades de pré-leitura podem ser divididas em dois tipos: (1) habilidades de linguagem oral, como vocabulário, sintaxe, estrutura narrativa e o entendimento de que a linguagem é usada para se comunicar; e (2) habilidades fonológicas específicas (ligar letras com sons), que ajudam a decodificar a palavra impressa. Cada um desses tipos de habilidade parece ter seu próprio efeito independente (NICHD Early Child Care Research Network, 2005b; Lonigan et al., 2000; Whitehurst & Lonigan, 1998). Em um estudo longitudinal que durou dois anos, de 90 crianças britânicas em idade escolar, o desenvolvimento do reconhecimento de palavras pareceu depender criticamente das habilidades fonológicas, enquanto as habilidades de linguagem oral, como vocabulário e habilidades gramaticais, foram indicadores mais importantes da compreensão da leitura (Muter et al., 2004).

A interação social é um fator importante no desenvolvimento da alfabetização. As crianças têm maior probabilidade de ler e escrever melhor se, durante a fase pré-escolar, os pais apresentarem desafios conversacionais para os quais as crianças estão preparadas – se usarem um vocabulário rico e centralizarem as conversas à mesa de jantar nas atividades do dia a dia, em eventos passados mutuamente lembrados ou em questões referentes ao motivo pelo qual as pessoas fazem as coisas e como as coisas funcionam (Reese, 1995; Snow, 1990, 1993).

Ler para crianças é um dos caminhos mais eficazes para a alfabetização. Segundo um relatório do governo norte-americano, 86% das meninas e 82% dos meninos ouvem histórias em casa pelo menos três vezes por semana (Freeman, 2004). Crianças que ouvem histórias desde os primeiros anos de vida aprendem que a leitura e a escrita em inglês, por exemplo, se dão da esquerda para a direita e de cima para baixo e que as palavras são separadas por espaços. Elas também são motivadas a aprender a ler (Siegler, 1998; Whitehurst & Lonigan, 1998, 2001).

## Mídia e cognição

Diferentemente dos bebês e das crianças pequenas, as crianças em idade pré-escolar compreendem a natureza simbólica da televisão e podem facilmente imitar comportamentos que observam (Bandura, Ross, & Ross, 1963; Kirkorian, Wartella, & Anderson, 2008). Aos 3 anos de idade, as crianças são *usuárias ativas da mídia*, capazes de prestar maior atenção ao diálogo e à narrativa (Huston & Wright, 1983). A exposição à televisão durante os primeiros anos de vida pode estar associada com desenvolvimento cognitivo mais pobre, mas as crianças acima dos 2 anos expostas a programas que seguem um currículo educativo demonstraram aumento das habilidades cognitivas (Kirkorian et al., 2008). Em um estudo, quanto mais tempo crianças de 3 a 5 anos passavam assistindo ao programa *Vila Sésamo*, mais o seu vocabulário melhorava (M. L. Rice, Huston, Truglio, & Wright, 1990). O conteúdo do programa é um mediador importante. Pais que limitam o tempo de televisão, selecionam programas bem planejados e adequados para a idade e assistem aos programas com seus filhos podem aumentar os benefícios da mídia (Quadro 10.5).

---

**alfabetização emergente**
esenvolvimento de habilidades, conhecimento e atitudes de crianças em idade pré-escolar subjacentes à capacidade de leitura e escrita.

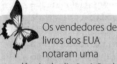

Os vendedores de livros dos EUA notaram uma tendência de diminuição dos livros de figuras e de aumento dos livros de leitura para crianças pequenas, presumivelmente como resultado da preocupação dos pais com a alfabetização. Os livros de leitura com menos figuras e mais texto ajudam a desenvolver a imaginação das crianças ou exigem demais delas prematuramente?

Bosman, 2010

**Qual a sua opinião?**

Suponha que você quisesse organizar um programa para incentivar o desenvolvimento da pré-alfabetização em crianças de alto risco. Que elementos você incluiria em seu programa e a que você atribuiria o sucesso dele?

# Capítulo 10 • Desenvolvimento cognitivo na segunda infância — 271

**QUADRO 10.5** Usando a mídia com responsabilidade

▶ Limite o tempo de televisão para o menor possível.

▶ Estabeleça diretrizes para o uso adequado de todas as mídias, inclusive TV, vídeos/DVDs, filmes e jogos.

▶ Proteja as crianças da mídia com conteúdo inadequado.

▶ Exija que as crianças peçam autorização antes de ligar qualquer aparelho.

▶ Retire TVs, sistemas de *videogame* e computadores dos quartos.

▶ Assista a programas e filmes junto com as crianças e discuta o que vocês estão assistindo.

▶ Use a mídia de forma positiva para despertar a imaginação e a criatividade.

▶ Limite o número de produtos que você compra para seu filho que estejam associados a programas de TV.

*Fonte:* Teachers Resisting Unhealthy Children's Entertainment [TRUCE]. (2008).

## Educação na segunda infância

Ir à pré-escola é um passo importante, pois amplia o ambiente físico, cognitivo e social da criança. A transição para o jardim de infância, o início da "escola de verdade", é outro passo considerável. O número de crianças matriculadas no ensino pré-escolar explodiu nos últimos 20 anos. Entre 1985 e 2006, o número de matrículas aumentou 611%, enquanto a matrícula em outros anos do ensino básico aumentou 23%. O número de crianças matriculadas na pré-escola aumentou de 0,2 milhão em 1985 para 1,1 milhão em 2006 (U.S. Department of Education Institute of Education Statistics, 2008).

### Tipos de pré-escola

Os objetivos e os currículos das pré-escolas variam muito. Alguns programas enfatizam a realização acadêmica, e outros focalizam o desenvolvimento social e emocional. Em alguns países, como a China, as pré-escolas fornecem o preparo acadêmico para a escolarização. Em contrapartida, muitas pré-escolas têm seguido filosofias progressistas, centradas na criança, enfatizando o crescimento social e emocional alinhado às necessidades de desenvolvimento das crianças pequenas. Dois dos programas mais influentes, o Montessori e o Reggio Emilia, foram baseados em premissas filosóficas semelhantes.

**O método Montessori**   No século XIX ocorreram grandes mudanças nos pontos de vista sobre a educação e o desenvolvimento mental. Filósofos como Rousseau, Pestalozzi e Seguin inspiraram os educadores a considerar alternativas aos métodos tradicionais de ensino. Maria Montessori foi fortemente influenciada pelo trabalho desses filósofos. Como a primeira médica mulher da Itália, dedicou-se a encontrar métodos novos e melhores para educar crianças com necessidades especiais. Devido a seu sucesso com essas crianças, ela foi convidada a iniciar uma escola para crianças carentes moradoras de regiões periféricas da Itália. Em 1907, Montessori abriu a Casa dei Bambini e iniciou um movimento que desde então se espalhou pelo mundo.

O método Montessori é baseado na crença de que a inteligência natural das crianças envolve aspectos racionais, espirituais e empíricos (Edwards, 2003). Montessori salienta a importância de as crianças aprenderem de forma independente em seu próprio ritmo, à medida que trabalham com materiais adequados ao desenvolvimento e com tarefas escolhidas por elas. As crianças são agrupadas em salas de aula de idades variadas; da primeira infância até os 3 anos é considerada "a mente absorvente inconsciente", e dos 3 aos 6 anos é considerada a "mente absorvente consciente" (Montessori, 1995). Os professores atuam como guias, e as crianças mais velhas ajudam as menores. O currículo é individualizado, mas tem uma abrangência definida e uma sequência prescrita. Os professores fornecem um ambiente de produtividade calma, e as salas de aula são organizadas para serem ambientes disciplinados e agradáveis (Standing, 1957).

A abordagem de Montessori provou ser eficaz. Uma avaliação da educação Montessori em Milwaukee revelou que estudantes de Montessori de 5 anos de idade estavam mais bem preparados para o ensino fundamental em leitura e matemática do que crianças que frequentaram outros tipos de pré-escola (Lillard & Else-Quest, 2006).

---

**Verificador**
**você é capaz de...**

■ Discutir as possíveis causas, consequências e o tratamento para desenvolvimento atrasado da linguagem?

■ Identificar dois tipos de habilidades da pré-alfabetização e explicar como a interação social pode incentivar o preparo para a alfabetização?

■ Descrever como a exposição a mídias afeta as capacidades cognitivas das crianças em idade pré-escolar?

**Guia de estudo 5**

Para que serve a educação na segunda infância e como as crianças fazem a transição para o jardim de infância?

**A abordagem Reggio Emilia** No final da década de 1940, um grupo de educadores e pais italianos criou um plano para revitalizar uma sociedade esfacelada após a Segunda Guerra Mundial por meio de uma nova abordagem da educação para crianças pequenas. Seu objetivo era melhorar as vidas das crianças e das famílias encorajando diálogos e debates não violentos, desenvolvendo habilidades de resolução de problemas e forjando relacionamentos estreitos e de longo prazo com professores e colegas. Lóris Malaguzzi, o diretor fundador da escola, era um construtivista social fortemente influenciado por Dewey, Piaget, Vygotsky e Montessori. Ele imaginou uma "educação baseada em relacionamentos" que apoiava as ligações da criança com as pessoas, a sociedade e o ambiente (Malaguzzi, 1993).

A abordagem Reggio Emilia é menos formal do que o método Montessori. Os professores seguem os interesses das crianças e apoiam-nas na exploração e na investigação de ideias e sentimentos por meio de palavras, movimento, jogo dramático e música. A aprendizagem tem um propósito menos definido que no programa Montessori. Os professores fazem perguntas inspiradas nas ideias das crianças e depois criam planos flexíveis para explorar essas ideias com elas. As salas de aula são cuidadosamente construídas para oferecer complexidade, beleza, organização e uma sensação de bem-estar (Ceppi & Zini, 1998; Edwards, 2002).

A Harlem Children's Zone é um programa atual extremamente bem-sucedido baseado no modelo bioecológico de Bronfenbrenner (ver Cap. 2). Uma razão para seu sucesso extraordinário é a abordagem de sistemas utilizada para tratar as deficiências das crianças. O foco é tanto a comunidade quanto as crianças, com o objetivo de realizar um "ponto de virada" de eventos e ambientes enriquecidos que, espera-se, em algum momento torne-se autoperpetuador.

## Programas pré-escolares compensatórios

Estima-se que dois terços das crianças em áreas urbanas pobres dos Estados Unidos entrem na escola despreparadas para aprender (Zigler, 1998). Desde a década de 1960, programas de larga escala têm sido desenvolvidos para ajudar essas crianças a compensar o que perderam e a prepará-las para a escola.

O programa pré-escolar compensatório mais conhecido para crianças de famílias de baixa renda nos Estados Unidos é o projeto Head Start, financiado pelo Governo Federal, lançado em 1965. Coerente com sua abordagem da criança como um todo, suas metas não são unicamente aumentar as habilidades cognitivas, mas melhorar a saúde física e estimular a autoconfiança e as habilidades sociais. O programa provê cuidados médicos, como tratamento dentário e de saúde mental, serviços sociais e, no mínimo, uma refeição quente por dia. Aproximadamente 1 em cada 3 crianças do Head Start é de famílias que não falam a língua inglesa (predominantemente hispânicas), e a maioria vive em lares de mãe solteira (Administration for Children and Families [ACF], 2006a).

O projeto Head Start faz jus ao seu nome? Dados fundamentam sua eficácia para melhorar a preparação para a escola, e a qualidade dos professores e do programa continua a melhorar (ACF, 2006a, 2006b; USDHHS, 2003b). De maneira similar, crianças que frequentam programas patrocinados pelo Estado tendem a apresentar melhores habilidades cognitivas e de linguagem e a serem mais bem-sucedidas na escola do que crianças que não frequentaram qualquer programa (USDHHS, 2003a).

As crianças do projeto Head Start fazem progresso em vocabulário, reconhecimento de letras, habilidades de escrita precoce, habilidades matemáticas e habilidades sociais; o hiato entre as pontuações obtidas em avaliações de vocabulário e primeiras leituras e as normas nacionais diminuiu significativamente desde o final da década de 1990 (ACF, 2006a). Além disso, suas habilidades continuam a progredir na pré-escola. Os progressos estão estreitamente relacionados ao envolvimento dos pais (ACF, 2006b).

Uma análise dos efeitos de longo prazo do projeto Head Start sugere que os benefícios superam os custos (Ludwig & Phillips, 2007). As crianças do Head Start e de outros programas compensatórios têm menor probabilidade de serem colocadas em escolas de educação especial ou de repetirem um ano escolar e têm maior probabilidade de concluírem o ensino médio do que as crianças de famílias de baixa renda que não participam desses programas (Deming, 2009; Neisser et al., 1996). Os "diplomados" de um desses programas, o Projeto Pré-escolar Perry, tiveram menor probabilidade de se tornar delinquentes juvenis ou de engravidar na adolescência (Berrueta-Clement, Schweinhart, Barnett, Epstein, & Weikart, 1985; Schweinhart, 2007; Schweinhart, Barnes, & Weikart, 1993; ver Cap. 17). Os resultados são melhores quando a intervenção ocorre mais cedo e dura mais tempo por meio de programas centralizados e de alta qualidade (Brooks-Gunn, 2003; Reynolds & Temple, 1998; Zigler & Styfco, 1993, 1994, 2001).

Em 1995, iniciou-se um programa Early Head Start para oferecer serviços de desenvolvimento infantil e familiar para famílias de baixa renda com bebês e crianças pequenas. Em 2006, esse programa operava em mais de 700 comunidades e atendia a mais de 85 mil famílias e mais de 10 mil gestantes (Center for Law and Social Policy, 2008). Nas idades de 2 e 3 anos, de acordo com estudos randomizados, os participantes obtiveram uma pontuação mais elevada em testes padronizados de desenvolvimento e vocabulário e corriam menor risco de atraso no desenvolvimento do que as crianças que não participavam do programa. Aos 3 anos, eles eram menos agressivos, mais atentos no brincar e mais positivamente envolvidos com seus pais. Os pais do Early Head Start ofereciam mais apoio emocional, mais estimulação da linguagem e da aprendizagem, liam mais para seus filhos e batiam menos neles. Os programas que ofereciam uma combinação de serviços centralizados e visitas domiciliares apre-

*Estas crianças no programa Head Start estão obtendo orientação quanto à capacitação escolar. Os programas de educação compensatória mais bem-sucedidos começam cedo e têm equipes bem treinadas, participação dos pais e número reduzido de crianças em sala.*

sentaram melhores resultados do que aqueles que se concentravam somente em um ou outro desses ambientes (Commissioner's Office of Research and Evaluation and Head Start Bureau, 2001; Love et al., 2002, 2005).

Um consenso cada vez maior entre os educadores da segunda infância é o de que a forma mais efetiva de garantir que os ganhos obtidos nos programas de intervenção precoce e de educação compensatória sejam mantidos é por meio de uma abordagem *PK-3* – um programa sistemático que se estende da pré-escola até o 3º ano. Esse programa (1) ofereceria educação infantil a todas as crianças de 3 e 4 anos, (2) exigiria pré-escola em tempo integral e (3) coordenaria e alinharia experiências e expectativas da educação infantil até o 3º ano por meio de um currículo sequencial baseado nas necessidades e nas capacidades das crianças e ensinado por profissionais qualificados (Bogard & Takanishi, 2005).

A pré-escola financiada pelo Estado está se tornando uma tendência nacional. A maioria desses programas é destinada a crianças carentes, mas um número cada vez maior de Estados está oferecendo programas pré-escolares universais. Na prática, "universal" significa que o programa está disponível para todos em uma base voluntária.

## A escola do século XXI: ensino pré-escolar universal

As escolas baseadas nos modelos de Montessori e de Reggio Emilia e o programa Head Start são estruturados para proporcionar às crianças as bases cognitivas e de desenvolvimento para um desempenho acadêmico bem-sucedido. A correlação entre boa qualidade da educação infantil e o futuro sucesso escolar tem sido bastante investigada. Há estudos que indicam que as lacunas no desempenho acadêmico entre os estudantes pobres e os de classe média, nos Estados Unidos, podem ser documentadas antes de as crianças entrarem na escola (Sawhill, 2006). Os resultados levaram ao interesse no desenvolvimento do **ensino pré-escolar universal**, um sistema nacional para o cuidado e a educação iniciais usando as escolas públicas. A Escola do Século 21 (21C, em inglês), um modelo criado por Edward Zigler, é exemplo desse tipo de sistema.

O 21C é um programa escolar abrangente, que inclui serviços de educação pré-escolar e cuidados infantis universalmente acessíveis. A escola fornece, durante o dia todo e todos os dias do ano, o cuidado adequado para o desenvolvimento de crianças de 3 e 4 anos de idade, bem como atendimento nas férias para as crianças em idade escolar. O objetivo do 21C é melhorar o sucesso escolar e educativo por meio do (1) fornecimento de acesso a cuidados infantis de alta qualidade e adequados ao desenvolvimento pré-escolar; (2) da construção do envolvimento dos pais; e (3) do oferecimento da prestação de serviços de apoio para os pais, melhorando-se, assim, o funcionamento da família. O programa foi adotado por mais de 1.300 escolas em 20 Estados. Os resultados preliminares da avaliação nacional do projeto 21C indicaram habilidades acadêmicas avançadas até o 1º ano pelas crianças que frequentaram as escolas que participaram desse programa (Henrich, Ginicola, Finn-Stevenson, & Zigler, 2006).

O objetivo principal da pré-escola deve ser fornecer uma base acadêmica forte ou promover o desenvolvimento social e emocional?

**ensino pré-escolar universal**
Sistema nacional para o cuidado e a educação iniciais, que torna o acesso à pré-escola universal por meio do uso de escolas públicas.

## A criança na pré-escola

Durante muitos anos, as pessoas consideraram a pré-escola um tempo de transição entre o lar e as estruturas do ensino básico e do ensino acadêmico. Hoje em dia, o jardim de infância, nos Estados Unidos, transformou-se em uma escola do ensino básico e enfatiza mais o componente acadêmico. As crianças passam mais tempo com folhas de tarefas e preparando-se para ler e menos tempo em atividades escolhidas por elas mesmas. Sabe-se que uma transição bem-sucedida do lar para a pré-escola estabelece as bases do futuro desempenho acadêmico (Schulting, Malone, & Dodge, 2005).

Embora alguns Estados não exijam programas de pré-escola ou a frequência a um deles, a maioria das crianças de 5 anos os frequentam, e um número crescente de crianças (60% em 2001) passa o dia inteiro na escola em vez do tradicional meio período (National Center for Education Statistics, 2004a). As crianças aprendem mais ao passarem o dia inteiro na pré-escola? Inicialmente, sim. A pré-escola em tempo integral tem sido associada com maior crescimento das habilidades de leitura e matemática, mas, de modo geral, essas vantagens tendem a ser de pequenas a moderadas (Votruba-Drzal, Li-Grining, & Maldonado-Carreno, 2008). Ao final do $2^\circ$ ano, a quantidade de tempo passado na pré-escola não faz uma diferença substancial no desempenho de leitura, matemática e ciências (Rathbun, West, & Germino-Hausken, 2004).

Os achados ressaltam a importância da preparação que uma criança recebe *antes* da pré-escola. Os recursos com que as crianças ingressam na pré-escola – pré-alfabetização e a riqueza de um ambiente doméstico voltado à alfabetização – predizem o desempenho na leitura no $1^\circ$, e essas diferenças individuais tendem a persistir ou a aumentar durante os primeiros quatro anos de escola (Denton, West, & Walston, 2003; Rathbun et al., 2004). Além disso, crianças com experiência em creche tendem a ajustar-se mais facilmente à pré-escola do que aquelas que passaram pouco ou nenhum tempo na "escolinha" (Ladd, 1996).

O ajustamento emocional e social também afeta a preparação para a pré-escola e prediz fortemente o sucesso escolar. Mais importante do que saber o alfabeto ou ser capaz de contar até 20, dizem as professoras de pré-escola, são as capacidades de permanecer sentado tranquilamente, seguir orientações, esperar a vez e controlar o próprio aprendizado (Blair, 2002; Brooks-Gunn, 2003; Raver, 2002). O ajustamento à pré-escola pode ser facilitado permitindo-se que as crianças e os pais visitem a escola antes do início do ano letivo, encurtando-se os dias de aula no início do $1^\circ$ ano, dispondo-se de professores que façam visitas domiciliares, mantendo-se sessões de orientação para os pais e mantendo-se os pais informados sobre o que está acontecendo na escola (Schulting et al., 2005).

Cerca de 5% das crianças repetem a pré-escola, segundo um estudo longitudinal de âmbito nacional com crianças que a frequentaram pela primeira vez entre 1998 e 1999. As crianças com nível socioeconômico baixo, as que não frequentaram a creche e as que têm atrasos no desenvolvimento apresentam maior probabilidade de repetir a pré-escola — geralmente devido à crença de que o $2^\circ$ ano as ajudará a adquirir as habilidades de que precisam. No entanto, essas crianças ainda demonstraram maior tendência a serem menos habilidosas em leitura e matemática ao final do $1^\circ$ ano do que aquelas que tinham passado somente um ano na pré-escola (Malone, West, Flanagan, & Park, 2006).

> **Verificador**
> **você é capaz de...**
>
> - Comparar os programas pré-escolares Montessori e Reggio Emilia?
> - Discutir a educação pré-escolar compensatória e a pré-escola universal?
> - Descrever os fatores que afetam o ajustamento à pré-escola?

# resumo & palavras-chave

## ❶ Abordagem piagetiana: a criança no estágio pré-operatório

***Quais são os avanços cognitivos e os aspectos imaturos típicos do pensamento de crianças em idade pré-escolar?***

- As crianças que se encontram no estágio pré-operatório apresentam diversos avanços importantes, bem como alguns aspectos imaturos de pensamento.
- A função simbólica permite que as crianças reflitam sobre as pessoas, os objetos e os eventos que não estão fisicamente presentes. Ela se apresenta na imitação diferida, nas brincadeiras de faz de conta e na linguagem.

- O desenvolvimento simbólico inicial ajuda as crianças pré-operatórias a fazer julgamentos mais precisos das relações espaciais. Elas podem entender o conceito de identidade, vincular causa e efeito, categorizar coisas familiares e não familiares e entender princípios de contagem.
- A centração impede as crianças pré-operatórias de entenderem os princípios da conservação, que se desenvolvem gradualmente na terceira infância. A lógica pré-operatória é limitada pela irreversibilidade e se concentra em estados em vez de em transformações.
- As crianças pré-operatórias parecem ser menos egocêntricas do que Piaget imaginava; elas (até mesmo as crianças mais novas) têm capacidade de empatia.

Capítulo 10 • Desenvolvimento cognitivo na segunda infância

- A teoria da mente, que se desenvolve notavelmente entre os 3 e os 5 anos, inclui a consciência que a criança tem de seus próprios processos de pensamento, cognição social, entendimento de que as pessoas podem ter falsas crenças, capacidade para ludibriar, capacidade para distinguir entre aparência e realidade e capacidade para distinguir entre fantasia e realidade. A hereditariedade e as influências ambientais afetam as diferenças individuais no desenvolvimento da teoria da mente.

  **estágio pré-operatório (252)**
  **função simbólica (252)**
  **brincadeiras de faz de conta (252)**
  **transdução (253)**
  **animismo (255)**
  **centração (256)**
  **descentrar (256)**
  **egocentrismo (256)**
  **conservação (257)**
  **irreversibilidade (257)**
  **teoria da mente (257)**

## ② Abordagem do processamento de informação: o desenvolvimento da memória

### Quais são as capacidades da memória que se expandem na segunda infância?

- Os modelos de processamento de informação descrevem três etapas da memória: codificação, armazenamento e recuperação.
- Embora a memória sensorial apresente poucas mudanças com a idade, a capacidade da memória de trabalho aumenta muito. A central executiva controla o fluxo de informação que entra e que sai da memória de longo prazo.
- Em todas as idades, o reconhecimento é melhor do que a lembrança, mas ambos aumentam durante a segunda infância.
- A memória episódica inicial é somente temporária; ela desaparece ou é transferida para a memória genérica. A memória autobiográfica normalmente se inicia aos 3 ou 4 anos; ela pode estar relacionada ao autorreconhecimento e ao desenvolvimento da linguagem. De acordo com o modelo de interação social, crianças e adultos constroem conjuntamente as memórias autobiográficas ao conversarem a respeito de experiências compartilhadas.
- As crianças têm maior probabilidade de se lembrarem de atividades incomuns das quais participam ativamente. A maneira como os adultos conversam com as crianças a respeito dos eventos influencia a formação da memória.

  **codificação (262)**
  **armazenamento (262)**
  **recuperação (262)**
  **memória sensorial (262)**
  **memória de trabalho (262)**
  **função executiva (262)**
  **memória de longo prazo (262)**
  **executivo central (262)**
  **reconhecimento (263)**
  **lembrança (263)**
  **memória genérica (263)**
  **roteiro (script) (263)**
  **memória episódica (263)**
  **memória autobiográfica (263)**
  **modelo de interação social (264)**

## ③ Inteligência: abordagens psicométrica e vygotskiana

### Como é medida a inteligência de crianças em idade pré-escolar, e quais fatores a influenciam?

- Os dois testes psicométricos de inteligência mais comumente usados para crianças pequenas são as Escalas de Inteligência de Stanford-Binet e a Escala de Inteligência Wechsler Pré-escolar e Primária Revisada (WPPSI-III).
- As pontuações nos testes de inteligência podem ser influenciadas pelo funcionamento social e emocional, bem como pela interação entre pais e filhos e por fatores socioeconômicos.
- Testes mais recentes baseados no conceito de zona de desenvolvimento proximal (ZDP) de Vygotsky indicam um potencial imediato da capacidade de realização. Esses testes, combinados com o conceito de andaime conceitual, podem ajudar pais e professores a orientar o progresso da criança.

  **Escalas de Inteligência de Stanford-Binet (265)**
  **Escala de Inteligência Wechsler Pré-escolar e Primária Revisada (WPPSI-III) (265)**
  **zona de desenvolvimento proximal (ZDP) (266)**
  **andaime conceitual (266)**

## ④ Desenvolvimento da linguagem

### De que forma a linguagem melhora durante a segunda infância e o que acontece quando seu desenvolvimento é atrasado?

- Durante a segunda infância, o vocabulário aumenta consideravelmente, e a gramática e a sintaxe tornam-se razoavelmente elaboradas. As crianças tornam-se mais competentes em pragmática.
- A fala particular é normal e comum durante a segunda infância.
- As causas para o atraso no desenvolvimento da linguagem não são precisas. Se não forem tratados, os atrasos de linguagem podem ter graves consequências cognitivas, sociais e emocionais.
- A interação com adultos pode promover o surgimento da alfabetização.

  **associação rápida (267)**
  **pragmática (268)**
  **fala social (268)**
  **fala particular (268)**
  **alfabetização emergente (270)**

## ⑤ Educação na segunda infância

### Para que serve a educação na segunda infância e como as crianças fazem a transição para a pré-escola?

- As metas da educação pré-escolar variam de acordo com as culturas. Montessori e Reggio Emilia são duas abordagens populares centradas na criança. Desde os anos de 1970, o conteúdo acadêmico dos programas educacionais da segunda infância nos Estados Unidos tem aumentado.
- Os programas pré-escolares compensatórios têm tido resultados positivos, mas o desempenho dos participantes, de modo geral, não se equiparou ao das crianças de classe média. Os programas compensatórios que começam cedo e se estendem até os primeiros anos do ensino fundamental têm melhores resultados a longo prazo.
- O interesse pelo ensino pré-escolar universal vem aumentando como resultado de programas-piloto que têm mostrado desfechos positivos em termos de sucesso escolar.
- Muitas crianças atualmente frequentam a pré-escola durante o dia inteiro. O sucesso na pré-escola depende muito do ajuste emocional e social e da preparação anterior.

  **ensino pré-escolar universal (273)**

*Capítulo* **11**

## Sumário

O desenvolvimento do *self*

Gênero

Brincar: a principal atividade da segunda infância

Parentalidade

Preocupações comportamentais especiais

Relacionamentos com outras crianças

## Você sabia que...

► Crianças pequenas acham difícil entender que podem ter emoções conflitantes?

► Preferências de gênero por brinquedos e amigos aparecem muito cedo, entre 12 e 24 meses, mas os meninos e as meninas, em média, são mais parecidos do que diferentes?

► O tipo mais efetivo de parentalidade na cultura americana é o carinhoso e compreensivo, mas firme na manutenção dos padrões?

*Neste capítulo, discutiremos a compreensão que crianças em idade pré-escolar têm de si próprias e de seus sentimentos. Veremos como surge seu senso de identidade masculina ou feminina e como isso afeta o comportamento. Discutiremos as atividades em que as crianças, pelo menos nas culturas industrializadas, passam geralmente a maior parte do tempo: o brincar. Consideraremos a influência, positiva ou negativa, do comportamento dos pais. Por fim, discutiremos o relacionamento com os irmãos e as outras crianças.*

# Desenvolvimento psicossocial na segunda infância

> Diz-se muitas vezes que o brincar é o alívio da aprendizagem a sério. Mas, para as crianças, brincar é realmente o trabalho da infância.
>
> — *Fred Rogers*

# Guia de estudo

1. Como o autoconceito se desenvolve durante a segunda infância e como as crianças demonstram autoestima, crescimento emocional e iniciativa?
2. Como meninos e meninas tornam-se conscientes do significado do gênero, e como explicar as diferenças comportamentais entre os sexos?
3. Como as crianças em idade pré-escolar brincam e de que maneira o brincar reflete e contribui para o desenvolvimento?
4. Como as práticas de parentalidade influenciam o desenvolvimento?
5. Por que as crianças pequenas ajudam ou ferem as outras e por que desenvolvem medos?
6. Como as crianças pequenas se relacionam com – ou sem – irmãos, colegas e amigos?

## Guia de estudo 1

Como o autoconceito se desenvolve durante a segunda infância e como as crianças demonstram autoestima, crescimento emocional e iniciativa?

**autoconceito**
Senso de identidade; quadro mental descritivo e avaliativo das próprias capacidades e traços.

**autodefinição**
Conjunto de características usadas para descrever a própria pessoa.

Embora nossas autodescrições fiquem mais precisas com a idade, mesmo os adultos superestimam irrefletidamente suas qualidades positivas. As únicas pessoas que são exatas? As clinicamente deprimidas.

Isso está relacionado com o motivo pelo qual crianças fracassam em tarefas de conservação. Da mesma forma que é difícil para crianças pequenas considerar dois aspectos diferentes de volume (altura e largura) ao mesmo tempo, é difícil para elas considerar dois aspectos diferentes de si mesmas ao mesmo tempo.

# O desenvolvimento do *self*

"Quem sou eu no mundo? Ah, *esse* é o grande enigma", disse Alice no País das Maravilhas, depois que seu tamanho repentinamente se alterou – mais uma vez. Resolver o "enigma" de Alice é um processo de conhecer a si próprio que dura a vida inteira.

## O autoconceito e o desenvolvimento cognitivo

O **autoconceito** é o nosso quadro total de nossas capacidades e traços. É "uma *construção cognitiva* [...], um sistema de representações descritivas e avaliativas sobre a nossa pessoa", que determina como nos sentimos sobre nós mesmos e orienta nossas ações (Harter, 1996, p. 207). O senso de *self* também tem um aspecto social: a criança incorpora em sua autoimagem a crescente compreensão de como os outros a veem.

O autoconceito começa a formar-se na fase dos primeiros passos, à medida que a criança desenvolve a autoconsciência. Ele se torna mais claro à medida que a pessoa adquire capacidades cognitivas e lida com as tarefas de desenvolvimento da infância, da adolescência e da idade adulta.

**Mudanças na autodefinição: a passagem dos 5 para os 7 anos** A **autodefinição** das crianças – o modo como elas se descrevem – normalmente muda entre os 5 e os 7 anos de idade, refletindo o desenvolvimento do autoconceito. Aos 4 anos de idade, Jason diz:

> Meu nome é Jason e eu moro numa casa grande com a minha mãe, o meu pai e a minha irmã, Lisa. Eu tenho um gatinho laranja e uma televisão no meu quarto. [...] Eu gosto de *pizza* e tenho uma boa professora. Sei contar até 100, quer ouvir? Gosto muito do meu cachorro, o Skipper. Eu consigo subir no trepa-trepa até o topo, não tenho medo! Eu me divirto. Você não pode ser feliz *e* ter medo, de jeito nenhum! Meu cabelo é castanho, e eu estou na pré-escola. Eu sou muito forte. Eu consigo levantar esta cadeira, olha só! (Harter, 1996, p. 208).

O modo como Jason descreve a si próprio é típico de crianças norte-americanas de sua idade. Essas crianças têm um pensamento muito concreto. Não surpreendentemente, Jason concentra-se no que faz, com quem se parece, nas coisas que possui e nas pessoas e nos animais em sua vida. Fala em especificidades – por exemplo, menciona uma capacidade especial (escalar ou contar) em vez de capacidades gerais (ser atlético ou bom em matemática). É pouco preciso em relação a sua descrição e, como a maioria das crianças, é irrealisticamente positivo acerca de suas capacidades. Além disso, sua compreensão das emoções ainda está se formando, e ele tem dificuldade em entender como emoções conflitantes podem existir simultaneamente dentro da mesma pessoa.

A compreensão desse aspecto de si mesmo permanecerá imatura até Jason ter cerca de 7 anos de idade. Apenas por volta dos 7 anos ele descreverá a si próprio em traços gerais, tais como popular, inteligente ou idiota; reconhecerá que pode ter emoções conflitantes; e terá autocrítica ao mesmo tempo que sustenta um autoconceito geral positivo.

Que mudanças específicas constituem essa passagem dos 5 para os 7 anos? Uma análise neopiagetiana (Case, 1985, 1992; Fischer, 1980) descreve que a passagem dos 5 para os 7 ocorre em três fases. Aos 4

Capítulo 11 • Desenvolvimento psicossocial na segunda infância

anos, Jason está na primeira fase, as **representações únicas**. Suas declarações sobre si mesmo são unidimensionais ("Eu gosto de *pizza*... Eu sou muito forte"). Seu pensamento salta de um detalhe para outro, sem conexões lógicas. o que indica imaturidade cognitiva e falta de capacidade para se descentralizar. Nesse estágio, ele não pode imaginar ter duas emoções ao mesmo tempo ("Você não pode ser feliz e ter medo") porque ele não consegue descentralizar, não pode considerar diferentes aspectos de si mesmo ao mesmo tempo. Seu pensamento sobre si mesmo é tudo ou nada. Ele não consegue reconhecer que sua **identidade real**, a pessoa que ele é na verdade, não é a mesma que sua **identidade ideal**, a pessoa que ele gostaria de ser; então ele se descreve como um modelo de virtude e habilidade.

Por volta dos 5 ou 6 anos, Jason passa para a segunda fase, as **associações representativas**. Ele começa a fazer associações lógicas entre um aspecto de si mesmo e outro. "Eu posso correr rápido e posso subir bem alto. Eu também sou forte. Posso jogar a bola bem longe, um dia vou entrar em um time!" (Harter, 1996, p. 215). Entretanto, sua imagem de si mesmo ainda é expressa em termos totalmente positivos de tudo ou nada. Ele não consegue ver como poderia ser bom em algumas coisas e não em outras.

A terceira fase, os *sistemas representacionais*, ocorre na terceira infância (ver Cap. 14), quando as crianças começam a integrar aspectos específicos de sua identidade em um conceito geral e multidimensional. À medida que declina o pensamento do tipo tudo ou nada, as autodescrições de Jason tornam-se mais equilibradas e realistas: "Eu sou bom no hóquei, mas sou ruim em aritmética".

**Diferenças culturais na autodefinição** Os pais transmitem, muitas vezes por meio das conversas cotidianas, ideias e convicções culturais sobre a forma como as crianças devem se autodefinir. Por exemplo, os pais chineses tendem a incentivar aspectos *interdependentes do self*: obediência à autoridade, conduta adequada, humildade e senso de pertencimento à comunidade. Já os pais euro-americanos incentivam os aspectos *independentes do self*: individualidade, autoexpressão e autoestima.

Em um estudo comparativo com 180 crianças euro-americanas e chinesas em idade pré-escolar e do 2º ano (Wang, 2004), constatou-se que as crianças já absorveram diferentes estilos culturais de autodefinição aos 3 ou 4 anos de idade e que essas diferenças aumentam com a idade. As crianças euro-americanas tendem a se descrever em termos de atributos e convicções pessoais ("Eu sou grande"), enquanto as chinesas falam mais sobre categorias e relações sociais ("Eu tenho uma irmã"). As crianças euro-americanas avaliam-se geralmente em relação às características de personalidade e tendências ("Sou bom nos esportes"), enquanto as chinesas descrevem comportamentos evidentes específicos ("Eu jogo Snowmoon com meu vizinho"). As euro-americanas tendem a avaliar-se sob uma ótica positiva e de uma forma não qualificada ("Eu sou esperto"), ao passo que as crianças e os adultos chineses descrevem a si mesmos de forma mais neutra ("Às vezes não tenho bons modos"). Assim, os valores culturais diferentes influenciam a forma como as crianças de cada cultura percebem-se e definem a si próprias.

## Autoestima

A **autoestima** é a parte autoavaliativa do autoconceito, o julgamento que a criança faz sobre seu valor geral. A autoestima baseia-se na crescente capacidade cognitiva da criança de descrever e definir a si própria.

**Mudanças no desenvolvimento da autoestima** Embora as crianças geralmente não falem sobre um conceito de valor pessoal antes dos 8 anos, as crianças pequenas demonstram, por seu comportamento, que o têm. Em um estudo na Bélgica (Verschueren, Buyck & Marcoen, 2001), pesquisadores mediram vários aspectos da autopercepção de crianças de 5 anos, como aparência física, competência escolar e atlética, aceitação social e conduta comportamental. A autopercepção positiva ou negativa aos 5 anos tendia a prever a autopercepção e o funcionamento socioemocional aos 8 anos.

Embora existam diferenças individuais de autoestima em crianças pequenas, a maioria delas superestima suas capacidades. Sua autoestima não é necessariamente baseada na realidade. Uma justificativa para isso é que a autoestima resulta, em parte, do retorno recebido de outras pessoas, e os adultos tendem a dar retorno positivo e não crítico (Harter, 2006). Por exemplo, letras mal feitas no jardim de infância não são geralmente criticadas como confusas; os pais e os professores são mais propensos a elogiar e a encorajar os esforços da criança, mesmo que o resultado final não seja o ideal.

Além de ser exageradamente alta, a autoestima das crianças tende a ser unidimensional. Em outras palavras, as crianças acreditam que são boas no todo ou que são más no todo (Harter, 1998). É possível notar que isso é semelhante ao que se encontra no autoconceito, e presumivelmente os mesmos constrangimentos cognitivos subjacentes limitam ambos os processos. Na terceira infância, a autoestima vai

---

**representações únicas**
Na terminologia neopiagetiana, primeiro estágio no desenvolvimento da autodefinição, no qual a criança descreve a si mesma em termos de características individuais, desconexas, e em termos de tudo ou nada.

**identidade real**
O que a pessoa realmente é.

**identidade ideal**
O que a pessoa gostaria de ser.

**associações representativas**
Na terminologia neopiagetiana, segundo estágio no desenvolvimento da autodefinição, no qual a criança faz conexões lógicas entre aspectos de sua identidade, mas ainda vê essas características em termos de tudo ou nada.

**autoestima**
Julgamento que um indivíduo faz sobre seu valor pessoal.

> A pesquisa original sobre a incapacidade aprendida envolveu cães presos que recebiam choques repetidamente. A certa altura eles paravam de lutar para fugir e desistiam. A pesquisa com seres humanos tem de satisfazer critérios éticos rígidos, enquanto a pesquisa com animais é menos limitada. O que você pensa de pesquisas como essa? Mesmo nos fornecendo informações valiosas, ela é ética?

se tornar mais realista, à medida que as avaliações pessoais de competência baseadas na internalização de padrões parentais e sociais começam a dar forma e a manter a autoestima (Harter, 1998).

**Autoestima contingente: o padrão "incapaz"** Quando a autoestima é alta, a criança é motivada a realizar coisas. No entanto, se a autoestima for *contingente* ao sucesso, a criança poderá ver o fracasso ou a crítica como uma indicação de seu valor e sentir-se incapaz de fazer melhor. Cerca de um terço a metade das crianças que frequentam a pré-escola, o jardim de infância e o 1º ano apresenta elementos desse padrão "incapaz" às vezes referido como "incapacidade aprendida" (Burhans & Dweck, 1995; Ruble & Dweck, 1995). Em vez de tentarem um caminho diferente para resolver um quebra-cabeça, como faria uma criança com autoestima incondicional, as crianças "incapazes" sentem vergonha e desistem. Elas não esperam ser bem-sucedidas e, por isso, não tentam. Enquanto crianças mais velhas que fracassaram podem concluir que são "burras," crianças em idade pré-escolar interpretam o fracasso como sinal de que são "ruins". Essa ideia de ser uma pessoa ruim pode persistir até a idade adulta.

Crianças cuja autoestima é contingente ao sucesso tendem a se sentir desmoralizadas quando fracassam. Frequentemente essas crianças atribuem o baixo desempenho ou a rejeição social às suas deficiências de personalidade, que acreditam serem incapazes de mudar. Em vez de tentarem novas formas de obter aprovação, elas repetem estratégias malsucedidas ou simplesmente desistem. Crianças com autoestima não contingente, em contrapartida, tendem a atribuir o fracasso ou a decepção a fatores externos ou à necessidade de se esforçarem mais. Por exemplo, se uma criança com autoestima não contingente não conseguir completar um quebra-cabeça, ela poderá concluir que faltam peças ou que talvez o quebra-cabeça seja destinado a crianças mais velhas. Se de início forem malsucedidas ou rejeitadas, elas persistem, tentando novas estratégias até encontrar alguma que funcione (Erdley, Cain, Loomis, Dumas-Hines, & Dweck 1997; Harter, 1998; Pomerantz & Saxon, 2001). Crianças com autoestima elevada tendem a ter pais e professores que dão ajuda específica e focalizada, em vez de criticarem a criança como pessoa ("Olha, a etiqueta da sua camisa está aparecendo na frente", e não "Você não vê que a sua camisa está ao contrário? Quando vai aprender a se vestir sozinho?").

> Aquele armário cheio de troféus pode não ser a melhor coisa para seu filho. A pesquisa sobre autoestima sugere que quando as crianças são elogiadas e recompensadas por tudo o que fazem, independentemente do desempenho, elas acreditam naquele elogio sem reservas. Quando inevitavelmente elas fracassam em uma tarefa, elas consideram um sinal de que são deficientes.
>
> *Dweck, 2008*

## Compreendendo e regulando emoções

"Eu te odeio!", Maya, de 5 anos de idade, grita para sua mãe. "Você é uma mamãe má!" Irritada porque sua mãe a mandou para o quarto por beliscar seu irmãozinho, Maya não consegue imaginar voltar a amar sua mãe. "Você não tem vergonha de fazer o bebê chorar?", o pai pergunta a Maya um pouco mais tarde. Maya concorda com a cabeça, mas apenas porque ela sabe a resposta que ele deseja. Na verdade, ela sente um amontoado de emoções – a menor delas é sentir-se culpada.

A capacidade de entender e regular, ou controlar, os próprios sentimentos é um dos avanços importantes da segunda infância (Dennis, 2006). Crianças que podem entender suas emoções são mais capazes de controlar a forma de demonstrá-las e de entender como os outros se sentem (Garner & Estep, 2001; Garner & Power, 1996). A autorregulação emocional ajuda as crianças a guiar seu comportamento (Eisenberg, Fabes, & Spinrad, 2006; Laible & Thompson, 1998) e contribui para sua capacidade de conviver com os outros (Denham et al., 2003). Também as ajuda a ajustar as respostas para atender às expectativas da sociedade; ser feliz e mostrar apreço por presentes de que não têm necessariamente de gostar é um exemplo de de autorregulação emocional.

Crianças em idade pré-escolar podem falar sobre seus sentimentos e geralmente conseguem discernir os sentimentos dos outros e compreender que as emoções estão ligadas a experiências e desejos (Saarni, Campos, Camras, & Witherington, 2006; Saarni, Mumme, & Campos, 1998). Elas entendem que alguém que consegue o que quer ficará feliz, e alguém que não consegue ficará triste (Lagattuta, 2005). Assim, por exemplo, uma criança pode ser capaz de teorizar que um menino que não recebeu um presente no seu aniversário ficará triste e que outro menino que recebeu o caminhão de brinquedo que desejava ficou feliz.

A compreensão emocional torna-se mais complexa com a idade, e parece haver uma mudança fundamental nas capacidades entre 5 e 7 anos. Por exemplo, em um estudo, 32 crianças de variadas idades e adultos foram instruídos a imaginar como um menino se sentiria se sua bola rolasse para o meio da rua e ele corresse atrás dela ou refreasse o impulso de ir buscá-la. As crianças de 4 e 5 anos tendiam a acreditar

> **Qual a sua opinião?**
> Você se lembra das formas como seus pais ou outros adultos ajudaram-no a desenvolver a autoestima?

que o menino ficaria feliz se recuperasse a bola e infeliz se não a recuperasse. Aparentemente, ignoraram que o menino teria quebrado a regra de não sair para a rua e não consideraram o impacto disso nas emoções. As crianças mais velhas, como os adultos, eram mais inclinadas a acreditar que a obediência a uma regra faria o menino sentir-se bem e que a desobediência o faria sentir-se mal (Lagattuta, 2005).

O impacto da mídia eletrônica sobre o desenvolvimento emocional das crianças tem sido objeto de muito debate científico. A pesquisa tem mostrado que a mídia pode ter efeitos positivos e negativos dependendo do conteúdo (Wilson, 2008). Um estudo revelou que assistir regularmente à *Vila Sésamo* ajudava crianças em idade pré-escolar a reconhecer emoções e situações emocionais, estimulando o programa a incorporar conteúdo emocional e enfrentamento das emoções em suas metas curriculares (Bogatz & Ball, 1971).

**Entendimento de emoções conflitantes**   Uma razão para a confusão das crianças pequenas sobre seus sentimentos é que elas não entendem que podem ter reações emocionais contrárias ao mesmo tempo. Diferenças individuais no entendimento de emoções conflitantes são evidentes aos 3 anos de idade. Em um estudo longitudinal, crianças de 3 anos que podiam identificar se um rosto parecia feliz ou triste e que podiam dizer como um fantoche se sentia quando representava uma situação envolvendo felicidade, tristeza, raiva ou medo eram mais capazes, ao final do jardim de infância, de explicar as emoções conflitantes de uma personagem da história. Essas crianças tendiam a vir de famílias que frequentemente discutiam por que as pessoas se comportam de determinadas maneiras (Brown & Dunn, 1996). A maioria das crianças adquire um entendimento mais sofisticado de emoções conflitantes durante a terceira infância (Harter, 1996; ver Cap. 14).

**Entendendo emoções autodirigidas**   As emoções autodirigidas, como culpa, vergonha e orgulho, normalmente se desenvolvem ao final do terceiro ano, depois que as crianças adquirem consciência de si mesmas e aceitam os padrões de comportamento estabelecidos pelos pais. Entretanto, mesmo crianças um pouco mais velhas frequentemente não têm a sofisticação cognitiva para reconhecer essas emoções e o que as causa (Kestenbaum & Gelman, 1995).

Em um estudo (Harter, 1993), foram contadas duas histórias a crianças entre 4 e 8 anos. Na primeira história, uma criança pega algumas moedas de um pote depois de ser avisada para não fazer isso; na segunda história, uma criança executa uma difícil proeza na ginástica – um salto nas barras. Cada história foi apresentada em duas versões: uma em que um dos pais vê a criança praticando o exercício e outra em que ninguém a vê. Perguntou-se às crianças como elas e os pais se sentiriam em cada circunstância.

Mais uma vez, respostas revelaram uma progressão gradual na compreensão de sentimentos sobre si próprio, refletindo a passagem dos 5 para os 7 anos. As crianças de 4 a 5 anos não disseram que elas ou seus pais sentiriam orgulho ou vergonha. Em vez disso, elas usaram expressões como "preocupado" ou "assustado" (para o incidente do pote de dinheiro) e "animado" ou "feliz" (sobre a proeza da ginástica). As crianças de 5 a 6 anos disseram que os pais ficariam envergonhados ou orgulhosos delas, mas não reconheceram sentir essas emoções elas próprias. As crianças de 6 a 7 anos disseram que sentiriam orgulho ou vergonha, mas somente se fossem observadas. Só as crianças de 7 a 8 anos disseram que se sentiriam envergonhadas ou orgulhosas de si mesmas ainda que ninguém estivesse olhando.

## Erikson: iniciativa *versus* culpa

Megan ingressou em uma nova escola. No primeiro dia, está sozinha, um pouco assustada e mais silenciosa do que de costume. Quando chega a hora do recreio, fica de lado, observando as outras crianças brincando, querendo juntar-se a elas, mas com medo de ser rejeitada. Mordendo o lábio, finalmente caminha para um grupo de meninas que joga bola. "Posso jogar também?" pergunta. Consideram-na brevemente e então acenam com a cabeça. Megan sorri aliviada e estende as mãos para a bola.

As crianças pequenas podem ser capazes de ler suas emoções melhor do que você pensa. Novas pesquisas sugerem que as crianças já aos 6 anos podem dizer a diferença entre um sorriso verdadeiro e um sorriso falso — mas elas não são peritas nisso. Elas estão certas apenas cerca de 60% das vezes.

*Gosselin, Perron, & Maassarani, 2009*

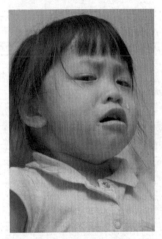

*Ser capaz de controlar e de falar sobre suas emoções é um passo importante no desenvolvimento psicológico das crianças pequenas.*

Crianças aos 2 ou 3 anos de idade já podem sofrer de depressão clínica genuína, embora sejam incapazes de verbalizar o que está acontecendo.

Temple Grandin, que tem autismo e fala largamente sobre suas experiências, diz que pessoas com autismo também têm dificuldade em sentir emoções complexas. Sentir-se triste ou feliz é algo que ela entende facilmente, mas ela tem dificuldade para entender como você pode amar uma pessoa e ficar com raiva dela ao mesmo tempo.

**PARTE IV** • Segunda infância

**iniciativa *versus* culpa**
O terceiro estágio no desenvolvimento psicossocial de Erikson, quando a criança equilibra o desejo de atingir metas com ressalvas morais em relação a fazê-lo.

A necessidade de lidar com sentimentos conflitantes sobre si próprio está na essência do terceiro estágio do desenvolvimento psicossocial identificado por Erikson (1950): **iniciativa *versus* culpa**. O conflito surge do crescente desejo de planejar e executar atividades e das crescentes dores de consciência que a criança pode ter a respeito desses planos.

Crianças em idade pré-escolar podem fazer – e querem fazer – cada vez mais. Ao mesmo tempo, elas estão aprendendo que algumas das coisas que querem fazer são aprovadas socialmente, enquanto outras não. Como as crianças conciliam seu desejo de *fazer* com seu desejo de aprovação? Crianças que aprendem a regular esses impulsos conflitantes desenvolvem a virtude do *propósito*, a coragem de imaginar e buscar metas sem serem indevidamente inibidas pela culpa ou pelo medo da punição (Erikson, 1982).

Se esse conflito não for resolvido de forma apropriada, afirma Erikson, a criança pode transformar-se em um adulto que está constantemente em busca de sucesso ou se exibindo; será inibido e não espontâneo, ou hipócrita e intolerante; sofrerá de impotência ou de doenças psicossomáticas. Com oportunidades amplas para fazer coisas por conta própria — mas sob orientação e limites consistentes —, a criança pode adquirir um equilíbrio saudável e evitar tanto a tendência de ser competitiva ao extremo como a de ser reprimida e atormentada pela culpa.

## Guia de estudo 2

Como meninos e meninas tornam-se conscientes do significado do gênero, e como explicar as diferenças comportamentais entre os sexos?

**identidade de gênero**
Consciência, desenvolvida na segunda infância, de ser do sexo masculino ou feminino.

# Gênero

A **identidade de gênero**, a consciência de ser do sexo feminino ou masculino, e tudo o que isso implica na sociedade de origem é um aspecto importante do desenvolvimento do autoconceito. Até que ponto meninos e meninas são diferentes? O que causa essas diferenças? Como as crianças desenvolvem a identidade de gênero e como ela afeta suas atitudes e comportamento?

## Diferenças de gênero

*Diferenças de gênero* são diferenças psicológicas ou comportamentais entre homens e mulheres. Essa é uma área controversa da psicologia. Como discutimos no Capítulo 8, as diferenças mensuráveis entre bebês meninos e meninas são poucas. Embora algumas diferenças de gênero tornem-se mais pronunciadas após os 3 anos, em média meninos e meninas apresentam mais semelhanças do que diferenças. Evidências extensivas de muitos estudos apoiam essa *hipótese da semelhança de gênero* (Hyde, 2005), e 78% das diferenças de gênero são pequenas ou insignificantes. De fato, se tais diferenças fossem grandes e impressionantes, não provocariam as controvérsias sobre sua existência e suas causas.

Fisicamente, entre as maiores diferenças de gênero estão o nível de atividade mais alto dos meninos, o desempenho motor superior, especialmente após a puberdade, e sua propensão moderadamente maior à agressividade física (Hyde, 2005) a partir dos 2 anos de idade (Archer, 2004; Baillargeon et al., 2007; Pellegrini & Archer, 2005). (A agressividade é discutida posteriormente neste capítulo.)

Apesar da sobreposição no comportamento entre meninos e meninas pequenos, a pesquisa envolvendo crianças de 2 anos e meio a 8 anos identificou consistentemente diferenças marcantes nas preferências e estilos de brincadeiras. Uma pesquisa recente sobre comportamentos baseados no gênero mostrou que as preferências baseadas no sexo aumentam entre a primeira e a terceira infâncias, e o grau de comportamento sexual exibido nessa idade é um forte indicador de comportamento futuro baseado no gênero (Golombok et al., 2008).

As diferenças de gênero na cognição são poucas e pequenas (Spelke, 2005). De modo geral, as pontuações nos testes de inteligência não mostram diferença de gênero (Keenan & Shaw, 1997), talvez porque os testes mais amplamente utilizados são elaborados para eliminar o viés de gênero (Neisser et al., 1996). Meninos e meninas saem-se igualmente bem em tarefas que envolvem habilidades matemáticas básicas e são igualmente capazes de aprender matemática. Entretanto, há pequenas diferenças em capacidades específicas. As meninas tendem a ter melhor desempenho em testes de fluência verbal, em cálculo matemático e na memória para localização de objetos. Os meninos tendem a ter melhor desempenho em analogias verbais, em problemas matemáticos escritos e na memória para configurações espaciais. Na maioria dos estudos, essas diferenças não aparecem até o ensino fundamental ou mais tarde (Spelke, 2005). Além disso, as capacidades matemáticas dos meninos variam mais do que as das meninas, com mais meninos tanto na extremidade mais alta como na mais baixa da variação de capacidade (Halpern et al., 2007). Na segunda infância, e novamente durante a pré-adolescência e a adolescência, as meninas tendem a usar mais linguagem responsiva, como elogio, concordância, reconhecimento e elaboração sobre o que outra pessoa disse (Leaper & Smith, 2004).

É preciso lembrar, evidentemente, que diferenças de gênero são válidas para grandes grupos de meninos e meninas, mas não necessariamente para indivíduos. Apenas conhecendo o sexo de uma criança

### Verificador
**você é capaz de...**

■ Traçar o desenvolvimento do autoconceito entre os 3 e os 6 anos e discutir as influências culturais na autodefinição?

■ Dizer como a autoestima das crianças pequenas difere da autoestima das crianças em idade escolar?

■ Descrever como surge o padrão "incapaz" e como ele pode afetar as reações das crianças diante de falhas?

■ Descrever a progressão normal no entendimento das emoções conflitantes e das emoções autodirigidas?

■ Discutir o conflito envolvido no terceiro estágio do desenvolvimento psicossocial de Erikson?

não podemos prever se *aquele* menino ou *aquela* menina será mais rápido, forte, inteligente, obediente ou assertivo do que outra criança.

## Perspectivas do desenvolvimento de gênero

Como explicar as diferenças de gênero e por que algumas aparecem com a idade? Algumas explicações centralizam-se nas diferentes experiências e expectativas sociais que meninos e meninas encontram quase desde o nascimento. Essas experiências e expectativas dizem respeito a três aspectos relacionados à identidade de gênero: papéis de gênero, tipificação de gênero e estereótipos de gênero.

**Papéis de gênero** são os comportamentos, interesses, atitudes, habilidades e traços de personalidade que uma cultura considera apropriados para homens e mulheres. Todas as sociedades têm papéis de gênero. Historicamente, na maioria das culturas, espera-se que as mulheres dediquem a maior parte de seu tempo para cuidar da casa e das crianças, enquanto os homens são provedores e protetores. Espera-se que elas sejam obedientes e sustentadoras; os homens, ativos, agressivos e competitivos. Hoje, os papéis de gênero, especialmente nas culturas ocidentais, tornaram-se mais diversos e flexíveis.

A **tipificação de gênero** (ver Cap. 8), a aquisição de um papel de gênero, ocorre logo no começo da infância, mas as crianças variam muito no grau em que se tornam tipificadas por gênero (Iervolino, Hines, Golombok, Rust, & Plomin, 2005). Os **estereótipos de gênero** são generalizações preconcebidas sobre o comportamento masculino ou feminino: "Todas as mulheres são passivas e dependentes; todos os homens são agressivos e independentes". Os estereótipos de gênero permeiam muitas culturas. Aparecem até certo ponto em crianças de 2 ou 3 anos, aumentam durante os anos pré-escolares e atingem o máximo aos 5 anos (Campbell, Shirley, & Candy, 2004, Ruble & Martin, 1998).

Como as crianças adquirem os papéis de gênero e por que adotam os estereótipos? Trata-se de construtos puramente sociais ou eles refletem diferenças inatas entre homens e mulheres? Examinemos cinco perspectivas teóricas sobre o desenvolvimento do gênero (resumidas no Quadro 11.1): *biológica*, *evolucionista*, *psicanalítica*, *cognitiva* e da *aprendizagem social*. Cada uma dessas perspectivas pode contribuir para nosso entendimento, mas nenhuma explica totalmente por que meninos e meninas diferem em alguns aspectos e não em outros.

**Abordagem biológica** A existência de papéis de gênero semelhantes em muitas culturas sugere que algumas diferenças de gênero podem ter uma base biológica. De fato, se as diferenças de gênero fossem invenções puramente culturais, seria de se esperar encontrar mais variabilidade nos papéis e nas características masculinas e femininas em diferentes culturas. Os investigadores estão descobrindo evidências de explicações genéticas, hormonais e neurológicas para algumas dessas diferenças.

Cientistas identificaram mais de 50 genes que podem explicar diferenças na anatomia e na função entre os cérebros de ratos machos e fêmeas. Se existem diferenças genéticas similares nos humanos, então a identidade sexual pode estar fisicamente embutida no cérebro antes mesmo de os órgãos sexuais se formarem e da atividade hormonal começar (Dewing, Shi, Horvath, & Vilain, 2003).

Por volta dos 5 anos, quando o cérebro alcança aproximadamente o tamanho adulto, o cérebro dos meninos é cerca de 10% maior que o das meninas, principalmente porque meninos têm maior proporção de substância cinzenta no córtex cerebral, enquanto meninas apresentam maior densidade neuronal (Reiss, Abrams, Singer, Ross, & Denckla, 1996).

No entanto, o que pode ser ainda mais importante é o que ocorre no útero, quando o cérebro está se formando. Hormônios na corrente sanguínea antes e em torno da hora do nascimento podem afetar o cérebro em desenvolvimento. O hormônio masculino testosterona está relacionado à agressividade nos animais adultos, mas a relação nos humanos é menos clara (Simpson, 2001). Em primeiro lugar, influências hormonais são difíceis de ser desassociadas da genética ou das influências ambientais posteriores (Iervolino et al., 2005). Embora os níveis de testosterona não pareçam estar relacionados à agressividade em crianças (Constantino et al., 1993), uma análise dos níveis de testosterona fetal e do desenvolvimento do brincar típico do gênero mostrou uma ligação entre níveis mais altos de testosterona e brincadeiras normalmente masculinas em meninos (Auyeng et al., 2009).

Algumas pesquisas se concentram em crianças com históricos hormonais pré-natais incomuns. Meninas com um distúrbio chamado *hiperplasia congênita da suprarrenal* (CAH, em inglês) têm altos níveis pré-natais de *andrógenos* (hormônios sexuais masculinos). Embora criadas como meninas, elas tendem a se tornar "masculinizadas", demonstrando preferência por brinquedos de menino, brincadeiras rísperas e colegas masculinos, além de acentuadas habilidades espaciais. Os *estrógenos* (hormônios sexuais femininos), em contrapartida, parecem ter menos influência sobre o comportamento típico de gênero dos meninos. Entretanto, visto que esses estudos são experimentos naturais, eles não podem estabelecer

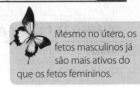

Mesmo no útero, os fetos masculinos já são mais ativos do que os fetos femininos.

**papéis de gênero**
Comportamentos, interesses, atitudes, habilidades e traços de personalidade que uma cultura considera apropriados para cada sexo; diferem para homens e mulheres.

**tipificação de gênero**
Processo de socialização pelo qual a criança, ainda pequena, aprende a se apropriar dos papéis de gênero.

**estereótipos de gênero**
Generalizações preconcebidas sobre o comportamento masculino ou feminino.

Até mesmo Disney, muito criticado pelos retratos estereotipados das mulheres em seus filmes, concordava com isso. Merida, Mulan e Tiana (de *A Princesa e o Sapo*) são tentativas de dar às meninas modelos femininos fortes.

**Verificador**
**você é capaz de...**

■ Resumir as principais diferenças comportamentais e cognitivas entre meninos e meninas?

## 284 PARTE IV • Segunda infância

**QUADRO 11.1** Cinco perspectivas sobre o desenvolvimento de gênero

| Teorias | Princípios teóricos | Processos básicos | Crenças básicas |
|---|---|---|---|
| Abordagem biológica | | Genéticos, neurológicos e atividade hormonal | Muitas ou a maior parte das diferenças entre os sexos podem ser atribuídas a diferenças biológicas. |
| Abordagem evolucionista | Charles Darwin | Seleção sexual natural | A criança desenvolve papéis de gênero em preparação para atividades sexuais adultas e comportamentos que visem à reprodução. |
| Abordagem psicanalítica<br>Teoria psicossexual | Sigmund Freud | Resolução do conflito emocional inconsciente | A identidade de gênero se estabelece quando a criança se identifica com o genitor do mesmo sexo. |
| Abordagem cognitiva<br>Teoria cognitivo-desenvolvimental | Lawrence Kohlberg | Autocategorização | Uma vez que a criança aprende que é menina ou menino, ela separa a informação sobre comportamento por gênero e age de acordo. |
| Teoria do esquema de gênero | Sandra Bem, Carol Lynn Martin e Charles F. Halverson | Autocategorização baseada no processamento de informações culturais | A criança organiza as informações sobre o que é considerado apropriado para um menino ou para uma menina com base no que é estabelecido por determinada cultura e se comporta de acordo. A criança faz a separação por gênero porque a cultura estabelece que o gênero é um esquema importante. |
| Abordagem da aprendizagem social<br>Teoria social cognitiva | Albert Bandura | Observação de modelos, reforço | A criança combina mentalmente observações de comportamentos de gênero e cria suas próprias variações comportamentais. |

Durante anos, John Money promoveu o estudo de gêmeos como um sucesso e ocultou evidências em contrário. Mais tarde, soube-se que um menino nunca tinha se ajustado verdadeiramente à vida como menina, tinha sido infeliz durante toda sua infância e fizera várias tentativas de suicídio em sua juventude, finalmente matando-se na idade adulta. Devido à pesquisa de Money, milhares de cirurgias de reatribuição de gênero foram realizadas em bebês sob a presunção de que o gênero é um construto social maleável. Essa série de eventos ilustra uma das principais razões por que a ciência precisa ser transparente e honesta – ela pode ter repercussões profundas no mundo real.

causa e efeito. Outros fatores além de diferenças hormonais também podem ter uma participação (Ruble & Martin, 1998).

Talvez os exemplos mais drásticos da pesquisa de base biológica sejam de bebês nascidos com órgãos sexuais ambíguos que parecem ser parte homens e parte mulheres. John Money e colaboradores (Money, Hampson, & Hampson, 1955) desenvolveram diretrizes para bebês nascidos com esses transtornos. Eles recomendaram que a essas crianças fosse atribuído o mais cedo possível o gênero que apresentasse o potencial para o funcionamento mais próximo do normal. Basearam essa recomendação em uma pesquisa realizada com gêmeos idênticos, um dos quais tinha ficado com o pênis queimado acidentalmente durante uma circuncisão. Money recomendou à família que a criança fosse criada como menina, argumentando que as influências sociais moldariam o desenvolvimento do gênero.

Entretanto, outros estudos demonstram a dificuldade de prever o desfecho da atribuição do sexo no nascimento. Em um estudo, 14 crianças que nasceram geneticamente masculinas, mas sem um pênis normal, porém com testículos, foram legalmente e cirurgicamente atribuídas ao sexo feminino durante o primeiro mês de vida e foram criadas como meninas. Entre 5 e 16 anos, oito se declararam homens (embora duas estivessem vivendo de modo ambíguo). Cinco declararam uma decidida identidade feminina, mas expressaram dificuldade em se encaixar com as outras meninas, e uma delas, depois de saber que havia nascido menino, recusou-se a discutir o assunto. Enquanto isso, dois meninos cujos pais haviam recusado a atribuição sexual inicial permaneceram homens (Reiner & Gearhart, 2004). Em outro estudo, 25 de 27 crianças geneticamente masculinas nascidas sem pênis foram criadas como meninas, mas consideravam-se meninos e, como as outras crianças, envolviam-se em brincadeiras mais rudes (Reiner, 2000). Casos como esses sugerem que a identidade de gênero tem raízes em fatores biológicos e não é mudada facilmente (Diamond & Sigmundson, 1997).

**Abordagem evolucionista** A abordagem evolucionista considera o comportamento de gênero biologicamente determinado – com um propósito. Desse ponto de vista controverso, os papéis de gênero das crianças estão por baixo da evolução das estratégias de acasalamento e de criação de filhos de homens e mulheres adultos.

**Capítulo 11 • Desenvolvimento psicossocial na segunda infância**

De acordo com a **teoria da seleção sexual** de Darwin (1871), a escolha de parceiros sexuais é uma resposta às diferentes pressões reprodutivas que os primeiros homens e mulheres enfrentaram na luta pela sobrevivência da espécie (Wood & Eagly, 2002). Quanto mais largamente um homem puder "espalhar sua semente", maiores suas chances de transmitir sua herança genética. Portanto, os homens tendem a buscar mais parceiras do que as mulheres. Eles valorizam a coragem física porque ela lhes permite competir por companheiras e por controle de recursos e posição social, que as mulheres valorizam. Visto que uma mulher investe mais tempo e energia na gravidez e pode gerar apenas um número limitado de filhos, a sobrevivência de cada filho é da maior importância para ela. Portanto, ela procura um companheiro que permaneça com ela e sustente sua prole. A necessidade de criar cada filho até a maturidade reprodutiva também explica por que as mulheres tendem a ser mais atenciosas e carinhosas do que os homens (Bjorklund & Pellegrini, 2000; Wood & Eagly, 2002).

De acordo com a teoria evolucionista, a competitividade e a agressividade do homem e o cuidado físico e emocional da mulher desenvolvem-se durante a infância como preparação para esses papéis adultos. Os meninos brincam de lutar; as meninas brincam de casinha. No cuidado com os filhos, as mulheres frequentemente colocam as necessidades e os sentimentos dos filhos à frente dos delas. Portanto, as meninas tendem a ser mais capazes do que os meninos de controlar e inibir suas emoções e de reprimir comportamento impulsivo (Bjorklund & Pellegrini, 2000).

Algumas pessoas interpretam mal o fato de as abordagens evolucionistas serem deterministas na natureza. Em outras palavras, assumem que, se a evolução desempenhou uma participação no desenvolvimento dos papéis de gênero, isso significa que esses papéis são, de certa forma, predeterminados e, portanto, devem ser inflexíveis e altamente resistentes à mudança. É realmente o caso, porque em todas as culturas as mulheres tendem a ser as cuidadoras primárias dos filhos (Wood & Eagly, 2002). É também o caso porque em todas as culturas os homens são esmagadoramente os principais responsáveis pelos homicídios (Daly & Wilson, 1998). Mas isso não significa que homens nunca cuidem dos filhos ou que mulheres nunca sejam agressivas. Pelo contrário, significa que a evolução nos dá um leve "empurrão" em uma direção ou outra e que esse empurrão pode ser minimizado ou maximizado por influências culturais e ambientais. Assim, somente quando se examina um grande número de indivíduos é que as diferenças de gênero emergem.

Os críticos da teoria evolucionista sugerem que a sociedade e a cultura são tão importantes quanto a biologia na determinação dos papéis de gênero. Mas os teóricos evolucionistas nunca argumentaram que a cultura é insignificante. Em vez disso, argumentaram que homens e mulheres têm adaptações cognitivas projetadas para serem sensíveis a *inputs* do ambiente. Assim, enquanto as pesquisas sugerem que historicamente o papel primário dos homens era prover a subsistência, enquanto o papel primário das mulheres era cuidar dos filhos, isso não significa que estejamos fadados a esses papéis. De fato, em algumas sociedades não industrializadas, as mulheres são as principais provedoras ou têm papel equivalente, e essas preferências eram menos pronunciadas em sociedades mais igualitárias onde as mulheres tinham liberdade reprodutiva e oportunidades educativas (Wood & Eagly, 2002).

Os papéis de gênero, portanto, devem ser encarados como um processo dinâmico. Os psicólogos evolucionistas reconhecem que os papéis de gênero (como o envolvimento dos homens na criação dos filhos) podem mudar em um ambiente diferente daquele no qual esses papéis inicialmente se desenvolveram (Crawford, 1998).

**Abordagem psicanalítica** "Papai, onde você vai morar quando eu crescer e casar com a mamãe?", pergunta Juan, de 4 anos. Do ponto de vista psicanalítico, a pergunta de Juan faz parte de sua aquisição de identidade de gênero. Segundo Freud, esse é um processo de **identificação**, adoção de características, crenças, atitudes, valores e comportamentos do genitor do mesmo sexo. Freud considerava a identificação um importante desenvolvimento da personalidade na segunda infância. Alguns teóricos da aprendizagem social também têm utilizado esse termo.

Segundo Freud, a identificação ocorrerá para Juan quando ele reprimir ou abandonar o desejo de possuir o genitor do sexo oposto (a mãe) e identificar-se com o genitor do mesmo sexo (o pai). Embora essa explicação para o desenvolvimento do gênero tenha sido influente, ela é difícil de se testar e tem pouco apoio da pesquisa (Maccoby, 1992, 2000). Apesar de algumas evidências de que crianças em idade pré-escolar tendem a agir de modo mais afetuoso com o genitor do sexo oposto e mais agressivamente com o genitor do mesmo sexo (Westen, 1998), hoje a maioria dos psicólogos do desenvolvimento prefere outras explicações.

---

**teoria da seleção sexual**
Teoria de Darwin de que os papéis de gênero se desenvolveram em resposta às necessidades reprodutivas diferentes dos homens e das mulheres.

Essa abordagem não significa que os homens e as mulheres estão lutando conscientemente para ter montes de filhos e transmitir seus genes. Antes, argumenta-se que os homens e as mulheres fazem coisas – como o sexo – que tornam mais provável que eles tenham descendentes.

**identificação**
Na teoria freudiana, processo pelo qual a criança pequena adota características, crenças, atitudes, valores e comportamentos do genitor do mesmo sexo.

**Abordagens cognitivas** Sarah entende que é uma menina porque as pessoas a chamam de menina. À medida que ela continua a observar e a pensar sobre seu mundo, ela conclui que sempre será mulher. Ela passa a compreender o gênero pensando ativamente sobre isso e construindo sua própria tipificação de gênero. Essa é a essência da teoria cognitivo-desenvolvimental de Lawrence Kohlberg (1966).

*Teoria cognitivo-desenvolvimental de Kohlberg* Na teoria de Kohlberg, *o conhecimento do gênero precede o comportamento de gênero* ("Eu sou menino, portanto eu gosto de fazer coisas de menino"). As crianças buscam ativamente indicações sobre o gênero em seu mundo. À medida que percebem a que gênero pertencem, adotam comportamentos que veem como coerentes com ser homem ou mulher. Assim, Sarah, de 3 anos, prefere bonecas a caminhões porque vê as meninas brincando com bonecas e, portanto, considera brincar de boneca coerente com ela ser uma menina. E ela brinca quase sempre com outras meninas, que supostamente vão compartilhar seus interesses (Martin & Ruble, 2004).

A aquisição dos papéis de gênero, disse Kohlberg, depende da **constância de gênero**, também chamada de *constância da categorial sexual* – a percepção que a criança tem de que seu gênero será sempre o mesmo. Quando as crianças alcançam essa percepção, elas são motivadas a adotar comportamentos apropriados ao seu gênero. A constância de gênero parece desenvolver-se em três estágios: identidade de gênero, estabilidade de gênero e consistência de gênero (Martin, Ruble, & Szkrybalo, 2002; Ruble & Martin, 1998; Szkrybalo & Ruble, 1999). A *identidade de gênero* (consciência do próprio gênero e do gênero dos outros) normalmente ocorre entre as idades de 2 e 3 anos. A *estabilidade de gênero* ocorre quando a menina percebe que quando crescer será uma mulher e o menino percebe que quando for adulto será um homem — em outras palavras, percebem que o sexo não muda. Entretanto, as crianças nesse estágio podem basear os julgamentos sobre gênero em aspectos superficiais (vestuário, penteado) e em comportamentos estereotipados. Em algum momento entre as idades de 3 e 7 anos - ou mesmo mais tarde -, ocorre a *consistência de gênero:* a percepção de que uma menina permanece menina mesmo se ela tiver cabelo curto e brincar com caminhões, e um menino permanece menino mesmo se tiver cabelo longo e usar brincos. Quando as crianças percebem que seu comportamento ou suas roupas não afetarão seu gênero, elas podem tornar-se menos rígidas em sua adesão às normas do gênero (Martin et al., 2002).

Muitas pesquisas questionam a visão de Kohlberg de que a tipificação de gênero depende da constância de gênero. Bem antes de as crianças atingirem a fase final de constância de gênero elas demonstram preferências típicas do gênero (Bussey & Bandura, 1992; Martin & Ruble, 2004; Ruble & Martin, 1998). Por exemplo, as preferências de gênero por brinquedos e companheiros(as) aparecem já dos 12 aos 24 meses. Entretanto, esses achados não contestam o *insight* básico de Kohlberg: de que os conceitos de gênero influenciam o comportamento (Martin et al., 2002).

Hoje, os teóricos cognitivos-desenvolvimentais não alegam mais que a constância de gênero deve preceder a tipificação de gênero (Martin et al., 2002). Em vez disso, eles sugerem, a tipificação de gênero pode ser intensificada pela compreensão mais sofisticada trazida pela constância de gênero (Martin & Ruble, 2004). Cada estágio da constância de gênero aumenta a receptividade das crianças à informação relevante ao gênero. A aquisição de identidade de gênero pode motivar as crianças a aprenderem mais sobre gênero; a estabilidade de gênero e a consistência de gênero podem motivá-las a ter certeza de que estão agindo "como menino" ou "como menina". Estudos encontraram uma ligação significativa entre níveis de constância de gênero e vários aspectos do desenvolvimento do gênero (Martin et al., 2002).

*Teoria do esquema de gênero* Outra abordagem cognitiva é a **teoria do esquema de gênero**. Como ocorre com a teoria cognitivo-desenvolvimental, ela considera que as crianças extraem ativamente conhecimento sobre gênero de seu ambiente *antes* de iniciarem o comportamento típico do gênero. Entretanto, a teoria do esquema de gênero dá maior ênfase à influência da cultura. Quando as crianças sabem a que sexo pertencem, elas desenvolvem um conceito do que significa ser homem ou mulher *em sua cultura*. A criança, então, ajusta seu comportamento à visão de sua cultura do que meninos e meninas "devem" ser e fazer. Entre os principais proponentes da teoria estão Sandra Bem (1983, 1985, 1993), Carol Lynn Martin e Charles F. Halverson (Martin & Halverson, 1981; Martin et al., 2002).

Segundo essa teoria, os esquemas de gênero promovem os estereótipos de gênero, influenciando os julgamentos sobre comportamento. Quando um menino de sua idade muda-se para a casa vizinha, Brandon, de 4 anos, bate à porta de sua casa, carregando um caminhão de brinquedo – aparentemente supondo que o novo vizinho gosta dos mesmos brinquedos que ele. Sandra Bem sugere que a criança que demonstra esse tipo de comportamento estereotipado pode estar vivenciando uma pressão por conformidade de gênero que inibe uma autoexploração saudável. No entanto, há poucas evidências de que os esquemas de gênero estão na raiz do comportamento estereotipado ou de que a criança altamente tipificada por gênero sinta pressão para se conformar (Yunger, Carver, & Perry, 2004). De fato, como

---

**constância de gênero**
Consciência de que a pessoa sempre será homem ou mulher. Também chamada *constância da categoria sexual*.

Preocupado com o menino cujas brincadeiras são sempre muito agressivas? Com toda probabilidade, não há nada com que se preocupar. A pesquisa sugere que não há ligação entre brincadeira agressiva e posterior criminalidade.

*Parry, 2010*

**teoria do esquema de gênero**
Teoria segundo a qual a criança socializa-se em seus papéis de gênero desenvolvendo uma rede de informações mentalmente organizada sobre o que significa ser masculino ou feminino em determinada cultura.

muitos pais atestarão, pode ser difícil incentivar a criança a comportar-se de formas que não sejam estereotipadamente masculinas ou femininas.

Outro problema com a teoria do esquema de gênero e com a teoria de Kohlberg é que a estereotipagem de gênero nem sempre se fortalece com o maior conhecimento do gênero (Bandura & Bussey, 2004; Bussey & Bandura, 1999). Outra visão, com sustentação na pesquisa, é a de que o estereótipo de gênero surge e depois se ajusta a um padrão de desenvolvimento (Ruble & Martin, 1998; Welch-Ross & Schmidt, 1996). Entre os 4 e os 6 anos, quando, de acordo com a teoria do esquema de gênero, a criança está construindo e depois consolidando seus esquemas de gênero, ela observa e lembra apenas das informações coerentes com esses esquemas e até exagera. De fato, ela tende a *não* se lembrar bem de informações que desafiam os estereótipos de gênero, como fotografias de uma menina serrando madeira ou de um menino cozinhando, e a insistir que os gêneros nas fotografias estavam ao contrário. Crianças pequenas aceitam rapidamente os rótulos de gênero; quando dizem a elas que um brinquedo não familiar é para o sexo oposto, soltam-no rapidamente e esperam que as outras façam o mesmo (C. L. Martin, Eisenbud & Rose, 1995; Martin & Ruble, 2004; Ruble & Martin, 1998).

Entre os 5 e os 6 anos, a criança desenvolve um repertório de estereótipos rígidos sobre gênero que ela aplica a si própria e aos outros. Um menino presta mais atenção àquilo que ele considera brinquedos de menino, e uma menina, aos brinquedos de menina. Um menino espera se sair melhor com coisas de menino do que com coisas de menina, e se ele tentar, por exemplo, vestir uma boneca, vai se atrapalhar. Então, por volta dos 7 ou 8 anos, os esquemas tornam-se mais complexos à medida que a criança assimila e integra informações contraditórias, como o fato de que muitas meninas têm cabelo curto. Nesse ponto, as crianças desenvolvem crenças mais complexas sobre gênero e tornam-se mais flexíveis em suas ideias sobre papéis de gênero (Martin & Ruble, 2004; Trautner et al., 2005).

As abordagens cognitivas ao desenvolvimento do gênero deram uma importante contribuição explorando o modo como as crianças pensam sobre o gênero e o que elas sabem sobre ele em diversas idades. Entretanto, essas abordagens podem não explicar totalmente o vínculo entre conhecimento e conduta. Há discordância precisamente sobre qual o mecanismo que induz a criança a representar os papéis de gênero e por que algumas tornam-se mais tipificadas por gênero do que outras (Bussey & Bandura, 1992, 1999; Martin & Ruble, 2004; Ruble & Martin, 1998). Alguns pesquisadores apontam para a socialização.

**Abordagem da aprendizagem social** De acordo com Walter Mischel (1966), teórico da aprendizagem social tradicional, as crianças adquirem os papéis de gênero imitando modelos e sendo recompensadas por comportamento apropriado ao gênero — em outras palavras, respondendo a estímulos ambientais. As crianças geralmente escolhem modelos que veem como poderosos ou atenciosos. Quase sempre o modelo é um dos pais, geralmente do mesmo sexo, mas a criança também padroniza seu comportamento de acordo com o de outros adultos ou de outras crianças. O *feedback* comportamental, junto com os ensinamentos diretos dos pais e de outros adultos, reforça a tipificação de gênero. Um menino que modela seu comportamento de acordo com o pai é elogiado por agir "como um menino". Uma garota recebe elogios pelo vestido bonito ou pelo penteado. Nesse modelo, *o comportamento de gênero precede o conhecimento do gênero* ("Eu sou recompensado por fazer coisas de menino, portanto eu devo ser um menino").

Desde a década de 1970, entretanto, estudos têm questionado o poder da modelagem do mesmo sexo como única responsável pelas diferenças de gênero. À medida que surgiram explicações cognitivas, a teoria da aprendizagem social tradicional perdeu a força (Martin et al., 2002). A mais recente **teoria social cognitiva** de Albert Bandura (1986; Bussey & Bandura, 1999), uma expansão da teoria da aprendizagem social, incorpora alguns elementos cognitivos.

De acordo com a teoria social cognitiva, a observação permite que as crianças aprendam muito sobre comportamentos típicos do gênero antes de realizá-los. Elas podem combinar mentalmente observações de múltiplos modelos e gerar suas próprias variações comportamentais. Em vez de ver o ambiente como uma dádiva, a teoria social cognitiva reconhece que as crianças selecionam ou mesmo criam seus ambientes por meio de suas escolhas de companhias e atividades. Entretanto, os críticos dizem que a teoria social cognitiva não explica como as crianças diferenciam entre meninos e meninas antes de terem um conceito de gênero, ou o que inicialmente motiva as crianças a adquirir conhecimento de gênero, ou como as normas de gênero tornam-se internalizadas – perguntas que outras teorias cognitivas tentam responder (Martin et al., 2002).

Para esses teóricos, a socialização – o modo como uma criança interpreta e internaliza experiências com os pais, professores, colegas e instituições culturais – desempenha um papel central no desenvolvimento do gênero. A socialização começa na primeira infância, bem antes da compreensão consciente do gênero. Gradualmente, à medida que a criança começa a regular suas atividades, os padrões de

*Segundo a teoria do esquema de gênero de Sandra Bem, os pais podem ajudar as crianças a evitar esses estereótipos incentivando-as a seguir seus próprios interesses, mesmo que não sejam os convencionais para seu sexo.*

Repare que essa explicação concentra-se nas abordagens de aprendizagem discutidas no Capítulo 1. As teorias ajudam-nos a entender e a dar sentido ao mundo, e, nesse caso, usamos os princípios de reforço e punição para explicar gênero. Repare também que as teorias mudam em resposta a novos dados. Assim, quando a pesquisa começou indicando que a cognição também era importante, a abordagem original foi ampliada para acomodar essas conclusões.

**teoria social cognitiva**
Expansão da teoria da aprendizagem social de Albert Bandura; ela afirma que as crianças aprendem os papéis de gênero por meio da socialização.

Os livros de colorir e os personagens das caixas de cereal não são imunes aos estereótipos de gênero. As mulheres têm mais probabilidade de serem retratadas como crianças ou seres humanos, os homens têm mais probabilidade de serem retratados como animais, adultos e super-heróis.

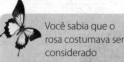

Você sabia que o rosa costumava ser considerado masculino, e o azul feminino? O azul era considerado calmante e, portanto, mais apropriado para meninas. O rosa era uma variação do vermelho, uma cor forte e ativa, e era considerado mais apropriado para meninos.

comportamento passam a ser internalizados. A criança não mais precisa de elogios, de reprimendas ou da presença de um modelo para agir de maneira socialmente aprovada. As crianças sentem-se bem consigo mesmas quando vivem de acordo com seus padrões internos e sentem-se mal quando não o fazem. Uma parte substancial da passagem do controle socialmente orientado para a autorregulação do comportamento relacionado ao gênero pode ocorrer entre os 3 e os 4 anos (Bussey, 2011; Bussey & Bandura, 1992). Nas seções seguintes, abordaremos as três fontes principais de influências sociais sobre o desenvolvimento do gênero: a família, os colegas e a cultura.

*Influências da família* Quando perguntaram a David, o neto de 4 anos da governadora da Louisiana Kathleen Blanco, o que ele queria ser quando crescer, ele não soube dizer. Desdenhou todas as sugestões da mãe – bombeiro, soldado, policial, piloto de avião. Por fim, ela perguntou se ele queria ser governador. "Mamãe", ele respondeu, "eu sou um menino!" (Associated Press, 2004a).

A resposta de David ilustra como pode ser forte a influência da família, mesmo promovendo preferências contrárias ao estereótipo. Em geral, porém, a experiência na família parece reforçar as preferências e atitudes típicas do gênero. Dizemos que "parece" porque é difícil separar a influência genética dos pais da influência do ambiente que eles criam. Além disso, os pais podem estar respondendo ao comportamento típico do gênero das crianças mais do que o encorajando (Iervolino et al., 2005).

Os meninos tendem a ser mais acentuadamente socializados por gênero no que diz respeito às brincadeiras do que as meninas. Os pais, principalmente o genitor do sexo masculino, costumam demonstrar mais desconforto se o menino brincar de boneca do que se a menina brincar de caminhão (Lytton & Romney, 1991; Ruble & Martin, 1998; Ruble, Martin, & Berenbaum, 2006; Sandnabba & Ahlberg, 1999). As meninas têm mais liberdade que os meninos para escolher roupas, jogos e colegas (Fagot, Rogers, & Leinbach, 2000; Miedzian, 1991).

Em famílias igualitárias, o papel do pai na socialização de gênero parece especialmente importante (Deutsch, Servis, & Payne, 2001; Fagot & Leinbach, 1995). Em um estudo observacional com crianças de 4 anos em cidades britânicas e húngaras, meninos e meninas cujos pais faziam trabalhos domésticos e cuidavam das crianças tinham menos consciência dos estereótipos de gênero e se envolviam menos em brincadeiras tipificadas por gênero do que seus pares em famílias mais tipificadas por gênero (Turner & Gervai, 1995). Em uma análise de 43 estudos, Tenenbaum e Leaper (2002) descobriram que os pais que aderiram a esquemas tradicionais de gênero eram mais propensos a ter filhos com ideias tipificadas por gênero sobre eles mesmos e sobre outros indivíduos quando comparados aos pais que tinham aderido a esquemas de gênero não tradicionais.

Os irmãos também influenciam o desenvolvimento de gênero, segundo um estudo longitudinal feito com 198 primeiros e segundos filhos e seus pais. Os segundos filhos tendem a se tornar mais parecidos com os irmãos mais velhos em atitudes, personalidade e atividades de lazer, enquanto os primeiros filhos são mais influenciados pelos seus pais e menos pelos irmãos mais novos (McHale, Updegraff, Helms-Erikson, & Crouter, 2001). Crianças pequenas com um irmão mais velho do mesmo sexo tendem a ser mais típicos do gênero do que aquelas cujo irmão mais velho é do sexo oposto (Iervolino et al., 2005).

*Influências dos colegas* Anna, aos 5 anos, insistia em se vestir de um modo diferente. Ela queria usar *leggings* com saia por cima e botas – dentro e fora de casa. Quando a mãe perguntou por que, Anna respondeu: "Porque Katie se veste assim – e Katie é a rainha das meninas!".

Mesmo na segunda infância, o grupo de colegas é uma influência importante na tipificação de gênero. Aos 3 anos, as crianças geralmente brincam em grupos segregados por sexo que reforçam o comportamento tipificado por gênero, e a influência do grupo igual aumenta com a idade (Martin et al., 2002). As crianças que brincam em grupos do mesmo sexo tendem a ser mais tipificadas por gênero do que crianças que não o fazem (Maccoby, 2002; Martin & Fabes, 2001). Os grupos de colegas demonstram maior desaprovação pelo fato de os meninos agirem como meninas do que as meninas agirem como meninos (Ruble & Martin, 1998). De fato, nessa idade, as brincadeiras podem ser mais fortemente influenciadas pelos colegas do que por modelos que as crianças veem em casa (Martin & Fabes, 2001; Turner & Gervai, 1995). Geralmente, porém, as atitudes dos pares e dos pais reforçam umas às outras (Bussey & Bandura, 1999).

*Influências culturais* Quando uma menina no Nepal tocou no arado que seu irmão estava usando, ela foi repreendida. Assim ela aprendeu que, sendo mulher, ela deve abster-se de ações que seu irmão deveria executar (D. Skinner, 1989).

Nos Estados Unidos, a televisão é um formato importante para a transmissão de atitudes culturais em relação ao gênero. Embora atualmente seja mais provável que as mulheres que participam de programas de televisão e comerciais trabalhem fora de casa e os homens sejam muitas vezes apresentados cuidando das crianças ou cozinhando, a maior parte do que é retratado na televisão continua a ser mais estereotipada do que a vida no mundo real (Coltrane & Adams, 1997; Ruble & Martin, 1998).

A teoria da aprendizagem social prevê que as crianças que veem muita televisão ficarão mais tipificadas por gênero ao imitarem os modelos estereotipados que aparecem na tela. Evidências impressionantes nesse sentido surgiram de um experimento natural realizado em várias cidades canadenses com acesso à transmissão de televisão pela primeira vez. Crianças que tinham atitudes relativamente não estereotipadas apresentaram aumento acentuado nas visões tradicionais dois anos mais tarde (Kimball, 1986).

Os livros para crianças, sobretudo os ilustrados, há muito têm sido uma fonte de estereótipos de gênero. Uma análise de 200 livros infantis mais vendidos e ganhadores de prêmios revelou quase duas vezes mais personagens principais do sexo feminino e forte estereotipagem de gênero. As personagens principais do sexo feminino eram retratadas com mais frequência em ambientes domésticos e pareciam não ter ocupações pagas (Hamilton, Anderson, Broaddus, & Young, 2006). Os pais, em grande parte, eram ausentes e, quando apareciam, eram mostrados como retraídos e ineficientes (Anderson & Hamilton, 2005).

Os aspectos mais convincentes da abordagem da socialização incluem a amplitude e a multiplicidade de processos que ela examina e o campo para as diferenças individuais que revela. Entretanto, sua própria complexidade dificulta o estabelecimento de conexões causais bem definidas entre o modo como a criança é educada e o modo como ela pensa e age. Quais são os aspectos do ambiente doméstico e da cultura dos pares que promovem a tipificação de gênero? Os pais e os colegas tratam meninos e meninas diferentemente porque estes *são* diferentes ou porque a cultura diz que *devem ser* diferentes? O tratamento diferencial *produz* ou *reflete* as diferenças de gênero? Ou, como sugere a teoria social cognitiva, há uma relação bidirecional? Pesquisas adicionais poderão nos ajudar a ver como os agentes socializadores se envolvem com as tendências biológicas da criança e a compreensão cognitiva no que diz respeito às atitudes e aos comportamentos relacionados ao gênero.

Parece provável que nenhuma das teorias que discutimos tenha a resposta completa para determinar como se desenvolvem a identidade e a tipificação de gênero. Embora as pessoas muitas vezes considerem que as diferentes abordagens teóricas opõem-se umas às outras, na realidade isso não acontece. Em vez disso, cada uma delas ilumina um aspecto diferente, frequentemente complementar ao desenvolvimento. Este é complicado, e para entender essa complexidade são necessários múltiplos pontos de vista. Hoje "é amplamente reconhecido que [...] os fatores cognitivos, ambientais e biológicos são todos importantes" (Martin et al., 2002, p. 904). A *teoria biossocial,* uma teoria recente, por exemplo, sustenta que os aspectos psicológicos do gênero surgem da interação entre as características físicas dos sexos (como a maior força física do homem e a capacidade reprodutiva da mulher), de suas experiências no desenvolvimento e dos tipos de sociedade em que vivem (Wood & Eagly, 2002).

## Brincar: a principal atividade da segunda infância

Carmen, 3 anos de idade, finge que os pedaços de cereal flutuando em sua tigela são "peixinhos" nadando no leite, e ela "pesca," colherada por colherada. Após o desjejum, ela coloca o chapéu de sua mãe, pega uma pasta e é uma "mamãe" indo para o trabalho. Ela dirige seu triciclo pelas poças, entra em casa para dar um telefonema imaginário, transforma um bloco de madeira em um caminhão e diz "Vrum, vrum!". O dia de Carmen é uma brincadeira após a outra.

Seria um erro desdenhar as atividades de Carmen como se fossem "apenas diversão". Embora o brincar possa não parecer servir a um propósito óbvio, ele tem funções importantes no momento e no longo prazo (Bjorklund & Pellegrini, 2002; P. K. Smith, 2005b). O brincar é importante para o desenvolvimento saudável do corpo e do cérebro. Ele permite que as crianças envolvam-se com o mundo à volta delas, usem sua imaginação, descubram formas flexíveis de usar objetos e solucionar problemas e preparem-se para papéis adultos.

> **Verificador**
> **você é capaz de...**
>
> - Distinguir cinco abordagens ao estudo do desenvolvimento de gênero?
> - Avaliar a evidência de explicações biológicas de diferenças de gênero?
> - Discutir como várias teorias explicam a aquisição de papéis de gênero e avaliar o apoio para cada teoria?
> - Discutir o papel da socialização na tipificação de gênero?

Guia de estudo 3

Como as crianças em idade pré-escolar brincam e de que maneira o brincar reflete e contribui para o desenvolvimento?

Entre muitas espécies de animais, o brincar é uma prática para as habilidades necessárias na idade adulta. As jovens presas correm e saltam em grupos, os predadores espreitam e atacam suas ninhadas. Como o modo de brincar das crianças as prepara para a vida adulta? Que habilidades sociais estão sendo praticadas?

Brincar não é o que as crianças fazem para queimar energia até chegar à aprendizagem propriamente dita. A brincadeira é o contexto em que grande parte da aprendizagem mais importante ocorre. O brincar contribui para todos os domínios do desenvolvimento. Por meio dele, as crianças estimulam os sentidos, exercitam os músculos, coordenam a visão com o movimento, obtêm domínio sobre seus corpos, tomam decisões e adquirem novas habilidades. À medida que separam blocos de diferentes formatos, contam quantos conseguem empilhar ou quando anunciam que "minha torre é maior que a sua", elas estão lançando as bases para os conceitos matemáticos. Enquanto cooperam para construir castelos de areia ou túneis na praia, elas aprendem habilidades de negociação e resolução de conflito (Ginsburg & Committee on Communications e o Committee on Psychosocial Aspects of Child and Family Health, 2007). De fato, o brincar é tão importante para o desenvolvimento das crianças que o Alto Comissariado das Nações Unidas para os Direitos Humanos (1989) reconheceu-o como um direito de toda criança. Infelizmente, a tendência ao jardim de infância em período integral reduziu marcadamente o tempo para brincadeiras livres (Ginsburg et al., 2007).

As crianças precisam de muito tempo para brincadeiras exploratórias livres. Hoje, muitos pais expõem crianças pequenas a vídeos e brinquedos com orientação acadêmica. Essas atividades podem – ou não – ser valiosas em si, mas não se interferirem no brincar dirigido à criança. De acordo com a teoria evolucionista, qualquer atividade que sirva a tantas funções vitais em determinada fase da vida deve ter uma base evolucionista, como discutiremos no Box 11.1.

Crianças de diferentes idades têm diferentes estilos de brincar, brincam de coisas diferentes e passam quantidades de tempo diferentes em vários tipos de brincadeiras (Bjorklund & Pellegrini, 2002). As brincadeiras físicas, por exemplo, começam na primeira infância com movimentos rítmicos aparentemente sem objetivo. À medida que as habilidades motoras amplas se aprimoram, as crianças exercitam seus músculos correndo, pulando, saltando e arremessando objetos. Ao final desse período e no início da terceira infância, *brincadeiras impetuosas* envolvendo luta, chutes e perseguição tornam-se mais comuns, especialmente entre meninos, como discutiremos no Capítulo 12.

Os pesquisadores classificam o brincar das crianças de várias formas. Um sistema de classificação comum é por *complexidade cognitiva*. Outra classificação é baseada na *dimensão social* do brincar.

## Níveis cognitivos do brincar

Courtney, aos 3 anos, falava pela boneca, com uma voz mais grave que a sua própria. Miguel, aos 4 anos, usava uma toalha de cozinha como capa e voava como o Batman. Essas crianças estavam envolvidas em brincadeiras ligadas a pessoas ou situações fictícias. E, como se trata de representação simbólica, o nível cognitivo impacta a complexidade possível da simulação.

O jogo dramático é um dos quatro níveis do brincar identificados por Smilansky (1968) que apresentam níveis crescentes de complexidade cognitiva: jogo funcional, jogo construtivo, jogo dramático e jogos com regras. Embora não haja uma progressão geral de desenvolvimento para os tipos de brincadeiras, esta não é uma teoria por estágios. Em vez disso, pode ser descrita como ilustrativa das tendências gerais das brincadeiras das crianças.

O nível mais simples, que começa durante a primeira infância, é o **jogo funcional** (às vezes denominado *jogo locomotor*), que consiste na prática repetida de movimentos musculares largos, como rolar uma bola (Bjorklund & Pellegrini, 2002).

O segundo nível, o **jogo construtivo** (também denominado *jogo com objetos*), é o uso de objetos ou materiais para fazer coisas, como uma casa de blocos ou um desenho com lápis de cor. As crianças passam estimados 10 a 15% de seu tempo brincando com objetos, como blocos (Bjorklund & Pellegrini, 2002).

O terceiro nível, que Smilansky chamou de **jogo dramático** (também chamado de *jogo de faz de conta, jogo de fantasia* ou *jogo imaginativo*), envolve objetos, ações ou papéis imaginários; ele se baseia na função simbólica que emerge durante a última parte do segundo ano (Piaget, 1962). Embora o jogo funcional e o jogo construtivo precedam o jogo dramático na hierarquia de Smilansky, esses três tipos de brincadeiras são frequentemente realizados na mesma idade (Bjorklund & Pellegrini, 2002; Smith, 2005a).

O jogo dramático atinge seu auge durante os anos pré-escolares, aumentando em frequência e complexidade (Bjorklund & Pellegrini, 2002; Smith, 2005a), e então declina quando a criança, já em idade

**jogo funcional**
É o nível cognitivo mais simples da brincadeira, envolvendo movimentos musculares largos e repetitivos; também chamado de *jogo locomotor*.

**jogo construtivo**
Segundo nível cognitivo da brincadeira, envolvendo o uso de objetos ou materiais para fazer algo; também é chamado de *jogo com objetos*.

**jogo dramático**
Brincadeira envolvendo pessoas ou situações imaginárias; também chamado de *jogo de faz de conta, jogo de fantasia* ou *jogo imaginativo*.

# O mundo da pesquisa

## O BRINCAR TEM UMA BASE EVOLUCIONISTA?

**11.1**

As crianças brincam pelo puro prazer que isso traz. Contudo, de um ponto de vista evolucionista, o brincar serve a um propósito maior. Essa atividade (1) absorve considerável tempo e energia; (2) apresenta uma progressão etária característica, alcançando o nível máximo na infância e declinando com a maturidade sexual; (3) é encorajada pelos pais; e (4) ocorre em todas as culturas. Assim, parece ter sido selecionada naturalmente por seus benefícios significativos para as crianças (Bjorklund & Pellegrini, 2000; P. K. Smith, 2005b).

Muitos psicólogos e educadores consideram o brincar uma atividade adaptativa característica do longo período de imaturidade e dependência durante o qual as crianças adquirem os atributos físicos e a aprendizagem cognitiva e social necessários para a vida adulta. O brincar auxilia no desenvolvimento ósseo e muscular e dá às crianças uma chance de dominar atividades e desenvolver um sentido de suas capacidades (Bjorklund & Pellegrini, 2000). Brincando, as crianças praticam, em um ambiente seguro, comportamentos e habilidades de que precisarão quando adultas (Hawes, 1996). Estudos com animais sugerem que a evolução do brincar pode estar ligada à evolução da inteligência. Os animais mais inteligentes (pássaros e mamíferos) brincam, enquanto espécies menos inteligentes (peixes, répteis e anfíbios) não brincam, tanto quanto podemos afirmar (Hawes, 1996). Além disso, o tipo de brincadeiras que os animais praticam está relacionado às capacidades de que irão precisar quando adultos: os predadores participam de jogos predatórios (p. ex., gatinhos perseguem e atacam coisas em movimento), as presas envolvem-se em jogos de fuga (p. ex., as gazelas treinam saltos evasivos — dando saltos altos e com as quatro patas no ar).

De acordo com a teoria evolucionista, os pais encorajam o brincar porque os benefícios futuros da aquisição de habilidades das crianças superam quaisquer benefícios da atividade produtiva atual das quais as crianças, em seus níveis de habilidade relativamente baixos, poderiam participar (P. K. Smith, 2005b). As diferenças de gênero nas brincadeiras das crianças permitem que meninos e meninas pratiquem comportamentos adultos importantes para a reprodução e a sobrevivência (Bjorklund & Pellegrini, 2002; Geary, 1999).

Diferentes tipos de brincadeira servem a diferentes funções adaptativas. O *jogo locomotor* do bebê é comum entre todos os mamíferos e pode apoiar o desenvolvimento cerebral. Mais tarde, os jogos que envolvem *exercícios* podem ajudar a desenvolver a força muscular, a resistência, as habilidades físicas e a eficiência do movimento (P. K. Smith, 2005b). *Brincar com objetos* é um comportamento encontrado principalmente entre os primatas: seres humanos, macacos e símios. O brincar com objetos pode ter servido a um propósito evolucionista no desenvolvimento de ferramentas, permitindo que as pessoas aprendam sobre as propriedades dos objetos e o que pode ser feito com eles (Bjorklund & Pellegrini, 2002). Nas sociedades pré-modernas, o brincar com objetos tende a focalizar o desenvolvimento de habilidades úteis, como fabricar cestas e triturar grãos (P. K. Smith, 2005b). Os mamíferos jovens, como as crianças humanas, participam de *brincadeiras sociais*, como luta e perseguição, que fortalecem os vínculos sociais, facilitam a cooperação e diminuem a agressividade (Hawes, 1996).

O *jogo dramático* parece ser uma atividade quase exclusivamente humana. Ele parece ser universal, mas é menos frequente em sociedades nas quais é esperado que as crianças participem do trabalho adulto (P. K. Smith, 2005a). Nas sociedades caçadoras-coletoras tradicionais, as crianças imitam as atividades de subsistência dos adultos, como caçar, pescar e preparar o alimento. Essas rotinas altamente repetitivas parecem servir primariamente como uma prática para as atividades adultas (P. K. Smith, 2005b). Quando os humanos começaram a estabelecer-se em comunidades permanentes, o jogo dramático pode ter evoluído para uma prática das diferentes habilidades necessárias para novas formas de vida. Nas sociedades industriais urbanas modernas, os temas do jogo dramático são altamente influenciados pela mídia de massa. Pelo menos em famílias de nível socioeconômico mais alto, a brincadeira dramática é encorajada por uma abundância de brinquedos, pela ausência de demandas sobre as crianças para ajudar em atividades de subsistência, por forte envolvimento dos pais na brincadeira e por currículos pré-escolares baseados no brincar (P. K. Smith, 2005a).

Os investigadores ainda têm muito que aprender sobre as funções e os benefícios do brincar, mas uma coisa parece clara: o tempo que a crianças passam brincando é um tempo bem gasto.

**Qual a sua opinião?** A partir de suas observações das brincadeiras das crianças, a que propósitos imediatos e de longo alcance elas parecem servir?

---

escolar, torna-se mais envolvida em **jogos formais com regras** – jogos organizados com procedimentos conhecidos e punições, como amarelinha e bolas de gude. Entretanto, muitas crianças continuam no faz de conta bem além dos anos do ensino fundamental. Estima-se que 12 a 15% do tempo de crianças do jardim de infância seja gasto no jogo de faz de conta (Bjorklund e Pellegrini, 2002), mas a tendência a programas mais orientados para os estudos no jardim de infância pode limitar o tempo que as crianças passam nessas brincadeiras (Bergen, 2002; Ginsburg et al., 2007).

**jogos formais com regras**
Jogos organizados com procedimentos e punições conhecidos.

O jogo dramático, aos 2 anos, é em geral imitativo, quase sempre iniciado por um cuidador adulto, e imita atividades familiares, como alimentar um bebê de brinquedo ou checar a temperatura de um animal de pelúcia. Entre os 3 e os 4 anos, a fantasia torna-se mais criativa, e a criança já tem iniciativa própria. Pode usar um cubo de madeira para representar uma xícara ou limitar-se a imaginá-la (Smith, 2005a).

O jogo dramático envolve a combinação de cognição, emoção, linguagem e comportamento sensório-motor. Embora seja verdadeiro que o desenvolvimento cognitivo mais avançado proporcione uma brincadeira mais sofisticada, é também verdadeiro que o brincar ajude a fortalecer o desenvolvimento de conexões densas no cérebro e promove posteriormente a capacidade para o pensamento abstrato. Brincar não é apenas a resposta ao intelecto em desenvolvimento, é também o que o impulsiona. Por exemplo, vários estudos constataram que a qualidade do jogo dramático está associada à competência social e linguística (Bergen, 2002). Ao fazerem "bilhetes" para uma viagem imaginária de trem ou ao "lerem cartões de acuidade visual" em um "consultório médico", as crianças constroem capacidades emergentes de letramento (Christie, 1998). O jogo dramático também pode estimular o desenvolvimento das capacidades da teoria da mente (Smith, 2005b; ver Cap. 10). Fingir que a banana é um telefone, por exemplo, e o entendimento disso pelas crianças que concordam com esse faz de conta pode ajudá-las a começarem a entender os pensamentos dos outros.

**Qual a sua opinião?**

Como você acha que o uso cada vez maior de computadores para jogos e para atividades educativas poderia afetar o brincar das crianças de idade pré-escolar?

## A dimensão social do brincar

Em um clássico estudo realizado na década de 1920, Mildred B. Parten (1932) identificou seis tipos de brincadeiras, variando da menos à mais social (Quadro 11.2). Ela verificou que quando a criança fica mais velha seus jogos tendem a se tornarem mais sociais – isto é, mais interativos e mais cooperativos. A princípio as crianças brincam sozinhas, depois ao lado de outras crianças e, por fim, juntas. Hoje, porém, muitos pesquisadores consideram simplória a caracterização de Parten sobre as brincadeiras infantis. Crianças de todas as idades se envolvem em todas as categorias do brincar descritas por Parten (K. H. Rubin, Bukowski & Parker, 1998).

Parten aparentemente considerava o jogo não social menos maduro que o jogo social. Ela sugeriu que crianças pequenas que continuam a brincar sozinhas podem desenvolver problemas sociais, psicológicos ou educacionais. Contudo, certos tipos de jogo não social, particularmente o jogo paralelo e o

**QUADRO 11.2** Categorias de jogos sociais e não sociais de Parten

| Categoria | Descrição |
|---|---|
| Comportamento de desocupação | A criança não parece estar brincando, mas observa qualquer coisa que seja de interesse momentâneo. |
| Comportamento de observação | A criança passa a maior parte do tempo observando as outras brincarem. O observador conversa com elas, fazendo perguntas ou dando sugestões, mas não entra na brincadeira. O observador analisa claramente determinados grupos de crianças, e não alguma coisa que seja emocionante. |
| Jogo independente solitário | A criança brinca sozinha com brinquedos diferentes daqueles usados pelas crianças, que estão próximas e não faz nenhum esforço para se aproximar delas. |
| Jogo paralelo | A criança brinca de forma independente, mas no meio de outras crianças, com brinquedos iguais àqueles utilizados por elas, mas não necessariamente brinca com elas da mesma maneira. Brincando *ao lado*, mas não *com* as outras, a criança que brinca paralelamente não tenta influenciar as brincadeiras das outras. |
| Jogo associativo | A criança brinca com outras crianças. Elas falam sobre suas brincadeiras, tomam emprestado e emprestam brinquedos, seguem umas às outras e tentam controlar quem pode brincar no grupo. Todas elas brincam de maneira semelhante, se não de forma idêntica; não há divisão de trabalho e nenhuma organização em torno de uma meta. Cada criança age como deseja e se interessa mais em estar com as outras do que na atividade propriamente dita. |
| Jogo suplementar cooperativo ou organizado | A criança brinca em um grupo organizado em função de algum objetivo – fazer algo, jogar um jogo formal ou dramatizar uma situação. Uma ou duas crianças controlam quem faz parte do grupo e lideram as atividades. Por meio de uma divisão de trabalho, as crianças assumem diferentes papéis e suplementam os esforços umas das outras. |

*Fonte:* Adaptado de Parten, 1932, pp. 249-251.

Capítulo 11 • Desenvolvimento psicossocial na segunda infância **293**

jogo independente solitário, podem consistir em atividades que *promovem* o desenvolvimento cognitivo, físico e social. Em um estudo com crianças de 4 anos, o *jogo construtivo paralelo* (p. ex., montar quebra-cabeças ao lado de outra criança que está fazendo o mesmo) era mais comum entre crianças que eram boas solucionadoras de problemas, eram populares com outras crianças e eram vistas pelos professores como socialmente habilidosas (K. Rubin, 1982).

Hoje, os pesquisadores examinam não apenas *se* uma criança brinca sozinha, mas *por quê*. Entre 567 crianças de jardim de infância, professores, observadores e colegas de classe avaliaram aproximadamente 2 de cada 3 crianças que brincavam sozinhas como social e cognitivamente competentes; elas simplesmente preferiam brincar desse jeito (Harrist, Zain, Bates, Dodge, & Pettit, 1997). Em contrapartida, o jogo solitário às vezes pode ser um sinal de timidez, ansiedade, medo ou rejeição social (Coplan, Prakash, O'Neil, & Armer, 2004; Henderson, Marshall, Fox, & Rubin, 2004; Spinrad et al., 2004).

O *jogo reticente*, uma combinação das categorias de desocupação e observação de Parten, é frequentemente uma manifestação de timidez (Coplan et al., 2004). Entretanto, comportamentos reticentes, como brincar perto de outras crianças, observar o que estão fazendo ou perambular sem rumo, às vezes podem ser um prelúdio para se juntar às brincadeiras (K. H. Rubin et al., 1998; Spinrad et al., 2004). Em um estudo longitudinal de curto prazo, crianças reticentes eram bem aceitas e apresentavam poucos comportamentos problemáticos (Spinrad et al., 2004). O jogo não social, então, parece ser muito mais complexo do que Parten imaginava.

Um tipo de brincadeira que costuma tornar-se mais social durante os anos pré-escolares é o jogo dramático (K. H. Rubin et al., 1998; Singer & Singer, 1990). As crianças normalmente utilizam mais o jogo dramático quando brincam com outra pessoa do que quando brincam sozinhas (Bjorklund & Pellegrini, 2002). À medida que o jogo dramático torna-se mais colaborativo, os enredos da história tornam-se mais complexos e inovadores, oferecendo oportunidades ricas para a prática de habilidades interpessoais e de linguagem e para a exploração de convenções e de papéis sociais. No jogo de faz de conta conjunto, as crianças desenvolvem juntas as habilidades de resolução de problemas, de planejamento e de busca do objetivo, adquirem a compreensão das perspectivas das outras pessoas e constroem uma imagem do mundo social (Bergen, 2002; Bodrova & Leong, 1998; Bjorklund & Pellegrini, 2002; Davidson, 1998; J. E. Johnson, 1998; Nourot, 1998; Smith, 2005a).

## Como o gênero influencia o brincar

Como já mencionamos, a segregação sexual é comum entre crianças em idade pré-escolar e torna-se ainda mais predominante na terceira infância. Essa tendência parece ser universal entre as culturas (P. K. Smith, 2005a). Embora a biologia (hormônios sexuais), a identificação de gênero e o reforço do adulto pareçam influenciar as diferenças de gênero no brincar, a influência do grupo igual pode ser mais poderosa (Smith, 2005a). Aos 3 anos de idade, as meninas têm muito mais probabilidade de brincar com bonecas e conjuntos de chá, enquanto os meninos preferem armas e caminhões de brinquedo (Dunn & Hughes, 2001; O'Brien & Huston, 1985; Servin, Bohlin, & Berlin, 1999). As meninas tendem a escolher outras meninas como companheiras de brincadeira, e os meninos preferem outros meninos (Maccoby & Jacklin, 1987; Martin & Fabes, 2001), um fenômeno conhecido como **segregação de gênero**. A tendência dos meninos a serem mais ativos e fisicamente agressivos comparados com os estilos de brincadeiras mais sustentadoras e afetuosas das meninas é uma provável contribuição para a segregação de gênero. Meninos brincam espontaneamente nas calçadas, nas ruas ou em terrenos vazios; meninas tendem a escolher atividades mais estruturadas e supervisionadas por adultos (Benenson, 1993; Bjorklund & Pellegrini, 2002; Fabes, Martin, & Hanish, 2003; Serbin, Moller, Gulko, Powlishta, & Colburne, 1994; P. K. Smith, 2005a).

As meninas envolvem-se mais em jogos dramáticos do que os meninos. A brincadeira de faz de conta dos meninos frequentemente envolve perigo ou discórdia e papéis dominantes competitivos, como nas batalhas simuladas. As histórias de faz de conta das meninas geralmente enfocam relacionamentos sociais e cuidados e ressaltam papéis domésticos nas brincadeiras de casinha (Bjorklund & Pellegrini, 2002; Pellegrini & Archer, 2005; Smith, 2005b). No entanto, a brincadeira dos meninos é mais fortemente estereotipada por gênero do que a das meninas (Bjorklund & Pellegrini, 2002). Portanto, nos grupos de sexo misto, as brincadeiras tendem a girar em torno de atividades tradicionalmente masculinas (Fabes et al., 2003). Veja o Quadro 11.3 para um resumo das diferenças de gênero nos estilos das brincadeiras.

## Como a cultura influencia o brincar

Os valores culturais afetam os ambientes lúdicos que os adultos constroem para as crianças, e esses ambientes, por sua vez, afetam a frequência de formas específicas de brincar entre culturas (Bodrova &

> **Verificador**
> **você é capaz de...**
> - Descrever quatro níveis cognitivos do brincar, de acordo com Smilansky e outros, e seis categorias de brincadeiras sociais e não sociais, de acordo com Parten?
> - Explicar a relação entre as dimensões cognitiva e social do brincar?
> - Discutir as funções do jogo dramático?

**segregação de gênero**
Tendência a escolher companheiros de brincadeira do próprio gênero.

*Meninos e meninas em idade pré-escolar têm preferências distintas em relação às brincadeiras. Eles se envolvem em lutas, e elas brincam de forma mais calma e cooperativa.*

**Verificador**
**você é capaz de...**
- Explicar e dar exemplos de como o gênero e a cultura influenciam o modo como as crianças brincam?

Leong, 1998, 2005). Um estudo de observação comparou 48 crianças coreano-americanas e 48 anglo--americanas de classe média em pré-escolas separadas (Farver, Kim, & Lee, 1995). As três pré-escolas anglo-americanas, preservando os valores normativos dos Estados Unidos, encorajavam o pensamento independente, o envolvimento ativo na aprendizagem, deixando as crianças selecionarem a atividade que preferiam entre uma grande variedade. A pré-escola coreano-americana, em conformidade com os valores tradicionais coreanos, enfatizava o desenvolvimento de habilidades escolares e a realização de tarefas. As pré-escolas anglo-americanas incentivavam os intercâmbios sociais entre as crianças e as atividades colaborativas com os professores. Na pré-escola de origem coreana, as crianças têm autorização para conversar e brincar apenas durante o recreio.

Não causa surpresa que as crianças anglo-americanas envolviam-se mais em jogos sociais, enquanto as coreano-americanas interessavam-se mais por jogos paralelos e pela desocupação. Ao mesmo tempo, as crianças coreano-americanas brincavam mais cooperativamente, muitas vezes oferecendo brinquedos umas às outras – muito provavelmente um reflexo da ênfase de sua cultura na harmonia do grupo. As crianças anglo-americanas eram mais agressivas e geralmente respondiam negativamente às sugestões das outras, refletindo a competitividade da cultura norte-americana.

**Guia de estudo 4**
Como as práticas de parentalidade influenciam o desenvolvimento?

## Parentalidade

À medida que a criança cresce e se assume como pessoa, sua educação poderá ser um complexo desafio. Os pais deverão lidar com pequenos indivíduos que têm mentes e vontades independentes, mas que ainda têm muito a aprender sobre quais tipos de comportamentos funcionam bem em sociedade.

### Formas de disciplina

**disciplina**
Métodos para moldar o caráter das crianças e para ensiná-las a exercer o autocontrole e ter um comportamento aceitável.

A palavra *disciplina* significa "instrução" ou "treino". No campo do desenvolvimento infantil, a **disciplina** refere-se aos métodos de moldar o caráter e ensinar autocontrole e comportamento aceitável. No discurso ocasional, temos tendência a considerar a disciplina como algo que envolve apenas a punição, mas a definição psicológica da palavra também inclui técnicas como a recompensa pelos comportamentos desejados e a chamada da atenção para a forma como as ações afetam os outros. A disciplina pode ser uma poderosa ferramenta para a socialização com o objetivo de desenvolver a autodisciplina. Quais as formas de disciplina que funcionam melhor? Os pesquisadores têm considerado uma ampla variedade de técnicas.

**Reforço e punição** "Você é um ajudante maravilhoso, Nick! Muito obrigada por arrumar seus brinquedos." A mãe de Nick sorri calorosamente para seu filho enquanto ele coloca seu caminhão-caçamba dentro da caixa de brinquedos. As palavras e as ações dela fornecem uma disciplina gentil ao seu filho e o ensinam que guardar seus brinquedos é um comportamento positivo que deve ser repetido.

Os pais às vezes punem os filhos para acabar com um comportamento indesejável, mas geralmente eles aprendem mais com um reforço para o bom comportamento. Os reforços *externos* podem ser tangíveis (divertimentos, mais horas de brincadeira) ou intangíveis (um sorriso, uma palavra de elogio, um abraço, mais atenção ou um privilégio especial). Qualquer que seja o reforço, a criança deve vê-lo como

**QUADRO 11.3** Estilos do brincar na segunda infância

|  | Meninos | Meninas |
|---|---|---|
| Brinquedos | Armas de brinquedo | Bonecas |
|  | Caminhões e carros | Serviços de chá |
|  | Trens | Brinquedos domésticos |
| Companheiros de brincadeira | Grandes grupos de outros meninos | Pequenos grupos de outras meninas |
|  | Amizades baseadas em atividades e interesses compartilhados | Amizades baseadas em proximidade emocional e física |
| Atividades | Encontrões e quedas | Conversação |
|  | Fisicamente agressivas | Criar e cuidar |
| Resolução de conflitos | Força física | Compromisso |
| Estilos de comunicação | Falar para dar informações e comandos | Falar para estreitar relações |

*Fonte:* Golomobok et al., 2008.

uma recompensa e deve recebê-lo de modo razoavelmente coerente depois de apresentar o comportamento desejado. A certa altura, o comportamento deve fornecer um reforço *interno*: uma sensação de prazer ou de realização.

Há ocasiões, entretanto, em que a punição, tal como o isolamento ou a negação de privilégios, é necessária. Não pode ser permitido que as crianças saiam correndo em uma rua movimentada ou batam em outra criança. Às vezes, a criança é intencionalmente desafiadora. Em tais situações, a punição, se for coerente, imediata e nitidamente associada à ofensa, poderá ser eficaz. Deverá ser administrada com calma, em particular e com o intuito de induzir obediência, e não culpa. É mais eficiente quando acompanhada por uma breve e simples explicação (AAP Committee on Psychosocial Aspects of Child and Family Health, 1998; Baumrind, 1996a, 1996b). Também é importante lembrar que, além da punição para os comportamentos indesejáveis, os comportamentos desejados devem ficar claros. As crianças precisam saber qual deve ser o substituto do mau comportamento.

A punição muito severa, em contrapartida, pode ser prejudicial. Crianças que são punidas severa e frequentemente podem ter problemas para interpretar as ações e palavras das outras pessoas; elas podem ver intenções hostis onde não existe (B. Weiss, Dodge, Bates, & Pettit, 1992). Crianças pequenas que foram punidas severamente podem agir com agressividade, mesmo que as punições tenham tido a intenção de frear aquilo que os pais consideram um comportamento agressivo intencional (Nix et al., 1999). Além disso, essas crianças podem tornar-se passivas por se sentirem desamparadas. As crianças podem ficar amedrontadas se os pais perdem o controle e podem acabar tentando evitar um pai ou uma mãe punitivos, destruindo a capacidade destes de influenciar comportamento (Grusec & Goodnow, 1994).

O **castigo corporal** tem sido definido como "o uso da força física com a intenção de causar dor na criança, e não ferimentos, de modo a corrigir ou controlar o comportamento infantil" (Strauss, 1994a, p. 4). Pode incluir palmadas, tapas, bofetadas, beliscões, sacudidas e outras ações físicas. Popularmente, acredita-se que o castigo corporal seja mais eficiente que outros métodos para incutir respeito pela autoridade dos pais e inofensivo, se aplicado com moderação por pais amorosos (McLoyd & Smith, 2002), mas há evidências abundantes que apontam para graves consequências negativas (Straus, 1999; Straus & Stewart, 1999; Box 11.2). Um debate contínuo sobre a adequação do uso de castigo corporal nas escolas espalha-se nos Estados Unidos. Vinte Estados permitem o uso de castigo corporal nas escolas. Em 2007, mais de 200 mil estudantes foram punidos fisicamente. Alguns educadores acreditam que ele é um impedimento efetivo a maus comportamentos perigosos, como brigas, mas outros afirmam que o castigo corporal degrada o ambiente educativo (Human Rights Watch, 2008).

Diferentemente do abuso infantil, que tem pouca ou nenhuma relação com a personalidade ou com o comportamento da criança, a punição física é utilizada mais frequentemente em crianças agressivas e difíceis de controlar, características que podem ter uma base genética (Jaffee et al., 2004). A linha que separa algumas formas de punição e o abuso físico ou emocional não é sempre fácil de traçar, mas a disciplina torna-se claramente abusiva quando resulta em danos à criança.

A **agressão psicológica** compreende certos ataques verbais que podem resultar em danos psicológicos, como (1) gritar ou berrar, (2) ameaçar espancar ou bater na criança, (3) praguejar ou amaldiçoar, (4) ameaçar expulsar ou expulsar a criança de casa e (5) chamá-la de burra ou preguiçosa. Para alguns psicólogos, as três últimas categorias equivalem ao abuso emocional. A agressão psicológica, como a

Um apego seguro aos pais ou a um professor na segunda infância tem sido relacionado a se as crianças veem ou não Deus como um "amigo amoroso" – alguém que é bom, que o ama e o faz feliz. Se você é religioso, você acha que seu relacionamento com seus pais afeta suas crenças religiosas?

*de Roos, 2006*

**castigo corporal**
Utilização da força física com a intenção de causar dor para corrigir ou controlar o comportamento, sem causar ferimentos.

**agressão psicológica**
Ataque verbal que pode resultar em danos psicológicos à criança.

## PARTE IV • Segunda infância

> Crianças oriundas de famílias nas quais há abuso doméstico, físico ou emocional, têm mais probabilidade de serem espancadas.
>
> *Taylor, Lee, Guterman, & Rice, 2010*

> Dante Cicchetti, da Universidade de Minnesota, verificou que crianças de famílias abusivas têm mais probabilidade de responder ao choro de um colega com agressividade ou afastamento do que crianças de famílias amorosas, que têm mais probabilidade de tentar consolar seu colega ou de chamar a professora. Por que crianças abusadas podem ter desenvolvido essa tendência? Como as respostas dos pais ao seu sofrimento poderiam tê-la moldado?

**técnicas indutivas**
Técnicas disciplinares destinadas a induzir o comportamento desejável por apelo à racionalidade e ao senso de justiça da criança.

**afirmação de poder**
Estratégia disciplinar destinada a desencorajar o comportamento indesejável por meio da aplicação física ou verbal do controle parental.

**retirada do amor**
Estratégia disciplinar que envolve ignorar, isolar ou mostrar desagrado por uma criança.

agressão física (espancamento), é quase universal entre os pais norte-americanos. Em entrevistas com uma amostra com representatividade nacional de 991 pais, 98% relataram ter cometido alguma forma de agressão psicológica até as crianças terem 5 anos, e cerca de 90% continuaram esse hábito depois disso (Straus & Field, 2003).

**Raciocínio indutivo, afirmação de poder e retirada do amor** Quando Sara pegou um doce em uma loja, seu pai não fez um discurso sobre honestidade, não bateu nela ou disse que ela tinha sido uma menina má. Em vez disso, ele explicou como o dono da loja seria prejudicado por ela não ter pago pelo doce e a tristeza em que ficou por ela ter ido embora. Perguntou a Sara como ela se sentiria se estivesse na mesma situação. Por último, levou-a de volta à loja para devolver o doce. Apesar de o pai não ter pedido, ela resolveu dizer ao dono da loja que ela sentia muito por tê-lo chateado.

As **técnicas indutivas**, como as que o pai de Sara usava, visam encorajar o comportamento desejável ou a desencorajar o comportamento indesejável por meio da argumentação com uma criança. Elas incluem estabelecer limites, demonstrar as consequências lógicas de uma ação, explicar, discutir, negociar e obter ideias da criança sobre o que é justo. As técnicas indutivas são geralmente o método mais eficaz para conseguir que as crianças aceitem os padrões parentais (M. L. Hoffman, 1970a, 1970b; Jagers, Bingham & Hans, 1996; Kerr, Lopez, Olson, & Sameroff, 2004; McCord, 1996).

O raciocínio indutivo tende a despertar empatia pela vítima assim como culpa da parte do transgressor (Kochanska, Gross, Lin, & Nichols, 2002; Krevans & Gibbs, 1996). Crianças de maternal cujas mães relataram o uso da racionalidade estavam mais propensas a enxergar o erro moral no comportamento, que traz prejuízo a outra pessoa (em oposição a uma simples violação de normas), do que crianças cujas mães tiraram privilégios (Jagers et al., 1996).

Duas outras amplas categorias de disciplina são afirmação de poder e retirada temporária do amor. A **afirmação de poder** visa interromper ou desencorajar comportamento indesejável por meio da aplicação física ou verbal do controle parental; ela inclui exigências, ameaças, retirada de privilégios, palmadas e outros tipos de castigo. A **retirada do amor** pode incluir ignorar, isolar ou mostrar desagrado por uma criança. Nenhuma dessas categorias é tão eficaz quanto o raciocínio indutivo na maioria das circunstâncias, e ambas podem ser prejudiciais (Baumrind, Larzelere, & Owens, 2010; M. L. Hoffman, 1970a, 1970b; Jagers et al., 1996; McCord, 1996).

A eficácia da disciplina parental pode depender de até que ponto a criança entende e aceita a mensagem parental, cognitiva e emocionalmente (Grusec & Goodnow, 1994). Para a criança aceitar a mensagem, ela tem de reconhecê-la como apropriada; portanto, os pais precisam ser justos e precisos, além de objetivos e coerentes sobre suas expectativas. Precisam adequar a disciplina à travessura e ao temperamento e ao nível cognitivo e emocional da criança. Ela pode sentir-se mais motivada para aceitar a mensagem se os pais forem normalmente carinhosos e responsivos e se despertarem a empatia da criança pela pessoa a quem ela fez algum mal (Grusec & Goodnow, 1994; Kerr, Lopez, Olson, & Sameroff, 2004). A maneira como as crianças aceitam um método disciplinar também pode depender de se o tipo de castigo usado é aceitável na cultura da família (Lansford et al., 2005).

Um ponto sobre o qual muitos especialistas concordam é que a criança interpreta e responde à disciplina no contexto do relacionamento atual com os pais. Alguns pesquisadores, portanto, procuram olhar além das práticas parentais específicas, para estilos gerais ou padrões de criação dos filhos.

## Estilos de parentalidade

Por que Stacy bate e morde a pessoa que estiver mais próxima quando não consegue terminar um quebra-cabeça? O que faz David sentar-se e fazer cara feia quando não consegue terminar um quebra-cabeça, mesmo quando a professora se oferece para ajudá-lo? Por que Consuelo trabalha em um quebra-cabeça durante 20 minutos e depois sacode os ombros e tenta começar outro? Por que as crianças são tão diferentes em suas respostas à mesma situação? O temperamento, evidentemente, é um fator importante, mas algumas pesquisas sugerem que estilos de parentalidade podem afetar a competência da criança em lidar com seu mundo.

# O mundo social

## ARGUMENTOS CONTRA O CASTIGO CORPORAL

**11.2**

"Aquele que poupa a vara estraga a criança" pode soar antiquado, mas o castigo corporal tornou-se uma questão importante. Muitas pessoas ainda acreditam que esse tipo de castigo incute respeito pela autoridade, motiva o bom comportamento e é uma conduta necessária aos pais responsáveis (Kazdin & Benjet, 2003). No entanto, alguns profissionais do desenvolvimento infantil acreditam que qualquer punição física seja um passo para o abuso infantil (Straus, 1994b). Outros profissionais não veem danos no castigo corporal moderado se for administrado com prudência por pais amorosos (Baumrind, 1996a, 1996b; Baumrind, Larzelere, & Cowan, 2002).

O castigo corporal foi banido de muitos países, inclusive Áustria, Bulgária, Croácia, Chipre, Dinamarca, Finlândia, Alemanha, Hungria, Islândia, Israel, Letônia, Noruega, Romênia, Suécia e Ucrânia. Nos Estados Unidos, todos os Estados, exceto o Minnesota, permitem que os pais administrem castigos corporais, embora alguns insistam que ele seja razoável, adequado, moderado e necessário, e outros reconheçam que o castigo corporal em excesso pode ser abusivo (Gershoff, 2002). Tal castigo é permitido nas escolas em 20 Estados, apesar de um projeto de lei apresentado em 2010 visar proibi-lo em todas as escolas. Em janeiro de 2004, o Supremo Tribunal do Canadá excluiu a punição física das escolas e proibiu a sua aplicação em crianças e adolescentes em quaisquer condições (Center for Effective Discipline, 2005). A United Nation Convention on the Rights of Children é contrária a todas as formas de violência física contra crianças.

Apesar disso, algumas formas de castigo físico são bastante utilizadas nos Estados Unidos em crianças e são quase universais entre os pais de crianças até 3 anos. Em entrevistas com uma amostra de representatividade nacional de 991 pais em 1995, 35% relataram o uso do castigo corporal — normalmente a palmada — em crianças de até 1 ano, e 94% em crianças de 3 e 4 anos. Cerca de 50% dos pais aplicavam o castigo em crianças de 12 anos, 30% em adolescentes de 14 anos e 13% em adolescentes de 17 anos (Straus & Stewart, 1999).

Qual a razão de os pais baterem nas crianças? Sem dúvida, porque o castigo faz a criança obedecer (Gershoff, 2002). No entanto, várias pesquisas constataram associações negativas de curto e longo prazos com essa prática. Além do risco de dano físico ou de abuso, as consequências podem incluir, na infância, falta de internalização moral; mau relacionamento entre os pais e a criança; aumento da agressividade física, de comportamento antissocial e de delinquência, e danos para a saúde mental. As respostas, na idade adulta, podem incluir agressividade, comportamento criminoso ou antissocial, transtornos de ansiedade, depressão, problemas com álcool e abuso do parceiro ou da criança (Gershoff, 2002; MacMillan et al., 1999; Strassberg, Dodge, Pettit, & Bates, 1994).

A maior parte dessas pesquisas foi transversal ou retrospectiva, ou não considerou que as crianças espancadas talvez tenham sido elas os primeiros agressores e que seu comportamento agressivo ou qualquer outro fator poderá ter levado os pais a espancá-las (Gershoff, 2002). Desde 1997, vários estudos importantes, com representatividade nacional, feitos em crianças desde os 3 anos até a adolescência (Brezina, 1999; Gunnoe & Mariner, 1997; Simons, Lin, & Gordon, 1998; Strauss & Paschall, 1999; Straus, Sugarman, & Giles-Sims, 1997), controlaram o comportamento da criança no momento da primeira avaliação. Esses estudos constataram que quanto mais punição física a criança receber, mais agressiva ela se torna e maior é a probabilidade de se transformar em um adulto antissocial ou agressivo (Straus & Stewart, 1999).

*É provável que a criança espancada imite esse comportamento. Estudos mostram que as crianças que são espancadas tendem a se tornar agressivas.*

Qual a razão da existência de uma relação entre punição física e comportamento agressivo? Como a teoria da aprendizagem social previu, as crianças poderão imitar quem as pune e começar a considerar que a imposição de dor é uma resposta aceitável aos problemas. A punição física também pode despertar raiva e ressentimento, levando as crianças a concentrarem-se nas próprias mágoas em vez de se concentrarem no que fizeram de errado aos outros. Além disso, como ocorre em qualquer punição, a eficácia do castigo físico diminui com o uso frequente; as crianças podem sentir-se à vontade para se comportar mal se forem propensas a assumir as consequências. Os pais que utilizam apenas a punição física também podem ver sua autoridade enfraquecida quando as crianças atingem a adolescência e ficam demasiado grandes e fortes para ser castigadas fisicamente, mesmo que isso seja necessário (AAP Committee on Psychosocial Aspects of Child and Family Health, 1998; Gershoff, 2002; McCord, 1996). O espancamento frequente pode até inibir o desenvolvimento cognitivo (Straus & Paschall, 1999).

Os críticos dessa pesquisa apontam que o castigo corporal não acontece isoladamente; não é possível garantir que as reações observadas sejam atribuídas a ele, e não a outros comportamentos dos pais ou a circunstâncias familiares, como eventos que provocam tensões, discórdia entre o casal, falta de afeto dos pais ou o abuso de substâncias químicas (Kazdin & Benjet, 2003). Um estudo de seis anos com 1.990 crianças euro-americanas, afro-americanas e hispânicas constatou que o espancamento indica aumento no comportamento problemático, desde que seja feito no contexto de apoio emocional forte por parte da mãe (McLoyd & Smith, 2002). Também é pouco provável que a disciplina física cause agressão ou ansiedade em culturas nas quais é considerada normal, como no Quênia (Lansford et al., 2005).

Ainda assim, a pesquisa é enfática ao sugerir que o castigo corporal frequente ou severo é potencialmente lesivo para as crianças. Além disso, não há uma linha clara entre espancamento leve e espancamento violento, e o primeiro leva quase sempre ao segundo (Kazdin & Benjet, 2003). Portanto, embora não tenha sido estabelecido nenhum dano resultante de espancamento muito leve (Larzalere, 2000), parece prudente escolher outro meio de disciplina menos arriscado e sem efeitos adversos potenciais (Kazdin & Benjet, 2003).

A American Academy of Pediatrics Committee on Psychosocial Aspects of Child and Family Health (1998) recomenda que os pais evitem o espancamento. Em vez disso, essa instituição sugere que se ensine às crianças o uso de palavras para expressarem seus sentimentos, dando-lhes escolhas, ajudando-as a avaliar as consequências, moldando comportamentos disciplinados e solucionando conflitos em conjunto. A instituição recomenda o reforço positivo para incentivar comportamentos desejáveis e repreensões verbais, o isolamento (deixar a criança sozinha durante algum tempo para que se acalme) ou a retirada de privilégios para desencorajar comportamentos não desejáveis – tudo com base em uma relação positiva, apoiadora e afetuosa entre os pais e as crianças.

**Qual a sua opinião?** Seus pais já bateram em você alguma vez? Em caso positivo, com que frequência e em que situações? Você seria capaz de bater em um filho ou já fez isso? Justifique sua resposta.

---

**Verificador você é capaz de...**

■ Comparar várias formas de disciplina e identificar fatores que influenciem sua eficácia?

**parentalidade autoritária**
Estilo de parentalidade que enfatiza o controle e a obediência.

**parentalidade permissiva (indulgente)**
Estilo de parentalidade que enfatiza a autoexpressão e a autorregulação.

**parentalidade autoritativa (democrática)**
Estilo de parentalidade que combina respeito pela individualidade da criança com uma tentativa de incutir valores sociais.

Como pai ou mãe, que forma de disciplina você adotaria se seu filho de 3 anos pegasse um biscoito do pote sem permissão? Se recusasse a cochilar? Batesse na irmãzinha? Diga por quê.

**Diana Baumrind e a efetividade da parentalidade autoritativa (democrática)** Em uma pesquisa pioneira, Diana Baumrind (1971, 1996b; Baumrind & Black, 1967) estudou 103 crianças em idade pré-escolar de 95 famílias. Por meio de entrevistas, testes e estudos realizados nos próprios lares, ela mediu o comportamento das crianças, identificou três tipos de parentalidade e descreveu os padrões comportamentais típicos de crianças educadas em cada um deles. O trabalho de Baumrind e o extenso corpo de pesquisa que ele inspirou estabeleceram fortes associações entre cada estilo de parentalidade e determinado conjunto de comportamentos infantis (Baumrind, 1989; Darling & Steinberg, 1993; Pettit, Bates, & Dodge, 1997; ver Quadro 11.4).

A **parentalidade autoritária**, segundo Baumrind, enfatiza o controle e a obediência sem questionamentos. Os pais autoritários tentam fazer a criança se conformar a um padrão estabelecido de conduta, punindo-a arbitrariamente e com rigor se ela violar esse padrão, em geral utilizando técnicas de afirmação de poder. São mais impessoais e menos carinhosos que os outros pais. Os filhos tendem a ser mais descontentes, retraídos e desconfiados.

A **parentalidade permissiva (indulgente)** enfatiza a autoexpressão e a autorregulação. Pais permissivos fazem poucas exigências e permitem que os filhos monitorem suas próprias atividades tanto quanto possível. Consultam as crianças sobre decisões e raramente punem. São carinhosos, não controladores e não exigentes, podendo ser até mesmo indulgentes. Quando na pré-escola, seus filhos tendem a ser imaturos – apresentam muito pouco autocontrole e pouca curiosidade exploratória.

A **parentalidade autoritativa (democrática)** enfatiza a individualidade da criança, embora também imponha restrições sociais. Pais democráticos confiam em sua capacidade de orientar os filhos, mas também respeitam as decisões independentes, os interesses, as opiniões e a personalidade da criança. São amorosos e tolerantes, mas também exigem bom comportamento e são firmes para manter padrões. Eles impõem punições limitadas e criteriosas quando necessário, dentro do contexto de um relacionamento carinhoso e apoiador. Eles dão preferência à disciplina indutiva, explicando o raciocínio por trás de sua posição e encorajando o diálogo. Aparentemente, seus filhos se sentem seguros em saber tanto que são amados quanto o que se espera deles. As crianças em idade pré-escolar com pais democráticos tendem a ser as mais autoconfiantes, autocontroladas, autoafirmativas, exploradoras e satisfeitas.

Eleanor Maccoby e John Martin (1983) acrescentaram um quarto estilo de parentalidade – *negligente* ou *omisso* – para descrever pais que, às vezes, por conta do estresse ou da depressão, concentram-se mais em suas necessidades do que nas dos filhos. A parentalidade negligente tem sido associada a vários transtornos comportamentais na infância e na adolescência (Baumrind, 1991; Parke & Buriel, 1998; Steinberg, Eisengart, & Cauffman, 2006; R. A. Thompson, 1998).

Por que a parentalidade democrática parece aumentar a competência social da criança? Talvez seja porque pais democráticos estabelecem expectativas sensatas e padrões realistas. Ao criarem regras claras e coerentes, sinalizam para a criança o que se espera dela e fornecem-lhe um padrão de comportamento pelo qual ela pode julgar a si mesma. Em lares autoritários, a criança é controlada com tal rigor que

**QUADRO 11.4** Estilos de parentalidade

|  |  | AFETIVIDADE | |
|---|---|---|---|
|  |  | **Alta** | **Baixa** |
| **CONTROLE** | **Alto** | Autoritativo (democrático) | Autoritário |
|  | **Baixo** | Permissivo (indulgente) | Negligente |

A pesquisa de Diana Baumrind levou-a a classificar os estilos de parentalidade. Esses estilos podem variar em afetividade – ou responsividade, carinho e apoio que os pais dão – ou em controle – ou complacência comportamental que os pais exigem dos filhos.

geralmente não pode fazer escolhas independentes sobre seu próprio comportamento. Em lares permissivos, a criança recebe tão pouca orientação que pode tornar-se insegura e ansiosa quanto a fazer a coisa certa. Em lares democráticos, a criança sabe quando está atendendo às expectativas e pode decidir se vale a pena arriscar a desaprovação parental para perseguir uma meta. Espera-se um bom desempenho dessa criança, que ela cumpra seus compromissos e participe ativamente dos deveres da família, bem como das diversões. Ela conhece a satisfação de aceitar responsabilidades e ser bem-sucedida. Os pais que fazem exigências razoáveis demonstram acreditar que as crianças consigam satisfazê-las — e que se importam o suficiente para insistir que elas cumpram essas exigências.

Quando surge um conflito, os pais democráticos podem ensinar à criança meios positivos para que ela consiga comunicar seu ponto de vista e negociar alternativas aceitáveis – "Se você não quer jogar fora as pedras que encontrou, onde acha que devemos guardá-las?". A internalização desse conjunto de habilidades mais amplo, e não apenas de exigências comportamentais específicas, pode muito bem ser a chave do sucesso da parentalidade democrática (Grusec & Goodnow, 1994).

**Apoio e críticas ao modelo de Baumrind** Em pesquisas baseadas no trabalho de Baumrind, a superioridade da parentalidade democrática (ou concepções semelhantes do estilo de parentalidade) tem sido repetidamente apoiada. Identificar e promover práticas de parentalidade positivas é crucial para prevenir o início precoce de comportamentos problemáticos (Dishion & Stormshak, 2007). Em um estudo longitudinal com 585 famílias do Tennessee e de Indiana, étnica e socioeconomicamente diversas, com crianças da pré-escola até o 6º ano, quatro aspectos da parentalidade apoiadora – afetividade, uso de disciplina indutiva, interesse e envolvimento nos contatos da criança com seus pares e ensino proativo de habilidades sociais – previram desfechos comportamentais, sociais e escolares positivos (Pettit et al., 1997). Famílias com alto risco para comportamento problemático em crianças que participaram de um programa de "Check Up Familiar" que forneceu serviços de apoio fundamentais aos pais foram capazes de melhorar os desfechos da infância por meio de um foco precoce em práticas de parentalidade positivas e proativas (Dishion et al., 2008).

Contudo, o modelo de Baumrind provocou controvérsia porque ele parece sugerir que há um modo "correto" de criar filhos. Além disso, visto que os achados de Baumrind são correlacionais, eles apenas estabelecem associações entre cada estilo de parentalidade e determinado conjunto de comportamentos infantis. Não mostram que diferentes estilos de criação dos filhos são a *causa* de as crianças serem mais ou menos competentes. Também é impossível saber se as crianças estudadas por Baumrind foram, de fato, criadas em determinado estilo. Talvez algumas mais bem ajustadas tivessem sido criadas de forma incoerente, mas na época do estudo os pais tivessem adotado o padrão democrático (Holden & Miller, 1999). Além disso, Baumrind não levou em conta fatores inatos, como o temperamento, que poderiam ter afetado a competência da criança e exercido influência sobre os pais. As crianças podem escolher estilos parentais com base em seu próprio comportamento; uma criança fácil pode, por exemplo, escolher a parentalidade autoritária.

**Diferenças culturais nos estilos de parentalidade** Outra questão é que as categorias de Baumrind refletem a visão dominante norte-americana sobre o desenvolvimento da criança e podem não se aplicar a algumas culturas ou grupos socioeconômicos. Entre norte-americanos de origem asiática, obediência e rigor não estão associados a rispidez e dominação, mas, antes, a cuidados, preocupação e envolvimento com a preservação da harmonia familiar. A cultura tradicional chinesa, com sua ênfase no respeito pelos mais velhos, ressalta a responsabilidade dos adultos em manter a ordem social, ensinando às crianças o comportamento socialmente apropriado. Essa obrigação é apreendida por meio de um firme e justo controle, orientação da criança e mesmo punição física, se necessário (Zhao, 2002). Embora a parentalidade por parte de norte-americanos de origem asiática seja frequentemente descrita como autoritária, a afetividade e o apoio que caracterizam os relacionamentos da família asiática talvez se assemelhem mais ao

**Qual a sua opinião?**

Até que ponto você gostaria que seus filhos adotassem seus valores e padrões de comportamento? Dê exemplos.

estilo de parentalidade democrático de Baumrind, mas sem a ênfase nos valores europeu-americanos de individualidade, escolha e liberdade (Chao, 1994) e com um controle parental mais rigoroso (Chao, 2001).

De fato, uma dicotomia entre os valores individualistas da parentalidade ocidental e os valores coletivistas da parentalidade asiática pode ser excessivamente simplista. Em entrevistas com 64 mães japonesas com crianças entre 3 e 6 anos (Yamada, 2004), suas descrições das práticas de parentalidade refletiam a busca por um equilíbrio entre conceder a autonomia adequada e exercer o controle disciplinar. As mães deixavam os filhos tomarem suas próprias decisões dentro daquilo que consideravam ser o domínio pessoal da criança, como atividades lúdicas, colegas e vestuário, e esse domínio se ampliava com a idade da criança. Quando saúde, segurança, questões morais ou convenções sociais estavam envolvidas, as mães estabeleciam os limites ou exerciam o controle. Quando surgiam conflitos, as mães utilizavam o bom senso em vez de métodos de afirmação de poder ou, às vezes, cediam à criança, por entenderem que não era necessário brigar com ela ou mesmo porque a criança poderia estar com a razão.

**Efeitos da vizinhança nos estilos de parentalidade**  Há evidências crescentes que mostram relação entre a vizinhança das crianças e seus resultados no desenvolvimento (Brooks-Gunn, Duncan, Leventhal, & Aber, 1997; Goering & Feins, 2003). Um estudo longitudinal recente com crianças canadenses descobriu que residir em bairros pobres e desorganizados causou mais depressão nas mães e disfunções familiares que foram relacionadas a estilos de parentalidade menos consistentes e mais punitivos. O ambiente menos favorável desse tipo de vizinhança e a falta de coesão entre os moradores impõem maiores exigências de supervisão e proteção dos filhos sobre os pais. Esses bairros têm menos modelos positivos e menos recursos institucionais para apoiar as famílias (Kohen, Leventhal, Dahinten, & McIntosh, 2008).

## Preocupações comportamentais especiais

Três questões específicas de especial interesse para pais, cuidadores e professores de crianças de pré-escola são como promover o altruísmo, como controlar a agressão e como lidar com os medos que geralmente surgem nessa idade.

### Comportamento pró-social

Alex, aos 3 anos e meio, respondeu às queixas de dois colegas de pré-escola que não tinham massa de modelar suficiente, seu brinquedo favorito, dando-lhes metade da sua. Alex estava demonstrando **altruísmo**: motivação para ajudar outra pessoa sem expectativa de recompensa. Ações altruístas como a de Alex geralmente acarretam custo, autossacrifício ou risco. O altruísmo é a essência do **comportamento pró-social**, atividade voluntária que tem por objetivo beneficiar outrem.

Mesmo antes de completar 2 anos, a criança frequentemente ajuda os outros, compartilha seus pertences e alimentos e oferece consolo. Existem três estilos preferidos por compartilhar recursos. O primeiro envolve a preferência por compartilhar com pessoas próximas. O segundo, conhecido como reciprocidade, envolve a preferência por compartilhar com pessoas que anteriormente compartilharam com a criança. Por último, surge a reciprocidade indireta, a preferência por compartilhar com as pessoas que compartilham com outras. Em uma série de experimentos com crianças de 3 anos e meio, os pesquisadores foram capazes de demonstrar que essas preferências estão presentes e são funcionais em crianças pequenas (Olson & Spelke, 2008).

Existe uma personalidade ou disposição pró-social? Um estudo longitudinal que acompanhou crianças de 4 e 5 anos até o início da idade adulta sugere que ela existe e que emerge bem cedo, permanecendo coerente durante a vida toda. Crianças em idade pré-escolar que eram solidárias e que espontaneamente compartilhavam as coisas com seus colegas tendiam a mostrar compreensão pró-social e a apresentar comportamento empático 17 anos mais tarde. Crianças tímidas ou retraídas em idade pré-escolar tendem a ser menos pró-sociais, talvez porque hesitem em estabelecer contato com os outros (Coplan et al., 2004).

Os genes e o ambiente contribuem para as diferenças individuais no comportamento pró-social, um exemplo da correlação gene-ambiente. Esse achado vem de um estudo com 9.319 pares de gêmeos cujo comportamento pró-social foi avaliado por pais e professores aos 3, 4 e 7 anos de idade. Pais que demonstravam afeição e seguiam estratégias disciplinares positivas (indutivas) tendiam a encorajar a

---

**Verificador você é capaz de...**

- Descrever e avaliar o modelo de Baumrind de estilos de parentalidade?
- Explicar como os meios utilizados pelos pais para resolver conflitos com crianças pequenas podem contribuir para o sucesso da criação democrática?
- Discutir as críticas ao modelo de Baumrind e as variações culturais nos estilos de parentalidade?

---

**Guia de estudo 5**

Por que as crianças pequenas ajudam ou ferem as outras e por que desenvolvem medos?

**altruísmo**
Comportamento que visa ajudar os outros, motivado por uma preocupação interior e sem expectativa de recompensa externa; pode envolver autonegação e autossacrifício.

**comportamento pró-social**
Qualquer comportamento voluntário que visa ajudar os outros.

---

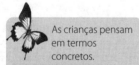

As crianças pensam em termos concretos.
Ao tentar encorajar o compartilhamento entre crianças pequenas, é melhor encorajá-las a revezar-se (um comportamento concreto) do que a compartilhar (um conceito abstrato).

tendência natural de seus filhos ao comportamento pró-social (Knafo & Plomin, 2006). Pais de crianças pró-sociais costumam ser eles próprios pró-sociais. Eles indicam modelos de comportamento pró-social e direcionam os filhos para histórias, filmes e programas de televisão que retratam cooperação, compartilhamento e empatia e os estimulam a ser solidários, generosos e prestativos (Singer & Singer, 1998). Foi demonstrado que a exposição a programas educativos e orientados aos pequenos na mídia tem efeitos pró-sociais, intensificando o altruísmo, a cooperação e mesmo a tolerância em relação aos outros (Wilson, 2008). Os relacionamentos com os irmãos são um laboratório importante para exercitar o comportamento atencioso e para aprender a ver o ponto de vista do outro. Os colegas e os professores também podem servir de modelo e reforçar o comportamento pró-social (Eisenberg, 1992; Eisenberg & Fabes, 1998).

As culturas variam no grau em que promovem o comportamento pró-social. Culturas tradicionais em que as pessoas vivem em grupos familiares estendidos e compartilham o trabalho parecem incutir mais os valores pró-sociais do que aquelas que enfatizam a realização individual (Eisenberg & Fabes, 1998).

Você se lembra de "harmonizar" com seus colegas nos círculos de música da pré-escola? A pesquisa na Alemanha sugere que, quando as crianças fazem música juntas, elas têm mais probabilidade de cooperar e ajudar umas às outras.

*Kirschner & Tomasello, 2010*

## Agressão

Noah caminha até Jake, que está calmamente brincando com um carrinho. Noah bate em Jake e toma-lhe o brinquedo. Utilizou a agressão como ferramenta para conseguir o objeto desejado. Trata-se de uma **agressão instrumental**, ou agressão utilizada como instrumento para atingir um objetivo – o tipo mais comum de agressão na segunda infância. Entre 2 anos e meio e 5 anos, é comum as crianças brigarem por brinquedos e pelo controle de espaço. A agressão surge principalmente durante os jogos sociais; as crianças que mais brigam também tendem a ser as mais sociáveis e competentes. De fato, a capacidade de mostrar alguma agressão instrumental talvez seja um passo necessário no desenvolvimento social.

À medida que a criança desenvolve mais o autocontrole e torna-se mais capacitada para se expressar verbalmente, ela passa da agressão com socos para a agressão com palavras (Coie & Dodge, 1998; Tremblay et al., 2004). Entretanto, as diferenças individuais permanecem. Em um estudo longitudinal com 383 crianças em idade pré-escolar, 11% das meninas e 9% dos meninos apresentavam altos níveis de agressividade entre as idades de 2 e 5 anos. Meninos e meninas que eram desatentos aos 2 anos, e meninas que mostravam regulação emocional pobre naquela idade, tendiam a ter problemas de conduta aos 5 anos (Hill, Degan, Calkins, & Keane, 2006). As crianças em idade pré-escolar que frequentemente se envolvem em jogos de fantasia violentos podem, aos 6 anos, ser propensas a exibições violentas de raiva (Dunn & Hughes, 2001).

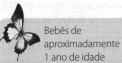

Bebês de aproximadamente 1 ano de idade adoram jogos de troca, nos quais um brinquedo é usado e devolvido entre duas pessoas. Os pesquisadores sugeriram que brincar com esses jogos poderia ajudar a encorajar futuros comportamentos de compartilhamento.

*Hay, 1994*

## Qual a sua opinião?

Em uma sociedade em que os "bons samaritanos" são por vezes culpados de se "intrometerem nos assuntos dos outros" e às vezes são atacados pelas pessoas que eles tentam ajudar, será sensato incentivar as crianças a oferecerem ajuda a estranhos?

**agressão instrumental**
Comportamento agressivo utilizado como meio de atingir um objetivo.

**Diferenças de gênero na agressividade** A agressividade é uma exceção à generalização de que meninos e meninas são mais semelhantes do que diferentes (Hyde, 2005). Em todas as culturas estudadas, assim como ocorre entre a maioria dos mamíferos, os meninos são mais agressivos física e verbalmente do que as meninas. Essa diferença de gênero é aparente aos 2 anos de idade (Archer, 2004; Baillargeon et al., 2007; Pellegrini & Archer, 2005). A pesquisa com camundongos geneticamente manipulados sugere que o gene Sry no cromossomo Y pode desempenhar um papel (Gatewood et al., 2006).

Entretanto, quando analisamos a agressividade mais de perto, é evidente que meninas e meninos tendem a usar tipos diferentes de agressão. Enquanto os meninos envolvem-se mais em **agressão explícita (direta)** – agressão física ou verbal direcionada abertamente contra seu alvo –, as meninas, por

*Crianças que têm responsabilidades em casa tendem a desenvolver qualidades pró-sociais, como a cooperação e a solidariedade. É provável que este menino de 3 anos, que está aprendendo a cozinhar, também mantenha relações zelosas com outras pessoas.*

**PARTE IV • Segunda infância**

**agressão explícita (direta)**
Agressão abertamente direcionada ao alvo.

**agressão relacional (social ou indireta)**
Agressão com o intuito de prejudicar ou interferir no relacionamento, na reputação ou no bem-estar psicológico de outra pessoa.

sua vez, tendem a envolver-se em uma forma de **agressão social (indireta)**, também chamada **relacional** (Putallaz & Bierman, 2004). Esse tipo mais sutil de agressão consiste em prejudicar ou interferir no relacionamento, na reputação ou no bem-estar psicológico de outra pessoa, geralmente por meio de provocação, manipulação, ostracismo ou tentativas de controle. Ela pode incluir espalhamento de boatos, xingamentos, humilhações ou a exclusão da pessoa de um grupo. Pode ser explícita ou velada (indireta) – por exemplo, fazer "cara feia" ou ignorar alguém. Entre crianças em idade pré-escolar, ela tende a ser direta e face a face – "Você não pode ir na minha festa se não me der aquele brinquedo" (Archer, 2004; Brendgen et al., 2005; Crick, Casas & Nelson, 2002).

Sob a perspectiva evolucionista, a maior agressividade evidente nos meninos, demonstrada por força e tamanho, pode prepará-los para competir por parceiras (Archer, 2004). Machos produzem muito esperma; já as fêmeas, em geral, produzem apenas um óvulo de cada vez. Machos podem aumentar sua reprodução ganhando acesso às fêmeas. Por isso, eles são geralmente mais competitivos e são mais propensos a assumir os riscos da agressão física. A reprodução das fêmeas está limitada por seus próprios organismos; assim, a necessidade da agressão física como forma de competir é reduzida. Além disso, as fêmeas são fortemente motivadas a proteger e criar os poucos descendentes que têm; portanto, esquivam-se de confrontos diretos que possam colocá-las em risco físico (Pellegrini & Archer, 2005).

**Influências sobre a agressividade**   Por que algumas crianças são mais agressivas do que outras? O temperamento pode ter seu papel. Crianças muito emotivas e com baixo autocontrole tendem a expressar a raiva de modo agressivo (Eisenberg, Fabes, Nyman, Bernzweig, & Pinuelas, 1994; Rubin, Burgess, Dwyer, & Hastings, 2003).

A agressividade tanto física quanto social tem fontes genéticas e ambientais, mas a influência relativa das duas difere. Entre 234 gêmeos de 6 anos de idade, a agressividade física era de 50 a 60% hereditária; o restante da variação era atribuível a influências ambientais não compartilhadas (experiências únicas). A agressividade social era muito mais influenciada pelo ambiente; a variação era apenas 20% genética, 20% explicada por influências ambientais compartilhadas e 60% por experiências não compartilhadas (Brendgen et al., 2005).

O comportamento dos pais influencia fortemente a agressividade. Em um estudo, meninos de 5 anos de idade que foram expostos a cocaína no período pré-natal e que viviam em ambientes pobres, instáveis ou estressantes com mães solteiras tendiam a ter comportamento altamente agressivo, como brigas e provocações (*bullying*) (Bendersky, Bennett, & Lewis, 2006). Em diversos estudos longitudinais, o apego inseguro e a falta de carinho e afeição materna na primeira infância puderam prever a agressividade na segunda infância (Coie & Dodge, 1998; MacKinnon-Lewis, Starnes, Volling, & Johnson, 1997; Rubin, Burgess, & Hastings, 2002). Comportamentos manipulativos como retirada de amor e fazer a criança sentir-se culpada ou envergonhada podem estimular a agressividade social (Brendgen et al., 2005).

A agressividade pode resultar da combinação de uma atmosfera familiar estressante e não estimulante, disciplina severa, falta de afeto materno e de apoio social, exposição a adultos agressivos e violência urbana e grupos iguais transitórios, que impedem amizades estáveis (Dodge, Pettit, & Bates, 1994; Grusec & Goodnow, 1994; Romano, Tremblay, Boulerice, & Swisher, 2005). Em um estudo com 431 participantes do programa Head Start em um bairro central de uma cidade norte-americana, os pais relataram que mais da metade tinha testemunhado atividade de gangues, tráfico de drogas, perseguições policiais e prisões, ou pessoas portando armas, e algumas das crianças e das famílias tinham sido elas próprias vitimizadas. Essas crianças apresentavam sintomas de sofrimento em casa e comportamento agressivo na escola (Farver, Xu, Eppe, Fernandez, & Schwartz, 2005).

Por que o fato de testemunhar violência leva à agressividade? Em um experimento clássico de aprendizagem social (Bandura, Ross, & Ross, 1961), crianças entre 3 e 6 anos observaram individualmente modelos adultos se entretendo com brinquedos. As crianças de um dos grupos experimentais viam o modelo adulto brincar em silêncio. O modelo para um segundo grupo experimental passava a maior parte da sessão de dez minutos socando, chutando e atirando para os lados um boneco inflável de tamanho natural. Um grupo-controle não viu nenhum modelo. Depois das sessões, as crianças, que ficaram um pouco frustradas por verem brinquedos com os quais não podiam brincar, entraram em outra sala de brinquedos. As crianças que tinham visto o modelo agressivo agiram de maneira muito mais agressiva do que as dos outros grupos, imitando muitas das coisas que viram o modelo dizer e fazer. As crianças que tinham visto o modelo silencioso eram menos agressivas do que as do grupo-controle. Esse achado sugere que os pais talvez estejam aptos a moderar os efeitos da frustração servindo como modelo de comportamento não agressivo.

A mídia eletrônica (televisão, filmes e jogos de *video game*) tem enorme poder de servir como modelo, seja para o comportamento pró-social, seja para a agressão. No Capítulo 14, discutiremos a influência da violência na mídia sobre o comportamento agressivo.

**Cultura e agressividade** Qual é a influência da cultura no comportamento agressivo? Uma equipe de pesquisa pediu a uma amostra bastante equivalente de 30 crianças em idade pré-escolar japonesas e outras 30 norte-americanas, da classe média à classe média alta, que escolhessem imagens que representassem soluções para conflitos hipotéticos ou situações de tensão (como derrubar uma torre de cubos de alguém, parar a brincadeira e ir para a cama, sofrer castigos físicos, ouvir os pais discutindo, brigar em um pátio). Também foi solicitado às crianças que representassem essas situações usando bonecas e adereços. As crianças norte-americanas mostraram mais raiva, comportamento e linguagem mais agressivos e menos controle emocional do que as japonesas (Zahn-Waxler, Friedman, Cole, Mizuta, & Hiruma, 1996).

Esses resultados são coerentes com os valores da educação das crianças nas duas culturas. No Japão, a raiva e a agressividade contradizem a ênfase cultural na harmonia. As mães japonesas têm maior probabilidade que as mães norte-americanas de usar disciplina indutiva, enfatizando como o comportamento agressivo fere os outros. As mães japonesas também demonstram maior desapontamento quando os filhos não obedecem aos padrões comportamentais. No entanto, a diferença intercultural entre a raiva e a agressividade das crianças era significativa mesmo sem considerar o comportamento das mães, o que sugere que as diferenças de temperamento também podem ter contribuído (Zahn-Waxler et al., 1996).

*Em um experimento clássico realizado por Albert Bandura, as crianças que assistiram ao vídeo de um adulto batendo e chutando um boneco inflável apresentaram mais propensão a imitar o comportamento agressivo se vissem o adulto ser recompensado ou se ele não sofresse consequências dos seus atos do que se o vissem ser punido.*

## Medo

Medos passageiros são comuns na segunda infância e estão relacionados ao desenvolvimento cognitivo. Muitas crianças entre 2 e 4 anos têm medo do que não é familiar — pessoas estranhas, animais e sons altos. Aos 6 anos, é mais provável que a criança tenha medo do escuro e de criaturas imaginárias (DuPont, 1983; Stevenson-Hinde & Shouldice, 1996). O medo das coisas imaginárias desaparece à medida que as crianças vão ficando mais velhas.

Os medos das crianças pequenas têm origem, em grande parte, nas suas intensas fantasias e na tendência a confundir aparência com realidade. Às vezes sua imaginação vai longe, fazendo-as se preocupar com o ataque de um leão ou com a possibilidade de serem abandonadas. É mais provável que crianças pequenas sintam medo de alguma coisa que pareça assustadora, como um monstro de desenho animado, do que de algo capaz de causar um grande mal, como uma explosão nuclear (Cantor, 1994). Na maioria das vezes, os medos de crianças mais velhas são mais realistas e autoavaliativos (medo de não passar em uma prova, por exemplo) (Stevenson-Hinde & Shouldice, 1996; Quadro 11.5).

Os medos podem originar-se de experiências pessoais ou de se tomar conhecimento das experiências de outras pessoas (Muris, Merckelbach, & Collaris, 1997). Uma criança em idade pré-escolar cuja mãe esteja doente na cama poderá ficar transtornada com uma história sobre a morte de uma mãe, mesmo que seja a mãe de um animal. Em geral, os medos nascem de avaliações do perigo, como a probabilidade de ser mordido por um cão, ou são desencadeados por eventos, como uma criança que foi atropelada por um carro ficar com medo de atravessar a rua. Crianças que sobreviveram a um terremoto, sequestro, guerra ou a algum outro evento assustador podem ter medo de que isso aconteça novamente (Kolbert, 1994).

Os pais podem ajudar a evitar os medos dos filhos incutindo um senso de confiança e cautela normal, sem ser muito protetores, e também pela superação de seus próprios medos irreais. Eles podem ajudar uma criança temerosa tranquilizando-a e encorajando a livre expressão dos sentimentos. Ridicularização ("Você não é mais criancinha!"), coerção ("Passe a mão no cachorrinho – ele não vai machucá-lo") e persuasão lógica ("O urso mais próximo está a 30 km de distância, trancado em um zoológico") não ajudam muito. Só a partir do ensino fundamental é que a criança consegue entender que seus medos não são reais (Cantor, 1994).

**Qual a sua opinião?**

Há situações em que a criança deva ser incentivada a ser agressiva?

Quando as crianças são pequenas, seus medos envolvem o escuro, monstros assustadores e ameaças imaginárias. Quando elas crescem, seus medos tornam-se cada vez mais realistas. Por que você acha que isso acontece?

**Verificador**
**você é capaz de...**

■ Discutir as influências sobre o altruísmo, a agressão e o medo?

**PARTE IV** • Segunda infância

**QUADRO 11.5** Os medos na infância

| Idade | Medos |
|---|---|
| 0-6 meses | Perda de apoio; ruídos altos |
| 7-12 meses | Pessoas estranhas; altura; objetos repentinos, inesperados e avultantes |
| 1 ano | Ser separado dos pais; vaso sanitário; ferimentos; estranhos |
| 2 anos | Muitos estímulos, inclusive ruídos altos (aspiradores de pó, sirenes e alarmes, caminhões e trovões); animais; quartos escuros; ser separado dos pais; objetos ou máquinas grandes; mudanças no ambiente pessoal; pessoas estranhas |
| 3 anos | Máscaras; escuridão; animais; ser separado dos pais |
| 4 anos | Ser separado dos pais; animais; escuridão; ruídos (inclusive ruídos à noite) |
| 5 anos | Animais; pessoas "más"; escuridão; ser separado dos pais; lesões corporais |
| 6 anos | Seres sobrenaturais (p. ex., fantasmas, bruxas); lesões corporais; trovões e raios; escuridão; dormir ou ficar sozinho; ser separado dos pais |
| 7-8 anos | Seres sobrenaturais; escuridão; eventos da mídia (p. ex., relatos sobre ameaça de guerra nuclear ou sequestro de crianças); ficar sozinho; lesões corporais |
| 9-12 anos | Testes e provas na escola; desempenho escolar; lesões corporais; aparência física; trovões e raios; morte; escuridão |

*Fonte:* Morris, R. J. & Kratochwill, T. R. *Treating Children's Fears and Phobias: A Behavioral Approach*, Allyn & Bacon, Boston, MA, 1983.

---

**Guia de estudo 6**

Como as crianças pequenas se relacionam com – ou sem – irmãos, colegas e amigos?

# Relacionamentos com outras crianças

Embora as pessoas mais importantes no mundo de uma criança pequena sejam os adultos que tomam conta dela, o relacionamento com irmãos e colegas torna-se mais importante na segunda infância. Praticamente todas as atividades e questões de personalidade características dessa idade, do desenvolvimento do gênero ao comportamento pró-social ou agressivo, envolvem outras crianças.

Examinaremos primeiro os relacionamentos entre irmãos e, em seguida, os de crianças que não têm irmãos. Então, exploraremos os relacionamentos com o grupo de pares e com os amigos.

## Relacionamentos entre irmãos

"É meu!"

"Não, é meu!"

"Eu 'tava' brincando com ele primeiro!"

As primeiras brigas entre irmãos, mais frequentes e mais intensas, são por direitos de propriedade – quem é dono de um brinquedo ou quem tem o direito de brincar com ele. Embora adultos irritados possam nem sempre ver dessa maneira, brigas e reconciliações entre irmãos podem ser vistas como oportunidades de socialização, quando as crianças aprendem a defender princípios e a negociar desacordos (Ross, 1996). Outra arena para socialização é o jogo dramático conjunto. Irmãos que frequentemente brincam de "faz de conta" desenvolvem uma história de entendimentos compartilhados que lhes permite resolver mais facilmente os problemas e aceitar as ideias um do outro (Howe, Petrakos, Pinaldi, & LeFebvre, 2005).

Apesar da frequência do conflito, a rivalidade entre irmãos não é o principal padrão entre irmãos e irmãs no começo da vida. Afeição, interesse, companheirismo e influência também são prevalentes nos relacionamentos entre irmãos. Observações que compreenderam um intervalo de três anos e meio, que começaram quando os irmãos mais novos tinham por volta de 1 ano e meio, e os mais velhos entre 3 e 4 anos e meio, verificaram que o comportamento pró-social e o comportamento orientado para o brincar são mais comuns do que a rivalidade, a hostilidade e a competição (Abramovitch, Corter, & Lando, 1979; Abramovitch, Corter, Pepler, & Stanhope, 1986; Abramovitch, Pepler, & Corter, 1982). Os irmãos mais velhos eram os que mais tomavam a iniciativa de um comportamento tanto amistoso quanto hostil; irmãos mais novos tendiam a imitar os mais velhos. Quando as crianças mais novas alcançavam a idade

**Capítulo 11** • Desenvolvimento psicossocial na segunda infância **305**

de 5 anos, os irmãos tornavam-se menos físicos e mais verbais nas demonstrações tanto de agressividade como de afeição.

Pelo menos um achado dessa pesquisa foi contestado em muitos estudos: irmãos do mesmo sexo, principalmente meninas, são mais próximos e brincam juntos de forma mais pacífica do que pares de menino e menina (Kier & Lewis, 1998). Visto que irmãos mais velhos tendem a dominar os mais novos, a qualidade do relacionamento é mais afetada pelo ajustamento emocional e social da criança mais velha do que da mais nova (Pike, Coldwell, & Dunn, 2005).

A qualidade do relacionamento de irmãos tende a se transferir para o relacionamento com outras crianças. Uma criança que é agressiva com os irmãos provavelmente é agressiva também com os amigos (Abramovitch et al., 1986). Irmãos que com frequência brincam amigavelmente juntos tendem a desenvolver comportamentos pró-sociais (Pike et al., 2005).

Da mesma forma, as amizades podem influenciar os relacionamentos de irmãos. Irmãos mais velhos que experimentaram um bom relacionamento com um amigo antes do nascimento de um irmão provavelmente tratarão seus irmãos mais novos melhor, e é pouco provável que desenvolvam comportamento antissocial na adolescência (Kramer & Kowal, 2005). Para uma criança pequena com risco de problemas comportamentais, um relacionamento positivo com um irmão *ou* um amigo pode amortecer os efeitos de um relacionamento negativo com o outro (McElwain & Volling, 2005).

## O filho único

Nos Estados Unidos, 21% das crianças com menos de 18 anos não têm irmãos em casa (Kreider & Fields, 2005). Os filhos únicos são mimados, egoístas, solitários ou desajustados? Em geral, esse estereótipo do filho único parece ser falso. Em uma análise de 115 estudos, constatou-se que a maior parte dos "únicos" é bem-sucedida. No que diz respeito às realizações ocupacionais e educacionais, os filhos únicos têm desempenho ligeiramente melhor do que crianças com irmãos. Filhos únicos tendem a ser mais motivados para realizações e a ter autoestima ligeiramente mais alta, além disso, não diferem em ajustamento emocional, sociabilidade ou popularidade.

Por que filhos únicos têm melhor desempenho em alguns índices do que crianças com irmãos? A teoria evolucionista sugere que os pais que têm tempo e recursos limitados ao seu dispor focalizam mais atenção nos filhos únicos, falam mais com eles, fazem mais coisas com eles e esperam mais deles do que pais com mais de um filho (Falbo, 2006; Falbo & Polit, 1986; Polit & Falbo, 1987). Quanto mais crianças existem na família, menos tempo individual receberá cada uma. E, visto que a maioria das crianças hoje passa um tempo considerável em grupos de brincadeira, creches e pré-escolas, não faltam aos filhos únicos oportunidades para interação social com pares (Falbo, 2006).

A pesquisa na China também produziu achados encorajadores sobre filhos únicos. Em 1979, para controlar uma explosão populacional, a República Popular da China estabeleceu uma política oficial de limitar as famílias a um filho cada. Embora a política tenha, desde então, sido um pouco relaxada, a maioria das famílias urbanas agora tem apenas um filho, e a maioria das famílias rurais, não mais de dois (Hesketh, Lu, & Xing, 2005). Portanto, em muitas cidades chinesas, as salas de aula são quase completamente preenchidas com crianças que não têm irmãos ou irmãs. Essa situação ofereceu aos pesquisadores um experimento natural: uma oportunidade de estudar o ajustamento de grandes números de filhos únicos.

Uma revisão da literatura não encontrou diferenças significativas nos problemas comportamentais (Tao, 1998). Na verdade, os filhos únicos pareciam ter uma vantagem psicológica clara em uma sociedade que favorece e recompensa tal criança. Entre 731 crianças e adolescentes urbanos, aqueles com irmãos relataram níveis mais altos de medo, ansiedade e depressão do que os filhos únicos, independentemente de sexo ou idade (Yang, Ollendick, Dong, Xia, & Lin, 1995).

Entre 4 mil crianças de $3^{\underline{o}}$ e $6^{a\underline{o}}$ anos, as diferenças de personalidade entre filhos únicos e crianças com irmãos – avaliadas por pais, professores, colegas e pelas próprias crianças – foram poucas. O desempenho escolar e o desenvolvimento físico dos filhos únicos eram aproximadamente os mesmos, ou melhores, do que os de crianças com irmãos (Falbo & Poston, 1993). Em um estudo randomizado em salas de aula de $1^{\underline{o}}$ ano em Pequim (Jiao, Ji, & Jing, 1996), os filhos únicos superaram seus colegas com irmãos em habilidades de memória, linguagem e matemática. Esse achado pode refletir a maior atenção, estimulação, esperanças e expectativas que os pais dão a um bebê que eles sabem que será seu primeiro e único filho.

A maioria dos estudos usou amostras urbanas. As pesquisas futuras poderão revelar as constatações feitas em áreas rurais e cidades pequenas, onde as crianças com irmãos são mais numerosas, e se os filhos únicos mantêm a superioridade cognitiva à medida que progridem nos estudos.

---

Irmãos mais novos têm mais probabilidade de arriscar-se do que irmãos mais velhos. Em um estudo sobre estatísticas de beisebol, 90% de irmãos mais novos em times de beisebol da liga principal roubam mais bases do que suas contrapartes mais velhas.

*Sulloway & Zweigenhaft, 2010*

---

**Verificador**
**você é capaz de...**

■ Explicar como a resolução de disputas entre irmãos contribui para a socialização?

■ Dizer como a ordem de nascimento e o gênero afetam os padrões típicos da interação entre irmãos?

**Verificador você é capaz de...**

- Comparar o desenvolvimento dos filhos únicos com o daqueles que têm irmãos?

## Colegas e amigos

As amizades se desenvolvem à medida que as pessoas também se desenvolvem. Crianças pequenas brincam lado a lado ou perto uma da outra, mas só a partir dos 3 anos, aproximadamente, começam a ter amigos. A capacidade de relacionamento com os colegas em grupos, diferentemente dos relacionamentos um a um, é uma grande transição que ocorre na idade pré-escolar (Hay, Payne, & Chadwick, 2004). Por meio das amizades e interações com colegas casuais, a criança aprende a se relacionar com os outros. Aprende que sendo amiga é que se tem amigos. Aprende a resolver problemas em relacionamentos e a se colocar no lugar da outra pessoa, além de ver modelos de vários tipos de comportamento. Aprende valores morais e normas de papel de gênero e pratica papéis sociais adultos.

Crianças em idade pré-escolar geralmente gostam de brincar com crianças da mesma idade e sexo e que sejam semelhantes nas características observáveis. Crianças que têm frequentes experiências positivas entre si são mais propensas a se tornarem amigas (Rubin et al., 1998; Snyder, West, Stockemer, Gibbons, & Almquist-Parks, 1996). Aproximadamente 3 em cada 4 crianças em idade pré-escolar desenvolvem essas amizades mútuas (Hartup & Stevens, 1999). As amizades são mais gratificantes — e têm maior probabilidade de durar — quando as crianças as consideram relativamente harmoniosas e validam sua autoestima. Ser capaz de confiar nos amigos e de obter a ajuda deles é menos importante nessa idade do que quando as crianças já são mais velhas (Ladd, Kochenderfer, & Coleman, 1996).

*Crianças pequenas aprendem a importância de ser amigo para se ter um amigo.*

Os traços que uma criança pequena procura em um parceiro para brincadeiras são semelhantes aos que ela procura em um amigo (Hart, DeWolf, Wozniak, & Burts, 1992). Em um estudo, crianças entre 4 e 7 anos avaliaram os aspectos mais importantes da amizade, como fazer coisas juntos, um gostar do outro e se preocupar um com o outro, compartilhar coisas e ajudar um ao outro e, secundariamente, viver próximos ou frequentar a mesma escola. Crianças mais novas deram mais importância a traços físicos, como aparência e tamanho, do que crianças mais velhas, e menos importância a afeição e apoio (Furman & Bierman, 1983).

Crianças em idade pré-escolar preferem colegas pró-sociais (Hart et al., 1992). Elas rejeitam crianças destrutivas, exigentes, intrometidas ou agressivas e tendem a ignorar aquelas que são retraídas ou inseguras (Ramsey & Lasquade, 1996; Roopnarine & Honig, 1985).

Crianças benquistas em idade pré-escolar e de jardim de infância, bem como aquelas avaliadas pelos pais e professores como socialmente competentes, em geral lidam bem com a raiva. Elas evitam insultos e ameaças. Em vez disso, respondem diretamente, de modo a minimizar futuros conflitos e preservar o relacionamento. Crianças menos benquistas tendem a bater nas outras, a vingar-se ou a delatar (Fabes & Eisenberg, 1992).

Os relacionamentos com os colegas são afetados pelas relações das crianças com os pais (Kerns & Barth, 1995), com os irmãos (Herrera & Dunn, 1997) e com os professores (Howes, Matheeson, & Hamilton, 1994). Os estilos e as práticas parentais podem influenciar as relações entre os colegas. Crianças populares mantêm geralmente relacionamentos calorosos e positivos tanto com a mãe como com o pai. Os pais são provavelmente democráticos, e as crianças são tanto assertivas como cooperativas (Coplan et al., 2004; Isley, O'Neil, & Parke, 1996; Kochanska, 1992; Roopnarine & Honig, 1985).

## Capítulo 11 • Desenvolvimento psicossocial na segunda infância — 307

# resumo & palavras-chave

## ❶ O desenvolvimento do *self*

***Como o autoconceito se desenvolve durante a segunda infância e como as crianças demonstram autoestima, crescimento emocional e iniciativa?***

- O autoconceito sofre grandes mudanças na segunda infância. De acordo com o modelo neopiagetiano, a autodefinição passa de simples representações a mapeamentos representacionais. Crianças pequenas não veem a diferença entre a identidade real e a identidade ideal.
- A cultura afeta a autodefinição.
- A autoestima na segunda infância tende a ser global e irrealista, refletindo a aprovação dos adultos.
- A compreensão das emoções direcionadas à própria criança e das emoções simultâneas se desenvolve gradualmente.
- Segundo Erikson, o conflito de desenvolvimento na segunda infância é o de iniciativa *versus* culpa. A resolução bem-sucedida desse conflito resulta em virtude do *propósito*.

  **autoconceito (278)**
  **autodefinição (278)**
  **representações únicas (279)**
  **identidade real (279)**
  **identidade ideal (279)**
  **associações representativas (279)**
  **autoestima (279)**
  **iniciativa *versus* culpa (282)**

## ❷ Gênero

***Como meninos e meninas tornam-se conscientes do significado do gênero, e como explicar as diferenças comportamentais entre os sexos?***

- A identidade de gênero é um aspecto do autoconceito em desenvolvimento.
- A principal diferença de gênero na segunda infância é a maior agressividade dos meninos e o nível de atividade. As meninas tendem a ser mais empáticas e pró-sociais e menos propensas a ter problemas comportamentais. Algumas diferenças cognitivas aparecem já bem cedo, outras só na pré-adolescência ou mais tarde.

- As crianças aprendem os papéis de gênero bem cedo por meio da tipificação de gênero. Os estereótipos de gênero atingem um ponto máximo durante os anos de pré-escola.
- Cinco importantes perspectivas sobre o desenvolvimento do gênero são a biológica, a evolucionista, a psicanalítica, a cognitiva e a da aprendizagem social.
- Evidências sugerem que algumas diferenças de gênero podem ser de base biológica.
- A teoria evolucionista considera os papéis de gênero das crianças uma preparação para o comportamento de acasalamento adulto.
- Na teoria freudiana, a criança se identifica com o genitor do mesmo sexo depois de ter desistido do desejo de possuir o genitor do sexo oposto.
- A teoria cognitivo-desenvolvimental sustenta que a identidade de gênero se desenvolve sobre a consciência que se tem do próprio gênero. A constância de gênero leva à aquisição de seus papéis. A teoria do esquema de gênero sustenta que a criança categoriza as informações relacionadas ao gênero observando o que homens e mulheres fazem em sua cultura.
- A criança também aprende os papéis de gênero por meio da socialização. Os pais, os colegas, a mídia e a cultura influenciam a tipificação de gênero.

  **identidade de gênero (282)**
  **papéis de gênero (283)**
  **tipificação de gênero (283)**
  **estereótipos de gênero (283)**
  **teoria da seleção sexual (285)**
  **identificação (285)**
  **constância de gênero (286)**
  **teoria do esquema de gênero (286)**
  **teoria social cognitiva (287)**

## ❸ Brincar: a principal atividade da segunda infância

***Como as crianças em idade pré-escolar brincam e de que maneira o brincar reflete e contribui para o desenvolvimento?***

- O brincar traz benefícios físicos, cognitivos e psicossociais e têm funções evolucionistas.

**PARTE IV** • Segunda infância

- As mudanças nos tipos de brincadeira em que a criança se envolve refletem os desenvolvimentos cognitivo e social.
- Segundo Smilansky, a criança progride cognitivamente do jogo funcional para o jogo construtivo, o jogo dramático e, então, para jogos formais com regras. O jogo dramático torna-se cada vez mais comum durante a segunda infância e ajuda a criança a desenvolver habilidades sociais e cognitivas. Brincadeiras impetuosas também têm início durante a segunda infância.
- Segundo Parten, o brincar torna-se mais social durante a segunda infância. No entanto, pesquisas posteriores constataram que jogos não sociais não são necessariamente um sinal de imaturidade.
- As crianças preferem brincar (e brincar mais socialmente) com outras do mesmo sexo.
- Aspectos cognitivos e sociais do brincar são influenciados pelos ambientes culturalmente aprovados que os adultos criam para as crianças.

  **jogo funcional (290)**
  **jogo construtivo (290)**
  **jogo dramático (290)**
  **jogos formais com regras (291)**
  **segregação de gênero (293)**

## ❹ Parentalidade

*Como as práticas de parentalidade influenciam o desenvolvimento?*

- A disciplina pode ser uma poderosa ferramenta de socialização.
- Tanto o reforço positivo quanto a punição administrada com prudência podem ser instrumentos apropriados de disciplina no contexto de um relacionamento positivo entre pais e filhos.
- Afirmação de poder, técnicas indutivas e retirada do amor podem ser efetivas em determinadas situações. A argumentação geralmente é o recurso mais eficaz, e a afirmação de poder é a de menos eficácia, pois promove a internalização de padrões parentais. Palmadas e outras formas de castigo corporal podem trazer consequências negativas.
- Baumrind identificou três estilos de parentalidade: autoritário, permissivo (indulgente) e autoritativo (democrático). Um quarto estilo, negligente ou omisso, foi identificado mais tarde por Maccoby e Martin. Pais democráticos tendem a criar filhos mais competentes. Entretanto, os resultados obtidos por Baumrind podem ser enganosos quando aplicados a algumas culturas ou a certos grupos socioeconômicos.

  **disciplina (294)**
  **castigo corporal (295)**
  **agressão psicológica (295)**
  **técnicas indutivas (296)**
  **afirmação de poder (296)**
  **retirada do amor (296)**
  **parentalidade autoritária (298)**
  **parentalidade permissiva (indulgente) (298)**
  **parentalidade autoritativa (democrática) (298)**

**Capítulo 11** • Desenvolvimento psicossocial na segunda infância

## ❺ Preocupações comportamentais especiais

***Por que as crianças pequenas ajudam ou ferem as outras e por que desenvolvem medos?***

- As primeiras manifestações do altruísmo e do comportamento pró-social surgem bem cedo. Talvez se trate de uma disposição inata, que pode ser cultivada pelo modelo parental e por incentivo.
- Agressão instrumental – primeiro física, depois verbal – é mais comum na segunda infância.
- A maioria das crianças torna-se menos agressiva depois dos 6 ou 7 anos, mas a proporção de agressões hostis aumenta. Os meninos tendem a praticar a agressão explícita, enquanto as meninas geralmente se envolvem em agressão relacional ou social.
- Crianças em idade pré-escolar demonstram medos temporários de objetos e eventos reais e imaginários; os medos de crianças mais velhas tendem a ser mais realistas.

**altruísmo (300)**
**comportamento pró-social (300)**
**agressão instrumental (301)**
**agressão explícita (direta) (302)**
**agressão relacional (social ou indireta) (302)**

## ❻ Relacionamentos com outras crianças

***Como as crianças pequenas se relacionam com – ou sem – irmãos, colegas e amigos?***

- Os irmãos aprendem a resolver conflitos e a negociar diferenças entre si.
- A maioria das interações entre irmãos é positiva. Os irmãos mais velhos tendem a tomar a iniciativa, e os irmãos mais novos imitam. Irmãos do mesmo sexo, sobretudo meninas, relacionam-se melhor.
- O tipo de relacionamento que a criança tem com os irmãos geralmente se transfere para o relacionamento com os colegas.
- Filhos únicos parecem se desenvolver pelo menos tão bem quanto crianças que têm irmãos em muitos aspectos.
- Crianças em idade pré-escolar escolhem colegas e amigos que sejam como elas e com quem tenham experiências positivas. Crianças agressivas são menos populares que crianças pró-sociais.
- Os amigos mantêm mais interações positivas e negativas um com o outro do que com os outros colegas de brincadeira.
- A parentalidade pode afetar a competência social das crianças com seus colegas.

*Capítulo* **12**

# Desenvolvimento físico e saúde na terceira infância

## Sumário

Aspectos do desenvolvimento físico

Nutrição e sono

Desenvolvimento motor e brincadeiras físicas

Saúde e segurança

Saúde mental

## Você sabia que...

▶ Para desfrutar de uma saúde excelente, crianças em idade escolar precisam, em média, de 2.400 calorias e 60 minutos de atividade física todos os dias?

▶ Está provado que os distúrbios do sono de crianças em idade escolar afetam o comportamento e as capacidades cognitivas?

▶ Mais de metade das crianças com diagnóstico de problemas emocionais, de comportamento e de desenvolvimento luta com questões relacionadas a agressividade, comportamento desafiador e comportamento antissocial?

*Apesar do aumento menos drástico do que o anterior no que diz respeito às habilidades motoras na terceira infância, estes anos são importantes para o desenvolvimento de força, energia, resistência e proficiência motora necessárias para as atividades ao ar livre e os esportes. Neste capítulo, abordaremos esses e outros desenvolvimentos físicos, começando pelo crescimento e desenvolvimento normais do cérebro, que dependem de boa alimentação, sono adequado e boa saúde. À medida que as crianças vão ficando mais ativas, o risco de acidentes aumenta; por isso, examinaremos algumas formas de reduzi-los. Por fim, abordaremos alguns problemas de saúde mental na infância.*

É mais fácil construir crianças fortes do que consertar homens quebrados.

— *Frederick Douglass (1818-1895)*

**PARTE V** • Terceira infância

# Guia de **estudo**

1. Como se desenvolvem o corpo e o cérebro das crianças em idade escolar?
2. Quais são as necessidades nutricionais e de sono na terceira infância?
3. Quais os ganhos típicos nas habilidades motoras nessa idade e de que tipos de brincadeiras físicas participam meninos e meninas?
4. Quais são as principais preocupações relacionadas à saúde e à segurança na terceira infância?
5. Quais são os principais problemas de saúde mental na terceira infância?

---

Guia de **estudo** 1

Como se desenvolvem o corpo e o cérebro das crianças em idade escolar?

# Aspectos do desenvolvimento físico

Se caminhássemos por uma típica escola de ensino fundamental, logo após o sinal de saída, veríamos uma grande explosão de crianças de todas as formas e de todos os tamanhos. Algumas altas, outras pequenas, algumas robustas, outras frágeis, estariam irrompendo das portas da escola em direção ao ar livre. Veríamos que crianças em idade escolar parecem muito diferentes de crianças poucos anos mais novas.

## Altura e peso

Durante a terceira infância, o crescimento é consideravelmente lento. Contudo, apesar de no dia a dia as mudanças não serem óbvias, elas resultam em uma mudança espantosa em crianças entre 6 anos, que ainda são pequenas, e 11 anos, muitas das quais começam a parecer adultos.

As crianças crescem de 5 a 7,5 cm por ano entre os 6 e os 11 anos, adquirindo aproximadamente o dobro do peso nesse mesmo período (McDowell, Fryar, Odgen, & Flegal, 2008; Quadro 12.1). As meninas retêm muito mais tecido adiposo do que os meninos, uma característica que persistirá na idade adulta. A média de peso aos 10 anos de idade é cerca de 5 kg a mais em relação a 40 anos atrás – cerca de 37 kg para os meninos e 40 kg para as meninas (Ogden, Fryar, Carroll, & Flegal, 2004). As crianças afro-americanas de ambos os sexos tendem a crescer mais rapidamente do que as crianças brancas. Perto dos 6 anos, as meninas afro-americanas têm mais músculos e massa óssea que as euro-americanas (brancas) ou mexicanas, e estas têm maior percentagem de gordura corporal do que as meninas brancas da mesma altura (Ellis, Abrams, & Wong, 1997).

Embora a maioria das crianças cresça normalmente, com algumas isso não acontece. Há um tipo de distúrbio do crescimento que é originário de uma deficiência orgânica na produção do hormônio do crescimento. A administração de hormônio sintético do crescimento em tais casos pode produzir rápido crescimento da estatura, especialmente durante os primeiros dois anos (Albanese & Stanhope, 1993; Vance & Mauras, 1999).

A terapia com o hormônio sintético (recombinante) do crescimento é algumas vezes utilizada em crianças que são muito menores do que outras crianças. Apesar de seu uso com esse propósito ser con-

**QUADRO 12.1** Desenvolvimento físico, 6 a 11 anos de idade (percentil 50*)

| Idade | Altura, em metros | | Peso, em quilos | |
|---|---|---|---|---|
| | Meninas | Meninos | Meninas | Meninos |
| 6 | 1,18 | 1,20 | 22,1 | 23,6 |
| 7 | 1,26 | 1,25 | 25,6 | 25,5 |
| 8 | 1,30 | 1,30 | 28,1 | 29 |
| 9 | 1,38 | 1,37 | 34 | 32,2 |
| 10 | 1,43 | 1,41 | 40,5 | 37,3 |
| 11 | 1,51 | 1,49 | 47,3 | 44,2 |

*Cinquenta por cento das crianças em cada categoria estão acima desse nível de altura ou peso, e 50% estão abaixo dele.

*Fonte:* McDowell, Fryar, Odgen, & Flegal, 2008.

*Estas meninas mostram orgulhosamente um marco da infância — a queda normal dos dentes de leite, que serão substituídos por outros permanentes. Hoje, as crianças norte-americanas têm menos cáries do que no início da década de 1970, provavelmente devido a melhor nutrição, uso generalizado de flúor e melhor assistência odontológica.*

troverso, ele foi aprovado pela Food and Drug Administration para crianças saudáveis cuja média de crescimento projetado seja muito lenta para alcançar uma altura mínima considerada normal de adulto (1,60 m para os homens e 1,50 m para mulheres). As respostas das crianças de baixa estatura à terapia hormonal são afetadas por muitas variáveis, inclusive padrões iniciais de crescimento da criança, se elas sofrem ou não de deficiência do hormônio do crescimento e se os pais também têm estatura baixa. Em um estudo recente, as crianças de estatura baixa que receberam esse tratamento hormonal cresceram, em média, cerca de 7,6 cm (Albertsson-Wikland et al., 2008). Se fracassar, a terapia pode causar danos psicológicos por criar expectativas não concretizadas ou por causar em crianças baixas a sensação de que algo está errado com elas (Lee, 2006).

## Desenvolvimento dos dentes e higiene bucal

A maior parte dos dentes de adulto nasce no início da terceira infância. Os dentes primários, popularmente conhecidos como dentes de leite, começam a cair por volta dos 6 anos e são substituídos por dentes permanentes. Essa substituição é, em média, de quatro dentes por ano durante os cinco anos seguintes.

No decorrer dos últimos 20 anos, o número de crianças norte-americanas entre 6 e 18 anos com cáries não tratadas caiu cerca de 80%. As melhorias diminuíram as diferenças étnicas e socioeconômicas que se verificavam, embora as crianças hispânicas e as que vivem em famílias pobres tenham mais cáries (Centers for Disease Control [CDC], 2007b). O uso generalizado de flúor tem sido um fator importante para a diminuição da prevalência e da gravidade da cárie dentária nos Estados Unidos e em outros países economicamente desenvolvidos. Existem estudos de programas comunitários de fluoretação de água que demonstraram redução entre 30 e 50% da cárie dentária na infância, atribuível à fluoretação (CDC, 2001).

As melhorias de saúde bucal das crianças também são atribuídas à utilização de selante dental nas superfícies de mastigação (Brown, Kaste, Selwitz, & Furman, 1996; Rethman, 2000). O uso deste aumentou a partir da década de 1970 a ponto de até 30% das crianças entre 6 e 11 anos terem selantes dentais (National Institute of Dental and Craniofacial Research, 2004). O acesso aos tratamentos dentários adequados é importante para as crianças, pois as doenças bucais não tratadas podem levar a problemas de alimentação, fala e sono (U.S. Department of Health and Human Services, 2001). A American Academy of Pediatric Dentistry recomenda que todas as crianças visitem o dentista no prazo de seis meses depois do nascimento do primeiro dente primário, no máximo, após o primeiro aniversário (American Academy of Pediatric Dentistry, 2002).

## Desenvolvimento cerebral

Há vários avanços cognitivos que ocorrem na terceira infância que podem ser rastreados até as mudanças na estrutura e no funcionamento do cérebro. Em geral, essas mudanças podem ser caracterizadas como resultado do processamento mais rápido e eficiente da informação, à medida que passamos a dispor de maior capacidade para filtrar o que é irrelevante e as distrações (Amso & Casey, 2006). Por exemplo, torna-se mais fácil para as crianças manter a atenção no professor — mesmo que a lição seja entediante — enquanto filtram as palhaçadas que o "palhaço da turma", sentado ao lado, está fazendo.

O estudo da estrutura do cérebro é complexo e depende da interação entre fatores genéticos, epigenéticos e ambientais. A utilização de novas tecnologias permitiu-nos abrir uma janela para esse processo. Por exemplo, uma tecnologia chamada *imagem por ressonância magnética* (MRI) permite aos pesquisadores observar, sem nenhum risco de saúde para a criança que está sendo estudada, a forma como o cérebro muda ao longo do tempo e como essas mudanças podem variar entre crianças (Blakemore & Choudhury, 2006; Kuhn, 2006; Lenroot & Giedd, 2006).

A tecnologia de MRI permite-nos saber, entre outras informações, que o cérebro é composto por uma substância (ou massa) cinzenta e uma substância branca. A substância cinzenta é composta por neurônios compactados no córtex cerebral. A substância branca é composta por células da glia, que proporcionam o suporte para os neurônios, e por axônios mielinizados, que transmitem informações por meio dos neurônios. Esses dois tipos de matéria são necessários para que a cognição seja eficaz.

Uma mudança importante do amadurecimento é a *perda na densidade da substância cinzenta* (Fig. 12.1). Apesar de a possibilidade de "menos" substância cinzenta parecer algo negativo, o resultado é exatamente o contrário. Essa perda reflete a supressão dos dendritos não utilizados. Em outras palavras, as ligações que são usadas permanecem ativas, e as ligações não utilizadas acabam desaparecendo. O resultado é que o cérebro "fica sintonizado" com as experiências da criança.

As alterações no volume de substância cinzenta atingem o valor máximo em momentos distintos nos diferentes lobos. Abaixo do córtex, o volume de massa cinzenta no núcleo caudado — uma parte dos gânglios da base envolvida no controle do movimento, no tônus muscular e na mediação das funções cognitivas superiores, da atenção e dos estados emocionais — atinge o valor máximo aos 7 anos de idade nas meninas e aos 10 anos nos meninos. O volume de substância cinzenta nos lobos parietais, que lidam com a compreensão espacial, e nos lobos frontais, que lidam com funções de ordem superior, atinge o valor máximo aos 11 anos de idade nas meninas e aos 12 anos nos meninos. Aos 16 anos, em ambos os sexos, atinge-se o valor máximo do volume de substância cinzenta nos lobos temporais, que lidam com a linguagem (Lenroot & Giedd, 2006).

A quantidade de substância cinzenta no córtex frontal, que é em grande parte genética, está provavelmente relacionada às diferenças de QI (Thompson et al., 2001; Toga e Thompson, 2005). Algumas pesquisas sugerem, porém, que a chave pode não ser a quantidade de substância cinzenta que a criança tem, mas o padrão de desenvolvimento do córtex pré-frontal. Em crianças de inteligência média, o córtex pré-frontal é relativamente grosso aos 7 anos, atinge o máximo da espessura aproximadamente aos 8 anos, e, então, gradualmente as ligações desnecessárias vão sendo suprimidas (ver Cap. 13).

A perda de densidade da substância cinzenta com a idade é compensada por outra mudança – o *aumento regular da substância branca*. As ligações entre os neurônios engrossam e mielinizam, começando nos lobos frontais e deslocando-se em direção à parte posterior do cérebro.

Entre as idades de 6 e 13 anos, um notável crescimento ocorre nas conexões entre os lobos temporal e parietal. O crescimento da substância branca pode começar a desacelerar apenas na idade adulta (Giedd et al., 1999; Kuhn, 2006; Lenroot & Giedd, 2006; NIMH, 2001b; Paus et al., 1999).

Por fim, o cérebro das crianças também mostra *mudanças na espessura do córtex*. Pesquisadores observaram espessamento cortical entre as idades de 5 e 11 anos em regiões dos lobos temporal e frontal. Ao mesmo tempo, um afinamento ocorre na porção traseira do córtex frontal e do córtex parietal no hemisfério esquerdo do cérebro. Essa mudança está correlacionada com desempenho melhorado na parte de vocabulário de um teste de inteligência (Toga et al., 2006).

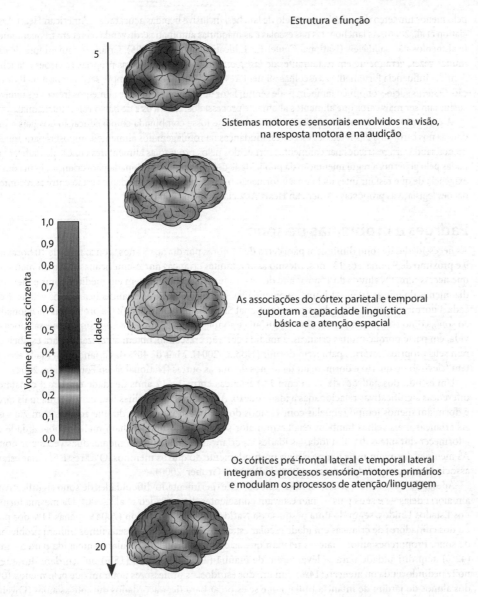

**FIGURA 12.1**
Amadurecimento da substância cinzenta no córtex cerebral, 5 a 20 anos de idade.
*Perdas na densidade da substância cinzenta refletem o amadurecimento de várias regiões do córtex, permitindo um funcionamento mais eficiente.*
Fonte: Gogtay et al., 2004.

**Verificador**
você é capaz de...
- Resumir os padrões de crescimento típicos de meninos e meninas na terceira infância e explicar os motivos das variações?
- Explicar por que a saúde dos dentes permanentes melhorou?
- Resumir as alterações no cérebro durante a infância e discutir seus possíveis efeitos?

# Nutrição e sono

Para suportarem um bom crescimento e exercícios constantes, as crianças em idade escolar necessitam alimentar-se de forma adequada e dormir o suficiente. Infelizmente, muitas delas não fazem nada disso.

## Necessidades nutricionais

Crianças em idade escolar necessitam, em média, de 2.400 calorias diárias – mais calorias para as mais velhas e menos para as mais novas. Os nutricionistas recomendam uma dieta variada que contenha grande quantidade de grãos, frutas, vegetais e elevados níveis de carboidratos complexos, como os encontrados em batatas, massas, pães e cereais.

Para evitar o excesso de peso e prevenir problemas cardíacos, crianças e adultos deveriam obter apenas 30% do total das calorias a partir da gordura, e menos de 10% do total deve ser proveniente de gordura saturada (AAP Committee on Nutrition, 1992; U.S. Department of Agriculture & USDHHS, 2000). Estudos não encontraram efeitos negativos sobre altura, peso, massa corporal ou desenvolvimento neurológico provocados por dieta moderada de baixo teor de gordura nessa idade (Rask-Nissilä et al., 2000; Shea et al., 1993).

À medida que as crianças vão crescendo, as pressões e oportunidades para se alimentarem de forma menos saudável aumentam. Muitas crianças não tomam café da manhã, ou o fazem apressadamente, e obtêm

**Guia de estudo 2**
Quais são as necessidades nutricionais e de sono na terceira infância?

pelo menos um terço das calorias por meio de lanches, inclusive bebidas açucaradas (American Heart Association et al., 2006). As lanchonetes nas escolas e as máquinas automáticas de venda oferecem frequentemente alimentos não saudáveis (National Center for Education Statistics, 2006). Crianças comem fora de casa muitas vezes, geralmente em restaurantes de *fast-food*. Muitas preparam suas próprias refeições e lanches. A mídia influencia fortemente as escolhas alimentares das crianças e nem sempre recomenda a melhor opção. O *status* socioeconômico também pode ser um fator de influência, porque alimentos frescos e saudáveis costumam ser mais caros que alimentos altamente processados, calóricos e de baixo valor nutricional.

A educação nutricional nas escolas poderia ajudar se fosse combinada com a educação dos pais e mudanças nos cardápios das refeições escolares. Mudanças na rotulagem dos alimentos, impostas para aqueles menos saudáveis, restrições para alimentos fornecidos pelos programas alimentares em escolas subvencionadas pelo governo, a regulamentação da publicidade dos alimentos direcionada para crianças, bem como a exigência de que restaurantes incluam a informação nutricional nos seus cardápios estão entre as recomendações legislativas propostas (American Heart Association et al., 2006).

## Padrões e problemas de sono

As necessidades de sono diminuem para cerca de 11 horas por dia aos 5 anos, pouco mais de 10 horas aos 9 e próximo de 9 horas aos 13 anos. Mesmo assim, muitas crianças norte-americanas dormem menos do que necessitam. Os alunos do $1^{\underline{o}}$ ao $5^{\underline{o}}$ ano do ensino fundamental dormem em média 9 horas e meia por dia, menos do que as 10 ou 11 horas recomendadas, e, à medida que as crianças ficam mais velhas, 1 em cada 4 dorme menos nos fins de semana (National Sleep Foundation, 2004). Os problemas relacionados ao sono, como resistência para ir dormir, insônia e sonolência durante o dia, são comuns nessa época da vida, em parte porque muitas crianças, à medida que vão crescendo, obtêm autorização para estabelecerem seus próprios horários para irem dormir (Hoban, 2004). Mais de 40% das crianças em idade escolar têm televisão no quarto e dormem ainda menos do que as outras (National Sleep Foundation, 2004).

Um estudo dos padrões de sono com 140 crianças entre 7 e 12 anos de idade em Israel constatou diferenças significativas relacionadas a idade e sexo. As crianças mais velhas iam para a cama mais tarde e dormiam menos tempo (aquelas com 12 anos dormiam 1 hora menos do que aquelas com 7 anos). As crianças mais velhas também relataram maior preguiça matinal e tinham maior probabilidade de adormecer durante o dia. Em todas as idades, as crianças acordavam, em média, duas vezes por noite. As meninas dormiam mais tempo e mais profundamente do que os meninos. O estresse familiar estava associado a baixa qualidade do sono (Sadeh, Raviv, & Gruber, 2000).

Apesar de 1 em cada 5 crianças, nesse estudo, ter experimentado dificuldades de sono significativas, a maioria delas — e seus pais — não estavam conscientes disso (Sadeh et al., 2000). Da mesma forma, nos Estados Unidos, segundo uma pesquisa da National Sleep Foundation (2004), apenas 11% dos pais ou dos cuidadores de crianças em idade escolar estavam convictos de que seus filhos tinham problemas de sono. Proporções ainda maiores relatam que as crianças protelam regularmente a ida para a cama (42%), têm dificuldade para se levantarem de manhã (29%), ressonam (18%) ou acordam durante a noite pedindo ajuda ou atenção (14%). Em um dos estudos, os professores notaram que pelo menos 10% dos alunos do jardim de infância tinham que se esforçar para ficar acordados durante as aulas (Owens, Spirito, McGuinn, & Nobile, 2000).

Cerca de 1 em cada 5 crianças com menos de 18 anos ressona. A persistência do ressonar, pelo menos três vezes por semana, pode indicar que a criança tem transtornos do sono relacionados à respiração, uma condição que tem sido associada às dificuldades de comportamento e de aprendizagem (Halbower et al., 2006). O tratamento adequado e precoce dessa condição é fundamental para ajudar a criança a atingir o potencial acadêmico (Lamberg, 2007). A apneia obstrutiva do sono (AOS), uma forma grave de trasntornos do sono relacionados à respiração, afeta 1 em cada 20 crianças e está associada a déficits significativos de QI, memória e fluência verbal (Halbower et al., 2006). No entanto, o diagnóstico pode ser difícil, e muitas crianças são diagnosticadas erroneamente com transtorno de déficit de atenção/hiperatividade (TDAH) (Chervin et al., 2006). Uma vez diagnosticadas, muitas crianças com transtornos do sono relacionados à respiração podem passar pela remoção cirúrgica das adenoides e das amígdalas — um tratamento que ajuda a diminuir os déficits neurocomportamentais e melhorar a qualidade de vida (Chervin et al., 2006; Stewart, Glaze, Friedman, Smith, & Bautista, 2005). As crianças que não são candidatas à cirurgia podem se beneficiar da pressão contínua positiva das vias aéreas (PCPV), uma terapia na qual um dispositivo eletrônico mantém as vias aéreas abertas pela pressão do ar entregue por meio de uma máscara nasal (Lamberg, 2007).

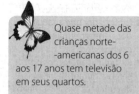

Quase metade das crianças norte-americanas dos 6 aos 17 anos tem televisão em seus quartos.

*Sisson, Broyles, Newton, Baker, & Chernausek, 2011*

**Verificador**
**você é capaz de...**

- Identificar necessidades nutricionais e de sono das crianças em idade escolar e relatar por que é importante satisfazê-las?
- Justificar o fato de muitas crianças não comerem nem dormirem adequadamente?

# Desenvolvimento motor e brincadeiras físicas

As habilidades motoras continuam a melhorar na terceira infância (Quadro 12.2). Por volta dessa idade, contudo, na maioria das sociedades iletradas e em transição, as crianças trabalham, e essa atividade, juntamente com o trabalho doméstico, especialmente no caso das meninas, deixa pouco tempo livre e pouca liberdade às crianças para brincadeiras físicas (Larson & Verma, 1999). Atualmente, nos Estados Unidos, a vida das crianças é mais sedentária. Um levantamento nacionalmente representativo baseado nos diários de uso do tempo verificou que crianças em idade escolar nos Estados Unidos passam menos tempo por semana praticando esportes e outras atividades ao ar livre do que no início da década de 1980 e mais horas na escola e fazendo a lição de casa, além do tempo gasto vendo televisão – em média de 12 a 14 horas por semana – e em atividades de computador, que mal existiam 20 anos atrás (Juster, Ono, & Stafford, 2004).

## Brincadeiras na hora do recreio

As brincadeiras das crianças no recreio tendem a ser informais e organizadas espontaneamente. Os meninos brincam de jogos mais fisicamente ativos, enquanto as meninas preferem jogos que incluem expressão verbal ou contagem em voz alta, como amarelinha e pular corda. Essas atividades durante o recreio promovem o desenvolvimento da agilidade e a competência social e favorecem o ajustamento à escola (Pellegrini, Kato, Blatchford, & Baines, 2002).

Cerca de 10% das brincadeiras livres de crianças em idade escolar nos primeiros anos consistem em **brincadeiras impetuosas**, que envolvem lutas, chutes, quedas e perseguições, com frequência acompanhados por risadas e gritos (Bjorklund & Pellegrini, 2002). Esse tipo de brincadeira pode parecer briga, mas é feito alegremente entre amigos (Smith, 2005a).

O brincar impetuoso atinge o pico na terceira infância; a proporção normalmente cai para cerca de 5% aos 11 anos de idade, aproximadamente o mesmo que na segunda infância (Bjorklund & Pellegrini, 2002). As brincadeiras de luta e impetuosas foram reportadas em lugares tão diversos como a Índia, o México, em Okinawa, no Kalahari (África), nas Filipinas, na Grã-Bretanha e nos Estados Unidos, bem

---

**Guia de estudo 3**

Quais os ganhos típicos nas habilidades motoras nessa idade e de que tipos de brincadeiras físicas participam meninos e meninas?

**brincadeiras impetuosas**
Brincadeira vigorosa envolvendo luta, chute e perseguição, com frequência acompanhada por risadas e gritos.

---

**QUADRO 12.2** Desenvolvimento motor na terceira infância

| Idade | Comportamentos selecionados |
|---|---|
| 6 | As meninas são superiores na precisão de movimentos; os meninos são superiores em ações vigorosas e menos complexas. Conseguem pular. Conseguem arremessar com mudança adequada de peso e passo. |
| 7 | Conseguem equilibrar-se em um pé só sem olhar. |
| | Conseguem equilibrar-se andando em uma barra de 5 centímetros de largura. |
| | Conseguem pular sobre um só pé e saltar com precisão dentro de pequenos quadrados. |
| | Conseguem executar com facilidade qualquer exercício de saltos. |
| 8 | As crianças têm uma força de preensão de aproximadamente 5 quilos. |
| | O número de jogos em que as crianças de ambos os sexos podem participar nessa idade é maior. |
| | As crianças podem executar saltos rítmicos alternados em um padrão de 2-2, 2-3 ou 3-3. |
| | As meninas conseguem arremessar uma bola pequena a aproximadamente 12 metros de distância. |
| 9 | Os meninos podem correr a uma velocidade de 4,9 metros por segundo. |
| | Os meninos conseguem arremessar uma bola pequena a aproximadamente 21,3 metros de distância. |
| 10 | As crianças conseguem calcular e interceptar o trajeto de pequenas bolas arremessadas de longe. |
| | As meninas conseguem correr 5,2 metros por segundo. |
| 11 | Os meninos conseguem saltar a uma distância de 1,5 metro, e as meninas, de 1,2 metro. |

*Fonte:* Bryant J. Cratty, *Perceptual and Motor Development in Infants and Children,* 3rd ed., Pearson Education, Inc., Upper Saddle River, NJ, 1986.

*De acordo com um levantamento nacionalmente representativo nos Estados Unidos, cerca de 40% dos alunos entre 9 e 13 anos participam de esportes organizados fora dos horários da escola, como o futebol. Para ajudar as crianças a intensificarem as atividades físicas, esses programas deveriam enfatizar a formação de habilidades, em vez da competição, e deveriam incluir o maior número possível de crianças, independentemente da capacidade de cada uma.*

como entre a maior parte dos mamíferos (Bjorklund & Pellegrini, 2002; Humphreys & Smith, 1984). Meninos em todo o mundo participam dessas brincadeiras mais do que as meninas, talvez devido a diferenças hormonais e à socialização, e esta pode ser a razão para a segregação de sexo durante brincadeiras (Bjorklund & Pellegrini, 2002; Pellegrini et al., 2002; Smith, 2005a). De um ponto de vista evolucionista, as brincadeiras impetuosas têm benefícios adaptativos importantes: elas afiam o desenvolvimento esquelético e muscular, oferecem uma prática segura para as habilidades de perseguição e luta e canalizam a agressividade e a competitividade. Aos 11 anos, elas frequentemente se tornam uma forma de assumir uma posição de domínio dentro do grupo de iguais (Bjorklund & Pellegrini, 2000, 2002; Smith, 2005b).

### Esportes organizados

Depois que as crianças passam da fase das brincadeiras impetuosas e começam a realizar jogos com regras, algumas aderem aos esportes organizados, liderados por adultos. Em um levantamento nacionalmente representativo de crianças norte-americanas de 9 a 13 anos e seus pais, 38,5% relataram participação em esportes organizados fora dos horários de escola – a maioria em voleibol, handebol, futebol ou basquete. Aproximadamente duas vezes mais crianças (77,4%) participavam de atividade física não organizada, como ciclismo e arremessos de basquete (Duke, Huhman, & Heitzler, 2003). As meninas tendem a dedicar menos tempo do que os meninos aos esportes e mais tempo aos trabalhos de casa, aos estudos e aos cuidados pessoais (Juster et al., 2004).

Além de melhorar as habilidades motoras, a atividade física regular tem benefícios imediatos e de longo prazo para a saúde: controle do peso, pressão arterial mais baixa, melhor funcionamento cardiovascular e autoestima e bem-estar aumentados. Crianças ativas tendem a tornar-se adultos ativos. Crianças inativas que passam muitas horas assistindo à televisão são propensas a estar com sobrepeso. É provável que façam pouco exercício e comam muitos lanches gordurosos. Portanto, os programas esportivos organizados devem incluir o maior número possível de crianças e devem concentrar-se mais em desenvolver habilidades do que em vencer jogos. Os programas deveriam incluir uma variedade de esportes que façam parte de um programa vitalício para a boa forma física, como tênis, corrida, natação, golfe e *skate* (Council on Sports Medicine and Fitness and Council on School Health, 2006). Crianças entre 6 e 9 anos de idade necessitam de regras mais flexíveis, passar menos tempo na escola e ter mais tempo livre para praticar do que as crianças mais velhas. Nessa idade, meninos e meninas têm peso, altura, resistência e capacidade motora semelhantes. As crianças mais velhas estão mais aptas a assimilar a instrução e a aprender estratégias de equipe.

**Verificador**
**você é capaz de...**
■ Dizer as diferenças entre as atividades de meninas e meninos durante o recreio?
■ Explicar o significado evolucionista da brincadeira impetuosa?

## Guia de estudo 4

Quais são as principais preocupações relacionadas à saúde e à segurança na terceira infância?

## Saúde e segurança

O desenvolvimento de vacinas para as principais doenças da infância tornou a terceira infância um tempo de vida relativamente seguro na maior parte do mundo. A taxa de mortalidade nesses anos é a mais baixa no tempo de vida. Contudo, muitas crianças estão acima do peso, e algumas sofrem de condições médicas crônicas, ferimentos acidentais ou de falta de acesso a tratamento de saúde.

### Obesidade e imagem corporal

A obesidade em crianças tem sido uma questão de saúde importante no mundo todo. A prevalência de sobrepeso e obesidade infantis mais do que duplicou nos últimos 25 anos. Quase 50% das crianças nas Américas do Norte e do Sul, 39% na Europa e 20% na China são propensas a ter sobrepeso (Wang & Lobstein, 2006).

Nos Estados Unidos, cerca de 17% das crianças entre 2 e 19 anos de idade são obesas, e outros 16,5% estão acima do peso (Gundersen, Lohman, Garasky, Stewart, & Eisenmann, 2008). Os meninos têm maior probabilidade de estar acima do peso do que as meninas (Ogden et al., 2006). Embora o sobrepeso tenha aumentado em todos os grupos étnicos (Center for Weight and Health, 2001), ele é mais prevalente entre meninos mexicano-americanos (mais de 25%) e meninas negras não hispânicas (26,5%) (Ogden et al., 2006).

Infelizmente, as crianças que tentam perder peso nem sempre são aquelas que precisam. A preocupação com a **imagem corporal** – como a pessoa acredita que parece – torna-se importante na terceira infância, especialmente para as meninas, e pode evoluir para transtornos alimentares na adolescência (ver Cap. 15). Em um estudo recente sobre o desenvolvimento da imagem corporal em meninas de 9 a 12 anos, entre 49 e 55% estavam insatisfeitas com seu peso, com as meninas mais pesadas experimentando insatisfação geral mais alta (Clark & Tiggeman, 2008). Brincar com bonecas fisicamente irreais, como a Barbie, pode ser uma influência nessa direção, como discutimos no Box 12.1.

**imagem corporal**
Crenças descritivas e avaliativas sobre a própria aparência.

**Causas de obesidade**   Como relatamos nos Capítulos 3 e 9, a obesidade frequentemente resulta de uma tendência hereditária agravada por pouco exercício e alimentação excessiva ou tipos errados de alimentos (AAP Committee on Nutrition, 2003; Chen et al., 2004). As crianças têm maior probabilidade de estar acima do peso se tiverem pais ou outros parentes acima do peso. No início deste capítulo, vimos que a nutrição pobre incentivada pela mídia e pela ampla disponibilidade de alimentos e bebidas artificiais também contribui para a obesidade (Council on Sports Medicine and Fitness and Council on School Health, 2006). Comer fora é outro culpado; estima-se que crianças que comem fora de casa consumam 200 calorias a mais por dia do que quando os mesmos alimentos são consumidos em casa (French, Story, & Jeffery, 2001). Em um dia típico, mais de 30% de uma amostra nacionalmente representativa de crianças e adolescentes relatou consumir lanches com altos níveis de gordura, carboidrato, açúcar e aditivos (Bowman, Gortmaker, Ebbeling, Pereira, & Ludwig, 2004).

O que contêm as lancheiras das crianças?
A composição típica é 1 sanduíche, 1 porção de fruta e 1,5 "extra". O número de extras, que provavelmente são alimentos processados e de baixo valor nutritivo, atinge seu pico nas quartas-feiras.

*Miles, Matthews, Brennan, & Mitchell, 2010*

A inatividade é um fator importante no aumento acentuado no sobrepeso. Mesmo com o aumento de esportes organizados, as crianças em idade escolar hoje passam menos tempo do que as crianças de 20 anos atrás brincando e praticando esportes ao ar livre (Juster et al., 2004). Os níveis de atividade diminuem significativamente quando as crianças ficam mais velhas, de um nível médio de cerca de 180 minutos de atividade por dia, para crianças de 9 anos, para 40 minutos por dia, para adolescentes de 15 anos (Nader, Bradley, Houts, McRitchie, & O'Brien, 2008). De acordo com uma pesquisa nacional, 22,6% das crianças entre 9 e 13 anos *não* praticam nenhuma atividade física no tempo livre (Duke, Huhman, & Heitzler, 2003). Meninas pré-adolescentes oriundas de minorias étnicas, crianças com deficiências, crianças que vivem em habitações públicas e crianças de bairros com problemas de segurança, onde faltam instalações para os exercícios ao ar livre, são mais suscetíveis a serem sedentárias (Council on Sports Medicine and Fitness and Council on School Health, 2006).

A inatividade física e os comportamentos sedentários variam entre as crianças de grupos étnicos diferentes. Em um estudo recente, mais de 22% das crianças hispânicas imigrantes foram identificadas como fisicamente inativas em comparação com 9,5% das crianças brancas. Em geral, os filhos de imigrantes eram significativamente mais propensos a ser fisicamente inativos e menos propensos a praticar esportes do que as crianças nativas (Singh, Yu, Siahpush, & Kogan, 2008).

Assistir à televisão parece ser um indicador importante de alguns estilos de comportamento, prováveis de promover a inatividade e a obesidade ao longo do tempo. Crianças que passam muito tempo assistindo à televisão preenchem grande parte do tempo livre com essa atividade sedentária. Estão expostas à publicidade que as incentiva a comer alimentos pouco saudáveis e tendem a "beliscar" esse tipo de alimento enquanto estão assistindo à televisão. Como resultado, as crianças que assistem a cinco horas de televisão por dia têm 4,6 vezes mais probabilidade de sofrer de sobrepeso do que aquelas que não assistem mais de duas horas diárias (Institute of Medicine of the National Academies, 2005).

**A obesidade infantil é uma preocupação grave**   Os efeitos adversos da obesidade para a saúde das crianças são semelhantes aos enfrentados por adultos. Essas crianças estão em risco de ter problemas de comportamento, depressão e autoestima baixa (AAP Committee on Nutrition, 2003; Datar & Sturm, 2004a; Mustillo et al., 2003). Elas comumente têm problemas médicos, inclusive pressão arterial alta (discutida na próxima seção), colesterol alto e níveis de insulina altos (AAP Committee on Nutrition, 2003; NCHS, 2004). O diabetes infantil, discutido posteriormente neste capítulo, é um dos principais

# O mundo social

## 12.1 AS BONECAS BARBIE AFETAM A IMAGEM CORPORAL DAS MENINAS?

"Eu vi uma boneca Barbie quando tinha 6 anos e disse: 'É assim que eu quero ser'", declarou a modelo Cindy Jackson, em uma transmissão da CBS News. "Eu acho que várias meninas com 6 anos ou ainda mais novas olham para aquela boneca e pensam: 'Eu quero ser como ela'". Foi preciso 31 cirurgias, 14 anos e 100 mil dólares, mas a obsessão de Cindy com a Barbie fez ela e seu aspecto serem mencionados no *Guinness Book*, o livro de recordes mundiais.

A Barbie é a boneca *fashion* mais vendida em todo o mundo. Nos Estados Unidos, 99% das meninas entre 3 e 10 anos de idade têm pelo menos uma dessas bonecas, e a média é de 8 bonecas por menina. Apesar de ser vendida com a imagem de "menina comum", a Barbie está longe da média. Suas proporções corporais são "irreais, irrealizáveis e doentias" (Dittmar, Halliwell, & Ive, 2006, p. 284). "Se fosse uma pessoa real, a Barbie seria uma mulher com 2,13 m de altura, cintura de 45 cm e busto de 96 a 100 cm", escreve a psicoterapeuta Abigail Natenshon (2006), especialista em transtornos alimentares. Na verdade, a cintura da Barbie, em comparação com o tamanho do busto, é 39% *menor* do que a de uma mulher com anorexia (ver Cap. 15). Menos de 1 em 100 mil mulheres tem realmente as proporções do corpo da Barbie.

De acordo com a teoria social cognitiva de Bandura, as bonecas Barbie são um modelo para as meninas porque transmitem um ideal cultural de beleza. A mídia reforça esse ideal. As meninas que não estejam próximo desses parâmetros podem ficar *insatisfeitas com seus corpos* — ter pensamentos negativos sobre seus corpos que as conduzem à baixa autoestima.

Para testar o efeito da Barbie sobre a imagem corporal das meninas, pesquisadores leram livros de figuras para meninas de 5 anos e meio a 8 anos e meio. Um grupo viu histórias de figuras sobre a Barbie; os grupos-controle viram histórias sobre uma boneca da moda chamada Emme ou sobre nenhuma boneca (Dittmar et al., 2006). Em seguida, as meninas completaram questionários nos quais era perguntado se elas concordavam ou discordavam de afirmações como "Eu estou muito feliz com a minha aparência" e "Eu realmente gosto do meu peso".

Os achados foram surpreendentes. Entre as meninas mais novas (5 anos e meio a 6 anos e meio), uma única exposição ao livro de figuras da Barbie diminuiu significativamente a autoestima e aumentou a discrepância entre o tamanho corporal real e ideal.

Isso não aconteceu com as meninas nos dois grupos-controle. O efeito da Barbie sobre a imagem corporal foi ainda mais forte em meninas de 6 anos e meio a 7 anos e meio. Entretanto, os achados para o grupo mais velho, de 7 anos e meio a 8 anos e meio, foram completamente diferentes: as figuras da Barbie não tiveram efeito direto sobre a imagem corporal nessa idade.

O que explica essa diferença? Meninas de até 7 anos podem estar em um período sensível no qual elas adquirem imagens de beleza idealizadas. À medida que crescem, as meninas podem internalizar o ideal de magreza como parte de sua identidade em formação. Uma vez internalizado esse ideal, sua força não depende mais de exposição direta ao modelo de papel original (Dittmar et al., 2006).

Ou pode ser que as meninas simplesmente superem o efeito da Barbie. Em outro estudo (Kuther & McDonald, 2004), meninas do $6^{\circ}$ ao $8^{\circ}$ ano foram indagadas sobre suas experiências da infância com a Barbie. Todas elas tiveram pelo menos duas bonecas Barbie, mas disseram que não brincavam mais com elas. Olhando para trás, algumas das meninas consideravam a Barbie uma influência positiva: "Ela é a pessoa perfeita... que todo mundo quer ser igual". Mas a maioria das meninas via a Barbie como um modelo de papel irreal: "As bonecas Barbie fornecem um estereótipo falso... pois é fisicamente impossível alcançar o mesmo tamanho corporal... Não haveria lugar suficiente para os órgãos e outras coisas necessárias... A Barbie tem esse corpo perfeito, e agora todas as meninas estão tentando ter seu corpo porque elas são muito infelizes com elas mesmas".

Agora, a Barbie tem uma concorrente importante: Bratz, uma boneca ultramagra com um grande rosto redondo, boca atrevida e maquiagem pesada. A pesquisa longitudinal ajudará a determinar se as bonecas da moda como a Barbie têm um impacto duradouro sobre a imagem corporal.

**Qual a sua opinião?** Se você tivesse (ou tem) uma filha pequena, você a encorajaria a brincar com as bonecas Barbie? Por quê?

---

resultados da elevação das taxas de obesidade (Perrin, Finkle, & Benjamin, 2007). Crianças acima do peso com frequência sofrem emocionalmente e podem compensar entregando-se à comida, tornando seus problemas físicos e sociais ainda piores.

Crianças que estão acima do peso tendem a tornar-se adultos obesos, com risco de hipertensão, doença cardíaca, problemas ortopédicos, diabetes e outros problemas no futuro. De fato, a obesidade na infância pode ser um prognosticador mais forte de algumas doenças do que a obesidade do adulto (AAP Committee on Nutrition, 2003; AAP, 2004; Center for Weight and Health, 2001; Li et al., 2004; Must, Jacques, Dallal, Bajema, & Dietz, 1992). Por volta dos 50 anos de idade, a obesidade que se inicia na infância pode diminuir a expectativa de vida em 2 a 5 anos (Franks et al., 2010; Ludwig, 2007).

Em um estudo longitudinal com 1.456 estudantes do ensino fundamental em Victoria, Austrália, as crianças classificadas como acima do peso ou obesas estavam atrasadas em relação a seus colegas em funcionamento físico e social aos 10 anos de idade (Williams, Wake, Hesketh, Maher, & Waters, 2005). Quando foi solicitado a 106 crianças extremamente obesas que classificasse sua qualidade de vida em relação a sua saúde (p. ex., capacidade de andar a pé mais do que um quarteirão, dormir bem, acompanhar os outros e continuar na escola) elas relataram incapacidade significativa quando comparadas com seus pares (Schwimmer, Burwinkle, & Varni, 2003).

**Prevenção e tratamento do excesso de peso** Atitudes alimentares saudáveis e níveis de atividade apropriados são a melhor forma de prevenir e tratar a obesidade infantil. Prevenir o ganho de peso é mais fácil, menos dispendioso e mais eficaz do que tratar a obesidade (Center for Weight and Health, 2001; Council on Sports Medicine and Fitness and Council on School Health, 2006). Os programas efetivos de gestão de peso deveriam incluir esforços mais amplos dos pais, das escolas, dos médicos, das comunidades e da cultura (Krishnamoorthy, Hart, & Jelalian, 2006; Quadro 12.3). Menos tempo na frente da televisão e do computador, mudanças nos rótulos e no formato publicitário de alimentos, refeições escolares mais saudáveis, uma educação que ajude as crianças a fazerem melhores escolhas de alimentos e mais tempo passado na educação física e em exercícios informais com a família e os amigos, tais como caminhadas e esportes não organizados, ajudariam. As escolas que servem alimentos mais saudáveis e oferecem educação nutricional reduziram em 50% o número de crianças com excesso de peso (Foster et al., 2008). O Departamento de Agricultura dos Estados Unidos sugere que as crianças precisam de, pelo menos, 60 minutos de atividade física de moderada a vigorosa por dia (USDA & USDHHS, 2005). No entanto, as escolas, em média, atribuem apenas de 85 a 98 minutos por semana às aulas de educação física (National Center for Education Statistics, 2006). Se for aumentada apenas uma hora de educação física por semana no jardim de infância e no 1º ano, pode-se reduzir metade do número de meninas com excesso de peso nessa idade (Datar & Sturm, 2004b).

Os pais podem encorajar hábitos saudáveis transformando o exercício físico em uma atividade familiar e limitando o tempo de televisão. Devem vigiar os padrões de refeições e atividade das crianças e ficar atentos ao ganho de peso excessivo antes de a criança ficar gravemente obesa (AAP Committee on Nutrition, 2003). Nos Estados Unidos, uma lei federal de 2004 (Lei Pública 108-265) exige que todas as escolas que recebem verbas federais para lanches escolares devem estabelecer objetivos para nutrição saudável, atividades físicas e promoção do bem-estar, com ênfase na prevenção da obesidade infantil.

O tratamento de sobrepeso deve começar cedo, envolver a família e promover mudanças permanentes no estilo de vida, e não apenas a perda de peso (Barlow & Dietz, 1998; Miller-Kovach, 2003).

## Condições médicas

A doença na terceira infância tende a ser breve. São comuns **doenças agudas**, ocasionais ou de curta duração, como as infecções. Seis ou sete vezes por ano é normal a criança pegar resfriados, gripes ou viroses, porque os germes passam de uma criança para outra na escola ou durante as brincadeiras (Behrman, 1992).

De acordo com um levantamento nacionalmente representativo de mais de 200 mil famílias, estima-se que 12,8% das crianças norte-americanas tenham ou corram risco de ter **doenças crônicas**: condições físicas, comportamentais, emocionais ou do desenvolvimento, de longa duração ou recorrentes, que requerem cuidados específicos de saúde (Kogan, Newacheck, Honberg, & Strickland, 2005). Vejamos algumas doenças crônicas que afetam a vida diária.

**Asma** A **asma** é uma doença respiratória crônica, aparentemente de base alérgica e caracterizada por repentinos acessos de tosse, que provoca chiado e dificuldade para respirar. Sua incidência está aumentando no mundo todo (Asher et al., 2006), embora possa ter-se estabilizado em algumas partes do mundo ocidental (Eder, Ege, & von Mutius, 2006). Sua prevalência nos Estados Unidos mais que duplicou entre 1980 e 1995 e, desde então, tem permanecido nesse nível historicamente alto (Akinbami, 2006). Mais de 13% das crianças e adolescentes norte-americanos até os 17 anos foram diagnosticados com asma em algum momento, e 9% atualmente têm a doença (Federal Interagency Forum on Child

*Crianças que passam muitas horas na frente da televisão tendem a fazer pouco exercício e a comer muitos alimentos gordurosos.*

A ingestão de calorias por meio de lanches em vez de refeições é cada vez mais comum nas crianças nos dias atuais. Em média, a criança faz lanches aproximadamente três vezes por dia e consome 600 calorias por dia nessas pequenas refeições.

*Piernas & Popkin, 2010*

Os biscoitos favoritos do Come-Come (personagem de *Vila Sésamo*) são os de chocolate, seguidos dos de aveia, e ele é alérgico a biscoitos de manteiga de amendoim. Entretanto, desde 2006, ele admite que é melhor usar biscoitos como "lanches ocasionais".

**doenças agudas**
Doenças que duram pouco tempo.

**doenças crônicas**
Doenças ou debilitações comportamentais e/ou emocionais, de longa duração ou recorrentes, que requerem cuidados de saúde especiais.

**asma**
Doença respiratória crônica, caracterizada por ataques repentinos de tosse, chiados e dificuldade para respirar.

**322** **PARTE V** • Terceira infância

---

### QUADRO 12.3 Estratégia coordenada para acabar com a "epidemia do sobrepeso"

*O que os pais podem fazer:*

► Certificar-se de que os filhos consomem alimentos saudáveis e têm tempo suficiente para brincar ao ar livre
► Limitar as escolhas alimentares
► Limitar o tempo de televisão e jogos de computador a duas horas por dia e monitorar o que os filhos veem na televisão
► Fornecer modelos saudáveis de exemplos a seguir

*O que as escolas podem fazer:*

► Desenvolver políticas escolares de bem-estar em parceria com os responsáveis locais da escola, pais, alunos, professores de educação física e profissionais da área de saúde
► Fornecer alimentos mais saudáveis nas lancherias, nos refeitórios das escolas e nas máquinas automáticas
► Certificar-se de que todos os alunos passam, pelo menos, 30 minutos por dia em atividade física de moderada a intensa
► Eliminar a publicidade de alimentos de baixo teor nutricional em transportes escolares, painéis publicitários e esportivos e em festas da escola

*O que a indústria pode fazer:*

► Oferecer aos funcionários assistência médica que inclua cobertura preventiva
► Desenvolver produtos saudáveis que sejam atrativos para as crianças
► Oferecer incentivos para a alimentação saudável
► Usar a publicidade destinada às crianças para promover produtos saudáveis

*O que os profissionais da área de saúde podem fazer:*

► Identificar e monitorar crianças e adolescentes com risco de obesidade devido a fatores genéticos e ambientais
► Calcular anualmente o índice de massa corporal de crianças e adolescentes e comunicar aos especialistas em controle de peso as crianças que sofrem de sobrepeso ou estão em situação de risco
► Estimular os pais e os cuidadores a proporcionarem uma alimentação saudável oferecendo lanches nutritivos, deixando as crianças comerem o que querem dentro dos limites apropriados, além de escolherem sempre alimentos saudáveis
► Promover atividades físicas, incluindo tempo livre de brincadeira
► Recomendar o tempo máximo de duas horas por dia em frente à televisão
► Informar os pais sobre a nutrição apropriada e aconselhar as famílias a adotarem estilos de vida mais saudáveis

*O que as comunidades podem fazer:*

► Oferecer programas de recreação extracurriculares enfatizando a atividade física, além de aulas de culinária, nutrição, saúde e condicionamento físico
► Estimular o desenvolvimento de uma vizinhança saudável com lojas e mercearias que estejam localizadas perto dos estabelecimentos de ensino

*O que as autoridades federais, estaduais e locais podem fazer:*

► Atribuir à Secretaria de Agricultura autoridade sobre todos os alimentos disponíveis nas escolas — nas máquinas automáticas e nos programas extracurriculares, bem como nos refeitórios
► Publicar diretrizes nutricionais para todos os alimentos e bebidas vendidos nas escolas
► Atribuir ao órgão governamental competência para estabelecer diretrizes para publicidade de alimentos do tipo *junk food* destinados às crianças
► Patrocinar campanhas na mídia para promover nutrição saudável e atividade física
► Apoiar programas comunitários que favoreçam ambientes ativos — por exemplo, vias dedicadas a bicicletas e pedestres
► Taxar refrigerantes e lanches artificiais e subsidiar parcialmente o custo de frutas e vegetais frescos

*Fonte: Krishnamoorthy, Hart, & Jelalian, 2006.*

---

and Family Statistics, 2007). Ela tem probabilidade 30% maior de ser diagnosticada em meninos do que em meninas e probabilidade 20% maior de ser diagnosticada em crianças negras do que em crianças brancas (McDaniel, Paxson, & Waldfogel, 2006).

As causas da explosão da asma são incertas, mas uma predisposição genética provavelmente está envolvida (Eder et. al., 2006). Os pesquisadores identificaram uma mutação genética que aumenta o risco de desenvolver asma (Ober et al., 2008). Alguns pesquisadores apontam fatores ambientais: casas muito fechadas que intensificam a exposição interna a poluentes e alérgenos como fumaça de cigarro, ácaros e excrementos de barata. As alergias a animais domésticos também têm sido sugeridas como fatores de risco (Bollinger, 2003; Etzel, 2003; Lanphear, Aligne, Auinger, Weizman, & Byrd, 2001; Sly, 2000). Entretanto, os achados relativos a essas possíveis causas, exceto por exposição à fumaça de cigarro, são inconclusivos. Cada vez mais as evidências indicam associação entre obesidade e asma, talvez devido a um fator de estilo de vida subjacente relacionado a ambas as condições (Eder et al., 2006).

**Diabetes** O **diabetes** é uma das doenças mais comuns em crianças de idade escolar. Mais de 185 mil crianças nos Estados Unidos têm diabetes (National Diabetes Information Clearinghouse [NDIC], 2007). O diabetes é caracterizado por altos níveis de glicose no sangue como resultado de produção deficiente de insulina, ação ineficaz da insulina, ou ambos. O diabetes tipo 1 é resultado de uma deficiência de insulina que ocorre quando as células produtoras desse hormônio no pâncreas são destruídas. Esse tipo responde por 5 a 10% de todos os casos de diabetes e por quase todos os casos da doença em crianças com menos de 10 anos de idade. Os sintomas incluem sede e urinação aumentadas, fome, perda de peso, visão borrada e fadiga. O tratamento inclui administração de insulina, manejo da nutrição e atividade física (National Diabetes Education Program, 2008).

O diabetes tipo 2 é caracterizado por resistência à insulina e costuma ser encontrado em adultos acima do peso e mais velhos. Com o aumento da obesidade infantil, cada vez mais crianças estão sendo diagnosticadas com essa forma de diabetes. A cada ano, cerca de 3.700 crianças são diagnosticadas com diabetes tipo 2, e as estatísticas mostram incidência aumentada da doença entre afro-americanos, indo-americanos e latino-americanos. Os sintomas são semelhantes aos do diabetes tipo 1 (Zylke & DeAngelis, 2007). O manejo da nutrição e o aumento da atividade física podem ser tratamentos eficazes, embora medicamentos para baixar a glicose ou insulina possam ser necessários para casos resistentes.

**Hipertensão na infância** Antigamente, a **hipertensão** (pressão arterial alta) era relativamente rara na infância, mas passou a ser denominada como "epidemia em evolução" do risco cardiovascular, especialmente entre as minorias étnicas (Sorof, Lai, Turner, Poffenbarger, & Portman, 2004, p. 481). Uma pesquisa com 5.102 crianças, entre 10 e 19 anos de idade, de oito escolas públicas em Houston, Estados Unidos, constatou que aproximadamente 4,5% delas sofriam de hipertensão, e a principal causa era o sobrepeso (Sorof et al., 2004).

A perda de peso por meio de modificações na dieta e a atividade física regular são as providências primárias para o controle da hipertensão resultante do sobrepeso. Se a pressão arterial não diminuir, poderá ser considerado tratamento farmacológico. Contudo, a prescrição desses remédios deve ser cuidadosa porque os efeitos de longo prazo nas crianças são desconhecidos — assim como os efeitos de longo prazo da hipertensão infantil não tratada (National High Blood Pressure Education Program Working Group on High Blood Pressure in Children and Adolescents, 2004).

**Gagueira** A **gagueira** é a repetição ou o prolongamento involuntário audível ou silencioso de sons ou sílabas. Normalmente, começa entre 2 e 5 anos de idade (Büchel & Sommer, 2004). Cinco por cento das crianças gaguejam durante um período de seis meses ou mais, mas três quartos delas se recuperam perto do fim da infância, restando cerca de 1% com esse problema no longo prazo (Stuttering Foundation, 2006).

Atualmente, a gagueira é considerada uma condição neurológica. Algumas vezes resulta de dano cerebral (p. ex., traumatismo craniano ou acidente vascular cerebral). O tipo mais comum, a *gagueira persistente do desenvolvimento* (GPD), é perceptível especialmente no início de uma palavra ou frase ou em sentenças longas e complexas. O índice de concordância é de aproximadamente 70% em gêmeos monozigóticos, 30% em gêmeos dizigóticos e 18% em irmãos do mesmo sexo, o que sugere um componente genético (Kang et al., 2010). É provável também que dois fatores atuem na GPD. A causa básica pode ser um distúrbio estrutural ou funcional do sistema nervoso central. O problema pode ser reforçado pelas reações dos pais à gagueira, deixando a criança nervosa ou ansiosa em relação à fala (Büchel & Sommer, 2004).

Não existe cura conhecida para gagueira, mas o tratamento fonoaudiológico da fala pode ajudar a criança a falar de uma forma mais fácil e fluente (Stuttering Foundation, 2006). Se os gagos ficarem frustrados ou ansiosos em relação à fala, é possível que evitem falar o máximo possível. Em contrapartida, o ator Bruce Willis tratou a si mesmo quando se matriculou em um grupo de teatro que o forçava a falar em frente a uma audiência (Büchel & Sommer, 2004). Muitas outras pessoas famosas, inclusive a atriz Julia Roberts e o ator James Earl Jones, conquistaram o sucesso, apesar de sofrerem de GPD.

---

**Verificador**
*você é capaz de...*

- Discutir por que o sobrepeso na infância aumentou, como pode afetar a saúde e como pode ser tratado?

**diabetes**
Uma das doenças mais comuns da infância. É caracterizada por altos níveis de glicose no sangue como resultado de produção deficiente de insulina, ação ineficaz da insulina ou ambos.

**Qual a sua opinião?**

Em 2011, São Francisco proibiu a inclusão de brinquedos nas refeições de *fast-food* como forma de combater a epidemia de obesidade. Você acha bom legislar sobre essas práticas que visam à melhoria da saúde pública ou acredita que se trata de intrusão na liberdade pessoal de escolha? O que é mais importante?

**hipertensão**
Pressão arterial alta.

**gagueira**
Repetição ou prolongamento involuntário e frequente de sons e sílabas.

Embora não seja um problema nos Estados Unidos e na maioria das nações industrializadas, crianças em países tropicais correm o risco de contrair doenças que causam letargia e problemas de atenção. A causa? Parasitas tropicais como ancilostomose e esquistossomose.

*Out of sight, out of mind: hidden cost of neglected tropical diseases, 2010*

## Fatores de saúde e acesso à assistência médica

O desamparo social desempenha um importante papel na saúde das crianças. Aquelas que são pobres — desproporcionalmente, crianças que pertencem a minorias — e aquelas que vivem apenas com só um dos pais ou com pais de baixo nível educacional têm maior probabilidade do que outras de ter saúde frágil ou escassa e doenças crônicas ou limitações em atividades relacionadas à saúde, de faltar na escola devido a doenças ou ferimentos, de ser hospitalizadas, de ter necessidades médicas e odontológicas não atendidas e de receber assistência médica tardia (Bauman, Silver, & Stein, 2006; Bloom et al., 2003; Collins & LeClere, 1997; Flores et al., 2002; Newacheck et al., 1998). A probabilidade de problemas de saúde multiplica-se quando estão presentes mais de um desses fatores de risco.

Por que isso acontece? Pais com nível socioeconômico e educacional mais elevado tendem a conhecer melhor os hábitos para uma boa saúde e têm melhor acesso a seguros e assistência médica. Famílias com ambos os pais costumam ter rendas maiores e dietas mais saudáveis do que famílias com apenas pai ou mãe (Collins & LeClere, 1997), e seus filhos têm maior probabilidade de ter seguro-saúde (Fields, 2003). Crianças em famílias de baixa renda e de minorias raciais ou étnicas têm mais probabilidade do que outras crianças de não ter seguro-saúde, de não ter um lugar habitual para assistência médica ou de ir para salas de emergência de clínicas ou hospitais, em vez de consultórios médicos (Bloom et al., 2003).

O acesso à assistência médica é um problema grave entre crianças latinas, especialmente as que são pobres ou quase pobres e as que têm pais estrangeiros com educação inferior à do ensino médio (Scott & Ni, 2004).

Contudo, a falta de acesso ao seguro-saúde e à assistência médica é apenas um fator para a disparidade no desamparo à saúde infantil (Bauman et al., 2006). Crianças ásio-americanas, que tendem a gozar de melhor saúde do que crianças brancas não hispânicas, têm menos probabilidade de acessar a assistência médica, talvez por causa de barreiras culturais e linguísticas (Yu, Huang, & Singh, 2004). Na verdade, um fator nas variações sobre a assistência médica são as diferentes crenças e atitudes a respeito de saúde e de cura em grupos culturais e étnicos, como discutimos no Box 12.2.

## Ferimentos acidentais

Como na segunda infância, os ferimentos acidentais são as causas mais frequentes de morte entre crianças de idade escolar nos Estados Unidos (Heron et al., 2009). Em 2004, quase 950 mil crianças com menos de 18 anos de idade no mundo todo morreram de algum tipo de ferimento, a maioria resultado de acidentes de trânsito, afogamento ou queimaduras (WHO, 2008; Fig.12.2).

Encorajar ou exigir a utilização de dispositivos de segurança tem diminuído o número total de acidentes. As cadeiras para crianças, os cintos de segurança e os capacetes reduziram significativamente o número de acidentes nas estradas; os alarmes de incêndio e os regulamentos relacionados com a distribuição de águas quentes reduziram o número de queimaduras (WHO, 2008).

Uma das razões para alguns acidentes é a imaturidade das crianças, tanto cognitiva (que as impede de ter consciência de alguns perigos) como emocional (que as leva a correr riscos perigosos). Discutiremos o desenvolvimento cognitivo na terceira infância no Capítulo 13, e o desenvolvimento emocional e social, no Capítulo 14.

> Aproximadamente metade dos afogamentos de crianças acontece a uma distância de 25 metros de um adulto. Em parte isso acontece porque o afogamento não se parece com o que vemos nos filmes. Uma criança que está se afogando não grita por socorro ou se debate na água. Os sinais que devem ser observados são: cabeça dentro da água, talvez inclinada para trás com os cabelos cobrindo os olhos, silêncio, olhos vidrados ou fechados, boca ao nível da água ou ligeiramente abaixo e tentativas ineficazes de virar-se ou nadar.
>
> *Vittone, 2010*

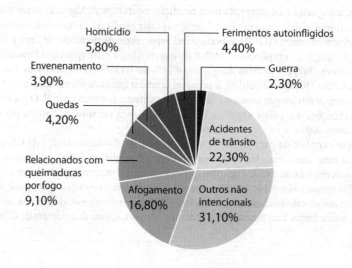

**FIGURA 12.2**
Morte acidental de crianças com menos de 18 anos.
*Acidentes de trânsito, afogamentos e queimaduras são as causas mais comuns de mortes acidentais entre crianças com menos de 18 anos de idade.*

*Fonte:* World Health Organization, 2008.

# Pelo mundo

## COMO AS ATITUDES CULTURAIS AFETAM O CUIDADO COM A SAÚDE

Certa manhã, Buddi Kumar Rai, um morador com nível universitário de Badel, uma remota aldeia montanhosa no Nepal, levou sua filha de 2 anos e meio, Kusum, ao xamã, o curandeiro local. A pequena face de Kusum estava sombria, sua tez normalmente dourada estava pálida e seus olhos amendoados abatidos devido à infecção das vias respiratórias superiores, que, com febre e uma tosse seca, estavam fazendo muito mal a ela.

Dois dias antes, Kusum estava nos braços de seu pai quando este escorregou e caiu para trás de uma varanda com quase 1 metro de altura; porém, fortemente agarrado a sua filhinha, ninguém se machucou, mas a pequena Kusum gritou de pavor.

Agora, o xamã contou a Buddi que a enfermidade de Kusum existe por causa daquele pavor. Ele prescreveu poções e fez um sinal, uma mancha cor-de-carvão do tamanho de um dólar de prata na fronte da criança, a fim de expulsar o espírito demoníaco que entrou em seu corpo quando ela tivera medo.

A adesão a crenças ancestrais a respeito de enfermidades é comum em certas partes do mundo industrializado, onde pessoas ainda se agarram a crenças que estão em desacordo com as tendências científicas atuais e com o pensamento médico. A fim de oferecerem melhor assistência médica a membros de minorias étnicas, os responsáveis por políticas públicas precisam entender as crenças e as atitudes culturais que influenciam o que as pessoas fazem as decisões que tomam, e como elas interagem com a sociedade mais ampla.

Muitas culturas veem enfermidades e deficiências como uma forma de punição infligida a alguém que transgrediu nesta vida ou em uma anterior ou que está pagando pela culpa de um ancestral. Outra crença, comum na América Latina e no sudeste da Ásia, é a de que um desequilíbrio de elementos no corpo causa enfermidades, e então o paciente tem de restabelecer esse equilíbrio. Norte-americanos de origem árabe tendem a atribuir doenças a causas como o olho do demônio, dor e perda, exposição a correntes de ar e ingestão de uma combinação errada de alimentos.

Em muitas sociedades, as pessoas acreditam que uma criança gravemente incapacitada não sobreviverá. Uma vez que não há esperança, elas não gastam tempo, esforço ou dinheiro com a criança — o que, muitas vezes, cria um prognóstico de autorrealização. Em alguns lares religiosos, os pais trocam a esperança por um milagre e recusam cirurgia ou outro tratamento.

Obviamente, a prática médica, que é padrão nos Estados Unidos, também é governada por um sistema de crença cultural. Muitas vezes, os pais têm de tomar rapidamente decisões a respeito de seu filho sem consultar membros da família, como seria feito em muitas culturas. Para promover a independência e a autossuficiência, os pais são desencorajados a mimar uma criança incapacitada. Pessoas de outras culturas podem não concordar com esses valores norte-americanos; os pais podem sentir necessidade de consultar seus próprios pais a respeito de decisões médicas e podem não

*Este curandeiro peruano trata de uma criança usando métodos tradicionais, como ervas e poções. Em muitas culturas latino-americanas, acredita-se que essas práticas curem enfermidades restaurando o equilíbrio natural entre elementos no corpo.*

considerar importante, para uma criança com deficiência, tornar-se autossuficiente.

Os profissionais precisam explicar claramente, e, na medida do possível, na linguagem da família, qual curso de tratamento eles recomendam, por que o preferem e o que esperam que aconteça. Esse interesse pode ajudar a prevenir acidentes, como um ocorrido quando uma mãe asiática ficou histérica assim que uma enfermeira americana levou seu bebê para fazer um exame de urina. A mãe havia tido três filhos que foram raptados no Camboja. Nenhum deles retornou.

*Fontes: Al-Oballi Kridli, 2002; Olds, 2002; Groce & Zola, 1993.*

Qual a sua **opinião?**

- Como Piaget interpretaria a crença, em algumas culturas, de que as enfermidades e as deficiências são punições para ações humanas?
- A crença sugere que a teoria de Piaget é limitada em culturas não ocidentais?

## Saúde mental

### Problemas emocionais comuns

**Guia de estudo 5**
Quais são os principais problemas de saúde mental na terceira infância?

Crianças com problemas emocionais, de comportamento e de desenvolvimento tendem a constituir um grupo carente. Em comparação com outras crianças que têm necessidades especiais de saúde, são mais propensas a sofrerem de doenças que afetam suas atividades diárias e provocam faltas escolares. Com frequência, têm doenças crônicas. Muitas delas não têm seguro-saúde adequado, e suas necessidades de cuidados de saúde não são atendidas (Bethell, Read, & Blumberg, 2005).

Estão relatadas 55,7% de crianças diagnosticadas com problemas emocionais, comportamentais e de desenvolvimento que têm *transtornos disruptivos da conduta*: agressividade, comportamento desafiador e comportamento antissocial. Quase todas as restantes, 43,5%, sofrem de *transtornos de ansiedade* ou *do humor*: sentimentos de tristeza, depressão, nervosismo, medo ou solidão (Bethell et al., 2005).

**Transtornos disruptivos da conduta** Comportamentos birrentos e desafiantes, argumentativos, hostis ou deliberadamente irritantes — comuns em crianças entre 4 e 5 anos de idade — são normalmente superados na terceira infância. Quando um padrão de comportamento desse tipo persiste até os 8 anos, as crianças (em geral do sexo masculino) podem ser diagnosticadas com **transtorno de oposição desafiante (TOD)**, um padrão de rebeldia, desobediência e hostilidade em relação aos adultos que representam a autoridade, com duração de pelo menos seis meses e que extravasa os limites do comportamento normal na infância. Crianças com TOD brigam constantemente, discutem, perdem a paciência, roubam, culpam outras, irritam-se e têm ressentimentos, têm poucos amigos e problemas constantes na escola e testam os limites da paciência dos adultos (American Psychiatric Association, 2000; National Library of Medicine, 2004).

Algumas crianças com TOD também desenvolvem o **transtorno da conduta (TC)**, um padrão repetitivo persistente que começa em idade precoce de agressividade e atos antissociais, como fugas da escola, provocação de incêndios, mentira habitual, luta, intimidação, roubo, vandalismo, assalto e consumo de drogas e álcool (American Psychiatric Association, 2000; National Library of Medicine, 2003). Entre 6 e 16% dos meninos, e 2 e 9% das meninas com menos de 18 anos, nos Estados Unidos, foram diagnosticados com níveis clínicos de externalização de comportamento ou problemas de conduta (Roosa et al., 2005). Crianças entre 11 e 13 anos passam do transtorno da conduta à violência criminal — assaltos, estupros e arrombamentos — e, por volta dos 17 anos, podem frequentemente se tornar graves infratores (Boidy et al., 2003; Coie & Dodge, 1998). Cerca de 25 a 50% dessas crianças altamente antissociais transformam-se em adultos antissociais (USDHHS, 1999b).

O que faz determinada criança com tendências antissociais se tornar um indivíduo antissocial crônico grave? Os déficits neurobiológicos, como os mecanismos fracos da regulação do estresse, podem falhar e deixar de alertar as crianças para não praticarem comportamentos perigosos ou arriscados. Esses déficits podem ser geneticamente influenciados ou causados por ambientes adversos, como pais hostis, conflitos familiares ou ambos (van Goozen, Fairchild, Snoek & Harold, 2007). Os eventos estressantes da vida e a associação com colegas desviantes também têm influência (Roosa et al., 2005).

**Fobia escolar e outros transtornos de ansiedade** Crianças com **fobia escolar** têm um medo irreal de ir à escola. Algumas crianças têm motivos reais para temer a ida à escola: um professor sarcástico, um trabalho para casa excessivamente exigente ou um agressor à espera no pátio da escola. Nesses casos, poderá ser necessária uma mudança do ambiente, não da criança. A fobia escolar real pode ser um tipo de **transtorno de ansiedade de separação**, uma condição que envolve ansiedade excessiva durante, pelo menos, quatro semanas desde a saída de casa ou a separação de pessoas às quais a criança está vinculada.

Apesar de a ansiedade de separação ser normal na infância, quando persiste em crianças mais velhas é motivo de preocupação. O transtorno de ansiedade de separação afeta cerca de 4% das crianças e jovens adolescentes, podendo persistir até mesmo durante os anos da faculdade. Essas crianças vêm muitas vezes de famílias muito unidas e carinhosas. Podem desenvolver o transtorno espontaneamente ou após um evento estressante, como a morte de um animal de estimação, uma doença ou a mudança

*Capacetes de segurança aprovados protegem crianças de todas as idades contra incapacitação ou ferimentos fatais na cabeça.*

**transtorno de oposição desafiante (TOD)**
Padrão de comportamento, persistente na terceira infância, marcado por negatividade, hostilidade e desafio.

**transtorno da conduta (TC)**
Padrão repetitivo, persistente, de comportamento antissocial agressivo que viola as normas sociais ou os direitos de terceiros.

**Verificador**
**você é capaz de...**
- Distinguir doenças agudas e crônicas e dizer como as doenças crônicas podem afetar a vida cotidiana?
- Explicar por que as crianças em desamparo social tendem a sofrer mais problemas de saúde do que seus colegas?
- Identificar os fatores que aumentam os riscos de ferimentos acidentais?

para uma nova escola (American Psychiatric Association, 2000; Harvard Medical School, 2004). Muitas crianças com ansiedade de separação também mostram sintomas de depressão (USDHHS, 1999b).

Por vezes, a fobia escolar pode ser uma forma de **fobia social** ou *ansiedade social*: o medo extremo e/ou a fuga de situações sociais, como ter que intervir em uma sala de aula ou encontrar alguém conhecido na rua. A fobia social afeta cerca de 5% das crianças. Ocorre em algumas famílias, e, por isso, é provável que exista um componente genético. Essas fobias são muitas vezes acionadas por experiências traumáticas, como um esquecimento temporário durante uma chamada na aula ou quando a criança tem que escrever qualquer coisa no quadro (Beidel & Turner, 1998; Rao, Beidel, Turner, Ammerman, Crosby, & Sallee, 2007). A ansiedade social tende a aumentar com a idade, enquanto a ansiedade de separação diminui.

Algumas crianças sofrem de **transtorno de ansiedade generalizada**, o qual não foca em um aspecto específico de suas vidas. Essas crianças preocupam-se com quase tudo: as notas da escola, as tempestades, os terremotos, ferir-se no *playground* ou com a quantidade de gás no botijão. Tendem a ser autoconscientes, a duvidar de si mesmas e a ser excessivamente preocupadas em satisfazer as expectativas dos outros. Procuram aprovação e precisam de reafirmação constante, mas sua preocupação parece ser independente do desempenho ou da forma como são vistas pelos outros (American Psychiatric Association, 1994; Harvard Medical School, 2004; USDHHS, 1999b).

Muito menos comum é o **transtorno obsessivo-compulsivo (TOC)**. Crianças que sofrem desse transtorno podem ficar obcecadas com pensamentos intrusivos repetitivos, imagens ou impulsos (com frequência envolvendo medos irracionais) ou podem apresentar comportamentos compulsivos, como lavar as mãos constantemente, ou ambos (American Psychiatric Association, 2000; Harvard Medical School, 2004; USDHHS, 1999b).

Os transtornos de ansiedade tendem a ocorrer nas mesmas famílias (Harvard Medical School, 2004) e são duas vezes mais comuns entre meninas do que entre meninos. O aumento de ansiedade provocado pela vulnerabilidade feminina intensificada começa precocemente, por volta dos 6 anos de idade. As mulheres também são mais suscetíveis à depressão, que é semelhante à ansiedade e muitas vezes anda de mãos dadas com ela (Lewinsohn, Gotlib, Lewinsohn, Seeley, & Allen, 1998). Tanto a ansiedade como a depressão podem ter uma base neurológica ou decorrer de experiências precoces que fazem as crianças sentirem falta de controle sobre o que acontece a sua volta. Os pais que recompensam a criança ansiosa dando atenção à ansiedade podem involuntariamente perpetuá-la por meio do condicionamento operante (Chorpita & Barlow, 1998; Harvard Medical School, 2004).

**Depressão infantil**   A **depressão infantil** é um transtorno do humor que vai além da tristeza normal temporária. Estima-se que essa depressão ocorra em 2% das crianças do ensino fundamental (NCHS, 2004). Os sintomas incluem a incapacidade de se divertir ou de se concentrar, fadiga, atividade extrema ou apatia, choro, problemas de sono, alteração do peso, queixas físicas, sentimentos de inutilidade, sensação prolongada de não ter amigos ou pensamentos frequentes sobre a morte ou suicidas. A depressão infantil pode sinalizar o início de um problema recorrente que pode persistir até a idade adulta (Birmaher, 1998; Birmaher et al., 1996; Cicchetti & Toth, 1998; Kye & Ryan, 1995; USDHHS, 1999b; Weissman, Warner, Wickramaratne, & Kandel, 1999).

As causas exatas da depressão infantil são desconhecidas, mas as crianças deprimidas tendem a ser originárias de famílias com altos níveis de depressão parental, ansiedade, abuso de substâncias ou comportamentos antissociais. A atmosfera dessas famílias pode aumentar o risco de depressão infantil (Cicchetti & Toth, 1998; Franic, Middeldorp, Dolan, Ligthart, & Boomsma, 2010; USDHHS, 1999b).

Pesquisadores descobriram vários genes relacionados à depressão. Um gene, o 5-HTT, ajuda a controlar a serotonina produzida pelo cérebro e que afeta o humor. Em um estudo longitudinal com 847 pessoas nascidas no mesmo ano, em Dunedin, Nova Zelândia, os indivíduos que eram portadores de duas versões curtas desse gene eram mais propensos à depressão do que os que tinham duas versões longas (Caspi et al., 2003). A forma abreviada de outro gene, o SERT-s, que também controla a serotonina, está associada ao alargamento do pulvinar, uma região do cérebro envolvida nas emoções negativas (Young et al., 2007).

Crianças com apenas 5 ou 6 anos conseguem relatar com precisão os humores deprimidos e os sentimentos que indicam problemas posteriores, desde problemas acadêmicos até depressão e pensamentos suicidas (Ialongo, Edelsohn, & Kellam, 2001). A depressão surge muitas vezes durante a transição para o ensino médio e pode estar relacionada às pressões acadêmicas mais intensas (Cicchetti & Toth, 1998), à convicção fraca na autoeficácia e à falta de investimento pessoal no sucesso acadêmico (Rudolph, Lambert, Clark, & Kurlakowsky, 2001). A depressão torna-se mais prevalente na adolescência (Costello et al., 2003), como discutiremos no Capítulo 15.

**fobia escolar**
Medo irreal de ir à escola; pode ser uma forma de *transtorno de ansiedade de separação* ou *fobia social*.

**transtorno de ansiedade de separação**
Condição envolvendo ansiedade excessiva e prolongada sobre a separação de casa ou de pessoas às quais se esteja vinculado.

**fobia social**
Medo extremo e/ou evitamento de situações sociais.

**transtorno de ansiedade generalizada**
Ansiedade que não foca em um único alvo.

**transtorno obsessivo-compulsivo (TOC)**
Ansiedade despertada por pensamentos intrusivos e repetitivos, imagens ou impulsos, muitas vezes originando comportamentos compulsivos e ritualísticos.

**depressão infantil**
Transtorno do humor caracterizado por sintomas como sensação prolongada de não ter amigos, incapacidade de diversão ou concentração, fadiga, atividade extrema ou apatia, sentimento de inutilidade, alteração do peso, queixas físicas e pensamentos de morte ou suicidas.

## Técnicas de tratamento

O tratamento psicológico para os problemas emocionais pode assumir diversas formas. Na **psicoterapia individual**, o terapeuta entrevista individualmente a criança para ajudá-la a obter a percepção de sua personalidade e suas relações e para interpretar sentimentos e comportamentos. Esse tratamento pode ser útil em momentos de estresse, como a morte de um dos pais ou divórcio, mesmo que a criança não tenha mostrado sinais de perturbação. A psicoterapia infantil é geralmente mais eficaz se for combinada com o aconselhamento dos pais.

Na **terapia familiar**, o terapeuta entrevista a família reunida, observa a interação dos membros e indica os padrões de funcionamento familiar produtores de crescimento e de inibição ou padrões destrutivos. A terapia pode ajudar os pais a enfrentarem seus próprios conflitos e começarem a resolvê-los. Este é muitas vezes o primeiro passo para resolver também os problemas da criança.

A **terapia comportamental**, ou de *modificação do comportamento*, é uma forma de terapia que utiliza os princípios da teoria da aprendizagem para eliminar os comportamentos indesejáveis ou para desenvolver os desejáveis. A análise estatística de muitos estudos descobriu que a psicoterapia é geralmente eficaz com crianças e adolescentes, mas a terapia comportamental é mais eficaz do que os métodos não comportamentais. Os resultados são melhores quando o tratamento é direcionado para os problemas específicos e para os resultados desejados (Weisz, Weiss, Han, Granger, & Morton, 1995). A *terapia cognitivo-comportamental,* que procura mudar os pensamentos negativos por meio da exposição gradual, da modelagem, das recompensas e da conversa positiva consigo mesmo (*self-talk*), tem-se mostrado o tratamento mais eficaz para os transtornos de ansiedade em crianças e adolescentes (Harvard Medical School, 2004).

Quando as crianças têm habilidades verbais e conceituais limitadas ou sofreram traumas emocionais, a **arteterapia** pode ajudá-las a descrever o que as incomoda sem necessidade de ter que expressar seus sentimentos com palavras. A criança pode expressar emoções profundas por meio da escolha de cores e temas (Hanney & Kozlowska, 2002; Kozlowska & Hanney, 1999). A observação da forma como uma família planeja, realiza e discute um projeto de arte pode revelar padrões de interações familiares (Kozlowska & Hanney, 1999).

Na **ludoterapia**, a criança brinca livremente enquanto o terapeuta, ocasionalmente, comenta, faz perguntas ou sugestões. A ludoterapia provou ser eficaz em vários problemas emocionais, cognitivos e sociais, especialmente quando a consulta aos pais ou a outros familiares próximos faz parte do processo (Athansiou, 2001; Bratton & Ray, 2002; Leblanc & Ritchie, 2001; Ryan & Needham, 2001; Wilson & Ryan, 2001).

A **farmacoterapia** — antidepressivos, estimulantes, calmantes e medicamentos antipsicóticos — é controversa para o tratamento dos problemas emocionais da infância. Em 2002, os medicamentos antipsicóticos eram prescritos 1.438 vezes a cada 100 mil consultas de crianças e adolescentes, em comparação com apenas 275 vezes a cada 100 mil consultas feitas até meados da década de 1990 (Olfson, Blanco, Liu, Moreno, & Laje, 2006). Não há pesquisas suficientes sobre eficácia e segurança de muitos desses medicamentos, especialmente para crianças (Murray, de Vries, & Wong, 2004; USDHHS, 1999b; Wong, Murray, Camilleri-Novak, & Stephens, 2004; Zito et al., 2003).

A utilização de *inibidores seletivos da recaptação de serotonina* (ISRSs) no tratamento dos transtornos obsessivo-compulsivos, depressivos e de ansiedade aumentou rapidamente na década de 1990 (Leslie, Newman, Chesney, & Perrin, 2005), mas desde então diminuiu cerca de 20% (Daly, 2005). Alguns estudos mostram riscos moderados de ideação e comportamentos suicidas em crianças e adolescentes que tomaram antidepressivos, enquanto outros não mostram nenhum risco significativo adicional (Hammad, Laughren, & Racoosin, 2006; Simon, Savarino, Operskalski, & Wang, 2006) nem risco reduzido (Simon, 2006). Uma análise de 27 estudos, controlados por placebo, descobriu que o benefício da utilização de antidepressivos em crianças e adolescentes supera os riscos (Bridge et al., 2007). (O uso de medicamentos antidepressivos para a depressão em adolescentes será discutido no Cap. 15.)

---

**psicoterapia individual**
Tratamento psicológico no qual o terapeuta se reúne individualmente com a pessoa que tem o transtorno.

**terapia familiar**
Tratamento psicológico no qual o terapeuta se reúne simultaneamente com toda a família para analisar os padrões de funcionamento familiar.

**terapia comportamental**
Terapia que usa princípios da teoria da aprendizagem para eliminar comportamentos indesejáveis.

**arteterapia**
Abordagem terapêutica que permite ao indivíduo expressar sentimentos conturbados sem ter de recorrer a palavras, usando uma variedade de materiais de arte e de mídias.

**ludoterapia**
Abordagem terapêutica que utiliza o brincar para ajudar a criança a lidar com a tensão emocional.

**farmacoterapia**
Administração de fármacos para o tratamento de problemas emocionais.

**Verificador**
**você é capaz de...**

- Identificar as causas e os sintomas dos transtornos disruptivos da conduta, dos transtornos de ansiedade e da depressão infantil?
- Descrever e avaliar seis tipos de terapia comuns para os problemas emocionais?

# resumo & palavras-chave

## ❶ Aspectos do desenvolvimento físico

**Como se desenvolvem o corpo e o cérebro das crianças em idade escolar?**

- O desenvolvimento físico é mais lento na terceira infância do que nos anos anteriores. Existem grandes diferenças na altura e no peso das crianças.
- Crianças com atraso no crescimento devido a deficiência de hormônio do crescimento podem receber tratamentos hormonais sintéticos. O hormônio às vezes é prescrito para crianças de baixa estatura que não têm deficiência hormonal; aconselha-se precaução extrema nesses casos.
- Os dentes permanentes nascem na terceira infância. A saúde bucal melhorou, em grande parte, devido à utilização de selantes nas superfícies de mastigação e à utilização generalizada de flúor.
- O crescimento do cérebro continua durante a infância, com aumento gradual da substância branca e diminuição da substância cinzenta. O corpo caloso que interliga os dois hemisférios torna-se progressivamente mielinizado. Essas mudanças suportam os avanços cognitivos da terceira infância.

## ❷ Nutrição e sono

**Quais são as necessidades nutricionais e de sono na terceira infância?**

- Alimentação e sono adequados são essenciais para o crescimento e a saúde normais.
- A maioria das crianças não dorme o suficiente, e muitas têm problemas de sono.

## ❸ Desenvolvimento motor e brincadeiras físicas

**Quais os ganhos típicos nas habilidades motoras nessa idade e de que tipos de brincadeiras físicas participam meninos e meninas?**

- Devido à melhoria do desenvolvimento motor, meninos e meninas na terceira infância podem participar de uma ampla série de atividades motoras.
- Cerca de 10% das brincadeiras das crianças em idade escolar, durante o recreio na escola, especialmente no caso dos meninos, consiste em brincadeiras impetuosas.
- A brincadeira informal e espontânea ajuda a desenvolver as habilidades físicas e sociais. As brincadeiras dos meninos são mais físicas, e as das meninas, mais verbais.
- Muitas crianças, principalmente meninos, participam de esportes competitivos organizados.
- Um programa saudável de educação física deverá ter como objetivo o desenvolvimento das habilidades de todas as crianças, além de enfatizar a diversão e a aptidão física ao longo da vida, em vez da competição.

**brincadeiras impetuosas (317)**

## ❹ Saúde e segurança

**Quais são as principais preocupações relacionadas à saúde e à segurança na terceira infância?**

- A terceira infância é um período relativamente saudável; o índice de mortalidade é o mais baixo no decurso da vida. Contudo, infecções respiratórias e outras doenças agudas são comuns.
- A preocupação com a imagem corporal, especialmente entre as meninas, pode levar a transtornos alimentares.
- O sobrepeso, que está se tornando cada vez mais comum entre as crianças, é influenciado por fatores genéticos e ambientais. A prevenção é mais simples do que o tratamento.
- A obesidade nas crianças tem aumentado a uma velocidade alarmante e tornou-se um problema mundial de saúde.
- O diabetes está se tornando cada vez mais comum e está relacionado à obesidade.
- A gagueira é razoavelmente comum, mas, em geral, não costuma ser permanente.
- Doenças crônicas, como asma e hipertensão, prevalecem entre crianças pobres e oriundas de minorias, as quais provavelmente precisam de seguro-saúde e assistência médica regular.
- A prevalência da asma aumentou em crianças com menos de 17 anos.
- Os acidentes são a causa principal da mortalidade na terceira infância. Está provado que a utilização de capacetes e de outros equipamentos de proteção reduz o número de ferimentos.

**imagem corporal (319)**
**doenças agudas (321)**
**doenças crônicas (321)**
**asma (321)**
**diabetes (323)**
**hipertensão (323)**
**gagueira (323)**

## ❺ Saúde mental

**Quais são os principais problemas de saúde mental na terceira infância?**

- Problemas emocionais e comportamentais comuns entre as crianças em idade escolar incluem transtornos disruptivos da conduta, transtornos de ansiedade e depressão infantil.

**transtorno de oposição desafiante (TOD) (326)**
**transtorno da conduta (TC) (326)**
**fobia escolar (327)**
**transtorno de ansiedade de separação (327)**
**fobia social (3327)**
**transtorno de ansiedade generalizada (327)**
**transtorno obsessivo-compulsivo (TOC) (327)**
**depressão infantil (327)**

- As técnicas de tratamento incluem psicoterapia individual, terapia familiar, terapia comportamental, arteterapia, ludoterapia e farmacoterapia. Muitas vezes, são utilizadas em combinação.

**psicoterapia individual (328)**
**terapia familiar (328)**
**terapia comportamental (328)**
**arteterapia (328)**
**ludoterapia (328)**
**farmacoterapia (328)**

# Capítulo 13

## Desenvolvimento cognitivo na terceira infância

### Sumário

Abordagem piagetiana: a criança em idade operatória-concreta

Abordagem do processamento de informação: atenção, memória e planejamento

Abordagem psicométrica: avaliação da inteligência

Linguagem e alfabetização

A criança na escola

Educando crianças com necessidades especiais

### Você sabia que...

▶ O QI aos 11 anos pode prever a duração da vida, a independência funcional em uma fase posterior e a presença ou ausência de demência?

▶ De acordo com o neuropsicólogo Howard Gardner, há oito tipos diferentes de inteligência, e apenas três são medidos pelos testes de QI?

▶ Crianças que acreditam que podem dominar o trabalho escolar têm mais probabilidade de fazê-lo?

*Neste capítulo, examinaremos os avanços cognitivos durante os primeiros cinco ou seis anos da escolaridade formal, aproximadamente entre 6 e 11 anos de idade. O ingresso no estágio operatório-concreto, de Piaget, capacita as crianças a pensar logicamente e a fazer julgamentos morais mais elaborados. À medida que a memória e a capacidade de resolução de problemas evoluem, os testes de inteligência tornam-se mais fiéis na previsão do desempenho escolar. As capacidades de ler e escrever abrem as portas para o mundo. Discutiremos todas essas mudanças e abordaremos as controvérsias sobre os testes de QI, a educação bilíngue, os trabalhos para casa e o ensino da matemática. Por fim, examinaremos os fatores que influenciam o aproveitamento escolar e a forma como as escolas procuram satisfazer as necessidades educacionais especiais.*

O que você aprende hoje, sem nenhum motivo especial, ajudará você a descobrir todos os maravilhosos segredos do amanhã.

*Norton Juster,* Tudo depende do como você vê as coisas

**332** **PARTE V** • Terceira infância

# Guia de estudo

1. De que modo o pensamento e o raciocínio moral de crianças em idade escolar diferem dos de crianças menores?

2. Quais avanços nas habilidades de processamento de informação ocorrem durante a terceira infância?

3. Como a inteligência das crianças em idade escolar pode ser medida com exatidão?

4. Como as habilidades de comunicação se expandem durante a terceira infância?

5. Que fatores influenciam o desempenho escolar?

6. Como as escolas atendem às necessidades especiais das crianças?

---

## Guia de estudo 1

De que modo o pensamento e o raciocínio moral de crianças em idade escolar diferem dos de crianças menores?

**operatório-concreto**
Terceiro estágio do desenvolvimento cognitivo piagetiano (aproximadamente dos 7 aos 12 anos), durante o qual as crianças desenvolvem pensamento lógico, mas não abstrato.

# Abordagem piagetiana: a criança em idade operatória-concreta

Por volta dos 7 anos, segundo Piaget, as crianças atingem o estágio **operatório-concreto**, em que fazem uso de operações mentais para resolver problemas concretos (reais). As crianças podem pensar logicamente porque conseguem levar em conta os vários aspectos de uma situação. Entretanto, a maneira de pensar delas é ainda limitada a situações reais no aqui e no agora. Na próxima seção, focaremos em avanços cognitivos específicos típicos desse estágio de desenvolvimento.

## Avanços cognitivos

Crianças no estágio operatório-concreto podem realizar muitas tarefas em um nível bem mais elevado do que no estágio pré-operatório (Quadro 13.1). Elas têm um melhor entendimento dos conceitos espaciais, causalidade, categorização, raciocínio indutivo e dedutivo, conservação e números.

**Relações espaciais e causalidade** Ella, com 8 anos de idade, olha fixamente para o mapa. "A estrela significa que estamos aqui", aponta, "então isso deve significar que a loja que queremos é ali!" Ella se vira para a mãe com um sorriso, e as duas começam a caminhar.

Ella está agora no estágio operatório-concreto. É capaz de compreender melhor as relações espaciais. Isso permite que ela interprete um mapa, encontre o caminho para a escola e para casa, estime melhor o tempo que levará para ir de um lugar a outro, lembre-se de percursos e pontos de referência. A experiência desempenha um papel nesse desenvolvimento, porque as crianças navegam mais facilmente em um ambiente físico sobre o qual já tenham experiência. Além disso, essas capacidades espaciais melhoram à medida que as crianças vão crescendo (Gauvain, 1993).

Outro desenvolvimento-chave da terceira infância envolve a capacidade de fazer julgamentos sobre causa e efeito. Essas capacidades específicas também melhoram com o decorrer da idade. Quando foi solicitado a crianças de 5 a 12 anos que explicassem como funcionavam alavancas e balanças em condições variadas, as mais velhas forneceram respostas mais corretas. Além disso, quando são mais jovens, na terceira infância, entendem que o número de objetos colocados em cada um dos pratos da balança tem impacto no equilíbrio. Nesse estágio, passado algum tempo, já compreendem que a distância a que os objetos estão do centro da balança também é importante (Amsel, Goodman, Savoie, & Clark, 1996).

**Categorização** John senta-se à mesa da cozinha, está trabalhando em um projeto da turma. Pediram-lhe para fazer um cronograma de seis eventos de sua vida utilizando fotografias. A mãe deu-lhe seis fotografias dele mesmo, da infância à atualidade, e John ordena-as cuidadosamente, da mais antiga para a mais recente. "Aqui está", diz, "Eu estou pronto para começar!".

Uma das razões pelas quais John agora é capaz de completar tarefas como a desse projeto é que ele consegue cada vez mais categorizar objetos. Essa capacidade emergente ajuda-o a pensar mais logicamente e envolve uma série de capacidades relativamente sofisticadas. Uma delas é a **seriação**, quando

**seriação**
Capacidade de ordenar itens segundo sua dimensão.

**Capítulo 13 • Desenvolvimento cognitivo na terceira infância** 333

**QUADRO 13.1** Avanços em capacidades cognitivas selecionadas durante a terceira infância

| Capacidade | Exemplo |
| --- | --- |
| *Pensamento espacial* | Danielle pode usar um mapa ou um desenho para auxiliar na procura de um objeto escondido e fornecer as indicações aos outros para que o objeto seja encontrado. Ela é capaz de ir para a escola e voltar, consegue calcular distâncias e avaliar quanto tempo precisaria para ir de um lugar para outro. |
| *Causa e efeito* | Douglas sabe quais atributos físicos de objetos em cada lado de uma balança afetarão o resultado (i.e., o número de objetos importa, mas a cor deles não). Ele ainda não sabe que fatores espaciais fazem a diferença, como posição e localização dos objetos. |
| *Categorização* | Elena é capaz de classificar objetos em categorias, tais como forma, cor ou ambas. Ela sabe que uma subclasse (rosas) tem menos membros que a classe da qual ela faz parte (flores). |
| *Seriação e inferência transitiva* | Catherine consegue organizar um grupo de varetas, da mais curta para a mais comprida, e pode inserir uma vareta de tamanho médio no lugar certo. Ela sabe que se uma vareta é mais comprida que uma segunda vareta, e esta é mais comprida que a terceira, então a primeira vareta é mais comprida que a terceira. |
| *Raciocínio indutivo e dedutivo* | Dominic consegue resolver problemas indutivos e dedutivos e sabe que as conclusões indutivas (com base em determinadas premissas) são menos corretas que as conclusões dedutivas (baseadas em premissas gerais). |
| *Conservação* | Felipe, aos 7 anos, sabe que se uma bola de barro for enrolada em forma de salsicha, continua tendo a mesma quantidade de barro (conservação de substância). Aos 9, acha que a bola e a salsicha têm o mesmo peso. Só no início da adolescência ele entenderá que elas deslocam a mesma quantidade de líquido, se colocadas em um recipiente com água. |
| *Números e matemática* | Kevin é capaz de fazer contas de cabeça, pode somar contando em ordem crescente e consegue criar problemas simples. |

as crianças conseguem colocar objetos em série de acordo com uma ou mais dimensões. As crianças tornam-se cada vez melhores em seriação por dimensões, como tempo (do mais antigo ao mais recente), peso (do mais leve ao mais pesado) ou cor (mais clara ou mais escura) (Piaget, 1952).

Outra capacidade emergente é a **inferência transitiva** (se $a < b$ e $b < c$, então $a < c$). Ela envolve a possibilidade de deduzir uma relação entre dois objetos sabendo a relação de cada um deles com um terceiro objeto. Por exemplo, foram apresentadas três varetas a Mateo: uma vareta curta amarela, uma verde de comprimento médio e uma longa vareta azul. Mostra-se que a vareta amarela é menor que a verde, e depois é mostrado que a verde é mais curta que a azul. No entanto, não lhe mostram as três varetas em ordem de tamanho. Se Mateo for capaz de compreender as inferências transitivas, conseguirá inferir rápida e facilmente que a vareta amarela é mais curta que a azul sem ter que compará-las fisicamente (Chapman & Lindenberger, 1988; Piaget & Inhelder, 1967).

Por último, a inclusão em uma classe torna-se mais fácil. A **inclusão de classes** é a capacidade de perceber a relação entre um todo e suas partes. Por exemplo, Piaget (1964) mostrou a crianças em idade pré-operatória um ramalhete de 10 flores – 7 rosas e 3 cravos –, perguntando-lhes se há mais rosas ou mais flores. É provável que digam que há mais rosas, porque elas comparam as rosas com os cravos, e não com o ramalhete todo. No entanto, por volta dos 7 ou 8 anos, quando as crianças já atingiram o estágio operatório-concreto, conseguem concluir que rosas são uma subclasse de flores e que, por isso, não pode haver mais rosas do que flores (Flavell, 1963; Flavell, Miller, & Miller, 2002).

**Raciocínios indutivo e dedutivo** O **raciocínio indutivo** envolve a constatação de observações de determinados membros de uma classe de pessoas, animais, objetos ou eventos e a formação de conclusões gerais sobre a classe como um todo. Por exemplo, se o cão do vizinho late e o cão do outro vizinho também late, a conclusão pode ser, por meio do raciocínio indutivo, que todos os cães latem. No entanto, o raciocínio indutivo deve ser experimental, porque sempre é possível encontrar novas informações (um cachorro que não late) que não sustentam a conclusão.

O **raciocínio dedutivo**, em contrapartida, começa com uma afirmação geral — uma premissa — sobre uma classe e aplica-se aos membros particulares dessa classe. Se a premissa é verdadeira para toda a classe e o raciocínio é lógico, então a conclusão deve ser verdadeira. Assim, por exemplo, todos os cães latem, e surge outro cão, pode ser razoável concluir que ele também late.

**inferência transitiva**
Compreensão da relação entre dois objetos, conhecendo-se a relação de cada um deles com um terceiro.

**inclusão de classes**
Compreensão da relação entre um todo e suas partes.

**raciocínio indutivo**
Tipo de raciocínio lógico que parte de observações particulares sobre membros de uma classe para uma conclusão geral sobre aquela classe.

**raciocínio dedutivo**
Tipo de raciocínio lógico que parte de uma premissa geral sobre uma classe para uma conclusão sobre determinado membro ou membros da classe.

**Qual a sua opinião?**

Como os pais e os professores podem ajudar as crianças a desenvolver sua capacidade de raciocínio?

Piaget acreditava que crianças no estágio das operações concretas do desenvolvimento cognitivo usavam apenas o raciocínio indutivo. O dedutivo, de acordo com Piaget, não se desenvolveria até a adolescência. Mas será realmente este o caso? A pesquisa sugere que Piaget subestimou as capacidades das crianças. Por exemplo, em um estudo, pesquisadores deram problemas indutivos e dedutivos a crianças na pré-escola, no 2º ano, no 4º ano e no 6º ano. Como os pesquisadores não queriam que as crianças utilizassem o conhecimento que tinham do mundo real, usaram palavras imaginárias para criar dois problemas. Por exemplo, um dos problemas indutivos era "Tombor é um popgop. Tombor usa botas azuis. Todos os popgops usam botas azuis?". O problema de raciocínio dedutivo correspondente era "Todos os pogopis usam botas azuis. Tombor é um pogopi. Tombor usa botas azuis?". Contrariando a teoria de Piaget, as crianças do 2º ano (mas não as da pré-escola) conseguiram responder corretamente aos dois problemas (Galotti, Komatsu, & Voelz, 1997; Pillow, 2002). Se forem utilizados métodos de teste apropriados para a idade, é possível que os raciocínios indutivo e dedutivo estejam presentes consideravelmente mais cedo do que Piaget previa.

**Conservação** No estágio pré-operatório do desenvolvimento, as crianças estão focadas nas aparências e têm dificuldade de lidar com conceitos abstratos. Por exemplo, Camilla, que está no estágio pré-operatório, pensará provavelmente que se uma de duas bolas idênticas de argila for moldada e ficar com a forma de uma cobra comprida e fina, passará a ter mais argila porque é mais comprida. Ela se engana com as aparências e, por isso, falha nessa tarefa de conservação. No entanto, Felipe, que está no estágio das operações concretas, afirmará que a bola e a cobra contêm a mesma quantidade de argila. O que explica sua capacidade para entender que a quantidade de argila permanece inalterada, independentemente da forma que for dada à bola?

As crianças, no estágio operatório-concreto, para resolverem vários tipos de problemas de conservação, conseguem deduzir as respostas em suas mentes, sem precisar medir ou pesar objetos. Há três conquistas primárias que permitem isto. Primeiro, compreendem o princípio da *identidade*. Por exemplo, Michael entende que a quantidade de argila ainda é a mesma, apesar de a forma ser diferente, porque nada foi acrescentado ou retirado do objeto. É capaz de raciocinar e deduzir que, portanto, ainda deve haver a mesma quantidade de argila em ambas as formas. Em segundo lugar, as crianças nesse estágio entendem o princípio da *reversibilidade*. Michael consegue imaginar o que aconteceria se voltasse no tempo e tornasse a moldar a cobra sob a forma da bola. Agora, consegue raciocinar que a cobra ainda deve ter a mesma quantidade de argila, porque, se ele voltasse a moldá-la como bola, ela ainda teria a mesma quantidade. Em terceiro lugar, as crianças nesse estágio podem *descentrar*. Enquanto Camilla olhava para a cobra, concentrou-se apenas no seu comprimento, ignorando que era mais fina e mais plana do que a bola de argila. Centralizou sua atenção em uma única dimensão (o comprimento) enquanto excluiu a outra (a espessura). Michael, contudo, é capaz de descentrar e considerar simultaneamente mais de um aspecto dos dois objetos. Assim, apesar de a bola ser mais curta que a cobra, também é mais grossa.

As crianças não alcançam a capacidade de resolver os vários tipos de tarefas de conservação ao mesmo tempo. Normalmente, conseguem resolver problemas relacionados à conservação da matéria, como a tarefa da argila, por volta dos 7 ou 8 anos de idade. No entanto, é só a partir dos 8 ou 9 anos que elas conseguem resolver corretamente tarefas de conservação relacionadas ao peso nas quais lhes perguntam, por exemplo, se a bola e a cobra pesam o mesmo – normalmente as crianças não dão respostas corretas até por volta de 9 ou 10 anos. Em tarefas que envolvem conservação de volume – em que elas têm de julgar se a cobra e a bola fazem deslocar a mesma quantidade de líquido quando mergulhadas em um copo de água –, respostas corretas são raras antes dos 12 anos.

O termo de Piaget para a inconsistência no desenvolvimento dos diferentes tipos de conservação é **décalage (ou defasagem) horizontal.** Piaget argumentou que o pensamento das crianças nesse estágio é tão concreto, tão intimamente ligado a uma situação, que não conseguem transferir facilmente o que aprenderam sobre um tipo de conservação para outro tipo, ainda que os princípios sejam os mesmos. Note que isso é problemático para uma teoria de estágios, em que se presume que, quando um estágio é atingido, todos os aspectos dele ficam simultaneamente disponíveis desde que sejam alcançadas as capacidades fundamentais correspondentes. O fato de a criança conseguir reverter, descentrar ou compreender a identidade, mas nem sempre conseguir resolver as tarefas de conservação, prejudica o aspecto qualitativo/estágios da teoria de Piaget.

---

*décalage* (ou defasagem) horizontal
Termo de Piaget para a incapacidade de transferir o que foi aprendido em um tipo de conservação para outros tipos, fazendo com que a criança domine diferentes tipos de tarefas de conservação em diferentes idades.

**Números e matemática**  Aos 6 ou 7 anos, muitas crianças conseguem fazer contas de cabeça. Também aprendem a *somar contando*: para somar 5 e 3, começam a contar até 5 e depois vão para 6, 7 e 8 para adicionarem o 3. Pode demorar mais 2 ou 3 anos para que possam realizar operação similar de subtração, mas aos 9 anos a maior parte das crianças consegue contar a partir do número menor ou a partir do número maior para chegar ao resultado (Resnick, 1989).

As crianças também conseguem resolver mais facilmente problemas simples, como: "Pedro entrou em uma loja com 5 reais e gastou 2 reais em balas. Com quanto ficou?". Quando a quantia inicial não é conhecida – "Pedro entrou em uma loja, gastou 2 reais e lhe sobraram 3 reais. Quanto tinha inicialmente?" –, o problema fica mais difícil, porque a operação aritmética necessária para resolvê-lo (adição) não está indicada claramente. Poucas crianças conseguem resolver esse tipo de problema antes dos 8 ou 9 anos de idade (Resnick, 1989).

Pesquisas com pessoas com escolaridade mínima, em países em desenvolvimento, sugerem que a capacidade de adicionar se desenvolve quase universalmente e muitas vezes intuitivamente pelas experiências concretas em um contexto cultural (Guberman, 1996; Resnick, 1989). Esses procedimentos intuitivos são diferentes dos aprendidos na escola. Em um estudo com vendedores de rua brasileiros de 9 a 15 anos de idade, uma pesquisadora que fingia ser compradora disse: "Vou levar dois cocos". Cada um custava 40 cruzeiros (moeda vigente na época da pesquisa); ela pagou com uma nota de 500 cruzeiros e perguntou: "Quanto é o meu troco?". A criança contou a partir de 80: "80, 90, 100..." e devolveu à cliente 420 cruzeiros. Contudo, quando a essa mesma criança foi apresentado um problema semelhante na sala de aula ("Quanto é 500 menos 80?"), ela deu uma resposta errada por ter usado incorretamente uma série de passos aprendidos na escola (Carraher, Schliemann, & Carraher, 1988). Esse achado sugere que existem diferentes rotas para aprender o que precisa ser aprendido em uma cultura. De fato, nos contextos culturais onde a escolaridade não é tão importante, as crianças não têm o hábito de usar estratégias abstratas de contagem.

Aos 4 anos, parece haver certa compreensão intuitiva de frações, como as crianças demonstram ao distribuírem pedaços de *pizza* ou ao dividirem uma barra de chocolate (Mix, Levine, & Huttenlocher, 1999; Singer-Freeman & Goswami, 2001; Sophian, Garyantes, & Chang, 1997). As crianças mais novas não costumam pensar na quantidade que a fração representa; em vez disso, concentram-se nos números que a compõem. Assim, podem dizer que ½ mais $^1/_3$ é igual a $^2/_5$. É também difícil para muitas crianças compreender primeiramente que ½ é maior que ¼ – que a fração menor (¼) tem o denominador maior (Geary, 2006; Siegler, 1998; Sophian & Wood, 1997).

A capacidade de calcular progride com a idade. Quando foi solicitado que colocassem 24 números de 0 a 100 ao longo de uma linha, quase todas as crianças da pré-escola exageraram as distâncias entre os números baixos e minimizaram as distâncias entre os números altos. A maioria das crianças do $2^{\underline{o}}$ ano produz linhas de números com espaçamento mais uniforme (Siegler & Booth, 2004). Crianças de $2^{\underline{o}}$, $4^{\underline{o}}$ e $6^{\underline{o}}$ anos mostram um progresso semelhante na produção de linhas de números de 0 a 1.000 (Siegler & Opfer, 2003), muito provavelmente refletindo a experiência que as crianças mais velhas ganham ao lidar com números maiores. Além de melhorarem na *estimativa da linha de números*, as crianças em idade escolar também melhoram em outros três tipos de estimativa: *estimativa de cáculo*, por exemplo, estimar a soma em um problema de adição; *estimativa de numerosidade*, por exemplo, estimar o número de balas em um jarro; e *estimativa de medida*, por exemplo, estimar o comprimento de uma linha (Booth & Siegler, 2006).

## Influências do desenvolvimento neurológico e da escolarização

Piaget afirmava que a mudança do pensamento rígido e ilógico das crianças menores para o pensamento flexível e lógico das crianças mais velhas depende ao mesmo tempo do desenvolvimento neurológico e das experiências de adaptação ao ambiente. O apoio a uma influência neurológica vem de medições da atividade cerebral durante uma tarefa de conservação. As crianças que entenderam a conservação de volume têm padrões de onda cerebral diferentes daquelas que ainda não haviam compreendido, o que sugere que usam diferentes regiões do cérebro para a tarefa (Stauder, Molenaar & Van der Molen, 1993).

Enquanto Piaget estava convicto de que suas teorias descreviam aspectos universais do desenvolvimento da criança, é possível que capacidades como a conservação dependam, em parte, da familiaridade com os materiais que estão sendo manipulados. As crianças podem pensar mais logicamente sobre as coisas sobre as quais elas têm algum conhecimento. Portanto, a compreensão da conservação pode vir não apenas de novos padrões de organização mental, mas também da experiência com o mundo físico definida pela cultura.

> **Verificador**
> **você é capaz de...**
>
> - Identificar seis tipos de capacidades cognitivas que surgem ou se fortalecem durante a terceira infância e explicar como isso ocorre?
> - Nomear três princípios que ajudam as crianças a entender a conservação e explicar por que as crianças dominam diferentes tipos de conservação em diferentes idades?
> - Dar exemplos de como o desenvolvimento neurológico e a escolaridade podem afetar a capacidade de realizar as tarefas propostas por Piaget?

As crianças em idade escolar, hoje, podem não estar avançando pelos estágios de Piaget tão rapidamente quanto seus pais avançaram. Quando 10 mil crianças britânicas de 11 e 12 anos de idade foram testadas na conservação de volume e peso, o desempenho delas estava 2 a 3 anos atrás do de suas contrapartes 30 anos antes (Shayer, Ginsburg, & Coe, 2007). Esses resultados sugerem que as crianças em idade escolar de hoje podem estar recebendo treinamento excessivo em leitura, escrita e aritmética e experiência prática insuficiente sobre a forma como esses conhecimentos se comportam.

### Raciocínio moral

Piaget também estava interessado em como as formas de pensar das crianças poderiam afetar a capacidade de raciocinarem sobre a moralidade. Para instigar o pensamento moral das crianças, Piaget (1932) contava-lhes uma história sobre dois meninos: "Um dia Augustus percebeu que o tinteiro do seu pai estava vazio e decidiu ajudá-lo, enchendo-o. Enquanto estava abrindo o vidro, derramou um monte de tinta sobre a toalha de mesa. O outro menino, Julian, brincava com o tinteiro do seu pai e derramou um pouco de tinta sobre a toalha". Então Piaget perguntava: "Qual dos meninos foi mais travesso, e por quê?": As crianças com menos de 7 anos geralmente diziam que Augustus era o mais travesso porque ele fez uma mancha maior. As crianças mais velhas reconheciam que Augustus tinha boas intenções e fez a mancha maior por acidente, enquanto Julian fez uma mancha pequena, embora estivesse fazendo algo que não deveria. Piaget concluiu que os julgamentos morais imaturos se concentram apenas no *grau* da transgressão; julgamentos mais maduros consideram a *intenção*.

Piaget (1932; Piaget & Inhelder, 1969) propôs que o raciocínio moral desenvolve-se em três estágios. Ele afirmava que as crianças passam gradualmente de um estágio para outro em idades variáveis. O primeiro estágio (aproximadamente dos 2 aos 7 anos, correspondendo ao estágio pré-operatório) é baseado em *obediência rígida à autoridade*. Visto que as crianças pequenas são egocêntricas, elas não conseguem imaginar mais de uma forma de examinar uma questão moral. Assim, não conseguem imaginar que há mais de uma única forma de encarar uma questão moral. Além disso, têm perspectivas muito rígidas. Elas acreditam que as regras não podem ser dobradas ou mudadas, que o comportamento é certo ou errado e que qualquer transgressão (como a de Augustus) merece punição, independentemente da intenção.

**Qual a sua opinião?**
- Você acha que a intenção é um fator importante na moralidade?
- Como o sistema penal reflete essa visão?

O segundo estágio (7 ou 8 anos a 10 ou 11 anos, correspondendo ao estágio operatório-concreto) é caracterizado por *crescente flexibilidade*. À medida que as crianças interagem com mais pessoas e entram em contato com uma variedade mais ampla de pontos de vista, elas começam a descartar a ideia de que há um único padrão de certo e errado e desenvolvem seu próprio senso de justiça com base no tratamento justo ou igual para todos. Visto que elas conseguem considerar mais de um aspecto de uma situação, podem fazer julgamentos morais mais sutis, como levar em consideração a intenção por trás do comportamento de Augustus e Julian. A diminuição do egocentrismo permite a consideração de outras perspectivas.

Em torno dos 11 ou 12 anos, quando as crianças tornam-se capazes de um raciocínio formal, surge o terceiro estágio do desenvolvimento moral. A crença de que todos devem ser tratados da mesma maneira dá lugar ao ideal de *equidade*, de levar em consideração as circunstâncias específicas. Assim, uma criança dessa idade poderia dizer que uma criança de 2 anos que derramou tinta na toalha de mesa deve ser responsabilizada em um padrão moral menos exigente do que uma criança de 10 anos que fez a mesma coisa.

Discutiremos a teoria do raciocínio moral de Lawrence Kohlberg, que se baseia na de Piaget, no Capítulo 16.

**Verificador você é capaz de...**
- Descrever os três estágios de desenvolvimento moral de Piaget e explicar como eles refletem o amadurecimento cognitivo?

**Guia de estudo 2**
Quais avanços nas habilidades de processamento de informação ocorrem durante a terceira infância?

# Abordagem do processamento de informação: atenção, memória e planejamento

Clara anda pela cozinha e cheira o bolo delicioso que ajudou a assar e que agora está esfriando no balcão. Há poucos anos, poderia ter corrido para a cozinha e disfarçadamente enfiado o dedo no bolo para prová-lo. No entanto, agora mais velha e mais sábia, pensa consigo mesma: "Não, este bolo é para mais tarde. Se eu der uma mordida nele, vai ficar feio, e eu vou ficar em apuros, como aconteceu da última vez. Eu realmente quero muito. Mas, talvez, se eu for brincar um bocadinho, deixe de querer tanto". As capacidades cognitivas mais sofisticadas de Clara permitem-lhe agora controlar seu comportamento de formas que antes não estavam à sua disposição.

*De acordo com Piaget, as crianças desenvolvem conceitos de justiça por meio da interação com os colegas, muitas vezes em jogos com regras, como a dança das cadeiras. À medida que as crianças crescem, percebem que as regras não têm de ser impostas externamente e que podem ser alteradas por acordo mútuo.*

No decorrer dos anos escolares, as crianças fazem um progresso regular nas capacidades de regular e manter a atenção, processar e reter informação e planejar e monitorar seus comportamentos. Todos esses desenvolvimentos inter-relacionados contribuem para a **função executiva**, o controle consciente de pensamentos, emoções e ações para alcançar objetivos ou solucionar problemas. À medida que seu conhecimento aumenta, as crianças tornam-se mais conscientes dos tipos de informação importantes a que elas devem dar mais atenção e lembrar. As crianças em idade escolar também entendem mais sobre o funcionamento da memória, e esse conhecimento lhes permite planejar e usar estratégias, ou técnicas deliberadas, para ajudar a lembrá-las.

**função executiva**
Controle consciente de pensamentos, emoções e ações para alcançar objetivos ou solucionar problemas.

## Como as habilidades executivas se desenvolvem?

As funções executivas permitem que as crianças prestem mais atenção à cognição e ao comportamento, e essas capacidades são vitais para um desenvolvimento bem-sucedido. Há várias influências que ajudam as crianças a alcançar essas capacidades, e, como é típico na psicologia, podemos considerar que influências biológicas e ambientais trabalham juntas para moldar a criança em desenvolvimento ao longo do tempo.

A função executiva desenvolve-se gradualmente, da infância à adolescência. Como seria de esperar, é acompanhada pelo desenvolvimento do cérebro, particularmente do córtex pré-frontal (Lamm, Zelazo, & Lewis, 2006). Como as sinapses desnecessárias são podadas e os caminhos tornam-se mielinizados, a velocidade de processamento melhora drasticamente (Camarata & Woodcock, 2006; Luna, Garver, Urban, Lazar, & Sweeney, 2004). O processamento mais rápido e mais eficiente aumenta a quantidade de informação que as crianças podem manter na memória de trabalho, e, quando elas desenvolvem a capacidade de manipular mentalmente mais conceitos simultaneamente, também passam a ser capazes de desenvolver pensamento complexo e o planejamento dirigido ao objetivo (Flavell et al., 2002; Luna et al., 2004).

Para além do desenvolvimento físico cerebral, as influências ambientais também interessam. Por exemplo, está provado que o ambiente familiar contribui para o desenvolvimento das habilidades executivas. Em um estudo longitudinal de 700 crianças desde bebês, a qualidade do ambiente familiar — incluindo fatores como os recursos disponíveis, a estimulação cognitiva e a sensibilidade materna – prognosticou desempenho de atenção e memória no 1º ano (NICHD Early Child Care Research Network, 2005c).

À medida que as crianças crescem, tornam-se cada vez mais independentes e devem tomar decisões por si mesmas, em vez de seguir o que os pais dizem para fazer. O funcionamento executivo está envolvido na capacidade de tomar boas decisões, de monitorar se os objetivos estão sendo alcançados e se a estratégia que se está utilizando é apropriada para esses objetivos. Essas capacidades desenvolvem-se gradualmente, e as práticas parentais e a cultura afetam o ritmo no qual as crianças têm a oportunidade de praticar tais capacidades. Por exemplo, crianças em idade escolar desenvolvem capacidades de planejamento tomando decisões sobre suas atividades diárias. Em um estudo longitudinal de três anos, a responsabilidade pelo planejamento das atividades informais das crianças passou gradualmente de 2º e 4º anos para pais-filhos, e essa mudança refletiu-se na melhor capacidade das crianças de planejar o trabalho de sala de aula (Gauvain & Perez, 2005).

## Atenção seletiva

Crianças em idade escolar podem concentrar-se por mais tempo do que crianças mais novas e podem focalizar-se na informação de que necessitam e desejam enquanto filtram informações irrelevantes. Por exemplo, elas podem alçar da memória o significado adequado de uma palavra e suprimir outros significados que não se encaixam no contexto. Crianças de 5º ano são mais capazes do que as de 1º ano de impedir que a informação indesejada retorne para a memória de trabalho competindo por atenção com outro material (Harnishfeger & Pope, 1996). Esse crescimento na *atenção seletiva* – a capacidade de deliberadamente direcionar a atenção e afastar distrações – pode depender da habilidade executiva de *controle inibitório*, a supressão voluntária de respostas indesejadas (Luna et al., 2004). Por exemplo, na escola, pode ser necessário a criança concentrar-se na lição pouco interessante do professor e ignorar ao mesmo tempo as brincadeiras do "palhaço" da turma.

Acredita-se que a crescente capacidade para atenção seletiva seja devida à maturação neurobiológica e é uma das razões de a memória melhorar durante a terceira infância (Bjorklund & Harnishfeger, 1990; Booth et al., 2003; Harnishfeger & Bjorklund, 1993). Outras crianças podem cometer menos erros de lembrança do que crianças mais novas porque elas são mais capazes de selecionar o que desejam lembrar e o que podem esquecer (Lorsbach & Reimer, 1997).

## Memória de trabalho

A memória de trabalho envolve o armazenamento de curto prazo da informação que está sendo processada ativamente, como um espaço de trabalho mental. Por exemplo, se pedirem para que você calcule o resultado de $42 \times 60$, você usará sua memória de trabalho para manter parte da equação resolvida ativa enquanto resolve o restante.

A eficiência da memória de trabalho aumenta muito na terceira infância, estabelecendo as bases para uma ampla variedade de habilidades cognitivas. Por exemplo, entre 6 e 10 anos há melhorias na velocidade de processamento (a velocidade com que a informação é processada) e na capacidade de armazenamento (a quantidade de itens que podem ser guardados simultaneamente na memória de trabalho) (Bayliss, Jarrold, Baddeley, Gunn, & Leigh, 2005). Como a memória de trabalho é necessária para o armazenamento de informações enquanto outra matéria está sendo mentalmente manipulada, a capacidade da memória de trabalho da criança pode afetar diretamente o sucesso acadêmico (Alloway, 2006). Por exemplo, crianças com pouca capacidade de memória de trabalho têm dificuldades nas atividades estruturadas de aprendizagem. Essas dificuldades são mais evidentes quando há necessidade de seguir instruções longas porque as crianças têm de manter vários itens na memória de trabalho para serem capazes de seguir as instruções (Gathercole & Alloway, 2008). As diferenças individuais na capacidade da memória de trabalho também estão relacionadas à capacidade da criança de adquirir conhecimentos e novas capacidades (Alloway, 2006).

Os problemas da memória de trabalho não são apenas uma preocupação teórica; são importantes na educação. Uma pesquisa indicou que mais de 10% das crianças em idade escolar sofrem da falta de memória de trabalho (Alloway, Gathercole, Kirkwood, & Elliot, 2009). A adoção de instrumentos que avaliam esse tipo de memória na sala de aula poderia influenciar muito os níveis de conquista para crianças que apresentam memória de trabalho baixa. Apresentamos, no Quadro 13.2, algumas estratégias para a superação de falhas relacionadas à memória.

## Metamemória: entendendo a memória

Entre as idades de 5 e 7 anos, os lobos frontais do cérebro passam por desenvolvimento e reorganização significativos. Essas mudanças podem possibilitar a melhora da **metamemória**, o conhecimento sobre os processos da memória (Chua, Schacter, Rand-Giovanetti, & Sperling, 2006; Janowsky & Carper, 1996). A metamemória pode ser considerada o pensamento sobre a memória. Em outras palavras, envolve o conhecimento dos processos da memória e a reflexão sobre esses processos.

Da pré-escola até o 5º ano, o entendimento da memória das crianças avança regularmente (Flavell et al., 2002; Kreutzer, Leonard, & Flavell, 1975). Crianças de pré-escola e de 1º ano sabem que as pessoas lembram melhor se estudarem bastante, que as pessoas esquecem as coisas com o tempo e que reaprender alguma coisa é mais fácil do que aprendê-la pela primeira vez. No 3º ano, as crianças sabem que algumas pessoas lembram melhor que outras e que algumas coisas são mais fáceis de lembrar do que outras.

**metamemória**
O entendimento dos processos da memória.

## Mnemónica: estratégias para lembrar

Ensinaram você a dizer "Minha vó tem muitas jóias; só usa no pescoço" para decorar o nome e a ordem dos planetas do sistema solar? Este é o exemplo de um **dispositivo mnemônico**, uma estratégia para auxiliar a memória. A estratégia mnemônica mais comum entre crianças e adultos é o uso de *auxiliares de memória externos*. Outras estratégias mnemônicas comuns são *retenção, organização* e *elaboração*.

Anotar um número de telefone, fazer uma lista, programar um despertador e colocar um livro que tem de ser devolvido à biblioteca na porta da frente são exemplos de **auxiliares de memória externos**: estímulos por alguma coisa fora da pessoa. Dizer o número de um telefone repetidamente após olhá-lo, a fim de não o esquecer antes de discar, é uma forma de **retenção**, ou repetição consciente. **Organização** é colocar mentalmente a informação em categorias (p. ex., animais, mobília, veículos e roupas) para facilitar a lembrança. A **elaboração** envolve a consolidação dos itens na memória pensando acerca do significado de um termo e relacionando-o com informação armazenada na memória de longo prazo, ou estabelecendo associações mentais com outra coisa qualquer, como uma cena ou história imaginada. Essencialmente, o que está envolvido é o processamento mais profundo de informação. Para lembrar-se de comprar limões, *catchup* e guardanapos, por exemplo, uma criança poderia visualizar um vidro de *catchup* equilibrado sobre um limão, segurando uma pilha de guardanapos para limpar eventuais respingos.

Há mudanças no desenvolvimento da capacidade das crianças para utilizar estratégias de memorização. Por exemplo, quando se ensina às crianças a usar uma estratégia de memorização, elas tendem a usá-la apenas no contexto particular em que foram ensinadas. As crianças mais velhas, no entanto, são mais propensas a aplicá-la em outras situações (Flavell et al., 2002). Esse processo também ocorre na aprendizagem espon-

**dispositivo mnemônico**
Técnicas para auxiliar a memória.

**auxiliares de memória externos**
Estratégias mnemônicas que usam alguma coisa fora da pessoa.

**retenção**
Estratégia mnemônica para manter um item na memória de trabalho por meio de repetição consciente.

**organização**
Estratégia mnemônica de categorizar o material a ser lembrado.

**elaboração**
Estratégia mnemônica de fazer associações mentais envolvendo os itens a serem lembrados.

**QUADRO 13.2** Estratégias e desafios para a memória de trabalho

| Desafio | Estratégia |
|---|---|
| Seguir instruções longas e pormenorizadas | ▶ Mantenha as instruções curtas e o mais simples possível<br>▶ Segmente as instruções em etapas individuais<br>▶ Repita as instruções frequentemente<br>▶ Para tarefas que ocorrem durante períodos de tempo prolongados, forneça lembretes com informações cruciais para cada fase em vez de repetir as instruções originais<br>▶ Peça à criança para repetir as instruções |
| Armazenamento e processamento de informação | ▶ Diminua as exigências do processamento, reduzindo a complexidade<br>▶ Simplifique o vocabulário, a sintaxe e a extensão das frases |
| Permanecer focado em uma atividade complexa | ▶ Divida a atividade em etapas separadas<br>▶ Forneça suporte à memória, como auxiliares de memória externos<br>▶ Incentive a prática do uso de auxiliares de memória<br>▶ Mantenha os auxiliares externos perto da criança |
| Falhas da memória de trabalho | ▶ Incentive a criança a perguntar sobre informações que foram esquecidas<br>▶ Treine a criança para o uso de dispositivos mnemônicos<br>▶ Apoie e incentive a criança a completar tarefas complexas em vez de abandoná-las |

**QUADRO 13.3** Quatro estratégias comuns de memorização

| Estratégia | Definição | Desenvolvimento na terceira infância | Exemplo |
|---|---|---|---|
| Auxiliares de memória externos | Estímulo por algo externo à pessoa | Pode ser feito por crianças de 5 e 6 anos, mas as de 8 anos têm maior probabilidade de pensar sobre isso. | Dana faz uma lista das coisas que precisa fazer hoje. |
| Retenção | Repetição consciente | Crianças de 6 anos podem ser ensinadas a repetir para lembrar; as de 7 fazem isso espontaneamente. | Ian soletra as palavras repetidamente até memorizá-las. |
| Organização | Agrupamento por categorias | A maioria das crianças não consegue fazer isso pelo menos até os 10 anos, mas crianças mais novas podem ser ensinadas. | Luís lembra-se dos animais que viu no zoológico, pensando primeiro nos mamíferos, em seguida nos répteis, anfíbios, peixes e, por último, nos pássaros. |
| Elaboração | Associação de itens com alguma coisa, por exemplo, uma frase, uma cena, uma história | Crianças mais velhas têm maior probabilidade de fazer associações espontaneamente e de lembrar melhor se a elaboração for feita por elas; crianças mais novas lembram melhor se outra pessoa elaborar para elas. | Yolanda lembra-se das linhas da partitura musical (mi, sol, si, ré, fá) associando-as à frase: "Minha sopa simples requer farinha". |

Os concorrentes em uma competição de soletração fazem uso de estratégias mnemônicas como retenção (repetição), organização e elaboração.

**Verificador**
**você é capaz de...**

- Identificar, ao menos, três formas em que o processamento de informação melhora durante a terceira infância?
- Nomear quatro auxiliares mnemônicos comuns?
- Dizer como o processamento de informação melhorado explica os avanços cognitivos que Piaget descreveu?

tânea. Quando as crianças ficam mais velhas, elas desenvolvem estratégias melhores e usam-nas de forma mais eficaz (Bjorklund, 1997; Quadro 13.3) e muitas vezes usam mais de uma estratégia para a mesma tarefa, escolhendo tipos diferentes de estratégias para problemas diferentes (Coyle & Bjorklund, 1997).

Embora seja difícil ensinar as crianças mais novas a usar dispositivos mnemônicos, o ensino desses dispositivos às mais velhas, se estiverem prontas em termos de desenvolvimento para aprender essas habilidades, pode resultar em ganhos de memória. Em outras palavras, quanto mais jovens forem as crianças, maior será a dificuldade para aprenderem dispositivos mnemônicos, pois simplesmente ainda não estão prontas para eles; contudo, assim que as habilidades necessárias estiverem disponíveis, poderão se beneficiar dessa aprendizagem. Com efeito, o desempenho da memória nas crianças tem sido associado a aspectos do contexto da sala de aula. Alguns professores tendem a solicitar aos alunos que se lembrem de mais informação do que outros. Os professores com essa orientação para a aprendizagem podem ensinar os alunos a utilizar mais estratégias mnemônicas. Há evidências de que a relação entre a orientação do professor para a aprendizagem e o desempenho da memória das crianças reforça a importância do contexto escolar no desenvolvimento da memória infantil (Coffman, Ornstein, McCall, & Curran, 2008).

## Processamento de informação e tarefas piagetianas

Melhorias no processamento de informação podem ajudar a explicar o desenvolvimento descrito por Piaget. Por exemplo, crianças de 9 anos podem ser mais capazes do que as de 5 anos de encontrar o caminho de ida e de volta para a escola, porque podem imaginar uma cena, inserindo nela importantes detalhes, e lembrar objetos dentro do contexto, na ordem em que foram encontrados (Allen & Ondracek, 1995).

A memória mais desenvolvida contribui para o domínio das tarefas de conservação. A memória de trabalho das crianças menores é tão limitada que elas podem não ser capazes de lembrar de todas as informações relevantes (Siegler & Richards, 1982). Por exemplo, podem ter dificuldade em manter simultaneamente o comprimento e a largura de um item na memória de trabalho ou ter dificuldade em lembrar-se de que duas peças de barro de formas diferentes eram idênticas na origem. O progresso na memória de trabalho pode permitir que crianças mais velhas resolvam problemas desse tipo.

Robbie Case (1985, 1992) sugeriu que, à medida que a aplicação de um conceito ou de um esquema, por parte de uma criança, vai se tornando automática, há liberação de espaço na memória de trabalho para lidar com novas informações. Isso pode ajudar a explicar a *décalage* horizontal: é preciso que a criança seja capaz de usar um tipo de conservação sem pensamento consciente para poder, então, estender esse esquema a outros tipos de conservação.

# Abordagem psicométrica: avaliação da inteligência

Psicometria é o ramo da psicologia envolvido na medição quantitativa de variáveis psicológicas. Uma das áreas da psicologia na qual a psicometria tem tido grande impacto é a da inteligência, e as técnicas psicométricas têm sido utilizadas amplamente no desenvolvimento das formas de medir a inteligência. A inteligência das crianças em idade escolar pode ser medida por testes psicométricos aplicados individualmente ou em grupo. O teste individual mais amplamente utilizado é a **Escala de Inteligência Wechsler para Crianças (WISC-IV)**. Esse teste para as idades de 6 a 16 anos mede as habilidades verbais e de desempenho, produzindo pontuações separadas para cada uma, bem como uma pontuação total. As pontuações de subteste separadas indicam os pontos fortes de uma criança e ajudam a diagnosticar problemas específicos. Por exemplo, se uma criança vai bem em testes verbais (tais como informação geral e operações aritméticas básicas), mas mal em testes de desempenho (tais como montar um quebra-cabeça ou desenhar a parte que falta de uma figura), ela pode ser lenta no desenvolvimento perceptual ou motor. Uma criança que vai bem em testes de desempenho, mas mal em testes verbais, pode ter um problema de linguagem. Outro teste individual comumente utilizado é o das Escalas de Inteligência de Stanford-Binet, descrito no Capítulo 10.

Um teste coletivo popular, o **Teste de Habilidade Escolar de Otis-Lennon (OLSAT 8)**, tem níveis desde o jardim de infância até o ensino médio. É solicitado às crianças que classifiquem itens, que demonstrem entendimento de conceitos verbais e numéricos, de informações gerais e que sigam instruções. Pontuações separadas para compreensão verbal, raciocínio verbal, raciocínio pictórico, raciocínio figurativo e raciocínio quantitativo podem identificar forças e fraquezas específicas.

## A controvérsia sobre o QI

O uso de testes de inteligência psicométricos como os que acabamos de descrever é controverso. Pelo lado positivo, visto que os testes de QI foram padronizados e muito utilizados, há informação abundante sobre suas normas, sua validade e sua confiabilidade (ver Cap. 2). As pontuações em testes de QI obtidas durante a terceira infância permitem fazer boas previsões do desempenho escolar, especialmente para crianças altamente verbais, e essas pontuações são mais confiáveis do que as obtidas no período pré-escolar. O QI aos 11 anos tem permitido predizer a duração da vida, a independência funcional na idade adulta e a presença ou ausência de demência (Starr, Deary, Lemmon, & Whalley, 2000; Whalley & Deary, 2001; Whalley et al., 2000).

No entanto, os críticos alegam que os testes subestimam a inteligência de crianças em más condições de saúde ou que, por uma razão ou outra, não vão bem nos testes (Anastasi, 1988; Ceci, 1991; Sternberg, 2004). Por serem cronometrados, os testes equiparam a inteligência com a velocidade e punem as crianças que trabalham lenta e refletidamente. Sua eficácia para o diagnóstico de distúrbios de aprendizagem tem sido contestada (Benson, 2003).

A crítica mais importante é a de que os testes de QI não medem diretamente as habilidades inatas; em vez disso, inferem a inteligência do que as crianças sabem no momento. Como veremos, é praticamente impossível conceber um teste que não exija conhecimento prévio. Além disso, os testes são validados em comparação com medidas de rendimento, por exemplo, o desempenho escolar, e são afetados por fatores como escolaridade e cultura (Sternberg, 2004, 2005). Como discutiremos em uma seção posterior, também há controvérsia sobre se a inteligência é uma habilidade única e geral ou se há tipos de inteligência que não são captados pelos testes de QI. Por essa e outras razões, existe forte discordância quanto à exatidão com que esses testes avaliam a inteligência das crianças.

## Influências sobre a inteligência

Tanto a hereditariedade como o ambiente influenciam a inteligência. Tendo em mente a controvérsia em relação a se os testes de QI realmente medem a inteligência, examinaremos mais detalhadamente essas influências.

**Genes e desenvolvimento cerebral**   A pesquisa sobre imagem cerebral mostra correlação moderada entre tamanho do cérebro ou quantidade de substância cinzenta e inteligência geral, especialmente habilidades de raciocínio e de resolução de problemas (Gray & Thompson, 2004). Um estudo revelou que a quantidade de substância cinzenta no córtex frontal é largamente hereditária, varia amplamente entre indivíduos e está associada a diferenças no QI (Thompson et al., 2001). Um estudo posterior

---

Guia de estudo **3**

Como a inteligência das crianças em idade escolar pode ser medida com exatidão?

**Escala de Inteligência Wechsler para Crianças (WISC-IV)**
Teste de inteligência para crianças em idade escolar que produz pontuações verbais e de desempenho, bem como uma pontuação combinada.

**Teste de Habilidade Escolar de Otis-Lennon (OLSAT 8)**
Teste de inteligência coletivo para crianças do jardim de infância ao ensino médio.

sugere que a questão não é a *quantidade* de substância cinzenta que uma criança tem em determinada idade, mas, antes, o *padrão de desenvolvimento* do córtex pré-frontal, a sede da função executiva e o pensamento de nível superior. Em crianças com QI médio, o córtex pré-frontal é relativamente denso aos 7 anos de idade, atinge a densidade máxima aos 8 anos e, então, afina gradualmente à medida que conexões desnecessárias são podadas. Nas crianças de 7 anos mais inteligentes, o córtex só atinge a densidade máxima aos 11 ou 12 anos. O adensamento prolongado do córtex pré-frontal pode representar um período crítico estendido para o desenvolvimento de circuitos de pensamento de alto nível (Shaw et al., 2006; ver Cap. 12).

Embora raciocínio, resolução de problemas e função executiva estejam associados ao córtex pré-frontal, outras regiões cerebrais sob forte influência genética contribuem para o comportamento inteligente, da mesma forma que a velocidade e a confiabilidade da transmissão de mensagens no cérebro. Fatores ambientais, como a família, a escolaridade e a cultura, desempenham um forte papel no início da vida, mas a hereditariedade da inteligência (uma estimativa do grau com que diferenças individuais na inteligência são causadas pela genética) aumenta drasticamente com a idade à medida que as crianças selecionam ou criam ambientes que se ajustam às suas tendências genéticas (Gray & Thompson, 2004).

**Influência da escolaridade sobre o QI** A escolaridade parece aumentar os escores de QI (Ceci & Williams, 1997; Neisser et al., 1996). As crianças cuja entrada na escola foi muito protelada – como aconteceu, por exemplo, na África do Sul, devido à escassez de professores, e na Holanda, durante a ocupação nazista – perderam cinco pontos de QI a cada ano, e algumas dessas perdas nunca foram recuperadas (Ceci & Williams, 1997).

Os escores de QI caem também durante o período de férias de verão (Ceci & Williams, 1997). Uma amostragem nacional de 1.500 crianças revelou que a pontuação para linguagem, raciocínio espacial e conceitos aumentou muito mais no período de pico do ano escolar do que no período de férias e no início e final do ano letivo (Huttenlocher, Levine, & Vevea, 1998).

**Influências de raça/etnia sobre o QI** A média das pontuações dos testes varia entre grupos raciais/étnicos, dando origem a alegações de que os testes são injustos com os grupos minoritários. Historicamente, em média, crianças negras tiveram pontuações aproximadamente 15 pontos abaixo das pontuações de crianças brancas e apresentaram uma diferença comparável em testes de desempenho escolar (Neisser et al., 1996). Entretanto, essas diferenças diminuíram até 4 a 7 pontos nos últimos anos (Dickens & Flynn, 2006). Os escores de QI médios de crianças hispano-americanas estão entre os de crianças negras e crianças brancas, e suas pontuações, também, tendem a prever desempenho escolar (Ang, Rodgers, & Wanstrom, 2010; Neisser et al., 1996).

O que explica as diferenças raciais/étnicas no QI? Alguns pesquisadores têm apoiado o argumento do fator genético (Herrnstein & Murray, 1994; Jensen, 1969; Rushton & Jensen, 2005). Entretanto, embora haja fortes evidências de uma influência genética sobre as diferenças *individuais* na inteligência, não há evidência direta de que as diferenças de QI entre grupos étnicos, culturais ou raciais sejam hereditárias (Gray & Thompson, 2004; Neisser et al., 1996; Sternberg, Grigorenko, & Kidd, 2005). Em vez disso, muitos estudos atribuem as diferenças étnicas no QI largamente ou inteiramente a desigualdades no ambiente (Nisbett, 1998, 2005) — em renda, nutrição, condições de vida, saúde, atividades dos pais, cuidado com os filhos pequenos, estímulos intelectuais, escolaridade, cultura ou outras circunstâncias, como os efeitos da opressão e da discriminação, que podem afetar a autoestima, a motivação e o desempenho acadêmico. As diferenças ambientais também afetam a preparação para a escola (Rouse, Brooks-Gunn, & McLanahan, 2005), o que, por sua vez, afeta tanto a inteligência medida como o desempenho. Em um estudo longitudinal de 500 crianças norte-americanas saudáveis, os participantes de famílias de baixa renda tinham QI e pontuações de teste de desempenho um pouco mais baixas do que os de famílias de renda mais alta. Entretanto, essas crianças saudáveis de famílias de baixa renda se saíram melhor do que as normas publicadas para seu nível de renda, sugerindo a importância da saúde como um fator na inteligência medida (Waber et al., 2007).

A recente diminuição na diferença nas pontuações de testes de crianças brancas e negras mostra paralelamente uma melhoria nas circunstâncias de vida e nas oportunidades educacionais de muitas crianças negras (Nisbett, 2005). Além disso, como discutimos no Capítulo 7, alguns programas de intervenção precoces tiveram sucesso significativo na elevação dos QIs de crianças desfavorecidas (Nisbett, 2005).

Capítulo 13 • Desenvolvimento cognitivo na terceira infância

A força da própria influência genética parece variar com o nível socioeconômico. Em um estudo longitudinal feito com 319 pares de gêmeos acompanhados desde o nascimento, a influência genética sobre os níveis de QI aos 7 anos de idade, entre crianças de famílias pobres, era próxima de zero, e era forte a influência do ambiente, ao passo que entre crianças de famílias abastadas acontecia o contrário. Em outras palavras, o nível socioeconômico alto fortalece a influência genética, enquanto o nível socioeconômico baixo tende a suprimi-la (Turkheimer, Haley, Waldron, D'Onofrio, & Gottesman, 2003). Apesar disso, embora o nível socioeconômico e o QI estejam fortemente relacionados, apenas o primeiro não é suficiente para explicar toda a variação de QI entre grupos (Neisser et al., 1996; Suzuki & Valencia, 1997).

E quanto aos asiático-americanos, cujos desempenhos escolares estão consistentemente acima dos de outros grupos étnicos? Embora haja alguma controvérsia sobre seu desempenho relativo em testes de inteligência, a maioria dos pesquisadores acredita que essas crianças *não* parecem ter uma vantagem significativa no QI (Neisser et al., 1996). Antes, o desempenho escolar forte das crianças asiático--americanas parece ser mais bem explicado pela ênfase de sua cultura na obediência e no respeito pelos mais velhos, pela importância que os pais asiático-americanos dão à educação como uma via para mobilidade ascendente e pela devoção dos estudantes asiático-americanos ao dever de casa e ao estudo (Chao, 1994, 1996; Fuligni & Stevenson, 1995; Huntsinger & Jose, 1995; Stevenson, 1995; Stevenson, Chen, & Lee, 1993; Stevenson, Lee, Chen, & Lummis, 1990; Stevenson et al., 1990; Sue & Okazaki, 1990).

**Influência da cultura sobre o QI**    Foram feitas várias tentativas para explicar as diferenças em testes de QI entre pessoas de grupos étnicos diferentes. Uma das possibilidades é a de que pessoas de grupos étnicos diferentes têm culturas diferentes. Inteligência e cultura estão inextricavelmente ligadas. Um comportamento considerado inteligente em uma cultura pode ser visto como insensato em outra (Sternberg, 2004). Por exemplo, em uma tarefa de classificação, os norte-americanos provavelmente colocariam um sabiá sob a categoria de pássaros, enquanto o povo kpelle no norte da África consideraria mais inteligente colocar o sabiá em uma categoria funcional de coisas que voam (Cole, 1998). Portanto, um teste de inteligência desenvolvido em uma cultura pode não ser igualmente válido em outra. Além disso, a escolaridade oferecida em uma cultura pode preparar uma criança para se sair bem em algumas tarefas e não em outras, e as competências ensinadas e testadas na escola não são necessariamente as mesmas habilidades práticas exigidas para se obter sucesso na vida diária (Sternberg, 2004, 2005). Assim, a inteligência pode ser mais bem definida como habilidades e conhecimentos necessários para o sucesso em um contexto social e cultural particular. Os processos mentais que estão na base da inteligência podem ser os mesmos em todas as culturas, mas seus resultados podem ser diferentes — e, por isso, também devem ser diferentes os meios para avaliar o desempenho (Sternberg, 2004). Desse modo, os testes de inteligência devem ser culturalmente relevantes e incluir atividades que sejam comuns e necessárias nessa cultura.

Esses argumentos levaram às afirmações de que as diferenças étnicas no QI não refletem a inteligência, mas são um artefato do viés cultural. Pode acontecer de algumas questões utilizarem um vocabulário ou exigirem informações ou habilidades mais familiares a alguns grupos culturais do que a outros (Sternberg, 1985, 1987). Esses críticos alegam que os testes de inteligência são concebidos mais em conformidade com o estilo de pensamento e com a linguagem de pessoas de ascendência europeia, deixando as crianças de grupos minoritários em desvantagem (Heath, 1989; Helms, 1992; Matsumoto & Juang, 2008).

Alguns peritos tentaram desenvolver **testes livres de aspectos culturais** – testes sem conteúdo cultural –, propondo tarefas que não exigissem linguagem, como traçar caminho em labirintos, colocar formas nos espaços certos e completar desenhos, mas foram incapazes de eliminar todas as influências culturais. Concluíram, portanto, que é quase impossível produzir **testes culturalmente justos**, que consistam em experiências comuns aos povos de várias regiões diferentes. Assim, estudos controlados falharam em mostrar que o viés cultural contribui substancialmente para as diferenças de QI de todo o grupo (Neisser et al., 1996).

## Há mais de uma inteligência?

Uma crítica séria aos testes de QI é que eles focalizam quase inteiramente habilidades úteis na escola. É claro que o bom rendimento escolar é importante, mas para se ter sucesso na vida é preciso muito mais do que bom aproveitamento escolar. A maioria dos testes de QI não avalia outros aspectos importantes do comportamento inteligente, como bom senso, aptidão social, percepção criativa e autoconhecimento.

> **Verificador**
> **você é capaz de...**
> ■ Nomear e descrever dois testes de inteligência usados geralmente em crianças em idade escolar?
> ■ Discutir as influências sobre inteligência medida e as explicações que foram apresentadas para as diferenças no desempenho de crianças de outros grupos raciais/étnicos e culturais?

**testes livres de aspectos culturais**
Testes de inteligência que, se fossem possíveis de conceber, não teriam nenhum conteúdo cultural associado.

**testes culturalmente justos**
Testes de inteligência que lidam com experiências comuns a várias culturas, visando eliminar o viés cultural.

Contudo, essas habilidades, nas quais algumas crianças com modestas aptidões acadêmicas têm excelente desempenho, podem ser iguais ou mais importantes em um período avançado da vida e podem ser consideradas formas separadas de inteligência. Dois dos principais defensores dessa posição são Howard Gardner e Robert Sternberg.

**A teoria das inteligências múltiplas de Gardner**   Uma criança que é boa em analisar parágrafos e fazer analogias é mais inteligente que outra que pode tocar um solo de violino difícil, organizar um armário ou lançar uma bola curva no momento certo? A resposta é não, de acordo com Gardner (1993), em sua **teoria das inteligências múltiplas**.

Gardner, neuropsicólogo e pesquisador educacional na Universidade de Harvard, identificou oito tipos independentes de inteligência. De acordo com ele, os testes de inteligência convencionais medem apenas três "inteligências": *linguística, lógico-matemática* e, em algum grau, *espacial*. As outras cinco, que não são refletidas nas pontuações de QI, são *musical, corporal-cinestésica, interpessoal, intrapessoal* e *naturalista* (O Quadro 13.4 define cada uma das inteligências e dá exemplos de campos nos quais elas são mais úteis).

Gardner argumentou que esses tipos de inteligência são distintos entre si e que alta inteligência em uma área não acompanha necessariamente alta inteligência em qualquer uma das outras. Uma pessoa pode ser extremamente dotada em artes (uma habilidade espacial), em precisão de movimento (corporal-cinestésica), em relações sociais (interpessoal) ou em autoentendimento (intrapessoal). Portanto, as campeãs de tênis Venus e Serena Williams, a artista Frida Kahlo e o violoncelista Yo Yo Ma poderiam ser igualmente inteligentes, cada um em uma área diferente.

Gardner (1995) avaliaria cada inteligência diretamente observando seus produtos – quão bem uma criança pode contar uma história, lembrar uma melodia ou andar em uma área estranha –, e não por testes padronizados, porque o tipo de inteligência que está sendo avaliado impactaria no tipo de teste necessário. Para monitorar a habilidade espacial, por exemplo, o examinador poderia esconder um objeto de uma criança de 1 ano de idade, pedir a uma de 6 anos para montar um quebra-cabeças, e dar um cubo de Rubik a um pré-adolescente. O propósito seria não comparar os indivíduos, mas revelar pontos fortes e pontos fracos a fim de ajudar as crianças a darem o melhor de si. Obviamente, esses monitoramentos consumiriam muito mais tempo e seriam mais vulneráveis ao viés do observador do que os testes feitos para serem respondidos com papel e lápis.

Mas os métodos de Gardner descrevem e avaliam corretamente a inteligência? Os críticos de Gardner afirmam que suas inteligências múltiplas são rotuladas mais corretamente como talentos ou habilidades e afirmam que a *inteligência* está mais estreitamente associada a habilidades que levam à realização aca-

**teoria das inteligências múltiplas**
Teoria de Gardner de que cada pessoa tem várias formas diferentes de inteligência.

**Qual a sua opinião?**

- Em quais tipos de inteligência de Gardner você é mais forte?
- Sua educação se concentrou em algum deles?

**QUADRO 13.4**   As oito inteligências, segundo Gardner

| Inteligências | Definição | Campos ou ocupações em que são usadas |
|---|---|---|
| *Linguística* | Capacidade de usar e entender palavras e as nuanças de significados | Escrita, edição, tradução |
| *Lógico-matemática* | Capacidade de manipular números e resolver problemas lógicos | Ciências, negócios, medicina |
| *Espacial* | Capacidade de encontrar o caminho em um ambiente e avaliar as relações entre objetos no espaço | Arquitetura, marcenaria, urbanismo |
| *Musical* | Capacidade de perceber e criar padrões de som e ritmo | Composição musical, regência |
| *Corporal-cinestésica* | Capacidade de se movimentar com precisão | Dança, esportes, cirurgia |
| *Interpessoal* | Capacidade de entender os outros e de comunicar-se com eles | Ensino, atuação, política |
| *Intrapessoal* | Capacidade de entender a si mesmo | Aconselhamento, psiquiatria, liderança espiritual |
| *Naturalista* | Capacidade de diferenciar espécies e suas características | Caça, pesca, agricultura, jardinagem, cozinha |

*Fonte:* Com base em Gardner, 1993, 1998.

dêmica. Eles questionam também seus critérios para definir as inteligências separadas que se sobrepõem largamente, tal como inteligência matemática e espacial (Willingham, 2004).

**Teoria triárquica da inteligência de Sternberg** Enquanto Gardner segmentou a inteligência baseando-se em áreas de habilidades, a **teoria triárquica da inteligência** de Sternberg (1985, 2004) incide sobre os processos envolvidos no comportamento inteligente. Nessa abordagem, a inteligência consiste em três elementos, ou aspectos, da inteligência: *componencial*, *experiencial* e *contextual*.

- O **elemento componencial** é o aspecto *analítico* da inteligência; ele determina o quão eficientemente a informação é processada pelas pessoas. É utilizado para resolver problemas, monitorar soluções e avaliar os resultados. Há pessoas que processam a informação de forma mais eficiente do que outras.
- O **elemento experiencial** é *perspicaz* ou *criativo*; determina como as pessoas abordam tarefas novas ou familiares. Permite que comparem a nova informação com aquilo que já sabem e descubram novas maneiras de juntar fatos – em outras palavras, a pensar originalmente.
- O **elemento contextual** é *prático*; ele determina como as pessoas lidam com o ambiente. É a habilidade que permite avaliar uma situação e decidir o que fazer. A determinação das ações mais apropriadas para certa situação naturalmente depende do contexto em que a pessoa se encontra. Esta poderá decidir adaptar-se à situação, modificá-la ou sair dela.

De acordo com Sternberg, todas as pessoas têm esses três tipos de habilidades, em maior ou menor grau; uma pessoa pode destacar-se em um, dois ou em todos os três. O Teste de Habilidades Triárquicas de Sternberg (STAT — *Sternberg Triarchic Abilities Test*) (Sternberg, 1993) busca medir cada um dos três aspectos da inteligência – analítico, criativo e prático – por meio de escolhas múltiplas e de questões dissertativas. Como Sternberg foca processos em vez de conteúdos, e esses processos devem prever o comportamento inteligente em vários domínios do conhecimento, há três domínios da inteligência que são avaliados: *verbal*, *quantitativo* e *figurativo* (ou *espacial*). Por exemplo, um teste de inteligência prática-quantitativa poderia ser resolver um problema de matemática cotidiano envolvendo comprar ingressos para um jogo de futebol ou seguir uma receita de biscoitos. Um teste criativo-verbal poderia ser resolver problemas de raciocínio dedutivo a partir de premissas concretamente falsas (como "O dinheiro dá em árvores"). Um item analítico-figurativo poderia ser identificar o pedaço que falta em uma figura. Estudos de validação encontraram correlações entre o STAT e vários outros testes de pensamento crítico, criatividade e solução prática de problemas. Como já foi dito, os três tipos de habilidades são apenas ligeiramente relacionados uns aos outros (Sternberg, 1997; Sternberg & Clinkenbeard, 1995).

Como os testes de Sternberg se comparam aos testes de QI convencionais? Os testes convencionais, apesar de serem relativamente bons na previsão do desempenho escolar, são menos úteis na predição do sucesso no mundo exterior. De acordo com Sternberg, isso é o que seria esperado. Os testes de QI convencionais medem, sobretudo, a habilidade componencial, e, como essa habilidade é a mais exigida para as tarefas escolares nas sociedades ocidentais, não surpreende que os testes favoreçam as previsões quanto ao desempenho escolar. As falhas em avaliar inteligências experienciais (perceptivas ou criativas) e contextuais (práticas), diz Sternberg, explicam por que esses testes são menos usados para predizer o sucesso no mundo exterior.

No mundo real, o conhecimento acadêmico pode não ser sempre útil. Por exemplo, crianças em muitas culturas têm de aprender habilidades práticas, conhecidas como **conhecimento tácito**, para terem sucesso. Essas habilidades não são necessariamente ensinadas nas escolas. Em estudos feitos em Usenge, Quênia, e entre crianças esquimós de Yup'ik, sudoeste do Alasca, o conhecimento tácito das crianças sobre matérias como plantas medicinais, caça, pesca e preservação de vegetais mostrou não ter relação com medidas convencionais de inteligência (Grigorenko et al., 2004;. Sternberg, 2004; Sternberg, Grigorenko, & Oh, 2001), mas era necessário para a sobrevivência.

**teoria triárquica da inteligência**
Teoria de Sternberg que descreve três elementos da inteligência: componencial (habilidade analítica), experiencial (*insight* e originalidade) e contextual (pensamento prático).

**elemento componencial**
Termo de Sternberg para o aspecto analítico da inteligência.

**elemento experiencial**
Termo de Sternberg para o aspecto perspicaz ou criativo da inteligência.

**elemento contextual**
Termo de Sternberg para o aspecto prático da inteligência.

*A habilidade musical, que inclui a capacidade de perceber e criar padrões afinados e de ritmo, é um dos oito tipos diferentes de inteligência, de acordo com Howard Gardner.*

**conhecimento tácito**
Termo de Sternberg para a informação que não é ensinada formalmente ou expressa abertamente, mas que é necessária para ir adiante.

**PARTE V • Terceira infância**

**Bateria de Avaliação de Kaufman para Crianças (K-ABC-II)**
Teste de inteligência individual não tradicional que visa fornecer avaliações justas de crianças pertencentes a grupos minoritários e de crianças com necessidades especiais.

**testes dinâmicos**
Testes baseados na teoria de Vygotsky que enfatizam mais o potencial do que a aprendizagem passada.

**Verificador**
**você é capaz de...**

■ Comparar as teorias da inteligência de Sternberg e Gardner e citar as habilidades específicas que cada uma delas propõe?

■ Descrever novos tipos de testes de inteligência?

Guia de
**estudo** 4
Como as habilidades de comunicação se expandem durante a terceira infância?

## Outras tendências em testes de inteligência

Alguns outros instrumentos para diagnóstico e prognóstico são baseados na pesquisa neurológica e na teoria do processamento de informação. A segunda edição da **Bateria de Avaliação de Kaufman para Crianças (K-ABC-II)** (Kaufman & Kaufman, 1983, 2003) é um teste individual feito entre 3 e 18 anos que tem o propósito de avaliar as habilidades cognitivas em crianças com diferentes necessidades (como autismo, disfunções auditivas e transtornos da linguagem) e que são provenientes de diversos meios culturais e linguísticos. Compreende subtestes com o objetivo de reduzir ao mínimo as instruções e as respostas verbais, assim como itens com limitado conteúdo cultural.

Os **testes dinâmicos** baseados nas teorias de Vygotsky enfatizam mais os resultados potenciais do que os atuais. Em contraste com os tradicionais *testes estáticos*, com os quais se avaliam as habilidades comuns das crianças, esses testes buscam captar a natureza dinâmica da inteligência, mais pela avaliação direta dos processos de aprendizagem do que pelos resultados do que foi aprendido anteriormente (Sternberg, 2004). Os testes dinâmicos contêm itens até dois anos acima do nível de competência atual de uma criança. Quando necessário, os examinadores ajudam a criança fazendo perguntas direcionadas, dando exemplos ou demonstrações e oferecendo *feedback*; portanto, o próprio teste constitui uma situação de aprendizagem. Dado que Vygotsky focou na interação como o contexto em que o desenvolvimento ocorreu, parte do que significa ser inteligente inclui, portanto, a capacidade de aprender por meio de interações em patamares. A diferença entre os itens que a criança consegue responder sozinha e os que ela é capaz de responder com ajuda alheia é a zona de desenvolvimento proximal (ZDP) da criança.

Ao indicarem o que uma criança está pronta para aprender, os testes dinâmicos podem fornecer aos professores informações mais úteis do que as fornecidas pelos testes psicométricos e revelar a necessidade de uma intervenção específica para que a criança progrida. Podem ser particularmente eficazes em crianças muito incapacitadas (Grigorenko & Sternberg, 1998; Rutland & Campbell, 1996). Entretanto, os testes dinâmicos são trabalhosos, e a ZDP pode ser difícil de medir com exatidão.

## Linguagem e alfabetização

As habilidades de linguagem continuam a se desenvolver durante a terceira infância. As crianças em idade escolar são mais capazes de compreender e interpretar comunicações verbais e escritas e conseguem fazer-se entender melhor. Essas tarefas são especialmente desafiadoras para crianças que não falam a língua local.

### Vocabulário, gramática e sintaxe

À medida que o vocabulário aumenta durante os anos escolares, as crianças usam cada vez mais verbos específicos. Elas aprendem que uma palavra como *manga* pode ter mais de um significado e, pelo contexto, podem deduzir o significado pretendido. A *alegoria* e a *metáfora*, figuras de linguagem em que uma palavra ou uma frase que normalmente significam uma coisa são postas em comparação ou aplicadas a outra, tornam-se progressivamente habituais (Owens, 1996; Vosniadou, 1987). Embora a gramática seja complexa para a idade de 6 anos, as crianças nos primeiros anos escolares raramente usam a voz passiva (como em "A calçada está sendo varrida").

A compreensão das crianças das regras de *sintaxe* (como as palavras são organizadas em frases e sentenças) torna-se mais sofisticada com a idade (C. S. Chomsky, 1969). Por exemplo, a maioria das crianças com menos de 5 ou 6 anos acha que as sentenças "John prometeu a Bill fazer compras" e "John disse para Bill fazer compras" significam, ambas, que Bill é o que tem que ir à loja. Muitas crianças de 6 anos ainda não aprenderam a interpretar construções como as da primeira sentença, ainda que elas saibam o que é uma promessa e entendam a palavra corretamente em outras sentenças. Aos 8 anos, a maioria das crianças consegue interpretar a primeira sentença corretamente, e aos 9 anos praticamente todas as crianças conseguem. Elas agora olham o significado de uma sentença como um todo em vez de focalizar-se apenas na ordem das palavras.

A estrutura das sentenças continua a tornar-se mais elaborada. Outras crianças usam mais orações subordinadas ("O menino *que entrega os jornais* tocou a campainha"). Contudo, algumas construções, como as que começam com *entretanto* e *embora*, não se tornam comuns até os primeiros anos da adolescência (Owens, 1996).

## Capítulo 13 • Desenvolvimento cognitivo na terceira infância

Em 1939, pesquisadores da Universidade de Iowa conduziram um estudo no qual a gagueira foi induzida deliberadamente em crianças pequenas. Nesse "estudo monstro", um grupo de órfãos era insultado e atormentado em relação a sua fala na tentativa de demonstrar que a gagueira era resultado de pressão psicológica. Nenhuma das crianças desenvolveu gagueira, mas muitas delas desenvolveram problemas psicológicos como resultado da experiência. Evidentemente, esse estudo teve problemas éticos profundos, e em 2007 seis das crianças iniciaram uma ação judicial e ganharam indenizações de aproximadamente 1 milhão de dólares.

*Huge payout in U.S. stuttering case, 2007*

## Pragmática: conhecimento sobre comunicação

A área que mais se desenvolve nos anos escolares é a **pragmática**: o uso prático da linguagem para comunicar. A pragmática compreende as habilidades de conversação e de narração.

A pessoa que se comunica bem é aquela que sonda com perguntas antes de introduzir um tema com o qual a outra parte pode não ter familiaridade. Ela logo reconhece uma falha na comunicação e faz alguma coisa para resolver o problema. São muitas as diferenças individuais nessa habilidade: algumas crianças de 7 anos conversam melhor entre si do que alguns adultos (Anderson, Clark, & Mullin, 1994). Há também diferenças referentes ao gênero. Em um estudo, 120 alunos do 4º ano da classe média londrina foram organizados em pares para a resolução de um problema de matemática. Quando meninos e meninas trabalhavam juntos, os meninos tendiam a manter o controle pela fala e a fazer intervenções negativas, enquanto as meninas faziam seus comentários de um modo mais apaziguador, conciliador. A comunicação entre as crianças foi mais colaborativa quando trabalhavam com um parceiro do mesmo sexo (Leman, Ahmed, & Ozarow, 2005).

Quando alunos do 1º ano contam histórias, eles frequentemente relatam uma experiência pessoal. A maioria das crianças de 6 anos consegue reproduzir a trama de um pequeno livro, filme ou programa de televisão. Elas começam a descrever motivos e relações causais. Por volta do 2º ano, as histórias das crianças passam a ser mais longas e complexas. Aquelas que são fruto da imaginação muitas vezes têm começo e final convencionais ("Era uma vez..." e "Eles viveram felizes para sempre" ou simplesmente "Fim"). A variedade de palavras usadas é maior do que antes, mas as personagens não crescem nem mudam, e as tramas não são completamente desenvolvidas.

As crianças maiores normalmente dão uma visão preliminar com informações introdutórias sobre o contexto e os personagens, indicando também, claramente, mudanças de tempo e lugar ao longo do relato. Constroem episódios mais complexos do que as crianças menores, com menos detalhes desnecessários. Concentram-se mais nos motivos e nos pensamentos dos personagens e pensam como resolver os problemas da trama.

**pragmática**
Contexto social da linguagem.

**Verificador**
**você é capaz de...**
- Resumir as melhorias nas habilidades de linguagem durante a terceira infância?

Se você quer que seus filhos lhe falem a verdade, peça que eles prometam fazê-lo antes de fazer sua pergunta. Os pesquisadores verificaram que as crianças têm menor probabilidade de mentir após prometerem dizer a verdade.

*Evans & Lee, 2010*

*A linguagem de crianças escolares é mais sofisticada do que a de crianças menores. Elas são mais hábeis em contar histórias e segredos, assim como em serem entendidas.*

## Aprendizagem de uma segunda língua

Em 2007, 21% das crianças norte-americanas entre 5 e 17 anos falavam outra língua além do inglês em casa. A língua primária que a maioria dessas crianças falava era o espanhol, e mais de 5% tinham dificuldade para falar inglês (Federal Interagency Forum on Child and Family Statistics, 2009; Figura 13.1). Cerca de 11% da população das escolas públicas é definida como *aprendiz da língua inglesa* (ELLs, em inglês) (National Center for Education Statistics [NCES], 2007).

Algumas escolas usam uma **abordagem de imersão na língua inglesa**, às vezes chamada de ESL, ou inglês como segunda língua (*English as second language*), na qual as crianças em minoria na língua são ensinadas em inglês desde o início, em classes especiais. Outras escolas adotaram programas de **educa-**

**abordagem de imersão na língua inglesa**
Abordagem de ensino do inglês como segunda língua na qual a instrução é apresentada apenas em inglês.

**educação bilíngue**
Sistema de ensinar crianças que não falam inglês em suas línguas nativas enquanto aprendem o inglês, mais tarde mudando para instrução totalmente em inglês.

**FIGURA 13.1**
Porcentagem anual de crianças norte-americanas cuja língua nativa não é a inglesa.

*O número de crianças norte-americanas cuja primeira língua não é a inglesa tem aumentado de forma constante ao longo dos últimos 30 anos, desde cerca de 8% em 1979 para 21% em 2009.*

*Fonte*: National Center for Education Statistics, 2009.

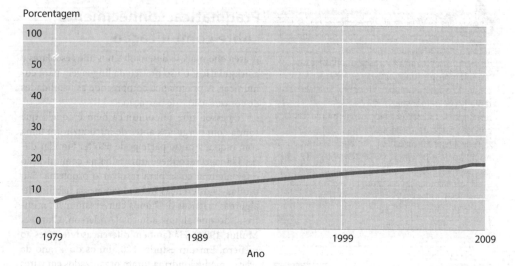

**bilíngue**
Fluente em duas línguas.

**Verificador**
▶ você é capaz de...
■ Descrever e avaliar três tipos de educação de uma segunda língua?

**aprendizagem simultânea (bilíngue)**
Abordagem de ensino da segunda língua na qual os estudantes que estão aprendendo inglês e aqueles que têm o inglês como língua materna aprendem juntos em ambas as línguas.

**decodificação**
Processo de análise fonética pelo qual uma palavra impressa é convertida para a forma falada antes da recuperação na memória de longo prazo.

ção bilíngue, nos quais as crianças são ensinadas em duas línguas, primeiro aprendendo em sua língua nativa com outros que a falam e então mudando para classes regulares em inglês quando se tornam mais proficientes nesse idioma. Esses programas podem encorajar as crianças a tornar-se **bilíngues** (fluentes em duas línguas) e a sentir orgulho de sua identidade cultural.

Os defensores da *imersão na língua inglesa* alegam que, quanto mais cedo as crianças são expostas ao inglês e quanto mais tempo elas passam falando a língua, melhor elas a aprendem. Os proponentes dos programas *bilíngues* alegam que as crianças progridem mais rápido academicamente em suas línguas nativas e mais tarde fazem uma transição mais suave para salas de aula exclusivamente em inglês (Padilla et al., 1991). Alguns educadores afirmam que a abordagem do ensino apenas em inglês dificulta o desenvolvimento cognitivo; visto que crianças de língua estrangeira podem entender apenas o inglês simples a princípio, o currículo deve ser diluído, e as crianças ficam menos preparadas para lidar com material complexo posteriormente (Collier, 1995).

Análises estatísticas de múltiplos estudos concluem que crianças em programas bilíngues normalmente superam aquelas de programas apenas em uma língua nos testes de competência na língua (Crawford, 2007; Krashen & McField, 2005). Ainda mais bem-sucedida, de acordo com algumas pesquisas, é outra abordagem, menos comum: a **aprendizagem simultânea (bilíngue)**, na qual os estudantes que estão aprendendo inglês e aqueles que têm o inglês como língua materna aprendem juntos em ambas as línguas. Essa abordagem evita qualquer necessidade de colocar crianças de grupos minoritários em classes separadas. Ao valorizar ambas as línguas igualmente, ela reforça a autoestima e melhora o desempenho escolar. Outra vantagem é que os estudantes que falam inglês aprendem uma língua estrangeira em uma idade precoce, quando podem adquiri-la mais facilmente (Collier, 1995; W. P. Thomas & Collier, 1997, 1998).

## Alfabetização

Aprender a ler e a escrever liberta as crianças da restrição da comunicação face a face, dando-lhes a possibilidade de acessar as ideias e a imaginação de pessoas em terras distantes e em períodos passados. A partir do momento em que as crianças conseguem ler e escrever, elas podem traduzir os sinais de uma página em um padrão de sons e significado, desenvolver estratégias progressivas e sofisticadas para entender o que leem e usar a palavra escrita para expressar ideias, pensamentos e sentimentos.

**Leitura**  Pense no que tem de acontecer até que uma criança aprenda a ler palavras. Em primeiro lugar, ela deve lembrar-se das características distintivas das letras — que, por exemplo, um "c" consiste em um semicírculo curvo, e um "o", em um círculo fechado. Depois, a criança deve ser capaz de reconhecer os diferentes fonemas partindo as palavras nas partes que as constituem. Por exemplo, ela deve ser capaz de entender que a palavra *cavalo* é composta por três sons diferentes: "ca", "va" e "lo". Por fim, deve ser capaz de combinar as características visuais das letras com os fonemas e lembrar como se juntam. Esse processo é conhecido como **decodificação**. Só depois que essas habilidades são dominadas é que as crianças conseguem começar a ler. Não é surpreendente que aprender a ler seja uma habilidade complexa e difícil.

Por causa das dificuldades envolvidas na aprendizagem da leitura, os educadores têm desenvolvido várias formas para ensinar as crianças. Elas podem aprender a identificar a palavra impressa de duas formas contrastantes. Na abordagem tradicional, chamada **abordagem fonética (com ênfase no código)**, a criança diz a palavra, traduzindo-a da forma impressa para a fala antes de recuperá-la a partir da memória de longo prazo. Para fazer isso, a criança deve dominar o código fonético que faz a correspondência do alfabeto impresso com os sons falados (como descrito anteriormente). Essa instrução envolve geralmente tarefas rigorosas, dirigidas por professores, focadas na memorização da correspondência entre letras e sons.

A **abordagem da linguagem integral** enfatiza a recuperação visual e o uso de sugestões contextuais. Essa abordagem está fundamentada na crença de que as crianças podem aprender a ler e a escrever naturalmente, tanto quanto aprendem a falar. Ao usar a **recuperação baseada na visualização**, a criança simplesmente vê a palavra e a recupera. Os proponentes da abordagem integral alegam que elas aprendem a ler com melhor compreensão e mais prazer ao experimentarem a linguagem escrita desde o princípio, como um modo de aumentar a informação e de expressar ideias e sentimentos, e não como um sistema de sons e sílabas isolados a ser aprendido por memorização e treino. Os programas de linguagem global tendem a destacar a literatura real e as atividades abertas empreendidas pelos alunos.

Apesar da popularidade da abordagem da linguagem integral, as pesquisas encontraram pouco apoio para suas alegações. A afirmação central da abordagem, de que podemos aprender a ler de uma forma natural e tão facilmente como aprendemos a falar, está fundamentalmente errada porque estamos adaptados para a linguagem, mas não para a leitura. Uma longa linha de pesquisa apoia a visão de que a consciência fonêmica e o treinamento precoce da fonética são fundamentais para a competência na leitura para a maioria das crianças (Booth, Perfetti, & MacWhinney, 1999; Hatcher, Hulme, & Ellis, 1994; Jeynes & Littell, 2000; Liberman & Liberman, 1990; National Reading Panel, 2000; Stahl, McKenna, & Pagnucco, 1994).

Muitos especialistas recomendam uma mistura dos melhores aspectos de ambas as abordagens (National Reading Panel, 2000). As crianças podem aprender as habilidades fonéticas juntamente com estratégias que as ajudem a entender o que leem. Por exemplo, podem ser exercitadas na correspondência entre letras e sons, mas também ser convidadas a memorizar certas palavras comuns como "sol" e "que", que são mais difíceis de decodificar. Visto que as habilidades de leitura são o produto conjunto de muitas funções em diferentes partes do cérebro, a instrução somente em sub-habilidades específicas – fonética ou compreensão – tem menor probabilidade de sucesso (Byrnes & Fox, 1998). As crianças que conseguem unir as duas estratégias – baseadas na visualização e na fonética – usando a recuperação visual para palavras conhecidas e decodificação fonética para palavras desconhecidas tornam-se leitores melhores e mais versáteis (Siegler, 1998, 2000).

As habilidades metacognitivas podem ajudar as crianças a desenvolver a alfabetização. A **metacognição** envolve pensar sobre o pensar. Em outras palavras, envolve a consciência dos próprios processos de pensamento e, por isso, poderá ajudar as crianças a monitorar sua compreensão do que leem e permite que elas desenvolvam estratégias para resolver quaisquer desafios. Por exemplo, crianças com boas habilidades metacognitivas podem aprender a usar estratégias como ler devagar, reler passagens difíceis, tentar visualizar a informação e pensar em exemplos adicionais para tentarem apreender a informação contida em uma passagem que foi escrita de forma mais desafiadora. As habilidades metacognitivas podem ser encorajadas pedindo-se aos estudantes para memorizar, resumir e fazer perguntas sobre o que leram para melhorar a compreensão (National Reading Panel, 2000).

Entretanto, as crianças que têm dificuldades de leitura precoces não estão necessariamente condenadas a fracassos na leitura. Um estudo longitudinal acompanhou o progresso de 146 crianças de baixa renda cujas pontuações de leitura no 1º ano estavam abaixo do percentil 30. Trinta por cento das crianças apresentaram movimento regular em direção à média nas habilidades de leitura do 2º ao 4º ano. As crianças que melhoraram mais foram aquelas que, na pré-escola, tinham apresentado habilidades de alfabetização emergentes relativamente fortes e melhor comportamento na sala de aula, que lhes permitia prestar atenção e tirar maior proveito do ensino (Spira, Bracken, & Fischel, 2005).

**Escrita** A aquisição das habilidades de escrita ocorre paralelamente ao desenvolvimento da leitura. As crianças da pré-escola começam a usar letras, números, formas e símbolos que lembram letras para representar palavras ou partes de palavras – sílabas ou fonemas. Muitas vezes, o modo como soletram é muito criativo – tanto que depois a leitura pode se tornar difícil (Ouellette & Sénéchal, 2008; Whitehurst & Lonigan, 1998).

---

**abordagem fonética (com ênfase no código)**
Ensino da leitura enfatizando a decodificação de palavras desconhecidas.

**abordagem da linguagem integral**
Ensino da leitura enfatizando a recuperação visual e o uso de pistas contextuais.

**recuperação baseada na visualização**
Processo de recuperar o som de uma palavra impressa ao ver a palavra inteira.

**metacognição**
Consciência da pessoa de seus próprios processos mentais.

Qual a sua **opinião?**
Por que a interação social deve melhorar a escrita das crianças?

## PARTE V • Terceira infância

### Verificador
#### você é capaz de...
- Comparar os métodos de ensino da leitura fonético e de linguagem integral e discutir como a compreensão melhora?
- Discutir fatores que afetam a melhora da leitura em leitores iniciantes de baixa renda?
- Explicar por que escrever é difícil para crianças pequenas?
- Resumir as tendências em relação ao desempenho da leitura e da escrita?

Escrever é difícil para as crianças pequenas. Diferentemente do que acontece com a conversação, que oferece um retorno imediato, a escrita requer que a criança julgue independentemente se a meta de comunicação foi atingida. A criança também tem de se ater a uma série de outras dificuldades: ortografia, pontuação, gramática, letras maiúsculas e minúsculas, bem como à tarefa física básica de desenhar as letras (Siegler, 1998).

Em muitas salas de aula, as crianças são desencorajadas a discutir seu trabalho com outras crianças devido à convicção de que vão se distrair mutuamente. A pesquisa fundamentada no modelo de interação social do desenvolvimento da linguagem de Vygotsky sugere que essas políticas estão mal orientadas. Em um estudo, crianças do 4º ano que trabalharam em duplas escreveram histórias com mais soluções para problemas, mais explicações e objetivos e menos erros de sintaxe e vocabulário do que as crianças que trabalharam sozinhas (Daiute, Hartup, Sholl, & Zajac, 1993).

Os esforços para melhorar o ensino da escrita e da leitura parecem obter sucesso. As crianças norte-americanas do 4º ano tiveram pontuações melhores do que suas equivalentes em quaisquer dos outros oito países industrializados, exceto a Inglaterra, em um teste internacional de alfabetização (Sen, Partelow, & Miller, 2005). A The National Assessment of Educational Progress (Avaliação Nacional do Progresso Educacional), em 2007, encontrou melhorias significativas nas proporções dos alunos de 4º e 8º anos que leem e escrevem proficientemente, em especial entre os alunos com desempenhos baixos e médios (NCES, 2007). Ainda assim, em 2007, apenas 33% dos alunos do 4º ano estiveram no nível de proficiência ou acima dele na leitura (NCES, 2007).

> Você fez psicologia porque pensou que seria fácil? Você não é o único. Aos 7 anos de idade as crianças acreditam que psicologia é mais fácil que ciências naturais.
>
> *Keil, Lockhart, & Schlegel, 2010*

### Guia de estudo 5
Que fatores influenciam o desempenho escolar?

# A criança na escola

As experiências dos primeiros anos de escola são cruciais para a formação de uma base que determinará o futuro sucesso ou fracasso. Vejamos a experiência no 1º ano e a forma como as crianças aprendem a ler e escrever. Depois examinaremos as influências sobre o desempenho escolar.

## Ingressando no 1º ano

Mesmo hoje, quando a maioria das crianças norte-americanas vai para a pré-escola, as crianças normalmente chegam ao 1º ano com um misto de impaciência e ansiedade. O primeiro dia de aula "de verdade" é um marco – um sinal do desenvolvimento que torna possível essa nova condição.

Para conseguir progressos acadêmicos, a criança tem que estar envolvida com o que acontece na aula. Interesse, atenção e participação ativa estão positivamente associados com pontuações em testes de desempenho e, mais ainda, com as notas dos professores do 1º ano até pelo menos o 4º ano (Alexander, Entwisle, & Dauber, 1993).

Em um estudo longitudinal norte-americano, estudantes do 1º ano em risco de fracasso escolar – ou devido ao nível socioeconômico baixo ou a problemas acadêmicos, comportamentais ou de atenção – progrediram tanto quanto seus pares de baixo risco quando os professores ofereceram apoio acadêmico e emocional forte. Esse apoio assumia a forma de instrução de alfabetização frequente, *feedback* avaliativo, envolvimento dos estudantes em discussões, resposta às suas necessidades emocionais, encorajamento da responsabilidade e criação de uma atmosfera de sala de aula positiva (Hamre & Pianta, 2005).

### Verificador
#### você é capaz de...
- Explicar o impacto da experiência do 1º ano sobre a carreira escolar de uma criança e identificar fatores que afetam o sucesso no 1º ano?

## Influências sobre o desempenho escolar

Como a teoria bioecológica de Bronfenbrenner previa, além das características próprias das crianças, cada nível do contexto de suas vidas – a família, a sala de aula, as mensagens recebidas dos amigos ou a cultura em geral (como "Não é legal ser inteligente") – tem influência sobre o desempenho escolar. Vamos dar uma olhada nessa rede de influências. (As influências da cultura são discutidas no Cap. 16.)

**Crenças de autoeficácia** Lembre-se de como você se sentiu na última vez em que teve de estudar para uma prova importante. Sentiu que correria tudo bem desde que estudasse e estivesse confiante na sua capacidade para dominar a matéria? Pensou que era capaz de focar no estudo suficientemente bem para aprender? Ou sentiu que não podia fazer nada porque a matéria era muito difícil? Suas atitudes nessa área podem ser descritas por um construto chamado *autoeficácia*. Estudantes com grande sentimento de autoeficácia – que acreditam que podem dominar as tarefas escolares e controlar sua aprendizagem – têm maior probabilidade de ser bem-sucedidos do que estudantes que não acreditam em suas capacidades (Bandura, Barbaranelli, Caprara, & Pastorelli, 1996; Caprara et al., 2008; Zimmerman, Bandura, & Martinez-Pons, 1992). Estudantes autorregulados estabelecem metas desafiadoras e usam estratégias apropriadas para alcançá-las. Eles tentam mais, persistem a despeito de dificuldades e buscam ajuda quando necessário. Estudantes que não acreditam na própria capacidade de sucesso tendem a tornarem-se frustrados e deprimidos – sentimentos que tornam o sucesso mais ilusório.

Em janeiro de 2011, uma escola de Roslyn, Nova York, comprou 47 iPads para fornecer aos estudantes como parte de um programa piloto. Os administradores alegam que os iPads substituiriam os livros, aumentariam a conclusão do dever de casa, forneceriam material interativo e tornariam a comunicação com os professores mais provável. O que você acha?

*Hu, 2011*

**Gênero** As meninas tendem a ir melhor na escola do que os meninos; elas tiram notas mais altas, em média, em cada matéria (Halpern et al., 2007), têm menor probabilidade de repetir o ano, têm menos problemas escolares e apresentam melhor desempenho que os meninos nas avaliações nacionais de leitura e escrita (Freeman, 2004). Além disso, em um estudo com mais de 8 mil homens e mulheres entre 2 e 90 anos de idade, as meninas e as mulheres tendiam a sair-se melhor que os meninos e os homens em testes cronometrados (Camarata & Woodcock, 2006). No entanto, os meninos se saem melhor que as meninas em testes de ciências e matemática que não estão estreitamente relacionados a material ensinado na escola. Entretanto, as diferenças nas capacidades matemáticas no ensino fundamental, quando a habilidade de cálculo é enfatizada, são pequenas e tendem a favorecer as meninas. A vantagem das meninas na escrita e a vantagem dos meninos em ciências são maiores e mais confiáveis (Halpern et al., 2007). As diferenças de gênero tendem a tornar-se mais proeminentes no ensino médio, como discutiremos no Capítulo 16.

Uma combinação de vários fatores – experiência precoce, diferenças biológicas (inclusive diferenças no tamanho e na estrutura do cérebro) e expectativas culturais – pode ajudar a explicar essas diferenças (Halpern et al., 2007). A vantagem dos meninos em habilidades espaciais pode ser influenciada pelo nível socioeconômico (NSE), de acordo com um estudo com 547 crianças urbanas de $2^o$ e $3^o$ anos. Embora os meninos de NSE médio e alto se saíssem melhor do que as meninas em tarefas espaciais, o mesmo não ocorria com meninos de NSE baixo, talvez porque eles tivessem menor probabilidade de realizar atividades de orientação espacial, como projetos de construção (Levine, Vasilyeva, Lourenco, Newcombe, & Huttenlocher, 2005).

**Estilos de parentalidade** Os pais de crianças de alto desempenho criam um ambiente propício à aprendizagem. Providenciam um local para o estudo, onde possam ser guardados os livros e outros materiais; estipulam horários para as refeições, o sono e as lições de casa; controlam o tempo de televisão e o que as crianças fazem depois da escola; e mostram interesse na vida de seus filhos, conversando com eles sobre a escola e se interessando por suas atividades escolares. As crianças cujos pais se envolvem mais em suas atividades escolares conseguem melhores resultados acadêmicos (Hill & Taylor, 2004).

O estilo de parentalidade pode afetar a motivação e, portanto, o sucesso escolar. Em um estudo, os alunos do $5^o$ ano que apresentavam melhores resultados tinham pais *democráticos*. Esses alunos tinham curiosidade e interesse em aprender e gostavam de desafios e de resolver problemas. Pais *autoritários*, que insistem com os filhos para fazer as lições de casa, controlam de perto e confiam na motivação extrínseca, de modo geral, têm filhos que apresentam baixos níveis de aproveitamento escolar. Crianças que têm pais *permissivos*, que não se envolvem nem demonstram interesse em saber como os filhos estão na escola, também apresentam baixo aproveitamento (G. S. Ginsburg & Bronstein, 1993).

**Nível socioeconômico** O NSE pode ser um fator poderoso no desempenho escolar – não isoladamente, mas devido a sua influência sobre a atmosfera familiar, a escolha da vizinhança e os estilos de parentalidade (Evans, 2004; National Research Council [NRC], 1993a; Rouse et al., 2005). Em um estudo nacionalmente representativo de crianças norte-americanas que entraram na pré-escola em 1998, as diferenças de desempenho entre estudantes favorecidos e desfavorecidos aumentaram nos primeiros quatro anos de escolaridade (Rathbun, West, & Germino-Hausken, 2004). As férias de verão contribuem

| 352 | **PARTE V** • Terceira infância |

para essas diferenças devido à mudança no ambiente doméstico típico e às experiências de aprendizagem que as crianças têm no verão. Crianças de baixa renda não compensam essa diferença, que, de acordo com um estudo longitudinal com crianças em escolas de Baltimore, responde substancialmente por diferenças no desempenho e na conclusão do ensino médio e na entrada na faculdade (Alexander, Entwisle, & Olson, 2007).

Entretanto, o NSE não é o único fator que afeta o aproveitamento. Um estudo longitudinal feito com crianças cujo ambiente familiar era decididamente estimulante quando tinham 8 anos mostrou uma forte motivação para a aprendizagem aos 9, 10 e 13 anos em relação a crianças que haviam vivido em lares menos estimulantes. Isso era verdade apesar dos efeitos do NSE (Gottfried, Fleming, & Gottfried, 1998).

**capital social**
Recursos familiares e comunitários aos quais as pessoas podem recorrer.

Por que razão alguns jovens provenientes de famílias e bairros menos favorecidos vão bem na escola e melhoram suas condições de vida? O que pode fazer a diferença é o **capital social**, a rede de recursos comunitários a que as crianças e as famílias podem recorrer (Coleman, 1988). Em uma intervenção experimental de três anos na qual pais trabalhadores pobres receberam complementação salarial, subsídios para o cuidado das crianças e seguro de saúde, o desempenho escolar e o comportamento de seus filhos em idade escolar melhoraram em comparação com o grupo-controle que não se beneficiou dessa intervenção (Huston et al., 2001). Dois anos depois de as famílias terem deixado o programa, o impacto sobre o desempenho e a motivação escolar permanecia firme, especialmente para os meninos mais velhos, embora o efeito sobre o comportamento social tenha diminuído (Huston et al., 2005).

**Aceitação pelos pares**   Crianças que são apreciadas e aceitas por seus pares tendem a se sair melhor na escola. Entre 248 estudantes de 4º ano, aqueles cujos professores relataram que não eram apreciados por seus pares tinham autoconceitos acadêmicos mais insatisfatórios e mais sintomas de ansiedade ou depressão no 5º ano e notas mais baixas em leitura e matemática no 6º ano. A identificação precoce feita pelos professores de crianças que exibem problemas sociais poderia levar a intervenções que melhorariam os resultados acadêmicos, emocionais e sociais dessas crianças (Flook, Repetti, & Ullman, 2005).

**O sistema educacional**   Na década de 1980, várias comissões governamentais e educacionais propuseram planos de melhoria, que iam de mais deveres de casa a períodos diários escolares mais longos até a reorganização total de escolas e programas de ensino. O debate sobre o dever casa é analisado no Box 13.1.

O Decreto Federal norte-americano "Nenhuma Criança Deixada para Trás" (No Children Left Behind – NCLB), de 2001, é uma reforma da educação abrangente que enfatiza a responsabilidade, as opções dos pais, o controle local e a flexibilidade aumentados. A intenção foi canalizar fundos federais para programas e práticas baseadas em pesquisa, em particular no que diz respeito à leitura e à matemática. Alunos de 3º a 8º ano são testados anualmente para ver se conseguem atingir os objetivos de progresso definidos. Aqueles que não conseguem manter os padrões previstos podem pedir transferência para outra escola.

Mais de 50 grupos nacionais de educação, direitos civis, de crianças e de cidadãos têm exigido mudanças substanciais no NCLB. Os críticos, como a Associação Nacional de Educação, uma organização nacional de professores, alegam que o NCLB enfatiza mais o aspecto punitivo do que propriamente o da assistência por mau aproveitamento escolar; mandatos rígidos e largamente infundados em vez de apoio a práticas comprovadas; e testes padronizados em vez de soluções focadas na sala de aula, conduzidas pelo professor. A pesquisa sobre a teoria triárquica de Sternberg, por exemplo, sugere que os estudantes aprendem melhor quando ensinados em uma variedade de formas, enfatizando habilidades criativas e práticas, memorização e pensamento crítico (Sternberg, Torff, & Grigorenko, 1998). (O Box 13.2 discute a controvérsia sobre a melhor forma de ensinar matemática.)

**Qual a sua opinião?**

Qual abordagem da educação você prefere para crianças nos primeiros anos letivos: instrução de matérias básicas, um programa escolar mais flexível, centrado na criança, ou uma combinação de ambos?

As alterações propostas recentemente para o NCLB substituiriam o sistema legal de classificação escolar aprovado-reprovado por um sistema que mede o crescimento acadêmico individual dos alunos. As escolas seriam consideradas não apenas pelos resultados dos testes, mas também pela taxa de presença nas aulas, pelas taxas de aprovação e pelo clima da aprendizagem. As alterações propostas também abordaram a exigência de todas as crianças americanas alcançarem a proficiência em leitura e matemática substituindo-a por uma nova meta nacional — a de que todos os estudantes devem alcançar a formação no ensino secundário e estar preparados para a faculdade e uma carreira.

# O mundo da pesquisa

## O DEBATE SOBRE O DEVER DE CASA

O debate sobre o dever de casa está longe de ser novo. Nos Estados Unidos, as oscilações históricas sobre a prática do dever de casa refletiram as mudanças na filosofia educacional (Cooper, 1989b; Gill & Schlossman, 2000). Durante o século XIX, a mente era considerada um músculo, e o dever de casa, o meio de exercitá-lo. Os opositores do dever de casa argumentavam que as tarefas que se estendiam até tarde da noite prejudicavam a saúde física e emocional das crianças e interferiam na vida familiar. Por volta da década de 1940, a educação "progressista", centrada na criança, tornou-se popular, e o dever de casa perdeu o favoritismo. Muitos Estados e distritos escolares aboliram-no (Gill & Schlossman, 1996). Na década de 1950, quando o lançamento de Sputnik pela União Soviética provocou clamores por ciência mais rigorosa e pelo ensino de matemática, e novamente no início da década de 1980, com as preocupações sobre a posição dos Estados Unidos na competição econômica com o Japão, o "Mais dever de casa!" tornou-se o grito de guerra das campanhas de atualização dos padrões educacionais (Cooper, 1989b).

Os defensores do dever de casa argumentam que essas atividades disciplinam a mente, desenvolvem bons hábitos de trabalho, melhoram a retenção e capacitam os estudantes para alcançar mais áreas do que conseguiriam apenas com a frequência da sala de aula. O dever de casa, portanto, é uma ponte entre o lar e a escola, aumentando o envolvimento dos pais. Na análise mais abrangente e rigorosa de dados sobre a pesquisa que data das décadas de 1930 a 2003, os pesquisadores encontraram uma relação positiva e estatisticamente significativa entre a quantidade de dever de casa e o desempenho acadêmico (Cooper, 1989a; Cooper, Robinson, & Patall, 2006).

Os oponentes argumentam que muito dever de casa conduz a aborrecimentos, ansiedade ou frustração; coloca pressão desnecessária sobre as crianças; desencoraja a motivação intrínseca; e usurpa o tempo de outras atividades dignas de atenção. Afirmam que a ajuda dos pais pode ser contraproducente se eles se tornarem excessivamente invasivos ou se usarem métodos de ensino conflitantes com os que são usados na escola (Cooper, 1989). Mais uma vez, alguns críticos querem banir o dever de casa, pelo menos para as crianças pequenas (Kralovec & Buell, 2000).

Uma revisão abrangente de cerca de 120 estudos constatou que o valor do dever de casa depende de muitos fatores, inclusive idade, capacidade e motivação da criança; a quantidade e o propósito do dever de casa; a situação doméstica; e o acompanhamento na sala de aula. Apesar de esse tipo de atividade trazer grandes benefícios para os estudantes do ensino médio, traz somente benefícios moderados para os alunos dos anos iniciais e praticamente nenhum benefício para os do ensino fundamental se for comparado ao estudo em sala de aula (Cooper, 1989b). As recomendações fundamentadas em pesquisas abrangem de 1 a 3 deveres de 15 minutos por semana, nos anos do ensino fundamental, até 4 a 5 deveres por semana, cada um durando de 75 a 120 minutos, nos anos do ensino médio. Em vez de atribuírem notas ao dever de casa, os pesquisadores sugerem que os professores deveriam usá-lo para diagnosticar problemas de aprendizagem (Cooper, 1989b).

Assim, o dever de casa tem valor — mas apenas se for moderado e quando estiver ajustado aos níveis de desenvolvimento dos alunos. Nas crianças dos anos finais do ensino fundamental, pode desenvolver bons hábitos de estudo e a compreensão de que a aprendizagem pode ocorrer em casa e na escola. Nos anos iniciais do ensino fundamental, uma mescla de trabalho para casa programado e voluntário pode favorecer os objetivos escolares e motivar as crianças a serem perseverantes nos estudos que lhes interessam. No ensino médio, o dever de casa pode oferecer oportunidades para prática, revisão e integração do que está sendo aprendido na escola (Cooper, 1989b).

> **Qual a sua opinião?** Qual quantidade de dever de casa você acha apropriada para crianças de várias idades e que tipo de ajuda os pais devem fornecer?

***Tamanho da turma*** A maioria dos educadores considera as turmas pequenas como fator-chave do desempenho, especialmente nos primeiros anos, apesar das evidências a esse respeito não serem conclusivas (Schneider, 2002). Um estudo longitudinal constatou benefícios escolares permanentes em estudantes distribuídos aleatoriamente por turmas com cerca de 15 alunos, da pré-escola ao 3º ano, e — especialmente em alunos com baixo NSE — maior probabilidade de conclusão do ensino médio (Finn, Gerber, & Boyd-Zaharias, 2005; Krueger, 2003; Krueger & Whitmore, 2000).

Contudo, na maioria das escolas, até as turmas pequenas têm muito mais alunos. Em observações levadas a cabo em salas de aulas, compreendendo 890 crianças do 1º ano, as turmas com 25 alunos ou menos tendiam a ser mais sociais e interativas (com um comportamento um pouco mais turbulento), possibilitando qualidade mais elevada de ensino e de suporte emocional. Os estudantes nessas turmas tendiam a pontuar mais alto nos testes padronizados de desempenho e nas capacidades iniciais de escrita (NICHD Early Childhood Research Network, 2004b).

# O mundo social

## AS GUERRAS DA MATEMÁTICA

**13.2**

As crianças devem aprender matemática utilizando regras e fórmulas ou por meio da manipulação de blocos coloridos e segmentos com a forma de fatias de torta para ilustrar os conceitos matemáticos? Memorizar e treinar com tabuadas de multiplicação ou usar simulações em computador e relacionar problemas de matemática com a vida real? Essas questões estimularam acaloradas discussões entre os proponentes do ensino tradicional da matemática, por meio da "destreza e do treino", e os defensores da matemática construtivista (ou matemática global), na qual as crianças constroem ativamente seus próprios conceitos matemáticos.

A matemática construtivista retirou a ênfase das habilidades básicas e enfatizou o entendimento da forma como a matemática funciona. Em vez de absorverem passivamente regras do professor ou do livro-texto, os alunos tinham de descobrir conceitos matemáticos sozinhos, frequentemente com base na aprendizagem intuitiva obtida em tarefas como dizer as horas, brincar com jogos de tabuleiro, lidar com dinheiro e outras experiências rotineiras. Em lugar de chegar a respostas precisas multiplicando, digamos $19 \times 3 \times 6$, os alunos eram encorajados a fazer estimativas de relações mais óbvias, como $20 \times 3 \times 5$.

As guerras da matemática dividiram os educadores em campos opostos. Apesar de os métodos construtivistas terem sido inicialmente declarados como uma falha, os primeiros estudos científicos sobre sua eficácia tinham sido, em geral, favoráveis. Entre 2.369 estudantes de uma escola de anos finais do ensino fundamental, o desempenho em álgebra melhorou realmente depois da adoção dos métodos construtivistas (Mayer, 1998). De forma oposta às alegações de que a abordagem construtivista era inadequada para várias populações, um estudo aleatório do desempenho em cálculo e em problemas de palavras, realizado com 104 crianças de $3^\circ$ e $4^\circ$ anos, a maioria pobre e de grupos minoritários, chegou a outra conclusão. O desempenho dos estudantes ensinados por meio da resolução de problemas e/ou da colaboração com colegas superou o desempenho dos alunos ensinados pelos métodos mais tradicionais (Ginsburg-Block & Fantuzzo, 1998).

O Trends in International Mathematics and Science Study (TIMSS) relata o desempenho dos alunos dos Estados Unidos em relação ao de seus colegas de outros países. Em 2007, os alunos norte-americanos do $4^\circ$ ano obtiveram pontuações mais altas do que os alunos de 23 das 35 nações que competiam em alfabetização matemática.

O TIMSS intensificou as guerras da matemática. Alguns educadores condenavam o ensino construtivista, enquanto outros insistiam que o problema real era a persistência, em muitas escolas, dos métodos tradicionais (Murray, 1998). Alguns argumentavam que as reformas não avançavam suficientemente na erradicação dos piores traços dos programas de ensino antigos (Jackson, 1997a, 1997b). O ensino superficial e os livros-texto estavam entre os motivos de queixa dos reformadores.

Como nas guerras relacionadas à leitura, a melhor abordagem pode ser uma combinação dos métodos antigos e novos. É o que o National Center for Teachers of Mathematics (NCTM) defende agora. Seus padrões e princípios revistos, editados em 2000, empenham-se no equilíbrio entre a compreensão dos conceitos e as habilidades de cálculo. Em 2003, as pontuações em matemática na National Assessment of Educational Progress subiram nitidamente aos níveis mais elevados desde que o teste começou a ser utilizado, em 1990 (NCES, 2004b). Em 2005, subiram um pouco mais. A porcentagem de alunos do $4^\circ$ ano com pontuação no nível básico de aproveitamento ou acima aumentou cerca de 30 pontos desde 1990, de 50 para 80%, e a porcentagem de alunos do $8^\circ$ ano naquele nível aumentou 17 pontos, de 52 para 69%. Contudo, apenas 36% dos alunos do $4^\circ$ ano e 30% dos alunos do $8^\circ$ ano foram julgados "proficientes" em 2005 (Perie, Grigg, & Dion, 2005).

Entretanto, em 2003, os alunos norte-americanos de $4^\circ$ e $8^\circ$ anos pontuaram bem acima da média no TIMSS, mas não tão bem como os estudantes asiáticos. Os do $8^\circ$ ano pontuaram mais alto do que seus equivalentes na década de 1990, mas os do $4^\circ$ ano não apresentaram melhorias. As defasagens de aprendizagem entre estudantes brancos e negros em ambos os anos diminuíram (Gonzales et al., 2004).

Um novo passo de volta ao básico é a edição dos "pontos focais do currículo" pelo NCTM (2006). Para ajudar professores e alunos a transitarem por meio das dúzias de tópicos exibidos nos padrões estatais do programa de ensino, os pontos focais especificam as habilidades mais importantes de que os alunos necessitam para conseguirem aprender em cada ano.

**Qual a sua opinião?** Com base na sua própria experiência, qual método de ensino de matemática você acha ser mais eficaz, ou você defende a combinação de ambos?

**promoção social**
Política de passagem automática de ano, mesmo quando as crianças não correspondem aos padrões acadêmicos.

*Inovações educacionais* Quando as escolas públicas de Chicago eliminaram a **promoção social**, em 1996, a prática de aprovar crianças ainda que não atingissem os padrões de aproveitamento escolar, para que continuassem junto com seus colegas da mesma idade, muitos observadores aclamaram a mudança. Outros avisaram que, embora a reprovação em alguns casos possa ser uma "chamada à razão", na maioria das vezes é o primeiro passo em um caminho negativo, que leva a expectativas mais baixas, ao mau desempenho e à evasão escolar (Fields & Smith, 1998; Lugaila, 2003; McCoy & Reynolds, 1999; McLeskey, Lancaster, & Grizzle, 1995; Temple, Reynolds, & Miedel, 2000). Na verdade, estudos revelaram que a política de reprovação de Chicago não tinha melhorado os resultados dos alunos de 3º ano, tinha prejudicado os alunos do 6º ano e promovido um sensível aumento na evasão escolar de alunos reprovados do 8º ano e do ensino médio (Nagaoka & Roderick, 2004; Roderick, Engel, & Nagaoka, 2003).

Muitos educadores afirmam que a única solução real para evitar um elevado nível de fracassos é identificar com antecedência os estudantes em risco e intervir *antes* que eles falhem (Bronner, 1999). Em 2000-2001, 39% dos distritos com escolas públicas nos Estados Unidos providenciaram escolas ou programas alternativos para estudantes de risco, oferecendo-lhes classes menores, instrução corretiva, aconselhamento e intervenção na crise (NCES, 2003). As escolas de verão podem ser eficazes como intervenção precoce. Em um estudo, alunos do 1º ano que participaram de turmas de verão para leitura e escrita em pelo menos 75% da duração de suas férias superaram em 64% a pontuação dos colegas que não participaram (Borman, Boulay, Kaplan, Rachuba, & Hewes, 1999).

Alguns pais, descontentes com as escolas públicas ou desejando um estilo particular de ensino, preferem escolas cooperativadas (*charter schools*)* ou o ensino em casa. Mais de 1,3 milhão de crianças norte-americanas hoje frequentam escolas cooperativadas, algumas particulares e outras sob contrato de conselhos de escolas públicas (Center for Education Reform, 2008). As escolas cooperativadas tendem a ser menores que as escolas públicas normais e tendem a ter filosofia, currículo, estrutura e estilo de organização únicos. Embora os pais estejam em geral satisfeitos com suas escolas cooperativadas, estudos de seus efeitos sobre o desempenho dos estudantes tiveram resultados mistos (Braun, Jenkins, & Grigg, 2006; Bulkley & Fisler, 2002; Center for Education Reform, 2004; Detrich, Phillips, & Durett, 2002; Hoxby, 2004; National Assessment of Educational Progress, 2004; Schemo, 2004).

O ensino em casa é legal em todos os 50 Estados norte-americanos. Em 2007, cerca de 1,5 milhão de estudantes norte-americanos, representando 2,9% da população em idade escolar, eram ensinados em casa, 4 em cada 5 deles em regime de tempo integral – 36% a mais do que em 2003 (NCES, 2008). Em um levantamento governamental nacionalmente representativo, as principais razões que levam os pais a preferir que seus filhos estudem em casa estavam relacionadas ao ambiente de aprendizagem insatisfatório e inseguro nas escolas e ao desejo de fornecer um ensino religioso e moral (NCES, 2008).

***Computadores e Internet*** O acesso à internet nas escolas públicas disparou. Em 1994, apenas 3% das salas de aula tinham acesso à internet, comparado com 94% em 2005 (Wells & Lewis, 2006). Entretanto, menos crianças negras, hispânicas e indígenas do que crianças brancas e asiáticas, e menos crianças pobres do que crianças não pobres, usam essas tecnologias. Meninas e meninos passam a mesma quantidade de tempo usando o computador e a internet (Day, Janus, & Davis, 2005; DeBell & Chapman, 2006).

A familiaridade com o computador e a habilidade de navegar na internet estão abrindo possibilidades de instrução individualizada, de comunicação global e de treinamento prévio nas habilidades de pesquisa independente. Entretanto, essas ferramentas são uma fonte de perigos. Em primeiro lugar, está o risco de exposição a material nocivo ou inadequado. Além disso, os estudantes precisam aprender a avaliar criteriosamente a informação encontrada no ciberespaço e a separar fatos de opiniões e de publicidade. Por fim, um foco no "conhecimento visual" poderia desviar os recursos financeiros de outras áreas do currículo.

> ### Verificador
> #### você é capaz de...
> - Dizer como as crenças sobre autoeficácia e os estilos de parentalidade podem influenciar o sucesso escolar?
> - Discutir o impacto do nível socioeconômico e da aceitação pelos pares na aprendizagem escolar?
> - Descrever as mudanças e inovações na filosofia e na prática educacional e debater opiniões sobre promoção social, dever de casa e ensino de matemática?

# Educando crianças com necessidades especiais

As escolas públicas têm um papel fundamental na educação das crianças de capacidades variáveis de todos os tipos de famílias e formações culturais. Elas também devem educar crianças com necessidades especiais. Repare que, quando a maioria das pessoas considera as necessidades especiais, provavelmente está pensando nas crianças que têm transtornos comportamentais ou de aprendizagem, porque essas preocupações ganharam o centro do palco como a principal condição que afeta o desenvolvimento das crianças em idade escolar (Pastor & Reuben, 2008). No entanto, as necessidades especiais incluem também as crianças que são superdotadas, talentosas ou criativas, mas que têm necessidades educacionais diferentes daquelas de crianças típicas.

Guia de **estudo** 6

Como as escolas atendem às necessidades especiais das crianças?

---

*N. de T.: *Charter schools* são instituições que têm um modelo de gestão compartilhado pelos setores público e privado (financiadas pelo governo, mas funcionam independentemente do sistema escolar público, submetidas a diferentes regulamentações e administradas de modo privado).

## Crianças com problemas de aprendizagem

No momento em que os educadores se tornaram mais sensíveis a ensinar crianças de diferentes origens culturais, eles também buscaram satisfazer necessidades de crianças com necessidades especiais de educação. Essas condições variam em gravidade e podem muitas vezes ser difíceis de diagnosticar com precisão.

**deficiência intelectual**
Função cognitiva significativamente abaixo do normal. Também chamada de deficiência cognitiva.

**Deficiência intelectual** A **deficiência intelectual** é o funcionamento cognitivo significativamente abaixo do normal. Ele é indicado por um QI de 70 ou menos, aliado a uma limitação no comportamento adaptativo comparado com o esperado para a idade (como comunicação, habilidades sociais e cuidados próprios), que aparece antes dos 18 anos (Kanaya, Scullin, & Ceci, 2003). A deficiência intelectual é às vezes referida como deficiência cognitiva. Menos de 1% das crianças nos Estados Unidos são intelectualmente deficientes (National Center for Health Statistics [NCHS], 2004; Woodruff et al., 2004).

Em 30 a 50% dos casos, a causa da deficiência intelectual é desconhecida. As causas conhecidas incluem disfunções genéticas, acidentes traumáticos, exposição a infecções ou a álcool antes de nascer e exposição ambiental ao chumbo e a elevados níveis de mercúrio (Woodruff et al., 2004). Muitos casos podem ser prevenidos por meio de aconselhamento genético, assistência no período pré-natal – inclusive a amniocentese, o exame do líquido amniótico –, exames de rotina, assistência à saúde do recém-nascido e serviços nutricionais para gestantes e bebês.

A maioria das crianças intelectualmente deficientes pode ser beneficiada frequentando a escola. Programas de intervenção têm ajudado muitos daqueles leve ou moderadamente deficientes e os considerados limítrofes (com QIs variando de 70 até 85) a se manter nos empregos, a viver em comunidade e a viver em sociedade. Os profundamente deficientes necessitam de cuidados e supervisão constantes, geralmente em instituições especializadas. Para alguns, os centros de cuidados diários, os hotéis para adultos intelectualmente deficientes e os serviços domiciliares de cuidadores podem ser alternativas menos dispendiosas e mais humanas.

**Transtornos de aprendizagem** As duas condições diagnosticadas com mais frequência e que causam problemas comportamentais e de aprendizagem em crianças de idade escolar são os distúrbios de aprendizagem (DAs) e o transtorno de déficit de atenção/hiperatividade (TDAH). Um estudo recente com mais de 23 mil crianças nos Estados Unidos revelou que aproximadamente 5% das crianças têm distúrbios de aprendizagem, 5% das crianças têm TDAH, e 4% das crianças têm ambas as condições (Pastor & Reuben, 2008).

**dislexia**
Transtorno do desenvolvimento no qual a aquisição da leitura é substancialmente mais baixa do que o previsto pelo QI ou pela idade.

**distúrbios de aprendizagem (DAs)**
Transtornos que interferem em aspectos específicos da aprendizagem e do desempenho escolar.

*Distúrbios de aprendizagem* Nelson Rockefeller, ex-vice-presidente dos Estados Unidos, tinha tanta dificuldade na leitura que proferia discursos de improviso em vez de usar textos escritos. Rockefeller é apenas uma das muitas pessoas que lutaram contra a **dislexia**, um transtorno do desenvolvimento da linguagem no qual a aquisição da leitura é substancialmente abaixo do nível previsto pelo QI ou pela idade. Outras pessoas famosas que relataram ter dislexia incluem os atores Tom Cruise, Whoopi Goldberg e Cher; o jogador de beisebol Nolan Ruyan; o apresentador de televisão Jay Leno; e o cineasta Steven Spielberg.

A dislexia é a disfunção mais comumente diagnosticada entre os que apresentam **distúrbios de aprendizagem (DAs)**. Esses transtornos interferem em aspectos específicos do desempenho escolar, como a escuta, a fala, a leitura, a escrita ou a matemática, resultando em desempenho substancialmente mais baixo que o esperado considerando-se a idade, a inteligência e o nível de instrução da criança (American Psychiatric Association, 1994). As dificuldades em matemática, por exemplo, incluem dificuldade em contar, comparar números, calcular e recordar fatos básicos da aritmética. Cada uma delas pode envolver diferentes dificuldades. Um número cada vez maior de crianças norte-americanas — quase 4,6 milhões, cerca de 5% da população escolar dos Estados Unidos — tem sido diagnosticado com DAs (Pastor & Reuben, 2008).

As crianças com DAs muitas vezes têm inteligência média e acima da média, visão e audição normais, mas parecem ter problemas no processamento de informação. Embora as causas sejam incertas, um fator é genético. Uma revisão da pesquisa genética quantitativa concluiu que os principais genes responsáveis pela alta hereditariedade dos DAs mais comuns – prejuízo de linguagem, deficiência de leitura e deficiência matemática – também são responsáveis por variações normais nas capacidades de aprendizagem e que os genes que afetam um tipo de deficiência também têm a probabilidade de afetar outros tipos. Entretanto, genes específicos a determinados distúrbios de aprendizagem também foram identificados (Plomin & Kovas, 2005). Os fatores ambientais podem incluir complicações de gravidez ou parto, lesões após o nascimento, privações nutricionais e exposição a chumbo (National Center for Learning Disabilities, 2004b).

As crianças com DAs tendem a ser menos focadas nos objetivos de suas tarefas e a se distrair mais do que as outras crianças, são mais desorganizadas como aprendizes e usam menos as estratégias de memorização. Naturalmente, nem todas as crianças que apresentam dificuldades em leitura, em aritmética ou em outras matérias específicas da escola têm distúrbios de aprendizagem. Algumas não foram devidamente ensinadas, são ansiosas, têm dificuldade em ouvir ou ler instruções, não estão motivadas, não têm interesse no assunto ou têm um pequeno atraso no desenvolvimento que pode desaparecer posteriormente (Geary, 1993; Ginsburg, 1997; Roush, 1995).

Aproximadamente 4 de cada 5 crianças que têm DAs foram identificadas com dislexia. A dislexia é um problema crônico de saúde que persiste e tende a se manifestar na família (Shaywitz, 1998, 2003). Atrapalha o desenvolvimento tanto da linguagem oral quanto da escrita e pode acarretar problemas em escrever, soletrar, de gramática e em compreender tanto a fala quanto a leitura (National Center for Learning Disabilities, 2004a). A dificuldade de leitura é mais frequente em meninos do que em meninas (Rutter et al., 2004).

Estudos de imagem cerebral revelaram que a dislexia deve-se a um defeito neurológico que perturba o reconhecimento dos sons da fala (Shaywitz, Mody, & Shaywitz, 2006). Diversos genes identificados contribuem para essa interrupção (Meng et al., 2005; Kere et al., 2005). Muitas crianças – e até adultos – com dislexia podem aprender a ler por meio de treinamento fonoaudiológico sistemático, mas o processo não se torna automático, como no caso dos outros leitores (Eden et al., 2004; Shaywitz, 1998, 2003).

Pessoas com dislexia frequentemente não desenvolvem a consciência fonológica e têm dificuldade em dividir os sons da fala em suas partes constituintes. Se você não pode "ouvir" que a palavra "cão" é composta de três fonemas distintos, então a leitura definitivamente será um desafio.

*Shaywitz et al., 2006*

### *Transtorno de déficit de atenção/hiperatividade (TDAH)*

O **transtorno de déficit de atenção/hiperatividade (TDAH)** tem sido considerado o transtorno mental mais comum na infância (Wolraich et al., 2005). Ele é uma condição crônica geralmente caracterizada por desatenção persistente, tendência à distração, impulsividade, pouca tolerância à frustração e intensa atividade no momento e no lugar errados, por exemplo, na sala de aula (American Psychiatric Association, 1994; Woodruff et al., 2004). Entre as pessoas famosas que relataram ter tido TDAH estão o músico John Lennon, o senador norte-americano Robert Kennedy e os atores Robin Williams e Jim Carrey.

Estima-se que o TDAH possa afetar de 2 a 11% das crianças em idade escolar no mundo todo (Zametkin & Ernst, 1999). Em 2006, aproximadamente 2,5 milhões de crianças nos Estados Unidos foram diagnosticadas com TDAH, uma taxa de aproximadamente 4,7%. Embora a taxa de diagnóstico de DAs tenha permanecido relativamente constante, a taxa de TDAH aumentou cerca de 3% por ano durante os últimos 10 anos (Pastor & Reuben, 2008; Fig. 13.2).

O TDAH tem um diagnóstico controverso: algumas pesquisas sugerem que está subdiagnosticado (Rowland et al., 2002), mas alguns médicos alertam que pode estar sobrediagnosticado, o que resulta na medicação desnecessária de crianças cujos pais ou professores não conseguem controlar (Elliott, 2000). Assim como nos DAs, os índices de diagnóstico do TDAH variam muito de acordo com o sexo, a etnia, a área geográfica e outros fatores contextuais. Meninos são mais propensos do que meninas a terem ambos os diagnósticos e são duas vezes mais propensos a sofrerem de TDAH, e as crianças que vivem apenas com a mãe em famílias monoparentais têm mais probabilidade de ser diagnosticadas com DA ou TDAH (Pastor & Reuben, 2008). As taxas de TDAH podem, em parte, estar relacionadas às pressões sobre as crianças para obterem sucesso escolar (Schneider & Eisenberg, 2006). Alguns dos diagnósticos podem estar relacionados com o ambiente e com as exigências ou as características da escola frequentada.

Algumas crianças são desatentas, mas não hiperativas; outras mostram o padrão inverso (USDHHS, 1999b). Visto que essas características aparecem em algum grau em todas as crianças, alguns profissionais questionam se o TDAH é realmente um transtorno neurológico ou psicológico distinto (Bjorklund & Pellegrini, 2002; Furman, 2005). Entretanto, a maioria dos especialistas concorda que há motivo para preocupação quando os sintomas são tão graves a ponto de interferirem no desempenho da criança na escola e na vida diária (AAP Committee on Children with Disabilities and Committee on Drugs, 1996; Barkley, 1998; USDHHS, 1999b).

Estudos de imagem cerebral revelam que o cérebro de crianças com TDAH cresce em um padrão normal, com diferentes áreas passando por um processo de espessamento e afinamento em diferentes momentos, mas o processo é atrasado em aproximadamente três anos em certas regiões do cérebro, particularmente no córtex frontal. Essas regiões permitem que uma pessoa controle o movimento, suprima pensamentos e ações inadequados e trabalhe por recompensas – todas funções que são frequentemente perturbadas em crianças com TDAH. O córtex motor é a única área que amadurece mais rápido que o

**transtorno de déficit de atenção/hiperatividade (TDAH)**
Síndrome caracterizada por desatenção e distração persistentes, impulsividade, baixa tolerância à frustração e atividade excessiva inoportuna.

**FIGURA 13.2**
Taxa anual de diagnóstico de transtorno de déficit de atenção/hiperatividade nos Estados Unidos.
*O diagnóstico de distúrbios de aprendizagem tem permanecido constante, mas o diagnóstico de TDAH aumentou durante os anos de 1997 a 2009.*

Fonte: CDC/NCHS, National Health Interview Surveys, 1997-2009.

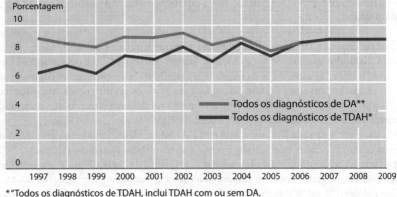

\* "Todos os diagnósticos de TDAH, inclui TDAH com ou sem DA.
\*\* "Todos os diagnósticos de DA, inclui DA com ou sem TDAH.

### Qual a sua opinião?

Os efeitos dos tratamentos no longo prazo para o TDAH, à base de medicamentos, são desconhecidos, mas não tratar quando há a condição também acarreta riscos. O que você faria se tivesse um filho com TDAH?

### Verificador
**você é capaz de...**

- Descrever as causas e os prognósticos para os três tipos mais comuns de problemas que interferem na aprendizagem?
- Debater o impacto das exigências do Governo Federal norte-americano para a educação de crianças com necessidades especiais?

---

normal, e essa incompatibilidade pode explicar a inquietação e a agitação características do transtorno (Shaw, Krause, Liang, & Bennett, 2007).

O TDAH parece ter uma base genética substancial, com o fator de hereditariedade próximo de 80% (Acosta, Arcos-Burgos, & Muenke, 2004; Barkley, 1998; Elia, Ambrosini, & Rapoport, 1999; USDHHS, 1999b; Zametkin & Ernst, 1999). Em um dos maiores estudos genéticos de TDAH, mais de 600 mil marcadores genéticos foram examinados. Os resultados indicaram que muitos genes estão envolvidos no TDAH, cada um contribuindo com algum efeito pequeno (Neale et al., 2008). Outro grupo de pesquisadores identificou uma variação de um gene para a dopamina, um componente cerebral essencial para atenção e cognição, cujos baixos níveis parecem estar associados ao TDAH (Shaw et al., 20017; Volkow et al., 2007). As complicações do parto também podem desempenhar um papel no TDAH. Prematuridade, possível uso de álcool ou tabaco por parte da mãe e privação de oxigênio (Barkley, 1998; Thapar et al., 2003; USDHHS, 1999b; Woodruff et al., 2004) foram todos associados com TDAH. As crianças com TDAH têm maior probabilidade de apresentar comportamento antissocial precoce se tiveram baixo peso ao nascer e de ter uma variante de um gene chamado COMT (Thapar et al., 2005).

Crianças com TDAH tendem a esquecer as responsabilidades, a falar alto em vez de dar a si mesmas orientações silenciosas, a ficar frustradas ou irritadas facilmente e a desistir quando não conseguem encontrar a solução para um problema. Pais e professores têm de ser capazes de ajudar essas crianças reduzindo grandes encargos a pequenas tarefas, fornecendo instruções frequentes sobre regras e tempo e dando-lhes recompensas frequentes e imediatas por pequenas realizações (Barkley, 1998).

Muitas vezes, o TDAH é controlado com medicamentos, às vezes combinado com sessões de terapia comportamental, aconselhamento, treinamento em habilidades sociais e participação em classes especiais. Em um estudo randomizado de 14 meses de 579 crianças com TDAH, um programa de tratamento cuidadosamente monitorado com ritalina, sozinha ou em combinação com modificações comportamentais, foi mais efetivo do que somente a terapia comportamental ou os cuidados padrões da comunidade (MTA Cooperative Group, 1999). Entretanto, os maiores benefícios do programa diminuíram durante o acompanhamento de 10 meses (MTA Cooperative Group, 2004a). Um efeito colateral do tratamento combinado foi o crescimento mais lento em altura e peso (MTA Cooperative Group, 2004b). Além disso, os efeitos de longo prazo da ritalina são desconhecidos (Wolraich et al., 2005).

***Educando crianças com necessidades especiais*** Em 2006, 14% dos estudantes das escolas públicas nos Estados Unidos estavam recebendo serviços de educação especiais sob a proteção da Lei de Educação de Indivíduos com Necessidades Especiais (Individuals with Disabilities Education Act), que assegura instrução gratuita e apropriada em escolas públicas a crianças com necessidades especiais. A maioria dessas crianças tinha distúrbios de aprendizagem ou prejuízos de fala ou linguagem (NCES, 2007a). Um programa individualizado deve ser criado para cada criança, com o envolvimento dos pais. As crianças devem ser educadas no "ambiente menos restritivo" adequado às suas necessidades – o que significa, sempre que possível, a sala de aula regular.

Muitos desses estudantes podem se beneficiar de *programas de inclusão*, nos quais são integrados em salas de aulas para crianças sem dificuldades, durante parte do dia ou no período integral, às vezes com assistência. Em 2005, 52% dos estudantes com necessidades especiais passaram pelo menos 80% de seu tempo em salas de aula regulares (ENC, 2007a).

## Crianças superdotadas

Isaac Newton, que descobriu a gravidade, teve um desempenho fraco no ensino fundamental. Thomas Edison, o inventor da lâmpada elétrica, quando criança, era considerado muito limitado para a aprendizagem. O primeiro-ministro britânico, Winston Churchill, reprovou no 6º ano. O grande tenor Enrico Caruso foi considerado, quando criança, incapaz para o canto.

A *superdotação* é algo difícil de definir e de identificar. Os educadores discordam quanto ao que qualifica um indivíduo como superdotado, ao critério a adotar e aos tipos de programas educacionais necessários para essas crianças. Outra fonte de confusão é a de que a criatividade e o dom artístico são considerados, por vezes, como aspectos ou tipos de superdotação e outras vezes como independentes dela.

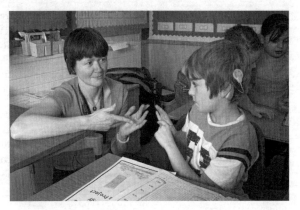

*A língua de sinais pode ser usada para integrar as crianças surdas em salas de aula com colegas ouvintes.*

**Identificando crianças superdotadas**  O critério tradicional de superdotação é a inteligência geral alta, demonstrada por uma pontuação de QI igual ou maior que 130. Essa definição tende a excluir crianças altamente criativas (cujas respostas fora do comum diminuem sua pontuação nos testes), crianças provenientes de grupos minoritários (cujas habilidades podem não estar bem desenvolvidas, embora existam em potencial) e crianças com aptidões específicas (que podem ser avaliadas como medianas ou mesmo mostrar problemas de aprendizagem em outras áreas). A maior parte das escolas estaduais ou municipais adotou a definição mais ampla na Lei de Educação Fundamental e Secundária dos Estados Unidos (U.S. Elementary and Secondary Education Act), que inclui crianças que apresentam alta capacidade ou habilidade intelectual, criativa, artística ou de liderança em campos acadêmicos específicos e que necessitam de serviços e atividades educacionais especiais a fim de desenvolver totalmente aquelas capacidades. Muitos distritos escolares usam agora critérios múltiplos de admissão aos programas para superdotados, que incluem resultados em testes de desempenho, desempenho em sala de aula, produção criativa, indicação de pais e professores e entrevistas com os alunos, mas o QI permanece como fator importante e muitas vezes determinante. Estima-se que 6% da população de estudantes seja considerada superdotada (National Association for Gifted Children, s. d.).

> **Qual a sua opinião?**
> O que você pensa que devia ser feito: fortalecer, reduzir ou eliminar os programas educacionais especiais para estudantes superdotados?

*Sara Volz, 17 anos, de Colorado Springs, Colorado — fotografada em seu laboratório improvisado construído no porão de sua casa —, ganhou o concurso Intel Science Talent Search em 2013 pelas suas experiências com a seleção artificial para melhorar o rendimento da produção de combustível por algas. Essa experiência tem aplicações importantes para o uso de biocombustíveis. Além de ganhar o concurso de ciência da Intel, Sara também está envolvida em uma competição de ciências na sua escola — a Science Bowl —, nas equipes de debate, e cantou e atuou em peças de teatro. A chave para ajudar o desempenho dessas crianças está no reconhecimento e na sustentação de seus dons naturais.*

**Qual a causa da superdotação?** Os psicólogos que estudam as vidas de empreendedores extraordinários verificaram que altos níveis de desempenho requerem forte motivação intrínseca e anos de treinamento rigoroso (Bloom, 1985; Czikszentmihalyi, 1996; Gardner, 1993; Gottfried, Cook, Gottfried, & Morris, 2005; Gruber, 1981; Keegan, 1996). Entretanto, motivação e treinamento não produzirão superdotação a menos que uma criança seja dotada de uma habilidade incomum (Winner, 2000). De modo inverso, crianças com dotes inatos provavelmente apresentam desempenho excepcional sem motivação e esforço (Achter & Lubinski, 2003).

As crianças superdotadas tendem a crescer em ambientes familiares enriquecidos com muita estimulação intelectual ou artística. Seus pais reconhecem e com frequência se dedicam a alimentar os talentos das crianças, mas também dão a elas um grau incomum de independência. Os pais de crianças superdotadas normalmente têm altas expectativas e são eles próprios esfor-

>  Uma possível razão para criatividade e desempenho acadêmico nem sempre estarem relacionados é que as características de personalidade relacionadas à criatividade geralmente são vistas de forma negativa pelos professores.
>
> *Westby e Dawson, 1995*

çados e empreendedores. Entretanto, embora a parentalidade possa aumentar o desenvolvimento de talentos, ela não pode criá-los (Winner, 2000).

A pesquisa sugere que crianças superdotadas "nascem com cérebro excepcional que permite a aprendizagem rápida em determinado domínio" (Winner, 2000, p. 161). Por exemplo, crianças com talentos matemáticos, musicais e artísticos tendem a ter atividade excepcional no hemisfério direito enquanto realizam tarefas normalmente feitas pelo esquerdo. Elas também têm maior probabilidade de ser canhotas (Winner, 2000).

### Definindo e medindo a criatividade

Uma definição de *criatividade* é a capacidade de ver as coisas sob um novo aspecto – de produzir algo nunca visto antes, ou de reconhecer problemas que outros não conseguem identificar e de encontrar soluções novas e fora do comum. Altos níveis de criatividade e de inteligência acadêmica (QI) não andam necessariamente de mãos dadas. A pesquisa clássica encontrou apenas correlações modestas entre elas (Anastasi & Schaefer, 1971; Getzels, 1964, 1984; Getzels & Jackson, 1962, 1963).

A razão pela qual a criatividade não tem uma correlação alta com os testes de QI tradicionais é a de que esses testes medem uma forma diferente de pensar que não é característica da criatividade. J. P. Guilford (1956, 1959, 1960, 1967, 1986) identificou dois tipos de pensamento: o convergente e o divergente. O **pensamento convergente** – o tipo medido pelo QI – busca uma única resposta correta. Por exemplo, ao resolver um problema de aritmética, há uma resposta correta sobre a qual todos devem convergir. O **pensamento divergente**, em contrapartida, gera uma ampla série de possibilidades novas, por exemplo, quando as crianças são convidadas a listar usos incomuns para clipes de papel, completar uma figura e escrever o que um som traz à mente. Não há uma resposta certa. Os testes de criatividade exigem pensamento divergente, e essa habilidade pode ser medida por meio dos *Testes de Pensamento Criativo de Torrance* (Torrance, 1966, 1974; Torrance & Ball, 1984), um dos mais conhecidos testes de criatividade.

Um problema com esses testes é que a pontuação depende em parte da velocidade, que não é um indicador de criatividade. Além disso, embora os testes produzam resultados confiáveis, há discordâncias sobre sua validade – se são capazes de identificar crianças criativas em suas atividades diárias (Simonton, 1990).

### Educando crianças superdotadas

Os programas para crianças superdotadas geralmente enfatizam o enriquecimento ou a aceleração. Os programas de **enriquecimento** aprofundam o conhecimento e as habilidades por meio de atividades extraescolares, projetos de pesquisa, estudos de campo ou treinamento com a ajuda de especialistas. Os programas de **aceleração**, às vezes recomendados para crianças altamente dotadas, aceleram sua educação pelo ingresso precoce na escola, pulando até anos escolares, pela participação em classes mais adiantadas ou em cursos avançados. Outras opções incluem o agrupamento por habilidade dentro da sala de aula, que demonstrou ajudar as crianças academicamente e não as prejudicar socialmente (Winner, 2000), a matrícula dupla (p. ex., um estudante do 8º ano tendo aulas de álgebra em uma classe de ensino médio em outra escola) e as escolas especializadas para superdotados.

Uma aceleração moderada não parece prejudicar o ajustamento social, pelo menos no longo prazo (Winner, 1997). Um estudo de 30 anos com 3.937 jovens que foram colocados em cursos avançados no ensino médio revelou que eles estavam mais satisfeitos com sua experiência escolar e, em última análise, realizaram mais do que os jovens igualmente superdotados que não foram colocados em cursos avançados (Bleske-Rechek, Lubinski, & Benbow, 2004).

---

**pensamento convergente**
Pensamento visando encontrar a resposta correta para um problema.

**pensamento divergente**
Pensamento que produz uma variedade de possibilidades novas e diferentes.

**enriquecimento**
Programas para educação de superdotados que ampliam e aprofundam o conhecimento e as habilidades por meio de atividades extras, projetos, estudos de campo ou tutoria.

**aceleração**
Programas para educação de superdotados que os fazem avançar no currículo em um ritmo excepcionalmente rápido.

## Verificador
### você é capaz de...

- Descrever como crianças superdotadas são identificadas, as possíveis causas da superdotação e as formas como a superdotação é medida?
- Descrever as duas abordagens de educação de crianças superdotadas?

Capítulo 13 • Desenvolvimento cognitivo na terceira infância **361**

# resumo & palavras-chave

## ❶ Abordagem piagetiana: a criança em idade operatória-concreta

*De que modo o pensamento e o raciocínio moral de crianças em idade escolar diferem dos de crianças menores?*

- Uma criança entre 7 e 12 anos está na fase operatória-concreta. As crianças são menos egocêntricas do que antes e mais competentes para tarefas que requerem raciocínio lógico, como relações espaciais, causalidade, categorização, raciocínios indutivo e dedutivo e conservação. Contudo, o raciocínio é amplamente limitado ao aqui e ao agora.
- O desenvolvimento neurológico, a cultura e a escolaridade parecem contribuir para a taxa de desenvolvimento das habilidades piagetianas.
- Segundo Piaget, o desenvolvimento moral está ligado ao amadurecimento cognitivo e se desenvolve em três estágios, à medida que as crianças passam do pensamento rígido para o mais flexível, com base primeiro na imparcialidade e mais tarde na equidade.

  **operatório-concreto (332)**
  **seriação (332)**
  **inferência transitiva (333)**
  **inclusão de classes (333)**
  **raciocínio indutivo (333)**
  **raciocínio dedutivo (333)**
  *décalage* **(ou defasagem) horizontal (334)**

## ❷ Abordagem do processamento da informação: atenção, memória e planejamento

*Quais avanços nas habilidades de processamento de informação ocorrem durante a terceira infância?*

- A função executiva — incluindo habilidades de atenção, memória e planejamento — aumenta durante a terceira infância como resultado da supressão de neurônios no córtex pré-frontal.
- A velocidade de processamento, o controle inibitório, a atenção seletiva, a capacidade da memória de trabalho, a metamemória, a metacognição e o uso de estratégias mnemônicas são habilidades específicas que aumentam durante os anos escolares.

- Os ganhos no processamento de informação podem ajudar a explicar os avanços que Piaget descreveu.

  **função executiva (337)**
  **metamemória (339)**
  **dispositivo mnemônico (339)**
  **auxiliares de memória externos (339)**
  **retenção (339)**
  **organização (339)**
  **elaboração (339)**

## ❸ Abordagem psicométrica: avaliação da inteligência

*Como a inteligência das crianças em idade escolar pode ser medida com exatidão?*

- A inteligência das crianças em idade escolar é avaliada por testes coletivos ou individuais. Apesar de criados como testes de aptidão, são validados em relação a medidas de desempenho.
- Os testes de QI são eficazes na previsão de sucesso escolar, mas podem ser injustos para algumas crianças.
- As diferenças de QI entre grupos étnicos parecem resultar, em um nível consideravelmente alto, de diferenças socioeconômicas e de outras diferenças ambientais. A escolaridade parece aumentar a inteligência mensurada.
- As tentativas de elaborar testes livres de influências culturais, ou culturalmente imparciais, não tiveram sucesso.
- Os testes de QI incluem apenas três das inteligências abrangidas pela teoria das inteligências múltiplas de Howard Gardner. Segundo a teoria triárquica de Robert Sternberg, os testes de QI medem, sobretudo, o elemento componencial da inteligência, mas não os elementos experiencial e contextual.
- Outras direções nos testes de inteligência incluem os Testes de Habilidades Triárquicas de Sternberg (STAT), a Bateria de Avaliação de Kaufman para Crianças (K-ABC-II) e os testes dinâmicos baseados na teoria de Vygotsky.

  **Escala de Inteligência Wechsler para Crianças (WISC-IV) (341)**
  **Teste de Habilidade Escolar de Otis-Lennon (OLSAT 8) (341)**
  **testes livres de aspectos culturais (343)**
  **testes culturalmente justos (343)**

**PARTE V** • Terceira infância

teoria das inteligências múltiplas (344)
teoria triárquica da inteligência (345)
elemento componencial (345)
elemento experiencial (345)
elemento contextual (345)
conhecimento tácito (345)
Bateria de Avaliação de Kaufman para crianças (K-ABC-II) (346)
testes dinâmicos (346)

## 4 Linguagem e alfabetização

*Como as habilidades de comunicação se expandem durante a terceira infância?*

- O uso do vocabulário, da gramática e da sintaxe torna-se progressivamente mais sofisticado, mas a área linguística de maior crescimento é a pragmática.
- Os métodos de ensino em uma segunda língua são controversos. Os problemas incluem velocidade e facilidade com a língua local, realização de longo prazo nas matérias acadêmicas e orgulho da identidade cultural.
- A metacognição contribui para o progresso na leitura.
- Apesar da popularidade dos programas globais de ensino da linguagem, o treinamento fonético precoce é essencial para a proficiência em leitura.
- A interação com os colegas incentiva o desenvolvimento das habilidades de escrita.

pragmática (347)
abordagem de imersão na língua inglesa (347)
educação bilíngue (347)
bilíngue (348)
aprendizagem simultânea (bilíngue) (348)
decodificação (348)
abordagem fonética (com ênfase no código) (349)
abordagem da linguagem integral (349)
recuperação baseada na visualização (349)
metacognição (349)

## 5 A criança na escola

*Que fatores que influenciam o desempenho escolar?*

- Visto que o que se aprende na escola é cumulativo, a base construída nas primeiras séries é muito importante.
- As crenças sobre a autoeficácia das crianças afetam o desempenho escolar.
- Os pais influenciam a aprendizagem das crianças envolvendo-se nas atividades escolares, motivando-as ao sucesso e transmitindo-lhes uma postura em relação à aprendizagem.
- O nível socioeconômico pode influenciar a confiança e as práticas dos pais, que, por seu turno, influenciam o desempenho. Famílias pobres cujas crianças têm bom desempenho escolar costumam ter mais capital social do que famílias pobres cujas crianças não têm bom desempenho.

**Capítulo 13** • Desenvolvimento cognitivo na terceira infância **363**

- O ambiente escolar e o tamanho da classe afetam a aprendizagem.
- As questões e inovações educacionais atuais incluem a quatidade prescrita de dever de casa, os métodos de ensino de matemática, a promoção social, as escolas cooperativadas, o ensino em casa e o domínio da informática.
  **capital social (352)**
  **promoção social (354)**

## ❻ Educando crianças com necessidades especiais

*Como as escolas atendem às necessidades especiais das crianças?*

- Três fontes frequentes de problemas de aprendizagem são a deficiência intelectual, os distúrbios de aprendizagem (DAs) e o transtorno de déficit de atenção/hiperatividade (TDAH). A dislexia é o distúrbio de aprendizagem mais comum.
- Nos Estados Unidos, todas as crianças com distúrbios de aprendizagem têm direito a educação gratuita e apropriada. As crianças devem ser educadas no ambiente menos restritivo possível, com frequência em salas de aula regulares.

- Um QI de 130 ou superior é um padrão comum para a identificação de crianças superdotadas. As definições mais amplas incluem criatividade, talento artístico e outros atributos e baseiam-se em critérios múltiplos para identificação. Os grupos minoritários são sub-representados nos programas para os superdotados.
- No estudo clássico longitudinal de Terman de crianças superdotadas, a maioria confirmou ser bem adaptada e bem-sucedida, mas não de um modo extraordinário.
- A criatividade e o QI não estão intimamente ligados. Os testes de criatividade buscam medir o pensamento divergente, mas sua validade tem sido questionada.
- Os programas de educação especial para crianças superdotadas, criativas e talentosas enfatizam o enriquecimento ou a aceleração.
  **deficiência intelectual (356)**
  **dislexia (356)**
  **distúrbios de aprendizagem (DAs) (356)**
  **transtorno de déficit de atenção/hiperatividade (TDAH) (357)**
  **pensamento convergente (360)**
  **pensamento divergente (360)**
  **enriquecimento (360)**
  **aceleração (360)**

*Capítulo* **14**

## Sumário

Desenvolvimento da identidade

A criança na família

A criança no grupo de pares

Estresse e resiliência

# Desenvolvimento psicossocial na terceira infância

## Você sabia que...

▶ As crianças em famílias em que somente um dos pais está presente se saem melhor em testes de desempenho em países com políticas de apoio à família?

▶ Foi descoberto que crianças criadas por pais homossexuais são tão psicologicamente saudáveis como aquelas criadas por pais heterossexuais?

▶ A pesquisa apoia uma relação de causa e efeito entre a visualização de violência na mídia e o comportamento agressivo?

*Neste capítulo, vamos analisar em detalhes as variadas vidas emocionais e sociais das crianças em idade escolar. Veremos como elas desenvolvem um autoconceito mais realista e adquirem mais competência, autoconfiança e controle emocional. Por meio da interação com seus pares, elas fazem descobertas sobre suas próprias atitudes, valores e habilidades. As vidas das crianças são afetadas não apenas pela forma como os pais encaram a tarefa de criar os filhos, mas também por estarem ou não empregados, pelas circunstâncias econômicas da família e pela sua estrutura ou composição — se a criança vive com um dos pais ou com ambos; se tem irmãos e, caso tenha, quantos; e se na casa moram também outros familiares, como avós, tios e primos. Também consideraremos as crianças resilientes, que são capazes de emergir do estresse saudáveis e fortes.*

> **Vamos unir nossas mentes e ver a vida que conseguimos dar às nossas crianças.**
>
> — Sitting Bull, Chefe nativo americano dos Lakota Sioux (1831-1890)

**PARTE V** • Terceira infância

# Guia de estudo

1. Como o autoconceito e a autoestima mudam na terceira infância e como as crianças em idade escolar demonstram crescimento emocional?

2. Quais são os efeitos da atmosfera e da estrutura familiar e que papéis desempenham os irmãos no desenvolvimento infantil?

3. Como as relações com os colegas se alteram na terceira infância e quais são os fatores que influenciam a popularidade e o comportamento agressivo?

4. Como as crianças reagem às tensões da vida moderna?

---

## Guia de estudo 1

Como o autoconceito e a autoestima mudam na terceira infância e como as crianças em idade escolar demonstram crescimento emocional?

# Desenvolvimento da identidade

O crescimento cognitivo que ocorre durante a terceira infância permite à criança desenvolver conceitos mais complexos de si mesma e ganhar compreensão e controle emocional.

## Desenvolvimento do autoconceito: sistemas representativos

"Na escola, estou ficando bem esperta em certas matérias, português e estudos sociais", diz Lisa, de 8 anos. "Tirei A nessas matérias, no meu último boletim, e fiquei toda orgulhosa. Mas estou me sentindo bem burra em matemática e ciências, principalmente quando vejo como as outras crianças estão indo bem... Mas gosto de mim como pessoa, porque matemática e ciências simplesmente não são importantes para mim. Minha aparência e minha popularidade são mais importantes." (Harter, 1996, p. 208)

No início do desenvolvimento, as crianças têm dificuldade com conceitos abstratos e integração de várias dimensões da identidade. Seus autoconceitos concentram-se em atributos físicos, posses e descrições globais. Por volta dos 7 ou 8 anos, as crianças alcançam o terceiro estágio do desenvolvimento do autoconceito, introduzido no Capítulo 8. Nessa época, os julgamentos sobre si mesmas tornam-se mais conscientes, realistas, equilibrados e abrangentes à medida que as crianças formam os **sistemas representativos**: autoconceitos amplos e inclusivos que integram vários aspectos da identidade (Harter, 1993, 1996, 1998).

Vemos essas mudanças na autodescrição de Lisa. Ela consegue agora focalizar-se em mais de uma dimensão de si própria. Ela superou a fase anterior da autodefinição de tudo ou nada, preto ou branco. Agora, ela reconhece que pode ser "inteligente" em certas matérias e "burra" em outras. Ela consegue verbalizar melhor seu autoconceito e avaliar os diferentes aspectos dele. Ela pode comparar sua *identidade real* com sua *identidade ideal* e sabe julgar sua medida em certos padrões sociais em comparação com outros. Todas essas mudanças contribuem para o desenvolvimento da autoestima, sua avaliação de seu *autovalor geral* ("Eu ainda gosto de mim como pessoa").

## Produtividade *versus* inferioridade

De acordo com Erikson (1982), um importante determinante da autoestima é a visão que a criança tem de sua capacidade para o trabalho produtivo, que surge no quarto estágio do desenvolvimento psicossocial. Como em todos os estágios de Erikson, há duas vias possíveis. Existe uma oportunidade para o crescimento representada pelo sentido de produtividade e um risco complementar representado pela inferioridade. Esse estágio, portanto, é chamado **produtividade *versus* inferioridade**.

No caso de as crianças serem incapazes de obter aprovação dos adultos ou dos pares ou lhes faltar motivação e autoestima, podem desenvolver um sentimento de baixa autoestima e, assim, afundar-se na inércia. Nesse caso, as crianças teriam desenvolvido um sentimento de inferioridade, o que é problemático, porque durante a terceira infância devem aprender habilidades valiosas na sociedade. Por exemplo, se as crianças se sentem inadequadas comparadas com seus pares, elas podem retrair-se para o seio protetor da família e deixar de se aventurar mais longe de casa.

Desenvolver o sentido de diligência, em contrapartida, envolve aprender a trabalhar com afinco para alcançar objetivos. Os pormenores podem variar entre sociedades: meninos arapesh, na Nova Guiné, aprendem a fazer arcos e flechas e a colocar armadilhas para ratos; as meninas arapesh aprendem a plantar, a semear e a colher. Crianças inuit do Alasca aprendem a caçar e a pescar. Crianças de países in-

---

**sistemas representativos**
Autoconceitos amplos e inclusivos que integram vários aspectos da identidade.

**produtividade *versus* inferioridade**
Quarto estágio do desenvolvimento psicossocial de Erikson, no qual a criança deve aprender as habilidades produtivas que sua cultura requer ou então enfrentar sentimentos de inferioridade.

*A terceira infância, segundo Erikson, é a época de aprender as competências culturais consideradas importantes no seio de uma cultura. Ao conduzir gansos para o mercado, esta menina vietnamita está desenvolvendo o sentido de competência e adquirindo autoestima.*

dustrializados aprendem a ler, a escrever, a fazer contas e a usar computadores. O que essas experiências diferentes compartilham, no entanto, é a ênfase no desenvolvimento da responsabilidade e a motivação para ter sucesso. Se o estágio for resolvido com sucesso, as crianças desenvolvem uma visão de si mesmas como capazes de dominar habilidades e completar tarefas. Isso pode ir longe demais — se as crianças se tornarem diligentes demais, elas podem negligenciar as relações sociais e transformar-se em viciadas em trabalho.

Os pais têm grande influência nas crenças de uma criança sobre competência. Em um estudo longitudinal de 514 crianças norte-americanas de classe média, as crenças dos pais sobre a competência de seus filhos em matemática e esportes estavam fortemente associadas às crenças dos filhos (Fredricks & Eccles, 2002).

### Verificador
#### você é capaz de...
- Descrever como o autoconceito se desenvolve na terceira infância?
- Discutir a formação dos sistemas representativos?
- Descrever o estágio de Erikson de produtividade *versus* inferioridade?

## Crescimento emocional e comportamento pró-social

À medida que as crianças crescem, elas se tornam mais conscientes de seus próprios sentimentos e dos sentimentos das outras pessoas. Elas podem regular ou controlar melhor suas emoções e responder ao sofrimento emocional alheio (Saarni et al., 1998, 2006).

Por volta dos 7 ou 8 anos, as crianças têm consciência de que sentem vergonha e orgulho e têm uma ideia mais clara da diferença entre culpa e vergonha (Harris, Olthof, Meerum Terwogt, & Hardman, 1987; Olthof, Schouten, Kuiper, Stegge, & Jennekens-Schinkel, 2000). Essas emoções afetam a opinião que elas têm de si próprias (Harter, 1993, 1996). As crianças também sabem verbalizar emoções conflitantes. Como diz Lisa: "A maioria dos meninos da escola é bem nojenta. Eu não acho isso do meu irmãozinho Jason, embora ele me irrite. Eu gosto dele, mas ao mesmo tempo ele faz coisas que me deixam furiosa. Mas eu me controlo; eu teria vergonha de mim mesma se não me controlasse" (Harter, 1996, p. 208).

Na terceira infância, as crianças têm conhecimento das regras de sua cultura para expressão emocional aceitável (Cole, Bruschi, & Tamang, 2002). Elas aprendem o que as deixa com raiva, com medo ou tristes e como as outras pessoas reagem à expressão dessas emoções e aprendem a comportar-se de acordo com a situação. Quando os pais respondem com desaprovação ou punição, emoções como raiva e medo podem tornar-se mais intensas e prejudicar o ajustamento social da criança (Fabes, Leonard, Kupanoff, & Martin, 2001), ou ela poderá tornar-se reservada ou ficar ansiosa em relação aos sentimentos negativos. À medida que a criança se aproxima do início da adolescência, a intolerância parental com as emoções negativas poderá intensificar o conflito entre pais e filhos (Eisenberg et al., 1999; Fabes et al., 2001).

Alguma vez você já recebeu um presente de que não gostou ou teve que engolir a raiva para evitar problemas? A habilidade para fingir gostar de um presente ou sorrir quando se está enfurecido envolve

Em torno dos 9 anos de idade, as crianças norte-americanas brancas começam a autocensurar sua fala de modo a não mencionarem a raça das outras na tentativa de parecerem sem preconceitos.

*Apfelbaum, Pauker, Ambady, Sommers, & Norton, 2008*

### Verificador
**você é capaz de...**
- Identificar alguns aspectos do desenvolvimento emocional na terceira infância e relatar como o tratamento parental pode afetar a forma como as crianças lidam com emoções negativas?
- Citar formas de aumentar o comportamento pró-social na terceira infância?

a autorregulação emocional, que é o controle por esforço (voluntário) das emoções, da atenção e do comportamento (Eisenberg et al., 2004). Existem diferenças individuais no nível de eficácia do controle das emoções por esforço por parte de cada criança, bem como nas mudanças do desenvolvimento com a idade.

As crianças com baixo controle voluntário tendem a tornar-se visivelmente irritadas ou frustradas quando interrompidas ou impedidas de fazer alguma coisa que querem fazer. Não conseguem esconder facilmente esses sinais. Em contrapartida, com alto controle voluntário, podem conter o impulso de demonstrar emoção negativa em momentos inadequados. O controle voluntário ou por esforço pode ser baseado no temperamento, mas geralmente aumenta com a idade. Ainda assim, baixo controle voluntário pode prever problemas de comportamento futuros (Eisenberg et al., 2004).

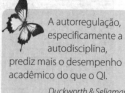

A autorregulação, especificamente a autodisciplina, prediz mais o desempenho acadêmico do que o QI.

*Duckworth & Seligman, 2005*

As crianças tendem a tornar-se mais empáticas e mais inclinadas a comportamento pró-social na terceira infância. A empatia parece ser "pré-programada" no cérebro de crianças sadias. Um estudo recente de atividade cerebral em crianças de 7 a 12 anos revelou que partes de seu cérebro eram ativadas quando elas viam figuras de pessoas sofrendo (Decety, Michalaska, Akitsuki, & Lahey, 2009). Crianças com autoestima alta tendem a estar mais dispostas a oferecer-se para ajudar os que são menos afortunados do que elas, e o altruísmo, por sua vez, ajuda a elevar a autoestima (Karafantis & Levy, 2004). Crianças pró-sociais tendem a agir adequadamente em situações sociais, a serem relativamente livres de emoção negativa e a lidar com os problemas de forma construtiva (Eisenberg, Fabes, & Murphy, 1996). Pais que reconhecem os sentimentos de dor de seus filhos e os ajudam a focar-se na solução da fonte do problema estimulam a empatia, o desenvolvimento pró-social e as habilidades sociais (Bryant, 1987; Eisenberg et al., 1996).

### Guia de estudo 2
Quais são os efeitos da atmosfera e da estrutura familiar e que papéis desempenham os irmãos no desenvolvimento infantil?

## A criança na família

Crianças em idade escolar passam mais tempo fora de casa visitando e socializando com os colegas do que quando eram mais novas. Elas também passam mais tempo na escola e envolvidas com os estudos e menos tempo nas refeições com a família do que as crianças de uma geração atrás (Juster, Ono, & Stafford, 2004). Contudo, o lar e as pessoas que aí vivem continuam sendo uma parte importante da vida da maioria delas. A pesquisa sugere que as refeições em família estão relacionadas tanto direta como indiretamente com a saúde e o bem-estar das crianças, conforme discutido no Box 14.1.

Para entender a criança na família, precisamos olhar para a família no ambiente – sua atmosfera e estrutura. Estas, por sua vez, são afetadas pelo que acontece além dos muros do lar. Conforme prevê a teoria de Bronfenbrenner, níveis mais amplos de influência – incluindo o trabalho e o nível socioeconômico dos pais e tendências sociais, como urbanização, alteração no tamanho da família, divórcio e novo casamento – ajudam a formar o ambiente familiar e, portanto, o desenvolvimento da criança.

Recorde as interações genótipo-ambiente ativas que discutimos no Capítulo 3. O que a independência cada vez maior das crianças pequenas sugere sobre a importância dessas correlações com a idade?

A cultura também define os ritmos da vida familiar e os papéis dos membros da família. Muitas famílias afro-americanas, por exemplo, dão prosseguimento a tradições de família estendida que incluem viver próximo ou com um parente, um forte senso de obrigação familiar, orgulho étnico e ajuda mútua (Parke & Buriel, 1998). As famílias latinas tendem a ressaltar o compromisso familiar, o respeito por si mesmo e pelos outros e a educação moral (Halgunseth, Ispa, & Rudy, 2006). Quando olhamos para a criança na família, então, precisamos estar conscientes das forças externas que a afetam.

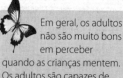

Em geral, os adultos não são muito bons em perceber quando as crianças mentem. Os adultos são capazes de identificar mentiras apenas ligeiramente melhor do que seria previsível pelo acaso.

*Stromwall, Granhag, & Landstrom, 2007*

### Atmosfera familiar

As influências mais importantes do ambiente familiar no desenvolvimento das crianças vêm da atmosfera no lar. Um importante fator de contribuição é a existência ou não de conflito em casa. A exposição à violência e ao conflito é prejudicial para as crianças, tanto no que diz respeito à exposição direta à discórdia parental (Kaczynski, Lindahl, Malik, & Laurenceau, 2006) como às influências indiretas so-

Capítulo 14 • Desenvolvimento psicossocial na terceira infância   369

# O mundo da pesquisa

## 14.1

### PASSE O LEITE: REFEIÇÕES FAMILIARES E O BEM-ESTAR DA CRIANÇA

Não há outra atividade que as famílias compartilhem como um grupo mais do que as refeições diárias. Em um levantamento, 56% das famílias com filhos em idade escolar relataram fazer pelo menos uma refeição juntos de 6 a 7 dias por semana (National Center on Addiction and Substance Abuse at Columbia University [CASA], 2006). E isso é muito bom para a saúde e o bem-estar das crianças. Essas "reuniões" que duram em média 20 minutos podem ter efeitos profundos sobre a saúde e o bem-estar de uma criança (Fiese & Schwartz, 2008).

Alguns dos efeitos positivos das refeições familiares incluem:

1. Promoção do desenvolvimento da linguagem. A frequência das refeições familiares foi associada com desenvolvimento do vocabulário (Beals & Snow, 1994), habilidades literárias aumentadas (Snow & Beals, 2006) e sucesso acadêmico (CASA, 2006).

2. Risco reduzido de transtornos alimentares e obesidade na infância. Famílias que fazem as refeições juntas regularmente promovem hábitos alimentares saudáveis e relatam menos transtornos alimentares (Neumark-Sztainer et al., 2007) e menos obesidade (Gable, Chung, & Krull, 2007). Elas consomem mais frutas e vegetais.

3. Risco reduzido de abuso de substâncias. Adolescentes que fazem as refeições regularmente com suas famílias têm menor probabilidade de fumar cigarro ou maconha e têm risco reduzido para abuso de álcool (CASA, 2007).

4. Maior conscientização das tradições culturais. A participação nas refeições familiares normalmente oferece às crianças oportunidades de aprenderem e de identificarem-se com as tradições culturais (Larson, 2008).

5. Menos problemas emocionais. Os horários das refeições podem oferecer uma oportunidade para comunicação positiva entre pais e filhos. Isso tipicamente cria um ambiente onde as crianças apresentam menos comportamento

de risco e têm menos problemas emocionais (Larson, 2008).

Para aumentar a probabilidade desses desfechos positivos, os pais precisam considerar o clima da experiência na hora das refeições. Como a família interage, onde as refeições são feitas e a presença da televisão durante a refeição influenciam fortemente a experiência desse momento. O clima pode apoiar ou desencorajar a saúde e o bem-estar. Refeições que são bem organizadas e nas quais os pais são responsivos aos filhos foram associadas com mais efeitos positivos (Fiese & Schwartz, 2008).

**Qual a sua opinião?** De que formas as famílias ocupadas podem encaixar as refeições em grupo em seus horários?

---

bre variáveis como a baixa união familiar e as estratégias para regulação da raiva (Houltberg, Henry, & Morris, 2012).

As crianças expostas aos conflitos familiares respondem de formas diferentes, que podem ser amplamente caracterizadas como incluindo tanto a externalização como a internalização de comportamentos. Os **comportamentos internalizantes** incluem ansiedade, medo e depressão — a raiva voltada para o interior. Os **comportamentos externalizantes** incluem agressividade, brigas, desobediência e hostilidade — a raiva voltada para o exterior. Tanto os comportamentos internalizantes (Kaczynski et al., 2006; Fear et al., 2009) como os externalizantes (Kaczynski et al., 2006; Houltberg et al., 2012) são mais prováveis em crianças de famílias com altos níveis de discórdia.

Outro fator que contribui para a atmosfera familiar é como os pais lidam com a necessidade – e a capacidade – cada vez maior dos filhos em idade escolar de tomar suas próprias decisões. Outro aspecto, ainda, é a situação econômica da família. Como o trabalho dos pais afeta o bem-estar dos filhos?

**comportamentos internalizantes**
Comportamentos por meio dos quais problemas emocionais são voltados para dentro da pessoa; por exemplo, ansiedade ou depressão.

**comportamentos externalizantes**
Comportamentos por meio dos quais uma criança representa suas dificuldades emocionais; por exemplo, agressão e hostilidade.

**PARTE V • Terceira infância**

**Questões de parentalidade: do controle para a corregulação** Os bebês não têm muito a dizer sobre o que se passa com eles; estão à mercê do que os pais escolhem e do que os pais decidem que devem experimentar. Os pais mandam. No entanto, quando as crianças crescem e se tornam mais autônomas, há uma mudança gradual de poder. Ao longo da infância, o controle do comportamento muda gradualmente dos pais para os filhos. As crianças começam a exigir certos tipos de experiências, determinados alimentos, negociam os objetos que desejam e comunicam as mudanças de suas necessidades aos pais.

Na terceira infância, o poder social torna-se mais igualitário entre pais e filhos, que se envolvem na **corregulação**, um estágio que pode incluir estratégias para os pais exercerem a supervisão, mas os filhos gostam de recorrer à autorregulação a cada momento (Maccoby, 1984; 1992). Por exemplo, em relação aos problemas entre as próprias crianças, os pais agora recorrem menos à intervenção direta e mais a conversas com os filhos (Parke & Buriel, 1998).

A corregulação é afetada pela relação geral entre pais e filhos. As crianças estão mais aptas a seguir os desejos dos pais quando reconhecem que eles são justos e se preocupam com o bem-estar delas e que podem "saber mais" em razão da experiência. Será útil se os pais tentarem reconhecer o julgamento dos filhos e assumir posições mais inflexíveis somente em questões importantes (Maccoby, 1984; 1992).

A passagem para a corregulação afeta o modo como os pais lidam com a disciplina (Maccoby, 1984; Roberts, Block, & Block, 1984). Pais de crianças em idade escolar estão mais propensos a usar técnicas indutivas. Por exemplo, o pai de Jared, 8 anos, mostra ao filho como suas ações afetam os outros: "Se você bater no Jermaine, vai machucá-lo, e ele vai se sentir mal". Em outras situações, os pais de Jared poderão apelar para sua autoestima ("O que aconteceu com aquele menino prestativo que estava aqui ontem?") ou valores morais ("Um menino grande e forte como você deveria dar seu lugar para uma pessoa mais velha no ônibus."). Acima de tudo, os pais de Jared deixam claro que ele deve arcar com as consequências de seu comportamento ("Não admira que hoje você tenha perdido o ônibus escolar – você ficou acordado até tarde ontem à noite! Agora terá que ir andando até a escola").

A maneira como pais e filhos resolvem conflitos pode ser mais importante do que propriamente os resultados. Se o conflito familiar for construtivo, poderá ajudar a criança a ver a necessidade de regras e padrões. Ela também aprende quais são os tipos de questões que valem a pena ser discutidos e quais estratégias podem ser eficazes (A. R. Eisenberg, 1996). Entretanto, à medida que a criança entra na pré-adolescência e sua luta por autonomia torna-se mais insistente, a qualidade da resolução dos problemas familiares geralmente se deteriora (Vuchinich, Angelelli, & Gatherum, 1996).

**Efeitos do trabalho dos pais** A maioria dos estudos sobre o impacto do trabalho dos pais no bem-estar dos filhos concentrou-se em mães empregadas. De 1975 até 2000, a taxa de participação na força de trabalho de mães com filhos menores de 18 anos aumentou 47% para o valor máximo de 73%. Em 2004, essa taxa diminuiu para 71%, que se manteve até 2007 (U.S. Bureau of Labor Statistics, 2008b). Assim, muitas crianças nunca viveram um período em que as mães não estivessem trabalhando.

De modo geral, quanto mais satisfeita a mãe está com o *status* de seu emprego, maior a probabilidade de sua eficácia como mãe (Parke, 2004a; Parke & Buriel, 1998). Entretanto, o impacto do trabalho de uma mãe depende de muitos outros fatores, que incluem idade, sexo, temperamento e personalidade da criança; se a mãe trabalha em período integral ou meio turno; por que ela está trabalhando; se o parceiro lhe dá apoio ou não; o nível socioeconômico da família; o tipo de cuidados que a criança recebe antes e/ou depois da escola (Parke & Buriel, 1998). Frequentemente, uma mãe solteira precisa trabalhar para evitar o desastre econômico. A maneira como seu trabalho afeta os filhos pode depender de quanto tempo e energia ela reserva para gastar com eles e do tipo de modelo que ela é (Barber & Eccles, 1992).

A qualidade do acompanhamento dos filhos pode ser mais importante do que o fato de a mãe trabalhar fora (Crouter, MacDermid, McHale, & Perry-Jenkins, 1990; Jacobson & Crockett, 2000). Em 2005, 57% dos alunos do jardim de infância até o 8º ano cujas mães trabalhavam em tempo integral e 32% daqueles cujas mães trabalhavam em tempo parcial ou estavam à procura de trabalho frequentavam pelo menos um programa de atividades de turno inverso, na maioria das vezes uma escola ou um programa oferecido por um centro social. Alguns filhos de mulheres que trabalham fora, especialmente as crianças menores, são supervisionados por parentes. Muitas crianças recebem diversos tipos de cuidados extraescolares (Carver & Iruka, 2006). Assim como as boas creches para crianças em idade pré-escolar, os bons programas de atividades de turno inverso têm um número de matrículas relativamente baixo, uma relação criança-funcionário baixa e funcionários bem treinados. As crianças, especialmente os meninos, em programas organizados, com programação flexível e clima emocional positivo, tendem a se adaptar

---

**corregulação**
Estágio de transição no controle do comportamento, quando os pais exercem uma supervisão geral e os filhos exercem a autorregulação a cada momento.

melhor e a ter melhor desempenho na escola (Mahoney, Lord, & Carryl, 2005; Pierce, Hamm, & Vandell, 1999; Posner & Vandell, 1999).

Cerca de 9% das crianças em idade escolar e 23% dos pré-adolescentes estão em regime de *autocuidado*, regularmente tomando conta de si próprios em casa, sem supervisão de adultos (Hofferth & Jankuniene, 2000; NICHD Early Child Care Research Network, 2004a). Essa situação só é aconselhável para crianças mais velhas, que sejam maduras, responsáveis e independentes e que saibam obter ajuda em caso de emergência — e, mesmo assim, somente se um dos pais estiver em contato por telefone.

**Pobreza e parentalidade**  Cerca de 22% das crianças norte-americanas até 17 anos — incluindo 39% de crianças negras e 35% de crianças hispânicas — viviam na pobreza em 2010. As crianças que viviam apenas com a mãe tinham 5 vezes maior probabilidade de serem pobres do que crianças que viviam com ambos os pais – 43% comparado com 9% (Federal Interagency Forum on Child and Family Statistics, 2012a; Figura 14.1).

As crianças pobres são mais propensas do que outras crianças a ter problemas emocionais ou comportamentais (Wadsworth et al., 2008). Além disso, seu potencial cognitivo e desempenho escolar sofrem ainda mais (Brooks-Gunn, Britto, & Brady, 1998; Brooks-Gunn, Duncan, Leventhal, & Aber, 1997; Duncan & Brooks-Gunn, 1997; McLoyd, 1998; Najman et al., 2009). A pobreza pode prejudicar o desenvolvimento da criança por meio de seu impacto sobre o estado emocional dos pais e a parentalidade, bem como sobre o ambiente doméstico (Evans, 2004; NICHD Early Child Care Research Network, 2005a).

*As crianças que têm chave de casa e que cuidam de si mesmas depois da escola enquanto os pais trabalham precisam ser maduras, responsáveis e independentes, e devem saber como obter ajuda em caso de emergência.*

A análise de Vonnie McLoyd (1990, 1998; Mistry, Vandewater, Huston, & McLoyd, 2002) sobre os efeitos da pobreza traça um caminho que leva ao sofrimento psicológico na idade adulta, a efeitos sobre a educação da criança e, por fim, a problemas comportamentais e escolares. Pais que vivem na pobreza estão propensos a se tornar ansiosos, deprimidos e irritáveis e, portanto, podem ser menos afetuosos com os filhos e menos responsivos. Eles podem aplicar uma disciplina inconsistente, severa e arbitrária. Os filhos tendem também a se tornar deprimidos, a ter dificuldade em se relacionar com os colegas, a não ter autoconfiança, a desenvolver problemas comportamentais e escolares e a se envolver em atos antissociais (Brooks-Gunn et al., 1998; Evans, 2004; Evans & English, 2002; J. M. Fields & Smith, 1998; McLoyd, 1990, 1998; Mistry et al., 2002).

Felizmente, esse padrão não é inevitável. A parentalidade eficaz pode amortecer os efeitos da pobreza sobre as crianças. Intervenções familiares que reduzam o conflito e a raiva e aumentem a coesão

Qual a sua **opinião?**

Se as finanças permitirem, deveria um dos pais ficar em casa para tomar conta dos filhos?

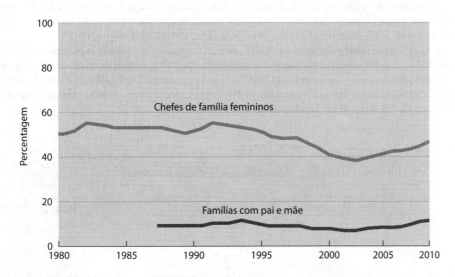

NOTA: A estimativa refere-se a crianças até os 17 anos que estejam relacionadas com o chefe da família. Em 2010, o limiar médio de pobreza para uma família constituída por quatro pessoas era de 22.113 dólares de rendimento anual.

**FIGURA 14.1**
Porcentagem de crianças até 17 anos de idade que vivem na pobreza.
*As crianças que vivem apenas com as mães têm maior probabilidade de ser pobres.*

Fonte: Federal Interagency Forum on Child and Family Statistics, Fig. 4, 2012a.

e o afeto são especialmente benéficas (Repetti, Taylor, & Seeman, 2002). Em um estudo representativo em âmbito nacional com 21.260 crianças de 6 anos, não foi tanto a renda baixa como as dificuldades materiais — alimento insuficiente, habitação periclitante e assistência médica inadequada — que levaram ao estresse parental. Este, por sua vez, afetou a quantidade de tempo, de dinheiro e de energia que os pais investiam no desenvolvimento dos filhos e a forma como os tratavam, e esses fatores previram as capacidades cognitivas e a competência social e emocional das crianças. As famílias que, apesar da pobreza, conseguiram fazer face às despesas não apresentaram esse padrão (Gershoff, Aber, Raver, & Lennon, 2007).

Pais que podem recorrer aos parentes ou aos recursos da comunidade em busca de apoio emocional, ajuda para cuidar dos filhos e informação sobre educação dos filhos frequentemente conseguem criá-los com mais eficácia. Um estudo longitudinal de quatro anos com 152 famílias afro-americanas comandadas por mães solteiras na Georgia encontrou um padrão oposto àquele descrito por McLoyd. Mães que, apesar da tensão econômica, eram emocionalmente saudáveis e tinham autoestima relativamente elevada tendiam a ter filhos competentes na escola e sociáveis, que reforçavam a parentalidade positiva dada pela mãe, e isso, por sua vez, servia de apoio para dar continuidade ao sucesso escolar dos filhos e ao comportamento socialmente desejável (Brody, Kim, Murry, & Brown, 2004).

### Estrutura familiar

A estrutura familiar nos Estados Unidos mudou consideravelmente. Nas gerações mais antigas, a imensa maioria das crianças crescia em famílias com pai e mãe casados. Hoje, embora cerca de 2 em cada 3 crianças com menos de 18 anos vivam com pai e mãe biológicos ou adotivos casados, ou com um padrasto/madrasta, essa proporção representa um considerável declínio — de 77% em 1980 para 64% em 2012 (Child Trends Data Bank, 2013). Outros tipos de famílias cada vez mais comuns são os de *gays* e lésbicas e famílias comandadas por avós (discutidas no Cap. 16). Ver Figura 14.2 para dados sobre as formas de organização familiar das crianças.

Há uma variação internacional nas formas de organização familiar. Na Finlândia, 95% das crianças vivem com a mãe e o pai, enquanto apenas 65% das crianças belgas vivem na mesma situação. O Quadro 14.1 mostra estatísticas internacionais sobre a organização familiar das crianças.

Não obstante, os filhos tendem a se dar melhor em famílias com a mãe e o pai em um casamento contínuo do que em famílias coabitantes, de pais divorciados, de pais solteiros, em segundas famílias ou quando a criança nasce fora do casamento (S. L. Brown, 2004). A diferença é ainda mais forte para crianças que crescem com a mãe e o pai casados *e felizes*. Essas crianças tendem a experimentar um padrão de convivência mais alto, parentalidade mais efetiva, mais cooperação entre os pais, relacionamento mais íntimo com a mãe e o pai (especialmente o pai) e menos eventos estressantes (Amato, 2005). Entretanto, o relacionamento dos pais, a qualidade da parentalidade e sua capacidade de criar uma atmosfera familiar favorável podem afetar o ajustamento das crianças mais do que seu estado civil (Amato, 2005; Bray & Hetherington, 1993; Bronstein, Clauson, Stoll, & Abrams, 1993; D. A. Dawson, 1991).

A instabilidade familiar pode ser mais prejudicial para as crianças do que o tipo particular de família em que vivem. Em um estudo de uma amostra nacionalmente representativa de crianças de 5 a 14 anos, aquelas que passaram por várias transições familiares (p. ex., mudanças de residência, de escola, pais divorciados) eram mais propensas a ter problemas de comportamento e a envolver-se em comportamento delinquente do que crianças em famílias estáveis (Fomby & Cherlin, 2007).

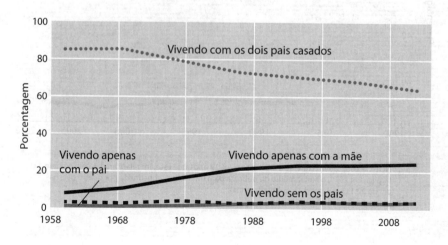

**FIGURA 14.2**
Formas de organização familiar das crianças menores de 18 anos entre 1970 e 2012.
*Nos Estados Unidos, a maioria das crianças menores de 18 anos vive com ambos os pais, mas a prevalência desse tipo de organização familiar tem diminuído.*

*Fonte*: Child Trends Data Bank, 2013.

## Capítulo 14 • Desenvolvimento psicossocial na terceira infância

**QUADRO 14.1** Formas de organização familiar das crianças até os 14 anos

| País | Pai e mãe na mesma casa | Pai e mãe em casas diferentes |
|---|---|---|
| Alemanha | 82 | 0 |
| Áustria | 86,6 | 0,5 |
| Bélgica | 65 | 4,4 |
| Bulgária | 85,2 | 1,6 |
| Dinamarca | 81,3 | 1,4 |
| Eslovênia | 87,7 | 0,9 |
| Espanha | 91,5 | 0,7 |
| Estados Unidos | 70,7 | 3,5 |
| Estônia | 66,8 | 6,7 |
| Finlândia | 95,2 | 0,2 |
| França | 79,5 | 0,6 |
| Grécia | 93,6 | 0,2 |
| Holanda | 87,4 | 0,1 |
| Hungria | 82 | 1 |
| Itália | 92,1 | 0,1 |
| Japão | 87,7 | 0 |
| Letônia | 64,9 | 2,7 |
| Lituânia | 72,4 | 2 |
| Luxemburgo | 91,5 | 0,7 |
| Malta | 90 | 0,5 |
| México | 87,1 | 0 |
| Polônia | 82 | 1,1 |
| Portugal | 86,6 | 1,8 |
| Reino Unido | 68,9 | 1,1 |
| República Checa | 80,8 | 0,6 |
| República Eslovaca | 86,4 | 0,5 |
| Romênia | 88,9 | 1,9 |
| Suécia | 78 | 0 |
| Suíça | 84,7 | 0,1 |
| Turquia | 91,5 | 0,7 |

*Fonte:* Organisation for Economic Co-operation and Development, 2012.

O envolvimento frequente e positivo do pai com o filho desde a infância está diretamente relacionado ao bem-estar da criança e ao seu desenvolvimento físico, cognitivo e social (Cabrera, Tamis-LeMonda, Bradley, Hoffreth, & Lamb 2000; Kelley, Smith, Green, Berndt, & Rogers, 1998; Shannon, Tamis-LeMonda, London, & Cabrera, 2002). Infelizmente, em 2011, mais do que 30% das crianças viviam em lares sem um dos pais biológicos (National Fatherhood Initiative, 2013). Além disso, 18% das crianças brancas, 6% das negras e 21% das latinas nunca tinham visto o pai (NCES, 2004).

**Quando os pais se divorciam** Os Estados Unidos têm uma das mais altas taxas de divórcio no mundo. O número anual de divórcios triplicou desde 1960 (Harvey & Pauwels, 1999), mas a *taxa* de divórcios permaneceu estável em cerca de 3,5% para cada 1.000 pessoas (Centers for Disease Control and Prevention, 2009; Munson & Sutton, 2004). Mais de 1,5 milhão de crianças são anualmente envolvidas em divórcios (NIMH, 2002).

*Apesar de a custódia paterna ainda ser relativamente rara, existe uma tendência crescente nesse sentido. Sendo ou não o pai o titular da guarda, o filho provavelmente se adaptará melhor se o pai permanecer envolvido com sua vida.*

***Adaptação ao divórcio*** O divórcio é estressante para os filhos. Primeiro há o estresse do conflito conjugal e, então, o da separação dos pais com a partida de um deles, geralmente o pai. As crianças podem não entender totalmente o que está acontecendo. É claro que o divórcio também é estressante para os pais e pode afetar negativamente a educação dos filhos. O padrão de vida da família provavelmente vai cair, e, se o pai ou a mãe for embora, o relacionamento com aquele que não terá a guarda da criança poderá se deteriorar (Kelly & Emery, 2003). Um novo casamento de um dos pais ou um segundo divórcio após o segundo casamento poderá aumentar o estresse da criança, reforçando os sentimentos de perda (Ahrons & Tanner, 2003; Amato, 2003).

Os problemas emocionais e comportamentais da criança também podem refletir o nível de conflito parental *antes* do divórcio (Amato, 2005). Em um estudo longitudinal de quase 11 mil crianças canadenses, aquelas cujos pais mais tarde se divorciaram apresentavam mais ansiedade, depressão ou comportamento antissocial do que aquelas cujos pais permaneceram casados (Strohschein, 2005). Se a discórdia parental antes do divórcio for crônica, explícita ou destrutiva, as crianças podem sentir-se bem ou melhor após o divórcio (Amato, 2003, 2005; Amato & Booth, 1997).

A adaptação de uma criança ao divórcio depende, em parte, da idade, da maturidade, do gênero, do temperamento e da adaptação psicossocial da criança antes dele. As crianças mais novas tendem a ficar mais ansiosas a respeito do divórcio, têm percepções menos realistas do que causou a separação e apresentam maior probabilidade de se culpar. Contudo, podem adaptar-se mais depressa do que crianças mais velhas, que entendem melhor o que está acontecendo. As crianças em idade escolar são sensíveis às pressões dos pais e à disputa pela lealdade e, tal como as crianças mais jovens, podem temer o abandono e a rejeição. Os meninos têm mais dificuldade de adaptar-se do que as meninas e são mais suscetíveis a apresentar problemas sociais e de conduta (Amato, 2005; Hetherington, Bridges, & Insabella, 1998; Hines, 1997; Parke & Buriel, 1998).

***Guarda, visitação e coparentalidade*** Existem diferentes tipos de acordos de guarda quando os pais se divorciam. Na maior parte dos casos, a mãe recebe a guarda, por vezes chamada de *guarda materna*, embora a *guarda paterna* seja uma tendência em crescimento. A *guarda compartilhada*, partilhada por ambos os pais, é outro tipo de acordo. Quando os pais têm a *guarda compartilhada legal*, eles dividem os direitos e a responsabilidade para tomar decisões sobre o bem-estar da criança. Quando os pais têm a *guarda compartilhada física* (que é menos comum), a criança vive em tempo parcial com cada um deles.

Nos casos de um dos pais ficar com a guarda, as crianças ficarão melhores depois do divórcio se este for caloroso, solidário e democrático; monitorar as atividades da criança; e mantiver expectativas apropriadas à idade. Além disso, o conflito entre os pais divorciados deve ser mínimo, e o pai/mãe não residente deve manter um contato próximo e envolvimento com o filho (Ahrons & Tanner, 2003; Kelly & Emery, 2003). Crianças que vivem com mães divorciadas ajustam-se melhor quando o pai sustenta o filho, o que pode constituir uma medida do vínculo entre pai e filho e também de cooperação entre os ex-cônjuges (Amato & Gilbreth, 1999; Kelly & Emery, 2003). Muitos filhos de pais divorciados dizem que perder o contato com um dos pais é um dos resultados mais dolorosos do divórcio (Fabricius, 2003). Entretanto, a frequência do contato com o pai não é tão importante quanto a qualidade do relacionamento entre pai e filho e o nível de conflito parental. Crianças que estão próximas do pai não residente, e cujo pai é democrático, tendem a ter um melhor desempenho na escola e a apresentar menos problemas de comportamento (Amato & Gilbreth, 1999; Kelly & Emery, 2003).

A guarda compartilhada pode ser vantajosa se os pais cooperarem, já que ambos podem continuar próximos da criança. Uma análise de 33 estudos verificou que as crianças em guarda compartilhada legal ou física estavam mais bem adaptadas e tinham autoestima mais elevada, assim como melhor relacionamento familiar, do que crianças em guarda única. De fato, crianças em guarda compartilhada

Capítulo 14 • Desenvolvimento psicossocial na terceira infância **375**

estavam tão bem adaptadas quanto crianças de famílias não divorciadas (Bauserman, 2002). É provável, no entanto, que casais que escolhem a guarda compartilhada sejam aqueles que têm menos conflitos.

Em uma amostra nacional com 354 famílias de pais divorciados, a *parentalidade cooperativa* — a colaboração ativa em relação às decisões entre a mãe e o pai não residente — levava ao contato mais frequente entre o pai e a criança, e isso, por sua vez, levava a uma melhor relação entre ambos, bem como a uma paternidade mais responsiva (Sobolewski & King, 2005). Infelizmente, a parentalidade cooperativa não é a norma (Amato, 2005). Os programas de educação parental que ensinam os casais separados ou divorciados a evitar ou a lidar com conflitos, a manter linhas de comunicação abertas, a desenvolver uma relação de coparentalidade efetiva e a ajudar as crianças a se adaptarem ao divórcio foram introduzidos em muitos tribunais e apresentam sucesso considerável (Wolchik et al., 2002).

***Efeitos de longo prazo*** A maioria das crianças com pais divorciados adapta-se razoavelmente bem. As crianças com pais divorciados tendem a ter um desempenho acadêmico inferior e mais problemas com as relações sociais, mas a maioria não sofre consequências negativas de longo prazo (Lansford, 2009). No entanto, o momento do divórcio afeta muitas vezes os resultados finais. Em um estudo, as crianças que experimentaram o divórcio dos pais durante o ensino primário eram mais propensas a desenvolver problemas de externalização ou de internalização, enquanto as crianças cujos pais se divorciaram mais tarde eram mais propensas a sofrer uma queda nas notas escolares (Lansford et al., 2006). Em outro estudo, as crianças que experimentaram o divórcio dos pais antes dos 16 anos apresentaram tendência a desenvolver problemas emocionais e educacionais, a iniciar a atividade sexual precocemente e a estar em risco de depressão e de pensamentos suicidas (D'Onofrio et al., 2006). Na adolescência, o divórcio dos pais aumenta o risco de comportamento antissocial, dificuldades de relacionamento com as figuras que representam autoridade (Amato, 2003, 2005; Kelly & Emery, 2003) e abandono escolar (McLanahan & Sandefur, 1994).

A ansiedade associada ao divórcio dos pais pode surgir quando a criança chega à idade adulta e tenta estabelecer suas próprias relações íntimas (Amato, 2003; Wallerstein, Lewis, & Blakeslee, 2000). Tendo vivenciado o divórcio dos pais, alguns adultos jovens têm medo de assumir compromissos que poderiam terminar em decepção (Glenn & Marquardt, 2001; Wallerstein & Corbin, 1999). De acordo com algumas pesquisas, 25% dos filhos de pais divorciados chegam à maioridade com sérios problemas sociais, emocionais e psicológicos quando comparados a 10% das crianças cujos pais permanecem juntos (Hetherington & Kelly, 2002). Quando adultos, os filhos de pais divorciados tendem a ter NSE mais baixo, bem-estar psicológico mais insatisfatório e maior probabilidade de ter um filho fora do casamento. Seus casamentos tendem a ser menos satisfatórios e são mais propensos a terminar em divórcio (Amato, 2005). Entretanto, muita coisa depende de como o jovem resolve e interpreta a experiência do divórcio parental. Alguns, que veem um alto grau de conflito entre os pais, são capazes de extrair um aprendizado desse exemplo negativo e eles próprios estabelecerem relacionamentos de grande intimidade (Shulman, Scharf, Lumer, & Maurer, 2001).

**Viver em uma família monoparental** As famílias monoparentais resultam de divórcio ou separação, de pais solteiros ou de perda por morte. Com as taxas crescentes de divórcio e de filhos fora do casamento, a porcentagem de famílias monoparentais nos Estados Unidos mais do que duplicou desde 1970 (U.S. Census Bureau, 2008a). Mais da metade de todas as crianças negras vive com apenas um dos pais, se comparadas com 19% de crianças brancas não hispânicas e 26% de crianças hispânicas (Kreider & Fields, 2005).

Embora seja muito mais provável que as crianças vivam com uma mãe solteira do que com um pai solteiro, o número de famílias apenas com o pai mais que quadruplicou desde 1970, aparentemente devido, em grande parte, ao aumento da guarda paterna após o divórcio (Fields, 2004). Quatro por cento das crianças não vivem com nenhum dos pais; a maior parte dessas crianças vive com os avós (ver Figura 14.2).

As crianças em famílias de pais ou mães solteiros se saem razoavelmente bem de modo geral, mas tendem a ficar social e educativamente atrás de seus pares que vivem em famílias com ambos os pais. Isso é válido tanto para as crianças nascidas fora do casamento como para aquelas cujos pais estão divorciados. O que explica esses resultados? As crianças que vivem com apenas um dos pais são expostas a muitas experiências estressantes. Em primeiro lugar, elas tendem a ser prejudicadas economicamente. Como os pais estão fazendo esforço para sustentar a casa, essas crianças recebem frequentemente cuidado parental mais pobre. A perda do contato com um dos pais ou a observação dos conflitos e da hostilidade entre o casal pode acarretar insegurança emocional. As crianças que vivem com pais casados tendem a ter mais interação diária com eles, os pais leem para as crianças mais vezes, elas têm uma progressão mais contínua na escola e participam mais de atividades extracurriculares do que as crianças que vivem apenas com um dos pais (Lugaila, 2003).

Contudo, os resultados negativos para crianças em famílias monoparentais estão longe de ser inevitáveis. A idade da criança e o nível de desenvolvimento, as circunstâncias financeiras da família, a frequência das mudanças e o envolvimento do pai ou da mãe não residente fazem diferença (Amato, 2005; Seltzer, 2000). Em um estudo longitudinal com 1.500 famílias brancas, negras e hispânicas com crianças entre os 6 e os 7 anos de idade, o nível de educação e de capacidades da mãe e, em menor extensão, o rendimento familiar e a qualidade do ambiente doméstico não foram responsáveis por nenhum efeito negativo da convivência monoparental no desempenho escolar nem no comportamento (Ricciuti, 1999, 2004).

Como os pais solteiros muitas vezes não dispõem dos recursos necessários para o bom desempenho parental, os riscos potenciais para as crianças dessas famílias poderiam ser reduzidos ou eliminados mediante o acréscimo do acesso ao apoio econômico, social, educacional e parental. Em testes internacionais de matemática e de ciências, a disparidade da aprendizagem entre os alunos do 3º e do 4º ano que viviam em lares com apenas um dos pais e os que viviam com ambos os pais biológicos era maior nas crianças norte-americanas do que naquelas de qualquer outro país, exceto a Nova Zelândia. Os filhos de pais solteiros tiveram melhores resultados em países com políticas de apoio à família, como os subsídios à criança e aos familiares, os benefícios fiscais para pais solteiros, as licenças-maternidade e os horários de trabalho flexíveis (Pong, Dronkers, & Hampden-Thompson, 2003).

**Viver em uma família em coabitação** As famílias coabitantes são semelhantes em muitos aspectos a famílias casadas, mas os pais tendem a ser mais desfavorecidos. Elas tradicionalmente têm menos renda e educação, relatam relacionamentos mais insatisfatórios e têm mais problemas de saúde mental. Portanto, não é surpresa que os dados de um levantamento nacional de 36.000 famílias norte-americanas mostrassem piores resultados emocionais, comportamentais e acadêmicos para crianças de 6 a 11 anos vivendo com pais biológicos coabitantes do que para aquelas vivendo com pais biológicos casados. A diferença nos desfechos devia-se, em grande parte, a desigualdades nos recursos econômicos, no bem-estar dos pais e na eficácia da parentalidade (S. L. Brown, 2004).

**Viver em uma família reconstituída** A maioria dos pais e mães divorciados acaba se casando novamente, e muitas mães solteiras casam-se com homens que não eram o pai de seus filhos (Amato, 2005), desse modo formando as famílias de novo casamento, ou reconstituídas. Cerca de 15% das crianças norte-americanas vivem em famílias reconstituídas (Kreider & Fields, 2005).

A adaptação ao novo padrasto/madrasta pode ser estressante. A lealdade de uma criança para com a mãe ou o pai ausente ou morto(a) pode interferir na formação de vínculos com o padrasto ou a madrasta (Amato, 2005). Muitos enteados mantêm elos com os pais que não detêm a guarda. As mães que não têm a guarda tendem a manter-se mais em contato do que os pais em circunstâncias iguais, além de oferecerem mais apoio social (Gunnoe & Hetherington, 2004).

Alguns estudos indicaram que os meninos – que geralmente têm mais problemas do que as meninas para se adaptar ao divórcio e à vida com apenas um dos pais – se beneficiam da presença de um padrasto. A menina, por sua vez, talvez veja o novo homem na casa como ameaça a sua independência e ao seu relacionamento com a mãe (Bray & Hetherington, 1993; Hetherington, 1987; Hetherington, Stanley-Hagan, & Anderson, 1989; Hetherington et al., 1998; Hines, 1997). Em um estudo longitudinal de uma amostra nacionalmente representativa de adultos norte-americanos, mães que casaram pela segunda vez ou iniciaram um novo relacionamento de coabitação tendiam a usar disciplina menos rígida do que mães que permaneceram solteiras, e seus filhos relataram um relacionamento melhor com elas. Contudo, a supervisão era maior em famílias estáveis de mães solteiras (Thomson, Mosley, Hanson, & McLanahan, 2001).

**Viver com pais *gays* ou mães lésbicas** Estima-se que aproximadamente 9 milhões de crianças e adolescentes nos Estados Unidos tenham pelo menos um dos pais homossexual. Alguns *gays* e lésbicas estão criando filhos nascidos de relacionamentos heterossexuais anteriores. Outros concebem por meios artificiais, usam mães substitutas ou adotam crianças (Pawelski et al., 2006; Perrin & AAP Committee on Psychosocial Aspects of Child and Family Health, 2002).

Muitas pesquisas examinaram o desenvolvimento de filhos de *gays* e lésbicas, incluindo saúde física e emocional, inteligência, adaptação, senso de identidade, julgamento moral e funcionamento social e sexual, e não revelaram preocupações especiais (Paige, 2005). Não há nenhuma diferença consistente

A comédia dramática *Minhas Mães e Meu Pai* (*The Kids Are Alright*), de 2010, envolve essa visão dentro do próprio título original. No filme, um casal de lésbicas encontra o doador do esperma que elas usaram para gerar seus filhos. Embora isso introduza alguns desafios em suas vidas, elas e as crianças, em última análise, ficam bem.

entre pais homossexuais e heterossexuais em termos de saúde emocional ou de aptidões e atitudes para a parentalidade, e, onde existem diferenças, elas tendem a ser favoráveis aos pais homossexuais (Brewaeys, Ponjaert, Van Hall, & Golombok, 1997; Meezan & Rauch, 2005; Pawelski et al., 2006; Perrin & AAP Committee on Psychosocial Aspects of Child and Family Health, 2002; Wainright, Russell, & Patterson, 2004). A declaração oficial da American Psychiatric Association conclui que os pais homossexuais geralmente têm um relacionamento positivo com seus filhos, e as crianças não são mais propensas do que outras crianças criadas por pais heterossexuais a ter problemas emocionais, sociais, acadêmicos ou psicológicos (Paige, 2005; Chan, Raboy, & Patterson, 1998; Gartrell, Deck, Rodas, Peyser, & Banks, 2005; Golombok et al., 2003; Meezan & Rauch, 2005; Mooney-Somers & Golombok, 2000; Wainright et al., 2004). Além disso, os filhos de *gays* e lésbicas não têm maior probabilidade de ser homossexuais ou de ficar confusos sobre seu próprio gênero do que os filhos de heterossexuais (Anderssen, Amlie, & Ytteroy, 2002; Golombok et al., 2003; Meezan & Rauch, 2005; Pawelski et al., 2006; Wainright et al., 2004).

*A pesquisa mostra que crianças que vivem com pais homossexuais não são mais propensas do que outras crianças a ter problemas sociais ou psicológicos ou a virem a ser elas próprias homossexuais.*

Esses achados têm implicações sociais para decisões legais sobre guarda e disputas sobre visitações, cuidados em adoção temporária e adoções definitivas. Em face da controvérsia sobre casamentos ou uniões civis entre *gays* ou lésbicas, com suas implicações para a segurança dos filhos, vários Estados têm considerado ou adotado legislação sancionando a adoção por parceiros do mesmo sexo. A Academia Americana de Pediatria apoia o direito ao casamento civil para *gays* e lésbicas (Pawelski et al., 2006) e os esforços legislativos e legais para permitir que um parceiro em um casal de mesmo sexo possa adotar o filho ou filha do outro parceiro (AAP Committee on Psychosocial Aspects of Child and Family Health, 2002).

**Famílias adotivas** A adoção é encontrada em todas as culturas ao longo da história. Ela não é direcionada apenas a pessoas inférteis; pessoas solteiras, pessoas mais velhas, casais homossexuais e pessoas que já têm filhos biológicos têm-se tornado pais adotivos.

Em 2004, 1,5 milhão de crianças norte-americanas com menos de 18 anos (cerca de 2,5%) viviam com pelo menos um pai adotivo (Kreider, 2008). Estima-se que 60% das adoções legais sejam por padrastos ou parentes, geralmente os avós (Kreider, 2003).

Nos Estados Unidos as adoções geralmente acontecem por meio de agências públicas ou privadas. As adoções por meio das agências devem ser confidenciais, sem contato entre a mãe biológica e os pais adotivos, e a identidade da mãe biológica é mantida em sigilo. Entretanto, nos últimos anos, as adoções independentes, feitas por acordo direto entre os pais biológicos e os pais adotivos, têm-se tornado mais comuns. Frequentemente, estas são *adoções abertas*, nas quais ambas as partes compartilham informações ou têm contato direto com a criança. Estudos sugerem que os riscos presumidos da adoção aberta, tal como medo de que uma mãe biológica que conhece o paradeiro de seu filho tente reclamar a criança, são exagerados (Grotevant, McRoy, Elde, & Fravel, 1994). Em um levantamento de 1.059 famílias adotivas da Califórnia, o fato de uma adoção ser aberta não tinha relação com a adaptação das crianças ou com a satisfação dos pais com a adoção, ambas altas (Berry, Dylla, Barth, & Needell, 1998).

Adotar uma criança impõe desafios especiais: integrar a criança adotada à família, explicar a adoção para a criança, ajudar a criança a desenvolver um senso saudável de identidade e, talvez, um dia, ajudar a criança a encontrar e entrar em contato com os pais biológicos. De acordo com um estudo longitudinal nacional, a família biparental adotiva investe tanta energia e recursos em seus filhos quanto uma família biparental biológica, e mais do que pais em outros tipos de famílias. E os filhos adotivos em famílias biparentais se saem tão bem quanto os filhos biológicos em famílias biparentais (Hamilton, Cheng, & Powell, 2007). Uma revisão de vários estudos publicados encontrou poucas diferenças significativas na adaptação entre filhos adotados e não adotados (Haugaard, 1998; Rueter & Koerner, 2008). Em uma análise global de 88 estudos com mais de 10.000 crianças adotadas, não foram encontradas diferenças na autoestima dessas crianças em comparação com seus pares não adotados (Juffer & van IJzendoorn,

Aqueles que citam os benefícios da parentalidade heterossexual estão tirando conclusões que a pesquisa não justifica. De modo específico, eles frequentemente comparam famílias biparentais com famílias monoparentais. As comparações apropriadas são entre famílias biparentais homossexuais e heterossexuais. E, quando essa comparação é feita, não são encontrados efeitos negativos.

*Biblarz & Stacey, 2010*

# PARTE V • Terceira infância

## Verificador
### você é capaz de...

- Debater o impacto do divórcio dos pais sobre os filhos e como viver com apenas um dos pais pode afetar o bem-estar das crianças?
- Identificar alguns aspectos e desafios especiais para as famílias reconstituídas?
- Resumir as descobertas acerca de filhos criados por pais *gays* e mães lésbicas?

## Qual a sua opinião?

- Se você fosse adotar uma criança, gostaria que a adoção fosse aberta? Justifique.
- Se você estivesse entregando seu filho para adoção, gostaria que a adoção fosse aberta? Justifique.

2007). Crianças adotadas na primeira infância são menos propensas a ter problemas de adaptação (Sharma, McGue, & Benson, 1996b). Quaisquer problemas que ocorram podem aparecer durante a terceira infância, quando as crianças tomam consciência de diferenças na forma como as famílias são formadas, ou na adolescência, particularmente entre os meninos (Freeark et al., 2005).

Cognitivamente, a adoção costuma ser benéfica. Uma análise de 62 estudos com 17.767 crianças adotadas constatou que elas pontuaram mais alto em testes de QI e obtiveram melhor desempenho na escola do que os irmãos ou os pares que permaneceram com as famílias biológicas ou sob cuidados institucionais. Seus índices de QI também foram equivalentes aos dos irmãos adotivos e dos pares não adotados, mas o desempenho escolar e as habilidades linguísticas tendiam a sofrer atraso, e as crianças adotadas eram mais propensas a desenvolver problemas de aprendizagem e ser encaminhadas para a educação especial (van IJzendoorn & Juffer, 2005; van IJzendoorn, Juffer, & Poelhuis, 2005).

As adoções de crianças estrangeiras por famílias norte-americanas quase quadruplicaram desde 1978, de 5.315 para 20.679, apesar de ter havido um declínio em 2006 (Bosch et al., 2003; Crary, 2007). Aproximadamente 17% das adoções são transraciais, muito frequentemente envolvendo pais brancos adotando uma criança asiática ou latino-americana (Kreider, 2003). As regras que governam a adoção inter-racial variam entre os Estados; alguns dão prioridade a adoções da mesma raça, enquanto outros requerem que a raça não seja um fator na aprovação de uma adoção.

A adoção de crianças estrangeiras acarreta problemas especiais? Além da possibilidade de subnutrição ou de outras condições médicas graves em crianças de países em desenvolvimento (Bosch et al., 2003), os vários estudos que foram realizados não encontraram problemas significativos com a adaptação psicológica das crianças, a adaptação e o desempenho escolar ou o comportamento observado em casa ou na forma como elas lidam com o fato de serem adotadas (Levy-Shiff, Zoran, & Shulman, 1997; Sharma, McGue, & Benson, 1996a). No entanto, nem todas as adoções internacionais ocorrem tão bem, especialmente quando as crianças passaram por cuidados precários ou eram mais velhas no momento da adoção. (Reveja o debate sobre crianças adotadas em orfanatos romenos, discutido no Cap. 6.)

**Viver com avós** Em muitas sociedades em desenvolvimento, como as da América Latina e da Ásia, predominam os lares com famílias grandes, e os avós residentes desempenham um papel integral na família. Em compensação, a maioria das crianças nos países tecnologicamente avançados cresce em famílias nucleares, sem avós ou outros familiares vivendo na mesma casa.

Ainda assim, em ambos os tipos de sociedades, um número crescente de avós representa os únicos ou principais cuidadores dos netos. Uma das razões para isso nos países em desenvolvimento é a migração rural dos pais para as áreas urbanas a fim de encontrar trabalho. Na África Subsaariana, a epidemia de aids deixou muitos órfãos cujos avós tiveram que assumir o lugar dos pais. Essas famílias com "salto de geração" existem em todas as regiões do mundo, particularmente nos países afro-caribenhos (Kinsella & Velkoff, 2001).

Nos Estados Unidos, um número crescente de avós está servindo como "pais por ausência" para crianças cujos pais são incapazes de cuidar delas — frequentemente como resultado de gravidez na adolescência, abuso de drogas, doença, divórcio ou morte precoce (Allen, Blieszner, & Roberti, 2000). Em 2004, aproximadamente 4% das crianças com menos de 18 anos viviam em lares sem a presença dos pais biológicos, e cerca de 55% dessas crianças viviam com os avós. As crianças negras tinham mais probabilidade do que as de outros grupos étnicos de morar com os avós, enquanto 1% das crianças brancas não hispânicas viviam com os avós (Kreider, 2008).

A maioria dos avós que assume a responsabilidade de criar os netos o faz porque os ama e não quer que as crianças sejam colocadas em lares adotivos. Contudo, a diferença de idade pode tornar-se uma barreira, e ambas as gerações podem sentir-se lesadas nos seus papéis tradicionais (Crowley, 1993; Larsen, 1990-1991). Além disso, pode faltar energia aos avós idosos para acompanhar o ritmo de uma criança ativa.

Os avós que não se tornaram pais adotivos nem obtiveram guarda não têm nenhum estatuto legal. Eles podem vir a enfrentar muitos problemas práticos, desde a matrícula da criança na escola até o acesso aos registos escolares para obter seguro de saúde para a criança. Os netos não costumam ser elegíveis para a cobertura do seguro de saúde providenciado pelo empregador, mesmo que o avô tenha a guarda. Assim como os pais que trabalham, os avós que trabalham precisam de assistência de qualidade e acessível, além de políticas laborais protetoras da família, como a licença para cuidar da criança doente. O Federal Family and Medical Leave Act [Lei Federal para Licença Familiar e Médica], de 1993, é extensivo aos avós que estão criando os netos, mas muitos desconhecem essa lei.

## Verificador
### você é capaz de...

- Debater as tendências na adoção e a adaptação das crianças adotadas?
- Debater os desafios envolvidos no fato de os avós criarem os netos?

## Relações entre irmãos

Em áreas rurais remotas da Ásia, da África, da Oceania e das Américas do Sul e Central, é comum ver meninas mais velhas cuidarem de três ou quatro irmãos mais novos. Nessas comunidades, irmãos mais velhos têm um papel importante, definido culturalmente. Os pais treinam os filhos desde pequenos a ensinar os irmãos mais novos a juntar lenha, carregar água, cuidar dos animais e plantar. Os irmãos mais novos absorvem valores intangíveis, como respeitar os mais velhos e colocar o bem-estar do grupo acima do bem-estar do indivíduo (Cicirelli, 1994). Em sociedades industrializadas, os pais tentam não "sobrecarregar" os filhos mais velhos com a tarefa de cuidar regularmente dos irmãos mais novos (Weisner, 1993). Irmãos mais velhos costumam ensinar os irmãos mais novos, mas isso quase sempre acontece informalmente, e não como algo estabelecido pelo sistema social (Cicirelli, 1994).

*Esses meninos inuit, em um campo de pesca do norte do Canadá, divertem-se cuidando do irmão ainda bebê. As crianças das sociedades não industrializadas tendem a ter responsabilidade pelos irmãos.*

O número de irmãos em uma família e o espaçamento entre eles, a ordem de nascimento e o gênero geralmente determinam papéis e relacionamentos. O maior número de irmãos em sociedades não industrializadas ajuda a família a dar conta de seu trabalho e a prover os membros idosos. Nas sociedades industrializadas, os irmãos tendem a ser em menor número e a ter maior diferença de idade, o que permite aos pais concentrar mais recursos e atenção em cada filho (Cicirelli, 1994).

Dois estudos longitudinais na Inglaterra e na Pensilvânia constataram que as mudanças no relacionamento entre irmãos tendiam a ocorrer com mais frequência quando um dos irmãos tinha entre 7 e 9 anos. Tanto as mães quanto as crianças costumavam atribuir essas mudanças às amizades, que resultavam em ciúme e competitividade ou perda de interesse e intimidade em relação ao irmão (Dunn, 1996).

O relacionamento entre irmãos pode ser um laboratório para resolução de conflitos. Irmãos são motivados a fazer as pazes depois das brigas, já que sabem que verão um ao outro todos os dias. Eles aprendem que expressar raiva não significa pôr fim a um relacionamento. As crianças estão mais propensas a discutir com irmãos do mesmo sexo; dois meninos brigam mais do que qualquer outra combinação (Cicirelli, 1976, 1995).

Os irmãos influenciam um ao outro não apenas *diretamente*, por meio de suas interações, mas também *indiretamente*, por meio do impacto sobre o relacionamento de cada um com seus pais. A experiência dos pais com o irmão mais velho influencia as expectativas e o tratamento em relação ao mais novo (Brody, 2004). Inversamente, os padrões de comportamento que uma criança estabelece com os pais tendem a refletir no comportamento da criança com os irmãos. Em um estudo de 101 famílias inglesas, quando o relacionamento entre pai e filho era caloroso e afetuoso, os irmãos tendiam a ter relacionamentos positivos também. Quando o relacionamento entre pai e filho era conflituoso, o conflito entre os irmãos era mais provável (Pike, Coldwell, & Dunn, 2005).

> **Verificador**
> você é capaz de...
>
> ■ Comparar os papéis dos irmãos em países industrializados e não industrializados?
> ■ Discutir como os irmãos afetam o desenvolvimento uns dos outros?

## A criança no grupo de pares

Na terceira infância, o grupo de pares surge de forma espontânea. Os grupos se formam naturalmente entre crianças que vivem próximas ou que vão juntas para a escola e com frequência consistem de crianças da mesma origem racial ou étnica e nível socioeconômico semelhante. Crianças que brincam juntas costumam ter quase a mesma idade e ser do mesmo sexo (Hartup, 1992; Pellegrini, Kato, Blatchford, & Baines, 2002).

Como o grupo de pares influencia as crianças? O que determina a aceitação delas por seus pares e sua capacidade de fazer amizades?

### Efeitos positivos e negativos das relações entre pares

As crianças se beneficiam ao fazerem coisas com seus pares. Elas desenvolvem habilidades necessárias à socialização e à intimidade e adquirem um senso de afiliação. São motivadas a realizar coisas, além de adquirirem um senso de identidade. Aprendem habilidades de liderança e comunicação, cooperação, papéis e regras.

> **Guia de estudo 3**
> Como as relações com os colegas se alteram na terceira infância e quais são os fatores que influenciam a popularidade e o comportamento agressivo?

Em torno dos 10 anos de idade, as crianças tanto nos Estados Unidos como na Coreia acham que não é errado não gostar de outra criança porque ela é agressiva ou tímida, mas que é menos aceitável não gostar de outra criança por causa de sua raça ou gênero, características que não podem mudar.

*Park & Killen, 2010*

**preconceito**
Atitude desfavorável em relação a membros de certos grupos diferentes do da própria pessoa, principalmente grupos raciais ou étnicos.

**Verificador**
você é capaz de...

- Dizer quais são as características que os membros de um grupo de pares tendem a ter em comum?
- Identificar efeitos positivos e negativos de grupos de pares?
- Debater as diferenças de gênero nas atividades e nos relacionamentos do grupo de pares?

**Qual a sua opinião?**

Como os pais e as escolas podem reduzir o preconceito racial, religioso e étnico?

As crianças estrábicas são menos convidadas para as festas de aniversário.

*Mojon-Azzi, Kunz, & Mojon, 2010*

À medida que as crianças se afastam da influência parental, o grupo de pares abre novas perspectivas e as deixa livres para fazer julgamentos independentes. Ao se compararem com outras de sua idade, as crianças podem aferir suas capacidades com mais realismo e adquirir um senso mais claro de autoeficácia. O grupo de pares ajuda as crianças a aprender como se relacionar em sociedade – como ajustar suas necessidades e seus desejos às necessidades e aos desejos dos outros, quando ceder e quando permanecer firme. O grupo de pares oferece segurança emocional. É reconfortante para as crianças perceberem que não estão sozinhas quando nutrem pensamentos que poderiam ofender um adulto.

Do lado negativo, os grupos de pares podem reforçar o **preconceito**: atitudes desfavoráveis para com os de fora, especialmente membros de certos grupos raciais ou étnicos. As crianças tendem a ter preconceito contra crianças iguais a elas, mas esses preconceitos, exceto por uma preferência por crianças do mesmo sexo, diminuem com a idade e o desenvolvimento cognitivo (Powlishta, Serbin, Doyle, & White, 1994).

Preconceito e discriminação podem causar dano real. Em um estudo longitudinal de cinco anos com 714 crianças afro-americanas de 10 a 12 anos de idade, aquelas que se viam como alvos de discriminação tendiam a apresentar sintomas de depressão ou problemas de conduta durante os cinco anos seguintes (Brody et al., 2006). Em um estudo com 253 crianças inglesas, o preconceito contra refugiados foi reduzido por *contato prolongado*: ler para elas histórias sobre amizades estreitas entre crianças inglesas e crianças refugiadas, seguido por discussões de grupo (Cameron, Rutland, Brown, & Douch, 2006).

O grupo de pares pode alimentar tendências antissociais. Crianças pré-adolescentes são especialmente suscetíveis à pressão para ajustar-se ao grupo. Geralmente é na companhia dos pares que algumas crianças cometem pequenos furtos e começam a usar drogas (Dishion & Tipsord, 2011; Hartup, 1992). Naturalmente, certo grau de conformidade aos padrões do grupo é saudável. Não é saudável quando se torna destrutivo ou incita jovens a agir contra seus melhores julgamentos.

## Diferenças sexuais nas relações do grupo de pares

Os grupos de pares formados por meninos e meninas ocupam-se com diferentes tipos de atividades. Os grupos de meninos procuram mais constantemente atividades ligadas ao seu gênero. Eles brincam em grupos grandes com hierarquias de liderança bem definidas e envolvem-se em brincadeiras mais competitivas e violentas. As meninas têm conversas mais íntimas, caracterizadas por interações pró-sociais e confidências partilhadas (Rose & Rudolph, 2006). Além disso, as meninas têm mais probabilidade do que os meninos de se envolverem em atividades para ambos os sexos, como os esportes praticados em equipe (McHale, Kim, Whiteman, & Crouter, 2004).

Os meninos estão aptos para receber menos apoio emocional dos seus amigos do que as meninas. Meninas tendem a procurar ligações sociais e são mais sensíveis às angústias dos outros. Elas têm mais probabilidade do que os meninos de se preocupar com suas relações, expressar emoções e procurar apoio emocional (Rose & Rudolph, 2006).

Por que as crianças segregam-se por sexo e se ocupam com atividades tão diferentes? Uma razão óbvia é a de que os meninos e as meninas diferem no tamanho do corpo, em força e em energia. Os meninos precisam de mais espaço e mais atividade física para desenvolver a aptidão física. Os grupos de pares do mesmo sexo ajudam as crianças a aprender comportamentos apropriados ao seu gênero e a incorporar papéis de gênero no seu autoconceito. Em um estudo de dois anos com 106 crianças etnicamente diversas do 3º ao 7º ano, o sentimento de identificação com um gênero e de estar satisfeito com isso contribuiu para a autoestima e para o bem-estar, ao passo que sentir pressão — dos pais, dos pares ou de si próprio — para se encaixar em estereótipos de gênero diminuía o bem-estar (Yunger, Carver, & Perry, 2004).

## Popularidade

Os seres humanos são criaturas sociais, e, como tais, as nossas relações têm um profundo efeito sobre os nossos resultados. Cedo na vida, essa necessidade é expressa principalmente no contexto das relações de vínculo com os pais. À medida que as crianças vão ficando mais velhas, no entanto, as relações com os pares tornam-se cada vez mais importantes. E, dado que a maioria das crianças interage geralmente umas com as outras no contexto da escola e em grupos, os pesquisadores desenvolveram meios para avaliar sua posição no grupo social.

Grande parte da investigação no desenvolvimento da criança depende de fazer as perguntas certas do jeito certo. Se uma pesquisadora pedisse a crianças da escola para lhe indicarem a classificação social

# Capítulo 14 • Desenvolvimento psicossocial na terceira infância

de todas as crianças de uma sala de aula, receberia muito provavelmente um olhar vazio. No entanto, as crianças podem facilmente dizer com quem gostam de brincar, de quem elas gostam mais e de quem elas acham que as outras crianças gostam mais. Isso é conhecido como *nomeação positiva*.

As crianças também podem apontar facilmente quais são as crianças com quem não gostam de brincar, das quais gostam menos ou pensam que as outras crianças não gostam — esta é uma *nomeação negativa*. Ao fazer esses tipos de perguntas a todas as crianças da sala de aula, a pesquisadora pode agregar as respostas para obter a pontuação geral, ou registo, de cada criança. O registo pode ser composto por nomeações positivas, nomeações negativas ou por crianças que não foram nomeadas. Essa medida é conhecida como *popularidade sociométrica*.

As crianças sociometricamente *populares* recebem muitas nomeações positivas e poucas negativas. Elas costumam ter boas habilidades cognitivas, são realizadoras, têm facilidade para resolver problemas sociais, ajudam as outras crianças e são autoconfiantes sem serem problemáticas ou agressivas. São generosas, confiáveis, cooperativas, leais, abertas e oferecem apoio emocional. Suas aptidões sociais superiores fazem os outros apreciarem sua companhia (Cillessen & Mayeux, 2004; LaFontana & Cillessen, 2002; Masten & Coatsworth, 1998; Newcomb, Bukowski, & Pattee, 1993).

As crianças podem ser *im*populares por muitas razões. Algumas são *rejeitadas* e recebem muitas nomeações negativas. Outras são *negligenciadas* e recebem poucas ou nenhuma nomeação de qualquer espécie. As crianças podem tornar-se impopulares de várias formas. Algumas crianças impopulares são agressivas; outras são hiperativas, desatentas ou retraídas (Dodge, Coie, Pettit, & Price, 1990; LaFontana & Cillessen 2002; Masten & Coatsworth, 1998; Newcomb et al., 1993; Pope, Bierman, & Mumma, 1991). Outras, ainda, agem de maneira tola e imatura ou ansiosa e insegura. Crianças impopulares geralmente são insensíveis aos sentimentos das outras e não se adaptam bem a novas situações (Bierman, Smoot, & Aumiller, 1993). Algumas crianças impopulares *esperam* ser rejeitadas, e essa expectativa torna-se uma profecia autorrealizável (Rabiner & Coie, 1989).

Outras crianças podem corresponder à *média* nas suas classificações e não receber muitas nomeações, sejam elas positivas, sejam elas negativas. Por último, algumas crianças são *controversas* e recebem muitas nomeações positivas e negativas — indicando que algumas crianças gostam muito delas e outras não gostam. Não se sabe muito sobre os resultados relacionados a duas categorias sociométricas dos médios e dos controversos.

A popularidade é importante na terceira infância. As crianças da escola cujos pares gostam delas irão provavelmente tornar-se adolescentes bem adaptados. Aquelas que têm dificuldade para se relacionar com seus pares são mais propensas a desenvolver problemas psicológicos, a abandonar a escola ou a tornar-se delinquentes (Dishion & Tipsord, 2011; Hartup, 1992; Kupersmidt & Coie, 1990; Morison & Masten, 1991; Newcomb et al., 1993). A rejeição pelos pares também tem sido relacionada com níveis mais baixos de participação na sala de aula (Ladd, Herald-Brown, & Reiser, 2008).

É na família que frequentemente as crianças adquirem comportamentos que afetam a popularidade (Masten & Coatsworth, 1998). Pais democráticos tendem a ter filhos mais populares que pais autoritários (Dekovic & Janssens, 1992). Filhos de pais autoritários que punem e ameaçam estão mais propensos a ameaçar ou agir de modo cruel com outras crianças; eles são menos populares que crianças cujos pais assertivos raciocinam com elas e tentam ajudá-las a entender como outra pessoa poderia se sentir (Hart, Ladd, & Burleson, 1990).

A cultura pode afetar os critérios para popularidade. Um estudo (Chen, Cen, Li, & He, 2005) aponta os efeitos da mudança social que resultou da reestruturação radical do sistema econômico chinês, sobretudo a partir do final da década de 1990. Durante aquele período, a China passou de um sistema completamente coletivista no qual o povo como um todo, por intermédio de seu governo, era dono de todos os meios de produção e distribuição para uma economia de mercado tecnologicamente avançada e mais competitiva com propriedade privada e seus valores individualistas associados. Os pesquisadores administraram medidas sociométricas e avaliações do funcionamento social entre colegas a três coortes de crianças de 3º e 5º anos nas escolas de Xangai em 1990, 1998 e 2002. Uma mudança notável ocorreu com relação à timidez e à sensibilidade. Na coorte de 1990, crianças tímidas eram aceitas pelos colegas e apresentavam alto desempenho escolar, liderança e competência avaliada pelos professores. Em 2002, os resultados foram justamente o inverso: crianças tímidas tendiam a ser rejeitadas pelos colegas, a ter depressão e a ser avaliadas pelos professores como tendo baixa competência. Na sociedade quase capitalista em que a China se transformou, a afirmação social e a iniciativa talvez sejam mais apreciadas e encorajadas do que no passado, e a timidez e a sensibilidade podem trazer dificuldades sociais e psicológicas para as crianças.

## Verificador
### você é capaz de...
- Comparar duas medidas de popularidade?
- Descrever as características das crianças populares e impopulares e dizer como variam?
- Identificar as influências familiares e culturais na popularidade?

## PARTE V • Terceira infância

### Verificador
#### você é capaz de...

- Distinguir popularidade e amizade?
- Listar as características que as crianças procuram nos amigos?
- Explicar como idade e gênero afetam as amizades?

## Amizade

As crianças podem passar boa parte de seu tempo livre em grupos, mas apenas como indivíduos elas conseguem amigos. A popularidade é a opinião do grupo sobre uma criança, mas a amizade é uma via de duas mãos.

As crianças procuram por amigos que sejam iguais a elas em idade, sexo e interesses. As amizades mais sólidas envolvem compromissos iguais e trocas mútuas. Embora as crianças tendam a escolher os amigos com características étnicas semelhantes, um estudo recente com 509 crianças de 4º ano mostrou que amizades transraciais/étnicas estavam associadas com desfechos positivos do desenvolvimento (Kawabata & Crick, 2008).

As crianças impopulares podem fazer amigos, mas tendem a ter menos amigos do que as populares e demonstram preferência por amigos mais jovens, outras crianças impopulares ou crianças de outras turmas ou de outras escolas (Deptula & Cohen, 2004; George & Hartmann, 1996; Hartup, 1992, 1996a, 1996b; Newcomb & Bagwell, 1995).

Com seus amigos, as crianças aprendem a se comunicar e a cooperar. Elas ajudam umas às outras a suportar situações estressantes, como o começo em uma nova escola ou a adaptação ao divórcio dos pais. As brigas inevitáveis ajudam-nas a aprender a resolver conflitos (Furman, 1982; Hartup, 1992, 1996a, 1996b; Hartup & Stevens, 1999; Newcomb & Bagwell, 1995). A amizade parece ajudar a criança a se sentir bem consigo mesma, embora também seja provável que crianças que se sentem bem consigo mesmas tenham mais facilidade para fazer amizades.

Os conceitos de amizade das crianças e a maneira como elas agem com seus amigos mudam com a idade, refletindo o crescimento cognitivo e emocional. Amigos em idade pré-escolar brincam juntos, mas a amizade entre crianças em idade escolar é mais profunda e estável. As crianças não podem ser ou ter amigos verdadeiros até alcançarem a maturidade cognitiva para considerar as opiniões e as necessidades das outras pessoas, bem como as suas próprias (Dodge, Coie, & Lynam, 2006; Hartup, 1992; Hartup & Stevens, 1999; Newcomb & Bagwell, 1995).

Com base em entrevistas feitas com mais de 250 pessoas entre 3 e 45 anos, Robert Selman (1980; Selman & Selman, 1979) acompanhou as mudanças na concepção de amizade ao longo do desenvolvimento (Quadro 14.2). As crianças a partir de cerca dos 3 até os 7 anos estão em um estágio indiferenciado de amizade, no qual valorizam os amigos por critérios concretos egoístas, como os brinquedos que a outra criança possui ou se a outra criança é parecida com elas. No estágio unilateral da amizade, cerca dos 4 até os 9 anos, a amizade ainda é baseada no interesse próprio, aquilo que o amigo pode fazer pela criança. Entre os 6 e os 12 anos, as crianças começam a envolver-se em amizades recíprocas, mas a principal preocupação ainda são seus próprios interesses. Entre os 9 e os 15 anos, começa o estágio das amizades mútuas, as amizades verdadeiras, que incluem compromisso e reciprocidade. Por volta dos 12 anos, começa o estágio interdependente de amizade, no qual as crianças dependem de outras, mas também respeitam a necessidade de autonomia dos amigos. A maioria das crianças em idade escolar está no segundo estágio (amizade recíproca com base no interesse próprio), mas algumas crianças mais velhas, com 9 anos ou mais, podem estar no terceiro estágio (relações íntimas e mutuamente partilhadas).

Crianças em idade escolar fazem distinção entre "melhores amigos", "bons amigos" e "amigos casuais" com base na intimidade e no tempo que passam juntas (Hartup & Stevens, 1999). Crianças nessa idade costumam ter entre três e cinco melhores amigos (Hartup, 1992; Hartup & Stevens, 1999). Meninas em idade escolar parecem se importar menos em ter muitos amigos, pois preferem ter poucos amigos íntimos em quem possam confiar. Os meninos têm mais amigos, mas tendem a ser menos íntimos e afetuosos (Furman, 1982; Furman & Buhrmester, 1985; Hartup & Stevens, 1999).

## Agressão e *bullying*

A agressividade diminui e muda de forma durante os primeiros anos de escola. Após os 6 ou 7 anos, a maioria das crianças torna-se menos agressiva à medida que se torna menos egocêntrica, mais empática, mais cooperativa e mais capaz de se comunicar. Elas podem agora colocar-se no lugar das outras pessoas, podem entender os motivos das outras pessoas e podem encontrar formas positivas de afirmar-se. A **agressão instrumental**, agressão que visa atingir um objetivo – característica do período pré-escolar –, torna-se bem menos comum (Coie & Dodge, 1998; Dodge et al., 2006). Entretanto, à medida que a agressividade diminui de modo geral, a **agressão hostil**, agressão com o objetivo de ferir outra pessoa, aumenta proporcionalmente (Coie & Dodge, 1998; Dodge et al., 2006), com frequência assumindo a forma mais verbal do que física (Pellegrini & Archer, 2005). Os meninos continuam a empregar *agressão direta*, e as meninas são cada vez mais propensas a empregar a *agressão social* ou *indireta*. Entretanto, uma

---

**agressão instrumental**
Comportamento agressivo utilizado como meio de alcançar um objetivo.

**agressão hostil**
Comportamento agressivo com a intenção de ferir outra pessoa.

**Capítulo 14** • Desenvolvimento psicossocial na terceira infância

**QUADRO 14.2** Os estágios da amizade de Selman

| Estágio | Descrição | Exemplo |
|---|---|---|
| *Estágio 0: Parceria momentânea (3 a 7 anos)* | Nesse nível *indiferenciado* de amizade, as crianças são egocêntricas e têm dificuldade em considerar o ponto de vista da outra pessoa; tendem a pensar apenas sobre o que querem de um relacionamento. A maioria das crianças muito novas define seus amigos em termos de proximidade física e os valoriza por atributos materiais ou físicos. | "Ela mora na minha rua" ou "Ele tem o *Power Rangers*". |
| *Estágio 1: Assistência unidirecional (4 a 9 anos)* | Nesse nível *unilateral*, um "bom amigo" é aquele que faz o que a criança quer que ele faça. | "Ela não é mais minha amiga porque não quis ir comigo quando eu queria que ela fosse" ou "Ele é meu amigo porque sempre diz "sim" quando peço a borracha dele emprestada". |
| *Estágio 2: Cooperação bidirecional "nos bons momentos" (6 a 12 anos)* | O nível *recíproco* se sobrepõe ao estágio 1. Envolve trocas, mas ainda serve a muitos interesses próprios separados, em vez dos interesses comuns dos dois amigos. | "Nós somos amigos: fazemos coisas um para o outro" ou "Amigo é aquele que brinca com você quando você não tem com quem brincar". |
| *Estágio 3: Relacionamentos íntimos, mutuamente compartilhados (9 a 15 anos)* | Nesse nível *mútuo*, a criança vê que a amizade tem uma vida própria. É um relacionamento contínuo, sistemático e comprometido que envolve mais do que fazer as coisas um para o outro. Os amigos tornam-se possessivos e exigem exclusividade. | "Construir uma amizade íntima leva tempo, por isso é ruim quando você descobre que seu amigo está tentando fazer outras amizades também." |
| *Estágio 4: Interdependência autônoma (começando aos 12 anos)* | Nesse estágio *interdependente*, as crianças respeitam as necessidades dos amigos tanto de dependência quanto de autonomia. | "Uma boa amizade é um compromisso real, um risco que você tem de assumir; você deve apoiar, confiar e dar, mas também precisa ser capaz de se desprender." |

*Fonte*: Selman, 1980; Selman & Selman, 1979.

revisão de 148 estudos do comportamento agressivo de crianças e adolescentes revelou diferenças de gênero insignificantes nos níveis de agressão social ou indireta entre meninos e meninas. Esses achados contrariam a descrição comum de agressão indireta como uma forma de agressão predominantemente feminina (Card, Stucky, Sawalani, & Little, 2008).

Uma minoria não aprende a controlar a agressão física (Coie & Dodge, 1998). Essas crianças tendem a ter problemas sociais e psicológicos, mas não está claro se a agressão causa esses problemas ou se é uma resposta a eles, ou ambas as coisas (Crick & Grotpeter, 1995). A agressão direta tem sido associada ao relacionamento deficiente com os pares e ao baixo comportamento pró-social (Card et al., 2008). Crianças altamente agressivas costumam incitar-se mutuamente para a prática de ações antissociais. Assim, meninos em idade escolar fisicamente agressivos podem tornar-se delinquentes juvenis na adolescência (Broidy et al., 2003).

Embora os agressores tendam a ser pessoalmente rejeitados, meninos fisicamente agressivos e algumas meninas relacionalmente agressivas (aquelas que, por exemplo, falam de outras pelas costas ou as excluem socialmente) são percebidos entre os mais populares em uma sala de aula (Cillessen & Mayeux, 2004; Rodkin, Farmer, Pearl, & Van Acker, 2000). Em um estudo com crianças do 4º ano rejeitadas por seus pares, meninos agressivos tendiam a ganhar *status* social no final do 5º ano, sugerindo que o comportamento evitado pelas crianças mais novas pode ser visto como uma coisa legal ou fascinante por pré-adolescentes (Sandstrom & Coie, 1999). Em um estudo longitudinal de um grupo multiétnico de 905 crianças urbanas do 5º ao 9º ano, a agressão física tornava-se menos desaprovada à medida que as crianças passavam para a adolescência, e a agressão relacional era cada vez mais reforçada por alto *status* entre os colegas (Cillessen & Mayeux, 2004).

**Tipos de agressão e processamento de informação social**    O que faz as crianças agirem agressivamente? Uma das respostas pode ser o modo como elas processam informações sociais: quais os aspectos do ambiente social em que focalizam a atenção e como interpretam o que percebem (Crick & Dodge, 1994, 1996).

Os agressores instrumentais – ou *proativos* – consideram a força e a coerção meios eficazes de conseguir o que querem. Eles agem deliberadamente, e não por raiva. Em termos de aprendizagem social, essas crianças são agressivas porque esperam ser recompensadas por isso, e, quando são recompensadas

## PARTE V • Terceira infância

por conseguirem o que querem, sua crença na eficácia da agressão é reforçada (Crick & Dodge, 1996). Por exemplo, uma criança pode aprender que, para forçar a troca do seu almoço pelo de outra criança, ela pode ameaçar bater nela. Se essa estratégia funcionar, a criança foi reforçada pelos atos agressivos, e sua convicção na agressão é confirmada. Compare isso com o caso da criança que, enquanto espera na fila durante a hora do almoço, é acidentalmente empurrada por outra e responde com raiva, assumindo que o empurrão foi de propósito. Este tipo de agressão é conhecido por *agressão hostil* ou *reativa*. Todas as crianças podem por vezes cometer esse erro, mas algumas presumem habitualmente o pior dos outros em situações desse tipo. Em outras palavras, essas crianças têm um **viés de atribuição de hostilidade** que as leva a concluir rapidamente, em situações ambíguas, que os outros estão agindo com más intenções. Elas acham que outros estão tentando machucá-las e revidam em retaliação ou por autodefesa. Geralmente, as outras crianças respondem a essa hostilidade com agressão, confirmando-se, assim, o viés de atribuição de hostilidade original e fortalecendo-o (Crick & Dodge, 1996; de Castro, Veerman, Koops, Bosch, & Monshouwer, 2002; Waldman, 1996).

**viés de atribuição de hostilidade**
Tendência a perceber que os outros querem machucar e a revidar como retaliação ou autodefesa.

As crianças que buscam domínio e controle poderão reagir agressivamente a ameaças ao seu *status*, o que elas talvez atribuam à hostilidade (de Castro et al., 2002; Erdley Cain, Loomis, Dumas-Hines, & Dweck, 1997). Ser menino e ter temperamento reativo, pais separados, início precoce da maternidade e pais controladores são fatores que contribuem comprovadamente para a agressão física em crianças entre os 6 e os 12 anos (Joussemet et al., 2008.). Crianças rejeitadas e aquelas que recebem parentalidade ríspida tendem a ter predisposição à hostilidade (Coie & Dodge, 1998; Masten & Coatsworth, 1998; Weiss, Dodge, Bates, & Pettit, 1992). Visto que as pessoas geralmente se tornam hostis com alguém que age agressivamente contra elas, a predisposição à hostilidade é uma profecia que pode se autorrealizar, iniciando um ciclo de agressão (de Castro et al., 2002). O viés de atribuição de hostilidade torna-se mais comum entre os 6 e os 12 anos (Aber, Brown, & Jones, 2003).

Os agressores instrumentais precisam alterar a forma como processam a informação social para não interpretarem a agressão como útil ou justificada. Os adultos podem ajudar as crianças a extinguir a agressão hostil ensinando-as a reconhecer o momento em que começam a ficar irritadas e a forma de controlar a raiva. Em um estudo escolar, em Nova York, as crianças expostas a um programa de resolução de conflitos que envolvia a discussão e o papel desempenhado pelo grupo mostraram menos atribuição de hostilidade, menos agressão, menos problemas de comportamento e respostas mais efetivas a situações sociais do que as crianças que não participaram do programa (Aber et al., 2003).

**A violência na mídia estimula a agressividade?** À medida que a televisão, o cinema, os *videogames*, os telefones celulares e os computadores assumem papéis maiores nas vidas diárias das crianças, é fundamental entender o impacto que a mídia de massa exerce sobre o comportamento das crianças. Elas passam mais tempo na mídia de entretenimento do que em qualquer outra atividade além da escola e do sono. Em média, as crianças passam cerca de 4 horas por dia na frente de uma televisão ou da tela de um computador – algumas muito mais que isso (Anderson et al., 2003).

A violência é predominante na mídia norte-americana. Cerca de 6 em cada 10 programas de televisão retratam violência, geralmente *glamourizada*, glorificada ou banalizada (Yokota & Thompson, 2000). Além disso, os canais de notícias de 24 horas fornecem uma cobertura constante e repetitiva de desastres naturais e atos violentos. Os vídeos musicais mostram violência desproporcional contra mulheres e negros. As indústrias cinematográficas, fonográficas e de *videogames* anunciam agressivamente para crianças produtos classificados para adultos (AAP Committee on Public Education, 2001). Em um estudo recente de crianças norte-americanas, 40 filmes que eram classificados como R* para violência foram assistidos por uma média de 12,5% de aproximadamente 22 milhões de crianças entre 10 e 14 anos. O filme mais popular, *Todo Mundo em Pânico* (*Scary Movie*), foi visto por mais de 10 milhões de crianças (Worth et al., 2008).

Em razão da quantidade significativa de tempo que as crianças passam interagindo com a mídia, as imagens que elas veem podem tornar-se modelos primários e fontes de informação sobre como as pessoas se comportam. A evidência de pesquisas conduzidas durante os últimos 50 anos sobre exposição à violência na TV, no cinema e nos *videogames* apoia uma relação *causal* entre violência na mídia e comportamento violento dos espectadores. Embora a correlação mais forte com o comportamento violento seja a exposição prévia à violência (AAP Committee on Public Education, 2001; Anderson, Berkowitz et al., 2003; Anderson, Huston, Schmitt, Linebarger, & Wright, 2001; Huesmann, Moise-Titus, Podolski, & Eron, 2003), o efeito da exposição à violência por meio da mídia de massa é significativo (Figura 14.3).

---

*N. de R.T.: Classificação R-Restrita: indica que pessoas menores de 17 anos podem assistir se acompanhadas dos pais ou de um adulto guardião.

# Capítulo 14 • Desenvolvimento psicossocial na terceira infância

**385**

De que modo a violência na mídia resulta em agressividade a longo prazo? Estudos longitudinais demonstraram que a exposição das crianças à mídia violenta aumenta os riscos para efeitos de longo prazo com base em aprendizagem observacional, dessensibilização e aprendizagem enativa que ocorrem automaticamente em crianças (Huesmann, 2007). As crenças das crianças são influenciadas por suas observações de comportamentos. A mídia fornece emoções viscerais sem mostrar o custo humano e leva as crianças a considerar a agressão como algo aceitável. Crianças que veem os personagens usar violência para atingir seus objetivos provavelmente concluirão que a força é uma maneira eficaz para resolver conflitos. Além disso, a exposição à televisão pode dessensibilizar as crianças. Foi demonstrado que as reações negativas a cenas violentas diminuem de intensidade com a exposição repetida (Huesmann & Kirwil, 2007). Quanto mais realista é a violência retratada, maior é a probabilidade de ela ser aceita (AAP Committee on Public Education, 2001; Anderson, Berkowitz, et al., 2003).

Que processos poderão estar por trás desses efeitos? Pesquisas clássicas em aprendizagem social sugerem que as crianças imitam personagens de filmes mais do que modelos reais (Bandura et al., 1963). A influência é mais forte se a criança acredita que a violência na tela é real, identifica-se com o personagem violento, o considera atraente e assiste à televisão sem supervisão ou intervenção dos pais (Anderson, Berkowitz et al., 2003; Coie & Dodge, 1998). Crianças altamente agressivas são mais afetadas pela violência na mídia do que crianças menos agressivas (Anderson, Berkowitz et al., 2003). A maioria dos teóricos acredita que os *videogames* podem dar origem a processos semelhantes (C. Anderson, 2000), especialmente porque os jogadores desses jogos são geralmente reforçados positivamente pela ação violenta na tela (Huesmann, 2007).

Apesar de a maioria dos pesquisadores endossar a ligação entre assistir à violência e a agressão, há aqueles que discordam. Pode ser que a certeza das reivindicações resulte parcialmente do resultado da adesão à narrativa padrão sobre as influências da mídia e a agressão em crianças (Ferguson, 2013). A relação entre a violência na mídia e a agressão pode ter sido exagerada. Por exemplo, alguns pesquisadores argumentam que problemas na metodologia, tal como a falha na consideração de algumas variáveis, a dificuldade da generalização a partir dos estudos em laboratório de agressão a atos agressivos do mundo real e a modelagem estatística imprópria põem em xeque muitas das afirmações (Ferguson & Savage, 2012). Em apoio a essas afirmações existem dados que indicam que a violência juvenil diminuiu drasticamente, enquanto a exposição à violência na mídia se manteve estável (Ferguson, 2013).

**Agressores e vítimas**    A agressão torna-se *bullying* quando é deliberada e persistentemente dirigida contra um alvo específico: uma vítima. O *bullying* pode ser físico (bater, socar, chutar ou danificar ou apossar-se de pertences pessoais), verbal (xingar ou ameaçar), relacional ou emocional (isolar e fazer intriga, frequentemente pelas costas da vítima) (Berger, 2007; Veenstra et al., 2005). O *bullying* pode ser *proativo* — feito para mostrar dominância, sustentar poder ou ganhar admiração — ou *reativo*, em

> ## Qual a sua **opinião?**
> O que pode e deve ser feito em relação à exposição das crianças à mídia violenta?

**bullying**
Agressão deliberada e persistentemente dirigida a um alvo específico, ou vítima, que normalmente é fraco, vulnerável e indefeso.

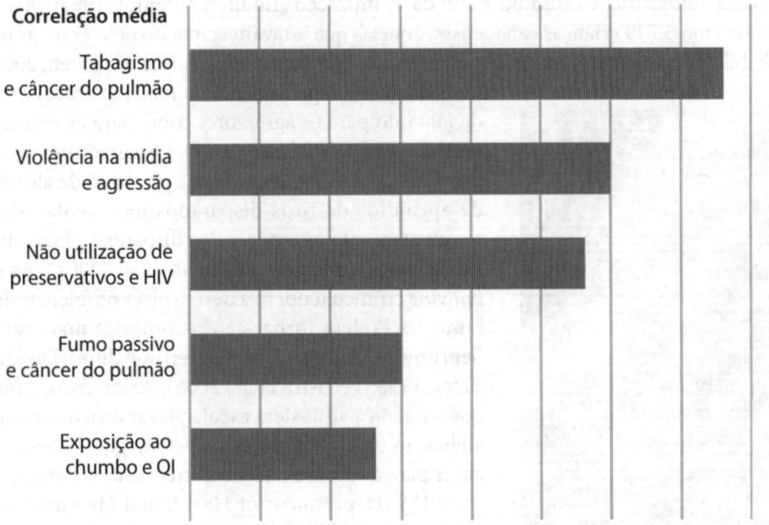

**Correlação média**

**FIGURA 14.3**
Efeitos das ameaças à saúde pública.
*O efeito da violência na mídia é o mesmo ou maior do que o efeito de muitas outras ameaças reconhecidas à saúde pública.*

*Fonte*: Bushman & Huesmann, 2001.

Um programa inovador que tem demonstrado algum sucesso na redução da agressão negativa envolve combater o *bullyng* utilizando bebês. No programa *Roots of Empathy*, do Canadá, bebês de 2 a 4 meses são trazidos para as salas de aula, e as crianças são encorajadas a decifrar o que o bebê está sentindo, assumir o ponto de vista do bebê e monitorar suas conquistas. Presumivelmente, essa prática de empatia e tomada de perspectiva tem levado a diminuições nos comportamentos negativos.

*Bornstein, 2010; Schonert-Reichl & Hymel, s. d.*

resposta a um ataque real ou imaginado. O *cyberbullying* — a publicação de comentários negativos, de fotografias ou de vídeos depreciativos da vítima na rede — tem-se tornado cada vez mais comum (Berger, 2007). O aumento no uso de telefones celulares, mensagens de texto, *e-mail* e redes sociais tem aberto novos caminhos para os *bullies* (agressores), que têm acesso às vítimas sem a proteção da família e da comunidade (Huesmann, 2007).

Cerca de 24% das escolas dos anos iniciais do ensino fundamental, 42% das escolas dos anos finais do ensino fundamental e 21% das escolas de ensino médio norte-americanas relatam *bullying* no interior da escola pelo menos uma vez por semana (Guerino, Hurwitz, Noonan, & Kaffenberger, 2006). O *bullying* também é um problema em outros países industrializados, como a Inglaterra e o Japão (Hara, 2002; Kanetsuna & Smith, 2002; Ruiz & Tanaka, 2001). Em uma pesquisa com 50.000 crianças em 34 países europeus, quase um terço delas afirmou que eram agressoras, vítimas ou ambas (Currie et al., 2004). No Japão e na Coreia, o *bullying* escolar foi associado a uma onda crescente de suicídio de estudantes e de pensamentos e comportamentos suicidas (Kim, Koh, & Leventhal, 2005; Rios-Ellis, Bellamy, & Shoji, 2000).

O *bullying* pode refletir uma tendência genética à agressividade combinada com influências ambientais, como pais coercivos e amigos antissociais (Berger, 2007). A maioria dos agressores constituiu-se de meninos que tendem a vitimar outros meninos; as agressoras tendem a ter como alvo outras meninas (Berger, 2007; Pellegrini & Long, 2002; Veenstra et al., 2005). Os agressores tendem a usar agressão física explícita; as agressoras podem se valer da agressão relacional (Boulton, 1995; Nansel et al., 2001). Os padrões do *bullying* e da vitimização podem estabelecer-se já no jardim de infância; à medida que os grupos de pares experimentais se formam, os agressores logo ficam sabendo quais crianças são os alvos mais fáceis. O *bullying* físico diminui com a idade, mas outras formas de *bullying* aumentam, especialmente entre os 11 e os 15 anos de idade. Enquanto as crianças mais novas rejeitam uma criança agressiva, no início da adolescência os *bullies*, ou agressores, são frequentemente dominantes, respeitados, temidos e até apreciados (Berger, 2007).

Ao contrário do padrão do *bullying*, a probabilidade de *ser* intimidado diminui de forma constante. À medida que as crianças ficam mais velhas, a maior parte delas pode aprender a desencorajar o *bullying*, deixando menos vítimas disponíveis (Pellegrini & Long, 2002; P. K. Smith & Levan, 1995). A maioria das vítimas é pequena, passiva, fraca e submissa e pode culpar-se por ser intimidada. Outras vítimas são provocativas; incitam os agressores e podem atacar outras crianças (Berger, 2007;. Veenstra et al., 2005).

Os fatores de risco para a vitimização parecem ser semelhantes em diversas culturas (Schwartz, Chang & Farver, 2001). As vítimas não se ajustam. Elas tendem a ser ansiosas, deprimidas, desconfiadas, quietas e submissas e a chorar com facilidade ou a ser encrenqueiras e provocadoras (Hodges, Boivin, Vitaro, & Bukowski, 1999; Olweus, 1995; Veenstra et al., 2005). Elas têm poucos amigos e podem viver em ambientes familiares severos e punitivos (Nansel et al., 2001; Schwartz, Dodge, Pettit, Bates & Conduct Problems Prevention Research Group, 2000). As vítimas tendem a ter baixa autoestima – embora não esteja claro se a baixa autoestima é causa ou efeito da vitimização (Boulton & Smith, 1994; Olweus, 1995). Em um estudo com 5.749 crianças canadenses, aquelas que estavam acima do peso eram as que tinham maior probabilidade de se tornar vítimas ou agressoras (Janssen, Craig, Boyce, & Pickett, 2004).

O *bullying*, especialmente o *bullying* emocional, é prejudicial tanto para os agressores como para as vítimas – e pode mesmo ser fatal (Berger, 2007). Os agressores têm risco aumentado de delinquência, crime ou abuso de álcool. Na onda de episódios de tiros disparados nas escolas, desde 1994, frequentemente os autores dos disparos tinham sido vítimas de *bullying* (Anderson, Kaufman, et al., 2001). As vítimas de *bullying* crônico tendem a desenvolver problemas de comportamento. Podem tornar-se elas próprias mais agressivas ou deprimidas (Schwartz, McFadyen-Ketchum, Dodge, Pettit, & Bates, 1998; Veenstra et al., 2005). Além disso, o *bullying* frequente afeta a atmosfera escolar, levando a baixo rendimento, alienação da escola, dores de estômago e cabeça, relutância em ir para a escola e ausências frequentes (Berger, 2007).

O U.S. Department of Health and Human Services promoveu a campanha *Steps to Respect*, um programa para os 3$^{os}$ aos 6$^{os}$ anos com o objetivo de (1) aumentar a consciência e a responsividade dos funcionários à intimidação ao *bullying*, (2) ensinar aos estudantes habilidades sociais e emocionais e

*O bullying tende a atingir o auge nos anos finais do ensino fundamental. Os meninos são mais propensos a usar agressão evidente, e as meninas, a agressão relacional ou social.*

(3) promover crenças de responsabilidade social. Um estudo controlado randomizado com 1.023 estudantes de 3º a 6º ano encontrou redução nos níveis de *bullying* e discussões da hora do recreio e aumento nas interações harmoniosas entre crianças que participaram do programa, bem como menos incitação ao *bullying* pelos espectadores (Frey et al., 2005). Entretanto, a análise da pesquisa feita sobre uma ampla variedade desses tipos de programas de intervenção indicou que o impacto sobre o comportamento de *bullying* real é mínimo, embora os programas possam aumentar a competência social e a autoestima dos estudantes (Merrell, Gueldner, Ross, & Isava, 2008).

## Estresse e resiliência

Os eventos estressantes fazem parte da infância, e a maioria das crianças aprende a lidar com eles. O estresse que se torna esmagador, no entanto, pode levar a problemas psicológicos. Estressores graves, como guerra ou abuso sexual, podem ter efeitos de longo prazo sobre o bem-estar físico e psicológico. Ainda assim, algumas crianças mostram notável resiliência, superando essas provações.

### Estresse da vida moderna

O psicólogo infantil David Elkind (1981, 1986, 1997, 1998) chamou as crianças de hoje de "crianças apressadas". Ele adverte que as pressões da vida moderna estão forçando a criança a se desenvolver prematuramente, o que torna sua infância muito estressante. Espera-se das crianças modernas que sejam bem-sucedidas na escola, competitivas no esporte e que atendam às necessidades emocionais dos pais. Elas ficam expostas aos problemas dos adultos que aparecem na televisão e na vida real antes de ter domínio sobre os problemas da infância. Muitas crianças mudam de residência com frequência e precisam mudar de escola e deixar os amigos. O ritmo de vida com horários rígidos pode ser estressante. As crianças, porém, não são pequenos adultos. Elas sentem e pensam como crianças e precisam dos anos de infância para ter um desenvolvimento saudável.

Tendo em vista a quantidade de estresse a que as crianças são expostas, não causa surpresa que a ansiedade infantil tenha aumentado em grandes proporções (Twenge, 2000). Medo do perigo e da morte são os medos mais consistentes para todas as idades (Gullone, 2000; Silverman, La Greca, & Wasserstein, 1995). Essa ansiedade intensa em relação à segurança pode refletir as altas taxas de criminalidade e violência na sociedade – incluindo a presença de gangues de rua e violência em algumas escolas (DeVoe, et al., 2004).

Os achados sobre os medos das crianças foram comprovados em uma ampla variedade de sociedades desenvolvidas e em desenvolvimento. Crianças pobres – que provavelmente veem seu ambiente como ameaçador – tendem a ser mais medrosas do que as de nível socioeconômico mais elevado (Gullone, 2000; Ollendick, Yang, King, Dong, & Akande, 1996). Crianças que crescem constantemente cercadas por violência costumam ter dificuldade para se concentrar e dormir. Algumas se tornam agressivas, e outras passam a ver a brutalidade como algo normal. Muitas não se permitem apegar-se a outras pessoas por medo de mais violência e perdas (Garbarino, Dubrow, Kostelny, & Pardo, 1992).

As crianças são mais suscetíveis que os adultos a dano psicológico decorrente de um evento traumático como guerra ou terrorismo, e suas reações variam com a idade (Wexler, Branski, & Kerem, 2006; Quadro 14.3). Crianças mais novas, que não entendem por que o evento ocorreu, tendem a concentrar-se nas consequências. As crianças mais velhas têm mais consciência e se preocupam mais com as causas subjacentes do evento (Hagan et al., 2005).

O impacto de um evento traumático é influenciado pelo tipo de evento, pelo quanto as crianças são expostas a ele e pelo quanto elas e suas famílias e amigos são pessoalmente afetados. Desastres de causas humanas, como terrorismo e guerra, são muito mais pesados para as crianças psicologicamente do que desastres naturais, como terremotos e inundações. A exposição às coberturas explícitas da mídia pode piorar os efeitos (Wexler et al., 2006). A maioria das crianças que assistiram à cobertura dos noticiários sobre os ataques terroristas de 11 de setembro de 2001, em Nova York e Washington, D.C., sofreu um profundo estresse, mesmo não tendo sido diretamente afetada (Walma van der Molen, 2004).

As reações das crianças a um evento traumático ocorrem tipicamente em dois estágios: *primeiro*, medo, descrença, negação, luto e alívio se seus entes queridos não foram feridos; *segundo*, vários dias ou semanas mais tarde, regressão no desenvolvimento e sinais de sofrimento emocional – ansiedade, medo, retraimento, distúrbios do sono, pessimismo em relação ao futuro ou brincadeiras relacionadas a temas do evento. Se os sintomas persistirem por mais de um mês, a criança deve receber aconselhamento (Hagan et al., 2005).

---

Pais que são estressados no trabalho são mais propensos a ter filhos que relatam ser estressados na escola.

*Salmela-Aro, Tynkkynem, & Vuori, 2010*

## Guia de estudo 4

Como as crianças reagem às tensões da vida moderna?

**Verificador**
você é capaz de...

- Explicar como a agressão muda durante a terceira infância e como o processamento de informação social e a violência na mídia podem contribuir para isso?
- Debater as diferenças de gênero na agressão em crianças em idade escolar?
- Descrever como se estabelecem e se alteram os padrões de intimidação e vitimização?
- Listar os fatores de risco para o *bullying* e a vitimização?

A Paraplush, uma indústria de brinquedos europeia, lançou uma linha de animais de pelúcia ilustrando transtornos psicológicos comuns. A linha se chama "Psiquiatria para Brinquedos Abusados". Os animais incluem uma cobra hiperativa, um jabuti deprimido, um crocodilo paranoide, entre outros. Você acredita que essa abordagem ajuda a acabar com o estigma dos transtornos mentais, ou promove estereótipos negativos e percepções errôneas?

**QUADRO 14.3** Reações das crianças ao trauma em diferentes idades

| Idade | Reações típicas |
|---|---|
| 5 anos ou menos | Medo de estar separado dos pais |
|  | Choro, choramingo, grito, tremores |
|  | Imobilidade ou movimentos sem objetivo |
|  | Expressões faciais de pavor |
|  | Apego excessivo |
|  | Comportamentos regressivos (sugar o polegar, urinar na cama, medo do escuro) |
| 6 a 11 anos | Retraimento excessivo |
|  | Comportamento problemático |
|  | Incapacidade de prestar atenção |
|  | Dores de estômago ou outros sintomas sem base física |
|  | Queda no desempenho escolar |
|  | Depressão, ansiedade, culpa, irritabilidade ou entorpecimento emocional |
|  | Comportamento regressivo (pesadelos, transtorno do sono, medos irracionais, acessos de raiva ou brigas) |
| 12 a 17 anos | *Flashbacks* (memórias repentinas de fatos do passado), pesadelos |
|  | Entorpecimento emocional, confusão |
|  | Esquiva a lembranças do evento traumático |
|  | Fantasias de vingança |
|  | Retraimento, isolamento |
|  | Abuso de drogas |
|  | Problemas com os pares, comportamento antissocial |
|  | Queixas físicas |
|  | Esquiva à escola, declínio no desempenho escolar |
|  | Distúrbios do sono |
|  | Depressão, pensamentos suicidas |

*Fonte*: NIMH, 2001a.

Para algumas crianças, os efeitos de um evento traumático podem permanecer durante anos. Crianças que foram expostas a guerra ou terrorismo têm altas taxas de depressão, comportamentos disruptivos e sintomas físicos inexplicados e recorrentes, como dor de estômago e de cabeça. Se elas e sua família foram pessoalmente afetadas, a dor física e a perda da casa e da família podem aumentar os efeitos psicológicos (Wexler et al., 2006). As respostas dos pais a um evento violento ou a uma catástrofe, e o modo como eles falam com a criança sobre isso, influenciam muito a capacidade de recuperação da criança (NIMH, 2001a). Fornecer aos pais estratégias para lidar com notícias relacionadas a terrorismo pode reduzir as percepções de ameaça e diminuir a ansiedade relacionada a possíveis ataques terroristas (Comer, Furr, Beidas, Weiner, & Kendall, 2008; Quadro 14.2).

## Enfrentando o estresse: a criança resiliente

Liz Murray cresceu em situação de extrema pobreza em um pequeno apartamento no Bronx. Seus pais eram viciados em drogas, e sua infância foi marcada pela pobreza, pela fome e pelo caos. Ela era provocada na escola devido à roupa suja que geralmente usava, foi colocada em lar para meninas por causa do absentismo escolar e, aos 15 anos, fugiu de casa e passou noites dormindo nos metrôs e comendo o que encontrava no lixo. A maioria das crianças, nesse tipo de situação, continuaria decaindo até atingir uma vida de mais miséria. Mas Liz não. Ela foi capaz de perceber que a educação era sua porta para a liberdade e terminou o ensino médio enquanto vivia nas ruas. Ela ganhou uma bolsa de estudos do *New York Times* e, mais tarde, foi aceita em Harvard. Em 2011, tornou-se autora quando publicou um livro de memórias de sua breve, mas tumultuada, vida nas ruas.

**Qual a sua opinião?**

Como os adultos podem contribuir para a resiliência das crianças? Dê exemplos.

# O mundo social

## 14.2 CONVERSANDO COM AS CRIANÇAS SOBRE TERRORISMO E GUERRA

No mundo atual, adultos preocupados enfrentam o desafio de explicar a violência, o terrorismo e a guerra para as crianças. Embora difíceis, essas conversas são extremamente importantes. Elas dão aos pais uma oportunidade de ajudar seus filhos a sentir-se mais seguros e a entender melhor o mundo no qual vivem. Aqui estão alguns indicadores da American Academy of Child & Adolescent Psychiatry:

1. *Escute as crianças.* Crie um momento e um lugar para as crianças fazerem perguntas e para ajudá-las a expressar-se. Às vezes as crianças se sentem mais à vontade desenhando ou brincando em vez de conversando sobre seus sentimentos.
2. *Responda as perguntas delas.* Quando você responder perguntas difíceis sobre violência, seja honesto. Use palavras que a criança possa entender e tente não a sobrecarregar com informação demais. Você pode ter que se repetir. Seja consistente e tranquilizador.
3. *Dê apoio.* As crianças se sentem mais à vontade com estrutura e familiaridade. Tente estabelecer uma rotina previsível. Evite exposição a imagens violentas na TV ou nos *videogames*. Observe sinais físicos de estresse, tais como sono agitado ou ansiedade de separação, e busque ajuda profissional se os sintomas forem persistentes e/ou pronunciados.

Muitas crianças pequenas sentem-se confusas e ansiosas quando confrontadas com as realidades da guerra ou do terrorismo. Ao criarem um ambiente aberto no qual as crianças tenham liberdade para fazer perguntas e receber mensagens honestas, consistentes e apoiadoras sobre como lidar com a violência, adultos preocupados podem reduzir a probabilidade de dificuldades emocionais.

*Fonte:* Adaptado de American Academy of Child & Adolescent Psychiatry, 2003.

**Qual a sua opinião?** Como você poderia responder a uma criança de 6 anos que lhe perguntou sobre o que aconteceu em 11 de setembro de 2001?

---

Grande parte do início da história da psicologia foi marcada por investigações sobre os vários riscos que podem levar as crianças a uma trajetória de desenvolvimento negativo. No entanto, os psicólogos têm percebido cada vez mais que também há valor no exame da resiliência.

As **crianças resilientes**, como Liz Murray, são aquelas que mantêm o equilíbrio e a competência sob condições de perigo ou ameaça ou que se recuperam de eventos traumáticos. Essas crianças não têm qualidades extraordinárias. Elas simplesmente conseguem, apesar das circunstâncias adversas, extrair força dos recursos que promovem o desenvolvimento positivo (Masten, 2001; Quadro 14.4). Os dois **fatores de proteção** mais importantes que parecem ajudar a criança e o adolescente a superarem o estresse e que contribuem para a resiliência são um *bom relacionamento familiar* e a *capacidade cognitiva* (Masten & Coatsworth, 1998).

Crianças resilientes têm um bom relacionamento e fortes vínculos com pelo menos um dos pais, de quem recebem apoio (Pettit, Bates, & Dodge, 1997), ou algum outro cuidador ou adulto competente e atencioso (Masten & Coatsworth, 1998). Crianças resilientes também tendem a ter QIs altos e a resolver problemas com facilidade, e sua capacidade cognitiva pode ajudá-las a lidar com a adversidade, a se autoproteger, a regular seu próprio comportamento e a aprender com a experiência. Elas poderão atrair o interesse dos professores, que passam a agir como guias, confidentes ou mentores (Masten & Coatsworth, 1998). Elas podem até ter genes de proteção, que podem amortecer os efeitos de um ambiente desfavorável (Caspi et al., 2002; Kim-Cohen, Moffitt, & Caspi, 2004).

Outros fatores de proteção frequentemente citados incluem os seguintes (Ackerman, Kogos, Youngstrom, Schoff, & Izard, 1999; Eisenberg et al., 2004; Eisenberg et al., 1997; Masten, Best, & Garmezy, 1990; Masten & Coatsworth, 1998; Werner, 1993):

- *O temperamento ou personalidade da criança:* Crianças resilientes são adaptáveis, amistosas, queridas, independentes e sensíveis. São competentes e têm autoestima elevada. São criativas, enge-

**crianças resilientes**
Crianças que resistem a circunstâncias adversas, vivem bem apesar dos desafios ou das ameaças ou se recuperam de eventos traumáticos.

**fatores de proteção**
Influências que reduzem o impacto do estresse e tendem a prognosticar desfechos positivos.

# PARTE V • Terceira infância

**QUADRO 14.4** Características das crianças e dos adolescentes resilientes

| Fonte | Característica |
|---|---|
| Indivíduo | Bom funcionamento intelectual |
| | Atraente, sociável, descontraído |
| | Eficiência pessoal, autoconfiante, autoestima alta |
| | Talentos |
| | Fé |
| Família | Relacionamento estreito com figura parental atenta |
| | Parentalidade democrática: afeto, estrutura, expectativas altas |
| | Vantagens socioeconômicas |
| | Ligações com redes familiares estendidas apoiadoras |
| Contexto extrafamiliar | Vínculos com adultos pró-sociais fora da família |
| | Ligações com organizações pró-sociais |
| | Estudo em escolas eficazes |

*Fonte*: Masten & Coatsworth, 1998, p. 212.

## Verificador
### você é capaz de...

- Explicar o conceito da "criança apressada" de Elkind?
- Citar as fontes mais comuns de medo, estresse e ansiedade em crianças?
- Identificar os fatores de proteção que contribuem para a resiliência?

nhosas, independentes e agradáveis. Quando estressadas, sabem regular suas emoções deslocando a atenção para outras coisas.

- *Experiências compensadoras:* Um ambiente escolar protetor ou experiências bem-sucedidas nos estudos, nos esportes ou na música, ou com outras crianças ou adultos, podem ajudar a compensar uma vida destrutiva no lar.
- *Risco reduzido:* Crianças que foram expostas a apenas um dos vários fatores de risco para transtorno psiquiátrico (como discórdia parental, baixa condição social, mãe com transtornos psicológicos, pai que cometeu algum crime e experiência em adoção temporária ou em uma instituição) geralmente estão mais aptas a superar o estresse do que aquelas que foram expostas a mais de um fator de risco.

Isso não significa que coisas ruins que acontecem na vida de uma criança não têm importância. De modo geral, crianças com antecedentes desfavoráveis têm mais problemas de adaptação do que aquelas com antecedentes mais favoráveis, e mesmo algumas crianças aparentemente resilientes podem sofrer angústias internas com possíveis consequências de longo prazo (Masten & Coatsworth, 1998). Entretanto, o que é encorajador a respeito dessas verificações é que experiências infantis negativas não determinam necessariamente a vida de uma pessoa e que muitas crianças têm força suficiente para se elevar acima das circunstâncias mais difíceis.

# resumo & palavras-chave

## ❶ Desenvolvimento da identidade

***Como o autoconceito e a autoestima mudam na terceira infância e como as crianças em idade escolar demonstram crescimento emocional?***

- O autoconceito torna-se mais realista durante a terceira infância, quando, de acordo com um modelo neopiagetiano, a criança forma sistemas representacionais.
- De acordo com Erikson, a principal fonte de autoestima é como a criança vê sua competência produtiva. Essa virtude se desenvolve por meio da resolução do quarto conflito psicossocial – produtividade *versus* inferioridade. A autoestima é multidimensional.
- As crianças em idade escolar internalizaram a vergonha e o orgulho e podem entender melhor e regular as emoções negativas.
- A empatia e o comportamento pró-social aumentam.
- O crescimento emocional é afetado pelas reações dos pais à expressão de emoções negativas.
  **sistemas representativos (366)**
  **produtividade *versus* inferioridade (366)**

## ❷ A criança na família

***Quais são os efeitos da atmosfera e da estrutura familiar e que papéis desempenham os irmãos no desenvolvimento infantil?***

- Crianças em idade escolar passam menos tempo com os pais e estão menos próximas a eles do que antes, mas o relacionamento com eles continua sendo importante. A cultura influencia as relações e os papéis familiares.
- O ambiente familiar tem dois grandes componentes: a estrutura familiar e a atmosfera familiar. A atmosfera familiar inclui tanto o aspecto emocional como o bem-estar econômico.
- O desenvolvimento da corregulação pode afetar o modo como a família lida com os conflitos e a disciplina.
- O impacto causado pelo fato de a mãe trabalhar fora depende de muitos fatores relativos à criança, ao trabalho da mãe e ao que ela sente a respeito; depende, ainda, de ela ter um parceiro que a apoia; do nível socioeconômico da família; e do tipo de cuidados e grau de monitoramento recebidos pela criança.
- Os pais que vivem na pobreza podem ter dificuldade para fornecer disciplina efetiva, monitoramento e apoio emocional.
- Muitas crianças hoje crescem em estruturas familiares não tradicionais. Dessa forma, as crianças tendem a se desenvolver melhor em famílias tradicionais com pai e mãe do que em famílias de coabitação, divorciadas, de pai ou mãe solteiros ou segundas famílias. A estrutura da família, porém, é menos importante do que seus efeitos sobre a atmosfera familiar.
- A quantidade de conflitos em um casamento e a probabilidade de sua continuação após o divórcio podem influenciar o fato de as crianças estarem em melhor situação se os pais ficarem juntos.
- Crianças que vivem apenas com um dos pais correm um risco maior de ter problemas comportamentais e escolares, em grande parte relacionados ao nível socioeconômico.
- Os meninos tendem a ter mais dificuldade do que as meninas para se adaptar ao divórcio e viver com apenas um dos pais, mas tendem a adaptar-se melhor ao novo casamento da mãe.
- Estudos têm constatado desfechos positivos de desenvolvimento em crianças que vivem com pais homossexuais.
- Crianças adotadas são geralmente bem ajustadas, embora enfrentem desafios especiais.

- Os papéis e as responsabilidades de irmãos em sociedades não industrializadas são mais estruturados do que em sociedades industrializadas.
- Irmãos aprendem sobre resolução de conflitos em seu relacionamento um com o outro. O relacionamento com os pais afeta o relacionamento entre os irmãos.
  **comportamentos internalizantes (369)**
  **comportamentos externalizantes (369)**
  **corregulação (370)**

## ❸ A criança no grupo de pares

***Como as relações com os colegas se alteram na terceira infância e quais são os fatores que influenciam a popularidade e o comportamento agressivo?***

- O grupo de pares torna-se mais importante na terceira infância. Esses grupos geralmente consistem de crianças de idade, sexo, etnia e nível socioeconômico semelhantes e que vivem próximas umas das outras ou que vão juntas para a escola.
- O grupo de pares ajuda a criança a desenvolver habilidades sociais, permite que ela teste e adote valores independentemente dos pais, proporciona um senso de afiliação e ajuda a desenvolver seu autoconceito e a identidade de gênero. Também pode encorajar a conformidade e o preconceito.
- A popularidade influencia a autoestima e a adaptação futura. As crianças populares costumam ter boas habilidades cognitivas e sociais. Comportamentos que afetam a popularidade podem resultar de relacionamentos familiares e valores culturais.
- A intimidade e a estabilidade das amizades aumentam durante a terceira infância. Os meninos tendem a ter mais amigos, enquanto as meninas tendem a ter amizades mais íntimas.
- Durante a terceira infância, a agressão geralmente diminui. A agressão relacional torna-se mais comum do que a agressão evidente. Além disso, a agressão instrumental geralmente dá lugar à agressão hostil, quase sempre com um viés de hostilidade. As crianças muito agressivas tendem a ser impopulares, mas podem ganhar *status* à medida que elas passam para a adolescência.
- A agressividade promovida pela exposição à violência midiática pode estender-se até a idade adulta.
- A terceira infância é a época propícia ao *bullying*; os padrões podem ser estabelecidos no jardim de infância. As vítimas tendem a ser fracas e submissas, ou argumentativas e provocativas, e a ter baixa autoestima.
  **preconceito (380)**
  **agressão instrumental (382)**
  **agressão hostil (382)**
  **viés de atribuição de hostilidade (384)**
  ***bullying* (385)**

## ❹ Estresse e resiliência

***Como as crianças reagem às tensões da vida moderna?***

- Como resultado das pressões da vida moderna, muitas crianças ficam estressadas. As crianças tendem a se preocupar com escola, saúde e segurança pessoal.
- Crianças resilientes são mais capazes do que outras de suportar o estresse. Os fatores de proteção envolvem relacionamentos familiares, capacidade cognitiva, personalidade, grau de risco e experiências compensatórias.
  **crianças resilientes (389)**
  **fatores de proteção (389)**

*Capítulo* **15**

## Sumário

Adolescência: uma transição do desenvolvimento

Puberdade: o fim da infância

O cérebro do adolescente

Saúde física e mental

# Desenvolvimento físico e saúde na adolescência

## Você sabia que...

▶ A adolescência só foi reconhecida como um período separado da vida no mundo ocidental a partir do século XX?

▶ Os meninos e as meninas atingem a maturidade sexual mais cedo nos países desenvolvidos do que nos países em desenvolvimento?

▶ Ao terminarem o ensino médio, mais do que 35% dos adolescentes norte-americanos já experimentaram substâncias ilegais?

*Neste capítulo, descreveremos as transformações físicas da adolescência e como elas afetam os sentimentos dos jovens. Observaremos o cérebro do adolescente, ainda não amadurecido. Discutiremos questões de saúde associadas a essa fase da vida e examinaremos dois problemas sérios: a depressão e o suicídio na adolescência.*

> Sabemos o que somos, mas não o que podemos ser.
>
> — *Ofélia*, Hamlet

## Guia de estudo

1. O que é a adolescência e quais são as oportunidades e os riscos acarretados por ela?
2. Quais são as alterações físicas que os adolescentes experimentam e como essas alterações os afetam em termos psicológicos?
3. Que tipo de desenvolvimento cerebral ocorre durante a adolescência e como ele afeta o comportamento?
4. Quais são os problemas de saúde mais comuns na adolescência e como eles podem ser evitados?

### Guia de estudo 1

O que é a adolescência e quais são as oportunidades e os riscos acarretados por ela?

**adolescência**
Transição no desenvolvimento entre a infância e a vida adulta que impõe grandes mudanças físicas, cognitivas e psicossociais.

**puberdade**
Processo pelo qual o indivíduo atinge a maturidade sexual e a capacidade de reproduzir.

# Adolescência: uma transição do desenvolvimento

Rituais para marcar a maturidade de uma criança são comuns em muitas sociedades tradicionais. Por exemplo, as tribos apaches comemoram a primeira menstruação de uma menina com um ritual de quatro dias de cânticos do nascer ao pôr do sol. Na maioria das sociedades modernas, a passagem da infância para a vida adulta é marcada não por um único evento, mas por um longo período conhecido como **adolescência** – uma transição no desenvolvimento que envolve mudanças físicas, cognitivas, emocionais e sociais e assume formas variadas em diferentes contextos sociais, culturais e econômicos (Larson & Wilson, 2004).

Uma mudança física importante é o início da **puberdade**, o processo que leva à maturidade sexual, ou fertilidade – a capacidade de reproduzir. Tradicionalmente, acreditava-se que a adolescência e a puberdade começassem ao mesmo tempo, em torno dos 13 anos de idade, mas, como discutiremos, os médicos em algumas sociedades modernas veem agora alterações puberais bem antes da idade de 10 anos. Neste livro, definimos adolescência aproximadamente como o período que compreende as idades entre 11 e 19 ou 20 anos.

## A adolescência como construção social

A adolescência não é claramente uma categoria física ou biológica — é uma construção social. Em outras palavras, o conceito de adolescência é, de certa forma, "inventado" por algumas culturas. Esse conceito não existia nas sociedades pré-industriais; as crianças eram consideradas adultas quando amadureciam fisicamente ou iniciavam um aprendizado profissional. Foi apenas no século XX que a adolescência foi definida como um estágio de vida separado no mundo ocidental. Hoje, a adolescência tornou-se um fenômeno global, embora possa assumir diferentes formas em diferentes culturas (Quadro 15.1).

Em muitas sociedades, a adolescência dura mais tempo e tem um período menos definido do que no passado. Há uma infinidade de razões para essa mudança social. Em primeiro lugar, a puberdade começa geralmente mais cedo do que o costume, ou seja, o período da adolescência começa mais cedo do que no passado. Além disso, à medida que o mundo se vai tornando cada vez mais impulsionado pela tecnologia e pela informação, a quantidade de treino necessária para as profissões mais bem remuneradas aumenta. Por exemplo, nos Estados Unidos, era possível concluir o ensino médio e encontrar um emprego que permitia ao jovem pertencer à classe média. Agora, precisa-se de mais anos de educação superior para se tornar apto para os empregos mais bem remunerados. Por causa disso e de outros fatores, o período da adolescência também foi estendido, pois os jovens adultos tendem a frequentar a escola por mais tempo, a adiar o casamento e a gravidez e a estabelecer-se mais tarde em carreiras permanentes e menos estáveis do que anteriormente.

Por que você acha que essas tendências animadoras estão ocorrendo entre estudantes do ensino médio nos últimos anos?

## Adolescência: uma época de oportunidades e riscos

Qualquer momento de transição e mudança na vida oferece oportunidades para avanços, mas também há riscos. A adolescência não é diferente. A adolescência oferece oportunidades para o crescimento não só em termos de dimensões físicas, mas também em competência cognitiva e social, autonomia, autoestima e intimidade. Os jovens que têm relações de apoio com os pais, a escola e a comunidade tendem a desenvolver-se de forma positiva e saudável (Youngblade et al., 2007).

# Pelo mundo

## A GLOBALIZAÇÃO DA ADOLESCÊNCIA

Os jovens hoje vivem em uma comunidade global, em uma rede de interconexões e interdependências. Bens, informações, imagens eletrônicas, músicas, diversão e modas passageiras espalham-se quase instantaneamente ao redor do planeta. Jovens ocidentais dançam ritmos latinos, e meninas árabes inspiram-se nas imagens românticas do cinema indiano. Jovens maoris na Nova Zelândia escutam o *rap* afro-americano para simbolizar sua separação da sociedade adulta.

A adolescência não é mais somente um fenômeno ocidental. A globalização e a modernização acionaram mudanças sociais em todo o mundo. Entre essas mudanças estão a urbanização, vidas mais longas e mais saudáveis, taxas de nascimento reduzidas e famílias menores. A puberdade mais precoce e o casamento mais tardio estão se tornando cada vez mais comuns. Mais mulheres e menos crianças trabalham fora de casa. A rápida disseminação de tecnologias avançadas tornou o conhecimento um recurso valorizado. Os jovens necessitam de mais escolarização e habilidades para ingressar no mercado de trabalho. Juntas, essas mudanças resultam em uma fase de transição estendida entre a infância e a idade adulta.

A puberdade em países menos desenvolvidos era marcada tradicionalmente por ritos de iniciação, como a circuncisão. Hoje os adolescentes nesses países são cada vez mais identificados por suas posições como estudantes separados do mundo de trabalho dos adultos. Neste mundo de mudanças, novos caminhos estão se abrindo para eles. Eles tendem a seguir menos os passos de seus pais e seus conselhos. Quando trabalham, tendem mais a trabalhar em fábricas do que na fazenda da família.

Isso *não* significa que a adolescência é a mesma no mundo todo. A mão forte da cultura molda seu significado diferentemente em diferentes sociedades. Nos Estados Unidos, os adolescentes estão passando menos tempo com seus pais e confiando menos neles. Na Índia, os adolescentes podem usar roupas ocidentais e usar computadores, mas mantêm vínculos familiares fortes, e suas decisões de vida frequentemente são influenciadas por valores hindus tradicionais. Nos países ocidentais, meninas adolescentes tentam ser o mais magras possível. Na Nigéria e em outros países africanos, a obesidade pode ser considerada beleza.

Em muitos países não ocidentais, meninos e meninas adolescentes parecem viver em dois mundos separados. Em partes do Oriente Médio, da América Latina, da África e da Ásia, a puberdade traz mais restrições às meninas, cuja virgindade deve ser protegida para preservar o *status* da família e garantir o casamento das meninas. Os meninos, por sua vez, adquirem mais liberdade e mobilidade, e suas explorações sexuais são toleradas pelos pais e admiradas por seus pares.

A puberdade intensifica a preparação para os papéis de gênero, que, para as meninas na maior parte do mundo, significa preparação para a vida doméstica. No Laos, uma menina pode passar 2 horas e meia por dia descascando, lavando e vaporizando o arroz. Em Istambul, uma menina deve aprender a maneira correta de servir chá quando um pretendente chega à casa. Os meninos devem preparar-se para o trabalho adulto e para manter a honra da família, mas as meninas adolescentes em muitos países menos desenvolvidos, como as regiões rurais da China, não vão para a escola porque as habilidades que elas aprenderiam não teriam utilidade após o casamento. Em vez disso, espera-se que elas passem a maior parte de seu tempo ajudando em casa. Como resultado, as meninas raramente desenvolvem um pensamento independente e habilidades de tomada de decisão.

O padrão tradicional está mudando em algumas partes do mundo em desenvolvimento, à medida que o emprego e a autoconfiança das mulheres tornam-se necessidades financeiras. Durante o último quarto de século, o advento da educação pública permitiu que mais meninas fossem à escola, quebrando alguns dos tabus e restrições sobre as atividades femininas. Meninas de nível de escolaridade mais elevado tendem a casar-se mais tarde e a ter menos filhos, permitindo-lhes buscar empregos qualificados na nova sociedade tecnológica.

A mudança cultural é complexa; pode ser tanto libertadora como desafiadora. Os adolescentes de hoje estão traçando um novo curso, nem sempre certos de onde ele levará. Discutiremos como a globalização afeta os adolescentes no Capítulo 12.

*Apesar das forças de globalização e modernização, pré-adolescentes em algumas sociedades menos desenvolvidas ainda seguem os caminhos tradicionais. Essas meninas de 9 anos em Teerã celebram a cerimônia do Taqlif, que marca sua prontidão para iniciar os deveres religiosos do islamismo.*

*Fonte:* Larson & Wilson, 2004.

**Qual a sua opinião?** Você é capaz de dar exemplos a partir de sua experiência de como a globalização afeta os adolescentes?

## Verificador
### ▶ você é capaz de...

- Explicar por que a adolescência é uma construção social?
- Apontar semelhanças e diferenças entre adolescentes das várias partes do mundo?
- Identificar os padrões de comportamento de risco durante a adolescência?

## Guia de estudo 2

Quais são as alterações físicas que os adolescentes experimentam e como essas alterações os afetam em termos psicológicos?

Contudo, a adolescência é um período de risco potencial, e os adolescentes norte-americanos enfrentam hoje perigos ao seu bem-estar físico e mental, incluindo altas taxas de mortalidade por acidentes, homicídios e suicídios (Eaton et al., 2008). Por que a adolescência é uma fase tão arriscada da vida? Os psicólogos acreditam que a tendência para se envolver em comportamentos de risco pode refletir a imaturidade do cérebro do adolescente e é, de certa forma, o comportamento esperado por parte dos jovens. No entanto, os adolescentes conseguem compreender as mensagens sobre a segurança e a responsabilidade. Desde a década de 1990, os estudantes tornaram-se menos propensos a usar álcool, tabaco ou maconha; a dirigir automóveis sem usar o cinto de segurança ou a aceitar carona de um motorista que ingeriu bebida alcoólica; a portar armas; a ter relações sexuais ou a tê-las sem usar preservativo; ou a tentar o suicídio (Centers for Disease Control and Prevention [CDC], 2012; Eaton et al., 2008). A evitação desses comportamentos de risco aumenta as chances dos jovens de passar pelos anos da adolescência com boa saúde física e mental.

# Puberdade: o fim da infância

A puberdade envolve alterações físicas drásticas. Essas mudanças fazem parte de um longo e complexo processo de amadurecimento que começa antes do nascimento, e suas implicações psicológicas podem continuar até a vida adulta.

## Como começa a puberdade: alterações hormonais

O advento da puberdade não é causado apenas por um único fator. Em vez disso, a puberdade resulta de uma cascata de respostas hormonais (ver Figura 15.1). Primeiro, o hipotálamo libera níveis elevados do hormônio liberador da gonadotropina (GnRH). O aumento da GnRH provoca, então, o aumento da produção de dois hormônios reprodutivos principais: o hormônio luteinizante (LH) e o hormônio folículo-estimulante (FSH). Esses hormônios exercem diferentes funções nos meninos e nas meninas. Nas meninas, o aumento dos níveis de FSH leva ao início da menstruação. Nos meninos, o LH inicia a liberação de dois hormônios adicionais: testosterona e androstenediona (Buck Louis et al., 2008).

A puberdade leva muitos anos para acontecer e pode ser dividida em dois estágios básicos: (1) a adrenarca, a ativação das glândulas adrenais, e (2) a gonadarca, o amadurecimento dos órgãos sexuais. O primeiro estágio ocorre entre as idades de 6 e 8 anos. Durante esse estágio, as glândulas adrenais (localizadas acima dos rins) secretam gradualmente níveis cada vez maiores de androgênios, principalmente *deidroepiandrosterona* (DHEA) (Susman & Rogol, 2004). Os níveis aumentam gradualmente, mas de forma consistente, e, quando a criança chega aos 10 anos de idade, os níveis de DHEA são 10 mais altos do que eram entre as idades de 1 e 4 anos. A DHEA influencia o crescimento dos pelos pubianos, axilares e faciais. Ela também contribui para o crescimento mais rápido do corpo, para a maior oleosidade na pele e para o desenvolvimento de odores corporais.

A segunda etapa é marcada pelo amadurecimento dos órgãos sexuais, o que desencadeia uma segunda explosão de produção de DHEA (McClintock & Herdt, 1996). Durante esse período, os ovários das meninas aumentam sua produção de estrogênio, que estimula o crescimento dos órgãos genitais femininos e o desenvolvimento dos seios e dos pelos pubianos e axilares. Nos meninos, os testículos aumentam a produção de androgênios, principalmente a testosterona. Esse aumento provoca o crescimento dos órgãos genitais masculinos, da massa muscular e de pelos no corpo.

É importante notar que meninos e meninas apresentam os dois tipos de hormônio e que os dois tipos afetam processos em crianças de ambos os sexos. Por exemplo, as meninas têm testosterona, que influencia o crescimento do clitóris e dos ossos, bem como o aparecimento dos pelos pubianos e axilares. No entanto, os meninos têm mais testosterona, e, analogamente, as meninas têm maiores níveis de estrogênio.

O que determina o momento exato em que a puberdade começa? Um fator importante parece ser alcançar uma quantidade crítica de gordura corporal necessária para o sucesso da reprodução. Quando esse nível é atingido em uma idade mais jovem, a puberdade começa mais cedo. Por exemplo, as meninas que têm maior porcentagem de gordura corporal na infância e aquelas que experimentam um ganho de peso pouco comum entre os 5 e os 9 anos tendem a mostrar desenvolvimento puberal precoce (Davison, Susman, & Birch, 2003; Lee et al., 2007).

O que explica a ligação entre a gordura corporal e a puberdade? Pode ser que a leptina, um hormônio associado à obesidade, desempenhe um papel importante nesse processo (Kaplowitz, 2008). O aumento dos níveis de leptina pode enviar um sinal à hipófise e às glândulas sexuais para aumentar a secreção de

## Capítulo 15 • Desenvolvimento físico e saúde na adolescência

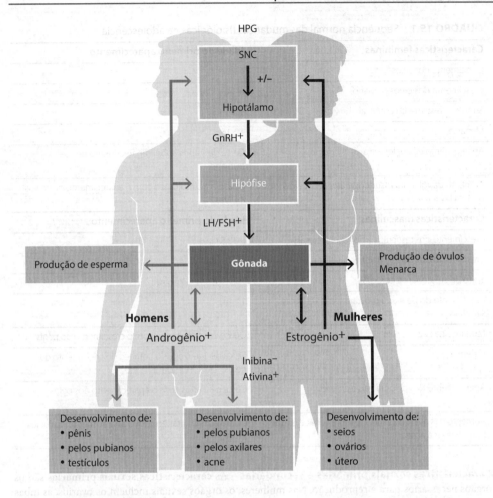

**FIGURA 15.1**
Regulação do início e da progressão da puberdade em seres humanos.
*A ativação do eixo HHG (hipotálamo-hipofisário-gonadal) requer um sinal do sistema nervoso central (SNC) para o hipotálamo, que estimula a produção de LH e FSH da hipófise.*
Fonte: Buck Louis et al., 2008.

hormônios (Chehab, Mounzih, Lu, & Lim, 1997; Clément et al., 1998; O'Rahilly, 1998; Strobel, Camoin, Ozata, & Strosberg, 1998; Susman & Rogol, 2004). Esse processo foi percebido com maior frequência em meninas. Poucos estudos têm mostrado a existência de uma relação entre a gordura corporal e a puberdade precoce nos meninos. Isso sugere que a leptina pode desempenhar um papel permissivo para a puberdade começar. Em outras palavras, a leptina poderá ter que estar presente em quantidade suficiente para ocorrer a puberdade, mas esse hormônio por si só não a desencadeia (Kaplowitz, 2008).

Algumas pesquisas atribuem intensa emotividade e instabilidade de humor no começo da adolescência a esses desenvolvimentos hormonais. De fato, emoções negativas como angústia e hostilidade, bem como sintomas de depressão em meninas, tendem a aumentar à medida que a puberdade avança (Susman & Rogol, 2004). Entretanto, outras influências, como sexo, idade, temperamento e a época da puberdade, podem moderar ou mesmo se sobrepor às influências hormonais (Buchanan, Eccles, & Becker, 1992).

## Momento, sinais e sequência da puberdade e do amadurecimento sexual

As mudanças que anunciam a puberdade começam agora normalmente aos 8 anos nas meninas e aos 9 anos nos meninos (Susman & Rogol, 2004), mas existe uma ampla variação etária para várias mudanças (Quadro 15.1). Recentemente, os pediatras viram um número significativo de meninas com brotos mamários antes dos 8 anos de idade (Slyper, 2006). O processo puberal leva normalmente de 3 a 4 anos para ambos os sexos. Meninas afro-americanas e mexicano-americanas geralmente entram na puberdade mais cedo que meninas brancas (Wu, Mendola, & Buck, 2002). Algumas meninas afro-americanas experimentam as mudanças da puberdade logo aos 6 anos (Kaplowitz et al., 1999; Biro et al., 2010).

# PARTE VI • Adolescência

**QUADRO 15.1**  Sequência normal das mudanças fisiológicas na adolescência

| Características femininas | Idade do primeiro aparecimento |
|---|---|
| Crescimento dos seios | 6-13 |
| Crescimento dos pelos pubianos | 6-14 |
| Surto de crescimento corporal | 9,5-14,5 |
| Menarca | 10-16,5 |
| Aparecimento dos pelos axilares | Cerca de 2 anos após o aparecimento dos pelos pubianos |
| Aumento das glândulas sudoríparas e sebáceas (que podem levar à acne) | Quase em simultâneo com o aparecimento dos pelos axilares |
| **Características masculinas** | **Idade do primeiro aparecimento** |
| Crescimento dos testículos e do saco escrotal | 9-13,5 |
| Crescimento dos pelos pubianos | 12-16 |
| Surto de crescimento corporal | 10,5-16 |
| Crescimento do pênis, da próstata e das vesículas seminais | 11-14,5 |
| Mudança na voz | Quase em simultâneo com o crescimento do pênis |
| Esperma | Cerca de 1 ano após o começo do crescimento do pênis |
| Aparecimento dos pelos faciais e axilares | Cerca de 2 anos após o aparecimento dos pelos pubianos |
| Aumento das glândulas sudoríparas e sebáceas (que podem levar à acne) | Quase em simultâneo com o aparecimento dos pelos axilares |

**características sexuais primárias**
Órgãos diretamente relacionados à reprodução, que aumentam de tamanho e amadurecem durante a adolescência.

**características sexuais secundárias**
Sinais fisiológicos de amadurecimento sexual (como o desenvolvimento dos seios e o crescimento de pelos corporais) que não envolvem os órgãos sexuais.

**Características sexuais primárias e secundárias**  As **características sexuais primárias** são os órgãos necessários para a reprodução. Nas mulheres, os órgãos sexuais incluem os ovários, as tubas uterinas, o útero, o clitóris e vagina. Nos homens, eles incluem os testículos, o pênis, o saco escrotal, as vesículas seminais e a próstata. Durante a puberdade, esses órgãos aumentam de tamanho e amadurecem.

As **características sexuais secundárias** (Quadro 15.2) são sinais fisiológicos do amadurecimento sexual que não envolvem diretamente os órgãos sexuais: por exemplo, os seios das meninas e os ombros largos dos meninos. Outros caracteres sexuais secundários são as alterações na voz e na textura da pele, o desenvolvimento muscular e o crescimento de pelos pubianos, faciais, axilares e corporais.

Essas mudanças ocorrem em uma sequência que é muito mais consistente do que o momento em que ocorrem, embora varie um pouco. Uma menina pode desenvolver seios e pelo corporal aproximadamente no mesmo ritmo; em outra menina, os pelos corporais podem alcançar um crescimento semelhante ao do adulto aproximadamente um ano antes do desenvolvimento dos seios. Variações semelhantes na condição (grau de desenvolvimento) e na época da puberdade ocorrem entre os meninos.

**Sinais da puberdade**  Os primeiros sinais externos de puberdade normalmente são tecido mamário e pelos pubianos nas meninas e aumento dos testículos nos meninos (Susman & Rogol, 2004). Os mamilos de uma menina ficam maiores e salientes, as *aréolas* (áreas pigmentadas em torno dos mamilos) aumentam de tamanho, e os seios assumem primeiro uma forma cônica e depois arredondada. Alguns meninos adolescentes, para sua aflição, experimentam aumento temporário das mamas; esse desenvolvimento é normal e pode durar até 18 meses.

Os pelos pubianos, a princípio lisos e sedosos, tornam-se grossos, escuros e encaracolados. Eles aparecem em padrões diferentes em homens e mulheres. Os meninos adolescentes geralmente ficam felizes de ver pelo no rosto e no peito, mas as meninas costumam ficar desanimadas com o aparecimento mesmo de uma ligeira quantidade de pelos no rosto ou em torno dos mamilos, embora isso, também, seja normal.

**Capítulo 15** • Desenvolvimento físico e saúde na adolescência

**QUADRO 15.2** Características sexuais secundárias

| Meninas | Meninos |
| --- | --- |
| Seios | Pelos pubianos |
| Pelos pubianos | Pelos axilares |
| Pelos axilares | Desenvolvimento muscular |
| Mudança na voz | Pelos faciais |
| Mudança na pele | Mudança na voz |
| Aumento na largura e na profundidade da pélvis | Mudança na pele |
| Desenvolvimento muscular | Alargamento dos ombros |

A voz torna-se mais grave, principalmente nos meninos, em parte por causa do crescimento da laringe, em parte em resposta à produção de hormônios masculinos. A pele torna-se mais grossa e oleosa. A maior atividade das glândulas sebáceas contribui para o surgimento de espinhas e cravos. A acne é mais comum nos meninos e parece estar relacionada ao aumento nas quantidades de testosterona.

**O surto de crescimento puberal**   O **surto de crescimento puberal** geralmente começa nas meninas entre os 9 anos e meio e os 14 anos e meio (normalmente por volta dos 10 anos), e nos meninos entre os 10 anos e meio e os 16 anos (normalmente aos 12 ou 13 anos). Costuma durar cerca de dois anos; assim que termina, o jovem atinge a maturidade sexual. Tanto o hormônio do crescimento como os hormônios sexuais (androgênio e estrogênio) contribuem para esse crescimento puberal padrão (Susman & Rogol, 2004).

Visto que o surto de crescimento das meninas acontece dois anos mais cedo do que o dos meninos, as meninas entre os 11 e os 13 anos tendem a ser mais altas, mais pesadas e mais fortes do que os meninos da mesma idade. Após o surto de crescimento, os meninos ficam novamente maiores. Normalmente, as meninas atingem a altura total aos 15 anos, e os meninos, aos 17. A taxa de crescimento dos músculos atinge o pico aos 12 anos e meio nas meninas e aos 14 anos e meio nos meninos (Gans, 1990).

Meninos e meninas crescem de maneira diferente, não apenas nos ritmos de crescimento, mas também na forma e no feitio. O menino torna-se maior de modo geral: os ombros ficam mais largos, as pernas mais longas em relação ao tronco, e o antebraço mais longo em relação à parte superior do braço e à estatura. A pelve da menina fica mais larga para facilitar o parto, e camadas de gordura se acumulam sob sua pele, dando-lhe uma aparência mais arredondada. A gordura acumula-se duas vezes mais rápido nas meninas que nos meninos (Susman & Rogol, 2004).

Visto que cada uma dessas mudanças segue seu próprio ritmo, por algum tempo partes do corpo podem ficar desproporcionais. O resultado é o familiar embaraço dos adolescentes que acompanha o crescimento desequilibrado e acelerado.

Essas alterações físicas notáveis têm consequências psicológicas. A maioria dos adolescentes está mais preocupada com a aparência do que com qualquer outro aspecto de si próprio, e alguns não gostam do que veem no espelho. Conforme discutiremos a seguir, essas atitudes podem levar a problemas de alimentação.

**Sinais de maturidade sexual: produção de esperma e menstruação**   O amadurecimento dos órgãos reprodutores traz o início da menstruação nas meninas e a produção de esperma nos meninos. O principal sinal de maturidade sexual nos meninos é a produção de esperma. A primeira ejaculação, ou **espermarca**, ocorre em média aos 13 anos. O menino pode acordar e encontrar uma mancha úmida ou ressecada no lençol – resultado de uma *polução noturna*, uma ejaculação involuntária de sêmen (geralmente chamada de *sonho molhado*). A maioria dos adolescentes do sexo masculino tem essas emissões, às vezes associadas a um sonho erótico.

O principal sinal de maturidade sexual na menina é a *menstruação*, a eliminação mensal do revestimento uterino. A primeira menstruação, denominada **menarca**, ocorre relativamente tarde na sequência do desenvolvimento feminino; seu tempo normal de ocorrência pode variar dos 10 aos 16 anos e meio (ver Quadro 15.1). A média de idade da menarca em meninas norte-americanas caiu de mais de 14 anos antes de 1900 para 12 anos e meio na década de 1990. Em média, as meninas negras menstruam pela primeira vez 6 meses antes das meninas brancas (S. E. Anderson, Dallal, & Must, 2003).

**surto de crescimento puberal**
Aumento acentuado na altura e no peso que precede a maturidade sexual.

**espermarca**
A primeira ejaculação do menino.

**menarca**
A primeira menstruação da menina.

*Dos 11 aos 13 anos, as meninas são, em média, mais altas, mais pesadas e mais fortes do que os meninos, que atingem o surto de crescimento puberal mais tarde do que elas.*

**tendência secular**
Tendência que pode ser vista apenas observando-se diversas gerações, tal como a tendência a alcançar mais cedo a altura adulta e a maturidade sexual, que começou um século atrás em alguns países.

**Influências sobre o início da puberdade** Com base em fontes históricas, os cientistas do desenvolvimento encontraram uma **tendência secular** — uma tendência que abrange diversas gerações — no início da puberdade: uma queda nas idades em que a puberdade começa e quando os jovens atingem a altura adulta e a maturidade sexual. A tendência, que também envolve aumento na altura e no peso adultos, começou há aproximadamente cem anos. Ela ocorreu em lugares como os Estados Unidos, a Europa Ocidental e o Japão (S. E. Anderson et al., 2003).

Uma explicação proposta para a tendência secular é um padrão de vida mais elevado. Pode-se esperar que crianças que são mais saudáveis, mais bem nutridas e mais bem cuidadas amadureçam mais cedo e fiquem mais altas (Slyper, 2006). Dessa forma, a idade média para a maturidade sexual é mais precoce nos países desenvolvidos do que nos países em desenvolvimento. Devido ao papel da gordura corporal na iniciação da puberdade, um fator contribuinte nos Estados Unidos durante a última parte do século XX pode ser o aumento da obesidade entre as meninas (S. E. Anderson et al., 2003; Lee et al., 2007).

Existe uma combinação de influências genéticas, físicas, emocionais e contextuais que pode afetar o momento em que se inicia a menarca (Graber, Brooks-Gunn, & Warren, 1995). Estudos sobre gêmeos documentaram a hereditariedade da idade da menarca (Mendle et al., 2006). Outra pesquisa constatou que a idade da primeira menstruação de uma menina tende a ser semelhante à de sua mãe *se* a nutrição e o padrão de vida permanecerem estáveis de uma geração para a outra (Susman & Rogol, 2004). Em diversos estudos, conflito familiar estava associado com menarca precoce, enquanto afeto parental, relacionamentos familiares harmoniosos e envolvimento paterno na criação da filha estavam relacionados com menarca mais tardia (Belsky et al., 2007; Mendle et al., 2006). Meninas que, em idade pré-escolar, tinham relações próximas e contavam com o apoio dos pais – especialmente com um pai afetuoso e envolvido – tendem a entrar na puberdade mais tarde do que meninas cujos relacionamentos com os pais eram frios e distantes ou do que aquelas que foram criadas por mães solteiras (Belsky et al., 2007; Ellis, McFadyen-Ketchum, Dodge, Pettit, & Bates, 1999). Por sua vez, rupturas familiares e a separação física do pai foram associadas à menarca precoce (Tither & Ellis, 2008).

Como as relações familiares podem afetar o desenvolvimento puberal? Uma possibilidade é a de que os machos humanos, como alguns animais, emanem por sua vez *feromônios*, odores químicos que atraem parceiras. Atuando como um mecanismo natural de prevenção ao incesto, o desenvolvimento sexual pode ser inibido nas meninas que estão fortemente expostas aos feromônios de seus pais, como acontece nas relações muito próximas entre pais e filhas. Ao contrário, a exposição frequente a feromônios de homens adultos sem parentesco, como um padrasto ou o namorado da mãe, pode acelerar o desenvolvimento puberal (Ellis & Garber, 2000).

Uma teoria alternativa se concentra na forma como as experiências na infância e na adolescência poderão dar pistas sobre o que esperar do futuro. Do ponto de vista evolutivo, podem ser utilizadas estratégias reprodutivas diferentes. Por exemplo, uma espécie pode evoluir para ter muitos filhos e investir muito pouco neles; outra espécie pode evoluir para ter poucos filhos e investir muito neles. Essa análise pode ser aplicada a diferentes espécies, bem como às diferenças individuais nas estratégias de reprodução dentro da mesma espécie. No que diz respeito aos seres humanos, alguns pais podem ter poucos filhos, mas investir grande quantidade de tempo e dinheiro neles, enquanto outros pais podem ter muitos filhos e investir menos em cada criança.

Como isso se relaciona com a ligação entre as relações familiares e a puberdade? Uma abordagem (Belsky, Steinberg, & Draper, 1991) argumenta que a infância com muita tensão e conflito ou com a falta de figura masculina consistente pode sinalizar a uma menina em desenvolvimento que o mundo é um lugar estressante e perigoso para viver, que os parceiros do sexo masculino podem ser escassos ou não dispostos a ajudar e que a sobrevivência não está garantida. Assim, talvez seja melhor, do ponto de vista adaptativo, ter muitos filhos; investir menos em cada um, mas esperar que alguns, se não todos, sobrevivam. Nesse caso, a puberdade e a atividade sexual começarão mais cedo. Alternativamente, uma infância em que os níveis de estresse são baixos, o ambiente familiar é de alta qualidade e os homens adultos estão presentes consistentemente poderá sinalizar o oposto. Nessa situação, a estratégia de ter menos filhos e investir mais em cada um deles poderá fazer mais sentido. Subsequentemente, a puberdade tardia e o amadurecimento poderão resultar dessa situação. Essa abordagem evolutiva sugere que o meio social age como gatilho para o desenvolvimento biológico, talvez influenciado por altos níveis de estresse. Como base dessa teoria está a constatação de que o apego inseguro na infância está relacionado à puberdade precoce (Belsky, Houts, & Fearon, 2010) e de que as meninas com pais ausentes (Bogaert, 2005, 2008) ou que vivem em casas com altos níveis de conflito (Mishra, Cooper, Tom, & Kuh, 2012) começam a puberdade mais cedo do que aquelas que têm pais vivendo em casa.

## Implicações das maturações precoce e tardia

O início da puberdade pode variar em até cinco anos entre meninos e meninas sadios (Golub et al., 2008). O amadurecimento precoce aumenta a probabilidade de um amadurecimento ósseo acelerado e de dificuldades psicossociais e tem sido associado a problemas de saúde de adultos, inclusive o câncer do trato reprodutivo, obesidade, diabetes tipo 2 e doenças cardiovasculares (Golub et al., 2008). Outros efeitos do amadurecimento precoce ou tardio variam em meninos e meninas, e o início do amadurecimento tende a influenciar a saúde mental dos adolescentes e os comportamentos relacionados à saúde na idade adulta (Susman & Rogol, 2004).

Investigações feitas em meninos com amadurecimento precoce tiveram resultados variados. Alguns estudos constataram que a maioria dos meninos prefere amadurecer cedo e aqueles que de fato amadurecem precocemente experimentam aumento em sua autoestima (Alsaker, 1992; Weichold, Silbereisen, & Schmitt-Rodermund, 2003). Por sua vez, outros estudos constataram que os meninos com amadurecimento precoce são mais ansiosos ou agressivos, mais preocupados com sua aceitação, mais cautelosos, mais dependentes dos outros e mais limitados por regras e rotinas (Ge, Conger, & Elder, 2001b; Graber, Lewinsohn, Seeley, & Brooks-Gunn, 1997; Gross & Duke, 1980). Os meninos com amadurecimento precoce demonstram maior incidência de desvios de conduta e de comportamento durante a adolescência (Golub et al., 2008). Aqueles com amadurecimento tardio, contudo, sentem-se mais inadequados, constrangidos, rejeitados e dominados; são mais dependentes, agressivos, inseguros ou depressivos; têm mais conflitos com os pais e mais problemas na escola; e apresentam habilidades sociais e de enfrentamento mais pobres (Graber et al., 1997; Mussen & Jones, 1957).

Geralmente, as meninas ficam mais felizes se o início do amadurecimento for mais ou menos semelhante ao dos seus pares. Meninas com amadurecimento precoce tendem a ser menos sociáveis, menos expressivas e menos equilibradas; mais introvertidas e tímidas; e mais negativas quanto à menarca do que as meninas com amadurecimento tardio (Livson & Peskin, 1980; Ruble & Brooks-Gunn, 1982; Stubbs, Rierdan, & Koff, 1989). Talvez porque se sintam forçadas a enfrentar as pressões da adolescência antes de estarem prontas (Susman & Rogol, 2004), elas são mais vulneráveis ao sofrimento psicológico e têm maior probabilidade de se relacionar com pares antissociais (Ge et al., 1996). Elas podem ter uma imagem ruim do corpo e autoestima mais baixa do que as meninas com amadurecimento tardio (Alsaker, 1992; Graber et al., 1997; Mendle, Turkheimer, & Emery, 2007; Simmons, Blyth, Van Cleave, & Bush, 1979). As meninas com amadurecimento precoce têm maior risco de ansiedade e depressão; comportamento disruptivo; transtornos alimentares; tabagismo, ingestão de bebidas alcoólicas e abuso de substâncias precoce; atividade sexual precoce; gravidez precoce; e tentativa de suicídio (Deardorff,

**Qual a sua opinião?**

Você amadureceu cedo, tarde ou "na hora certa"? Como o início do seu amadurecimento o afetou psicologicamente?

**Verificador**
**você é capaz de...**

- Explicar como a puberdade começa e como sua época e duração variam?
- Identificar as mudanças típicas da puberdade nos meninos e nas meninas e os fatores que afetam as reações psicológicas a essas mudanças?

Gonzalez, Christopher, Roosa, & Millsap, 2005; Dick, Rose, Kaprio, & Viken, 2000; Graber et al., 1997; Susman & Rogol, 2004; Golub et al., 2008). Elas têm dificuldade em lidar com a rejeição e tendem a usar menos habilidades de resolução de problemas do que seus pares (Sontag, Graber, Brooks-Gunn, & Warren, 2008). Contudo, isso é menos verdadeiro quando se trata de meninas sem histórico de problemas de comportamento (Susman & Rogol, 2004). Entre meninos e meninas, os que apresentam amadurecimento precoce tendem a ser vulneráveis ao comportamento de risco e à influência de pares desviantes (Orr & Ingersoll, 1995; Susman & Rogol, 2004).

É difícil generalizar os efeitos psicológicos do período da puberdade, porque eles dependem da forma que o adolescente e as outras pessoas do seu convívio interpretam as mudanças. Os efeitos do amadurecimento precoce ou tardio têm mais probabilidade de ser negativos quando os adolescentes são muito mais ou muito menos desenvolvidos do que seus pares; quando eles veem vantagem nas mudanças; e quando vários eventos estressantes, como o advento da puberdade e a transição para o ensino médio, acontecem ao mesmo tempo (Petersen, 1993; Simmons, Blyth, & McKinney, 1983). Os fatores contextuais como etnia, escola e vizinhança podem fazer diferença. Por exemplo, os afro-americanos e os hispânicos com amadurecimento tardio relatam menor satisfação com seus corpos, mas o tempo da puberdade não parece afetar a imagem corporal para os americanos de origem asiática nem para os euro-americanos (Susman & Rogol, 2004). Da mesma forma, as meninas com amadurecimento precoce têm mais probabilidade de apresentar problemas de comportamento em escolas mistas do que em escolas só para meninas e mais em comunidades urbanas pobres do que em comunidades rurais ou urbanas de classe média (Caspi, Lynam, Moffitt, & Silva, 1993; Dick et al., 2000; Ge, Brody, Conger, Simons, & Murry, 2002).

## O cérebro do adolescente

**Guia de estudo 3**
Que tipo de desenvolvimento cerebral ocorre durante a adolescência e como ele afeta o comportamento?

Há não muito tempo, a maioria dos cientistas acreditava que o cérebro estava totalmente maduro na época da puberdade. Agora, estudos de imagem cerebral revelam que o cérebro do adolescente ainda é uma obra em andamento. Mudanças drásticas nas estruturas cerebrais envolvidas nas emoções, no julgamento, na organização do comportamento e no autocontrole ocorrem entre a puberdade e o início da vida adulta. A imaturidade do cérebro adolescente tem levantado questões sobre o grau com que os adolescentes podem ser razoavelmente considerados legalmente responsáveis por seus atos (Steinberg & Scott, 2003), levando a Suprema Corte dos Estados Unidos, em 2005, a julgar a pena de morte inconstitucional para um assassino condenado que tivesse 17 anos ou menos quando o crime foi cometido (Mears, 2005).

A propensão para comportamento de risco parece resultar da interação de duas redes cerebrais: (1) uma *rede socioemocional* que é sensível a estímulos sociais e emocionais, tal como a influência dos pares, e (2) uma *rede de controle cognitivo* que regula as respostas a estímulos. A rede socioemocional torna-se mais ativa na puberdade, enquanto a rede de controle cognitivo amadurece mais gradualmente até o início da idade adulta. Esses achados podem explicar a tendência dos adolescentes a ter explosões emocionais e comportamento de risco e por que o comportamento de risco frequentemente ocorre em grupos (Steinberg, 2007).

O desenvolvimento do cérebro é rápido e profundo em dois momentos da vida. Um deles é nos primeiros anos da infância, e o outro é na adolescência. Os avanços recentes em exame de imagem cerebral mostraram que a massa branca e a massa cinzenta do cérebro mudam na adolescência.

Há aumento constante da massa branca (fibras nervosas que ligam partes distantes do cérebro) durante a adolescência. Isso permite que os impulsos nervosos sejam transmitidos mais rapidamente e ajuda os neurônios a sincronizar suas taxas de disparo (Fields & Stephens-Graham, 2002), melhorando, assim, as habilidades de processamento de informações dos adolescentes. Apesar de a massa branca aumentar em todo o cérebro, o aumento é talvez mais acentuado no corpo caloso. O corpo caloso é uma faixa composta por fibras de axônios que liga os dois hemisférios do cérebro, permitindo comunicação rápida e eficaz entre eles. Durante a adolescência, essa faixa engrossa, levando à melhor comunicação entre os hemisférios (Geidd, 2008). Esse aumento da massa branca também ocorre nos lobos frontais, temporais e parietais (ACT for Youth, 2002; Blakemore & Choudhury, 2006; Kuhn, 2006; National Institute of Mental Health [NIMH], 2001b; Geidd, 2008).

Ocorrem também alterações marcantes na composição da massa cinzenta. Um grande surto de produção de massa cinzenta nos lobos frontais começa por volta da puberdade. Após o surto de crescimento, a densidade da massa cinzenta diminui consideravelmente, sobretudo no córtex pré-frontal, à

A imaturidade desses centros cerebrais e a consequente propensão a agir de forma impulsiva e sem considerar totalmente as consequências são algumas das razões por que algumas pessoas são contra a aplicação da pena de morte a adolescentes. Você acha que esse é um argumento válido? Por quê?

**Capítulo 15** • Desenvolvimento físico e saúde na adolescência    **403**

medida que as sinapses não utilizadas (ligações entre os neurônios) são eliminadas e as que resistem são fortalecidas (ACT for Youth, 2002; Blakemore & Choudhury, 2006; Kuhn, 2006; NIMH, 2001b). Esse processo de eliminação começa na zona posterior do cérebro e avança geralmente atingindo os lobos frontais durante a adolescência. Assim, no meio ou no final da adolescência, os jovens têm menos conexões neurais, mas elas são mais fortes, mais suaves e mais eficazes, tornando o processamento cognitivo mais eficiente (Kuhn, 2006).

Os adolescentes são capazes de emoções muito fortes, e as mudanças na massa branca e na massa cinzenta na amígdala e no córtex pré-frontal podem ajudar a explicar por que os adolescentes fazem, por vezes, más escolhas com base nas suas emoções em vez de escolhas mais racionais baseadas na lógica e na previsão. A amígdala, em geral, está envolvida com fortes reações emocionais. Ela amadurece antes do córtex pré-frontal. O córtex pré-frontal está envolvido com planejamento, raciocínio, juízo, regulação emocional e controle de impulsos. Assim, as áreas do cérebro envolvidas com sentir fortes emoções amadurecem antes da área do cérebro responsável pela tomada de decisões ponderadas (Nelson, Thomas, & deHann, 2006). Isso pode explicar algumas das escolhas precipitadas do início da adolescência, tais como o abuso de substâncias e os comportamentos sexuais de risco. O desenvolvimento imaturo do cérebro pode permitir que os sentimentos se sobreponham ao raciocínio e pode impedir alguns adolescentes de "ouvir os conselhos" que parecem lógicos para os adultos (Baird et al., 1999; Yurgelun-Todd, 2002). O subdesenvolvimento dos sistemas corticais frontais associados à motivação, à impulsividade e às dependências pode ajudar a explicar por que os adolescentes tendem a procurar a emoção e a novidade e por que muitos deles têm dificuldade de se concentrar em objetivos de longo prazo (Bjork et al., 2004; Chambers, Taylor, & Potenza, 2003).

A estimulação cognitiva na adolescência faz uma diferença crítica no desenvolvimento do cérebro. Isso se deve à grande quantidade de desenvolvimento cerebral que está ocorrendo — os eventos experimentados nesse momento afetarão a forma que o desenvolvimento tomará. O processo é bidirecional: as atividades e as experiências dos adolescentes determinam quais conexões neuronais serão mantidas e fortalecidas, e esse desenvolvimento serve de base para o crescimento cognitivo naquelas áreas (Kuhn, 2006). Adolescentes que "exercitam" seu cérebro aprendendo a ordenar seus pensamentos, a entender conceitos abstratos e a controlar seus impulsos estão estabelecendo as bases neurais que utilizarão pelo resto de suas vidas. Alternativamente, o uso de drogas na adolescência pode ter efeitos particularmente devastadores dependendo da forma como as substâncias interagem com o cérebro em crescimento.

## Saúde física e mental

Nove em cada 10 adolescentes de 11 a 15 anos em países industrializados ocidentais se consideram saudáveis, segundo um levantamento conduzido pela Organização Mundial da Saúde (Scheidt, Overpeck, Wyatt, & Aszmann, 2000). Contudo, muitos adolescentes, especialmente as meninas, relatam frequentes problemas de saúde, como dores de cabeça, dores de estômago, dores nas costas, nervosismo e cansaço, solidão ou desânimo. Esses relatos são especialmente comuns nos Estados Unidos e em Israel, onde a vida tende a ter um ritmo acelerado e estressante (Scheidt et al., 2000).

Muitos problemas de saúde podem ser evitados e têm como causa o estilo de vida ou a pobreza. Entretanto, como os adolescentes são jovens e geralmente saudáveis, eles podem não sentir os efeitos de seu estilo de vida por décadas. Os padrões de estilo de vida tendem a se solidificar na adolescência, o que pode resultar em maus hábitos de saúde ao longo da vida e em morte prematura nos adultos.

Em países industrializados, os adolescentes de famílias menos abastadas tendem a se queixar de saúde mais precária e de sintomas mais frequentes (Scheidt et al., 2000). Adolescentes de famílias mais abastadas tendem a ter dietas mais saudáveis e a ser fisicamente mais ativos (Mullan & Currie, 2000). Vejamos alguns problemas de saúde específicos: forma física, necessidades de sono, transtornos alimentares, abuso de substâncias, depressão e causas de morte na adolescência.

### Atividade física

O exercício – ou a falta dele – afeta tanto a saúde física quanto a mental. Os benefícios do exercício regular incluem maior força e resistência, ossos e músculos mais saudáveis, controle do peso, ansiedade e estresse reduzidos, bem como aumento na autoestima, nas notas escolares e no bem-estar geral. O exercício também diminui a probabilidade de um adolescente se envolver em comportamentos de

---

**Verificador**
**você é capaz de...**

■ Descrever duas mudanças importantes no cérebro do adolescente?

■ Identificar aspectos imaturos do cérebro do adolescente e explicar como essa imaturidade pode afetar o comportamento?

---

Guia de
**estudo** 4

Quais são os problemas de saúde mais comuns na adolescência e como eles podem ser evitados?

> Embora os adolescentes se exercitem menos, há um raio de esperança. A atividade extracurricular mais popular entre crianças de 12 a 17 anos é a prática de esportes.
>
> *Dye & Johnson, 2009*

risco. Mesmo a atividade física moderada traz benefícios à saúde se realizada regularmente pelo menos durante 30 minutos por dia. Um estilo de vida sedentário pode resultar em maior risco de obesidade e de diabetes tipo 2, problemas cada vez maiores entre os adolescentes. O sedentarismo também pode levar à maior probalidade de doença cardíaca e câncer na idade adulta (Carnethon, Gulati, & Greenland, 2005; CDC, 2000a; Hickman, Roberts, & de Matos, 2000; NCHS, 2004; Nelson & Gordon-Larsen, 2006; Troiano, 2002).

Infelizmente, apenas cerca de um terço dos estudantes de ensino médio norte-americanos pratica atividades físicas na quantidade recomendada, e a proporção de jovens inativos aumenta ao longo dos anos do ensino médio (Eaton et al., 2008). Os adolescentes apresentam uma queda acentuada na atividade física quando entram na puberdade, passando de uma média de 3 horas por dia de atividade física aos 9 anos para uma média de apenas 49 minutos de atividade física por dia aos 15 anos (Nader, Bradley, Houts, McRitchie, & O'Brien, 2008). Os adolescentes norte-americanos se exercitam menos frequentemente do que no passado e menos do que os adolescentes na maioria dos outros países industrializados (CDC, 2000a; Hickman et al., 2000).

## Necessidades e distúrbios do sono

A privação de sono entre adolescentes tem sido chamada de epidemia (Hansen, Janssen, Schiff, Zee, & Dubocovich, 2005). Uma recente pesquisa nos Estados Unidos descobriu que 45% dos adolescentes relataram não dormir tempo suficiente, 31% estavam no limite e apenas 20% realmente dormiam o necessário (Wolfson, Carskadon, Mindell, & Drake, 2006).

As crianças geralmente vão dormir mais tarde e dormem menos nos dias de aula à medida que ficam mais velhas. O adolescente padrão que dormia mais de 10 horas à noite aos 9 anos de idade dorme menos de 8 horas aos 16 anos (Eaton et al., 2008; Hoban, 2004). Na realidade, os adolescentes necessitam tanto ou mais de sono do que quando eram menores (Hoban, 2004; Iglowstein, Jenni, Molinari, & Largo, 2003). Dormir mais nos fins de semana não compensa a perda de sono nas noites de aula (Hoban, 2004; Sadeh, Raviv, & Gruber, 2000). O hábito de dormir e acordar tarde pode contribuir para a insônia, um problema que frequentemente começa no final da infância ou na adolescência (Hoban, 2004).

A privação de sono pode diminuir a motivação e causar irritabilidade, e a concentração e o desempenho escolares podem ser afetados. A sonolência também pode ser fatal para adolescentes que dirigem. Estudos revelaram que jovens entre 16 e 29 anos são mais propensos a estar envolvidos em acidentes causados pelo adormecimento ao volante (Millman et al., 2005).

Por que adolescentes ficam acordados até tarde? Eles podem precisar fazer a lição de casa, querer conversar ou mandar mensagens para os amigos ou navegar na internet ou simplesmente desejar agir como gente grande. Entretanto, especialistas em sono reconhecem agora que mudanças biológicas estão por trás dos distúrbios do sono dos adolescentes (Sadeh et al., 2000). O momento da secreção do hormônio *melatonina* é um indicador de quando o cérebro está pronto para dormir. Após a puberdade, essa secreção ocorre durante a noite (Carskadon, Acebo, Richardson, Tate, & Seifer, 1997). Mas os adolescentes ainda necessitam de tanto sono quanto antes; portanto, quando eles dormem mais tarde que crianças mais novas, eles também precisam levantar mais tarde. Contudo, na maioria das escolas de ensino médio, as aulas começam *mais cedo* do que nas de ensino fundamental. Seus horários estão fora de sincronia com os ritmos biológicos dos estudantes (Hoban, 2004). Os adolescentes tendem a estar menos atentos e mais estressados de manhã cedo e mais alertas à tarde (Hansen et al., 2005). Começar as aulas mais tarde, ou pelo menos oferecer as aulas mais difíceis mais tarde, ajudaria a melhorar a concentração dos estudantes (Crouter & Larson, 1998).

## Nutrição e transtornos alimentares

A boa nutrição é importante para sustentar o crescimento rápido da adolescência e para estabelecer hábitos alimentares saudáveis que vão persistir até a idade adulta. Infelizmente, os adolescentes norte-americanos comem menos frutas e vegetais e consomem mais alimentos com alto nível de colesterol, gordura e calorias e baixo teor de nutrientes que os adolescentes em outros países industrializados (American Heart Association et al., 2006; Vereecken & Maes, 2000). Deficiências de cálcio, zinco e ferro são comuns nessa idade (Bruner, Joffe, Duggan, Casella, & Brandt, 1996; Lloyd et al., 1993).

No mundo todo, a nutrição deficiente é mais frequente em populações de baixa renda ou isoladas, mas também pode resultar da preocupação com a imagem corporal e com o controle de peso

> A pesquisa tem mostrado repetidamente que um cochilo breve pode ajudar a recuperar uma pessoa cansada. Se você não tem condições de deitar na cama, quanto mais você puder se reclinar, mais repousante será seu cochilo. E, se você não puder se reclinar, apenas deitar sua cabeça sobre a mesa de uma biblioteca silenciosa proporciona benefícios claros em relação a não dormir nada.
>
> *Hayashi & Abe, 2008; Zhao, Zhang, Fu, Tang, & Zhao, 2010*

(Vereecken & Maes, 2000). Transtornos alimentares, inclusive obesidade, são mais prevalentes em sociedades industrializadas, onde o alimento é abundante e a atratividade está relacionada à magreza, mas esses transtornos parecem estar aumentando também em países não ocidentais (Makino, Tsuboi, & Dennerstein, 2004).

**Obesidade** Adolescentes norte-americanos têm probabilidade duas vezes maior de estar acima do peso do que jovens da mesma idade em 14 outros países industrializados, de acordo com autorrelatos de altura e peso de mais de 29.000 meninos e meninas entre 13 e 15 anos de idade (Lissau et al., 2004). Cerca de 34% de adolescentes norte-americanos têm índice de massa corporal (IMC) no percentil 95 ou acima dele para idade e sexo. A porcentagem de adolescentes norte-americanos com IMCs no percentil 85 ou acima dele mais que triplicou entre 1980 e 2008, de 5% para perto de 18% (Ogden et al., 2006, 2008). Entre adolescentes mais velhos, a obesidade é 50% mais prevalente naqueles de famílias pobres (Miech et al., 2006). Meninas e meninos mexicano-americanos e meninas negras não hispânicas, que tendem a ser mais pobres que seus pares, são mais propensos a estar acima do peso do que adolescentes brancos não hispânicos (Hernandez & Macartney, 2008; NCHS, 2006; Ogden et al., 2008).

Adolescentes acima do peso tendem a ter a saúde mais debilitada que seus pares e estão mais propensos a ter dificuldade para frequentar a escola, executar tarefas domésticas, praticar atividades que exijam esforço físico ou se dedicar aos cuidados pessoais (Swallen, Reither, Haas, & Meier, 2005). Eles têm risco maior de hipertensão e diabetes (NCHS, 2005) e tendem a se tornar adultos obesos, sujeitos a uma variedade de problemas de ordem física, social e psicológica (Gortmaker, Must, Perrin, Sobol, & Dietz, 1993). Dada a alta proporção de adolescentes acima do peso hoje, uma equipe de pesquisa projeta que em 2.035 mais de 100 mil novos casos de doença cardiovascular serão atribuíveis a uma prevalência aumentada de sobrepeso em homens e mulheres jovens e de meia-idade (Bibbins-Domingo, Coxson, Pletcher, Lightwood, & Goldman, 2007).

Fatores genéticos e outros fatores, como falhas na regulação do metabolismo e, pelo menos em meninas, ter sintomas depressivos e pais obesos, podem aumentar a probabilidade de obesidade adolescente (Morrison et al., 2005; Stice, Presnell, Shaw, & Rohde, 2005). Entretanto, um estudo com 878 adolescentes da Califórnia entre 11 e 15 anos revelou que a falta de exercícios era o *principal* fator de risco para o excesso de peso em meninos e meninas (Patrick et al., 2004).

Programas que utilizam técnicas de modificação comportamental para ajudar adolescentes a fazer mudanças na dieta e na prática de exercícios têm obtido relativo sucesso. Entretanto, para muitos pré-adolescentes e adolescentes, a dieta pode ser contraproducente. Em um estudo de três anos com 8.203 meninas e 6.769 meninos de 9 a 14 anos, aqueles que fizeram dieta ganharam mais peso que aqueles não fizeram dieta (A. E. Field et al., 2003).

**Imagem corporal e transtornos alimentares** Às vezes, a determinação de não ter excesso de peso pode resultar em problemas mais graves do que o próprio excesso de peso. A preocupação com a imagem corporal pode resultar em esforços obsessivos para controlar o peso (Davison & Birch, 2001; Vereecken & Maes, 2000). Esse padrão é mais comum e tem menor probabilidade de estar relacionado a problemas reais de peso entre as meninas do que entre os meninos.

Em razão do aumento normal de gordura corporal nas meninas durante a puberdade, muitas, principalmente se tiverem um desenvolvimento puberal avançado, ficam descontentes com sua aparência, refletindo a ênfase cultural nos atributos físicos das mulheres (Susman & Rogol, 2004). A insatisfação das meninas com o corpo aumenta entre o começo e a fase intermediária da adolescência, enquanto os meninos, que estão se tornando mais musculosos, ficam mais satisfeitos com o corpo (Feingold & Mazzella, 1998; Rosenblum & Lewis, 1999; Swarr & Richards, 1996). Aos 15 anos, mais da metade

> **Verificador**
> **você é capaz de...**
> ■ Resumir a condição de saúde dos adolescentes e listar os problemas de saúde predominantes?
> ■ Explicar a importância da atividade física na adolescência?
> ■ Explicar por que os adolescentes frequentemente dormem pouco e como a privação de sono pode afetá-los?

*A preocupação com a imagem corporal é mais comum entre as meninas do que entre os meninos e é menos provável que esteja relacionada com problemas reais de peso. O aumento normal da gordura corporal durante a puberdade ocasiona a infelicidade de muitas meninas acerca de sua aparência, refletindo a ênfase cultural da magreza.*

das meninas em amostragens de 16 países estava fazendo dieta ou achava que deveria fazer. Os Estados Unidos ocupavam o topo da lista, com 47% de meninas de 11 anos e 62% de meninas de 15 anos preocupadas com seu peso (Vereecken & Maes, 2000). As meninas afro-americanas de modo geral estão mais satisfeitas com o corpo e menos preocupadas com o peso e a dieta do que as meninas brancas (Kelly, Wall, Eisenberg, Story, & Neumark-Sztainer, 2004; Wardle et al., 2004).

Segundo um abrangente estudo prospectivo de coorte, as atitudes parentais e as imagens da mídia desempenham um papel mais importante do que as influências dos colegas no incentivo a preocupações com o peso. As meninas que tentam se assemelhar fisicamente a modelos irrealisticamente magras que veem na mídia tendem a desenvolver preocupações excessivas com o peso e podem desenvolver transtornos alimentares (Striegel-Moore & Bulik, 2007). Além disso, as meninas e os meninos que acreditam que a magreza é importante para seus progenitores, especialmente para seus pais, tendem a fazer dietas constantes (Field et al., 2001).

A preocupação excessiva com o controle do peso e a imagem corporal pode ser sinal de *anorexia nervosa* ou *bulimia nervosa*, ambas envolvendo padrões anormais de ingestão de alimentos. Esses transtornos crônicos ocorrem no mundo todo, principalmente em meninas adolescentes e mulheres jovens. O Quadro 15.3 descreve os fatores de risco e os sintomas comuns desses dois transtornos.

Entretanto, não foram feitos estudos suficientes entre homens e entre grupos étnicos não brancos. Além disso, a ideia de que os transtornos alimentares são resultado de pressão cultural para ser magro é simplista demais; fatores biológicos, inclusive fatores genéticos, desempenham um papel igualmente importante (Striegel-Moore & Bulik, 2007). Estudos sobre gêmeos encontraram associações entre transtornos alimentares e a serotonina cerebral; uma variante da proteína BDNF (*brain-derived neurotrophic factor*) que influencia a ingestão de alimento; e estrogênio (Klump & Culbert, 2007).

**anorexia nervosa**
Transtorno alimentar caracterizado pela autoinanição e perda extrema de peso.

*Anorexia nervosa* A **anorexia nervosa**, ou a *autoinanição*, é potencialmente fatal. Sabe-se que uma porcentagem estimada de 0,3 a 0,5% de meninas e mulheres jovens e uma porcentagem menor, mas crescente, de meninos e homens em países ocidentais são afetadas. As pessoas com anorexia têm uma imagem corporal distorcida e, embora em geral estejam gravemente abaixo do peso, acreditam que estejam gordas. Costumam ser boas alunas, mas podem ser retraídas ou deprimidas e assumir comportamentos repetitivos e perfeccionistas. Elas têm medo extremo de perder o controle e ficar acima do peso (AAP Committee on Adolescence, 2003; Martínez-González et al., 2003; Wilson, Grilo, & Vitousek, 2007). Os primeiros sinais de advertência incluem dieta determinada e secreta; insatisfação após perder peso; metas de atingir um peso mais baixo após alcançar um peso inicial desejado; excesso de exercícios; e interrupção da menstruação regular.

A anorexia, paradoxalmente, é ao mesmo tempo deliberada e involuntária: a pessoa afetada deliberadamente recusa o alimento necessário para o sustento, mas não consegue parar de fazer isso mesmo quando recompensada ou punida. Esses padrões de comportamento remontam aos tempos medievais e parecem ter existido em todas as partes do mundo. Portanto, a anorexia pode ser, em parte, uma reação à pressão social para ser magro, mas esse não parece ser o único fator ou mesmo um fator determinante (Keel & Klump, 2003; Striegel-Moore & Bulik, 2007).

**bulimia nervosa**
Transtorno alimentar no qual a pessoa ingere regularmente grandes quantidades de alimento e depois esvazia o corpo com laxantes, vômito induzido, jejum ou excesso de exercícios.

*Bulimia nervosa* A **bulimia nervosa** afeta aproximadamente 1 a 2% de populações no mundo todo (Wilson et al., 2007). Uma pessoa com bulimia nervosa regularmente ingere quantidades enormes de alimento em um curto período (2 horas ou menos) e, então, pode tentar purgar a alta ingestão calórica mediante autoindução do vômito, dietas rigorosas ou jejum, exercícios excessivamente vigorosos, ou laxantes, enemas ou diuréticos. Esses episódios ocorrem pelo menos duas vezes por semana por pelo menos três meses (American Psychiatric Association, 2000). As pessoas com bulimia geralmente não estão acima do peso, mas são obcecadas com seu peso e forma. Elas tendem a ter autoestima baixa e podem ser dominadas pela vergonha, pelo autodesprezo e pela depressão (Wilson et al., 2007).

Um problema relacionado é o *transtorno da compulsão alimentar*, que envolve compulsões frequentes, mas sem o subsequente jejum, exercício ou vômito. De forma não supreendente, pessoas com compulsão alimentar frequentemente tendem a estar acima do peso e a experimentar sofrimento emocional e outros problemas físicos e psicológicos. Estima-se que 3% da população sofra de compulsão alimentar (Wilson et al., 2007).

Há alguma sobreposição entre anorexia e bulimia; algumas pessoas com anorexia passam por episódios bulímicos, e algumas pessoas com bulimia perdem muitos quilos (*Eating Disorders — Part I*, 1997). Diferentemente da anorexia, há poucas evidências de bulimia, seja historicamente, seja em culturas não sujeitas à influência ocidental (Keel & Klump, 2003).

Qual a sua **opinião?**

Você é capaz de sugerir maneiras de reduzir a prevalência de transtornos alimentares?

Capítulo 15 • Desenvolvimento físico e saúde na adolescência **407**

**QUADRO 15.3** Transtornos alimentares: fatores de risco e sintomas

| Fatores de risco | ▶ Aceitar as atitudes da sociedade em relação à magreza<br>▶ Ser perfeccionista<br>▶ Ser mulher<br>▶ Sofrer de ansiedade na infância<br>▶ Sentir-se cada vez mais preocupada ou dar excessiva atenção a peso e forma<br>▶ Ter problemas de alimentação e gastrintestinais durante a segunda infância<br>▶ Ter história familiar de adições ou transtornos alimentares<br>▶ Ter pais que se preocupam com o peso e com perder peso<br>▶ Ter autoimagem negativa | |
|---|---|---|
| | **Anorexia** | **Bulimia** |
| Sintomas | ▶ Usar laxantes, enemas ou diuréticos inadequadamente na tentativa de perder peso<br>▶ Compulsão alimentar<br>▶ Ir ao banheiro logo após as refeições<br>▶ Exercitar-se compulsivamente<br>▶ Restringir a quantidade de alimento ingerido<br>▶ Cortar o alimento em pedaços pequenos<br>▶ Cáries dentárias devido ao vômito autoinduzido<br>▶ Confusão ou pensamento lento<br>▶ Pele manchada ou amarelada<br>▶ Depressão<br>▶ Boca seca<br>▶ Sensibilidade extrema ao frio<br>▶ Cabelo fino<br>▶ Pressão arterial baixa<br>▶ Ausência de menstruação<br>▶ Memória ou julgamento deficientes<br>▶ Perda significativa de peso<br>▶ Perda de massa muscular e de gordura corporal | ▶ Abuso de laxantes, diuréticos ou enemas para evitar ganho de peso<br>▶ Compulsão alimentar<br>▶ Ir ao banheiro logo após as refeições<br>▶ Pesagem frequente<br>▶ Vômito autoinduzido<br>▶ Comportamento perfeccionista<br>▶ Cáries dentárias devido ao vômito autoinduzido |

***Tratamento dos transtornos alimentares e resultados*** O objetivo imediato do tratamento para anorexia é fazer o paciente comer e ganhar peso – metas frequentemente difíceis de alcançar dada a força das crenças dos pacientes sobre seus corpos. Um tratamento amplamente utilizado é um tipo de terapia familiar no qual os pais assumem o controle dos padrões alimentares de seu filho. Quando a criança começa a obedecer às diretrizes dos pais, ela pode ter mais autonomia adequada à idade (Wilson et al., 2007). A terapia cognitivo-comportamental, que busca mudar uma imagem corporal distorcida e recompensar a alimentação com privilégios como ter permissão para levantar da cama e sair do quarto, pode ser parte do tratamento (Beumont, Russell, & Touyz, 1993; Wilson et al., 2007). Pacientes que apresentam sinais de desnutrição grave, resistem ao tratamento ou não fazem progresso como pacientes ambulatoriais podem ser internados em um hospital, onde poderão receber atendimento 24 horas por dia. Uma vez estabilizado o peso, poderão passar a ter cuidados diários menos intensivos (McCallum & Bruton, 2003).

O melhor tratamento para a bulimia também é a terapia cognitivo-comportamental (Wilson et al., 2007). Os pacientes mantêm registros diários de seus padrões alimentares e são ensinados a evitar a tentação à compulsão. Psicoterapia individual, de grupo ou familiar pode ajudar pacientes com anorexia e bulimia, geralmente após a terapia comportamental inicial ter colocado os sintomas sob controle. Visto que esses pacientes estão sob risco de depressão e de suicídio, medicamentos antidepressivos costumam ser associados à psicoterapia (McCallum & Bruton, 2003), mas não há evidência de sua eficácia a longo prazo na anorexia ou na bulimia (Wilson et al., 2007).

Os adolescentes, com sua necessidade de autonomia, podem rejeitar a intervenção da família e talvez precisem da estrutura de um ambiente institucional. Entretanto, qualquer programa de tratamento para adolescentes deve envolver a família. Também deve atender às necessidades de desenvolvimento do adolescente, que podem ser diferentes das de pacientes adultos, e deve oferecer a oportunidade de acompanhar a escolarização (McCallum & Bruton, 2003).

As taxas de mortalidade entre pessoas afetadas com anorexia nervosa foram estimadas em cerca de 10% dos casos. Entre os sobreviventes da anorexia, menos da metade tem recuperação total e apenas um terço realmente melhora; 20% permanecem cronicamente doentes (Steinhausen, 2002). Também deve

**▶ Verificador**
**você é capaz de...**

■ Resumir as necessidades nutricionais normais e as deficiências dietéticas típicas dos adolescentes?

■ Discutir os fatores de risco, os efeitos, o tratamento e os prognósticos para obesidade, anorexia e bulimia?

ser observado que até um terço de pacientes abandona o tratamento antes de alcançar um peso adequado (McCallum & Bruton, 2003). As taxas de recuperação da bulimia são um pouco melhores e chegam a 30 a 50% após a terapia cognitivo-comportamental (Wilson et al., 2007).

## Consumo e abuso de substâncias

Embora a grande maioria dos adolescentes não abuse de substâncias, uma minoria significativa o faz. O **abuso de substâncias químicas** é o uso prejudicial de álcool ou outras substâncias. O abuso pode levar à **dependência química**, que pode ser fisiológica, psicológica ou ambas, e que provavelmente continuará até a idade adulta. As substâncias que causam dependência são especialmente perigosas porque estimulam partes do cérebro que ainda estão se desenvolvendo na adolescência (Chambers et al., 2003). Entre 2003 e 2004, cerca de 6% dos jovens entre 12 e 17 anos necessitavam de tratamento para uso de álcool, e mais de 5% para uso de substâncias ilícitas (National Survey on Drug Use and Health [NSDUH], 2006).

**Tendências no consumo de substâncias** Até o fim do ensino médio, mais de 35% dos adolescentes norte-americanos experimentaram substâncias ilícitas. Uma explosão no uso de substâncias durante o início da década de 1990 acompanhou uma diminuição das percepções de seus perigos e um abrandamento da desaprovação pelos pares. Entretanto, aquela tendência começou a reverter. O consumo de certas substâncias pelos adolescentes, especialmente estimulantes do sistema nervoso central, como a metanfetamina e a cocaína, tem apresentado declínio gradual. O consumo de LSD, *ecstasy* e substâncias psicoativas, como o Vicodin, tem-se mantido estável, e o consumo de maconha e de esteroides anabolizantes tem mostrado sinais de crescimento.

Esses dados resultam da última de uma série de pesquisas governamentais anuais com uma amostra representativa de âmbito nacional de alunos do 8º ano do ensino fundamental e 1º e 3º anos do ensino médio em mais de 400 escolas nos Estados Unidos (Johnston, O'Malley, Bachman, & Schulenberg, 2013; Figura 15.2). Os levantamentos provavelmente subestimam o uso de substâncias por adolescentes porque são baseados em autorrelatos e não atingem aqueles que abandonam o ensino médio, os quais têm maior probabilidade de usar substâncias. O progresso contínuo na eliminação do abuso de substâncias é lento porque novas substâncias são constantemente introduzidas ou substâncias antigas são redescobertas por uma nova geração, e os jovens não necessariamente generalizam as consequências adversas de substâncias antigas para substâncias mais novas (Johnston et al., 2013).

Uma nova tendência é o abuso de remédios para a tosse e para a gripe que não necessitam de prescrição médica: 3% dos estudantes do 8º ano, 4,7% daqueles do 1º ano e 5,6% daqueles do 3º ano relatam ter usado remédios como o dextrometorfano (DXM), um inibidor da tosse para "ficar alto", no ano anterior à pesquisa (Johnston et al., 2013).

**Fatores de risco para o abuso de substâncias** Qual é a probabilidade de um jovem em particular vir a abusar de substâncias? Os fatores de risco podem incluir temperamento difícil, fraco controle dos impulsos e tendência a buscar sensações fortes (Quadro 15.4). Quanto mais fatores de risco estiverem presentes, maior será a probabilidade do adolescente ou do jovem adulto vir a abusar de substâncias.

Examinemos com mais detalhes o álcool, a maconha e o tabaco, as três substâncias mais populares entre os adolescentes, e as consequências de seu uso.

***Álcool, maconha e tabaco*** O uso de álcool, maconha e tabaco entre os adolescentes norte-americanos seguiu uma tendência paralela à do consumo de substâncias mais pesadas, com um aumento significativo durante a maior parte da década de 1990, seguido por um declínio menor e gradual (Johnston et al., 2013).

O *álcool* é uma substância potente que altera a consciência com maior efeito no bem-estar físico, emocional e social. O abuso do álcool é um problema sério em vários países (Gabhainn & François, 2000). Em 2012, nos Estados Unidos, 11% dos alunos do 8º ano do ensino fundamental, 27% dos alunos do 1º ano do ensino médio e 42% dos alunos do 3º ano do ensino médio afirmaram ter consumido álcool pelo menos uma vez durante os últimos 30 dias (Johnston et al., 2013).

**abuso de substâncias químicas**
Uso repetido e prejudicial de uma substância química, geralmente álcool ou outras substâncias.

**dependência química**
Dependência (física, psicológica ou ambas) de uma substância química prejudicial.

**FIGURA 15.2**
Tendências no uso de substâncias ilícitas de estudantes do ensino médio nos últimos 12 meses.

*Fonte:* Johnston, O'Malley, Bachman, & Schulenberg, Fig. 1, 2013.

**Capítulo 15** • Desenvolvimento físico e saúde na adolescência

## QUADRO 15.4 Fatores de risco para abuso de substâncias na adolescência

Qual é a probabilidade de um jovem em particular vir a abusar de substâncias? Os fatores de risco incluem:

▶ Temperamento "difícil"

▶ Controle fraco dos impulsos e tendência a buscar sensações fortes (que pode ter uma base bioquímica)

▶ Influências familiares (como predisposição genética a alcoolismo, uso ou aceitação do uso de substâncias pelos pais, estilos de parentalidade insatisfatórios ou inconsistentes, conflito familiar e relacionamentos familiares perturbados ou distantes)

▶ Problemas de comportamento precoces e persistentes, particularmente agressividade

▶ Fracasso escolar e falta de compromisso com a educação

▶ Rejeição dos pares

▶ Associação com usuários de substâncias

▶ Alienação e rebeldia

▶ Atitudes favoráveis com relação ao uso de substâncias

▶ Iniciação precoce no uso de substâncias

Quanto mais fatores de risco estiverem presentes, maior será a probabilidade de o adolescente vir a abusar de substâncias.

*Fontes:* Hawkins, Catalano, & Miller, 1992; Johnson, Hoffmann, & Gerstein, 1996; Masse & Tremblay, 1997; Wong et al., 2006.

A maioria dos estudantes do ensino médio que bebem envolve-se no ***binge drinking*** – consumir cinco ou mais doses de bebida em apenas uma ocasião. Cerca de 25% dos alunos do último ano do ensino médio admitiram esse tipo de consumo (McQueeny et al., 2009). Um estudo recente baseado em MRI revelou que a prática de *binge drinking* pode afetar o raciocínio e a memória por danificar a "massa branca" sensível no cérebro (McQueeny et al., 2009). Em um estudo representativo de âmbito nacional, os consumidores excessivos de álcool (*binge drinkers*) eram mais propensos do que os outros estudantes a mostrar desempenho escolar insatisfatório e a se envolver em outros comportamentos de risco (Miller, Naimi, Brewer, & Jones, 2007).

Os adolescentes são mais vulneráveis que os adultos aos efeitos imediatos e de longo prazo do álcool sobre a aprendizagem e a memória (White, 2001). Em um estudo, jovens de 15 e 16 anos que abusavam de álcool e pararam de beber apresentaram deficiências cognitivas durante semanas em comparação com colegas que não consumiam álcool exageradamente (Brown, Tapert, Granholm, & Delis, 2000).

Apesar do declínio no uso de maconha desde 1996-1997, ela ainda é de longe a substância ilícita mais usada nos Estados Unidos. Em 2012, cerca de 11% dos alunos do 8º ano do ensino fundamental, 28% daqueles do 1 ano do ensino médio e 36% daqueles do 3º ano do ensino médio admitiram ter usado maconha no ano anterior (Johnston et al., 2013).

A fumaça da *maconha* normalmente contém mais de 400 substâncias cancerígenas, e sua potência duplicou nos últimos 25 anos (National Institute on Drug Abuse [NIDA], 2008). O uso intenso pode danificar o cérebro, o coração, os pulmões e o sistema imunológico e pode causar deficiências nutricionais, infecções respiratórias e outros problemas físicos. Ela pode diminuir a motivação, piorar a depressão, interferir nas atividades diárias e causar problemas familiares. O uso da maconha também pode prejudicar a memória, a velocidade do raciocínio, a aprendizagem e o desempenho escolar. Ela pode diminuir a percepção, o alerta, a amplitude da atenção, o julgamento e as habilidades motoras necessárias para dirigir um veículo e, portanto, pode contribuir para causar acidentes de trânsito (Messinis, Krypianidou, Maletaki, & Papathanasopoulos, 2006; NIDA, 1996; Substance Abuse and Mental Health Services Administration [SAMHSA], 2006; Office of National Drug Control Policy, 2008; Solowij et al., 2002). Em um estudo recente realizado pelo NIDA, mais de 13% dos alunos do ensino médio admitiram já ter dirigido sob influência de maconha (NIDA, 2008).

Contrariamente à crença comum, o uso da maconha pode causar dependência (Tanda, Pontieri, & DiChiara, 1997). Ela tem sido associada a comportamentos que atendem aos critérios para a dependência de substâncias estabelecidos pela American Psychiatric Association (2000) no *Manual diagnóstico e estatístico de transtornos mentais* (DSM-4). Esses comportamentos incluem: (1) tolerância (necessidade de quantidades maiores da substância para obter os mesmos efeitos); (2) sinto-

***binge drinking***
Consumir cinco ou mais doses de bebida em apenas uma ocasião.

*A maconha é a substância ilícita mais usada nos Estados Unidos. Além de seus próprios efeitos prejudiciais, a maconha pode levar ao uso de outras substâncias.*

Embora a maconha tenha evidentemente efeitos negativos, também há aplicações médicas documentadas. Por exemplo, ela é eficaz no tratamento de náusea em pacientes com câncer e tem sido usada para reduzir a pressão ocular em pacientes com glaucoma.

**Qual a sua opinião?**

A maconha deve ser legalizada, como o álcool? Justifique. Como é possível ajudar os adolescentes a evitar ou reduzir o uso de substâncias?

mas de abstinência; (3) consumo da substância mesmo na presença de efeitos adversos; (4) abandono das atividades sociais, profissionais e recreativas devido ao consumo da substância.

Nos Estados Unidos, cerca de 5% dos alunos do 8º ano do ensino fundamental, 11% dos alunos do 1º ano do ensino médio e 17% dos alunos do 3º ano do ensino médio são fumantes ativos de tabaco (fumam há mais de um mês) (Johnston et al., 2013). Embora esse número seja alto e preocupante, há algumas boas notícias. As taxas de tabagismo diminuíram de um terço a mais de metade entre os alunos do 8º ano do ensino fundamental até o 3º ano do ensino médio desde meados da década de 1990 nos Estados Unidos, e o consumo de tabaco na adolescência é um problema menos difundido do que na maioria dos outros países industrializados (Gabhainn & François, 2000). Estudos indicaram que a terapia de reposição de nicotina, em conjunto com o treinamento de habilidades comportamentais, pode ser eficaz para ajudar os adolescentes a parar de fumar (Killen et al., 2004).

O uso de substâncias frequentemente começa quando as crianças entram no ensino fundamental, quanto se tornam mais vulneráveis à pressão do grupo. Estudantes de 4º a 6º ano podem começar usando cigarros, cerveja e inalantes e, à medida que crescem, passar para maconha ou substâncias mais pesadas (National Parent's Resource Institute for Drug Education, 1999). Quanto mais cedo o jovem começa a usar uma substância, maior a probabilidade de usá-la frequentemente e maior sua tendência a abusar dela (Wong et al., 2006).

A idade média para começar a beber é 13 a 14 anos, e algumas crianças começam mais cedo. Um estudo recente descobriu que cerca de 28% de menores de idade que consomem bebidas alcoólicas ingeriram alguma bebida antes dos 13 anos (Faden, 2006). Adolescentes que começam a beber cedo tendem a ter problemas de comportamento ou a ter irmãos que são dependentes de álcool (Kuperman et al., 2005). Aqueles que começam a beber antes dos 15 anos têm cinco vezes maior probabilidade de tornar-se dependentes de álcool ou de abusar do álcool do que aqueles que começam a beber depois dos 21 anos ou mais tarde (SAMHSA, 2004).

O tabagismo frequentemente começa nos primeiros anos da adolescência como um sinal de força, rebeldia e da passagem da infância para a idade adulta. Essa imagem desejada permite que um adolescente iniciante tolere a aversão inicial às primeiras tragadas, após as quais os efeitos da nicotina começam a tomar conta para que se mantenha o hábito. Em um ou dois anos após começarem a fumar, esses adolescentes inalam a mesma quantidade de nicotina que os adultos e experimentam as mesmas fissuras e os mesmos efeitos da abstinência quando tentam parar. Os adolescentes atraídos ao tabagismo vêm de lares, escolas e comunidades onde o hábito é comum. Eles também tendem a sofrer de excesso de peso, de baixa autoestima e a não ter bom desempenho na escola (Jarvis, 2004).

Adolescentes expostos a álcool e outras substâncias químicas antes dos 15 anos de idade apresentam risco maior de transtornos por uso de substâncias (Hingson, Heeren, & Winte, 2006), comportamento sexual de risco (Stueve & O'Donnell, 2005), baixo rendimento escolar (King, Meehan, Trim, & Chassin, 2006) e crime. Embora muitos adolescentes expostos a substâncias tenham histórico de problemas de conduta, um estudo recente mostrou que mesmo crianças sem esse histórico ainda tinham risco maior de consequências negativas devido à exposição precoce a álcool e outras substâncias (Odgers et al., 2008).

A influência dos pares no consumo de tabaco e bebida foi extensivamente documentada (Center on Addiction and Substance Abuse at Columbia University [CASA], 1996; Cleveland & Wiebe, 2003). Da mesma forma que com as substâncias pesadas, a influência dos irmãos mais velhos e seus amigos aumenta a probabilidade de uso de tabaco e álcool (Rende, Slomkowski, Lloyd-Richardson, & Niaura, 2005).

Adolescentes que acreditam que seus pais desaprovam o tabagismo são menos propensos a fumar (Sargent & Dalton, 2001). Discussões ponderadas com os pais podem contrabalançar influências prejudiciais e desencorajar ou limitar o uso de álcool (Austin, Pinkleton, & Fujioka, 2000; Turrisi, Wiersman, & Hughes, 2000). Entretanto, os pais também podem ser uma influência negativa. Em um estudo longitudinal que comparou 514 filhos de alcoolistas com um grupo-controle equivalente, ter um dos pais alcoolista aumentava significativamente o risco de uso precoce de álcool e problemas futuros com a substância (Wong et al., 2006). A onipresença do uso de substâncias na mídia é outra influência importante. Filmes que retratam o tabagismo aumentam a iniciação precoce do hábito (Charlesworth & Glantz, 2005).

## Depressão

A prevalência de depressão aumenta durante a adolescência. Uma média anual superior a 8% de adolescentes de 12 a 17 anos experimentou pelo menos um episódio de depressão maior, e apenas cerca de 39% deles receberam tratamento (NSDUH, 2005). As taxas geralmente aumentam com o aumento da idade, como mostra a Figura 15.3. A depressão em jovens não se manifesta necessariamente como tristeza, mas como irritabilidade, tédio ou incapacidade de experimentar prazer. Uma das razões pela qual a depressão deve ser levada a sério é o perigo de suicídio (Brent & Birmaher, 2002).

As meninas adolescentes, especialmente que têm amadurecimento precoce, são mais propensas à depressão do que os meninos adolescentes (Brent & Birmaher, 2002; Ge et al., 2001a; NSDUH, 2012; Stice, Presnell, & Bearman, 2001). Essa diferença de gênero pode estar relacionada a alterações biológicas na puberdade; estudos mostram correlação entre avanço da puberdade e sintomas depressivos (Susman & Rogol, 2004). Outros possíveis fatores são o modo como as meninas são socializadas (Birmaher et al., 1996) e sua maior vulnerabilidade a estresse nas relações sociais (Ge et al., 2001a; U.S. Department of Health and Human Services [USDHHS], 1999b).

Além do gênero feminino, os fatores de risco para a depressão incluem ansiedade, medo do contato social, eventos estressantes na vida, doenças crônicas como diabetes ou epilepsia, conflito entre pais e filhos, abuso ou negligência, uso de álcool ou outras substâncias, atividade sexual e ter um dos pais com histórico de depressão. O uso de álcool e outras substâncias químicas e a atividade sexual têm maior probabilidade de causar depressão em meninas do que em meninos (Brent & Birmaher, 2002; Hallfors, Waller, Bauer, Ford, & Halpern, 2005; NSDUH, 2012; Waller et al., 2006). Problemas com imagem corporal e transtornos alimentares podem agravar os sintomas depressivos (Stice & Bearman, 2001).

Adolescentes deprimidos que não respondem a tratamento ambulatorial, que são dependentes de substâncias químicas, psicóticos ou aparentam ser suicidas precisam ser hospitalizados. Pelo menos 1 em cada 5 pessoas que experimentam surtos de depressão na infância ou na adolescência corre risco de apresentar transtorno bipolar, no qual episódios depressivos (períodos de "baixa") se alternam com episódios maníacos (períodos de "alta"), caracterizados por aumento de energia, euforia, grandiosidade e ousadia (Brent & Birmaher, 2002). Mesmo adolescentes com sintomas não suficientemente graves para

> ### Qual a sua opinião?
> Alguns Estados promulgaram leis sobre a venda de maconha para uso medicinal, e alguns até descriminalizaram o uso recreativo. A maconha deveria ser legalizada?

**Verificador**
**você é capaz de...**
- Resumir as tendências recentes no uso de substâncias entre adolescentes?
- Discutir os fatores de risco e as influências ligadas ao uso de substâncias, especificamente álcool, maconha e tabaco?
- Explicar por que a iniciação precoce do uso de substâncias é perigosa?

Jogar Tetris pode ajudar a melhorar os *flashbacks* associados ao transtorno de estresse pós-traumático.

*Holmes, James, Kilford, & Deeprose, 2010*

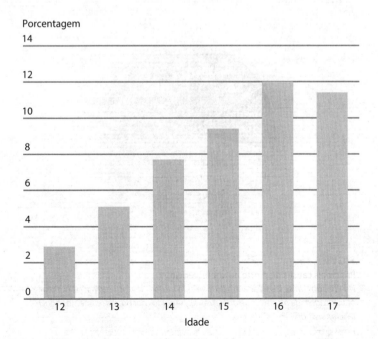

**FIGURA 15.3**
Taxas de depressão para crianças de 12 a 17 anos.
*As taxas de depressão normalmente crescem com o aumento da idade durante a adolescência.*
Fonte: NSDUH, 2012.

um diagnóstico de depressão têm risco elevado para depressão e comportamento suicida aos 25 anos (Fergusson, Horwood, Ridder, & Beautrais, 2005).

Os inibidores seletivos da recaptação de serotonina (ISRSs) são o único tipo de medicamento antidepressivo atualmente aprovado para crianças e adolescentes. Contudo, tal como ocorre com o uso de ISRSs em crianças, há uma preocupação sobre a segurança desses medicamentos em adolescentes. Nem todos os ISRSs são eficazes, e alguns foram associados a leve aumento no risco de suicídio (Williams, O'Connor, Eder, & Whitlock, 2009). Devido a esses problemas de segurança, a Food and Drug Administration exige que a distribuição e a venda de ISRSs sejam acompanhadas de um aviso (Leslie, Newman, Chesney, & Perrin, 2005).

A única outra opção de tratamento é a psicoterapia. Uma análise de todos os estudos disponíveis revelou pouca eficácia da psicoterapia cognitiva ou não cognitiva a curto prazo, com efeitos que não duram mais do que um ano (Weisz, McCarty, & Valeri, 2006). Dada a maior eficácia do medicamento antidepressivo, especialmente a fluoxetina, a Society for Adolescent Medicine apoia seu uso em adolescentes quando garantido clinicamente e monitorado de perto, apesar do risco (Lock, Walker, Rickert, & Katzman, 2005).

## Morte na adolescência

A morte nessa fase da vida é sempre trágica e geralmente acidental, mas nem sempre é assim. Nos Estados Unidos, 63% de todas as mortes entre adolescentes resultam de acidentes de automóvel, de outros ferimentos não intencionais, de homicídio e de suicídio (National Highway Traffic Safety Administration [NHTSA], 2009; Figura 15.4). A frequência de mortes violentas nessa faixa etária reflete uma cultura violenta, bem como a inexperiência e a imaturidade dos adolescentes, que frequentemente os levam a correr riscos e assumir comportamentos descuidados.

**Mortes por ferimentos** Colisões envolvendo veículos motores são a principal causa de morte entre adolescentes norte-americanos, responsáveis por 35% de todas as mortes na adolescência. O risco de colisão é maior para jovens entre 16 e 19 anos do que para qualquer outra faixa etária, especialmente para jovens entre 16 e 17 anos que começaram a dirigir recentemente (McCartt, 2001; Miniño, Anderson, Fingerhut, Boudreault, & Warner, 2006; National Center for Injury Prevention and Control [NCIPC], 2004). As colisões têm maior probabilidade de ser fatais quando há passageiros adolescentes no veículo, provavelmente porque os adolescentes tendem a dirigir de maneira mais imprudente na presença dos pares (Chen, Baker, Braver, & Li, 2000). Nos Estados Unidos, 64% de todos os motoristas ou motociclis-

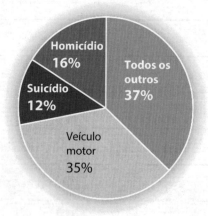

**FIGURA 15.4**
Principais causas de morte na adolescência.
*Nos Estados Unidos, os acidentes com veículo motor são responsáveis pela maior porcentagem de mortes entre adolescentes, seguidos por outros ferimentos não intencionais, homicídio e suicídio.*

*Fonte:* NHTSA, 2009.

tas entre 15 e 20 anos que estavam envolvidos em acidentes de trânsito fatais e que tinham nível de álcool no sangue de 0,08 ou mais alto morreram como resultado do acidente, o que sugere que o álcool é um fator importante nas mortes relacionadas a acidentes de automóvel. Apesar dos esforços visando aumentar o uso do cinto de segurança entre adolescentes, o uso observado entre adolescentes e adultos jovens foi de 76% em 2006 – o mais baixo de qualquer faixa etária. De fato, em 2006, 58% dos jovens de 16 a 20 anos envolvidos em acidentes de automóvel fatais não estavam usando o cinto de segurança (NHTSA, 2009).

**Mortes relacionadas com armas de fogo** As mortes de jovens entre 15 e 19 anos (incluindo homicídio, suicídio e mortes acidentais) relacionadas a armas de fogo são bem mais comuns nos Estados Unidos do que em outros países industrializados. Elas constituem cerca de um terço de todas as mortes por ferimento e mais de 85% dos homicídios naquela faixa etária. A principal razão para essa cruel estatística parece ser a facilidade de se obter uma arma no país (AAP Committee on Injury and Poison Prevention, 2000). Entretanto, as taxas de mortes de jovens por armas de fogo diminuíram desde 1993 (AAP Committee on Injury and Poison Prevention, 2000; NCHS, 2005), período no qual a polícia começou a confiscar armas nas ruas (Cole, 1999) e menos adolescentes passaram a portá-las (USDHHS, 1999b).

*O acesso a armas de fogo é um fator importante no aumento de suicídio na adolescência.*

**Suicídio** O suicídio é a quarta principal causa de morte entre jovens de 15 a 19 anos nos Estados Unidos (CDC, 2010; NHTSA, 2009). A taxa de suicídio entre adolescentes caiu 34% de 1990 a 2006 (CDC, 2008b). Em 2004, entretanto, a taxa de suicídio voltou a subir 8% – seu nível mais alto em 15 anos, com os maiores aumentos entre meninas adolescentes. O enforcamento superou as armas de fogo como método preferido entre as meninas, mas os meninos continuam sendo mais propensos a usar armas de fogo (Lubell, Kegler, Crosby, & Karch, 2007).

Embora o suicídio ocorra em todos os grupos étnicos, meninos norte-americanos nativos apresentam os maiores índices, e as meninas afro-americanas, os menores. Adolescentes *gays*, lésbicas e bissexuais, que apresentam altas taxas de depressão, também apresentam altas taxas de suicídio e tentativas (AAP Committee on Adolescence, 2000; NCHS, 2009; Remafedi, French, Story, Resnick, & Blum, 1998).

Jovens que tentam suicídio ou pensam nele tendem a ter históricos de doença emocional. Eles são mais propensos a ser perpetradores ou vítimas de violência e a ter problemas na escola, acadêmicos ou comportamentais. Muitos sofreram maus-tratos na infância e têm graves problemas de relacionamento. Eles tendem a desvalorizar-se, a sentir-se desamparados e a ter pouco controle sobre os impulsos e baixa tolerância à frustração e ao estresse. Esses jovens geralmente apresentam alienação parental e não têm ninguém fora da família a quem recorrer. É possível que tenham tentado o suicídio antes ou tenham amigos ou membros da família que o fizeram (Borowsky, Ireland, & Resnick, 2001; Brent & Mann, 2006; Garland & Zigler, 1993; Johnson et al., 2002; NIMH, 1999; "Suicide—Part I", 1996; Swedo et al., 1991). O álcool está envolvido em metade dos suicídios de adolescentes (AAP Committee on Adolescence, 2000). Talvez o fator fundamental seja uma tendência à agressividade impulsiva. Estudos de imagem cerebral e de necropsia do cérebro de pessoas que tentaram ou cometeram suicídio identificaram alterações nas regiões do córtex pré-frontal envolvendo a emoção, a regulação e a inibição comportamental (Brent & Mann, 2006). Os fatores de proteção que reduzem o risco de suicídio incluem a ligação com a família e a escola, o bem-estar emocional e o bom desempenho escolar (Borowsky et al., 2001).

## Fatores de proteção: a saúde em pauta

O desenvolvimento dos adolescentes, assim como o das crianças mais novas, não é descontextualizado. Como vimos, os ambientes familiar e escolar desempenham um papel importante na saúde física e mental.

Um estudo com 12.118 alunos do 7º ano do ensino fundamental ao 3º ano do ensino médio, em uma amostra de 134 escolas nos Estados Unidos (Resnick et al., 1997), procurou os fatores de risco e os fatores de proteção que afetam os quatro principais aspectos da saúde e do bem-estar dos adolescentes: o sofrimento emocional e o comportamento suicida; o envolvimento em brigas, as ameaças de violência

# PARTE VI • Adolescência

## Verificador
### você é capaz de...

- Discutir os fatores que afetam as diferenças de gênero na depressão adolescente?
- Citar as três principais causas de morte entre os adolescentes e discutir os perigos dos ferimentos por armas de fogo?
- Discutir as tendências e os fatores de risco para o suicídio entre adolescentes?
- Identificar os fatores que tendem a proteger os adolescentes dos problemas de saúde?

ou o uso de armas; o uso de cigarros, álcool e maconha; e a experiência sexual, que inclui a idade da iniciação sexual e qualquer histórico de gravidez. Os estudantes preencheram questionários e passaram por entrevistas de 90 minutos em casa. Durante as partes delicadas da entrevista, os jovens ouviram perguntas em fones de ouvido e escreveram suas respostas em computadores. Os administradores das escolas também preencheram questionários.

Os resultados acentuam a relação entre o desenvolvimento físico, cognitivo, emocional e social. As percepções da conexão com os outros, em casa e na escola, afetaram positivamente a saúde e o bem--estar dos jovens em todos os domínios. Um fator importante foi o tempo gasto pelos pais e a disponibilidade para os filhos adolescentes. Ainda mais importante foi a percepção de que os pais e os professores eram afetuosos e zelosos e tinham grandes expectativas quanto às conquistas dos adolescentes. Esses resultados são claros e consistentes com os de outra pesquisa: os adolescentes que recebem apoio emocional em casa e que estão bem adaptados na escola têm maiores probabilidades de evitar os problemas de saúde na adolescência.

# resumo & palavras-chave

## ❶ Adolescência: uma transição do desenvolvimento

***O que é a adolescência e quais são as oportunidades e os riscos acarretados por ela?***

- A adolescência, nas sociedades industriais modernas, é a transição da infância para a idade adulta. Ela dura aproximadamente dos 11 aos 19 ou 20 anos.
- Em algumas culturas não ocidentais, a maioridade é anunciada por ritos especiais.
- A adolescência é cheia de oportunidades para o crescimento físico, cognitivo e psicossocial, mas também de riscos para o desenvolvimento saudável. Os padrões de comportamento de risco, como o consumo de bebidas alcoólicas, o abuso de substâncias, o envolvimento em atividades sexuais e com gangues e o uso de armas de fogo, tendem a ser estabelecidos no início da adolescência. Cerca de 4 em cada 5 jovens não passam por grandes problemas.
  **adolescência (394)**
  **puberdade (394)**

## ❷ Puberdade: o fim da infância

***Quais são as alterações físicas que os adolescentes experimentam e como essas alterações os afetam em termos psicológicos?***

- A puberdade é desencaeada por mudanças hormonais que podem afetar o humor e o comportamento. A puberdade dura cerca de quatro anos, normalmente começa mais cedo nas meninas do que nos meninos, e termina quando o indivíduo é capaz de reproduzir.
- As características sexuais primárias (os órgãos reprodutores) aumentam de tamanho e amadurecem durante a puberdade. As características sexuais secundárias também aparecem.
- Durante a puberdade, tanto os meninos como as meninas passam por um surto de crescimento puberal. A tendência secular de atingir mais cedo a estatura adulta e a maturidade sexual começou há cerca de cem anos, provavelmente em razão de melhorias nos padrões de vida.

- Os principais sinais de maturidade sexual são a produção de esperma (para os meninos) e a menstruação (para as meninas). A espermarca normalmente acontece aos 13 anos. A menarca acontece, em média, entre os 12 e os 13 anos nos Estados Unidos.
- Os adolescentes, especialmente as meninas, tendem a ser sensíveis em relação a sua aparência física. As meninas que amadurecem cedo tendem a ajustar-se com menos facilidade do que os meninos.
  **características sexuais primárias (398)**
  **características sexuais secundárias (398)**
  **surto de crescimento puberal (399)**
  **espermarca (399)**
  **menarca (399)**
  **tendência secular (400)**

## ❸ O cérebro do adolescente

***Que tipo de desenvolvimento cerebral ocorre durante a adolescência e como ele afeta o comportamento?***

- O cérebro do adolescente ainda não está totalmente maduro. Os adolescentes processam informações sobre emoções com a amígdala, enquanto os adultos usam o lobo frontal. Assim, os adolescentes tendem a fazer julgamentos menos precisos e menos elaborados.
- Uma onda de superprodução de massa cinzenta, especialmente nos lobos frontais, é seguida pela eliminação dos dendritos em excesso. A mielinização contínua dos lobos frontais facilita o amadurecimento do processamento cognitivo.
- O desenvolvimento insuficiente dos sistemas corticais frontais ligados à motivação, à impulsividade e à dependência pode ser a explicação para a tendência dos adolescentes a assumir riscos.
- Devido a seu cérebro em desenvolvimento, os adolescentes são particularmente vulneráveis aos efeitos do álcool e de outras substâncias químicas que causam dependência.

## ❹ Saúde física e mental

***Quais são os problemas de saúde mais comuns na adolescência e como eles podem ser evitados?***

- Para a maioria, os anos da adolescência são relativamente saudáveis. Problemas de saúde costumam estar associados à pobreza ou a um

**Capítulo 15** • Desenvolvimento físico e saúde na adolescência

estilo de vida que envolve riscos. Os adolescentes têm menos probabilidade do que as crianças mais novas de precisar de cuidados médicos regulares.

- Muitos adolescentes, sobretudo as meninas, não praticam atividade física vigorosa regularmente.
- Muitos adolescentes não dormem o suficiente porque o horário da escola não está sincronizado com os ritmos naturais de seu corpo.
- Os três transtornos alimentares comuns na adolescência são a obesidade, a anorexia nervosa e a bulimia nervosa. Todos eles podem ter graves efeitos de longo prazo. A anorexia e a bulimia afetam principalmente meninas. Os resultados para a bulimia tendem a ser melhores do que para a anorexia.

- O abuso e a dependência de substâncias por adolescentes diminuíram nos últimos anos, mas o consumo de medicamentos sem prescrição médica aumentou.
- A maconha, o álcool e o tabaco são as substâncias químicas mais populares entre os adolescentes. Todas envolvem graves riscos.
- As causas principais de morte entre adolescentes incluem acidentes de automóvel, uso de arma de fogo e suicídio.

**anorexia nervosa (406)**
**bulimia nervosa (406)**
**abuso de substâncias químicas (408)**
**dependência de substâncias (408)**
*binge drinking* **(409)**

*Capítulo* **16**

## Desenvolvimento cognitivo na adolescência

### Sumário

Aspectos do amadurecimento cognitivo

Desenvolvimento moral

Questões educacionais e vocacionais

### Você sabia que...

▶ Adolescentes com pais democráticos que os apoiam e os estimulam a questionar e a expandir seu raciocínio moral tendem a raciocinar em níveis mais elevados?

▶ As meninas tendem a apresentar um comportamento mais pró-social do que os meninos, e essa diferença torna-se mais perceptível na adolescência?

▶ Os pesquisadores discordam acerca dos benefícios e prejuízos do trabalho em tempo parcial de alunos do ensino médio?

*Neste capítulo, vamos explorar o estágio operatório--formal de Piaget. Observaremos o desenvolvimento dos adolescentes no processamento de informação, incluindo a memória, o conhecimento e o raciocínio, e no vocabulário e em outras habilidades linguísticas. Vamos analisar alguns aspectos imaturos do pensamento adolescente e abordar seu desenvolvimento moral e espiritual. Por fim, iremos explorar alguns aspectos do desenvolvimento cognitivo — questões relacionadas à escola e à escolha vocacional.*

**PARTE VI** • Adolescência

# Guia de estudo

1. Como o pensamento e o uso da linguagem na adolescência diferem dos da infância?
2. Quais são os critérios que os adolescentes usam para fazer julgamentos morais e como varia o comportamento pró-social?
3. Quais influências afetam o desempenho escolar dos adolescentes, seu planejamento e preparação educacional e vocacional?

## Guia de estudo 1

Como o pensamento e o uso da linguagem na adolescência diferem dos da infância?

**operatório-formal**
Segundo Piaget, o estágio final do desenvolvimento cognitivo, caracterizado pela habilidade de pensar em termos abstratos.

**raciocínio hipotético-dedutivo**
Capacidade, segundo Piaget, que acompanha o estágio operatório-formal, de desenvolver, considerar e testar hipóteses.

# Aspectos do amadurecimento cognitivo

Não apenas a aparência dos adolescentes é diferente de quando eram crianças; eles também pensam e falam de maneira diferente. A velocidade do processamento de informação continua a aumentar, embora não tão intensamente como na terceira infância. Embora o pensamento possa permanecer imaturo em alguns aspectos, muitos adolescentes são capazes de raciocinar em termos abstratos e de emitir julgamentos morais sofisticados, além de conseguirem planejar o futuro de modo mais realista.

## Estágio operatório-formal de Piaget

Os adolescentes entram no que Piaget chamou de o nível mais alto de desenvolvimento cognitivo – o **operatório-formal** – quando desenvolvem a habilidade de pensar em termos abstratos. Esse desenvolvimento, que geralmente ocorre por volta dos 11 anos, lhes proporciona uma maneira mais flexível de manipular informação. Não mais limitados ao aqui e agora, eles conseguem entender o tempo histórico e o espaço extraterrestre. Podem utilizar símbolos para representar outros símbolos (p. ex., fazendo a letra $X$ representar um numeral desconhecido) e, assim, aprender álgebra e cálculo. Podem apreciar melhor a metáfora e a alegoria e, assim, descobrir significados mais profundos na literatura. Estão aptos a pensar em termos do que *poderia* ser, não só do que *é*. São capazes de imaginar possibilidades e sabem formular e testar hipóteses.

As pessoas no estágio operatório-formal podem integrar o que aprenderam no passado com os desafios do presente e fazer planos para o futuro. A habilidade de pensar em termos abstratos também traz implicações emocionais. Enquanto uma criança pequena podia amar os pais ou odiar um colega, "o adolescente pode amar a liberdade ou odiar a exploração... O possível e o ideal cativam tanto a mente quanto os sentimentos" (H. Ginsburg & Opper, 1979, p. 201).

**Raciocínio hipotético-dedutivo** O **raciocínio hipotético-dedutivo** envolve uma abordagem metódica e científica para a resolução de problemas e caracteriza o pensamento operatório-formal. Ele envolve a habilidade de desenvolver, considerar e testar hipóteses, e o indivíduo jovem pode ser comparado a um cientista que explora as várias facetas da vida. Para avaliarmos a diferença que fazem as operações/raciocício formal, sigamos o progresso de uma criança típica ao lidar com um problema piagetiano clássico: o problema do pêndulo.[1]

A criança, Adam, é apresentada ao pêndulo, um objeto pendurado em um cordão. É mostrado a ela como é possível alterar qualquer um dos quatro fatores: o comprimento do cordão, o peso do objeto, a altura da qual o objeto está suspenso e a quantidade de força que ela pode usar para empurrá-lo. Adam é convidado a descobrir qual é o fator ou o conjunto de fatores que determina a velocidade em que o pêndulo oscila. (A Figura 16.1 ilustra essa e outras tarefas piagetianas para avaliar a conquista das operações/raciocício formal.)

Quando Adam vê o pêndulo pela primeira vez, ele ainda não tem 7 anos e está no estágio pré-operatório. Incapaz de formular um plano para atacar o problema, ele tenta uma solução depois da outra na base da tentativa e erro. Primeiro, ele coloca um peso leve em um cordão longo e o empurra; depois, tenta fazer oscilar um peso maior em um cordão curto; em seguida, ele remove o peso. Seu método não só é aleatório como ele também não consegue entender nem relatar o que aconteceu.

---

[1] Esta descrição de diferenças relacionadas à idade na abordagem do problema do pêndulo é adaptada a partir de H. Ginsburg e Opper (1979).

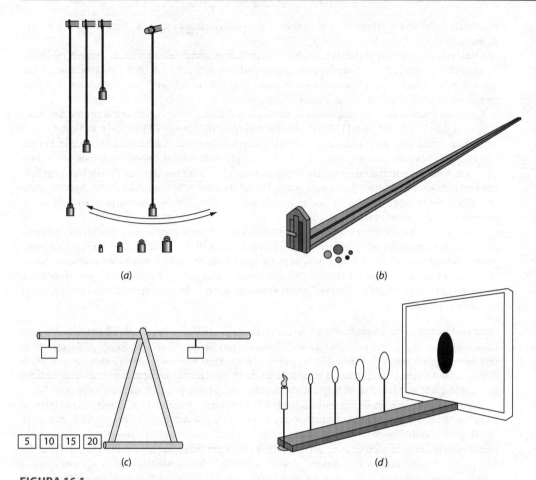

**FIGURA 16.1**
Tarefas piagetianas para avaliar a realização das operações formais.
(a) Pêndulo. O cordão do pêndulo pode ser encurtado ou alongado, e nele é possível pendurar pesos diferentes. O indivíduo deve determinar quais são as variáveis que afetam a velocidade de oscilação do pêndulo. (b) Movimento em um plano horizontal. Um dispositivo elástico atinge bolas de vários tamanhos que rolam em um plano horizontal. O indivíduo deve prever os pontos em que elas irão parar. (c) Barra de equilíbrio. Uma balança com pesos de vários tamanhos que podem ser pendurados em diferentes pontos da barra transversal. O indivíduo deve indicar os fatores que determinam a inclinação da barra. (d) Sombras. Uma placa com uma fila de orifícios é fixada perpendicularmente à base de uma tela. A fonte de luz e os anéis com vários diâmetros são colocados nos orifícios, a distâncias diferentes da tela. O indivíduo deve produzir duas sombras do mesmo tamanho usando anéis de dimensões diferentes.

*Fonte:* Adaptada de Small, Fig. 8-12, 1990.

Depois disso, Adam volta a ter contato com o pêndulo aos 10 anos, quando ele se encontrava no estágio operatório-concreto. Desta vez, ele descobre que, variando o comprimento do cordão e o peso do objeto, a velocidade de oscilação do objeto é afetada. Entretanto, como ele varia ambos os fatores ao mesmo tempo, não consegue distinguir qual deles faz diferença ou se ambos fazem.

Adam está diante do pêndulo pela terceira vez aos 15 anos e, desta vez, ele enfrenta o problema sistematicamente. Ele elabora um experimento para testar todas as hipóteses, variando um fator por vez – primeiro, o comprimento do cordão; depois, o peso do objeto; em seguida, a altura em que está suspenso; e, finalmente, a quantidade de força utilizada –, cada vez mantendo os outros três fatores constantes. Assim, ele é capaz de verificar que apenas um fator – o comprimento do cordão – determina a velocidade de oscilação do pêndulo.

A solução que Adam dá ao problema do pêndulo mostra que ele chegou ao estágio operatório-formal. Agora ele é capaz de raciocínio hipotético-dedutivo: ele considera todas as relações que pode imaginar e as testa sistematicamente, uma por uma, para eliminar as falsas e chegar à verdadeira. O raciocínio

Cinquenta por cento dos estudantes universitários, mesmo aqueles matriculados em cursos de Psicologia, nos quais a questão da percepção é tratada, acreditavam que a visão inclui raios que entram nos nossos olhos (o que é correto), bem como raios que saem dos nossos olhos (o que não é). Em outras palavras, 50% dos estudantes acham que podemos enxergar com algo semelhante à visão de raio X.

*Gregg, Winer, Cottrell, Hedman, & Fournier, 2001*

Qual a sua **opinião?**

Como os pais e os professores podem ajudar os adolescentes a melhorar sua habilidade de raciocínio?

hipotético-dedutivo lhe proporciona um instrumento para resolver problemas, desde consertar o carro da família a elaborar uma teoria política.

O que provoca a mudança para o raciocínio formal? Piaget atribuiu essa mudança a uma combinação de amadurecimento cerebral e expansão das oportunidades ambientais. Ambas são essenciais: mesmo que o desenvolvimento neurológico do jovem tenha avançado o suficiente para permitir o raciocínio formal, ele só poderá realizá-lo com a estimulação apropriada.

Como acontece com o desenvolvimento operatório-concreto, a escolarização e a cultura desempenham um papel – como Piaget (1972) finalmente reconheceu. Quando adolescentes na Nova Guiné e em Ruanda foram testados em relação ao problema do pêndulo, nenhum foi capaz de resolvê-lo. Por sua vez, crianças chinesas em Hong Kong, que tinham frequentado escolas britânicas, saíram-se tão bem quanto as norte-americanas ou europeias. Crianças em idade escolar em Java e no País de Gales também apresentaram algumas capacidades operacionais formais (Gardiner & Kosmitzki, 2005). Aparentemente, o raciocínio formal é uma habilidade aprendida que não é igualmente necessária ou igualmente valorizada em todas as culturas.

Saber quais perguntas fazer e quais estratégias funcionam é fundamental para o raciocínio hipotético-dedutivo. Quando foi solicitado que 30 estudantes urbanos de 6º ano de baixo desempenho investigassem os fatores envolvidos no risco de terremoto, aqueles que receberam uma sugestão de concentrar-se em uma variável de cada vez fizeram inferências mais válidas do que aqueles que não receberam a sugestão (Kuhn & Dean, 2005). Esse resultado demonstra que o raciocínio hipotético-dedutivo pode ser ensinado e aprendido.

**Avaliando a teoria de Piaget** Piaget estava certo acerca de suas crenças sobre o pensamento adolescente? Os psicólogos têm criticado seu trabalho em várias frentes. Os três principais problemas parecem ser o desacordo sobre o início do pensamento das operações formais; a pouca atenção prestada às diferenças individuais e culturais; e a incapacidade de abordar outros avanços cognitivos relacionados que têm impacto no raciocínio das operações formais. Vamos abordar, aqui, cada uma das questões.

Embora os adolescentes *de fato* tenham tendência a pensar de maneira mais abstrata que as crianças pequenas, há um debate sobre a idade precisa em que se dá esse avanço (Eccles, Wigfield, & Byrnes, 2003). Os textos de Piaget fornecem muitos exemplos de crianças exibindo aspectos do pensamento científico bem antes da adolescência. Ao mesmo tempo, Piaget parece ter superestimado as habilidades de algumas crianças mais velhas. Muitos adolescentes mais velhos e adultos – talvez entre um terço e metade – parecem incapazes de pensar em termos abstratos, conforme a definição de Piaget (Gardiner & Kosmitzki, 2005; Kohlberg & Gilligan, 1971; Papalia, 1972), e mesmo aqueles que são capazes de utilizar esse tipo de pensamento nem sempre o fazem. Assim, o início dos processos de pensamento das operações formais nem sempre correspondeu ao que Piaget argumentou que ocorria.

Na maioria de seus primeiros textos, Piaget deu pouca atenção às diferenças individuais, às variações no desempenho da mesma criança em diferentes tipos de tarefas ou às influências sociais e culturais. Nos seus últimos anos, o próprio Piaget "passou a considerar falho seu modelo anterior do desenvolvimento do pensamento infantil, sobretudo o operatório-formal, pois não captava o *papel essencial da situação* para influenciar e para limitar... o pensamento das crianças" (Brown, Metz, & Campione, 1996, pp. 152-153). Pesquisas neopiagetianas sugerem que os processos cognitivos da criança estão intimamente ligados a conteúdos específicos (*sobre* o que uma criança está pensando), bem como ao contexto de um problema e aos tipos de informação e pensamento que uma cultura considera importantes (Case & Okamoto, 1996; Kuhn, 2006). Assim, por exemplo, quando as crianças ou os adolescentes são convidados a raciocinar dentro do contexto de situações ou de objetos familiares, apresentam desempenhos mais elevados, o que sugere que o conhecimento prévio afeta a habilidade de raciocinar formalmente.

Além disso, a teoria de Piaget não considera adequadamente avanços cognitivos como ganhos na habilidade de processamento de informação, acumulação de conhecimento e especialização em áreas específicas e o papel da *metacognição*, a consciência e a monitoração dos próprios processos e estratégias mentais (Flavell, Miller, & Miller 2002). Essa habilidade de "pensar sobre o que se está pensando" e, portanto, de gerenciar os processos mentais – em outras palavras, a intensificação da função executiva – pode ser o principal avanço do pensamento do adolescente, o resultado das mudanças que estão ocorrendo em seu cérebro (Kuhn, 2006).

## Elkind: as características imaturas do pensamento adolescente

Vimos como as crianças evoluem de seres egocêntricos para indivíduos capazes de resolver problemas abstratos e imaginar como seriam as sociedades ideais. Mesmo assim, de alguma forma, o pensamento dos adolescentes parece estranhamente imaturo. Eles costumam ser rudes com os adultos, têm dificuldade de escolher o que vão vestir no dia a dia e tendem a agir como se o mundo inteiro girasse ao redor deles.

De acordo com o psicólogo David Elkind (1984, 1998), esse comportamento tem origem nas incursões inexperientes dos adolescentes no pensamento operatório-formal. Essa nova forma de pensar, que fundamentalmente transforma o modo como eles se veem e veem o mundo, é tão estranha para eles como a transformação dos seus corpos, que por vezes os embaraça. À medida que colocam à prova seus novos poderes, por vezes tropeçam, como bebês aprendendo a andar.

Essa imaturidade de pensamento, sugere Elkind, manifesta-se por meio de pelo menos seis formas características:

1. *Idealismo e espírito crítico*: à medida que os adolescentes visualizam um mundo ideal, eles percebem o quanto o mundo real, cuja responsabilidade atribuem aos adultos, está aquém de suas expectativas. Tornam-se ultraconscientes da hipocrisia. Convencidos de que sabem melhor do que os adultos a forma de conduzir o mundo, eles encontram frequentemente falhas nos pais e em outras figuras que representam autoridade.
2. *Argumentação*: os adolescentes estão constantemente procurando oportunidades para experimentar suas capacidades de raciocínio. Eles se tornam argumentativos à medida que elaboram uma defesa para, por exemplo, voltar para casa depois do horário determinado pelos pais.
3. *Indecisão*: os adolescentes podem pensar em várias alternativas simultaneamente e, mesmo assim, não apresentar as estratégias eficazes para escolher uma delas. Eles podem ter dificuldade em organizar suas ideias mesmo sobre coisas simples, como decidir se devem ir ao *shopping* com um amigo ou se devem fazer um trabalho da escola.
4. *Hipocrisia aparente*: os jovens adolescentes quase sempre não reconhecem a diferença entre expressar um ideal, como o de poupar energia, e fazer os sacrifícios necessários para a prática, como, por exemplo, usar menos o carro.
5. *Autoconsciência*: os adolescentes podem refletir sobre o ato de pensar — sobre o seu e sobre o das outras pessoas. Contudo, devido à preocupação com seu próprio estado mental, assumem frequentemente que todas as outras pessoas pensam o mesmo que eles: neles próprios. Elkind refere-se a essa autoconsciência como **audiência imaginária**, um "observador" conceitualizado que está tão preocupado com os pensamentos e o comportamento do jovem quanto ele mesmo. A fantasia da audiência imaginária é especialmente forte no início da adolescência, mas persiste em menor grau durante a vida adulta.
6. *Sentimento de ser especial e de invulnerabilidade*: Elkind usa o termo **fábula pessoal** para explicar a crença dos adolescentes de que são especiais, de que suas experiências são únicas e de que não estão sujeitos às regras que governam o resto do mundo. Essa convicção pode encorajar os adolescentes a acreditar que podem dirigir em alta velocidade de forma imprudente e que não correm o risco de sofrer um acidente. Segundo Elkind, essa forma de egocentrismo embasa muitos comportamentos autodestrutivos e arriscados. Tal como a audiência imaginária, a fábula pessoal também continua na idade adulta.

Os conceitos de audiência imaginária e de fábula pessoal têm sido amplamente aceitos, mas sua validade como marcas distintas da adolescência tem pouco apoio à pesquisa independente. Em alguns estudos sobre a fábula pessoal, os adolescentes tinham maior probabilidade do que estudantes universitários ou adultos de se considerarem vulneráveis a determinados riscos, tais como morte prematura e problemas com álcool e drogas, ao invés de menor probabilidade, como a fábula pessoal poderia prever (Fischhoff, Bruine de Bruin, Parker, Millstein, & Halpern-Felsher, 2010; Quadrel, Fischoff, & Davis, 1993).

Tem sido sugerido que a audiência imaginária e a fábula pessoal, mais do que características do desenvolvimento cognitivo dos adolescentes, podem estar relacionadas a experiências sociais específicas. Por exemplo,

## Verificador
### você é capaz de...

- Explicar a diferença entre pensamento operacional-formal e operacional-concreto, conforme exemplificado pelo problema do pêndulo?
- Identificar os fatores que influenciam o desenvolvimento do raciocínio formal dos adolescentes?
- Avaliar os pontos fortes e os pontos fracos do estágio operatório-formal de Piaget?

**audiência imaginária**
Termo de Elkind relativo ao observador que só existe na mente do adolescente e que está tão preocupado quanto ele acerca de seus pensamentos e suas ações.

**fábula pessoal**
Termo de Elkind para a convicção de que o adolescente é especial, único e que não está sujeito às regras que governam o resto do mundo.

*A argumentação — normalmente com os pais — é uma característica típica do pensamento adolescente, segundo David Elkind.*

## 422 PARTE VI • Adolescência

**Verificador**
**você é capaz de...**

■ Descrever os seis aspectos do pensamento imaturo do adolescente propostos por Elkind e explicar como eles podem crescer durante a transição para o pensamento operatório-formal?

contrariando a fábula pessoal, em um estudo com 2.694 adolescentes negros urbanos tratados em uma clínica para pacientes ambulatoriais, em Washington, D. C., cerca de 7% dos meninos e mais de 5% das meninas disseram acreditar que morreriam nos dois anos seguintes. Aqueles que relataram assumir riscos para a saúde ou que estavam expostos a comportamentos de risco, como porte de arma de fogo, tinham uma probabilidade 5,6 vezes maior de manter essas convicções do que os que não tinham se envolvido em tais comportamentos. Não está claro se esses adolescentes assumem riscos porque, vivendo em áreas perigosas, esperam que suas vidas sejam curtas ou se esperam morrer cedo devido aos riscos que assumem (Valadez-Meltzer, Silber, Meltzer, & D'Angelo, 2005).

## Desenvolvimento da linguagem

O uso da linguagem pelas crianças reflete seu nível de desenvolvimento cognitivo. Crianças em idade escolar são bastante competentes no uso da linguagem, mas a adolescência traz novos refinamentos. O vocabulário continua a crescer à medida que o conteúdo de leitura torna-se mais adulto. Entre os 16 e os 18 anos, o jovem, em média, conhece aproximadamente 80 mil palavras (Owens, 1996).

Com o advento do pensamento abstrato, os adolescentes podem definir e discutir abstrações como *amor, justiça* e *liberdade*. Passam a usar com mais frequência expressões como *entretanto, caso contrário, de qualquer maneira, portanto, na verdade* e *provavelmente* para expressar relações lógicas. Eles se tornam mais conscientes das palavras como símbolos que podem ter múltiplos significados e têm prazer em usar ironias, trocadilhos e metáforas (Owens, 1996).

Os adolescentes também se tornam mais habilidosos em *assumir uma perspectiva social*, a habilidade de adaptar sua conversa ao nível de conhecimento e ao ponto de vista da outra pessoa. Essa habilidade é essencial para a persuasão e mesmo para o diálogo respeitoso.

A linguagem não é estática; ela é fluida, e as palavras e as frases usadas pelas pessoas mudam ao longo do tempo. Essas mudanças são particularmente marcantes na fala dos adolescentes. Na verdade, são tão impressionantes que o linguista canadense Marcel Danesi (1994) argumenta que a fala dos adolescentes constitui um dialeto próprio: *pubileto*, "o dialeto social da puberdade" (p. 97). Como qualquer outro código linguístico, o *pubileto* serve para fortalecer a identidade do grupo e para manter os forasteiros (adultos) à margem.

O vocabulário pode diferir de acordo com gênero, etnia, idade, região geográfica, vizinhança e tipo de escola (Labov, 1992) e varia de um grupo para outro. "*Druggies*" e "*jocks*" envolvem-se em diferentes tipos de atividades, que constituem os principais assuntos de suas conversas. Essas conversas, por sua vez, consolidam laços dentro do grupo. Um estudo dos padrões de fala dos adolescentes de Nápoles, Itália, sugere que aspectos semelhantes podem surgir "em qualquer cultura em que a adolescência constitua uma categoria social distinta" (Danesi, 1994, p. 123).

A gíria adolescente é parte do processo de desenvolvimento de uma identidade separada independente dos pais e do mundo adulto. Ao criarem essas expressões, os jovens usam sua recém-descoberta habilidade de brincar com as palavras "para definir os valores, gostos e preferências únicos de sua geração" (Elkind, 1998, p. 29).

> A pesquisa mostrou que os liberais são mais criativos que os conservadores, mas que os conservadores são mais felizes.
>
> *Dollinger, 2007; Napier & Jost, 2008*

## Mudanças no processamento da informação na adolescência

As mudanças na forma como os adolescentes processam a informação refletem o amadurecimento dos lobos frontais do cérebro e podem ajudar a explicar os avanços cognitivos que Piaget descreveu. Quais conexões neurais definham e quais se tornam fortalecidas é altamente correlacionado à experiência. Portanto, o progresso no processamento cognitivo varia muito entre os adolescentes (Kuhn, 2006).

Os pesquisadores identificaram duas amplas categorias de mudanças mensuráveis no processamento da informação: a *mudança estrutural* e a *mudança funcional* (Eccles et al., 2003).[2] Examinaremos cada uma delas.

**Mudanças estruturais** As *mudanças estruturais* na adolescência podem envolver o desenvolvimento da habilidade do processamento de informação e o aumento do repertório de conhecimento armazenado na memória de longo prazo. A habilidade da memória de trabalho, que aumenta rapidamente na terceira infância, continua a crescer durante a adolescência. A expansão da memória de trabalho per-

---

[2]Salvo indicação em contrário, a discussão nestas seções é fundamentada em Eccles et al., 2003.

mite a adolescentes mais velhos lidar com problemas complexos ou decisões que envolvam informações múltiplas.

A informação armazenada na memória de longo prazo pode ser declarativa, procedural ou conceitual.

- **Conhecimento declarativo** ("saber que...") consiste em todo o conhecimento factual adquirido por uma pessoa (p. ex., saber que 2 + 2 = 4 e que George Washington foi o primeiro presidente dos Estados Unidos).
- **Conhecimento procedural** ("saber como...") consiste em todas as habilidades adquiridas por uma pessoa, como ser capaz de multiplicar e dividir e de dirigir um carro.
- **Conhecimento conceitual** ("saber por que...") é um entendimento de, por exemplo, por que uma equação algébrica continua sendo verdadeira se a mesma quantidade for adicionada ou subtraída de ambos os lados.

**Mudança funcional** Os processos para obter, manipular e reter informação são aspectos funcionais da cognição. Entre estes estão aprender, lembrar e raciocinar, todos os quais melhoram durante a adolescência.

Entre as *mudanças funcionais* mais importantes estão o aumento contínuo na velocidade de processamento (Kuhn, 2006) e o desenvolvimento adicional da *função executiva* (ver Cap. 13), que inclui habilidades como atenção seletiva, tomada de decisão, controle inibitório de respostas impulsivas e gerenciamento da memória de trabalho. Essas habilidades parecem desenvolver-se em taxas variáveis (Blakemore & Choudbury, 2006; Kuhn, 2006). Em um estudo, os pesquisadores testaram a velocidade de processamento, o controle inibitório e a memória de trabalho de 245 pessoas entre os 8 e os 30 anos, medindo os movimentos de seus olhos em resposta a tarefas cognitivas. Por exemplo, foi solicitado aos participantes que lembrassem da localização de uma luz que aparecia no campo de visão periférico enquanto mantinham os olhos fixados no centro e, após o desaparecimento da luz, que olhassem para o ponto onde ela tinha sido vista. Os adolescentes alcançaram um desempenho de nível adulto na inibição de resposta aos 14 anos, na velocidade de processamento aos 15 e na memória de trabalho aos 19. Embora o amadurecimento de cada processo pareça ser independente, cada um deles parece auxiliar no desenvolvimento dos demais (Luna, Garver, Urban, Lazar, & Sweeney, 2004).

Contudo, as melhoras observadas em situações laboratoriais podem não refletir necessariamente a vida real, na qual o comportamento também depende de motivação e de regulação emocional. Muitos adolescentes mais velhos tomam decisões menos adequadas na vida real do que os mais novos. No jogo Twenty Questions, o objetivo é formular perguntas cujas respostas sejam "sim" e "não" até descobrir a identidade de uma pessoa, lugar ou coisa, restringindo sistematicamente as categorias incluídas nas alternativas. Em um estudo (Drumm & Jackson, 1996), estudantes do ensino médio, especialmente meninos, demonstraram uma tendência maior do que os adolescentes mais novos ou os estudantes universitários de pular alternativas para adivinhar a resposta. Como discutimos no Capítulo 15, os julgamentos precipitados dos adolescentes podem estar relacionados ao desenvolvimento imaturo do cérebro, o que pode permitir que os sentimentos se sobreponham à razão.

# Desenvolvimento moral

À medida que as crianças alcançam níveis cognitivos mais altos, elas se tornam capazes de raciocínios mais complexos sobre questões morais. A tendência delas ao altruísmo e à empatia também aumenta. Os adolescentes são mais capazes que as crianças mais novas de adotar o ponto de vista de outra pessoa, de solucionar problemas sociais, de lidar com relacionamentos interpessoais e de verem-se como seres sociais. Todas essas tendências promovem o desenvolvimento moral.

Examinemos a teoria inovadora do raciocínio moral de Lawrence Kohlberg, o trabalho influente de Carol Gilligan sobre desenvolvimento moral em mulheres e meninas e a pesquisa sobre comportamento pró-social na adolescência.

## Raciocínio moral: teoria de Kohlberg

Uma mulher com câncer está próximo da morte. Um farmacêutico descobriu um medicamento que os médicos acreditam que pode salvá-la. O farmacêutico está cobrando 2 mil dólares por uma pequena dose – 10 vezes o que o medicamento custa para ele fabricar. O marido da mulher doente, Heinz, pede

**conhecimento declarativo**
Conhecimento factual adquirido armazenado na memória de longo prazo.

**conhecimento procedural**
Habilidades adquiridas armazenadas na memória de longo prazo.

**conhecimento conceitual**
Entendimentos interpretativos adquiridos armazenados na memória de longo prazo.

Confuso sobre a diferença entre mudanças cerebrais estruturais e funcionais? As mudanças estruturais envolvem mudanças no *material* que está no seu cérebro. As alterações funcionais envolvem mudanças na forma como você *utiliza* esse material.

**Verificador**
**você é capaz de...**
- Identificar várias características do desenvolvimento da linguagem dos adolescentes que refletem avanços cognitivos?
- Citar os dois principais tipos de mudanças nas capacidades de processamento de informação dos adolescentes e dar exemplos de cada um?

## Guia de estudo 2

Quais são os critérios que os adolescentes usam para fazer julgamentos morais e como varia o comportamento pró-social?

## PARTE VI • Adolescência

dinheiro emprestado a todos os conhecidos, mas consegue arrecadar apenas 1 mil dólares. Ele implora ao farmacêutico para lhe vender o medicamento por 1 mil dólares ou deixar que ele pague o restante mais tarde. O farmacêutico recusa, dizendo "Eu descobri o medicamento e vou ficar rico com ele". Heinz, desesperado, arromba a loja do homem e rouba o medicamento. Heinz deveria ter feito isso? Justifique (Kohlberg, 1969).

O problema de Heinz é o exemplo mais famoso da abordagem de Lawrence Kohlberg ao estudo do desenvolvimento moral. A partir de 1950, Kohlberg e seus colegas apresentaram dilemas hipotéticos como este a 75 meninos de 10, 13 e 16 anos de idade e continuaram a questioná-los periodicamente por mais de 30 anos. Kohlberg, recorrendo à metodologia de entrevista de Piaget, perguntou aos meninos como eles chegaram às suas respostas. Kohlberg concluiu que o desenvolvimento moral era consequência do raciocínio moral, que dependia fortemente do desenvolvimento cognitivo. Além disso, ele acreditava que no centro de cada dilema estava o conceito de justiça — um princípio universal. Em outras palavras, Kohlberg tinha a convicção de que o raciocínio moral se preocupava fundamentalmente com um raciocínio sólido sobre os princípios de justiça.

**Níveis e estágios de Kohlberg**  O desenvolvimento moral na teoria de Kohlberg tem alguma semelhança com o de Piaget (ver Cap. 13), mas o modelo de Kohlberg é mais complexo. Com base nos processos de pensamento demonstrados pelas respostas a seus dilemas, Kohlberg (1969) descreveu três níveis de raciocínio moral, cada um dividido em dois estágios (Quadro 16.1):

- *Nível I:* **Moralidade pré-convencional.** As pessoas agem sob controle externo. Obedecem a regras para evitar punição ou obter recompensas ou agem por interesse pessoal. Esse nível é típico de crianças de 4 a 10 anos.
- *Nível II:* **Moralidade convencional (ou moralidade de conformidade com o papel convencional).** As pessoas internalizaram os padrões das figuras de autoridade. Elas se preocupam em ser "boas", agradáveis com os outros e em manter a ordem social. Esse nível é normalmente alcançado depois dos 10 anos de idade; muitas pessoas nunca o ultrapassam, mesmo na vida adulta.
- *Nível III:* **Moralidade pós-convencional (ou moralidade dos princípios morais autônomos).** As pessoas reconhecem conflitos entre padrões morais e fazem seus próprios julgamentos com base em princípios de direito, correção e justiça. Geralmente as pessoas atingem esse nível de julgamento moral só no começo da adolescência ou, o que é mais comum, no começo da vida adulta, isso quando atingem.

Na teoria de Kohlberg, é o raciocínio que está por trás da resposta a um dilema moral, e não a resposta em si, que indica o estágio de desenvolvimento moral. Conforme mostrado no Quadro 16.1, duas pessoas que dão respostas opostas podem estar no mesmo estágio se o raciocínio delas for baseado em fatores semelhantes.

Alguns adolescentes, e mesmo alguns adultos, permanecem no nível I de Kohlberg. Assim como as crianças pequenas, eles procuram evitar punição ou satisfazer suas próprias necessidades. A maioria dos adolescentes e dos adultos parece estar no nível II, geralmente no estágio 3. Eles se sujeitam às convenções sociais, apoiam o *status quo* e fazem a coisa certa para agradar aos outros e obedecer à lei. O raciocínio do estágio 4 (apoio a normas sociais) é menos comum, mas aumenta a partir do início da adolescência até a idade adulta. Os adolescentes frequentemente apresentam períodos de aparente desequilíbrio quando passam de um nível para outro (Eisenberg & Morris, 2004) ou retrocedem para outros sistemas éticos, como os preceitos religiosos, em vez de para o sistema baseado na justiça de Kohlberg (Thoma & Rest, 1999).

Kohlberg acrescentou outro nível entre os níveis II e III, quando as pessoas não se sentem mais presas aos padrões morais da sociedade, mas ainda não formaram seus próprios princípios de justiça. Em vez disso, elas baseiam suas decisões morais em sentimentos pessoais. Antes que as pessoas possam desenvolver uma moralidade plenamente baseada em princípios (nível III), ele dizia, elas precisam reconhecer a relatividade dos padrões morais. Muitos jovens questionam seus valores morais tradicionais quando entram no ensino médio, na faculdade ou no mundo do trabalho e encontram pessoas cujos valores, cultura e formação étnica são diferentes dos seus.

Contudo, poucas pessoas alcançam um nível no qual possam escolher entre diferentes padrões morais. De fato, houve um momento em que Kohlberg questionou a validade do estágio 6, a moralidade baseada em princípios éticos universais, pois pouquíssimas pessoas parecem atingi-lo. Posteriormente, ele propôs um sétimo estágio, o cósmico, em que as pessoas consideram o efeito de suas ações não somente sobre os outros, mas sobre o universo como um todo (Kohlberg, 1981; Kohlberg & Ryncarz, 1990).

---

**moralidade pré-convencional**
Primeiro nível da teoria de Kohlberg sobre o julgamento moral, em que o controle é externo e as regras são obedecidas para se obter recompensas ou evitar punição, ou por interesse pessoal.

**moralidade convencional (ou moralidade de conformidade com o papel convencional)**
Segundo nível da teoria do raciocínio moral de Kohlberg, no qual os padrões das figuras de autoridade são internalizados.

**moralidade pós-convencional (ou moralidade dos princípios morais autônomos)**
Terceiro nível da teoria do raciocínio moral de Kohlberg, em que as pessoas seguem princípios morais internalizados e podem decidir entre padrões morais conflitantes.

Capítulo 16 • Desenvolvimento cognitivo na adolescência **425**

**QUADRO 16.1** Os seis estágios do raciocínio moral de Kohlberg

| Níveis | Estágios do raciocínio | Respostas típicas ao dilema de Heinz |
|---|---|---|
| *Nível I:*<br>*Moralidade pré-convencional*<br>*(4 a 10 anos)* | *Estágio 1: Orientação à punição e à obediência.* "O que vai acontecer comigo?" As crianças obedecem às regras para evitar punição. Ignoram os motivos de uma ação e se concentram em sua forma física (como o tamanho de uma mentira) ou em suas consequências (p. ex., a quantidade de dano físico).<br><br>*Estágio 2: Finalidade instrumental e troca.* "Você coça as minhas costas, eu coço as suas." As crianças se sujeitam às regras por interesse pessoal e por consideração pelo que os outros podem fazer por elas. Elas veem uma ação em termos das necessidades humanas que a ação satisfaz e diferenciam esse valor de sua forma física e de suas consequências. | *A favor:* "Ele deve roubar o medicamento. Não é errado fazê-lo. Não é, porque primeiro ele quis pagar. O medicamento que ele levaria vale só 200 dólares; na verdade ele não está levando um medicamento de 2.000 mil dólares."<br><br>*Contra:* "Ele não deve roubar o medicamento. É um crime grave. Ele não tinha permissão, usou a força, invadiu e entrou. Ele causou muitos danos e roubou um medicamento muito caro."<br><br>*A favor:* "Está certo roubar o medicamento, pois sua mulher precisa dele, e ele quer que ela viva. Não é que ele queira roubar, mas é o que ele deve fazer para salvá-la."<br><br>*Contra:* "Ele não deve roubar o medicamento. O farmacêutico não está errado nem é mau; ele só quer lucrar. É para isso que ele está no negócio – para ganhar dinheiro." |
| *Nível II:*<br>*Moralidade convencional (10 a 13 anos ou mais)* | *Estágio 3: Manter relações mútuas, aprovação dos outros, a regra de ouro.* "Eu sou um bom menino (ou menina)?" As crianças querem agradar e ajudar os outros, sabem julgar intenções e desenvolvem suas próprias ideias do que é uma pessoa boa. Avaliam uma ação de acordo com o motivo que há por trás dela ou segundo a pessoa que a pratica e também levam em consideração as circunstâncias.<br><br>*Estágio 4: Preocupação e consciência social.* "E se todos fizessem o mesmo?" As pessoas preocupam-se em cumprir com seu dever, respeitar as autoridades e manter a ordem social. Consideram sempre errada a ação que, independentemente do motivo ou das circunstâncias, viola uma regra e prejudica os outros. | *A favor:* "Ele deve roubar o medicamento. Ele só está fazendo o que é natural um marido fazer. Não se pode culpá-lo de fazer algo por amor à esposa. Ele seria culpado se não amasse a esposa o suficiente para salvá-la."<br><br>*Contra:* "Ele não deve roubar. Se a esposa morrer, ele não tem culpa. Não é porque ele é cruel ou não ama suficientemente sua mulher a ponto de fazer tudo que é legalmente possível. O farmacêutico é que é egoísta ou cruel."<br><br>*A favor:* "Você deve roubar. Se não fizer nada, deixará sua mulher morrer. A responsabilidade será sua se ela morrer. Você precisa levar o medicamento com a ideia de pagar o farmacêutico."<br><br>*Contra:* "É natural que Heinz queira salvar sua esposa, mas é sempre errado roubar. Ele sabe que está tirando um medicamento valioso do homem que o fabricou." |
| *Nível III:*<br>*Moralidade pós-convencional (início da adolescência ou só no início da vida adulta, ou nunca)* | *Estágio 5: Moralidade do contrato, dos direitos individuais e da lei democraticamente aceita.* As pessoas valorizam a vontade da maioria e o bem-estar da sociedade — elas estão focadas em um bem maior. Elas pensam que ele pode ser alcançado principalmente por meio do respeito à lei e que é melhor para todos quando as leis são respeitadas. Apesar disso, compreendem que há momentos em que a necessidade humana e a lei entram em conflito.<br><br>*Estágio 6: Moralidade dos princípios éticos universais.* As pessoas fazem aquilo que, como indivíduos, acham que é certo, independentemente de restrições legais ou da opinião dos outros. Agem de acordo com padrões internalizados, sabendo que condenariam a si próprias se não o fizessem. | *A favor:* "A lei não foi criada para essas circunstâncias. Pegar o medicamento nessa situação não é certo, mas é justificável."<br><br>*Contra:* "Você pode não culpar totalmente uma pessoa por roubar, mas circunstâncias extremas de fato não justificam tomar a lei em suas próprias mãos. Você não pode aceitar que as pessoas roubem toda vez que estiverem desesperadas. O objetivo pode ser bom, mas os fins não justificam os meios."<br><br>*A favor:* "Essa é uma situação que o força a escolher entre roubar e deixar sua mulher morrer. Em uma situação em que deve ser feita uma escolha, é moralmente correto roubar. Ele tem de agir em termos do princípio de preservação e respeito à vida."<br><br>*Contra:* "Heinz está diante da decisão de considerar ou não as outras pessoas que precisam do medicamento tanto quanto sua mulher. Ele deve agir não de acordo com seus sentimentos pela esposa, mas considerando o valor de todas as vidas envolvidas." |

*Fonte:* Adaptado de Kohlberg, 1969; Lickona, 1976.

**Avaliando a teoria de Kohlberg** Kohlberg, baseando-se em Piaget, pôs em vigor uma profunda mudança na maneira como vemos o desenvolvimento moral. Em vez de considerarem a moralidade apenas como a aquisição de controle sobre os impulsos autogratificantes, os pesquisadores agora estudam como as crianças e os adultos baseiam os julgamentos morais em sua crescente compreensão do mundo social. O trabalho de Kohlberg influenciou muitas pesquisas adicionais, inclusive a teoria de James Fowler do desenvolvimento espiritual, descrita no Box 16.1.

*Meninas no início da adolescência têm relações sociais mais íntimas do que os meninos e preocupam-se mais com o cuidado com os outros. Isso pode ajudar a explicar por qual razão as meninas nessa faixa etária tendem a pontuar mais alto do que os meninos nos julgamentos morais.*

A pesquisa inicial deu suporte à teoria de Kohlberg. Os meninos norte-americanos que Kohlberg e colaboradores acompanharam ao longo da vida adulta progrediram pelos estágios de Kohlberg em sequência, sem pular nenhum deles. Seus julgamentos morais correlacionaram-se positivamente com faixa etária, educação, QI e nível socioeconômico (Colby, Kohlberg, Gibbs, & Lieberman, 1983). A pesquisa mais recente, entretanto, lançou dúvidas sobre o delineamento de alguns dos estágios de Kohlberg (Eisenberg & Morris, 2004). Um estudo do julgamento das crianças sobre leis e transgressão da lei sugere que algumas sabem raciocinar de modo flexível sobre tais questões já aos 6 anos (Helwig & Jasiobedzka, 2001).

Uma das razões de as idades associadas aos níveis de Kohlberg serem tão variáveis é que as pessoas que atingiram alto nível de desenvolvimento cognitivo nem sempre alcançam um nível semelhante de desenvolvimento moral. Certo nível de desenvolvimento cognitivo é *necessário*, mas não *suficiente* para um nível comparável de desenvolvimento moral. Portanto, outros processos além da cognição devem estar ocorrendo. Alguns pesquisadores sugerem que a atividade moral é motivada não apenas por considerações abstratas de justiça, mas também por emoções como empatia, culpa e sofrimento e pela internalização de normas pró-sociais (Eisenberg & Morris, 2004; Gibbs, 1991, 1995; Gibbs & Schnell, 1985). Também se tem argumentado que os estágios 5 e 6 de Kohlberg não podem ser considerados os estágios mais maduros do desenvolvimento moral, pois restringem a maturidade a um grupo selecionado de pessoas inclinadas à reflexão filosófica e a pessoas que têm uma visão particular acerca do valor do relativismo moral.

Além disso, nem sempre há uma relação clara entre raciocínio moral e comportamento moral. Por exemplo, a maior parte das pessoas caracterizaria as atitudes de Pol Pot, o líder cambojano despótico do Khmer Rouge, como claramente imorais. Entre 1974 e 1979, o Khmer Rouge matou cerca de 25% da população do Camboja — próximo de 1 a 3 milhões de pessoas. A maioria das pessoas descreveria esse assassinato em massa como algo profundamente maldoso. Entretanto, Pol Pot foi impulsionado pela sua crença idealista em uma sociedade agrária comunista utópica. Ele acreditava que suas ações estavam a serviço de um ideal mais elevado, e as justificativas para as atitudes que tomava eram cognitivamente complexas e bem formuladas. Embora esse seja um exemplo extremo, é evidente que as pessoas em níveis de raciocínio pós-convencionais não agem necessariamente de forma mais moral do que aquelas em níveis mais baixos. Outros fatores, como situações específicas, concepções de virtude e preocupação com os outros, contribuem para o comportamento moral (Colby & Damon, 1992; Fischer & Pruyne,

> **Qual a sua opinião?**
> Você consegue se lembrar de alguma vez em que você ou alguém que você conhece agiu contrariamente ao seu próprio julgamento moral pessoal? Por que você acha que isso aconteceu?

# O mundo da pesquisa

## OS ESTÁGIOS DA FÉ SEGUNDO FOWLER

As crenças espirituais podem ser estudadas a partir da perspectiva do desenvolvimento? Sim, de acordo com James Fowler (1981, 1989). Fowler definiu a fé como uma forma de ver ou de conhecer o mundo. Para descobrir como as pessoas chegam a essa forma de ver ou de conhecer, Fowler e seus alunos da Harvard Divinity School entrevistaram mais de 400 pessoas de todas as idades, com bagagens étnicas, educacionais e socioeconômicas variadas e diversas identificações e afiliações religiosas e seculares.

A fé, de acordo com Fowler, pode ser religiosa ou não religiosa. As pessoas podem ter fé em um deus, na ciência, na humanidade ou em uma causa à qual dedicam esforços e que dá sentido às suas vidas. A fé desenvolve-se, segundo Fowler, da mesma forma que outros aspectos da cognição, por meio da interação entre a pessoa que está amadurecendo e o ambiente. Os estágios de Fowler, em linhas gerais, correspondem àqueles descritos por Piaget, Kohlberg e Erikson. As novas experiências — crises, problemas ou revelações — que desafiam ou perturbam o equilíbrio da pessoa podem provocar a passagem de um estágio para outro. As idades nas quais essas transições acontecem são variáveis, e algumas pessoas nunca deixam determinado estágio, mas os três primeiros normalmente acontecem durante a infância e a adolescência.

- *Estágio 1: Fé primária ou intuitivo-projetiva* (dos 18-24 meses aos 7 anos). Os princípios da fé, disse Fowler, surgem depois de as crianças se tornarem autoconscientes, começarem a usar a linguagem e o pensamento simbólico e desenvolverem a *confiança básica*: a sensação de que suas necessidades serão atendidas por outros poderosos. À medida que crianças pequenas lutam para entender as forças que controlam seu mundo, elas formam imagens poderosas, imaginativas e quase sempre aterrorizantes de Deus, do céu e do inferno, inspiradas nas histórias que os adultos contam. Essas imagens são quase sempre irracionais; as crianças, no estágio pré-operacional, tendem a ficar confusas sobre causa e efeito e sobre a diferença entre realidade e fantasia. Ainda egocêntricas, elas podem identificar o ponto de vista de Deus com os seus próprios ou os de seus pais. Elas pensam em Deus principalmente em termos de obediência e punição.
- *Estágio 2: Fé mítico-literal* (dos 7 aos 12 anos). As crianças capazes de operações concretas começam a desenvolver uma visão mais coerente do universo. À medida que elas adotam as crenças e os costumes da família e da comunidade, tendem a assumir as histórias e os símbolos religiosos literalmente. Elas agora podem ver Deus como uma perspectiva acima delas próprias, que leva em conta os esforços e as intenções das pessoas. Acreditam que Deus é justo e que as pessoas recebem o que merecem.
- *Estágio 3: Fé sintético-convencional* (na adolescência ou além). Os adolescentes capazes de pensamento abstrato formam sistemas de crenças e compromissos com ideais. À medida que buscam uma identidade, procuram uma relação mais pessoal com Deus, mas voltam-se para outros, normalmente aos pares, para a autoridade moral. Sua fé é cega e obedece aos padrões da comunidade. Esse estágio é típico de seguidores de religiões organizadas; cerca de 50% dos adultos podem nunca progredir para os estágios mais avançados de Fowler: a fé examinada criticamente e, por fim, a fé universalizada.
- *Estágio 4: Fé indutivo-reflexiva* (perto dos 20 anos ou além). Os adultos que atingem essa fase examinam sua fé de uma forma crítica e pensam nas suas próprias crenças, independentemente da autoridade externa e das normas de grupo.
- *Estágio 5: Fé conjuntiva* (meia-idade ou além). As pessoas de meia-idade podem tornar-se mais conscientes dos limites da razão. Elas reconhecem os paradoxos da vida e as contradições e muitas vezes lutam com os conflitos entre a satisfação de suas próprias necessidades e o sacrifício pelos outros. À medida que começam a antecipar a morte, podem alcançar um entendimento mais profundo e a aceitação por meio da fé.
- *Estágio 6: Fé universalizante* (idade avançada). É nessa categoria rara que Fowler colocou líderes morais e espirituais como Mahatma Gandhi, Martin Luther King e Madre Teresa, cuja visão ou compromisso inspira profundamente outros. Como ameaçam a ordem estabelecida, podem tornar-se mártires e, apesar de amarem a vida, não se apegam a ela. Esse estágio é paralelo ao sétimo estágio do desenvolvimento moral proposto por Kohlberg.

Como um dos primeiros investigadores a estudar sistematicamente a fé, Fowler causou grande impacto, mas foi criticado por várias razões (Koenig, 1994). Os críticos afirmam que o conceito de fé de Fowler diverge das definições convencionais. Eles desafiam a ênfase de Fowler em conhecimento cognitivo e alegam que ele subestima a maturidade de uma fé simples, sólida e não questionadora. Os críticos também questionam se a fé se desenvolve em estágios universais ou naqueles que Fowler identificou. A amostra de Fowler não foi selecionada aleatoriamente; era formada por participantes pagos que viviam em cidades norte-americanas, ou próximo delas, onde se situavam as principais universidades. Desse modo, as conclusões podem representar mais pessoas com inteligência e nível educacional acima da média e não representar as culturas não ocidentais.

Alguns pesquisadores observaram mais de perto a compreensão das crianças sobre as orações, um aspecto da atividade religiosa, e propuseram estágios um tanto diferentes dos de Fowler. Um primeiro estudo, que usou entrevistas no estilo de Piaget (Goldman, 1964), observou uma progressão a partir de um estágio mágico antes dos 9 anos, no qual as crianças acreditam que as orações se tornam realidade como em um toque de mágica, em direção ao estágio racional e, finalmente, chegando aos estágios fundamentados na fé.

- A partir de sua experiência e observação, a fé pode ser de origem não religiosa?
- Você lembra de ter passado por algum dos estágios de fé descritos por Fowler? Em qual dos estágios você diria que está agora?

**PARTE VI** • Adolescência

2003). Em termos gerais, entretanto, adolescentes que são mais avançados no raciocínio moral tendem a ser mais morais em seu comportamento, bem como mais bem ajustados e com competência social mais alta, enquanto adolescentes antissociais tendem a usar raciocínio moral menos maduro (Eisenberg & Morris, 2004).

***Influência dos pais, dos pares e da cultura*** Nem Piaget, nem Kohlberg consideravam os pais importantes para o desenvolvimento moral dos filhos, mas a pesquisa mais recente enfatiza a contribuição dos pais tanto no plano cognitivo quanto no plano emocional. Adolescentes com pais democráticos que os estimulam a questionar e expandir seu raciocínio moral tendem a raciocinar em níveis mais altos (Eisenberg & Morris, 2004).

O grupo de pares também afeta o raciocínio moral por meio das conversas entre eles sobre conflitos morais. Ter mais amigos íntimos, passar um bom tempo com eles e ser percebido como líder estão associados com raciocínio moral mais elevado (Eisenberg & Morris, 2004).

O sistema de Kohlberg não parece representar o raciocínio moral em culturas não ocidentais tão precisamente como na cultura ocidental, na qual foi originalmente concebido (Eisenberg & Morris, 2004). As pessoas mais velhas — exceto nos Estados Unidos — tendem a ser classificadas em estágios mais altos do que os jovens. Contudo, as pessoas de culturas não ocidentais raramente se classificam acima do estágio 4 (Edwards, 1981; Nisan & Kohlberg, 1982; Snarey, 1985), sugerindo que alguns aspectos do modelo de Kohlberg podem não corresponder aos valores culturais dessas sociedades.

## A ética do cuidado: a teoria de Gilligan

As mulheres e os homens raciocinam da mesma forma? Essa pergunta foi feita por Carol Gilligan (1982), que afirmou que a teoria de Kohlberg é sexista e orientada para valores mais importantes para os homens do que para as mulheres. Gilligan alegou que os homens, inclusive Kohlberg, viam a moral em termos de justiça. No entanto, as mulheres têm um conjunto diferente de valores que coloca os cuidados e a evitação de danos como valores mais altos do que a justiça. A tipologia de Kohlberg classifica injustamente as mulheres como menos morais e cognitivamente complexas por causa do foco exclusivo na justiça (Eisenberg & Morris, 2004).

A pesquisa encontrou pouco suporte à alegação de Gilligan de um viés machista nos estágios de Kohlberg (Brabeck & Shore, 2003; Jaffee & Hyde, 2000), o que a levou a modificar sua posição. Contudo, pesquisas com adolescentes encontraram pequenas diferenças de gênero quanto ao raciocínio moral relacionado aos cuidados em algumas culturas (Eisenberg & Morris, 2004). Por exemplo, as meninas norte-americanas no início da adolescência tendem a enfatizar as preocupações relativas com os cuidados mais do que os meninos, especialmente quando testadas com perguntas em aberto ("Qual a importância de cumprir promessas feitas a um amigo?") ou com dilemas morais escolhidos por elas relativos às suas próprias experiências (Garmon, Basinger, Gregg, & Gibbs, 1996). Isso pode ocorrer porque as meninas geralmente amadurecem mais cedo e têm relações sociais mais íntimas (Garmon et al., 1996; Skoe & Diessner, 1994). Em uma análise de 113 estudos, meninas e mulheres eram mais propensas a pensar em termos de cuidados, e meninos e homens em termos de justiça, mas essas diferenças eram pequenas (Jaffee & Hyde, 2000).

## Comportamento pró-social e atividade voluntária

Alguns pesquisadores estudaram o raciocínio moral pró-social (semelhante ao orientado ao cuidado) como uma alternativa ao sistema baseado na justiça de Kohlberg. O raciocínio moral pró-social é um raciocínio sobre dilemas morais nos quais as necessidades ou desejos de uma pessoa estão em conflito com aqueles de outras pessoas em situações em que as regras ou normas sociais não são claras ou são inexistentes. Por exemplo, uma criança que enfrenta o dilema de decidir se deve ou não intervir quando o amigo está sendo provocado pode correr o risco de se tornar alvo dos agressores também. Então, essa criança se envolverá em um raciocínio moral pró-social para decidir o curso de ação. Em um estudo longitudinal que acompanhou crianças até o início da idade adulta, o raciocínio pró-social baseado na reflexão social sobre consequências e nos valores e normas internalizados aumentava com a idade, enquanto o raciocínio baseado em estereótipos como "é legal ajudar" diminuía da infância até o final da adolescência (Eisenberg & Morris, 2004).

**Verificador**
**você é capaz de...**

■ Citar os níveis e estágios de Kohlberg e discutir fatores que influenciam o ritmo em que crianças e adolescentes progridem ao longo deles?

■ Avaliar a teoria de Kohlberg com respeito ao papel da emoção e da socialização, das influências dos pais e dos pares e da validade transcultural?

■ Explicar as diferenças entre os padrões de raciocínio moral de Gilligan e de Kohlberg e discutir os efeitos do gênero?

■ Discutir as diferenças individuais no comportamento pró-social, tal como o voluntariado?

Capítulo 16 • Desenvolvimento cognitivo na adolescência **429**

O comportamento pró-social também costuma aumentar da infância até a adolescência (Eisenberg & Morris, 2004). As meninas tendem a apresentar mais comportamento pró-social do que os meninos (Eisenberg & Fabes, 1998), e essa diferença torna-se mais evidente na adolescência (Fabes, Carlo, Kupanoff, & Laible, 1999). As meninas tendem a ver-se como mais empáticas e pró-sociais do que os meninos, e os pais das meninas enfatizam a responsabilidade social mais do que os pais dos meninos (Eisenberg & Morris, 2004). Um estudo de larga escala com adolescentes de 18 anos e seus pais em sete países — Austrália, Estados Unidos, Suécia, Hungria, República Tcheca, Bulgária e Rússia — confirmou isso (Flannagan, Bowes, Jonsson, Csapo, & Sheblanova, 1998). Como acontece com as crianças mais novas, os pais que usam disciplina indutiva são mais propensos a ter adolescentes pró-sociais do que os pais que usam disciplina assertiva. As técnicas indutivas de parentalidade envolvem o raciocínio indutivo com as crianças, a explicação das consequências dos seus comportamentos e o incentivo para considerarem os efeitos das suas ações sobre os outros.

Aproximadamente metade dos adolescentes se envolve em algum tipo de serviço comunitário ou atividade voluntária. Essas atividades pró-sociais permitem que eles se tornem envolvidos na sociedade adulta a fim de explorar seus possíveis papéis como parte da comunidade e que associem seu senso de identidade em desenvolvimento ao envolvimento cívico. Voluntários adolescentes tendem a ter alto grau de autoentendimento e compromisso com os outros. As meninas são mais propensas ao voluntariado do que os meninos, e adolescentes com nível socioeconômico (NSE) alto tendem a fazer mais trabalho voluntário do que aqueles com NSE mais baixo (Eisenberg & Morris, 2004). Estudantes que fazem trabalho voluntário fora da escola tendem, quando adultos, a ser mais envolvidos em suas comunidades do que aqueles que não fazem (Eccles, 2004).

# Questões educacionais e vocacionais

A escola constitui uma experiência organizadora central na vida da maioria dos adolescentes. Ela oferece oportunidades para obter informação, aprender novas habilidades e aperfeiçoar habilidades antigas; participar de atividades esportivas, artísticas e outras; explorar opções vocacionais; e fazer amigos. Amplia os horizontes intelectual e social. Alguns adolescentes, porém, vivenciam a escola não como uma oportunidade, mas como mais um obstáculo no caminho para a vida adulta.

Nos Estados Unidos, como em todos os outros países industrializados e em alguns países em desenvolvimento, cada vez mais estudantes concluem o ensino médio e muitos se matriculam no ensino superior (Eccles et al., 2003; Organization for Economic Co-operation and Development [OECD], 2004). Em 2009, cerca de 76% dos jovens norte-americanos de 18 a 24 anos haviam concluído o ensino médio ou equivalente. As taxas variam por Estado; Wisconsin teve a taxa mais alta, 90,7%, e Nevada, a mais baixa, 56,3% (Aud, Hussar, Johnson, Kena, & Roth, 2012).

Entre os 30 países membros da Organization for Economic Co-operation and Development, as taxas de formação no ensino médio variam de 15% na Turquia a 62% na Islândia (OECD, 2008a). Os Estados Unidos, com uma média de 12,7 anos de escolaridade, destacaram-se nessa comparação internacional. No entanto, os adolescentes norte-americanos, em média, apresentam um desempenho escolar inferior ao de adolescentes de muitos outros países. Por exemplo, os estudantes norte-americanos têm piores resultados em matemática e em ciências do que os estudantes de muitos outros países com desenvolvimento econômico idêntico (Baldi, Jin, Skemer, Green, & Herget, 2007; Lemke et al., 2004; T. D. Snyder & Hoffman, 2001). Além disso, embora o desempenho de estudantes de 4º e 8º ano, conforme medidas feitas pela National Assessment of Educational Progress (NAEP), tenha melhorado em algumas áreas, o mesmo não ocorreu, de modo geral, com os alunos do 3º ano do ensino médio (National Center for Education [NCES], 2009).

Examinaremos as influências sobre o desempenho escolar e, então, os jovens que abandonam a escola. Por fim, consideraremos o planejamento para a educação superior e as vocações.

## Influências sobre o desempenho escolar

Como acontece no ensino fundamental, fatores como o estilo de parentalidade dos pais, o NSE e a qualidade do ambiente doméstico influenciam o desempenho escolar na adolescência. Outros fatores incluem gênero, etnia, influência dos pares, qualidade do ensino e a confiança dos estudantes em si mesmos.

---

Guia de **estudo** 3

Quais influências afetam o desempenho escolar dos adolescentes, seu planejamento e preparação educacional e vocacional?

**PARTE VI** • Adolescência

**Motivação e autoeficácia do estudante**   Nos países ocidentais, particularmente nos Estados Unidos, as práticas educativas são baseadas na suposição de que os estudantes são, ou podem ser, motivados a aprender. Os educadores enfatizam o valor da motivação intrínseca – o desejo dos estudantes de aprender pelo prazer de aprender (Larson & Wilson, 2004). Infelizmente, muitos estudantes norte-americanos *não* são automotivados, e a motivação frequentemente diminui quando eles entram no ensino médio (Eccles, 2004; Larson & Wilson, 2004).

Nas culturas ocidentais, estudantes com *autoeficácia* alta – que acreditam que podem aprender a fazer as coisas e regular sua própria aprendizagem – são propensos a ter sucesso na escola. Assim, por exemplo, após ter ido mal em uma prova, um aluno com elevada autoeficácia pode supor que não estudou o suficiente e que para ter melhores resultados no futuro deve estudar mais. Um aluno com baixa autoeficácia, ao contrário, pode concluir que a matéria era muito difícil ou que a prova foi injusta. Em um estudo longitudinal com 140 estudantes de 8º ano, a autodisciplina dos estudantes era duas vezes mais importante do que o QI para explicar suas notas, as pontuações em provas de desempenho e a seleção para um programa de ensino médio competitivo no final do ano (Duckworth & Seligman, 2005).

Nos Estados Unidos, onde existem oportunidades para a maioria das crianças, o nível de aprendizagem das crianças baseia-se muitas vezes em sua motivação pessoal. Porém, em muitas culturas, a educação é baseada não na motivação pessoal, mas em fatores como dever (Índia), submissão à autoridade (países islâmicos) e participação na família e na comunidade (África subsaariana). Nos países do Leste Asiático, é esperado que os estudantes aprendam não pelo valor da aprendizagem, mas para satisfazer expectativas familiares e sociais. É esperado que a aprendizagem requeira esforço intenso, e os estudantes que fracassam ou ficam para trás sentem-se obrigados a tentar novamente. Essa expectativa pode ajudar a explicar por que, em comparações internacionais em ciências e matemática, os estudantes do Leste Asiático ultrapassam substancialmente os estudantes norte-americanos. Em países em desenvolvimento, as questões de motivação perdem a importância à luz de barreiras sociais e econômicas à educação: escolas e recursos educacionais inadequados ou ausentes, a necessidade do trabalho infantil para sustentar a família, barreiras à escolarização para meninas ou subgrupos culturais e casamento precoce (Larson & Wilson, 2004). Portanto, quando discutimos os fatores no sucesso educacional, que são largamente baseados em estudos nos Estados Unidos e em outros países ocidentais, precisamos lembrar que eles não se aplicam a todas as culturas.

**Gênero**   Em um teste internacional de adolescentes em 43 países industrializados, as meninas em todos os países eram melhores leitoras do que os meninos. Os meninos estavam na frente em matemática em aproximadamente metade dos países, mas essas diferenças de gênero eram menos pronunciadas do que na leitura (OCDE, 2004). De modo geral, a partir da adolescência, as meninas se saem melhor em tarefas verbais que envolvem uso de escrita e linguagem e os meninos, em atividades que envolvem funções visuais e espaciais úteis em matemática e ciências. Apesar das teorias de que os meninos têm alguma habilidade inata de sair-se melhor em matemática, uma avaliação dos resultados do Scholastic Aptitude Test (SAT — Teste de Aptidão Escolar) e de pontuações em matemática de 7 milhões de estudantes não encontrou diferenças de gênero no desempenho nessa disciplina (Hyde, Lindberg, Linn, Ellis, & Williams, 2008).

O que causa essas diferenças de gênero? Como acontece com todos os aspectos do desenvolvimento, a pesquisa aponta para interações biológicas e ambientais (Hyde & Mertz, 2009).

Como descrevemos no Capítulo 9, os cérebros masculino e feminino mostram algumas diferenças em estrutura e organização. Além disso, essas diferenças tendem a tornar-se ainda maiores com a idade. As meninas têm mais massa cinzenta, e seus neurônios também têm mais conexões. Além disso, seu cérebro é mais equilibrado entre os hemisférios. Quais são as consequências dessas diferenças? A estrutura do cérebro das meninas parece permitir um maior alcance das habilidades cognitivas, e elas são mais capazes de integrar tarefas verbais e analíticas (que ocorrem no lado esquerdo do cérebro) com tarefas espaciais e holísticas (que ocorrem no lado direito do cérebro). Mas e os meninos? Os meninos têm mais massa branca conectiva. Em outras palavras, têm mais mielina no revestimento dos axônios de seus neurônios. Os meninos também têm mais líquido cerebrospinal, que amortece os caminhos mais longos dos impulsos nervosos. O cérebro dos meninos parece ser otimizado para a atividade dentro de cada hemisfério — seu cérebro é mais especializado e parece ter uma vantagem para o desempenho visual e espacial (Halpern et al., 2007).

Capítulo 16 • Desenvolvimento cognitivo na adolescência

As forças sociais e culturais que influenciam as diferenças de gênero incluem o seguinte (Halpern et al., 2007):

- *Influências da família*: Entre as culturas, o nível educacional dos pais está correlacionado com o desempenho de seus filhos em matemática. Exceto pelos filhos e filhas altamente dotados, a quantidade de envolvimento dos pais na educação dos filhos afeta o desempenho em matemática. As atitudes e expectativas de gênero dos pais também têm um efeito.
- *Influências da escola*: As diferenças sutis na forma como os professores tratam meninos e meninas, especialmente em aulas de matemática e ciências, foram documentadas.
- *Influências da vizinhança*: Os meninos se beneficiam mais de vizinhanças enriquecidas e são mais afetados por vizinhanças desfavorecidas.
- *Os papéis dos homens e das mulheres* na sociedade ajudam a moldar as escolhas de cursos e ocupações das meninas e dos meninos.
- *Influências culturais*: Estudos entre culturas mostram que a medida das diferenças de gênero no desempenho em matemática varia entre nações e torna-se maior ao final do ensino secundário. Essas diferenças estão correlacionadas com o grau de igualdade de gênero na sociedade. Os países com maior igualdade de gênero demonstram menor variação nas pontuações em matemática entre meninas e meninos (Hyde & Mertz, 2009).

De modo geral, a ciência continua a procurar respostas para a pergunta desconcertante de por que as capacidades acadêmicas dos meninos e das meninas diferem. À medida que as mudanças nas atitudes e na percepção se alteram, essas diferenças parecem diminuir. A taxa de doutorados norte-americanos em ciências e em matemática concluídos por mulheres é uma forte evidência: em 1970, apenas 14% dos diplomas de doutorado em biologia e 8% daqueles em matemática e estatística eram outorgados a mulheres. Em 2006, as taxas subiram para 46% e 32%, respectivamente (Hyde & Mertz, 2009).

**Tecnologia**    A expansão da tecnologia e o importante papel que ela desempenha na vida das crianças têm afetado a aprendizagem. A pesquisa indica que, embora o pensamento crítico e as habilidades de análise tenham diminuído em decorrência do uso aumentado de computadores e de *videogames*, as habilidades visuais melhoraram. Os estudantes estão passando mais tempo em multitarefas com a mídia visual e menos tempo lendo por prazer (Greenfield, 2009). A leitura desenvolve o vocabulário, a imaginação e a indução, habilidades fundamentais para resolver problemas mais complexos. A multitarefa pode impedir um entendimento mais profundo da informação. Em um estudo, estudantes que tiveram acesso à internet durante as aulas não processaram tão bem o que foi apresentado e tiveram um desempenho mais insatisfatório do que estudantes sem acesso à internet (Greenfield, 2009). Ver Box 16.2 para saber mais sobre a multitarefa.

**Práticas parentais, etnicidade e influência dos pares**    As experiências familiares e escolares estão sujeitas a um fenômeno conhecido como *spillover*, no qual as experiências em diferentes contextos influenciam umas às outras (Almeida, Wethington, & Chandler, 1999). Foi demonstrado que o estresse familiar prevê problemas de atenção e aprendizagem, e, ao mesmo tempo, os problemas de atenção e aprendizagem contribuem para o estresse familiar (Flook & Fuligni, 2008).

Nas culturas ocidentais, os benefícios da *parentalidade democrática* continuam a afetar o desempenho escolar durante a adolescência (Baumrind, 1991). Pais democráticos estimulam os filhos a examinar os dois lados de uma questão, aceitam de bom grado sua participação nas decisões da família e admitem que as crianças, às vezes, sabem mais do que eles. Esses pais estabelecem um equilíbrio entre ser exigente e ser receptivo. Seus filhos recebem elogios e recompensas quando tiram notas boas; notas ruins trazem incentivos para que se esforcem mais e ofertas de ajuda.

*Pais autoritários,* em contrapartida, dizem aos adolescentes para não discutir com os adultos ou questioná-los e que eles "entenderão melhor quando crescerem". Notas boas trazem advertências para que sejam ainda melhores; notas baixas podem ser punidas com redução de privilégios ou castigo. *Pais permissivos* parecem indiferentes às notas, não controlam o acesso à televisão, não comparecem às reuniões da escola e não ajudam nem verificam as lições de casa. Esses pais podem não ser negligentes ou indiferentes; eles até podem ser afetuosos. Talvez eles simplesmente acreditem que os adolescentes devem ser responsáveis pela sua própria vida.

# O mundo social

## 16.2 A MULTITAREFA E A GERAÇÃO M

A multitarefa não é um fenômeno novo. Os seres humanos sempre foram capazes de realizar diversas tarefas ao mesmo tempo — andar e falar, segurar uma criança pequena no colo e mexer a panela de sopa, cortar legumes e ouvir rádio. O que mudou drasticamente nos últimos 15 anos é o impacto que a mídia eletrônica teve sobre a necessidade e a habilidade de realizar múltiplas tarefas. Foi adicionada uma nova geração à Geração Y e à Geração X — a Geração M, abreviação de Geração da Mídia. Um levantamento recente realizado pela Kaiser Family Foundation revelou que no 7º ano 82% das crianças têm acesso regular à internet. Não é incomum que uma criança de 12 anos esteja conectada ao Facebook e poste no Twitter enquanto verifica *e-mails*, escuta música e faz o dever de casa. O levantamento revelou que, embora o tempo total dedicado à mídia diariamente tenha permanecido estável em 6,5 horas, a quantidade total de *conteúdo* midiático a que crianças e adolescentes de 8 a 18 anos estão expostos aumentou em mais de uma hora por dia. Isso se deve à multitarefa e ao consumo de diferentes tipos de mídia ao mesmo tempo.

Embora a percepção seja a de que a multitarefa economiza tempo, há cada vez mais evidências sugerindo o oposto. Tentar realizar muitas tarefas simultaneamente aumenta a probabilidade de erros e prolonga o tempo necessário para completar qualquer uma delas separadamente. Estudos sobre o funcionamento do cérebro mostraram que a alternância entre tarefas pode criar uma espécie de efeito gargalo à medida que o cérebro se esforça para determinar qual tarefa deve executar (Dux, Ivanoff, Asplund, & Marois, 2006). Os efeitos sobre a aprendizagem são preocupantes. Ainda que os estudantes tenham enorme habilidade de buscar e encontrar respostas, suas habilidades analíticas e de resolução de problemas estão sendo prejudicadas, levando inúmeras escolas de alto nível a bloquear o acesso dos estudantes à internet durante as aulas.

As estatísticas relacionadas a distrações ao volante são igualmente preocupantes. A utilização de telefones celulares e o envio de mensagens de texto ao dirigir têm sido relacionados a centenas de milhares de ferimentos e milhares de mortes a cada ano nos Estados Unidos. Em estudos de direção simulados, os pesquisadores descobriram que quando os motoristas usavam telefones celulares suas reações eram 18% mais lentas e que o número de colisões traseiras duplicou (Strayer & Drews, 2004). Essas taxas de reação mais lenta mantinham-se mesmo quando não havia manipulação manual do telefone, indicando que os dispositivos *bluetooth* não são menos propensas a retardar o tempo de reação e contribuem para os acidentes (Strayer & Drews, 2007). Em um estudo que comparou a utilização do telefone celular ao dirigir e dirigir sob o efeito de álcool, os prejuízos associados à utilização do telefone celular foram semelhantes aos associados à condução sob o efeito de álcool (Strayer, Drews, & Crouch, 2006).

**Qual a sua opinião?** Você se considera um membro da Geração M? Quais são algumas das tarefas típicas que você tende a fazer simultaneamente?

---

O que explica o sucesso escolar de adolescentes criados por pais democráticos? O maior envolvimento dos pais democráticos com a vida escolar do filho pode ser um fator, bem como o incentivo a atitudes positivas em relação às atividades escolares. Um mecanismo mais sutil, coerente com as constatações sobre autoeficácia, pode ser a influência dos pais sobre como os filhos explicam o sucesso ou o fracasso. O exame de 50 estudos envolvendo mais de 50 mil estudantes revelou que pais que enfatizam o valor da educação, associam o desempenho acadêmico a metas futuras e discutem estratégias de aprendizagem têm um impacto significativo sobre o desempenho acadêmico do estudante (Hill & Tyson, 2009).

Em alguns grupos étnicos, no entanto, o estilo de parentalidade dos pais pode ser menos importante do que a influência dos pares sobre a motivação. Em um estudo, adolescentes afro-americanos e latino-americanos, incluindo aqueles com pais democráticos, tiveram desempenho escolar inferior ao de estudantes norte-americanos de origem europeia, aparentemente devido à falta de apoio dos colegas para o desempenho escolar (Steinberg, Dornbusch, & Brown, 1992). Por sua vez, alunos norte-americanos de origem asiática, cujos pais às vezes são descritos como autoritários, obtêm notas altas e apresentam melhor pontuação em testes de matemática do que estudantes norte-americanos de origem europeia, aparentemente porque os pais e os colegas valorizam seu desempenho (C. Chen & Stevenson, 1995). O melhor desempenho escolar de muitos jovens de várias origens étnicas reflete a forte ênfase da família e dos amigos no sucesso escolar (Fuligni, 1997; 2001).

A influência dos pares pode ajudar a explicar a tendência descendente na motivação e nas conquistas acadêmicas, que para muitos alunos começa no início da adolescência. Em um estudo longitudinal com alunos novos de uma escola urbana do ensino fundamental, a motivação e as notas diminuíram, em média, durante o 7º ano. Os estudantes cujo grupo de pares tinha desempenho satisfatório apresentaram menor declínio nas conquistas acadêmicas e na satisfação com a escola, enquanto os alunos que se relacionaram com pares com menor desempenho apresentaram um declínio maior (Ryan, 2001).

**Importância do NSE e características familiares relacionadas** O NSE é um preditor importante de sucesso acadêmico. O nível de escolaridade dos pais e a renda da família afetam indiretamente a realização educacional com base em como eles influenciam o estilo de parentalidade, os relacionamentos entre irmãos e o envolvimento acadêmico do adolescente (Melby, Conger, Fang, Wickrama, & Conger, 2008). De acordo com um estudo de letramento matemático de adolescentes de 15 anos em 20 países de renda relativamente alta, os estudantes com pelo menos um genitor com educação superior se saíram melhor do que estudantes cujos pais tinham níveis educacionais mais baixos (Hampden-Thompson & Johnston, 2006). Uma lacuna semelhante ocorreu entre os alunos cujos pais tinham uma profissão de alto nível e os alunos cujos pais tinham uma profissão de nível médio ou baixo. Ter mais de 200 livros em casa foi associado a pontuações mais altas, e viver em uma família com os dois pais foi outro preditor fundamental de competência matemática em todos os 20 países.

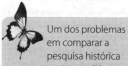

Um dos problemas em comparar a pesquisa histórica com a pesquisa atual é que a influência de determinadas variáveis pode mudar ao longo do tempo. Os leitores de livros eletrônicos, como o Kindle, estão se tornando cada vez mais populares. O que pode significar essa tendência para a constatação de que o número de livros em casa está correlacionado com o desempenho acadêmico?

**A escola** A qualidade da educação influencia fortemente o desempenho do estudante. Uma boa escola de ensino básico tem um ambiente organizado e seguro, recursos materiais adequados, uma equipe de professores estável e um senso de comunidade positivo. A cultura escolar enfatiza os estudos e cursos e promove a crença de que todos os estudantes podem aprender. Ela também oferece oportunidades para atividades extracurriculares, que mantêm os estudantes envolvidos e impede que eles se envolvam em confusão após a escola. Os professores confiam, respeitam e se preocupam com os estudantes e têm altas expectativas para eles, bem como confiança em sua própria habilidade de ajudá-los a ter sucesso (Eccles, 2004).

Os adolescentes ficam mais satisfeitos com a escola se eles podem opinar na elaboração das regras, se sentem o apoio dos professores e dos outros alunos (Samdal & Dür, 2000), se o currículo e o ensino são significativos e desafiadores na medida certa e se ajustam aos seus interesses, seu nível de habilidade e suas necessidades (Eccles, 2004). Em um levantamento das percepções dos estudantes acerca dos profes-

*Apesar de os adolescentes serem mais independentes do que as crianças mais novas, a atmosfera doméstica continua a influenciar as conquistas na escola. Os pais ajudam não apenas monitorando os deveres de casa, mas também demonstrando interesse ativo por outros aspectos das vidas dos adolescentes. As crianças com pais democráticos que discutem questões abertamente, elogiam e encorajam tendem a ter melhor desempenho na escola.*

### Verificador
**você é capaz de...**

- Explicar como as escolas em várias culturas motivam os estudantes a aprender?
- Avaliar as influências de qualidades pessoais, nível socioeconômico, gênero, etnia, pais e pares sobre o desempenho acadêmico?
- Dar exemplos de práticas educativas que podem ajudar os estudantes do ensino médio a terem um bom desempenho?

*A Gates Foundation patrocinou um novo programa no qual estudantes do 1º ano do ensino médio que são aprovados nos testes de proficiência poderão formar-se mais cedo e iniciar imediatamente cursos em faculdades comunitárias. Os proponentes afirmam que um sistema baseado no domínio da matéria em vez de em créditos acumulados levará ao aumento da motivação para estudantes competentes. Além disso, aqueles estudantes que não são aprovados nos exames de qualificação saberão quais as competências que eles devem aprimorar para atingir o nível de faculdade. O que você acha?*

sores, a alta expectativa do professor era o preditor mais consistente de metas e interesses dos estudantes, e o *feedback* negativo era o prognosticador negativo mais consistente de desempenho acadêmico e comportamento na sala de aula (Wentzel, 2002).

Um declínio na motivação e no desempenho acadêmicos frequentemente começa com a transição da intimidade e da familiaridade do ensino fundamental para o ambiente maior, com maior pressão e menos apoiador do ensino médio (Eccles, 2004). Por essa razão, algumas cidades tentaram eliminar a transição entre os anos estendendo o ensino fundamental em mais um ano ou unificaram algumas escolas de ensino fundamental com escolas de ensino médio pequenas (Gootman, 2007). Alguns sistemas escolares de grandes cidades como Nova York, Filadélfia e Chicago estão fazendo experiências com escolas menores, nas quais alunos, professores e pais formam uma comunidade de aprendizagem unida por uma visão comum do que seja uma boa educação e frequentemente por um foco curricular especial, como música ou estudos étnicos (Meier, 1995; Rossi, 1996).

Outra inovação é o *Early College High Schools* – escolas pequenas, personalizadas e de alta qualidade operadas em cooperação com universidades próximas. Ao combinarem um ambiente propício com padrões bem definidos e rigorosos, essas escolas permitem aos alunos concluir o ensino médio e fazer os dois primeiros anos de faculdade ("The Early College High School Initiative", s.d.).

## Evasão no ensino médio

Há, hoje, mais jovens concluindo o ensino médio do que em qualquer outra época. A porcentagem daqueles que desistem de estudar, conhecida como taxa de evasão escolar, inclui todas as pessoas na faixa etária de 16 a 24 anos que não estão matriculadas na escola e que não completaram o ensino médio, independentemente de quando abandonaram os estudos. Entre 2009 e 2010, a taxa de evasão escolar de alunos de escolas públicas do 9º ano do ensino fundamental ao 3º ano do ensino médio foi de 3,4%, o que representa cerca de 500 mil alunos. As taxas médias de evasão são mais baixas para estudantes brancos (2,3%) do que para estudantes negros (5,5%) e hispânicos (5,0%). Os estudantes asiáticos são menos propensos à evasão escolar (1,9%) (Stillwell & Sable, 2013; Figura 16.2).

Por que adolescentes pobres e de grupos minoritários são mais propensos à evasão escolar? Uma das razões pode ser o ensino ineficiente: baixas expectativas por parte dos professores ou tratamento diferencial desses estudantes; menos apoio dos professores do que no ensino fundamental; e a percepção de irrelevância do currículo para grupos culturalmente pouco representados. Em escolas que separam os alunos por nível de habilidade acadêmica, os alunos em grupos de baixo desempenho ou que não se destinam ao ensino superior (onde os jovens de grupos minoritários têm maior probabilidade de ser colocados) frequentemente têm piores experiências educacionais. Colocados junto aos colegas que apresentam também dificuldades acadêmicas,, eles podem desenvolver sentimentos de incompetência e atitudes negativas em relação à escola, bem como problemas de comportamento dentro e fora da escola (Eccles, 2004).

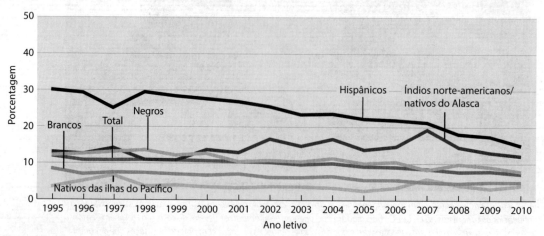

**FIGURA 16.2**
Taxa de evasão escolar de jovens entre os 16 e os 24 anos, entre 1995 e 2010.
*Fonte:* Stillwell & Sable, 2013.

A evasão escolar acarreta consequências tanto para a sociedade quanto para os indivíduos. A sociedade sofre quando os jovens não concluem os estudos. Os desistentes são mais propensos a ficar desempregados ou ter renda baixa, recorrer à assistência social e se envolver em drogas, crimes e delinquência. Eles também têm propensão a problemas de saúde (Laird, Lew, DeBell, & Chapman, 2006; NCES, 2001, 2003, 2004a).

Um estudo longitudinal que acompanhou 3.502 alunos de famílias carentes do 8º ano ao início da idade adulta aponta a diferença que o sucesso no ensino médio pode fazer (Finn, 2006). Como jovens adultos, os alunos bem-sucedidos tinham maior probabilidade, e os que abandonaram o ensino médio menor probabilidade, de obter educação de nível técnico/superior e de ter empregos consistentes.

Um fator importante que diferencia os que completam o ensino médio é a *participação ativa*: a "atenção, o interesse, o investimento e o esforço que os estudantes dedicavam ao trabalho da escola" (Marks, 2000, p. 155). No nível mais básico, participação ativa significa chegar à aula no horário, estar preparado, ouvir e responder às perguntas do professor e obedecer às regras da escola. Um nível mais alto de participação consiste em envolver-se com a disciplina – fazer perguntas, tomar a iniciativa de procurar ajuda quando necessário ou fazer projetos extras. Ambos os níveis de participação ativa tendem a ser compensados com um desempenho positivo na escola (Finn & Rock, 1997). O incentivo da família, as turmas com poucos alunos e o ambiente escolar apoiador e afetuoso promovem a participação ativa.

## Preparação para a educação superior ou para vocações

Como os jovens desenvolvem metas em relação à carreira que querem seguir? Como decidem se vão para a faculdade e, caso contrário, como entrar no mercado de trabalho? Muitos fatores influenciam, entre eles a habilidade individual e a personalidade, a educação, a origem socioeconômica e étnica, o conselho de orientadores educacionais, as experiências de vida e os valores sociais. Veremos, agora, algumas influências sobre as aspirações educacionais e vocacionais. Em seguida, examinaremos as medidas para os jovens que não planejam ir para a faculdade. Discutiremos também os prós e os contras de trabalhar fora para estudantes do ensino médio.

**Influências sobre as aspirações dos estudantes** As crenças na autoeficácia ajudam a moldar as opções ocupacionais que os estudantes consideram e o modo como eles se preparam para carreiras futuras (Bandura, Barbaranelli, Caprara, & Pastorelli, 2001; Bandura et al., 1996). Além disso, os valores dos pais com relação ao desempenho escolar influenciam os valores e as metas ocupacionais dos adolescentes (Jodl, Michael, Malanchuk, Eccles, & Sameroff, 2001).

Apesar da maior flexibilidade nas metas de carreira nos dias de hoje, o gênero – e os estereótipos de gênero – ainda influencia a escolha da profissão (Eccles et al., 2003). Meninas e meninos nos Estados Unidos têm hoje a mesma probabilidade de planejar carreiras em matemática e ciências. Entretanto, os meninos são muito mais propensos a se formarem em engenharia, física e ciências da computação (NCES, 2001), enquanto as meninas ainda são mais propensas a seguir profissões como enfermagem, assistência social e ensino (Eccles et al., 2003). Em outros países industrializados, a realidade é semelhante (OECD, 2004). A Figura 16.3 mostra a porcentagem de mestrados concluídos por mulheres em diferentes áreas de estudo.

O próprio sistema educacional pode agir como um freio às aspirações vocacionais. Estudantes que sabem memorizar e analisar tendem a se sair bem em salas de aula em que o ensino é voltado para essas habilidades. Assim, como previsto pelos testes, esses alunos são vencedores em um sistema que enfatiza as habilidades nas quais eles podem se destacar.

Estudantes cujo forte é o pensamento criativo ou prático – áreas críticas para o sucesso em certos campos – raramente têm uma chance de mostrar o que podem fazer (Sternberg, 1997). O reconhecimento de uma ampla variedade de inteligências (consulte o Cap. 13), aliado a um ensino mais flexível e ao aconselhamento vocacional, poderia permitir que mais estudantes atingissem suas metas educacionais e ingressassem na profissão que desejam a fim de dar a contribuição naquilo que são capazes.

**Orientando estudantes que não vão para a faculdade** A maioria dos países industrializados oferece orientação para estudantes que não desejam ou não podem ir para a faculdade. Na Alemanha, por exemplo, há um sistema voltado para o estagiário, em que os alunos do ensino médio ficam meio período na escola e passam o resto da semana em treinamento remunerado em local de trabalho, supervisionados por um empregador-mentor.

---

### Qual a sua opinião?

Como os pais, os educadores e as instituições sociais podem encorajar os jovens a completar o ensino médio com êxito?

### Verificador você é capaz de...

- Discutir as tendências na conclusão do ensino médio e as causas e os efeitos da evasão escolar?
- Explicar a importância da participação ativa na escola?

Os estudantes aprendem mais quando precisam ler materiais de uma fonte mais difícil de entender. O processamento adicional requerido para decodificar as palavras ajuda a reter melhor o conteúdo.

*Diemand-Yauman, Oppenheimer, & Vaughan, 2011*

## 436 PARTE VI • Adolescência

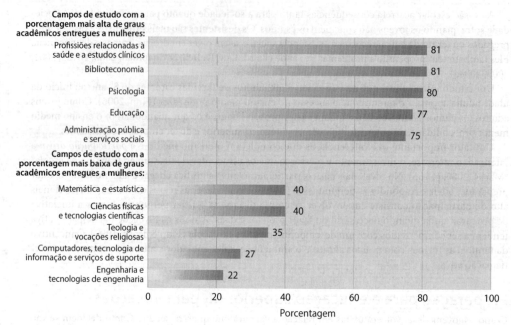

**FIGURA 16.3**
Porcentagem de mestrados concluídos por mulheres em instituições com competência para a atribuição de diplomas em áreas selecionadas de estudo. Ano letivo 2009-2010.

*Fonte:* U.S. Department of Education, National Center for Education Statistics, 2010. Inclui apenas as instituições que participaram dos programas federais de ajuda financeira do Title IV. A nova classificação desses programas foi iniciada em 2009-2010.

*Este jovem — um dos 38% de norte-americanos formados no ensino médio que não entram na faculdade imediatamente — está aprendendo assistência técnica e manutenção de equipamentos eletrônicos. Para ser eficaz, o treino vocacional deve estar associado às necessidades atuais do mercado de trabalho.*

**Capítulo 16** • Desenvolvimento cognitivo na adolescência

Os Estados Unidos não têm políticas coordenadas para ajudar os jovens que não vão para a faculdade a fazer uma transição bem-sucedida do ensino médio para o mercado de trabalho (Eccles, 2004). O aconselhamento vocacional geralmente é dirigido aos jovens que vão para a faculdade. Todos os programas de treinamento profissional existentes para os jovens que terminam o ensino médio e não vão imediatamente para a faculdade tendem a ser menos abrangentes que o modelo alemão e menos atrelados às necessidades das empresas e das indústrias. A maioria desses jovens deve ser treinada no local de trabalho ou em cursos de faculdades comunitárias. A maioria, sem conhecer o mercado de trabalho, não aprende aquilo que é necessário. Outros conseguem empregos que estão aquém de sua capacidade. Alguns não encontram emprego algum (NRC, 1993a).

Em algumas comunidades, programas de demonstração ajudam na transição da escola para o trabalho. Os mais bem-sucedidos oferecem instrução em qualificações básicas, aconselhamento, apoio entre pares, supervisão, estágio e colocação profissional (National Research Council [NRC], 1993a). Em 1994, o Congresso dos Estados Unidos disponibilizou 1,1 bilhão de dólares para ajudar os Estados e os governos locais a estabelecerem programas de transição da escola para o trabalho em parceria com os empregadores. Os estudantes participantes melhoraram seu desempenho escolar e as taxas de conclusão do curso e, quando ingressaram no mercado de trabalho, tiveram mais probabilidade de encontrar empregos e ganhar salários mais altos do que estudantes que não participaram do programa (Hughes, Bailey, & Mechur, 2001).

**Adolescentes no local de trabalho** Nos Estados Unidos, cerca de 80 a 90% dos adolescentes trabalham durante o ensino médio, principalmente em empregos nos setores de prestação de serviços e comércio (Staff, Mortimer, & Uggen, 2004). Os pesquisadores discordam sobre o quanto o trabalho em tempo parcial é benéfico para os estudantes do ensino médio (ajudando-os a desenvolver habilidades do mundo real e ética de trabalho) ou prejudicial (distraindo-os das metas educacionais e ocupacionais de longo prazo).

Algumas pesquisas sugerem que os estudantes que trabalham dividem-se em dois grupos: aqueles que estão em um caminho acelerado para a idade adulta e aqueles que fazem uma transição mais vagarosa, equilibrando a escola, o trabalho remunerado e as atividades extracurriculares. Os "acelerados" trabalham mais de 20 horas por semana durante o ensino médio e passam pouco tempo em atividades de lazer relacionadas à escola. A exposição a um mundo adulto pode levá-los a uso de álcool e drogas, atividade sexual e comportamento delinquente. Muitos desses adolescentes têm um nível socioeconômico relativamente baixo; eles tendem a procurar empregos de período integral logo após a conclusão do ensino médio e a não ingressar na universidade. A experiência de trabalho intensivo no ensino médio melhora suas perspectivas de trabalho e renda após a conclusão do curso, mas não de realização profissional de longo prazo. Os "equilibrados", em contrapartida, frequentemente vêm de famílias mais privilegiadas. Para eles, os efeitos do trabalho em tempo parcial parecem inteiramente benignos. Ele os ajuda a adquirir um senso de responsabilidade, independência e autoconfiança e a apreciar o valor do trabalho, mas não os desvia de seu caminho educacional (Staff et al., 2004).

Para os estudantes do ensino médio que precisam ou escolhem trabalhar fora da escola, então, os efeitos têm maior probabilidade de ser positivos se eles tentam limitar as horas de trabalho e permanecer envolvidos nas atividades escolares. Programas educacionais cooperativos que permitem que os estudantes trabalhem meio turno como parte de seu currículo escolar podem ser especialmente protetores (Staff et al., 2004). Esses programas também podem ajudar os alunos a experimentar diferentes vocações e a começar o processo de decidir uma carreira.

O planejamento vocacional é um dos aspectos da busca pela identidade por parte do adolescente. A pergunta "O que eu vou fazer?" está muito próxima de "O que eu vou ser?". Pessoas que sentem que estão fazendo algo que vale a pena, e o fazem com seriedade, sentem-se bem consigo mesmas. Aquelas que sentem que seu trabalho não é importante – ou que não são boas naquilo que fazem – poderão questionar o significado de suas vidas. Uma questão fundamental para a personalidade na adolescência, que discutiremos no Capítulo 17, é o esforço para definir o *self*.

---

**Verificador**
**você é capaz de...**

■ Discutir as influências sobre as aspirações educacionais e vocacionais e o planejamento?

■ Pesar fatores no valor do trabalho em tempo parcial para os alunos do ensino médio?

# resumo & palavras-chave

PARTE VI • Adolescência

## ❶ Aspectos do amadurecimento cognitivo

**Como o pensamento e o uso da linguagem na adolescência diferem dos da infância?**

- Os adolescentes que alcançam o estágio operatório-formal de Piaget podem utilizar o raciocínio hipotético-dedutivo. Eles podem pensar em termos de possibilidades, lidar com problemas de modo flexível e testar hipóteses.
- Como a estimulação ambiental desempenha um papel importante para se atingir esse estágio, nem todas as pessoas tornam-se capazes de operações formais, e aquelas que são capazes nem sempre as utilizam.
- O estágio operatório-formal, proposto por Piaget, não leva em conta desenvolvimentos como o acúmulo de conhecimento e a especialização, ganhos no processamento de informação e o crescimento da metacognição. Piaget também deu pouca atenção às diferenças individuais, às variações entre tarefas e ao papel da situação.
- Segundo Elkind, os padrões de pensamento imaturo podem resultar da inexperiência dos adolescentes com o pensamento formal. Esses padrões de pensamento incluem idealismo e pensamento crítico, argumentação, indecisão, hipocrisia aparente, autoconsciência e uma suposição de peculiaridade e invulnerabilidade. A pesquisa gerou questionamentos sobre a prevalência dos dois últimos padrões durante a adolescência.
- A investigação encontrou mudanças estruturais e funcionais no processamento de informação na adolescência, o que reflete no desenvolvimento do cérebro do adolescente. As mudanças estruturais incluem aumento na habilidade de processamento de informação, no armazenamento de memórias de longo prazo e na habilidade da memória de trabalho. As mudanças funcionais incluem progresso na aprendizagem, na memória e no raciocínio.
- O vocabulário e outros aspectos do desenvolvimento da linguagem, sobretudo aqueles relacionados ao pensamento abstrato, como perspectiva social, são aprimorados na adolescência. Os adolescentes gostam de jogos de palavras e criam seu próprio dialeto.
  **operatório-formal (418)**
  **raciocínio hipotético-dedutivo (418)**
  **audiência imaginária (421)**
  **fábula pessoal (421)**
  **conhecimento declarativo (423)**
  **conhecimento procedural (423)**
  **conhecimento conceitual (423)**

## ❷ Desenvolvimento moral

**Quais são os critérios que os adolescentes usam para fazer julgamentos morais e como varia o comportamento pró-social?**

- Segundo Kohlberg, o raciocínio moral baseia-se no desenvolvimento de um senso de justiça da habilidade cognitiva. Kohlberg propôs que o desenvolvimento moral progride a partir do controle externo, passando por padrões sociais internalizados, até os códigos de princípios morais.
- A teoria de Kohlberg tem sido criticada em vários aspectos, incluindo a ausência do papel da emoção, da socialização e da orientação parental. A aplicabilidade do sistema de Kohlberg a mulheres e meninas e a pessoas em culturas não ocidentais tem sido questionada. A pesquisa não encontrou diferenças de gênero significativas no raciocínio moral conforme mencionado pelos métodos de Kohlberg.
- Gilligan propôs uma teoria alternativa do desenvolvimento moral com base na ética dos cuidados em vez de na justiça.
- O comportamento pró-social continua aumentando durante a adolescência, especialmente entre as meninas. Muitos adolescentes se envolvem no serviço comunitário voluntário.
- De acordo com a teoria de Fowler sobre o desenvolvimento da fé, a maioria dos adolescentes está no estágio da fé convencional, no qual aceitam convicções estabelecidas pela comunidade.
  **moralidade pré-convencional (424)**
  **moralidade convencional (ou moralidade da conformidade com o papel convencional) (424)**
  **moralidade pós-convencional (ou moralidade dos princípios morais autônomos) (424)**

## ❸ Questões educacionais e vocacionais

**Quais influências afetam o desempenho escolar dos adolescentes, seu planejamento e preparação educacional e vocacional?**

- Motivação, crenças na autoeficácia, gênero, práticas parentais, influências culturais e dos pares e qualidade da escolarização afetam o desempenho e as conquistas educacionais.
- Embora a maioria dos norte-americanos conclua o ensino médio, a taxa de evasão escolar é mais alta entre os estudantes pobres, hispânicos e afro-americanos. A participação ativa nos estudos é um fator importante para manter os adolescentes na escola.

- As aspirações educacionais e vocacionais são influenciadas por vários fatores, entre eles a autoeficácia, os valores parentais e o gênero.
- Jovens que concluem o ensino médio e não vão imediatamente para a faculdade podem beneficiar-se do treinamento vocacional.

- O trabalho em tempo parcial parece ter efeitos positivos e negativos sobre o desenvolvimento educacional, social e ocupacional. Os efeitos de longo prazo tendem a ser melhores quando as horas de trabalho são limitadas.

# Capítulo 17

## Sumário

A busca da identidade

Sexualidade

Relacionamentos com a família e com os pares

Comportamento antissocial e delinquência juvenil

A adultez emergente

# Desenvolvimento psicossocial na adolescência

## Você sabia que...

▶ Os programas de educação sexual que incentivam tanto a abstinência como as práticas sexuais seguras são mais eficazes em atrasar a iniciação sexual do que os programas que incentivam apenas a abstinência sexual?

▶ A maioria dos adolescentes diz que tem um bom relacionamento com seus pais?

▶ Estudos têm mostrado que os programas de comunicação e as redes sociais, como o Facebook, mais fortalecem do que diminuem as conexões sociais?

*Neste capítulo, abordaremos os aspectos psicossociais da busca de identidade. Discutiremos como os adolescentes podem conciliar-se com sua sexualidade. Consideraremos como a individualidade florescente dos adolescentes se expressa nos relacionamentos com os pais, os irmãos e os pares. Examinaremos as fontes de comportamento antissocial e maneiras de reduzir os riscos para a adolescência de modo a torná-la um tempo de crescimento positivo e de expansão das possibilidades. Por fim, apresentaremos uma visão intercultural do final da adolescência e do início da fase adulta.*

> A vida é uma experimento.
> Quanto mais experiências você fizer, melhor.
>
> — *Ralph Waldo Emerson*

**PARTE VI** • Adolescência

# Guia de estudo

1. Como os adolescentes formam uma identidade e qual é o papel do gênero e da etnia?

2. O que determina a orientação sexual, quais são as práticas sexuais mais comuns entre os adolescentes e o que leva alguns deles a se envolver em comportamentos sexuais de risco?

3. Como os adolescentes se relacionam com os pais, com os irmãos e com os pares?

4. Qual é a causa do comportamento antissocial e o que pode ser feito para reduzir o risco de delinquência na adolescência?

5. Como as várias culturas definem o que significa se tornar adulto e quais são os sinais que conferem o *status* de adulto?

---

## Guia de estudo 1

Como os adolescentes formam uma identidade e qual é o papel do gênero e da etnia?

**identidade**
De acordo com Erikson, uma concepção coerente do *self*, constituída de metas, valores e crenças com os quais a pessoa está solidamente comprometida.

**identidade *versus* confusão de identidade**
O quinto estágio do desenvolvimento psicossocial de Erikson, no qual o adolescente procura desenvolver uma percepção coerente do *self*, incluindo o papel que ele precisa desempenhar na sociedade. Também chamado de identidade *versus* confusão de papéis.

**fidelidade**
Lealdade sustentada, fé ou sentimento de pertencimento que resulta da resolução bem-sucedida do estágio de desenvolvimento psicossocial de Erikson identidade *versus* confusão de identidade.

# A busca da identidade

A busca da **identidade** – que Erikson definiu como uma concepção coerente do *self*, constituída de metas, valores e crenças com os quais a pessoa está solidamente comprometida – entra em foco durante os anos da adolescência. O desenvolvimento cognitivo dos adolescentes lhes possibilita construir uma "teoria do *self*" (Elkind, 1998). Em outras palavras, a adolescência é o momento em que descobrimos quem realmente somos. Como Erikson (1950) enfatizou, o esforço para compreender o *self* faz parte de um processo saudável que se constrói nas conquistas dos primeiros estágios — confiança, autonomia, iniciativa e produtividade — e lança os alicerces para lidar com os desafios da idade adulta. Entretanto, uma crise de identidade raras vezes é totalmente resolvida na adolescência; questões relativas à identidade surgem repetidamente durante toda a vida adulta.

## Erikson: identidade *versus* confusão de identidade

A principal tarefa da adolescência, dizia Erikson (1968), é confrontar a crise de **identidade *versus* confusão de identidade** (ou identidade *versus* confusão de papéis) de modo a tornar-se um adulto singular com uma percepção coerente do *self* e com um papel valorizado na sociedade. O conceito da *crise de identidade* baseou-se, em parte, na experiência pessoal de Erikson. Criado na Alemanha como o filho bastardo de uma mulher judia dinamarquesa que havia se separado do primeiro marido, Erikson jamais conheceu o pai biológico. Embora tenha sido adotado aos 9 anos de idade pelo segundo marido de sua mãe, um pediatra judeu alemão, ele se sentia confuso a respeito de quem era. Debateu-se durante algum tempo antes de encontrar sua vocação. Quando se mudou para os Estados Unidos, precisou redefinir sua identidade como imigrante. Todas essas questões encontraram ecos nas crises de identidade que ele observou entre adolescentes problemáticos, soldados em combate e membros de grupos minoritários (Erikson, 1968, 1973; Friedman, 1999).

De acordo com Erikson, a identidade forma-se quando os jovens resolvem três questões importantes: a escolha de uma *ocupação*, a adoção de *valores* sob os quais viver e o desenvolvimento de uma *identidade sexual* satisfatória. Durante a terceira infância, as crianças adquirem as habilidades necessárias para obter sucesso em suas respectivas culturas. Quando adolescentes, elas precisam encontrar maneiras de usar essas habilidades. Quando os jovens têm problemas para fixar-se em uma identidade ocupacional – ou quando suas oportunidades são artificialmente limitadas –, eles correm risco de apresentar comportamento com consequências negativas graves, como atividades criminosas.

Pelo menos nos países ocidentais, como os Estados Unidos, alguns indivíduos desfrutam de um período relativamente longo de tempo durante o qual começam a assumir responsabilidades de adultos, mas não são totalmente independentes. Erikson acreditava que esse período de tempo, que chamou de *moratória psicossocial,* era ideal para o desenvolvimento da identidade e dava aos jovens a oportunidade de procurar compromissos aos quais poderiam ser fiéis.

Os adolescentes que resolvem essa crise de identidade satisfatoriamente desenvolvem a virtude da **fidelidade**: lealdade constante, fé ou um sentimento de integração com uma pessoa amada ou com amigos e companheiros. Fidelidade também pode ser uma identificação com um conjunto de valores, uma ideologia, uma religião, um movimento político, uma busca criativa ou um grupo étnico (Erikson, 1982). Por sua vez, os indivíduos que não desenvolvem um senso sólido de sua própria identidade nem desenvolvem a fidelidade podem ter uma percepção de *self* instável, ser inseguros e falhar no que diz respeito a fazer planos para eles próprios e para o futuro.

Erikson via como o principal perigo desse estágio a confusão de identidade ou de papel. A incapacidade de formar um senso de identidade pode atrasar consideravelmente a maturidade psicológica. (Ele não resolveu sua crise de identidade até os 20 e poucos anos.) Contudo, algum grau de confusão de identidade é normal. De acordo com Erikson, isso contribui para a natureza aparentemente caótica de grande parte do comportamento dos adolescentes e para a penosa autoconsciência deles. Grupos fechados e intolerância com as diferenças, ambos marcas registradas do cenário social adolescente, são defesas contra a confusão de identidade.

A teoria de Erikson descreve o desenvolvimento da identidade masculina como regra. De acordo com ele, um homem não é capaz de estabelecer uma intimidade real até ter adquirido uma identidade estável, enquanto as mulheres se definem pelo casamento e maternidade (algo que talvez fosse mais verdadeiro na época em que Erikson desenvolveu sua teoria do que na atualidade). Desse modo, as mulheres (diferentemente dos homens) desenvolvem a identidade *por meio* da intimidade, não *antes* dela. Conforme veremos, essa orientação masculina da teoria de Erikson foi alvo de críticas. Ainda assim, seu conceito de crise de identidade inspirou muitas pesquisas valiosas.

## Marcia: estados de identidade — crise e compromisso

*Vencer o desafio de trilhar um caminho de corda pode ajudar esta adolescente a avaliar suas habilidades, interesses e desejos. De acordo com Erikson, esse processo de autoavaliação ajuda os adolescentes a resolverem a crise de identidade versus confusão de identidade.*

Caterina, Andrea, Nick e Mark estão prestes a concluir o ensino médio. Caterina ponderou sobre seus interesses e talentos e planeja tornar-se engenheira. Ela restringiu suas opções de curso superior a três universidades que oferecem bons programas nessa área.

Andrea sabe exatamente o que vai fazer da vida. Sua mãe, líder sindical de uma fábrica de plásticos, conseguiu um estágio para ela na fábrica. Andrea nunca pensou em fazer outra coisa.

Nick está angustiado em relação ao seu futuro. Matricula-se na faculdade local ou vai para o exército? Não consegue decidir sobre o que quer fazer agora nem depois.

Mark ainda não tem ideia do que quer fazer, mas não está preocupado. Imagina que poderá arranjar algum emprego e decidir-se a respeito do futuro quando estiver preparado.

Esses quatro jovens estão em um processo de formação de identidade. O que explica as diferenças no modo de lidarem com o assunto e como essas diferenças afetam o resultado? De acordo com as pesquisas realizadas pelo psicólogo James E. Marcia (1966, 1980), esses estudantes estão em quatro diferentes **estados de identidade**, ou estados do ego (*self*).

Por meio de *entrevistas semiestruturadas* de 30 minutos sobre o estado de identidade (Kroger, 2003; Quadro 17.1), Marcia distinguiu quatro tipos de estados de identidade: *identidade estabelecida ou conquistada, identidade outorgada, moratória e difusão de identidade*. As quatro categorias diferem de acordo com a presença ou ausência de **crise** e **compromisso**, os dois elementos que Erikson via como cruciais para a formação da identidade. Marcia definiu *crise* como um período de tomada de decisão consciente. Repare que isso é diferente do uso cotidiano da palavra. Crise, no contexto das teorias de Erikson, não se refere a um evento estressante, como perder o emprego ou não ser capaz de pagar suas contas. Pelo contrário, refere-se a um período de engajamento ativo com um aspecto da identidade — no qual um indivíduo se apega ao que acredita e ao que quer ser. *Compromisso*, o outro aspecto da formação da identidade, envolve o investimento pessoal em uma ocupação ou em uma ideologia (sistema de crenças). Os compromissos podem ser realizados após terem sido profundamente considerados, depois da crise, ou podem ser adotados sem muito pensamento investido neles. Ele encontrou relações entre o estado de identidade e certas características como ansiedade, autoestima, raciocínio moral e padrões de comportamento. Baseando-se na teoria de Marcia, outros pesquisadores identificaram variáveis de personalidade e familiares adicionais relacionadas com o estado de identidade (Quadro 17.2). Eis um esboço mais detalhado dos jovens em cada estado de identidade:

- **Identidade estabelecida ou conquistada** (*crise que leva ao compromisso*). Caterina resolveu sua crise de identidade. Durante o período da crise, ela se dedicou a pensar muito e lutou um pouco com aspectos emocionais referentes a questões importantes em sua vida. Fez escolhas e expressou

---

**estados de identidade**
Termo usado por Marcia para os estágios de desenvolvimento do ego que dependem da presença ou da ausência de crise e compromisso.

**crise**
Termo de Marcia para o período de tomada de decisão consciente relativa à formação de identidade.

**compromisso**
Termo de Marcia para o investimento pessoal em uma ocupação ou em um sistema de crenças.

**identidade estabelecida ou conquistada**
Estado de identidade, descrito por Marcia, caracterizado por compromisso com as escolhas feitas após uma crise, um período gasto na exploração de alternativas.

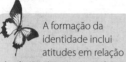

A formação da identidade inclui atitudes em relação à religião. A pesquisa indica que 84% dos adolescentes norte-americanos entre 13 e 17 anos acreditam em Deus, e aproximadamente metade deles diz que a religião é muito importante para eles. Esse número diminui um pouco à medida que os adolescentes envelhecem; entretanto, em comparação com países europeus, os adolescentes norte-americanos demonstram maior religiosidade.

*Lippman & McIntosh, 2010*

**QUADRO 17.1** Entrevista do estado de identidade

| Exemplo de perguntas | Respostas típicas para os quatro estados |
|---|---|
| *Sobre o compromisso ocupacional:* "Até que ponto você estaria disposto a pensar em desistir de entrar no _____ se surgisse algo melhor?" | *Identidade estabelecida ou conquistada:* "Bem, eu poderia fazê-lo, mas duvido. Não consigo imaginar o que seria esse 'melhor' para mim." <br> *Identidade outorgada:* "Não estaria muito disposto. Isso é o que eu sempre quis fazer. O pessoal está feliz com isso, e eu também." <br> *Moratória:* "Imagino que se eu soubesse com certeza poderia responder melhor. Teria que ser algo em uma área geral – algo relacionado com..." <br> *Difusão de identidade:* "Ah, certamente. Se surgisse algo melhor, eu mudaria." |
| *Sobre o compromisso ideológico:* "Você já teve alguma dúvida quanto a suas crenças religiosas?" | *Identidade estabelecida ou conquistada:* "Sim, comecei a me perguntar se Deus existe. Agora isso está resolvido. Parece-me que..." <br> *Identidade outorgada:* "Não, na verdade, não; nossa família está praticamente de acordo com essas coisas." <br> *Moratória:* "Sim, acho que estou passando por isso agora. Simplesmente, não vejo como pode existir Deus e haver tanto mal no mundo..." <br> *Difusão de identidade:* "Ah, não sei. Acho que sim. Todo mundo passa por esse tipo de fase. Mas eu realmente não me preocupo muito. Imagino que uma religião é tão boa quanto outra." |

Fonte: Adaptado de Marcia, 1966.

**identidade outorgada**
Estado de identidade, descrito por Marcia, no qual uma pessoa que não passou um tempo considerando alternativas (ou seja, não esteve em uma crise) está comprometida com os planos de outras pessoas para sua vida.

**moratória**
Estado de identidade, descrito por Marcia, no qual uma pessoa está atualmente considerando alternativas (em crise) e parece estar rumando para o compromisso.

**difusão de identidade**
Estado de identidade, descrito por Marcia, caracterizado por ausência de compromissos e falta de uma consideração séria de alternativas.

## Qual a sua opinião?

- Em qual estado de identidade de Marcia você se encaixava quando era adolescente?
- O seu estado de identidade mudou desde então? Se sim, de que maneira?

forte compromisso com elas. Seus pais encorajaram-na a tomar suas próprias decisões. Eles ouviram suas ideias e deram suas opiniões sem pressioná-la. Pesquisas realizadas em uma série de culturas revelaram que as pessoas dessa categoria são mais maduras e mais competentes socialmente do que as pessoas das outras três (Marcia, 1993).

- **Identidade outorgada** (*compromisso sem crise*). Andrea assumiu compromissos, não como resultado da exploração de possíveis opções, mas aceitando os planos de outra pessoa para sua vida. Ela não considerou se acredita ou não nos seus compromissos e aceitou as opiniões dos outros sem criticar. Ela está feliz e confiante, talvez até convencida e satisfeita, e torna-se dogmática quando suas opiniões são questionadas. Tem estreitos laços familiares, é obediente e tende a seguir um líder poderoso, como sua mãe, que não aceita discordâncias.
- **Moratória** (*crise ainda sem compromisso*). Nick está lutando com sua identidade e tenta decidir ele próprio o que quer ser e o caminho que ele quer que sua vida tome. Ele é jovial, comunicativo, autoconfiante e escrupuloso, mas também ansioso e medroso. Tem uma ligação forte com a mãe, mas resiste sua autoridade. Quer ter uma namorada, mas ainda não desenvolveu um relacionamento mais íntimo. É provável que a certa altura saia da crise com a habilidade de assumir compromissos e de alcançar a identidade.
- **Difusão de identidade** (*sem compromisso, sem crise*). Mark não pensou seriamente em nenhuma opção e evitou compromissos. É inseguro em relação a si mesmo e tende a não cooperar. Seus pais não discutem seu futuro com ele; dizem que compete a ele decidir. Pessoas dessa categoria tendem a ser infelizes e frequentemente solitárias.

Essas categorias não são estágios; elas representam o estado do desenvolvimento da personalidade em determinado momento e provavelmente mudam em qualquer direção à medida que os jovens se desenvolvem (Marcia, 1979). Além disso, a mesma tipologia pode ser aplicada a qualquer aspecto da formação de identidade. Igualmente, como nossa identidade é multidimensional, nosso desenvolvimento de identidade também é. Por exemplo, um adolescente pode ter decidido um plano de carreira, mas ainda não ter considerado outros aspectos da identidade, como a filiação política ou religiosa. Quando as pessoas de meia-idade fazem um retrospecto de suas vidas, muito comumente traçam um caminho da identidade outorgada para a moratória e para a identidade estabelecida ou conquistada (Kroger & Haslett, 1991). Ao final da adolescência, conforme propôs Marcia, um número cada vez maior de pessoas se encontra na fase de moratória ou de identidade estabelecida ou conquistada: procurando ou encontrando sua própria identidade. Aproximadamente metade das pessoas no final da adolescência permanece na fase de pré-fechamento ou de difusão, mas, quando o desenvolvimento ocorre, é normalmente na direção que Marcia descreveu (Kroger, 2003). No entanto, embora as pessoas que se encontram na fase de pré-fechamento pareçam ter tomado decisões definitivas, isso nem sempre ocorre.

**QUADRO 17.2** Fatores da personalidade e da família relacionados com adolescentes nos quatro estados de identidade*

| Fator | Identidade estabelecida ou conquistada | Identidade outorgada | Moratória | Difusão de identidade |
|---|---|---|---|---|
| Família | Os pais encorajam a autonomia e a ligação com professores; as diferenças são exploradas dentro de um contexto de reciprocidade. | Os pais envolvem-se excessivamente na vida de seus filhos; as famílias evitam a expressão de diferenças. | Os adolescentes frequentemente se envolvem em uma disputa ambivalente com a autoridade dos pais. | Os pais não intervêm na educação dos filhos; rejeitam os filhos ou não estão disponíveis para eles. |
| Personalidade | Altos níveis de desenvolvimento do ego, do raciocínio moral, da autoconfiança, da autoestima, do desempenho sob pressão e da intimidade. | Níveis mais altos de autoritarismo e pensamento estereotipado, obediência à autoridade, relacionamentos dependentes, baixo nível de ansiedade. | Muito ansioso e receoso do sucesso; níveis elevados de desenvolvimento do ego, do raciocínio moral e da autoestima. | Resultados mistos, com baixos níveis de desenvolvimento do ego, do raciocínio moral, da complexidade cognitiva e da autoconfiança; baixa capacidade de cooperação. |

* Essas associações são provenientes de diversos estudos isolados. Uma vez que todos os estudos foram correlacionais em vez de longitudinais, é impossível afirmar se algum fator levou à colocação em qualquer estado de identidade.

*Fonte:* Kroger, 1993.

## Diferenças de gênero na formação da identidade

Será que o desenvolvimento da identidade nos homens e nas mulheres acontece da mesma forma? Segundo Carol Gilligan (1982, 1987a, 1987b; Brown & Gilligan, 1990), o senso de identidade feminino se desenvolve não tanto pela conquista de uma identidade individual, mas também pelo estabelecimento de relacionamentos. Meninas e mulheres, diz Gilligan, julgam a si mesmas quanto ao desempenho de suas responsabilidades e quanto à capacidade de cuidarem dos outros, bem como de si mesmas.

A maioria das pesquisas apoia a visão de Erikson de que, para as mulheres, a identidade e a intimidade se desenvolvem juntas. Alguns pesquisadores acreditam que isso aponta para uma fraqueza na teoria de Erikson, que, segundo, eles se baseia nos conceitos ocidentais de individualidade, autonomia e competitividade centrados na figura masculina. Além disso, dadas as mudanças na estrutura social e o papel crescente das mulheres no mercado de trabalho, pode ser que essas diferenças de gênero sejam menos importantes do que anteriormente e que as diferenças individuais possam desempenhar um papel mais importante agora (Archer, 1993; Marcia, 1993). Em outra investigação sobre os estados de identidade de Marcia, poucas diferenças relacionadas ao gênero apareceram (Kroger, 2003).

Enquanto a formação da identidade nos homens e nas mulheres pode não estar necessariamente de acordo com a teoria original de Erikson, parece que existem diferenças na formação da autoestima. A autoestima masculina tende a estar vinculada à luta pela realização individual, enquanto a autoestima feminina depende mais das vinculações com os outros (Thorne & Michaelieu, 1996). Algumas evidências sugerem que as meninas adolescentes têm a autoestima mais baixa, em média, do que os meninos adolescentes, embora essa descoberta tenha sido controversa. Diversos estudos recentes revelam que a autoestima diminui durante a adolescência, mais rapidamente para as meninas do que para os meninos, e então aumenta gradualmente até a idade adulta. Essas mudanças podem dever-se, em parte, à imagem corporal e a outras ansiedades associadas à puberdade e às transições para os últimos anos do ensino fundamental ou para o ensino médio (Robins & Trzesniewski, 2005).

*O desenvolvimento da identidade pode ser especialmente complicado para os jovens de grupos minoritários. A etnia pode ter um papel central em seu autoconceito.*

## Fatores étnicos na formação da identidade

Para um jovem euro-americano crescendo em uma cultura predominantemente branca, o processo de formação de identificação étnica não é particularmente problemático, e a identidade étnica desenvolve-se com facilidade. No entanto, para muitos jovens de grupos minoritários, a raça ou a etnia é fundamental na formação da identidade. Seguindo o modelo de Marcia, algumas pesquisas identificaram quatro estados de identidade étnica (Phinney, 1998):

**446** **PARTE VI** • Adolescência

- *Difusa:* Juanita não parou para pensar sobre sua identidade. Fez pouca ou nenhuma exploração do que sua ancestralidade significa ou o que pensa sobre isso e não entende claramente as questões envolvidas.
- *Outorgada:* Caleb tem fortes sentimentos sobre sua identidade, mas estes não se baseiam em nenhuma exploração séria sobre sua identidade. Pelo contrário, ele absorveu o comportamento de outras pessoas importantes de sua vida. Esses sentimentos podem ser positivos ou negativos.
- *Moratória:* Cho-san começou a pensar sobre o que sua etnia significa, mas está confusa. Faz perguntas a outras pessoas, fala sobre isso com os pais e pensa muito sobre essa questão.
- *Estabelecida:* Diego passou muito tempo pensando sobre quem ele é e o que sua etnia significa nesse contexto. Ele agora compreende e aceita sua etnia.

O Quadro 17.3 cita as declarações representativas de jovens de grupos minoritários em cada estado.

Um estudo com 940 adolescentes, estudantes universitários e adultos afro-americanos encontrou evidência de todos os quatro estados de identidade em cada faixa etária. Apenas 27% dos adolescentes estavam no grupo de identidade estabelecida ou conquistada, em comparação com 47% dos estudantes universitários e 56% dos adultos. Em vez disso, os adolescentes eram mais propensos a estar na moratória (42%), ainda explorando o que significa ser afro-americano. Cerca de 25% dos adolescentes estavam em pré-fechamento, com sentimentos sobre a identidade afro-americana baseados em sua educação familiar. Os três grupos (estabelecida, moratória e pré-fechamento) relataram mais consideração positiva por serem afro-americanos do que os 6% de adolescentes que eram difusos (nem comprometidos, nem em processo de exploração). Aqueles de qualquer idade que estavam no estado de identidade estabelecida eram mais propensos a ver a raça como central em sua identidade (Yip, Seaton, & Sellers, 2006).

Outro modelo focaliza-se em três aspectos da identidade racial/étnica: *conexão* com o próprio grupo racial/étnico, *consciência de racismo* e *realização incorporada*, a crença de que a realização acadêmica é uma parte da identidade do grupo. Um estudo longitudinal de jovens de grupos minoritários de baixa renda revelou que os três aspectos da identidade parecem estabilizar-se e até aumentar ligeiramente na metade da adolescência. Portanto, a identidade racial/étnica pode atenuar as tendências a uma queda nas notas e na ligação com a escola durante a transição do ensino fundamental para o ensino médio (Altschul, Oyserman, & Bybee, 2006). Por sua vez, a percepção de discriminação durante a transição para a adolescência pode interferir na formação da identidade positiva e levar a problemas de conduta ou a depressão. Os fatores de proteção incluem amigos pró-sociais, alto desempenho acadêmico e pais carinhosos e envolvidos (Brody et al., 2006).

Um estudo longitudinal de três anos com 420 adolescentes norte-americanos de ascendência africana, latina e europeia examinou duas dimensões da identidade étnica: *valorização do grupo* (sentir-se bem em relação à própria etnia) e *exploração do significado da etnia* na vida da pessoa. A valorização do grupo aumentou durante a adolescência, especialmente para afro-americanos e latinos, para os quais ela era mais baixa de início. A exploração do significado da etnia aumentou apenas na metade da adolescência, talvez refletindo a transição de escolas fundamentais de bairros relativamente homogêneos para escolas de ensino médio de etnia mais diversa. As interações com os membros de outros grupos étnicos podem estimular a curiosidade dos jovens sobre sua própria identidade étnica (French, Seidman, Allen, & Aber, 2006).

## Verificador
### você é capaz de...

- Citar as três questões principais envolvidas na formação da identidade, de acordo com Erikson?
- Descrever quatro tipos de estados de identidade encontrados por Marcia?
- Discutir como o gênero e a etnia afetam a formação da identidade?

---

**QUADRO 17.3**   Citações representativas de cada estágio do desenvolvimento da identidade étnica

*Difusa*

"Por que preciso saber qual foi a primeira mulher negra a fazer isso ou aquilo? Eu não estou interessada." (mulher afro-americana)

*Outorgada*

"Não fico pesquisando minha cultura. Simplesmente sigo aquilo que meus pais dizem e fazem e aquilo que me dizem para fazer, do jeito que é." (homem norte-americano de origem mexicana)

*Moratória*

"Há muitas pessoas não japonesas por aqui, e é bastante confuso tentar decidir quem eu sou." (homem norte-americano de origem asiática)

*Estabelecida*

"As pessoas me humilham porque sou mexicana, mas eu já não ligo para isso. Eu consigo me aceitar mais agora." (mulher norte-americana de origem mexicana)

---

*Fonte:* Phinney, 1998, Table 2, p. 277.

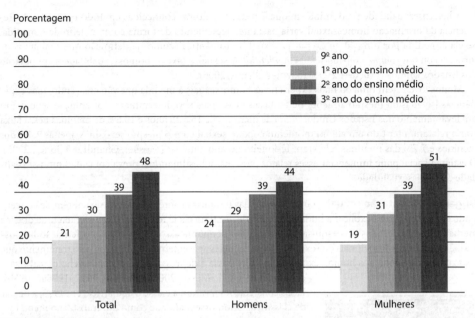

**FIGURA 17.1**
Porcentagem de estudantes do 9º ano do ensino fundamental ao 3º ano do ensino médio que afirmam ser sexualmente ativos.
*Fonte:* Child Trends Databank, 2012.

O termo **socialização cultural** refere-se a práticas que ensinam as crianças sobre sua herança racial ou étnica, promovem costumes e tradições culturais e alimentam o orgulho racial/étnico e cultural. Por exemplo, pense nos feriados que você comemora. Esses dias geralmente incluem tradições e rituais importantes para seu grupo cultural, e participar deles ao longo do tempo fez parte da sua socialização cultural. Os adolescentes que passaram por socialização cultural tendem a ter identidade étnica mais forte e mais positiva do que aqueles que não a experimentaram (Hughes et al., 2006).

**socialização cultural**
Práticas parentais que ensinam as crianças sobre sua herança racial ou étnica e promovem tradições e orgulho culturais.

## Sexualidade

Ver-se como um ser sexual, reconhecer a própria orientação sexual, chegar a um acordo com as primeiras manifestações da sexualidade e formar uniões afetivas ou sexuais fazem parte da aquisição da *identidade sexual*. A consciência da sexualidade é um aspecto importante da formação da identidade que afeta profundamente a autoimagem e os relacionamentos. Embora esse processo seja impulsionado biologicamente, sua expressão é, em parte, definida culturalmente.

Durante o século XX, uma mudança importante nas atitudes e no comportamento sexual nos Estados Unidos e em outros países industrializados trouxe uma aceitação mais generalizada do sexo antes do casamento, da homossexualidade e de outras formas de atividade sexual anteriormente desaprovadas. Dados recentes indicam que 48% dos adolescentes do 3º ano do ensino médio afirmam que são sexualmente ativos (Figura 17.1). Com o acesso difundido à internet, o sexo casual com conhecidos virtuais que se conectam por meio das salas de bate-papo *on-line* ou de *sites* de encontro de solteiros tornou-se mais comum. Telefones celulares, *e-mail* e mensagens instantâneas facilitam que adolescentes solitários arranjem esses contatos com pessoas anônimas, sem a supervisão dos adultos. Essas mudanças acarretaram maior preocupação em relação aos riscos da atividade sexual. Contudo, a epidemia de aids levou muitos jovens a abster-se de atividades sexuais fora dos relacionamentos estáveis ou a envolver-se em práticas sexuais mais seguras.

**Guia de estudo 2**
O que determina a orientação sexual, quais são as práticas sexuais mais comuns entre os adolescentes e o que leva alguns deles a se envolver em comportamentos sexuais de risco?

### Orientação sexual e identidade

Embora presente nas crianças pequenas, é na adolescência que a **orientação sexual** de uma pessoa geralmente se torna uma questão premente: se essa pessoa se tornará consistentemente atraída por pessoas do outro sexo (*heterossexual*), do mesmo sexo (*homossexual*) ou de ambos os sexos (*bissexual*). E, como em outras áreas importantes do desenvolvimento, os adolescentes podem ter vários estados de identidade à medida que formam sua identidade sexual.

**orientação sexual**
Foco de interesse sexual, romântico e afetuoso consistente, seja heterossexual, seja homossexual ou bissexual.

> A maioria das pessoas experimenta sua primeira paixão por volta dos 10 anos de idade, um processo que parece estar relacionado ao amadurecimento das glândulas suprarrenais. Para aqueles que mais tarde se identificarão como homossexuais, essa primeira paixão é frequentemente por alguém do mesmo sexo.
>
> —Herdt & McClintock, 2000

A heterossexualidade predomina em quase todas as culturas conhecidas em todo o mundo. A prevalência da orientação homossexual varia bastante, dependendo da forma como é definida e medida. Se ela é medida por *atração ou excitação* sexual ou romântica (como na definição que acabamos de fornecer) ou por *comportamento* sexual ou *identidade* sexual, a taxa de homossexualidade na população dos Estados Unidos varia de 1 a 21% (Savin-Williams, 2006).

Muitos jovens têm uma ou mais experiências homossexuais à medida que vão crescendo, mas experiências isoladas ou mesmo atrações ou fantasias ocasionais não determinam a orientação sexual. Em um levantamento nos Estados Unidos, 4,5% de meninos de 15 a 19 anos e 10,6% de meninas nessa faixa etária relataram ter tido em algum momento contato sexual com o mesmo sexo, mas apenas 2,4% dos meninos e 7,7% das meninas relataram tê-lo feito no ano anterior (Mosher, Chandra, & Jones, 2005). O estigma social pode influenciar esses relatos pessoais, subestimando a prevalência da homossexualidade ou da bissexualidade.

**Origens da orientação sexual** Grande parte das pesquisas sobre orientação sexual tem-se concentrado em esforços para explicar a homossexualidade. Embora ela já tenha sido considerada uma doença mental, diversas décadas de pesquisa não revelaram nenhuma associação entre a orientação homossexual e problemas emocionais ou sexuais – além daqueles aparentemente causados pelo tratamento que a sociedade direciona aos homossexuais, como tendência à depressão (American Psychological Association [APA], s. d.; Meyer, 2003; Patterson, 1992, 1995a, 1995b). Essas constatações levaram a classe psiquiátrica, em 1973, a deixar de classificar a homossexualidade como um transtorno mental.

*Nos Estados Unidos, as atitudes em relação à homossexualidade mudaram muito mais rápido do que os cientistas sociais previam, em parte devido ao aumento da visibilidade dos grupos de defesa.*

A orientação sexual parece ser pelo menos parcialmente genética (Diamond & Savin-Williams, 2003). O primeiro mapeamento completo do genoma humano com respeito à orientação sexual masculina identificou três sequências de DNA nos cromossomos 7, 8 e 10 que parecem estar envolvidas (Mustanski et al., 2005). Entretanto, visto que gêmeos idênticos não são perfeitamente concordantes quanto à orientação sexual, fatores não genéticos também podem ter importância (Diamond & Savin-Williams, 2003). Entre mais de 3.800 pares de gêmeos suecos do mesmo sexo, fatores ambientais não compartilhados responderam por aproximadamente 64% das diferenças individuais na orientação sexual. Os genes explicaram aproximadamente 34% da variação nos homens e 18% nas mulheres. As influências familiares compartilhadas responderam por aproximadamente 16% da variação em mulheres, mas não tiveram efeito nos homens (Långström, Rahman, Carlström, & Lichtenstein, 2008).

Quanto mais irmãos biológicos mais velhos um homem tiver, maior a probabilidade de ele ser homossexual. Em uma análise de 905 homens e seus irmãos biológicos, irmãos adotivos ou meio-irmãos, cada irmão biológico mais velho aumentava as chances de homossexualidade em um irmão mais novo em 33%. O fator significativo na orientação sexual foi o número de vezes que a mãe de um homem gerava filhos homens. Se a criação ou os fatores sociais influenciassem o efeito da ordem de nascimento dos irmãos, então o número de irmãos mais velhos não biológicos poderia ser indicador da orientação sexual, mas não foi. Mesmo quando o número de irmãos não biológicos mais velhos excedeu significativamente o número de irmãos biológicos mais velhos, e, portanto, a oportunidade para um efeito por ter sido criado com irmãos mais velhos do sexo masculino era alta, apenas o número de irmãos biológicos mais velhos — e não os irmãos não biológicos mais velhos — previu a orientação sexual nos homens. Esse fenômeno pode ser uma resposta cumulativa de tipo imunológico à presença de sucessivos fetos masculinos no útero (Bogaert, 2006).

Estudos de imagem cerebral revelaram semelhanças notáveis de estrutura e função cerebrais entre homossexuais e heterossexuais do sexo oposto. O cérebro de homens homossexuais e mulheres heterossexuais é simétrico, enquanto nas lésbicas e nos homens heterossexuais o hemisfério direito é ligeiramente maior. Além disso, nos *gays* e nas lésbicas, as conexões na amígdala, que está envolvida na emoção, são típicas do sexo oposto (Savic & Lindström, 2008). Um pesquisador relatou uma diferença no tamanho do hipotálamo, a estrutura cerebral que rege a atividade sexual, em homens heterossexuais e homossexuais (LeVay, 1991). Em estudos de imagem cerebral sobre os feromônios, odores que atraem companheiros, o odor do suor masculino ativava o hipotálamo em homens homossexuais tanto quanto em mulheres heterossexuais. De modo similar, mulheres lésbicas e homens heterossexuais reagiam mais

**Verificador**
**você é capaz de...**

- Discutir teorias e pesquisas acerca das origens da orientação sexual?
- Discutir o desenvolvimento da identidade homossexual?

positivamente aos feromônios femininos do que aos masculinos (Savic, Berglund, & Lindström, 2005; Savic, Berglund, & Lindström, 2006). Entretanto, essas diferenças podem ser um efeito da homossexualidade, não uma causa.

**Desenvolvimento das identidades homossexual e bissexual** Apesar da maior aceitação da homossexualidade nos Estados Unidos, muitos adolescentes que se identificam abertamente como *gays*, lésbicas ou bissexuais sentem-se isolados em um ambiente hostil. Eles podem estar sujeitos à discriminação ou à violência. Outros podem relutar em revelar sua orientação sexual, até mesmo aos seus pais, por medo de forte desaprovação ou de ruptura familiar (Hillier, 2002; Patterson, 1995b). Eles podem ter dificuldade de encontrar e identificar potenciais parceiros do mesmo sexo. Assim, o reconhecimento e a expressão da identidade sexual dos homossexuais são mais complexos e seguem um cronograma menos definido em comparação com heterossexuais (Diamond & Savin-Williams, 2003). Observe que, tal como na formação da identidade étnica, não pertencer ao grupo majoritário torna o processo de formação de identidade mais complexo.

Não há uma rota única para o desenvolvimento da identidade e do comportamento de *gays*, lésbicas ou bissexuais. Devido à falta de formas socialmente aprovadas de exploração da sexualidade, muitos *gays* e lésbicas experimentam a confusão de identidade (Sieving, Oliphant, & Blum, 2002). Os jovens *gays*, lésbicas e bissexuais que são incapazes de estabelecer grupos de pares que compartilhem sua orientação sexual podem lutar contra o reconhecimento das atrações pelo mesmo sexo (Bouchey & Furman, 2003; Furman & Wehner, 1997).

Os adolescentes homossexuais correm o risco de depressão e suicídio, em grande parte devido às variáveis contextuais como o *bullying* e a falta de aceitação. Em 2010, o cronista e escritor Dan Savage divulgou um vídeo no YouTube que se tornou viral e resultou na campanha *It Gets Better*. Nesse vídeo, os adolescentes são assegurados de que a felicidade e a esperança são possíveis no futuro — que, de fato, tudo vai melhorar.

## Comportamento sexual

Em todo o mundo, há grandes variações temporais em relação à iniciação heterossexual. A porcentagem de mulheres que relatam ter tido a primeira relação sexual aos 17 anos é 10 vezes maior em Mali (72%) do que na Tailândia (7%) ou nas Filipinas (6%). Existem diferenças similares para os homens. Embora a iniciação masculina precoce seja a norma na maioria das culturas, em Mali e em Gana há mais mulheres do que homens tornando-se sexualmente ativas precocemente (Singh, Wulf, Samara, & Cuca, 2000).

Nos Estados Unidos, de acordo com pesquisas nacionais, 77% dos jovens nos Estados Unidos já tiveram relações sexuais aos 20 anos. Essa proporção tem sido aproximadamente a mesma desde meados da década de 1960 e do advento da pílula anticoncepcional (Finer, 2007). Em média, as meninas têm sua primeira relação sexual aos 17 anos, os meninos aos 16, e aproximadamente 25% dos meninos e das meninas relatam ter tido relações sexuais aos 15 anos (Klein & AAP Committee on Adolescence, 2005). Os adolescentes negros e latinos tendem a iniciar a atividade sexual mais cedo do que os jovens brancos (Kaiser Family Foundation, Hoff, Greene, & Davis, 2003). Embora os meninos adolescentes historicamente fossem propensos a ser mais experientes sexualmente do que as meninas, as tendências estão mudando: em 2011, 44% dos meninos do 3º ano do ensino médio e 51% das meninas dessa faixa etária relataram ser sexualmente ativos (U.S. Department of Health and Human Services [USDHHS], 2012).

**Condutas sexuais de risco** Duas preocupações importantes relativas à atividade sexual na adolescência são os riscos de contrair infecções sexualmente transmissíveis (ISTs) e, para os heterossexuais, a gravidez. Os que correm mais risco são os jovens com iniciação sexual precoce, pois têm múltiplos parceiros, não fazem uso de contraceptivos regularmente e têm informações inadequadas – ou errôneas – sobre sexo (Abma, Chandra, Mosher, Peterson, & Piccinino, 1997). Outros fatores de risco são viver em comunidades carentes, usar drogas, ter comportamento antissocial e associação com pares desviantes. O monitoramento dos pais pode ajudar a reduzir esses riscos (Baumer & South, 2001; Capaldi, Stoomiller, Clark, & Owen, 2002).

Por que certos adolescentes tornam-se sexualmente ativos precocemente? Vários fatores, entre eles a entrada precoce na puberdade, a pobreza, o mau desempenho escolar, a ausência de objetivos acadêmicos e de carreira, histórico de violência sexual ou negligência dos pais, bem como padrões culturais e familiares de experiência sexual precoce, podem ter influência (Klein & AAP Committee on Adolescence, 2005). A ausência paterna, especialmente nos primeiros anos de vida, é um fator importante (Ellis et al., 2003). Os adolescentes que têm relações próximas e afetivas com as mães apresentam maior propensão à atividade sexual tardia. O mesmo acontece com os adolescentes que percebem que as mães desaprovam essa atividade (Jaccard & Dittus, 2000; Sieving, McNeely, & Blum, 2000). Outras razões que os adolescentes dão para ainda não ter tido relações sexuais são que isso vai contra sua religião ou seus valores morais e que não querem ficar grávidas (no caso das meninas) ou engravidar uma menina (no caso dos meninos) (Abma, Martinez, Mosher, & Dawson, 2004).

**Qual a sua opinião?**

Como ajudar os adolescentes a evitar ou modificar comportamentos sexuais de risco?

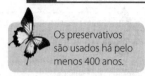

Os preservativos são usados há pelo menos 400 anos.

Uma das influências mais poderosas é a percepção de normas do grupo de pares. Os jovens frequentemente se sentem pressionados a envolver-se em atividades para as quais não se sentem preparados. Em um levantamento feitos no Estados Unidos, quase um terço dos adolescentes de 15 a 17 anos, especialmente os meninos, disseram ter sofrido pressão para praticar sexo (Kaiser Family Foundation et al., 2003; Quadro 17.4).

Entre os jovens norte-americanos de origem asiática, os meninos começam a atividade sexual mais tarde do que os meninos brancos, afro-americanos e latinos. Esse padrão de atividade sexual tardia pode refletir pressões culturais fortes para guardar o sexo para o casamento ou para a vida adulta e, então, ter filhos que preservarão o nome da família (Dubé & Savin-Williams, 1999). Novos estudos confirmam a influência da família no comportamento sexual. Em um estudo de 10 anos de duração com mais de 3 mil adolescentes e suas respectivas famílias, os pesquisadores descobriram que as atividades familiares, como as refeições em conjunto e a prática de esportes, podem ser uma ferramenta na prevenção dos comportamentos sexuais de risco (Coley, Votruba-Drzal, & Schindler, 2009).

À medida que os adolescentes norte-americanos tornaram-se mais conscientes dos riscos da atividade sexual, a porcentagem dos que já haviam mantido relações sexuais diminuiu, especialmente entre os meninos (Abma et al., 2004). Entretanto, formas de práticas sexuais sem penetração genital, como sexo oral ou anal e masturbação mútua, são comuns. Muitos adolescentes heterossexuais não consideram essas atividades como "sexo", mas substitutas ou precursoras dele, ou até mesmo abstinência (Remez, 2000). Em uma investigação nos Estados Unidos, apenas metade de meninos e meninas adolescentes relatou já ter praticado sexo oral mais do que relações vaginais (Mosher et al., 2005).

**O uso de contraceptivos** O uso de anticoncepcionais entre adolescentes aumentou desde a década de 1990 (Abma et al., 2004). Cerca de 83% das meninas e 91% dos meninos afirmaram em uma pesquisa ter usado contraceptivos nas relações sexuais mais recentes (Abma et al., 2004). Os adolescentes que, em seu primeiro relacionamento, retardam a prática sexual, discutem métodos de contracepção antes do ato ou usam mais de um método contraceptivo têm maior probabilidade de utilizar anticoncepcionais sistematicamente ao longo desse relacionamento (Manlove, Ryan, & Franzetta, 2003).

A melhor proteção para adolescentes sexualmente ativos é o uso regular de preservativos, que oferecem proteção contra as ISTs e evitam a gravidez. O uso de muitos tipos de contraceptivos aumentou entre as meninas adolescentes sexualmente ativas nos últimos anos, incluindo a pílula e os novos métodos hormonais e injetáveis ou a combinação de métodos (Figura 17.2; Centers for Disease Control and Prevention [CDC], 2012a). Em 2011, 52% das meninas estudantes do ensino médio sexualmente ativas e 75% dos meninos relataram ter usado preservativos na última vez que tiveram relações sexuais (Marti-

**QUADRO 17.4** Atitudes dos adolescentes em relação à atividade sexual

Porcentagem de jovens entre 15 e 17 anos que afirmam concordar "totalmente" ou "parcialmente" com cada uma das seguintes afirmações

|  | Homens | Mulheres | Sexualmente ativo | Não ativo sexualmente |
|---|---|---|---|---|
| Esperar para ter relações sexuais é uma boa ideia, mas ninguém faz isso. | 66% | 60% | 69% | 59% |
| Há pressão para fazer sexo em determinada idade. | 59% | 58% | 58% | 59% |
| Depois da primeira relação sexual, é mais difícil dizer "não" na próxima oportunidade. | 56% | 47% | 54% | 50% |
| À medida que você se relaciona com alguém por algum tempo, espera-se que vocês tenham relações sexuais. | 50% | 27% | 52% | 31% |
| O sexo oral tem menos importância do que outras relações sexuais. | 54% | 38% | 52% | 42% |

*Fonte:* Adaptado da Kaiser Family Foundation et al., 2003, Table 8, p. 12, Table 33, p. 39.

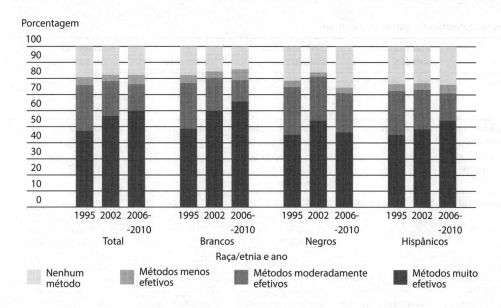

**FIGURA 17.2**
Uso de contraceptivos por mulheres entre os 15 e os 19 anos que tiveram relações sexuais durante o último mês, por ano, raça/etnia e eficácia do método utilizado.

*Fonte:* CDC, 2012a.

nez, Copen, & Abma, 2011). Adolescentes que começam usando contraceptivos prescritos pelo médico frequentemente param de usar preservativos, em alguns casos sem perceber que ficam desprotegidas em relação a ISTs (Klein & AAP Committee on Adolescence, 2005).

**Onde os adolescentes obtêm informações sobre sexo?** Os adolescentes obtêm informações sobre sexo especialmente dos amigos, dos pais, da educação sexual na escola e dos meios de comunicação (Kaiser Family Foundation et al., 2003). Adolescentes que podem conversar sobre sexo com irmãos mais velhos ou com os pais estão mais propensos a assumir posturas positivas em relação às práticas sexuais mais seguras (Kowal & Pike, 2004).

Desde 1998, programas de educação sexual financiados pelos governos federal e estaduais dos Estados Unidos que enfatizam a abstinência sexual até o casamento como a melhor ou a única opção tornaram-se comuns (Devaney, Johnson, Maynard, & Trenholm, 2002). Programas que encorajam a abstinência, mas também discutem a prevenção contra ISTs e práticas sexuais mais seguras para os jovens sexualmente ativos, retardam a iniciação sexual e aumentam o uso de contraceptivos (AAP Committee on Psychosocial Aspects of Child and Family Health and Committee on Adolescence, 2001).

Entretanto, alguns programas escolares promovem a abstinência como a *única* opção, embora ainda *não* tenham apresentado resultados de adiamento da atividade sexual (AAP Committee on Psychosocial Aspects of Child and Family Health and Committee on Adolescence, 2001; Satcher, 2001). Da mesma forma, as promessas de manter a virgindade têm mostrado pouco ou nenhum impacto sobre o comportamento sexual exceto uma *diminuição* na probabilidade de tomar precauções durante o sexo (Rosenbaum, 2009). Embora mais de 4 em cada 5 adolescentes relatem receber instrução formal sobre como dizer "não" ao sexo, somente 2 em cada 3 são orientados sobre o controle de natalidade. Somente 1 em cada 2 meninas e 1 em cada 3 meninos entre 18 e 19 anos afirmam ter falado com os pais sobre o controle da natalidade antes dos 18 anos (Abma et al., 2004).

Infelizmente, muitos adolescentes obtêm grande parte de sua "educação sexual" dos meios de comunicação, os quais apresentam uma visão distorcida da atividade sexual, associando-a a diversão, excitação, competição, perigo ou violência, raramente mostrando os riscos das relações sexuais desprotegidas. Os adolescentes expostos a conteúdo televisivo altamente sexual tiveram o dobro de probabilidade de vivenciar uma gravidez em comparação com um nível mais baixo ou nenhuma exposição (Chandra et al., 2008). Em contraste, adolescentes negros pareciam ser mais influenciados pelas expectativas dos pais e pelo comportamento dos amigos (J. D. Brown et al., 2006).

## Infecções sexualmente transmissíveis (ISTs)

**Infecções sexualmente transmissíveis (ISTs)**, às vezes também referidas como doenças sexualmente transmissíveis (DSTs)**,** são transmitidas por contato sexual. O Quadro 17.5 resume algumas das ISTs mais comuns: causas, sintomas mais frequentes, tratamento e consequências.

> **Verificador**
> **você é capaz de...**
> - Citar tendências na atividade sexual entre adolescentes?
> - Identificar fatores que aumentam ou diminuem os riscos da atividade sexual?

**infecções sexualmente transmissíveis (ISTs)**
Doenças transmitidas por contato sexual.

## QUADRO 17.5 Infecções sexualmente transmissíveis comuns

| Doença | Causa | Sintomas nos homens | Sintomas nas mulheres | Tratamento | Consequências se não tratadas |
|---|---|---|---|---|---|
| Clamídia | Infecção bacteriana | Dor ao urinar, secreção no pênis | Secreção vaginal, desconforto abdominal** | Tetraciclina ou eritromicina | Pode causar doença inflamatória pélvica ou eventual esterilidade |
| Tricomoníase | Infecção parasitária, às vezes transmitida por objetos úmidos como toalhas e roupas de banho | Frequentemente ausente | Ausente, ou pode incluir secreção vaginal, desconforto durante a relação, odor, dor ao urinar | Antibiótico oral | Pode levar ao crescimento anormal de células cervicais |
| Gonorreia | Infecção bacteriana | Secreção no pênis, dor ao urinar* | Desconforto ao urinar, secreção vaginal, menstruações anormais** | Penicilina ou outros antibióticos | Pode causar doença inflamatória pélvica ou eventual esterilidade; pode também causar artrite, dermatite e meningite |
| HPV (verrugas genitais) | Vírus do papiloma humano | Verruga indolor que normalmente aparece no pênis, mas pode também aparecer na uretra ou na área retal* | Verrugas pequenas e indolores nos genitais e no ânus; pode também acontecer no interior da vagina sem sintomas externos* | Remoção das verrugas; mas a infecção reaparece frequentemente | Pode ser associado com o câncer cervical (do colo do útero); na gravidez, as verrugas aumentam e podem obstruir o canal de nascimento |
| Herpes | Vírus herpes simples | Bolhas dolorosas em qualquer lugar da genitália, normalmente no pênis* | Bolhas dolorosas na genitália, algumas vezes com febre e dor muscular; as mulheres com feridas no colo do útero podem não estar cientes das erupções* | Sem cura conhecida, mas a infecção é controlada com medicamentos antivirais, como o aciclovir | Possível aumento do risco de câncer cervical |
| Hepatite B | Vírus da hepatite B | Pele e olhos tornam-se amarelos | Pele e olhos tornam-se amarelos | Não há tratamento específico; é proibido ingerir álcool | Pode causar danos ao fígado e hepatite crônica |
| Sífilis | Infecção bacteriana | No primeiro estágio, feridas vermelho-escuro na boca, na genitália ou em ambas, que podem desaparecer embora a bactéria permaneça; no segundo estágio, mais infeccioso, um alastramento de erupção de pele* | No primeiro estágio, feridas vermelho-escuro na boca, na genitália ou em ambas, que podem desaparecer embora a bactéria permaneça; no segundo estágio, mais infeccioso, um alastramento de erupção de pele* | Penicilina ou outros antibióticos | Paralisia, convulsões, danos cerebrais e, às vezes, morte |
| Aids (síndrome da imunodeficiência adquirida) | Vírus da imunodeficiência humana (HIV) | Fadiga extrema, febre, nódulos linfáticos inchados, perda de peso, diarreia, suores noturnos, suscetibilidade a outras doenças* | Fadiga extrema, febre, nódulos linfáticos inchados, perda de peso, diarreia, suores noturnos, suscetibilidade a outras doenças* | Cura não descoberta; inibidores da protease e outros medicamentos parecem prolongar a vida | Morte, normalmente devido a outras doenças, como câncer |

\* Pode ser assintomática.

\*\* Frequentemente é assintomática.

Estima-se que 19 milhões de novos casos de ISTs sejam diagnosticados a cada ano e que 65 milhões de norte-americanos tenham uma IST incurável (Wildsmith, Schelar, Peterson, & Manlove, 2010). Estima-se que 3,2 milhões de meninas adolescentes nos Estados Unidos – aproximadamente 1 em cada 4 com idades entre 14 e 19 anos – tenham tido pelo menos uma IST, de acordo com um estudo nacionalmente representativo (Forhan et al., 2008). As principais razões para a prevalência de ISTs entre adolescentes incluem a atividade sexual precoce, o que aumenta a probabilidade de ter múltiplos parceiros de alto risco; a falta de uso ou o uso irregular e incorreto de preservativos; e, para as mulheres, a tendência de se relacionarem sexualmente com parceiros mais velhos (CDC, 2000b; Forhan et al., 2008). Apesar do fato de que os adolescentes têm um risco mais alto de contrair ISTs, eles consideram seu risco pessoal baixo (Wildsmith et al., 2010).

De acordo com Piaget, a percepção do baixo risco pessoal nos jovens é um exemplo do egocentrismo adolescente. Piaget chamou isso de fábula pessoal. Os adolescentes parecem comportar-se muitas vezes como se acreditassem que nada de mal pode acontecer com eles porque sua "história pessoal" é diferente e única.

As ISTs em meninas adolescentes têm maior probabilidade de desenvolver-se sem serem detectadas. Em uma *única* relação sexual sem proteção com um parceiro infectado, uma menina corre um risco de 1% de contrair HIV, um risco de 30% de contrair herpes genital e um risco de 50% de contrair gonorreia (Alan Guttmacher Institute [AGI], 1999). Embora os adolescentes tendam a considerar o sexo oral menos arriscado que a relação vaginal, uma série de ISTs, especialmente gonorreia faríngea, pode ser transmitida no sexo oral (Remez, 2000).

A IST mais comum, que afeta 18,3% de jovens de 14 a 19 anos, é o vírus do papiloma humano (HPV), ou verrugas genitais. Entre meninas com três ou mais parceiros, o risco de contrair HPV salta para 50% (Forhan et al., 2008). Há aproximadamente 40 tipos de vírus HPV, uma série deles identificadas como a causa principal de câncer cervical em mulheres. Existe agora uma vacina que previne os tipos de HPV que causam a maioria dos casos de câncer cervical e verrugas genitais. A vacina tem sido recomendada para meninas de 11 e 12 anos de idade, bem como para meninas e mulheres de 13 a 26 anos que ainda não foram vacinadas.

As ISTs mais *curáveis* são a clamídia e a gonorreia. Essas doenças, se não detectadas e não tratadas, podem levar a problemas de saúde graves, inclusive, em mulheres, a doença inflamatória pélvica (DIP), uma infecção abdominal grave. Nos Estados Unidos, cerca de 1 em cada 10 meninas adolescentes e 1 em cada 5 meninos são afetados por clamídia ou gonorreia, ou por ambas (Forhan et al., 2008).

O herpes genital simples é uma doença crônica, recorrente, frequentemente dolorosa e altamente contagiosa. Ela pode ser fatal para uma pessoa com deficiência no sistema imunológico ou para recém-nascidos cujas mães estejam com uma erupção no momento do parto. Sua incidência aumentou drasticamente durante as últimas três décadas. A hepatite B continua sendo uma IST proeminente apesar da disponibilidade, há mais de 20 anos, de uma vacina preventiva. Também comum entre os jovens é a tricomoníase, uma infecção parasitária que pode ser transmitida por toalhas úmidas roupas de banho (Weinstock, Berman, & Cates, 2004).

O vírus da imunodeficiência humana (HIV), que causa a aids, é transmitido por meio de fluidos corporais (especialmente o sangue e o esperma), sobretudo quando se compartilham seringas para uso de drogas endovenosas, ou por meio de contato sexual com um parceiro infectado. O vírus ataca o sistema imunológico do corpo, deixando a pessoa vulnerável a uma série de doenças fatais. Os sintomas da aids, que incluem cansaço extremo, febre, edema dos gânglios linfáticos, perda de peso, diarreia e sudorese noturna, podem não se manifestar entre 6 meses até 10 anos ou mais após o contágio inicial.

No mundo todo, das 4,1 milhões de novas infecções por HIV a cada ano, aproximadamente metade ocorre em jovens de 15 a 24 anos (UNAIDS, 2006). Nos Estados Unidos, mais de 1 em cada 4 das cerca de 1.039.000 até 1.185.000 pessoas que vivem com HIV ou aids foram infectadas na adolescência (CDC, 2007a; Kaiser Family Foundation et al., 2003). Atualmente, a aids é incurável, mas cada vez mais as infecções relacionadas que matam pessoas estão sendo controladas com tratamentos antivirais, incluindo os inibidores da protease (Palella et al., 1998; Weinstock et al., 2004). Um estudo dinamarquês concluiu que os pacientes jovens com HIV têm uma expectativa média de vida estimada de mais de 35 anos (Lohse et al., 2007). Ironicamente, ao reduzir o fator medo, esse avanço pode ser responsável por reduzir nos adolescentes sexualmente ativos a preocupação com os cuidados na prática das relações sexuais. Após se manter inalterado por três anos, o número estimado de novas infecções por HIV nos Estados Unidos em jovens entre 15 e 19 anos aumentou 20% para 1.213 casos em 2005 (CDC, 2007a). Como os sintomas podem não aparecer até que uma doença tenha progredido a ponto de causar complicações graves a longo prazo, a detecção precoce é importante.

Uma educação abrangente sobre sexo e IST/HIV é fundamental para promover a tomada de decisão responsável e para controlar a disseminação das ISTs. A evidência de um impacto positivo desses programas é forte: mais de 60% dos programas que enfatizaram a abstinência e o uso de preservativo levaram a resultados positivos de atividade sexual tardia ou reduzida e aumento no uso de preservativos ou contraceptivos. Além disso, os programas não aumentaram a atividade sexual. Em contrapartida, programas que enfatizam apenas a abstinência têm mostrado pouca evidência de influência sobre o comportamento sexual (Kirby & Laris, 2009).

**Verificador**
**você é capaz de...**

- Identificar e descrever as ISTs mais comuns?
- Citar os fatores de risco para desenvolver uma IST durante a adolescência, e identificar métodos de prevenção eficazes?

## Gravidez e maternidade na adolescência

Mais de 4 em cada 10 meninas adolescentes nos Estados Unidos estiveram grávidas pelo menos uma vez antes dos 20 anos. Mais da metade (51%) das adolescentes grávidas nos Estados Unidos dá à luz seus bebês, e 35% optam por abortar. Das gravidezes na adolescência, 14% terminam em aborto espontâneo ou natimorto (Klein & AAP Committee on Adolescence, 2005).

Um declínio substancial na gravidez na adolescência acompanhou diminuições regulares nas relações sexuais precoces e no sexo com parceiros múltiplos e um aumento no uso de contraceptivos. Em 2011, a taxa de natalidade para as meninas adolescentes caiu para a taxa mais baixa relatada — 31,3 por 1.000 meninas entre 15 e 19 anos (Martin, Hamilton, Ventura, Osterman, Wilson, & Mathews, 2012). As taxas de natalidade caíram mais acentuadamente entre as adolescentes mais jovens (entre 15 e 17 anos) do que nas adolescentes entre 18 e 19 anos. A Figura 17.3 mostra os nascimentos entre adolescentes segmentados por idade. (Para mais informações sobre a prevenção da gravidez na adolescência, ver Box 17.1)

Embora o declínio dos índices de gravidez e maternidade na adolescência tenha ocorrido em todos os grupos populacionais, as taxas de natalidade caíram mais nitidamente entre as adolescentes negras. Contudo, as adolescentes negras e hispânicas são mais propensas a ter bebês do que as adolescentes brancas, índias americanas ou asiático-americanas (Martin et al., 2012). As adolescentes norte-americanas têm maior probabilidade de engravidar e de dar à luz do que as adolescentes da maioria dos outros países industrializados (Martin et al., 2005).

Mais de 90% das adolescentes grávidas descrevem suas gestações como não planejadas, e 50% das gestações adolescentes ocorrem dentro de seis meses da iniciação sexual (Klein & the Committee on Adolescence, 2005). Muitas dessas meninas cresceram órfãs de pai (Ellis et al., 2003). Entre 9.159 mulheres em uma clínica de atenção primária na Califórnia, aquelas que haviam engravidado na adolescência tinham maior probabilidade, quando crianças, de terem sofrido abuso físico, emocional ou sexual e/ou terem sido expostas a divórcio ou separação dos pais, violência doméstica, abuso de drogas ou a um membro da família que era mentalmente doente ou envolvido em comportamentos criminosos (Hillis et al., 2004). Os pais adolescentes também tendem a ter recursos financeiros limitados, desempenho acadêmico deficiente e altas taxas de evasão escolar. Pelo menos um terço dos pais adolescentes é fruto de gravidez na adolescência (Klein & Committee on Adolescence, 2005).

**Resultados da gravidez na adolescência**  A gravidez na adolescência frequentemente tem desfechos negativos. Muitas das mães são pobres e têm pouca escolaridade, e algumas são usuárias de drogas. Muitas não se alimentam adequadamente, não ganham peso suficiente e recebem atendimento pré-natal inadequado ou nulo. Seus bebês estão mais propensos a ser prematuros ou perigosamente pequenos e terão um risco maior de outras complicações do parto: morte fetal, neonatal ou do lactente; problemas escolares e de saúde; abuso e negligência; e deficiências de desenvolvimento que podem prosseguir na adolescência (AAP Committee on Adolescence, 1999; AAP Committee on Adolescence and Committee on Early Childhood, Adoption, and Dependent Care, 2001; AGI, 1999; Children's Defense Fund, 1998, 2004; Klein & AAP Committee on Adolescence, 2005; Menacker, Martin, MacDorman, & Ventura, 2004).

Bebês de mães adolescentes mais abastadas também podem correr riscos. Entre mais de 134 mil meninas e mulheres brancas, principalmente de classe média, aquelas de 13 a 19 anos de idade tinham maior probabilidade do que as de 20 a 24 anos de terem bebês com baixo peso ao nascer, mesmo quando as mães eram casadas e com alto nível de escolaridade e haviam recebido cuidados pré-natais adequados. O cuidado pré-natal aparentemente nem sempre consegue superar a desvantagem biológica de um bebê que é gerado no útero de uma menina ainda em crescimento cujo próprio corpo pode estar competindo com o feto por nutrientes vitais (Fraser, Brockert, & Ward, 1995).

As mães solteiras adolescentes e suas famílias têm a probabilidade de sofrer financeiramente. As leis de apoio à criança são aplicadas de forma indevida, as pensões são quase sempre insuficientes, e muitos pais jovens não conseguem arcar com o custo (AAP Committee on Adolescence, 1999). Os pais solteiros com menos de 18 anos são elegíveis para a assistência social apenas se vivem com seus pais e frequentam a escola.

As mães adolescentes são mais propensas a abandonar a escola e ter repetidas gravidezes. Elas e seus parceiros podem não ter maturidade, profissão e apoio social para serem bons pais. Seus filhos, por sua vez, tendem a ter problemas de desenvolvimento e acadêmicos, a ser deprimidos, a envolver-se em gangues, a ficar desempregados e a tornarem-se, eles próprios, pais adolescentes (Klein & Committee on Adolescence, 2005; Pogarsky, Thornberry, & Lizotte, 2006). Os riscos são especialmente grandes para

---

## Qual a sua opinião?

A MTV teve um grande sucesso com seu *reality 16 and Pregnant* e com sua continuação, *Teen Mom*. Alguns argumentam que expor a realidade da gravidez na adolescência encorajará os adolescentes a serem mais responsáveis em sua sexualidade, mas outros afirmam que séries como essas banalizam a gravidez e a maternidade na adolescência e podem levar a um crescimento nesses comportamentos. O que você acha?

# Pelo mundo

## 17.1 PREVENÇÃO DA GRAVIDEZ NA ADOLESCÊNCIA

As taxas de gravidez e de natalidade na adolescência nos Estados Unidos são muito superiores às de outros países industrializados onde os adolescentes começam a atividade sexual na mesma idade ou até mais cedo (Darroch, Singh, Frost, & the Study Team, 2001). As taxas de natalidade dos adolescentes nos últimos anos foram quase cinco vezes mais altas nos Estados Unidos do que na Dinamarca, na Finlândia, na França, na Alemanha, na Itália, na Holanda, na Espanha, na Suécia e na Suíça e 12 vezes mais altas do que no Japão (Ventura, Mathews, & Hamilton, 2001).

Por que as taxas nos Estados Unidos são tão altas? Alguns observadores apontam fatores como a redução do estigma em relação à maternidade sem casamento, a glorificação do sexo pela mídia, a falta de uma mensagem clara de que sexo e paternidade são para adultos, a influência do abuso sexual infantil e a falta de comunicação dos pais com seus filhos. Comparações com a experiência europeia sugerem a importância de outros fatores: as meninas norte-americanas são mais propensas a ter múltiplos parceiros sexuais e são menos propensas a usar contraceptivos (Darroch et al., 2001).

Países industrializados da Europa têm fornecido educação sexual abrangente e universal por um tempo muito maior do que nos Estados Unidos. Programas abrangentes encorajam os adolescentes a adiar a relação sexual, mas também visam melhorar o uso de contraceptivos entre adolescentes sexualmente ativos. Esses programas incluem educação sobre a sexualidade e a aquisição de habilidades para tomar decisões sexuais responsáveis e para comunicar-se com os parceiros. Eles fornecem informação sobre os riscos e as consequências da gravidez na adolescência, sobre métodos de controle de natalidade e sobre onde obter ajuda médica e contraceptiva (AAP Committee on Psychosocial Aspects of Child and Family Health and Committee on Adolescence, 2001; AGI, 1994; Kirby, 1997; Stewart, 1994). Programas voltados para meninos adolescentes enfatizam a sabedoria de adiar a paternidade e a necessidade de assumir a responsabilidade quando ela ocorre (Children's Defense Fund, 1998).

Nos Estados Unidos, o fornecimento e o conteúdo de programas de educação sexual são questões políticas. Alguns críticos alegam que a educação sexual na escola e na comunidade leva a atividade sexual maior ou mais precoce, ainda que a evidência mostre o contrário (AAP Committee on Adolescence, 2001; Satcher, 2001).

Um fator importante da prevenção da gravidez em países europeus é o acesso a serviços de saúde reprodutiva. Contraceptivos são fornecidos gratuitamente para adolescentes em muitos países da Europa. A Suécia apresentou uma redução de cinco vezes na taxa de gravidez na adolescência após a introdução da educação para o controle da natalidade, do acesso livre a contraceptivos e do aborto gratuito quando solicitado (Bracher & Santow, 1999). De fato, as adolescentes dos Estados Unidos que usam contraceptivos na primeira experiência sexual são muito menos propensas a dar à luz uma criança aos 20 anos (Abma et al., 2004).

O problema da gravidez na adolescência requer uma solução multifacetada. Ela deve incluir programas e políticas para encorajar o adiamento ou a abstinência da atividade sexual, mas também deve reconhecer que muitos jovens tornam-se sexualmente ativos e necessitam de educação e informação para prevenir a gravidez e as ISTs. Ela requer atenção a fatores subjacentes que colocam os adolescentes e as famílias em risco – reduzindo a pobreza, o fracasso escolar, os problemas comportamentais e familiares e aumentando os empregos, o treinamento de habilidades e a educação sobre a vida familiar (AGI, 1994; Children's Defense Fund, 1998; Kirby, 1997) – e deve visar aqueles jovens com risco mais alto (Klein & AAP Committee on Adolescence, 2005). Os programas abrangentes de intervenção precoce para pré-escolares e estudantes do ensino fundamental têm reduzido a gravidez na adolescência (Lonczak, Abbott, Hawkins, Kosterman, & Catalano, 2002; Hawkins, Catalano, Kosterman, Abbott, & Hill, 1999; Schweinhart, Barnes, & Weikart, 1993). Visto que adolescentes com altas aspirações são menos propensas a engravidar, programas que motivam os jovens a alcançar e elevar sua autoestima têm obtido algum sucesso (Allen & Philliber, 2001).

**Qual a sua opinião?** Se você estivesse planejando um programa de educação sexual na comunidade ou na escola, o que você incluiria? Você é a favor ou contra os programas que fornecem contraceptivos aos adolescentes?

---

os filhos de mães adolescentes (Pogarsky et al., 2006). No entanto, alguns desses resultados, tal como o uso de maconha, podem ser influenciados por outros fatores, e não pela maternidade precoce (Levine, Emery, & Pollack, 2007).

De fato, os desfechos infelizes da paternidade adolescente estão longe de ser inevitáveis. Diversos estudos de longo prazo revelam que, 20 anos após dar à luz, a maioria das mães adolescentes não depende da assistência social; muitas terminaram o ensino médio e garantiram empregos estáveis e não têm famílias grandes. Os programas abrangentes de atendimento à gravidez na adolescência e de visitação domiciliar parecem contribuir para bons desfechos (Klein & AAP Committee on Adolescence, 2005), assim como o contato com o pai (Howard, Lefever, Borkowski, & Whitman, 2006) e o envolvimento em uma comunidade religiosa (Carothers, Borkowski, Lefever, & Whitman, 2005).

## Verificador
### você é capaz de...
- Resumir as tendências nas taxas de gravidez e de natalidade na adolescência?
- Descrever as formas de prevenir a gravidez na adolescência?
- Discutir os fatores de risco, problemas e desfechos associados à gravidez na adolescência?

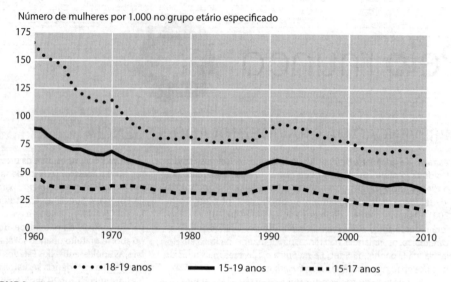

**FIGURA 17.3**
Taxas de natalidade na adolescência para mulheres nos Estados Unidos por faixa etária, 1960-2010.
*Fonte:* CDC/NCHS. National Vital Statistics System.

## Guia de estudo 3
Como os adolescentes se relacionam com os pais, com os irmãos e com os pares?

**rebelião adolescente**
Padrão de instabilidade emocional, característico de uma minoria de adolescentes, que pode envolver conflito com a família, alienação da sociedade adulta, comportamento impulsivo e rejeição dos valores adultos.

# Relacionamentos com a família e com os pares

A idade torna-se um poderoso agente de união na adolescência. Os adolescentes passam mais tempo com os amigos e menos com a família. Entretanto, a maioria dos valores fundamentais dos adolescentes permanece mais próxima dos valores de seus pais do que geralmente as pessoas imaginam (Offer & Church, 1991). Mesmo que os adolescentes se voltem cada vez mais aos pares para satisfazer muitas de suas necessidades sociais de modelos a seguir, companheirismo e intimidade, eles continuam vendo nos pais uma base segura a partir da qual podem experimentar sua liberdade. Você pode se lembrar de que as crianças usam seus pais como uma base segura e de que aquelas que se sentem apoiadas pelos pais sentem-se mais seguras para explorar o mundo — elas sabem que têm alguém com quem contar se algo der errado. Da mesma forma, os adolescentes que têm relacionamentos afetivos mais seguros tendem a ter relacionamentos fortes e de apoio com pais que permitem e incentivam seus esforços pela independência, mas ao mesmo tempo proporcionam um refúgio seguro em momentos de estresse emocional (Allen et al., 2003; Laursen, 1996).

## A rebelião dos adolescentes é um mito?

Os anos da adolescência têm sido chamados de época de **rebelião adolescente**, envolvendo instabilidade emocional, conflito com a família, alienação da sociedade adulta, comportamento impulsivo e rejeição dos valores adultos. Apesar disso, as pesquisas feitas com adolescentes em escolas do mundo todo sugerem que apenas 1 em cada 5 adolescentes se encaixam nesse padrão (Offer & Schonert-Reichl, 1992).

A maioria dos jovens sente-se próxima e positiva em relação aos seus pais, compartilha opiniões idênticas sobre questões importantes e valoriza a aprovação deles (Blum & Rinehart, 2000; Hill, 1987; Offer, Ostrov, & Howard, 1989; Offer, Ostrov, Howard, & Atkinson, 1988). Em um estudo longitudinal ao longo de 34 anos, feito com 67 meninos suburbanos de 14 anos, a grande maioria se adaptou bem às suas experiências de vida (Offer, Offer, & Ostrov, 2004). Os poucos adolescentes profundamente problemáticos tendiam a vir de famílias perturbadas e, quando adultos, continuavam a ter uma vida familiar instável e a rejeitar as normas culturais. Aqueles criados em lares com uma atmosfera familiar positiva tendiam a atravessar a adolescência sem nenhum problema sério e, quando adultos, a ter casamentos sólidos e a levar uma vida bem ajustada (Offer, Kaiz, Ostrov, & Albert, 2002).

Ainda assim, a adolescência pode ser uma época difícil para os jovens e seus pais. Conflito familiar, depressão e comportamento de risco são mais comuns do que em outras fases da vida (Arnett, 1999; Petersen et al., 1993). As emoções negativas e as variações de humor são mais intensas no início da adolescência, talvez devido à tensão ligada à puberdade. Algumas pesquisas indicam que a rebelião deve ser mais comum nas culturas tecnologicamente avançadas, nas quais há disparidade entre o sentir-se adulto

**Capítulo 17** • Desenvolvimento psicossocial na adolescência

e os direitos/responsabilidades de ser adulto. O comportamento antissocial na adolescência faz parte do desenvolvimento normal (Moffitt, 1993). No final da adolescência, a emotividade tende a tornar-se mais estável (Larson, Moneta, Richards, & Wilson, 2002).

Reconhecer que a adolescência pode ser um momento difícil pode ajudar pais e professores a relativizar os comportamentos de experimentação. Contudo, adultos que pressupõem que a instabilidade adolescente e o estresse são normais e necessários podem deixar de captar os sinais dos poucos jovens que necessitam de ajuda especial.

## Mudando o uso do tempo e mudando relacionamentos

Uma maneira de medir as alterações nos relacionamentos dos adolescentes com as pessoas importantes em suas vidas é observar como eles usam o tempo livre. A quantidade de tempo que os adolescentes norte-americanos passam com suas famílias diminui drasticamente durante os anos da adolescência. Entretanto, esse afastamento não é uma rejeição à família, mas uma resposta às necessidades do desenvolvimento. Os adolescentes mais novos frequentemente se trancam em seus quartos; parecem precisar ficar algum tempo sozinhos para se desvencilhar das exigências das relações sociais, para reconquistar a estabilidade emocional e refletir sobre questões de identidade (Larson, 1997).

As variações culturais no uso do tempo refletem necessidades, valores e práticas culturais diversas (Verma & Larson, 2003). Jovens de sociedades tribais ou rurais passam a maior parte de seu tempo produzindo o indispensável para a vida e têm muito menos tempo para participar de uma atividade social do que os adolescentes de sociedades tecnologicamente avançadas (Larson & Verma, 1999). Em algumas sociedades pós-industriais como Coreia e Japão, onde as pressões das tarefas acadêmicas e das obrigações familiares são fortes, os adolescentes têm relativamente pouco tempo livre. Para aliviar o estresse, eles passam seu tempo em ocupações passivas, como assistindo à televisão e "fazendo nada" (Verma & Larson, 2003). Na cultura centrada na família da Índia, por sua vez, os alunos do 8º ano do ensino fundamental da classe média urbana gastam 39% de seu tempo livre com a família, em comparação com 23% dos alunos do 8º ano do ensino fundamental norte-americanos, e relatam ser mais felizes quando estão com suas famílias do que os estudantes norte-americanos da mesma faixa etária. Para esses jovens, a tarefa da adolescência não é separar-se da família, mas tornar-se mais integrado a ela. Resultados semelhantes foram relatados na Indonésia, em Bangladesh, no Marrocos e na Argentina (Larson & Wilson, 2004). Em comparação, os adolescentes norte-americanos têm uma boa dose de tempo livre, a maior parte do qual eles passam com os pares, cada vez mais do sexo oposto (Juster, Ono, & Stafford, 2004; Larson & Seepersad, 2003; Verma & Larson, 2003).

A etnicidade pode afetar as ligações familiares. Em algumas pesquisas, adolescentes afro-americanos, que podem considerar suas famílias como refúgios em um mundo hostil, tendiam a manter relacionamentos familiares mais íntimos e relações menos intensas com os pares do que os adolescentes brancos (Giordano, Cernkovich, & DeMaris, 1993). Entre 489 estudantes do 9º ano do ensino fundamental, entretanto, aqueles de origem europeia relataram tanta ou maior identificação e intimidade com a família do que os estudantes de grupos minoritários. Por sua vez, aqueles de famílias mexicanas e chinesas, particularmente de famílias de imigrantes, relataram um sentimento mais forte de obrigação e assistência em relação à família e passavam mais tempo em atividades que envolviam essas obrigações (Hardway & Fuligni, 2006). Ainda assim, para os jovens sino-americanos oriundos de famílias de imigrantes, a necessidade de se adaptar à sociedade norte-americana entra muitas vezes em conflito com a força das obrigações familiares tradicionais (Fuligni, Yip, & Tseng, 2002).

Tendo em mente essas variações culturais, vamos examinar mais cuidadosamente o relacionamento com os pais e, então, com os irmãos e os pares.

## Os adolescentes e os pais

Como o poeta inglês William Wordsworth escreveu, "A criança é o pai do homem". Esse padrão de desenvolvimento aplica-se também à adolescência. Os relacionamentos com os pais durante a adolescência – o grau de conflito e a abertura de comunicação – são baseados largamente na intimidade emocional desenvolvida na infância e estabelecem, por sua vez, a base para a qualidade do relacionamento com um parceiro na idade adulta (Overbeek, Stattin, Vermulst, Ha, & Engels, 2007).

A maioria dos adolescentes relata boas relações com seus pais (Gutman & Eccles, 2007). Todavia, a adolescência traz consigo desafios especiais. Da mesma forma que os adolescentes sentem a tensão entre a dependência dos pais e a necessidade de se libertar, os pais querem que os filhos sejam independentes, apesar de acharem difícil deixá-los partir. Os pais têm que caminhar sobre a linha tênue entre dar suficiente independência aos adolescentes e protegê-los de falhas de julgamento decorrentes da ima-

---

### Qual a sua opinião?

Você consegue lembrar-se de valores nos quais acredita que são diferentes dos valores dos seus pais? Como você desenvolveu esses valores?

---

**Verificador**
**você é capaz de...**

■ Avaliar o grau de instabilidade e estresse durante os anos da adolescência?

■ Identificar as diferenças de idade e cultura na forma como os jovens passam seu tempo e discutir seu significado?

# PARTE VI • Adolescência

turidade. As tensões podem levar a conflitos familiares, e os estilos de parentalidade dos pais podem influenciar sua forma e desfecho. A monitoração eficaz depende de quanto os adolescentes deixam seus pais saberem sobre suas vidas, e essas revelações podem depender da atmosfera que os pais estabeleceram. Além disso, como ocorre com as crianças menores, os relacionamentos dos adolescentes com os pais são afetados pela situação de vida deles – sua profissão e sua situação conjugal e socioeconômica.

**Individuação e conflito familiar**  Se você era como a maioria dos jovens, provavelmente ouvia músicas diferentes do que seus pais, vestia-se com um estilo diferente de roupa e sentia que era razoável manter determinadas coisas fora do conhecimento deles. Esse processo, chamado **individuação** pelos psicólogos, começa na infância e continua durante toda a adolescência. Ele envolve a luta pela autonomia e pela diferenciação, ou identidade pessoal. Um aspecto importante da individuação é delinear os limites de controle entre o *self* e os pais (Nucci, Hasebe, & Lins-Dyer, 2005), e esse processo pode implicar conflito familiar.

> **individuação**
> A luta do adolescente por autonomia e identidade pessoal.

Em um estudo longitudinal, 1.357 jovens euro-americanos e afro-americanos foram entrevistados três vezes entre o verão antes da entrada no ensino médio e o 2º ano do ensino médio. O que veio à tona foi a importância das percepções dos adolescentes sobre as relações familiares. Os jovens que acreditavam que tinham muita autonomia sobre suas atividades diárias tendiam a passar mais tempo socializando com seus pares sem supervisão e tinham maior risco de apresentarem problemas de comportamento no 2º ano do ensino médio. Por sua vez, aqueles que consideravam seus pais altamente invasivos em relação às suas vidas pessoais tendiam a ficar sob influência negativa dos pares e a juntar-se a seus amigos em comportamentos de risco. Portanto, os pais de adolescentes devem encontrar um equilíbrio delicado entre liberdade excessiva e intromissão excessiva (Goldstein, Davis-Kean, & Eccles, 2005).

As discussões muito frequentemente dizem respeito ao controle sobre as questões pessoais cotidianas – tarefas diárias, dever de casa, roupas, dinheiro, horários, namoro e amizades – mais do que sobre questões de saúde e segurança ou certo e errado (Adams & Laursen, 2001; Steinberg, 2005). Os adolescentes geralmente sentem que devem ter autonomia sobre assuntos pessoais. A intensidade emocional desses conflitos – fora de proporção – pode refletir o processo de individuação subjacente. Em um estudo longitudinal com 99 famílias, tanto a individuação como a conexão familiar durante a adolescência prognosticaram bem-estar na meia-idade (Bell & Bell, 2005).

O processo de individuação pode ser complicado, e, à medida que os adolescentes compreendem os detalhes de sua nova dinâmica de poder, podem surgir conflitos. Tanto o conflito familiar como a identificação positiva com os pais são maiores aos 13 anos de idade, diminuindo até os 17 anos, quando se estabilizam ou aumentam um pouco. Essa mudança reflete o aumento de oportunidades para tomada de decisão independente pelo adolescente (Gutman & Eccles, 2007), ampliando as fronteiras do que é considerado assunto do adolescente (Steinberg, 2005).

Especialmente para as meninas, as relações familiares podem afetar a saúde mental. Adolescentes que têm mais oportunidades para tomar decisões relatam autoestima mais alta do que aquelas que têm menos oportunidades. Além disso, interações familiares negativas estão relacionadas à depressão adolescente, enquanto a identificação familiar positiva está relacionada a menos depressão (Gutman & Eccles, 2007).

O nível de discórdia familiar pode depender largamente da atmosfera familiar. Entre 335 famílias do meio-oeste rural americano com filhos adolescentes, os conflitos diminuíam durante o início e o meio da adolescência em famílias afetuosas e compreensivas, mas pioravam em famílias hostis, coercitivas ou críticas (Rueter & Conger, 1995).

**Estilos de parentalidade e autoridade parental**  O estilo de parentalidade democrático continua a promover o desenvolvimento psicossocial saudável (Baumrind, 1991, 2005). Pais que demonstram decepção pelo mau comportamento dos adolescentes são mais eficazes em motivar comportamento responsável do que pais que punem severamente (Krevans & Gibbs, 1996). Excessivamente rigorosa, a parentalidade democrática pode levar o adolescente a rejeitar a influência parental e a procurar apoio e aprovação dos pares a qualquer custo (Fuligni & Eccles, 1993).

Pais democráticos insistem em regras, normas e valores importantes, mas estão dispostos a ouvir, explicar e negociar (Lamborn, Mounts, Steinberg, & Dornbusch, 1991). Eles exercem o controle apropriado sobre a conduta de um filho (*controle comportamental*), mas não sobre os sentimentos, as crenças e o senso de *self* (*controle psicológico*) (Steinberg & Darling, 1994). Assim, por exemplo, podem proibir o adolescente de usar o carro como castigo após a quebra de uma regra familiar, mas não insistem que o adolescente concorde acerca da importância da regra quebrada. Em geral, o controle comportamental é

Capítulo 17 • Desenvolvimento psicossocial na adolescência **459**

preferível. O controle psicológico, exercido por meio de técnicas emocionalmente manipuladoras como a revogação do amor, pode prejudicar o desenvolvimento psicossocial e a saúde mental do adolescente (Steinberg, 2005). (O Quadro 17.6 é um *checklist* usado para autorrelatos de adolescentes sobre o uso do controle psicológico pelos pais.) Os pais que exercem controle psicológico tendem a ser indiferentes à necessidade crescente de *autonomia psicológica* dos filhos, o direito aos seus próprios pensamentos e sentimentos (Steinberg, 2005).

A parentalidade democrática parece reforçar a autoimagem do adolescente. Um levantamento com 8.700 estudantes do 9º ano do ensino fundamental e do 3º ano do ensino médio concluiu que "quanto mais envolvimento, concessão de autonomia e estrutura o adolescente percebe dos seus pais, mais positivamente ele avaliará sua própria conduta geral, seu desenvolvimento psicossocial e sua saúde mental" (Gray & Steinberg, 1999, p. 584). Quando os adolescentes achavam que seus pais estavam tentando dominar suas experiências psicossociais, sua saúde emocional sofria mais do que quando eles pensavam que seus pais estavam tentando controlar seu comportamento. Adolescentes cujos pais eram firmes ao impor regras de comportamento tinham mais autodisciplina e menos problemas de comportamento do que aqueles com pais permissivos. Aqueles cujos pais concediam autonomia psicológica tendiam a se tornar autoconfiantes e competentes tanto na área acadêmica quanto na social.

Os problemas surgem quando os pais ultrapassam o que os adolescentes consideram limites adequados de autoridade parental legítima. A existência de um domínio pessoal estabelecido de mútuo acordo no qual a autoridade pertence ao adolescente tem sido encontrada em várias culturas e classes sociais, do Japão ao Brasil. Esse domínio se expande à medida que pais e adolescentes renegociam continuamente os limites (Nucci et al., 2005).

**Monitoração parental e autorrevelação dos adolescentes**    A crescente autonomia dos jovens e o estreitamento das áreas de autoridade parental percebida redefinem os tipos de comportamento que os pais esperam que os adolescentes tenham em relação a eles (Smetana, Crean, & Campione-Barr, 2005; Quadro 17.7). Em um estudo com 276 estudantes suburbanos etnicamente diversos do 9º ano do ensino fudamental ao 3º ano do ensino médio, tanto os adolescentes como os pais consideravam as questões de

> ## Qual a sua opinião?
>
> ■ Quais questões causavam mais conflito em sua família quando você era adolescente e como elas eram resolvidas?
> ■ Se você vivia com seu pai e sua mãe, os conflitos eram maiores com um em relação ao outro? Seu pai e sua mãe lidavam com essas questões de forma semelhante ou diferente?

---

**QUADRO 17.6**    Escala de controle psicológico — autorrelato adolescente

Avaliações:

1 = Nada parecido(a) com ela(ele); 2 = Um pouco parecido(a) com ela(ele); 3 = Muito parecido(a) com ela(ele).

Minha mãe (meu pai) é uma pessoa que...

1.  muda de assunto sempre que eu tenho algo a dizer.
2.  termina as minhas frases sempre que eu falo.
3.  me interrompe com frequência.
4.  age como se soubesse o que eu estou pensando ou sentindo.
5.  gostaria de ser capaz de me dizer como me sentir ou o que pensar sobre as coisas o tempo todo.
6.  está sempre tentando mudar o que eu sinto ou penso sobre as coisas.
7.  me culpa por problemas de outros membros da família.
8.  traz à tona meus erros passados quando me critica.
9.  diz que eu não sou um membro bom ou leal da família.
10. diz todas as coisas que fez por mim.
11. diz que se eu realmente me importasse com ela(ele) eu não faria coisas que causam preocupação.
12. é menos amável comigo se eu não encaro as coisas da maneira dela(e).
13. evita olhar para mim quando eu a(o) decepciono.
14. se eu firo seus sentimentos, evita falar comigo até eu agradá-la(o) novamente.
15. muda frequentemente de humor quando está comigo.
16. oscila entre ser afetuosa(o) e crítica(o) comigo.

*Fonte:* Adaptado de Barber, 1996.

**460** **PARTE VI** • Adolescência

**QUADRO 17.7** Itens usados para avaliar as áreas percebidas da autoridade parental *versus* autoridade do adolescente

| Itens morais | Itens convencionais | Itens de prudência | Itens multifacetados | Amizades multifacetadas | Itens pessoais |
|---|---|---|---|---|---|
| Roubar dinheiro dos pais | Não fazer as tarefas determinadas | Fumar cigarros | Não limpar o quarto | Quando começar um namoro | Dormir até tarde nos fins de semana |
| Bater nos irmãos | Responder aos pais | Beber cerveja ou vinho | Fazer vários furos nas orelhas | Ficar na casa de um amigo | Escolher como gastar o dinheiro da mesada |
| Mentir para os pais | Ser mal-educado | Usar drogas | Ficar fora até tarde | Andar com amigos de quem os pais não gostam | Escolher as próprias roupas ou o corte de cabelo |
| Quebrar uma promessa feita aos pais | Insultar | Fazer sexo | Assistir à TV a cabo | Sair mais com os amigos do que com a família | Escolher suas músicas |

*Fonte:* Adaptado de Smetana, Crean, & Campione-Barr, 2005.

comportamentos de *prudência* relacionados à saúde e à segurança (como fumar, beber e usar drogas) como mais sujeitas à exposição seguidas por questões *morais* (como mentir), questões *convencionais* (como comportar-se mal ou falar palavrões) e questões *multifacetadas*, ou limítrofes (como assistir a um filme impróprio para a idade), que estão na fronteira entre questões pessoais e uma das outras categorias. Tanto os adolescentes como os pais consideravam as questões *pessoais* (como a forma como os adolescentes gastam seu tempo e seu dinheiro) como menos sujeitas à exposição. Contudo, para cada tipo de comportamento, os pais estavam mais inclinados a esperar revelação do que os adolescentes a revelar. Essa discrepância diminuía entre o 9º ano do ensino fundamental e o 3º ano do ensino médio à medida que os pais modificavam suas expectativas para se adequar à crescente maturidade dos adolescentes (Smetana, Metzger, Gettman, & Campione-Barr, 2006).

Em um estudo com 690 adolescentes belgas, os jovens estavam mais dispostos a dar informações sobre si mesmos quando os pais mantinham um clima familiar afetuoso e responsivo no qual os adolescentes eram encorajados a falar abertamente e quando os pais tinham expectativas claras sem serem abertamente controladores (Soenens, Vansteenkiste, Luyckx, & Goossens, 2006) — em outras palavras, quando a parentalidade era democrática. Os adolescentes, especialmente as meninas, tendem a ter relacionamentos mais íntimos e de apoio com suas mães do que com seus pais, e as meninas confiam mais em suas mães (Smetana et al., 2006). E, talvez ainda mais importante, um grande número de pesquisas mostra que a monitoração dos pais é um dos fatores protetores mais consistentemente identificado para os adolescentes (Racz & McMahon, 2011). A monitoração parental ampla envolve manter o controle das atividades do jovem, como, por exemplo, a inscrição em atividades extraescolares, a troca de informação e a verificação com os pais dos amigos dos adolescentes e o controle do paradeiro do adolescente.

**Estrutura e atmosfera familiar** Os adolescentes, como as crianças pequenas, são sensíveis à atmosfera familiar. O conflito familiar pode afetar o processo de individuação. Em um estudo longitudinal com 451 adolescentes e seus pais, mudanças no sofrimento ou no conflito conjugal – para melhor ou para pior – prognosticaram mudanças correspondentes na adaptação dos adolescentes (Cui, Conger, & Lorenz, 2005). O divórcio também pode impactar esse processo. As meninas e os meninos adolescentes cujos pais se divorciaram mais tarde tiveram mais problemas acadêmicos, psicológicos e comportamentais antes da separação do que os pares cujos pais não se divorciaram (Sun, 2001). Além disso, o distanciamento que pode resultar da separação tende a ser mais extremo com os pais. Por exemplo, a pesquisa mostrou que 48% dos adolescentes cujos pais ainda estão casados relataram uma relação estreita com o pai, enquanto apenas 25% dos adolescentes cujos pais são divorciados relataram ser próximos do pai (Scott, Booth, King, & Johnson, 2007).

Adolescentes que vivem com os pais em casamentos estáveis tendem a ter menos problemas comportamentais do que os adolescentes que vivem em quaisquer outras estruturas familiares (monoparentais, de coabitação ou adotivas), de acordo com dados de um importante estudo longitudinal nos Estados Unidos. Um fator importante é o envolvimento do pai. O envolvimento de alta qualidade do pai não residente ajuda muito, mas não tanto como o envolvimento do pai que mora na mesma casa (Carlson, 2006).

Adolescentes em famílias de coabitação, como ocorre com crianças pequenas, tendem a apresentar mais problemas comportamentais e emocionais do que adolescentes filhos de pais casados, e, quando um dos pais de coabitação não é biológico, o desempenho escolar também sofre. Para os adolescentes, diferentemente das crianças pequenas, esses efeitos são independentes dos recursos econômicos, do bem-estar conjugal ou da eficácia do estilo de parentalidade, sugerindo que a coabitação dos pais em si pode ser mais problemática para os adolescentes do que para as crianças pequenas (Brown, 2004).

Contudo, um estudo multiétnico de filhos de 12 e 13 anos de idade de mães solteiras – avaliado pela primeira vez quando as crianças tinham 6 e 7 anos – não encontrou efeitos negativos da monoparentalidade sobre o desempenho escolar nem maior risco de problemas de comportamento. O que mais importava eram o nível escolar e as habilidades da mãe, a renda familiar e a qualidade do ambiente doméstico (Ricciuti, 2004). Esses resultados sugerem que os efeitos negativos de viver em um lar monoparental podem ser superados por fatores positivos.

**O trabalho da mãe e pressão econômica** O impacto gerado pelo fato de a mãe trabalhar fora de casa pode depender da existência de dois progenitores ou de apenas um em casa. Quase sempre as mães solteiras precisam trabalhar para evitar problemas financeiros; a forma como seu trabalho afeta os filhos adolescentes pode depender do tempo e da energia que sobra para dedicar a eles, do nível da monitoração parental que consegue oferecer. Um estudo longitudinal com 819 crianças de 10 a 14 anos de famílias urbanas de baixa renda salienta a importância do tipo de cuidado e supervisão que os adolescentes recebem depois da escola. Aqueles que ficam sozinhos depois da escola, fora de casa, tendem a envolver-se em uso de álcool e drogas e a ter má conduta na escola, especialmente se tiverem história anterior de problemas de comportamento. Entretanto, isso tem menor probabilidade de acontecer quando os pais monitoram as atividades dos filhos e os vizinhos estão ativamente envolvidos (Coley, Morris, & Hernandez, 2004).

Conforme discutimos anteriormente, um problema importante em muitas famílias monoparentais é a falta de dinheiro. Em um estudo longitudinal nos Estados Unidos, os filhos adolescentes de mães solteiras de baixa renda foram negativamente afetados pelo emprego instável de suas mães ou por elas ficarem desempregadas por dois anos. Eles eram mais propensos a abandonar a escola e a experimentar declínios na autoestima e no autocontrole (Kalil & Ziol-Guest, 2005). Além disso, as dificuldades econômicas da família durante a adolescência podem afetar o bem-estar na idade adulta. O grau de risco depende de se os pais consideram sua situação estressante, se esse estresse interfere nos relacionamentos familiares e do quanto ele afeta as conquistas educacionais e ocupacionais dos filhos (Sobolewski & Amato, 2005).

Todavia, muitos adolescentes de famílias com dificuldades econômicas podem beneficiar-se do capital social acumulado – o apoio de parentes e da comunidade. Em 51 famílias afro-americanas urbanas pobres em que os adolescentes viviam com suas mães, avós ou tias, mulheres com fortes relações de parentesco exercem um controle mais firme e mais próximo em termos de monitoramento e, ao mesmo tempo, garantiam autonomia apropriada, e os adolescentes que estavam sob seus cuidados eram mais autoconfiantes e tinham menos problemas de comportamento (Taylor & Roberts, 1995).

## Os adolescentes e os irmãos

Existem várias tendências de relacionamento entre irmãos durante a adolescência. Em geral, os irmãos passam menos tempo juntos, seu relacionamento torna-se mais igual, e eles se tornam mais semelhantes nos seus níveis de competência.

As mudanças nas relações entre irmãos precedem e espelham de muitas formas as mudanças que vemos nas relações dos adolescentes com os pais. À medida que os jovens se desenvolvem, eles se tornam mais independentes dos pais. Eles começam a exercer sua autonomia e a dedicar menos tempo com seus familiares e mais tempo com os pares. Isso é semelhante ao que ocorre com os adolescentes e os irmãos. À medida que os adolescentes começam a passar mais tempo com os pares, eles passam menos tempo com os irmãos. Em geral, e possivelmente como resultado disso, adolescentes tendem a ser menos próximos dos irmãos do que dos amigos e são me-

**Verificador**
**você é capaz de...**
- Identificar fatores que afetam o conflito com os pais e a autorrevelação dos adolescentes?
- Discutir o impacto dos estilos de parentalidade, da situação conjugal, do emprego da mãe e da pressão econômica sobre os adolescentes?

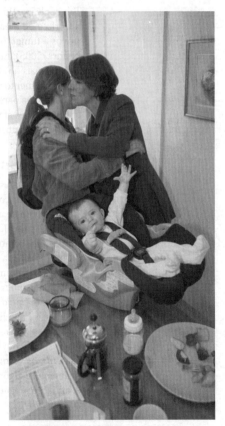

*Estudos constataram que os efeitos negativos de viver num lar monoparental podem ser superados por fatores positivos.*

**Qual a sua opinião?**

Se você tem um ou mais irmãos e irmãs, seu relacionamento com eles mudou durante a adolescência?

nos influenciados por eles. Esse distanciamento cresce durante a adolescência (Laursen, 1996). À medida que as crianças se aproximam do ensino médio, suas relações com os irmãos tornam-se progressivamente mais igualitárias. Os irmãos mais velhos exercem menos poder sobre os mais jovens, e os irmãos mais novos não mais precisam de tanta supervisão. À medida que as diferenças relativas de idade se reduzem, o mesmo ocorre com as diferenças de competência e independência (Buhrmester & Furman, 1990).

Os irmãos mais velhos e mais novos tendem a ter sentimentos diferentes sobre as mudanças em seu relacionamento. Quando os irmãos mais novos crescem, os mais velhos podem passar a considerar os mais novos como um incômodo inoportuno. Os irmãos mais novos ainda tendem a respeitar os mais velhos e tentam sentir-se mais velhos identificando-se com eles e imitando-os (Buhrmester & Furman, 1990).

Um estudo longitudinal com 200 famílias brancas mapeou as mudanças nas relações entre irmãos da terceira infância até a adolescência (Kim, McHale, Osgood, & Crouter, 2006). Como se verificou em pesquisa anterior, as irmãs geralmente relataram mais intimidade do que os irmãos ou pares mistos. Os níveis de intimidade entre irmãos do mesmo sexo permaneceram estáveis. Irmãos de sexo distinto, em contrapartida, tornaram-se menos íntimos entre a terceira infância e o início da adolescência, mas mais íntimos na metade da adolescência, a época em que a maioria dos jovens começa a interessar-se pelo sexo oposto. O conflito entre irmãos diminuiu a partir da metade da adolescência.

O estudo também revelou que as relações entre irmãos tendem a refletir tanto as relações entre pai e filho como o relacionamento conjugal dos pais. Por exemplo, os irmãos eram mais íntimos se a mãe fosse afetuosa e compreensiva. O conflito entre pai e filho estava associado ao conflito entre irmãos. Por sua vez, quando o pai estava menos feliz no casamento, os irmãos se tornavam mais íntimos e brigavam menos (Kim et al., 2006).

Em um estudo longitudinal de cinco anos com 227 famílias latino-americanas e afro-americanas, os relacionamentos entre irmãos sob certas circunstâncias tinham efeitos importantes sobre o irmão mais novo. Em lares de mães solteiras, um relacionamento afetuoso com uma irmã mais velha tendia a prevenir o envolvimento de uma irmã mais nova com uso de drogas e comportamento sexual de risco. Em contrapartida, ter uma irmã mais velha dominadora tendia a aumentar o comportamento sexual de alto risco de uma irmã mais nova (East & Khoo, 2005). Irmãos mais velhos podem influenciar os mais novos a fumar, beber ou usar drogas (Pomery et al., 2005; Rende, Slomkowski, Lloyd-Richardson, & Niaura, 2005). Em um estudo longitudinal com 206 meninos e seus respectivos irmãos mais novos, os irmãos mais novos que andavam com um irmão mais velho antissocial tinham alto risco de apresentar comportamento antissocial na adolescência, uso de drogas, comportamento sexual e violência, apesar da disciplina parental (Snyder, Bank, & Burraston, 2005). Uma metanálise confirma a forte conexão entre as relações afetuosas com pouco conflito e a adaptação psicológica mais saudável em irmãos (Buist, Dekovic, & Prinzie, 2013)

## Pares e amigos

O grupo de pares é uma importante fonte de apoio emocional durante a complexa transição da adolescência — bem como fonte de pressão para comportamentos que os pais podem detestar. O grupo de pares é fonte de afeto, simpatia, compreensão e orientação moral; um lugar para experimentação; e o ambiente para alcançar a autonomia e a independência dos pais. É o lugar para formar relações íntimas que servem como ensaios para a intimidade adulta.

Na infância, a maior parte das interações com os pares é *diádica*, ou pessoal, embora agrupamentos maiores comecem a se formar na terceira infância. À medida que as crianças passam para a adolescência, as *panelinhas* – grupos estruturados de amigos que fazem as coisas juntos – tornam-se mais importantes. Um tipo de agrupamento maior, as *turmas*, que normalmente não existem antes da adolescência, baseiam-se não nas interações pessoais, mas em reputação, imagem ou identidade. A admissão como membro da turma é uma construção social, um conjunto de rótulos pelos quais os jovens dividem o mapa social com base em vizinhança, etnia, nível socioeconômico ou outros fatores (p. ex., os sarados, os *nerds*, os *skatistas* ou os drogados). Os três níveis de agrupamento de pares podem existir simultaneamente, e alguns podem se sobrepor em termos de afiliação, a qual pode mudar ao longo do tempo. A afiliação a panelinhas e a turmas tende a tornar-se mais flexível no decorrer da adolescência (Brown & Klute, 2003).

A influência dos pares costuma atingir seu auge entre os 12 e os 13 anos e diminui da metade ao final da adolescência. Aos 13 ou aos 14 anos, adolescentes populares podem envolver-se em comportamentos leves antissociais, tais como experimentar drogas ou entrar no cinema sem pagar, para demonstrar a seus amigos sua independência das regras parentais (Allen, Porter, McFarland, Marsh, & McElhaney, 2005). Em um estudo acerca da influência dos pares na propensão ao risco, 306 adolescentes, jovens universitários e adultos jovens jogaram um *videogame* chamado "Chicken". Em todas as faixas etárias, a propensão ao risco era mais alta na companhia dos pares do que sozinho; isso foi especialmente verdadeiro para participantes mais jovens (Gardner & Steinberg, 2005). No entanto, o apego aos pares no início da adolescência não é suscetível de prever problemas reais a menos que o apego seja tão forte que o jovem esteja disposto a desistir da obediência às regras da família, a deixar de fazer o tema de casa e a se abster de desenvolver seus próprios talentos com o objetivo de ganhar a aprovação dos pares e a popularidade (Fuligni, Eccles, Barber, & Clements, 2001).

Quando adolescente, você fez parte de uma panelinha ou de uma turma? Se sim, como isso afetou seus relacionamentos e suas atitudes?

**Amizades** A intensidade, a importância das amizades e a quantidade de tempo passado com os amigos são provavelmente maiores na adolescência do que em qualquer outra época da vida. As amizades tendem a tornar-se mais recíprocas, mais igualitárias e mais estáveis. As que são menos satisfatórias perdem importância ou são abandonadas.

A maior intimidade, lealdade e troca com os amigos marca uma transição rumo a amizades adultas. Os adolescentes começam a contar mais com os amigos do que com os pais para a intimidade e o apoio e trocam confidências mais intensamente do que amigos mais novos (Berndt & Perry, 1990; Buhrmester, 1990, 1996; Hartup & Stevens, 1999; Laursen, 1996; Nickerson & Nagel, 2005). As amizades das meninas tendem a ser mais íntimas do que as dos meninos, com troca frequente de confidências (Brown & Klute, 2003). A intimidade com amigos do mesmo sexo aumenta do início até o meio da adolescência e depois diminui à medida que aumenta a intimidade com o sexo oposto (Laursen, 1996).

É verdade que aqueles a sua volta influenciam sua propensão a assumir riscos, mas também é verdade que algumas pessoas, em virtude de sua constituição genética, são mais propensas a assumir riscos. Os pesquisadores descobriram recentemente que as mutações relacionadas à produção de dopamina estão envolvidas na busca por sensações.

*Derringer et al., 2011*

O aumento da intimidade na amizade entre adolescentes reflete o desenvolvimento cognitivo e emocional. Os adolescentes são agora mais capazes de expressar seus pensamentos pessoais e seus sentimentos. Eles podem considerar mais facilmente o ponto de vista de outras pessoas, e é mais fácil para eles entenderem os pensamentos e os sentimentos dos amigos. O aumento da intimidade reflete a preocupação inicial que os adolescentes têm de conhecer a si próprios. Confiar em um amigo ajuda os jovens a explorar seus sentimentos, a definir sua identidade e a validar sua autoestima (Buhrmester, 1996).

Os humanos são animais sociais, e, como tal, a qualidade das nossas relações tem grande importância nos resultados. Os amigos são importantes. Por isso, não é surpreendente que a capacidade para a intimidade esteja relacionada à adaptação psicológica e à competência social. Adolescentes que têm amizades próximas, estáveis e apoiadoras geralmente têm uma opinião favorável a respeito de si mesmos, têm bom desempenho escolar, são sociáveis e não costumam ser hostis, ansiosos ou deprimidos (Berndt & Perry, 1990; Buhrmester, 1990; Hartup & Stevens, 1999). Eles também tendem a estabelecer vínculos fortes com os pais (Brown & Klute, 2003). Um processo bidirecional parece estar em ação: bons relacionamentos estimulam a adaptação, que, por sua vez, estimula as boas amizades.

Há indícios de que a administração de oxitocina, um hormônio envolvido na afiliação social, resulta na melhoria das capacidades cognitivas sociais, mas apenas no caso dos indivíduos que sofrem de deficiência desse hormônio.

*Bartz, 2010*

**Consequências sociais da comunicação *on-line*** A explosão das tecnologias de comunicação *on-line*, como as mensagens instantâneas, o *e-mail* e as mensagens de texto, bem como os *sites* de redes sociais como o Instagram e o Facebook, mudaram a forma como muitos adolescentes se comunicam. Na qualidade de grupo, os adolescentes são os principais usuários das tecnologias de interação social. Eles passam mais tempo *on-line* do que os adultos e passam a maior parte de seu tempo *on-line* usando a internet para se comunicar. As primeiras pesquisas sugeriram que a comunicação *on-line* reduziria a interação social dos adolescentes com os amigos e a família. Os estudos sobre os efeitos do uso da internet na década de 1990 e no início da década de 2000 mostraram que os adolescentes que passavam muito tempo na internet passavam menos tempo com os amigos (Nie, 2001), tinham menos amigos (Mesch, 2001) e apresentavam conexão e bem-estar social reduzidos (Kraut et al., 1998).

À medida que o acesso à internet aumentou e as tecnologias mais sofisticadas, como as mensagens instantâneas e o Facebook substituíram, as salas de bate-papo abertas, o efeito do aumento da utilização da internet passou de negativo para positivo. Estudos europeus e norte-americanos mostraram que 88% dos adolescentes usam as mensagens instantâneas para comunicar-se com amigos reais (Valkenburg &

*A explosão das redes sociais como o Facebook e o Twitter tem afetado significativamente a forma como os adolescentes se comunicam.*

> Há consequências sociais para as comunidades virtuais... e há também consequências acadêmicas. Adolescentes que ficam conectados ao Facebook enquanto estudam tiram notas 20% mais baixas do que seus pares que desligam o computador na hora de estudar.
>
> *Kirschner & Karpinski, 2010*

**Verificador**
**você é capaz de...**
- Descrever mudanças típicas nos relacionamentos entre irmãos durante a adolescência?
- Listar diversas funções do grupo de pares na adolescência?
- Discutir de que forma a comunicação *on-line* afeta as conexões sociais?

Peter, 2007). Estudos recentes demonstraram que a comunicação *on-line* mais estimula do que reduz as conexões sociais (Kraut et al., 2002).

A capacidade de comunicação *on-line* para aumentar a autorrevelação tem sido identificada como uma das principais razões para a melhoria da conexão e do bem-estar sociais. Os indivíduos com frequência tornam-se incomumente íntimos em um ambiente *online*, no qual os sinais contextuais visuais e auditivos são reduzidos. Eles se preocupam menos com a forma como os outros os perceberão e se sentem mais livres para expressar-se (Tidewell & Walther, 2002; Valkenburg & Peter, 2009). Como os adolescentes relacionam autorrevelação com amizades de qualidade, o nível elevado de autorrevelação nos ambientes *on-line* também pode estar relacionado à qualidade e à formação de amizades (McKenna & Bargh, 2000; Valkenburg & Peter, 2007), o que, por sua vez, eleva a conexão e o bem-estar sociais.

Os aspectos da comunicação *on-line* que aumentam a conexão — o nível de anonimato — a têm tornado atraente para os *cyberbullies*. Conforme discutido anteriormente, o *bullying* é uma forma de agressão que visa prejudicar alguém. O *bullying* verbal e o físico são os tipos mais prevalentes, mas *cyberbullying* e vitimização pela internet foram relatados por aproximadamente 25% dos estudantes do ensino médio (Willard, 2006).

**Relacionamentos amorosos**   Os relacionamentos amorosos são uma parte central do mundo social dos adolescentes. Eles contribuem para o desenvolvimento da intimidade e da identidade. Com o início da puberdade, a maioria dos meninos e meninas heterossexuais começa a pensar e a interagir mais com pessoas do sexo oposto. Normalmente, eles passam dos grupos mistos ou de encontros grupais para relacionamentos amorosos pessoais que envolvem paixão e um sentimento de compromisso (Bouchey & Furman, 2003; Furman & Wehner, 1997).

Os relacionamentos amorosos tendem a tornar-se mais intensos e mais íntimos no decorrer da adolescência (Bouchey & Furman, 2003). Adolescentes mais novos pensam primeiramente em como um relacionamento afetivo pode afetar sua posição no grupo de pares (Bouchey & Furman, 2003). Eles têm pouco ou nenhum interesse nas necessidades de apoio ou vinculação, como ajuda, cuidado e proteção, e sua atenção às necessidades sexuais restringe-se a como se envolver em atividades sexuais e em que atividades se envolver (Bouchey & Furman, 2003; Furman & Wehner, 1997).

Na metade da adolescência, a maioria dos jovens teve pelo menos um parceiro exclusivo durante diversos meses até cerca de um ano, e o efeito da escolha do parceiro sobre o *status* entre os pares tende a tornar-se menos importante (Furman & Wehner, 1997). Em entrevistas com 1.316 alunos do ensino fundamental e médio, os meninos revelaram menos confiança que as meninas quando se tratava dos primeiros relacionamentos românticos. A maior naturalidade das meninas nas relações amorosas pode ser uma extensão de sua maior intimidade em amizades com o mesmo sexo (Giordano, Longmore, & Manning, 2006).

Aos 16 anos, os adolescentes interagem e pensam nos parceiros afetivos mais do que nos pais, amigos ou irmãos (Bouchey & Furman, 2003). Somente no final da adolescência ou início da idade adulta, no entanto, é que os relacionamentos amorosos caracterizam-se por toda a gama de necessidades emocionais que tais relacionamentos podem oferecer. Posteriormente, isso acontece em relacionamentos relativamente de longo prazo (Furman & Wehner, 1997). O término com parceiros românticos está entre os preditores mais agravantes de depressão e suicídio (Bouchey & Furman, 2003).

A relação com os pais e os pares pode afetar a qualidade do relacionamento amoroso. O casamento ou relacionamento afetivo dos pais pode servir como modelo para os filhos adolescentes. O grupo de pares forma o contexto para a maioria dos relacionamentos amorosos e pode influenciar a escolha do parceiro e o modo como o relacionamento se desenvolve (Bouchey & Furman, 2003). Relações adversas com os pais e com os pares podem levar a relacionamentos não saudáveis e às vezes violentos.

**Violência no namoro**   A violência no namoro é um problema significativo nos Estados Unidos. As três formas comuns de violência no namoro são:

Física — quando o parceiro é surrado, beliscado, empurrado ou chutado
Emocional — quando o parceiro é ameaçado ou agredido verbalmente
Sexual — quando o parceiro é forçado a praticar ato sexual não consensual

As estatísticas indicam que aproximadamente 10% dos estudantes foram vítimas de violência física durante o namoro, mas a taxa pode ser muito mais alta devido ao medo que os estudantes têm de contar para os amigos ou para a família. As taxas de abuso emocional são ainda maiores: aproximadamente 3 em cada 10 adolescentes relatam ter sofrido abusos verbais ou psicológicos (Halpern, Young, Waller,

Martin, & Kupper, 2003). Ao todo, 1 em cada 4 adolescentes relata abuso verbal, físico, emocional ou sexual por um parceiro a cada ano (CDC, 2008d).

Além do dano físico causado por esse tipo de violência, os adolescentes que são vítimas de agressão no namoro são mais propensos ao mau desempenho escolar e ao envolvimento em comportamentos de risco, como uso de drogas e de álcool. Esses alunos também estão sujeitos a transtornos alimentares, depressão e suicídio. Embora as taxas de vitimização em geral sejam semelhantes para meninos e meninas, os meninos relatam níveis ligeiramente mais altos de vitimização, mas as meninas são desproporcionalmente as vítimas em casos de violência grave (Mulford & Giordano, 2008).

Os fatores de risco que podem prognosticar esse tipo de violência incluem abuso de substâncias, depressão ou ansiedade, comportamentos sexuais de alto risco ou já ter vivido em um relacionamento abusivo (Cutter-Wilson & Richmond, 2011). Os relacionamentos nocivos podem durar a vida inteira à medida que as vítimas carregam os padrões de violência para futuros relacionamentos.

> **Verificador**
> **você é capaz de...**
> - Descrever as mudanças no desenvolvimento nos relacionamentos amorosos?
> - Listar as três formas de violência no namoro e os fatores de risco que podem prever a violência?

## Comportamento antissocial e delinquência juvenil

O que influencia os jovens a envolver-se com — ou abster-se de — violência (Quadro 17.2) ou outros atos antissociais? Por meio de quais processos as tendências antissociais se desenvolvem? Como os comportamentos problemáticos evoluem para a delinquência crônica? O que determina se um delinquente juvenil se tornará um criminoso? O comportamento humano é complexo e determinado por vários fatores. Assim, nenhum fator isolado é o responsável pelo comportamento antissocial. Em vez disso, o desenvolvimento de comportamento antissocial envolve uma interação complexa e recíproca entre o ambiente e os fatores biológicos de risco (van Goozen, Fairchild, Snoek, & Harold, 2007).

### Tornando-se delinquente: fatores genéticos e neurológicos

O comportamento antissocial tende a ocorrer em famílias. Análises de diversos estudos concluíram que os genes influenciam entre 40 e 50% da variação no comportamento antissocial dentro de uma população e entre 60 e 65% da variação no comportamento antissocial agressivo (Rhee & Waldman, 2002; Tackett, Krueger, Iacono, & McGue, 2005). No entanto, os genes sozinhos não são preditivos do comportamento antissocial. Resultados de pesquisas recentes sugerem que, embora a genética influencie a delinquência, as influências ambientais, inclusive família, amigos e escola, afetam a expressão genética (Guo, Roettger, & Cai, 2008).

Déficits neurobiológicos, particularmente nas porções do cérebro que regulam as reações ao estresse, podem ajudar a explicar por que algumas crianças e adolescentes se tornam antissociais. Como consequência desses déficits neurológicos, que podem resultar da interação de fatores genéticos ou de temperamento difícil com ambientes adversos, as crianças podem não receber ou não perceber sinais de alerta normais para conter o comportamento impulsivo ou imprudente (van Goozen et al., 2007). Crianças com transtorno de déficit de atenção/hiperatividade (TDAH) têm maior risco de desenvolver transtorno da conduta (TC) e depressão, que contribuem para o comportamento antissocial (Drabick, Gadow, & Sprafkin, 2006). Além disso, as descobertas preliminares de uma investigação com ressonância magnética da resposta empática indicaram que os jovens com transtornos de comportamento agressivo têm respostas atípicas ao verem a dor em outras pessoas (Decety, Michalaska, Akitsuki, & Lahey, 2009).

### Tornando-se delinquente: como as influências da família, dos pares e da comunidade interagem

Os pesquisadores identificaram dois tipos de comportamento antissocial: um tipo de *início precoce*, começando aos 11 anos de idade, que tende a levar à delinquência juvenil crônica na adolescência; e um tipo mais leve, de *início tardio*, começando após a puberdade, que tende a aparecer temporariamente em resposta às mudanças da adolescência: o descompasso entre maturidade biológica e social, aumento no desejo de autonomia e diminuição da supervisão adulta. Os adolescentes com comportamento antissocial de início tardio tendem a cometer infrações relativamente mais leves (Schulenberg & Zarrett, 2006).

> **Guia de estudo 4**
> Qual é a causa do comportamento antissocial e o que pode ser feito para reduzir o risco de delinquência na adolescência?

> Adolescentes que abandonam o ensino médio custam à sociedade aproximadamente 240 mil dólares em receita fiscal perdida, aumento na taxa de utilização de serviços sociais e maior probabilidade de necessitar de assistência social ou de sofrer encarceramento. Em outubro de 2008, cerca de 30 milhões de jovens de 16 a 24 anos não estavam na escola e não tinham um diploma de ensino médio. Isso representa aproximadamente 8% dos adolescentes elegíveis.
>
> *Chapman, Laird, & Kewal-Ramani, 2010*

# O mundo social

## 17.2 A EPIDEMIA DA VIOLÊNCIA JUVENIL

Em 20 de abril de 1999, dois estudantes da Columbine High School, em Littleton, Colorado, assassinaram 12 colegas e um professor antes de se suicidarem. Em 16 de abril de 2007, um estudante de 23 anos do Virginia Tech matou 32 pessoas antes de se suicidar, tornando o massacre o mais mortal na história dos Estados Unidos. Em 2012, um homem de 20 anos atirou primeiro em sua mãe e, em seguida, em 20 crianças e 6 adultos na Sandy Hook Elementary School em Newtown, no Connecticut, antes de se suicidar.

Apesar de a publicidade em torno desses atos de violência torná-los populares, eles na verdade são raros, representando apenas 1% do total de homicídios entre os jovens na idade escolar. A maioria desses homicídios envolve apenas um único assassino e uma única vítima. De fato, apesar da onda de assassinatos em escolas desde 1999, as taxas de homicídios associados ao ambiente escolar diminuíram de modo geral entre 1992 e 2006 (Modzeleski et al., 2008).

Infelizmente, contudo, as vítimas desses casos de grande repercussão são apenas uma pequena fração daqueles afetados pela violência juvenil. Em 2005, mais de 721 mil jovens com idades entre os 10 e os 24 anos foram atendidos em prontos-socorros devido a ferimentos sofridos em atos violentos (CDC, 2007c). Indivíduos com menos de 25 anos de idade constituíram cerca de 44,5% do total de pessoas presas por crimes violentos e 53,9% de pessoas presas por crimes contra a propriedade nos Estados Unidos em 2005 (Federal Bureau of Investigation [FBI], 2007).

O que causa esse comportamento destrutivo? Muitos fatores podem pressionar os jovens a cometer atos violentos:

- O cérebro imaturo do adolescente, particularmente o córtex pré-frontal, fundamental para o julgamento e para a supressão do impulso.
- O fácil acesso a armas em uma cultura que "romantiza o uso de armas" (Weinberger, 2001, p. 2).
- A presença de gangues na escola (National Center for Education Statistics [NCES], 2003; "Youth Violence", 2001).
- Um ambiente familiar de rejeição, coercitivo ou caótico na infância, que tende a produzir comportamento agressivo nas crianças. A hostilidade que eles evocam nos outros aumenta sua própria agressividade. Sua autoimagem negativa os impede de ter sucesso na escola ou de desenvolver outros interesses construtivos, e eles geralmente se associam a pares que reforçam suas atitudes e comportamentos antissociais (Staub, 1996).
- Viver em bairros instáveis, com baixo envolvimento e apoio da comunidade (Tolan, Gorman-Smith, & Henry, 2003), embora estudantes de classe média em escolas suburbanas não sejam imunes.
- Ter testemunhado ou ter sido vítima de violência na comunidade ou ter sido exposto à violência na mídia (Brookmeyer, Henrich, & Schwab-Stone, 2005; Pearce, Jones, Schwab-Stone, & Ruchkin, 2003).

Psicólogos apontam possíveis sinais de alerta. Os adolescentes propensos a cometer atos violentos geralmente se recusam a ouvir os pais e os professores, ignoram os sentimentos e os direitos dos outros, tratam mal as pessoas, apelam para violência ou ameaças para resolver problemas e acreditam que a vida os tratou injustamente. Eles tendem a apresentar desempenho insuficiente na escola; a matar aulas; a ficar de castigo, ou suspensos, ou evadir da escola; a ser vítimas de *bullying*; a consumir álcool, inalantes e/ou outras drogas; a envolver-se em atividade sexual precoce; a fazer parte de gangues; e a brigar, roubar ou destruir propriedades (American Psychological Association and American Academy of Pediatrics [AAP], 1996; Resnick et al., 1997; Smith-Khuri et al., 2004; "Youth Violence," 2001).

Um dos piores mitos é o de que nada pode ser feito para prevenir ou tratar o comportamento violento. Isso não é verdade. Programas escolares para *todas* as crianças, não apenas para as que estão em situação de risco, reduziram a violência e a agressividade em todos os níveis de escolaridade. Esses programas visam prevenir o comportamento violento por meio do estímulo das habilidades sociais e da consciência e do controle emocional (Hahn et al., 2007).

**Qual a sua opinião?** Qual você acha que é o fator mais importante na prevenção da violência juvenil?

---

O comportamento antissocial do tipo início precoce é influenciado, como sugere a teoria de Bronfenbrenner, pela interação de fatores que variam de influências do microssistema, tais como hostilidade entre pai e filho, práticas de criação dos filhos insatisfatórias e desvio comportamental dos pares, a influências do macrossistema, como estrutura da comunidade e apoio social da vizinhança (Buehler, 2006; Tolan et al., 2003). Essa rede de influências interativas começa a ser tecida na infância.

O comportamento antissocial de início tardio ocorre normalmente em adolescentes com antecedentes familiares normais. Os pais de crianças que se tornaram antissociais crônicos, em contrapartida, podem ter deixado de reforçar o bom comportamento no início da infância e podem ter sido rigorosos ou inconsistentes — ou ambos — ao punirem o mau comportamento (Coie & Dodge, 1998; Snyder, Cramer, Frank, & Patterson, 2005). Ao longo dos anos, esses pais podem não ter-se envolvido de forma íntima e positiva na vida de seus filhos (Patterson, DeBaryshe, & Ramsey, 1989). As crianças podem ter compensações pelo comportamento antissocial: quando elas retrucam, podem receber atenção ou fazer o que querem. Esses padrões negativos precoces preparam o caminho para as influências negativas dos pares que promovem e reforçam o comportamento antissocial (Collins, Maccoby, Steinberg, Hetherington, & Bornstein, 2000; Brown, Mounts, Lamborn, & Steinberg, 1993).

No início da adolescência, pode haver hostilidade aberta entre pai e filho. Quando crítica constante, coerção raivosa ou comportamento rude não cooperativo caracterizam as interações entre pais e filhos, a criança tende a apresentar problemas de comportamento agressivo, o que piora esse relacionamento (Buehler, 2006). A parentalidade ineficaz pode deixar os irmãos mais novos sob a influência poderosa de um irmão mais velho com comportamento desviante, especialmente se os irmãos são de idades próximas (Snyder et al., 2005).

A escolha de pares antissociais é afetada principalmente por fatores ambientais (Iervolino et al., 2002). Os jovens atraem-se por outros que foram criados como eles e que são semelhantes nas conquistas escolares, na adaptação e nas tendências pró-sociais ou antissociais (Collins et al., 2000; Brown, et al., 1993). Como ocorre na infância, os adolescentes antissociais tendem a ter amigos antissociais, e seu comportamento antissocial aumenta quando eles se associam uns aos outros (Dishion, McCord, & Poulin, 1999; Hartup & Stevens, 1999; Vitaro, Tremblay, Kerr, Pagani, & Bukowski, 1997). A maneira como os adolescentes antissociais conversam, riem ou sorriem maliciosamente a respeito da violação de regras e se reconhecem entre si parece constituir uma espécie de "treinamento para o desvio" (Dishion et al., 1999). Essas crianças-problema continuam a induzir uma parentalidade ineficaz, que prediz comportamento delinquente e associação com grupos de pares desviantes ou gangues (Simons, Chao, Conger, & Elder, 2001; Tolan et al., 2003).

O estilo de parentalidade democrático, que envolve níveis elevados de cuidado, assim como controle e regras, pode ajudar os jovens a interiorizar padrões que podem isolá-los das influências negativas dos pares e abri-los a influências positivas (Collins et al., 2000; Mounts & Steinberg, 1995). O aperfeiçoamento da parentalidade durante a adolescência pode reduzir a delinquência ao desestimular a associação com pares com comportamento desviante (Simons et al., 2001). Adolescentes cujos pais sabem onde estão e o que estão fazendo são menos propensos a se envolver em atos delinquentes (Laird, Pettit, Bates, & Dodge, 2003) ou de se associar a pares com comportamento desviante (Lloyd & Anthony, 2003). Em resumo, pais que são calorosos, que monitoram seus filhos adolescentes e que definiram e aplicaram bem as regras são os menos propensos a ter filhos delinquentes.

Circunstâncias econômicas familiares podem influenciar o desenvolvimento de comportamento antissocial. A privação econômica persistente pode arruinar uma educação familiar sólida ao privar a família de capital social. Crianças pobres têm maior probabilidade do que outras crianças de cometer atos antissociais, e aquelas cujas famílias são continuamente pobres tendem a tornar-se mais antissociais com o tempo. Em contrapartida, quando as famílias saem da pobreza enquanto a criança ainda é pequena, a criança não tem maior probabilidade de desenvolver problemas de comportamento do que uma criança cuja família nunca foi pobre (Macmillan, McMorris, & Kruttschnitt, 2004).

A frágil organização social de uma comunidade carente pode influenciar a delinquência por meio de seus efeitos sobre o comportamento dos pais e o comportamento desviante dos pares (Chung & Steinberg, 2006). A força das conexões sociais dentro de uma comunidade pode ser um fator protetor para os adolescentes em situação de risco (Sampson, 1997). Os psicólogos definem a *eficácia coletiva* como o nível de influência da comunidade, envolvendo a vontade dos indivíduos da comunidade de trabalhar em conjunto para alcançar um objetivo comum, intervir se um problema é aparente e ajudar uns aos outros em momentos de necessidade. A combinação de carinho, de pais envolvidos e de eficácia coletiva pode desencorajar os adolescentes da associação com pares desviantes (Brody et al., 2001).

## Perspectivas de longo prazo

A imensa maioria dos jovens envolvidos em atos delinquentes não se torna adultos criminosos (Kosterman, Graham, Hawkins, Catalano, & Herrenkohl, 2001;

*Algumas escolas de ensino médio, na tentativa de conter o comportamento antissocial violento, instalaram detectores de metais e postos de controle de segurança para seus alunos.*

Moffitt, 1993). A delinquência atinge seu auge em torno dos 15 anos e então diminui à medida que a maioria dos adolescentes e suas famílias chegam a um acordo acerca da necessidade dos jovens de assegurarem sua independência.

Entretanto, adolescentes que não enxergam alternativas positivas são mais propensos a adotar permanentemente um estilo de vida antissocial (Elliott, 1993). Os que têm maior probabilidade de persistir na violência são meninos que tiveram influências antissociais muito precocemente. Os que têm menor probabilidade de persistir são meninos e meninas que sempre tiveram bom desempenho escolar e meninas que apresentaram desenvolvimento pró-social desde a infância (Kosterman et al., 2001). Uma vez que o caráter dos adolescentes ainda está em constante mudança, muitos psicólogos do desenvolvimento condenam a tendência atual de transferir infratores juvenis do sistema judiciário juvenil, que é voltado à reabilitação, para os tribunais criminais, nos quais eles podem ser julgados e condenados como adultos (Steinberg, 2000; Steinberg & Scott, 2003).

## Prevenindo e tratando a delinquência

Assim como a delinquência juvenil tem raízes na infância, o mesmo deveria ocorrer com esforços preventivos. A delinquência é determinada por diversos fatores. Assim, para se obter mais sucesso, as intervenções deveriam atacar esses múltiplos fatores.

**Qual a sua opinião?**
Como a sociedade deve lidar com jovens infratores?

Adolescentes que participaram de programas de intervenção na primeira infância têm menor probabilidade de se envolver em problemas do que seus pares igualmente desprivilegiados que não passaram pela mesma experiência (Yoshikawa, 1994; Zigler, Taussig, & Black, 1992). Os programas eficazes são aqueles que têm como alvo crianças urbanas de alto risco e que duram pelo menos dois dos primeiros cinco anos de vida da criança. Eles influenciam as crianças diretamente, por meio de creches ou de educação de alta qualidade e, ao mesmo tempo, indiretamente, oferecendo assistência e apoio voltados às suas necessidades (Berrueta-Clement, Schweinhart, Barnett, Epstein, & Weikart, 1985; Berrueta--Clement, Schweinhart, Barnett, & Weikart, 1987; Schweinhart et al., 1993; Seitz, 1990; Yoshikawa, 1994; Zigler et al., 1992).

Esses programas operam no mesossistema de Bronfenbrenner, afetando as interações entre a casa e a escola ou a creche. Eles também deram um passo adiante, até o exossistema, criando redes familiares de apoio e ligando famílias a serviços comunitários como cuidados pré-natais e pós-natais e orientação educacional e vocacional (Yoshikawa, 1994; Zigler et al., 1992). Por meio de sua abordagem de múltiplo alcance, essas intervenções têm impacto sobre diversos fatores de risco precoces que podem levar à delinquência.

Um desses programas é o *Chicago Child-Parent Centers*, um programa pré-escolar para crianças carentes das escolas públicas de Chicago. O programa oferece serviços de acompanhamento até os 9 anos. Os participantes estudados tiveram, aos 20 anos, melhores resultados educacionais e sociais e menos prisões juvenis do que um grupo de comparação que recebeu intervenções menos extensivas (Reynolds, Temple, Robertson, & Mann, 2001).

A partir do momento em que as crianças atingem a adolescência, especialmente em áreas pobres e assoladas pelo crime, as intervenções precisam concentrar-se em detectar adolescentes com problemas e evitar o recrutamento para gangues (Tolan et al., 2003). Os programas bem-sucedidos encorajam as habilidades de parentalidade por meio de melhor monitoração, manejo comportamental e apoio social da comunidade.

Programas como encontros de adolescentes e acampamentos de verão para jovens com problemas de comportamento podem ser contraproducentes porque unem grupos de jovens desviantes que tendem a reforçar o desvio uns dos outros. Os programas mais efetivos – escoteiros, esportes e atividades da igreja – integram jovens desviantes à corrente não desviante. As atividades estruturadas, monitoradas por adultos ou realizadas na escola, depois das aulas, nas tardes dos fins de semana e no verão, quando os adolescentes estão mais ociosos e, portanto, mais propensos a se envolverem em problemas, podem reduzir sua exposição a ambientes que incentivam o comportamento antissocial (Dodge, Dishion, & Lansford, 2006).

Envolver os adolescentes em atividades construtivas ou em programas de habilidades profissionais durante seu tempo livre pode gerar ganhos em longo prazo. A participação em atividades escolares extracurriculares tende a diminuir os índices de evasão escolar e as taxas de prisões por prática de delitos entre meninos e meninas de alto risco (Mahoney, 2000).

Felizmente, a grande maioria dos adolescentes não se envolve em problemas sérios. Aqueles que apresentam comportamento perturbado podem – e devem – ser ajudados. Com amor, orientação e apoio, os adolescentes podem evitar riscos, desenvolver suas potencialidades e explorar suas possibilidades à medida que se aproximam da vida adulta.

**Verificador**
**você é capaz de...**

- Discutir como os fatores genéticos e neurológicos influenciam a delinquência e explicar como a família, os pares e a comunidade podem interagir para promover o comportamento antissocial e a delinquência?
- Citar exemplos de tipos de programas que têm tido sucesso na prevenção ou na interrupção da delinquência e de outros comportamentos antissociais?

## A adultez emergente

Nas sociedades ocidentais modernas, a entrada na idade adulta leva mais tempo e segue mais caminhos diversos do que no passado. Antes de meados do século XX, um homem jovem recém-saído do ensino médio poderia, imediatamente, obter um emprego estável, casar e constituir família. Para uma mulher jovem, o principal caminho para a idade adulta era o do casamento, que acontecia assim que ela encontrasse o parceiro adequado. Atualmente, a revolução tecnológica tornou a educação superior e o treino especializado cada vez mais essenciais. A revolução do gênero trouxe mais mulheres para a força de trabalho e ampliou seus papéis (Furstenberg, Rumbaut, & Settersten, 2005; Fussell & Furstenberg, 2005). Hoje, o caminho para a adultez pode ser assinalado por múltiplos fatores — entrar na faculdade (em tempo integral ou parcial), trabalhar (em tempo integral ou parcial), sair de casa, casar e ter filhos —, e a ordem e a cronologia dessas transições podem variar (Schulenberg, O'Malley, Bachman, & Johnston, 2005). Assim, alguns cientistas do desenvolvimento sugerem que o período que vai do fim da adolescência até a metade ou o final dos 20 anos tornou-se um período distinto da vida: a **adultez emergente** — um momento em que os jovens já não são adolescentes, mas ainda não se tornaram completamente adultos (Arnett, 2007).

Nos dias atuais, muitas pessoas creem que o início da adultez é marcado não tanto por critérios externos, como ter carteira de habilitação, votar e trabalhar, mas por indicadores internos, como o senso de autonomia, o autocontrole e a responsabilidade pessoal. É mais um estado de espírito do que um evento distinto (Shanahan, Porfeli, & Mortimer, 2005). Os critérios individualistas mais suscetíveis de serem considerados marcadores importantes da transição para a vida adulta incluem a aceitação da responsabilidade pelas próprias ações, a decisão sobre as próprias crenças e valores, o estabelecimento de uma relação igualitária com os pais e a conquista da independência financeira (Arnett, 2001). Outros critérios que são considerados importantes para o início da idade adulta são apresentados no Quadro 17.8.

A partir da década de 1990, as investigações com adultos emergentes americanos (a maioria brancos, urbanos e de classe média) têm sugerido três critérios principais para a condição de adulto: "aceitar a responsabilidade sobre si próprio, tomar decisões independentes e tornar-se financeiramente independente" — critérios que refletem seus valores de individualismo e autossuficiência (Arnett & Galambos, 2003, p. 92). Em estudos semelhantes com israelitas, argentinos, grupos minoritários dos Estados Uni-

> ### Guia de estudo 5
>
> Como as várias culturas definem o que significa se tornar adulto e quais são os sinais que conferem o *status* de adulto?
>
> **adultez emergente**
> Período de transição entre a adolescência e a idade adulta que geralmente se estende dos últimos anos da adolescência até a metade ou o final dos 20 anos.

---

**QUADRO 17.8**  Critérios para a maturidade

| Critério | Porcentagem das pessoas que sentiam necessidade do critério* |
|---|---|
| Aceitar a responsabilidade pelas consequências das ações | 94 |
| Decidir sobre o sistema de crenças pessoais independentemente dos pais | 78 |
| Alcançar independência financeira | 73 |
| Ser capaz de administrar uma casa (homem) | 72 |
| Estabelecer uma relação adulta com os pais | 69 |
| Evitar cometer pequenos delitos (furtos e vandalismo) | 66 |
| Ser capaz de administrar uma casa (mulher) | 67 |
| Usar contraceptivos e evitar a gravidez | 65 |
| Viver de forma independente dos pais | 60 |
| Evitar dirigir alcoolizado | 55 |
| Controlar as emoções | 50 |
| Cuidar de crianças | 50 |
| Evitar as drogas | 39 |

*Foi pedido aos participantes que indicassem se acreditavam que cada item deveria ser alcançado antes de o indivíduo poder ser considerado adulto.

*Fonte:* Arnett, Jeffrey Jensen. (1998). "Learning to Stand Alone: The Contemporary American Transition to Adulthood in Cultural and Historical Context". *Human Development* (Sept.-Dec.), 41.

## 470 | PARTE VI • Adolescência

> ### Qual a sua opinião?
>
> - Quais critérios para a adultez que você considera mais relevantes?
> - Você acha que esses critérios são influenciados pela cultura em que você vive ou cresceu?

---

### Verificador
#### você é capaz de...

- Explicar o conceito de adultez emergente e dizer por que ele se aplica às sociedades ocidentalizadas modernas?
- Discutir as concepções culturais do que significa ser adulto?

dos e mórmons, os mesmos critérios foram amplamente expressos. Contudo, os adultos emergentes dessas culturas também mencionaram critérios que refletem valores coletivos. Em Israel, o serviço militar universal é um importante marcador de adultez (Mayseless & Scharf, 2003). Os jovens argentinos que passaram por crises econômicas severas e desemprego elevado nos últimos anos dão mais ênfase às responsabilidades familiares do que ao trabalho (Facio & Micocci, 2003). Os mórmons citam ritos religiosos de passagem, tais como a admissão em organizações de homens ou de mulheres de sua igreja (Nelson, 2003).

Afro-americanos, latinos e americanos de origem asiática têm mais probabilidade do que euro--americanos de mencionar critérios que envolvem obrigações com os outros (como apoiar a família de alguém), transições de funções reconhecidas (como o casamento) e obediência às normas sociais (como evitar o consumo de drogas ilegais). Afro-americanos e latinos que são oriundos de famílias de nível socioeconômico mais baixo tendem a acreditar que alcançaram a idade adulta mais cedo do que euro-americanos e americanos de origem asiática, provavelmente por causa das precoces e maiores responsabilidades familiares (Arnett, 2003). À medida que a investigação sobre esse tópico continua, será interessante ver o que significa a maturidade nas culturas rurais não ocidentalizadas, que tendem a manter valores coletivos mais fortes.

As mudanças normais do desenvolvimento nos primeiros anos de vida são sinais óbvios e drásticos do crescimento. O bebê deitado no berço se torna uma criança ativa e exploradora. A criança adentra e abraça o mundo da escola e da sociedade. O adolescente, com seu novo corpo e sua nova consciência, prepara-se para entrar na vida adulta.

O crescimento e o desenvolvimento não param nesse ponto. As pessoas passam por mudanças importantes durante toda a vida adulta. Elas continuam a moldar seu desenvolvimento como vêm fazendo desde o nascimento. O que ocorre no mundo da criança é importante, mas não é a história completa. Cada um de nós continua a escrever a história do desenvolvimento humano para nós mesmos e para nossa sociedade durante a vida inteira.

---

# resumo & palavras-chave

### ❶ A busca da identidade

***Como os adolescentes formam uma identidade e qual é o papel do gênero e da etnia?***

- Uma preocupação central durante a adolescência é a busca da identidade, que tem componentes ocupacionais, sexuais e de valores. Erik Erikson descreveu o conflito psicossocial da adolescência como identidade *versus* confusão de identidade. A virtude que deve surgir desse conflito é a *fidelidade*.
- James Marcia, em pesquisa baseada na teoria de Erikson, descreveu quatro estados de identidade: identidade estabelecida ou conquistada, identidade outorgada, moratória e difusão de identidade.
- Algumas evidências sugerem que a autoestima tende a diminuir durante a adolescência, especialmente nas meninas, e depois aumenta na idade adulta.
- A etnia é uma parte importante da identidade. Adolescentes integrantes de grupos minoritários parecem atravessar estágios de desenvolvimento da identidade étnica de uma forma muito similar aos estados de identidade de Marcia.

**identidade (442)**
**identidade *versus* confusão de identidade (442)**
**fidelidade (442)**
**estados de identidade (443)**
**crise (443)**

**compromisso (443)**
**identidade estabelecida ou conquistada (443)**
**identidade outorgada (444)**
**moratória (444)**
**difusão de identidade (444)**
**socialização cultural (447)**

### ❷ Sexualidade

***O que determina a orientação sexual, quais são as práticas sexuais mais comuns entre os adolescentes e o que leva alguns deles a se envolver em comportamentos sexuais de risco?***

- A orientação sexual parece ser influenciada por uma interação de fatores biológicos e ambientais e parece ser, pelo menos parcialmente, de origem genética.
- A atividade sexual dos adolescentes é mais aceita do que no passado, mas envolve riscos de gravidez e de infecções sexualmente transmissíveis (ISTs). Os adolescentes em maior risco são aqueles que começam a atividade sexual precocemente, têm vários parceiros, não usam contraceptivos e estão desinformados sobre sexo.
- O curso da identidade homossexual e o desenvolvimento do relacionamento podem variar de acordo com o grupo, o gênero e a etnia.
- As taxas de ISTs nos Estados Unidos são as mais altas do mundo e especialmente altas entre os adolescentes. As ISTs têm maior proba-

**Capítulo 17** • Desenvolvimento psicossocial na adolescência

bilidade de se desenvolver sem serem detectadas nas meninas do que nos meninos.

- A gravidez na adolescência e as taxas de natalidade nos Estados Unidos diminuíram. A maioria desses nascimentos ocorre com mães solteiras.
- A gravidez e a maternidade na adolescência frequentemente têm desfechos negativos. As mães adolescentes e suas famílias tendem a ter problemas de saúde e a enfrentar dificuldades financeiras, e as crianças muitas vezes sofrem com a parentalidade ineficaz.

**orientação sexual (447)**
**infecções sexualmente transmissíveis (ISTs) (451)**

## ❸ Relacionamentos com a família e com os pares

### Como os adolescentes se relacionam com os pais, com os irmãos e com os pares?

- Embora os relacionamentos entre os adolescentes e seus pais nem sempre sejam fáceis, a rebeldia adolescente em ampla escala é incomum. Para a maioria dos jovens, a adolescência é uma transição razoavelmente tranquila. Para a minoria que parece ser mais profundamente problemática, isso pode prever uma vida adulta difícil.
- Os adolescentes passam uma quantidade de tempo cada vez maior com seus pares, mas o relacionamento com os pais continua a ser próximo e influente.
- O conflito com os pais tende a ser mais frequente durante o início da adolescência e mais intenso no meio da adolescência. A intensidade dos conflitos menores pode refletir o processo de individuação.
- A parentalidade democrática está associada a resultados mais positivos. Esses pais exercem um controle apropriado do comportamento, mas não exercem controle psicológico sobre os filhos.
- A monitoração parental efetiva depende da autorrevelação dos adolescentes, que é influenciada pela qualidade da relação entre pais e filhos.
- Os efeitos do divórcio, da criação monoparental e de mães que trabalham sobre o desenvolvimento dos adolescentes dependem de fatores como a qualidade da monitoração e a qualidade do ambiente doméstico.
- O estresse econômico afeta da mesma forma as relações familiares monoparentais e as famílias com os dois progenitores.
- A relação com os irmãos tende a se tornar mais distante durante a adolescência, e o equilíbrio de poder entre irmãos mais velhos e mais novos se torna mais igualitário.

- A influência do grupo de pares é mais forte no início da adolescência. Os adolescentes que são rejeitados pelos pares tendem a ter maiores problemas de adaptação.
- A relação entre os pares se enquadra em três categorias: amizades, panelinhas e turmas. As amizades, especialmente entre as meninas, se tornam mais íntimas e de apoio na adolescência. As panelinhas baseiam-se no *status*; as turmas são formadas com base nas características comuns, como a etnia ou o nível socioeconômico.
- A comunicação *on-line* parece estimular as conexões sociais.
- Os relacionamentos amorosos envolvem vários papéis e se desenvolvem com a idade e a experiência. Um em cada quatro adolescentes relata violência por parte de um parceiro.

**rebelião adolescente (456)**
**individuação (458)**

## ❹ Comportamento antissocial e delinquência juvenil

### Qual é a causa do comportamento antissocial e o que pode ser feito para reduzir o risco de delinquência na adolescência?

- O comportamento antissocial está associado a diversos fatores de risco que interagem, entre eles genes, deficiências neurológicas, a parentalidade ineficaz, o desempenho escolar insuficiente, a influência dos pares e o baixo nível socioeconômico.
- Os programas sociais que agem diretamente nos fatores ambientais de risco têm obtido sucesso na prevenção da delinquência juvenil.

## ❺ A adultez emergente

### Como as várias culturas definem o que significa se tornar adulto e quais são os sinais que conferem o status de adulto?

- O período transicional chamado adultez emergente desenvolveu-se nas culturas ocidentalizadas nos últimos anos.
- Em várias culturas ocidentalizadas, os adultos emergentes têm visões similares do que define a entrada na idade adulta. Os critérios mais amplamente aceitos são individualistas, que têm a ver com autossuficiência e independência. No entanto, algumas culturas também consagram critérios coletivos, tais como a responsabilidade familiar e a obediência às normas sociais.

**adultez emergente (469)**

# Glossário

**abismo visual** Aparato projetado para dar a ilusão de profundidade e utilizado para avaliar a percepção de profundidade em bebês. 152

**abordagem behaviorista** Abordagem ao estudo do desenvolvimento cognitivo cuja preocupação é conhecer os mecanismos básicos da aprendizagem. 166

**abordagem da linguagem integral** Ensino da leitura enfatizando a recuperação visual e o uso de pistas contextuais. 349

**abordagem da neurociência cognitiva** Abordagem ao estudo do desenvolvimento cognitivo que vincula os processos cerebrais aos processos cognitivos. 167

**abordagem de imersão na língua inglesa** Abordagem de ensino do inglês como segunda língua na qual a instrução é apresentada apenas em inglês. 347

**abordagem do processamento de informação** Abordagem do estudo do desenvolvimento cognitivo que observa e analisa os processos mentais envolvidos na percepção e no tratamento da informação. 32, 167

**abordagem fonética (com ênfase no código)** Ensino da leitura enfatizando a decodificação de palavras desconhecidas. 349

**abordagem piagetiana** Abordagem ao estudo do desenvolvimento cognitivo que descreve estágios qualitativos no funcionamento cognitivo. 167

**abordagem psicométrica** Abordagem ao estudo do desenvolvimento cognitivo que procura medir a inteligência quantitativamente. 167

**abordagem sociocontextual** Abordagem ao estudo do desenvolvimento cognitivo que focaliza as influências ambientais, em especial os pais e outros cuidadores. 167

**aborto espontâneo** Expulsão natural de um embrião do útero que não consegue sobreviver fora dele; também chamado de *perda*. 90

**abuso de substâncias químicas** Uso repetido e prejudicial de uma substância química, geralmente álcool ou outras substâncias. 408

**aceleração** Programas para educação de superdotados que os fazem avançar no currículo em um ritmo excepcionalmente rápido. 360

**ácido desoxirribonucleico (DNA)** Substância química que carrega instruções herdadas para o desenvolvimento de todas as formas de vida celular. 62

**acomodação** Termo de Piaget para as mudanças em uma estrutura cognitiva existente para incluir novas informações. 31

**aconselhamento genético** Serviço clínico que aconselha futuros pais sobre seus prováveis riscos de ter filhos com malformações hereditárias. 72

**adaptação** Termo de Piaget para a adaptação a novas informações sobre o ambiente. 31

**adequação da educação** Adequação das exigências e restrições ambientais ao temperamento da criança. 209

**adolescência** Transição no desenvolvimento entre a infância e a vida adulta que impõe grandes mudanças físicas, cognitivas e psicossociais. 394

**adultez emergente** Período de transição entre a adolescência e a idade adulta que geralmente se estende dos últimos anos da adolescência até a metade ou o final dos 20 anos. 469

**afirmação de poder** Estratégia disciplinar destinada a desencorajar o comportamento indesejável por meio da aplicação física ou verbal do controle parental. 296

**agressão explícita (direta)** Agressão abertamente direcionada ao alvo. 302

**agressão hostil** Comportamento agressivo com a intenção de ferir outra pessoa. 382

**agressão instrumental** Comportamento agressivo utilizado como meio de atingir um objetivo. 301, 382

**agressão psicológica** Ataque verbal que pode resultar em danos psicológicos à criança. 295

**agressão relacional (social ou indireta)** Agressão com o intuito de prejudicar ou interferir no relacionamento, na reputação ou no bem-estar psicológico de outra pessoa. 302

**alelos** Duas ou mais formas alternativas de um gene que ocupa a mesma posição em cromossomos emparelhados e que afetam o mesmo traço. 65

**alfabetização emergente** Desenvolvimento de habilidades, conhecimento e atitudes de crianças em idade pré-escolar subjacentes à capacidade de leitura e escrita. 270

**altruísmo** Comportamento que visa ajudar os outros, motivado por uma preocupação interior e sem expectativa de recompensa externa; pode envolver autonegação e autossacrifício. 300

**ambiente** Totalidade das influências não hereditárias ou experienciais sobre o desenvolvimento. 9

**amostra** Grupo de participantes escolhidos para representar toda uma população a ser estudada. 38

**andaime (*scaffolding*)** Suporte temporário para ajudar uma criança a realizar uma tarefa. 32

**andaime conceitual** Apoio temporário para ajudar uma criança a dominar uma tarefa. 266

**animismo** Tendência a atribuir vida a objetos inanimados. 255

**anorexia nervosa** Transtorno alimentar caracterizado pela autoinanição e perda extrema de peso. 406

**anoxia** Falta de oxigênio que pode causar dano cerebral. 115

**ansiedade de separação** Aflição demonstrada por alguém, em geral um bebê, na ausência de um cuidador familiar. 214

**ansiedade diante de estranhos** Cautela diante de pessoas e lugares desconhecidos demonstrada por alguns bebês entre 6 e 12 meses. 214

**apego** Vínculo recíproco e duradouro entre duas pessoas, especialmente entre bebê e cuidador – cada um contribuindo para a qualidade do relacionamento. 211

**apego ambivalente (resistente)** Padrão em que o bebê torna-se ansioso antes da ausência do cuidador principal, fica extremamente perturbado com sua ausência e, ao mesmo tempo que procura o cuidador quando este retorna, resiste ao contato. 212

**apego desorganizado-desorientado** Padrão em que o bebê, após a ausência do cuidador principal, demonstra comportamentos contraditórios quando ele retorna. 212

**apego evitativo** Padrão em que o bebê raramente chora quando separado do cuidador principal, evitando o contato quando ele retorna. 212

**apego seguro** Padrão em que um bebê é capaz de encontrar, de forma rápida e eficaz, conforto de um cuidador quando confrontado com uma situação de estresse. 212

**aprendizagem observacional** Aprendizagem por meio da observação do comportamento dos outros. 30

**aprendizagem simultânea (bilíngue)** Abordagem de ensino da segunda língua na qual os estudantes que estão aprendendo inglês e aqueles que têm o inglês como língua materna aprendem juntos em ambas as línguas. 348

**armazenamento** Retenção da informação na memória para uso futuro. 262

## Glossário

**arteterapia** Abordagem terapêutica que permite ao indivíduo expressar sentimentos conturbados sem ter de recorrer a palavras, usando uma variedade de materiais de arte e de mídias. *328*

**asma** Doença respiratória crônica, caracterizada por ataques repentinos de tosse, chiados e dificuldade para respirar. 321

**assimilação** Termo de Piaget para a incorporação de novas informações em uma estrutura cognitiva existente. 31

**associação rápida** Processo pelo qual uma criança absorve o significado de uma palavra nova após ouvi-la uma ou duas vezes em uma conversa. 267

**associações representativas** Na terminologia neopiagetiana, segundo estágio no desenvolvimento da autodefinição, no qual a criança faz conexões lógicas entre aspectos de sua identidade, mas ainda vê essas características em termos de tudo ou nada. 279

**audiência imaginária** Termo de Elkind relativo ao observador que só existe na mente do adolescente e que está tão preocupado quanto ele acerca de seus pensamentos e suas ações. 421

**autoconceito** Senso de *self*; quadro mental descritivo e valorativo de nossas capacidades e traços. 219, 278

**autoconsciência** Percepção de que a própria existência e funcionamento estão separados daqueles de outras pessoas e coisas. 204

**autodefinição** Conjunto de características usadas para descrever a própria pessoa. 278

**autoeficácia** Percepção que a pessoa tem de sua própria capacidade de vencer desafios e atingir metas. 30

**autoestima** Julgamento que um indivíduo faz sobre seu valor pessoal. 279

**autonomia *versus* vergonha e dúvida** Para Erikson, é o segundo estágio do desenvolvimento psicossocial, quando a criança atinge o equilíbrio entre a autodeterminação e o controle por parte de outros. 220

**autorregulação** Controle independente do comportamento que uma pessoa apresenta em conformidade com as expectativas sociais entendidas. 220

**autossomos** Em humanos, os 22 pares de cromossomos não relacionados à expressão sexual. 63

**auxiliares de memória externos** Estratégias mnemônicas que usam alguma coisa fora da pessoa. 339

**Bateria de Avaliação de Kaufman para Crianças (K-ABC-II)** Teste de inteligência individual não tradicional que visa fornecer avaliações justas de crianças pertencentes a grupos minoritários e de crianças com necessidades especiais. 346

**bebês com baixo peso ao nascer** Bebês com peso menor que 2,5 kg ao nascer, em virtude de prematuridade ou de serem pequenos para a idade gestacional. 120

**bebês pequenos para a idade gestacional** Bebês cujo peso ao nascer é menor que o peso de 90% das crianças da mesma idade gestacional, em virtude de um crescimento fetal lento. 120

**bebês pré-termo (prematuros)** Bebês que nascem antes de completar a 37ª semana de gestação. 120

**behaviorismo** Teoria da aprendizagem que enfatiza o papel previsível do ambiente como causa do comportamento observável. 28

**bilíngue** Fluente em duas línguas. 348

*binge drinking* Consumir cinco ou mais doses de bebida em apenas uma ocasião. 409

**brincadeira de faz de conta** Brincadeira que envolve pessoas e situações imaginárias; também chamada de *jogo de fantasia*, *jogo dramático* ou *jogo imaginativo*. 252

**brincadeiras impetuosas** Brincadeira vigorosa envolvendo luta, chute e perseguição, com frequência acompanhada por risadas e gritos. 317

**bulimia nervosa** Transtorno alimentar no qual a pessoa ingere regularmente grandes quantidades de alimento e depois esvazia o corpo com laxantes, vômito induzido, jejum ou excesso de exercícios. 406

*bullying* Agressão deliberada e persistentemente dirigida a um alvo específico, ou vítima, que normalmente é fraco, vulnerável e indefeso. 385

**canalização** Limitação na variante de expressão de certas características herdadas. 76

**capacidade de representação** Terminologia de Piaget para a capacidade de armazenar imagens mentais ou símbolos de objetos e eventos. 173

**capital social** Recursos familiares e comunitários aos quais as pessoas podem recorrer. 352

**características sexuais primárias** Órgãos diretamente relacionados à reprodução, que aumentam de tamanho e amadurecem durante a adolescência. 398

**características sexuais secundárias** Sinais fisiológicos de amadurecimento sexual (como o desenvolvimento dos seios e o crescimento de pelos corporais) que não envolvem os órgãos sexuais. 398

**castigo corporal** Utilização da força física com a intenção de causar dor para corrigir ou controlar o comportamento, sem causar ferimentos. 295

**centração** Na teoria de Piaget, a tendência da criança pré-operatória a concentrar-se em um aspecto de uma situação e negligenciar outros. 256

**codificação** Processo pelo qual a informação é preparada para armazenamento de longo prazo e posterior recuperação. 262

**código genético** Sequência de bases que compõem a molécula de DNA; orienta a formação de proteínas que determinam a estrutura e as funções das células vivas. 62

**cognição social** Capacidade de entender que os outros têm estados mentais e de avaliar seus sentimentos e ações. 206

**comportamento altruísta** Atividade em que se pretende ajudar outra pessoa sem esperar recompensa. 206

**comportamento inteligente** Comportamento que é orientado para uma meta e que se adapta às circunstâncias e condições de vida. 168

**comportamento pró-social** Qualquer comportamento voluntário que visa ajudar os outros. 300

**comportamento reflexo** Resposta automática, involuntária e inata à estimulação. 145

**comportamentos externalizantes** Comportamentos por meio dos quais uma criança representa suas dificuldades emocionais; por exemplo, agressão e hostilidade. 369

**comportamentos internalizantes** Comportamentos por meio dos quais problemas emocionais são voltados para dentro da pessoa; por exemplo, ansiedade ou depressão. 369

**compromisso** Termo de Marcia para o investimento pessoal em uma ocupação ou em um sistema de crenças. 443

**concordante** Termo que descreve a tendência de gêmeos compartilharem o mesmo traço ou distúrbio. 75

**condicionamento clássico** Aprendizagem baseada na associação de um estímulo que normalmente não elicia uma resposta com outro estímulo que elicia a resposta. 29

**condicionamento clássico** Aprendizagem baseada na associação de um estímulo que normalmente não provoca uma resposta com outro que a provoca. 167

**condicionamento operante** (1) Aprendizagem baseada no reforço ou na punição. (2) Aprendizagem que associa o comportamento às suas consequências. 29, 167

**confiança básica *versus* desconfiança** Primeiro estágio no desenvolvimento psicossocial, segundo Erikson, quando os bebês desenvolvem um senso de confiança nas pessoas e nos objetos. 210

**conhecimento conceitual** Entendimentos interpretativos adquiridos armazenados na memória de longo prazo. 423

**conhecimento declarativo** Conhecimento factual adquirido armazenado na memória de longo prazo. 423

**conhecimento procedural** Habilidades adquiridas armazenadas na memória de longo prazo. 423

**conhecimento tácito** Termo de Sternberg para a informação que não é ensinada formalmente ou expressa abertamente, mas que é necessária para ir adiante. 345

**consciência** Padrões internos de comportamento que normalmente controlam a conduta e que, ao serem violados, produzem desconforto emocional. 221

**conservação** Termo de Piaget para a consciência de que dois objetos que são iguais, de acordo com determinada medida, permanecem iguais mesmo em face de alteração da percepção, desde que nada seja acrescentado ou retirado de nenhum deles. 257

**constância de gênero** Consciência de que a pessoa sempre será homem ou mulher. Também chamada *constância da categoria sexual.* 286

**construção social** Conceito sobre a natureza da realidade baseado em percepções ou suposições socialmente compartilhadas. 6

**cooperação receptiva** Na terminologia de Kochanska, disposição ansiosa para cooperar harmoniosamente com o pai ou a mãe nas interações cotidianas, o que inclui rotinas, pequenas tarefas, higiene e brincadeiras. 223

**coorte** Grupo de pessoas nascidas aproximadamente na mesma época. 15

**corregulação** Estágio de transição no controle do comportamento, quando os pais exercem uma supervisão geral e os filhos exercem a autorregulação a cada momento. 370

**correlação genótipo-ambiente** Tendência de determinadas influências ambientais e genéticas de se reforçarem umas às outras. Pode ser passiva, reativa (evocativa) ou ativa. Também chamada covariância genótipo-ambiente. 78

**crianças de "aquecimento lento"** Crianças cujo temperamento é em geral moderado, mas que hesitam em aceitar novas experiências. 208

**crianças difíceis** Crianças de temperamento irritadiço, ritmos biológicos irregulares e respostas emocionais intensas. 207

**crianças fáceis** Crianças de temperamento alegre, ritmos biológicos regulares e dispostas a aceitar novas experiências. 207

**crianças resilientes** Crianças que resistem a circunstâncias adversas, vivem bem apesar dos desafios ou das ameaças ou se recuperam de eventos traumáticos. 389

**crise** Termo de Marcia para o período de tomada de decisão consciente relativa à formação de identidade. 443

**cromossomos** Espirais de DNA que contêm os genes. 62

**cromossomos sexuais** Par de cromossomos que determina o sexo: XX na mulher normal e XY no homem normal. 63

**cronossistema** Termo de Bronfenbrenner relativo aos efeitos do tempo sobre outros sistemas do desenvolvimento. 34

**cultura** O modo de vida global de uma sociedade ou de um grupo, que inclui costumes, tradições, crenças, valores, linguagem e produtos materiais – todo comportamento adquirido que é transmitido dos adultos para as crianças. 10

***décalage* (ou defasagem) horizontal** Termo de Piaget para a incapacidade de transferir o que foi aprendido em um tipo de conservação para outros tipos, fazendo com que a criança domine diferentes tipos de tarefas de conservação em diferentes idades. 334

**decodificação** Processo de análise fonética pelo qual uma palavra impressa é convertida para a forma falada antes da recuperação na memória de longo prazo. 348

**deficiência intelectual** Função cognitiva significativamente abaixo do normal. Também chamada de deficiência cognitiva. 356

**déficit de crescimento não orgânico** Crescimento físico mais lento ou retardado, sem causa clínica conhecida, acompanhado de desenvolvimento precário e problemas emocionais. 159

**definição operacional** Definição expressa apenas em termos das operações ou procedimentos utilizados para produzir ou medir um fenômeno. 41

**dependência química** Dependência (física, psicológica ou ambas) de uma substância química prejudicial. 408

**depressão infantil** Transtorno do humor caracterizado por sintomas como sensação prolongada de não ter amigos, incapacidade de diversão ou concentração, fadiga, atividade extrema ou apatia, sentimento de inutilidade, alteração do peso, queixas físicas e pensamentos de morte ou suicidas. 327

**desabituação** Aumento da resposta após a apresentação de um novo estímulo. 178

**descentrar** Na terminologia de Piaget, pensar simultaneamente a respeito de diversos aspectos de uma situação. 256

**desenvolvimento cognitivo** Padrão de mudança nas habilidades mentais, como aprendizagem, atenção, memória, linguagem, pensamento, raciocínio e criatividade. 6

**desenvolvimento físico** Crescimento do corpo e do cérebro, incluindo os padrões

de mudança nas capacidades sensoriais, habilidades motoras e na saúde. 6

**desenvolvimento infantil** Estudo científico dos processos de mudança e estabilidade nas crianças, desde a concepção até a adolescência. 4

**desenvolvimento psicossexual** Na teoria freudiana, uma sequência invariável de estágios do desenvolvimento da personalidade na infância, quando a gratificação se desloca da boca para o ânus e depois para os genitais. 25

**desenvolvimento psicossocial** Na teoria dos oito estágios de Erikson, o processo de desenvolvimento do ego, ou *self,* é influenciado por fatores sociais e culturais. 6, 27

**determinismo recíproco** Termo usado por Bandura para as forças bidirecionais que afetam o desenvolvimento. 30

**diabetes** Uma das doenças mais comuns da infância. É caracterizada por altos níveis de glicose no sangue como resultado de produção deficiente de insulina, ação ineficaz da insulina ou ambos. 323

**diferenças individuais** Diferenças entre crianças nas características, nas influências ou nos resultados do desenvolvimento. 9

**diferenciação** Processo pelo qual as células adquirem estruturas e funções especializadas. 141

**difusão de identidade** Estado de identidade, descrito por Marcia, caracterizado por ausência de compromissos e falta de uma consideração séria de alternativas. 444

**disciplina** Métodos para moldar o caráter das crianças e para ensiná-las a exercer o autocontrole e ter um comportamento aceitável. 294

**dislexia** Transtorno do desenvolvimento no qual a aquisição da leitura é substancialmente mais baixa do que o previsto pelo QI ou pela idade. 356

**dispositivo de aquisição da linguagem (DAL)** Na terminologia de Chomsky, mecanismo inato que permite à criança inferir regras linguísticas do idioma que ouve. 193

**dispositivo mnemônico** Técnicas para auxiliar a memória. 339

**distribuição randômica** Distribuição dos participantes de um experimento em grupos, de modo que cada pessoa tenha chances iguais de ser colocada em qualquer um dos grupos. 46

**distúrbios de aprendizagem (DAs)** Transtornos que interferem em aspectos específicos da aprendizagem e do desempenho escolar. 356

**doenças agudas** Doenças que duram pouco tempo. 321

**doenças crônicas** Doenças ou debilitações comportamentais e/ou emocionais, de

## Glossário

**longa duração ou recorrentes**, que requerem cuidados de saúde especiais. 321

**dominância incompleta** Padrão hereditário em que a criança recebe dois alelos diferentes, resultando na expressão parcial de um traço. 68

**doula** Uma mentora experiente que fornece apoio emocional e informações à mãe durante o parto. 113

**educação bilíngue** Sistema de ensinar crianças que não falam inglês em suas línguas nativas enquanto aprendem o inglês, mais tarde mudando para instrução totalmente em inglês. 347

**efeitos ambientais não compartilhados** O ambiente único em que cada criança cresce e que consiste em influências distintas ou influências que afetam cada uma de maneiras diferentes. 79

**egocentrismo** (1) Terminologia de Piaget para a incapacidade de considerar o ponto de vista de outra pessoa. (2) Uma característica do pensamento de crianças pequenas. 206, 256

**elaboração** Estratégia mnemônica de fazer associações mentais envolvendo os itens a serem lembrados. 339

**elemento componencial** Termo de Sternberg para o aspecto analítico da inteligência. 345

**elemento contextual** Termo de Sternberg para o aspecto prático da inteligência. 345

**elemento experiencial** Termo de Sternberg para o aspecto perspicaz ou criativo da inteligência. 345

**emoções** Reações subjetivas a experiências que estão associadas a mudanças fisiológicas e comportamentais. 202

**emoções autoavaliadoras** Emoções como orgulho, vergonha e culpa, que dependem tanto da autoconsciência quanto do conhecimento de padrões de comportamento socialmente aceitos. 204

**emoções autoconscientes** Emoções como constrangimento, empatia e inveja, que dependem da autoconsciência. 204

**empatia** Capacidade de se colocar no lugar de outra pessoa e sentir o que ela sente. 206

**enriquecimento** Programas para educação de superdotados que ampliam e aprofundam o conhecimento e as habilidades por meio de atividades extras, projetos, estudos de campo ou tutoria. 360

**ensino pré-escolar universal** Sistema nacional para o cuidado e a educação iniciais, que torna o acesso à pré-escola universal por meio do uso de escolas públicas. 273

**enurese** Urinação repetida nas roupas ou na cama. 236

**epigênese** Mecanismo que ativa ou desativa os genes e determina as funções das células do corpo. 67

**equilibração** Termo de Piaget para a tendência a procurar um equilíbrio estável entre os elementos cognitivos, obtido por meio do equilíbrio entre assimilação e acomodação. 31

**erro A-não-B** Tendência de bebês de 8 a 12 meses a procurar um objeto escondido em um lugar onde já o encontraram antes, em vez de procurarem no lugar onde viram o objeto ser escondido mais recentemente. 176

**Escala Brazelton de Avaliação do Comportamento Neonatal (NBAS, na sigla em inglês)** Teste neurológico e comportamental para medir as respostas do neonato ao ambiente. 118

**Escala de Apgar** Medida padronizada da condição de um recém-nascido; avalia aparência, frequência cardíaca, reflexos de irritabilidade, tônus muscular e respiração. 117

**Escala de Inteligência Wechsler para Crianças (WISC-IV)** Teste de inteligência para crianças em idade escolar que produz pontuações verbais e de desempenho, bem como uma pontuação combinada. 341

**Escala de Inteligência Wechsler Pré-escolar e Primária Revisada (WPPSI-III)** Teste de inteligência individual para crianças de 2 anos e meio a 7 anos de idade que produz pontuações verbais e de desempenho, bem como uma pontuação combinada. 265

**Escalas Bayley de Desenvolvimento Infantil** Teste padronizado que avalia o desenvolvimento mental e motor de bebês e crianças até 3 anos. 169

**Escalas de Inteligência de Stanford-Binet** Testes individuais de inteligência para crianças a partir de 2 anos usados para medir a fluidez de raciocínio, o conhecimento, o raciocínio quantitativo e a memória de trabalho. 265

**espermarca** A primeira ejaculação do menino. 399

**esquemas** Na terminologia de Piaget, padrões de pensamento e comportamento utilizados em determinadas situações. 31, 171

**esquizofrenia** Transtorno mental marcado pela perda de contato com a realidade, alucinações e delírios, perda do raciocínio coerente e lógico e emotividade inadequada. 81

**estado de alerta** Condição fisiológica e comportamental de um bebê em determinado momento no ciclo periódico diário de vigília, sono e atividade. 118

**estados de identidade** Termo usado por Marcia para os estágios de desenvolvimento do ego que dependem da presença ou da ausência de crise e compromisso. 443

**estágio pré-operatório** Na teoria de Piaget, o segundo maior estágio do desenvolvimento cognitivo, no qual o pensamento simbólico se expande, mas as crianças ainda não são capazes de usar a lógica. 252

**estágio sensório-motor** Na teoria de Piaget, o primeiro estágio do desenvolvimento cognitivo, durante o qual os bebês aprendem por meio dos sentidos e da atividade motora. 171

**estereótipos de gênero** Generalizações preconcebidas sobre o comportamento masculino ou feminino. 283

**estudo correlacional** Modelo de pesquisa que visa descobrir se existe uma relação estatística entre variáveis. 43

**estudo de caso** Estudo de um único sujeito, que pode ser um indivíduo ou uma família. 42

**estudo etnográfico** Estudo aprofundado de uma cultura, que utiliza uma combinação de métodos, inclusive a observação participante. 42

**estudo longitudinal** Estudo delineado para avaliar mudanças em uma amostra ao longo do tempo. 47

**estudo sequencial** Estudo cujo delineamento combina técnicas transversais e longitudinais. 47

**estudo transversal** Estudo delineado para avaliar diferenças relacionadas à idade em que pessoas de diferentes idades são avaliadas em determinada ocasião. 47

**etologia** Estudo dos comportamentos adaptativos característicos de espécies de animais, os quais evoluíram para aumentar a sobrevivência da espécie. 35

**executivo central** No modelo de Baddeley, um elemento da memória de trabalho que controla o processamento de informação. 262

**exossistema** Termo de Bronfenbrenner referente às ligações entre dois ou mais ambientes, um dos quais não inclui a criança. 34

**experimento** Procedimento rigorosamente controlado e replicável, em que o pesquisador manipula variáveis para avaliar o efeito de uma sobre a outra. 44

**fábula pessoal** Termo de Elkind para a convicção de que o adolescente é especial, único e que não está sujeito às regras que governam o resto do mundo. 421

**faixa de reação** Variabilidade potencial, na expressão de um traço hereditário, que depende das condições ambientais. 76

**fala dirigida à criança (FDC)** Tipo de fala frequentemente usada para conversar com bebês ou crianças pequenas; trata-se de uma fala lenta e simplificada, com tonalidade alta, sons vogais exagerados, palavras e sentenças curtas e muita repetição; também chamada de *manhês*. 197

**fala linguística** Expressão verbal designada para transmitir significado. 190

## Glossário

**fala pré-linguística** Precursora da fala linguística; emissão de sons que não são palavras. Inclui choro, arrulho, balbucio e imitação acidental e deliberada de sons sem compreensão do significado. 188

**fala privada** Conversar em voz alta consigo mesmo, sem nenhuma intenção de comunicar-se com os outros. 268

**fala social** Fala que se destina a ser entendida por um ouvinte. 268

**fala telegráfica** Forma inicial do uso de sentenças que consiste em falar apenas algumas palavras essenciais. 192

**família extensa** Rede de parentesco que compreende muitas gerações de pais, filhos e outros parentes, os quais, às vezes, vivem juntos no mesmo lar. 10

**família nuclear** Unidade familiar que abrange duas gerações de parentesco, constituída por um ou dois genitores e os respectivos filhos biológicos, adotados ou enteados. 10

**farmacoterapia** Administração de fármacos para o tratamento de problemas emocionais. 328

**fatores de proteção** Fatores que reduzem o impacto de influências potencialmente negativas e tendem a prever consequências positivas. 126, 389

**fatores de risco** Condições que aumentam a probabilidade de uma consequência negativa no desenvolvimento. 13

**fecundação** União entre espermatozoide e óvulo para produzir um zigoto; também denominada *concepção*. 57

**fenótipo** Características observáveis de uma pessoa. 65

**fidelidade** Lealdade sustentada, fé ou sentimento de pertencimento que resulta da resolução bem-sucedida do estágio de desenvolvimento psicossocial de Erikson identidade *versus* confusão de identidade. 442

**fobia escolar** Medo irreal de ir à escola; pode ser uma forma de *transtorno de ansiedade de separação* ou *fobia social*. 327

**fobia social** Medo extremo e/ou evitamento de situações sociais. 327

**função executiva** Controle consciente de pensamentos, emoções e ações para alcançar objetivos ou solucionar problemas. 262, 337

**função simbólica** Termo de Piaget para a capacidade de usar representações mentais (palavras, números ou imagens) às quais uma criança atribui um significado. 252

**gagueira** Repetição ou prolongamento involuntário e frequente de sons e sílabas. 323

**generalização étnica** Generalização exagerada a respeito de um grupo étnico ou cultural que confunde ou obscurece as diferenças existentes dentro do grupo ou o sobrepõe a outros grupos. 13

**gênero** O significado de ser homem ou mulher. 224

**genes** Pequenos segmentos de DNA localizados em posições definidas em determinados cromossomos; unidades funcionais da hereditariedade. 62

**genética comportamental** Estudo quantitativo das influências relativas da hereditariedade e do ambiente no comportamento. 73

**genoma humano** Sequência completa dos genes do corpo humano. 62

**genótipo** Constituição genética de uma pessoa, contendo tanto as características expressas quanto as não expressas. 65

**geração histórica** Grupo de pessoas que, durante seu período de formação, recebeu forte influência de um importante evento histórico. 15

**gestação** Período de desenvolvimento entre a concepção e o nascimento. 86

**grupo étnico** Grupo unido por ancestralidade, raça, religião, língua ou origens nacionais, que contribuem para formar um senso de identidade comum. 10

**grupo experimental** Em um experimento, o grupo que recebe o tratamento em estudo. 44

**grupo-controle** Em um experimento, o grupo de pessoas, semelhante ao grupo experimental, que não recebe o tratamento em estudo. 44

**habilidades motoras amplas** Habilidades físicas que envolvem os grandes músculos. 150, 238

**habilidades motoras finas** Habilidades físicas que envolvem músculos menores e coordenação olhos-mãos. 150, 238

**habituação** Tipo de aprendizagem em que a familiaridade com um estímulo reduz, torna mais lenta ou faz cessar uma resposta. 178

**herança dominante** Padrão de hereditariedade no qual é expresso somente o dominante quando a criança recebe alelos diferentes. 65

**herança poligênica** Padrão de herança em que múltiplos genes, em diferentes posições nos cromossomos, afetam um traço complexo. 66

**herança recessiva** Padrão de hereditariedade em que a criança recebe alelos recessivos idênticos, resultando na expressão de um traço não dominante. 65

**herança vinculada ao sexo** Padrão hereditário em que certas características contidas no cromossomo X, herdadas da mãe, são transmitidas de modo diferente às proles masculina e feminina. 70

**herdabilidade** Estimativa estatística da contribuição da hereditariedade para diferenças individuais em um traço específico em determinada população em determinado momento. 73

**hereditariedade** Traços ou características inatos herdados dos pais biológicos. 9

**heterozigótico** Indivíduo que possui alelos diferentes para determinado traço. 65

**hipertensão** Pressão arterial alta. 323

**hipótese da dupla representação** Hipótese segundo a qual as crianças com menos de 3 anos têm dificuldade para entender relações espaciais devido à necessidade de manter mais de uma representação mental ao mesmo tempo. 177

**hipóteses** Possíveis explicações para os fenômenos usadas para prever o resultado da pesquisa. 22

**hipotético-dedutivo** Capacidade, segundo Piaget, que acompanha o estágio operatório--formal, de desenvolver, considerar e testar hipóteses. 418

**holofrase** Uma única palavra que transmite um pensamento completo. 190

**homozigótico** Indivíduo que possui dois alelos idênticos para determinado traço. 65

**icterícia neonatal** Condição de muitos neonatos causada por imaturidade do fígado e evidenciada pela aparência amarelada; pode causar dano cerebral se não for tratada imediatamente. 117

**idade gestacional** Idade do feto, geralmente contada a partir do primeiro dia do último ciclo menstrual da futura mãe. 86

**identidade** De acordo com Erikson, uma concepção coerente do *self*, constituída de metas, valores e crenças com os quais a pessoa está solidamente comprometida. 442

**identidade de gênero** Consciência, desenvolvida na segunda infância, de ser do sexo masculino ou feminino. 282

**identidade estabelecida ou conquistada** Estado de identidade, descrito por Marcia, caracterizado por compromisso com as escolhas feitas após uma crise, um período gasto na exploração de alternativas. 443

**identidade ideal** O que a pessoa gostaria de ser. 279

**identidade outorgada** Estado de identidade, descrito por Marcia, no qual uma pessoa que não passou um tempo considerando alternativas (ou seja, não esteve em uma crise) está comprometida com os planos de outras pessoas para sua vida. 444

**identidade real** O que a pessoa realmente é. 279

**identidade *versus* confusão de identidade** O quinto estágio do desenvolvimento psicossocial de Erikson, no qual o adolescente procura desenvolver uma percepção coerente do *self*, incluindo o papel que ele precisa desempenhar na sociedade. Também chamado de identidade *versus* confusão de papéis. 442

**identificação** Na teoria freudiana, processo pelo qual a criança pequena adota características, crenças, atitudes, valores

# Glossário

e comportamentos do genitor do mesmo sexo. 285

**imagem corporal** Crenças descritivas e avaliativas sobre a própria aparência. 319

**imitação diferida** Na terminologia de Piaget, a reprodução de um comportamento observado após algum tempo, evocando-se um símbolo armazenado desse comportamento. 174

**imitação induzida** Método de pesquisa em que os bebês ou crianças de até 3 anos são induzidos a imitarem uma série específica de ações que já viram, mas não necessariamente realizaram. 175

**imitação invisível** Imitação usando partes do corpo que a criança não pode ver. 174

**imitação visível** Imitação usando partes do corpo que a criança pode ver. 174

**implantação** Fixação do blastocisto à parede do útero, que ocorre por volta do sexto dia. 86

**imprinting** Forma instintiva de aprendizado na qual, durante um período crítico do desenvolvimento precoce, um animal jovem se vincula ao primeiro objeto móvel que vê, normalmente a mãe. 15, 127

**inatismo** Teoria de que os seres humanos têm uma capacidade inata para adquirir linguagem. 193

**inclusão de classes** Compreensão da relação entre um todo e suas partes. 333

**individuação** A luta do adolescente por autonomia e identidade pessoal. 458

**infecções sexualmente transmissíveis (ISTs)** Doenças transmitidas por contato sexual. 451

**inferência transitiva** Compreensão da relação entre dois objetos, conhecendo-se a relação de cada um deles com um terceiro. 333

**infertilidade** Incapacidade de conceber depois de 12 meses de tentativas. 57

**iniciativa *versus* culpa** O terceiro estágio no desenvolvimento psicossocial de Erikson, quando a criança equilibra o desejo de atingir metas com ressalvas morais em relação a fazê-lo. 282

**integração** Processo pelo qual os neurônios coordenam as atividades dos grupos musculares. 141

**intencionalidade compartilhada** Atenção compartilhada para um objetivo comum. 207

**interação genótipo-ambiente** Efeito da interação entre genes e ambiente na variação fenotípica. 78

**internalização** Durante a socialização, processo em que as crianças aceitam padrões de conduta da sociedade como seus. 220

**intervenção precoce** Processo sistemático de atendimento que ajuda as famílias a satisfazer as necessidades de desenvolvimento das crianças. 170

**Inventário HOME** Instrumento para medir a influência do ambiente doméstico no desenvolvimento cognitivo da criança. 169

**irreversibilidade** Termo de Piaget para o fracasso da criança no estágio pré-operatório em entender que uma operação pode seguir em duas ou mais direções. 257

**jogo construtivo** Segundo nível cognitivo da brincadeira, envolvendo o uso de objetos ou materiais para fazer algo; também é chamado de *jogo com objetos*. 290

**jogo dramático** Brincadeira envolvendo pessoas ou situações imaginárias; também chamado de *jogo de faz de conta, jogo de fantasia* ou *jogo imaginativo*. 290

**jogo funcional** É o nível cognitivo mais simples da brincadeira, envolvendo movimentos musculares largos e repetitivos; também chamado de *jogo locomotor*. 290

**jogos formais com regras** Jogos organizados com procedimentos e punições conhecidos. 291

**lateralidade manual** Preferência por usar uma das mãos. 239

**lateralização** Tendência de cada um dos hemisférios cerebrais a apresentar funções especializadas. 139

**lembrança** A capacidade de reproduzir material da memória. 263

**letramento** Habilidade para ler e escrever. 197

**linguagem** Sistema de comunicação baseado em palavras e na gramática. 188

**ludoterapia** Abordagem terapêutica que utiliza o brincar para ajudar a criança a lidar com a tensão emocional. 328

**macrossistema** Termo de Bronfenbrenner referente aos padrões culturais gerais de uma sociedade, que inclui valores, costumes e sistemas sociais. 34

**maturação** Desdobramento de uma sequência universal e natural de mudanças físicas e comportamentais. 9

**memória autobiográfica** Um tipo de memória episódica de experiências características que formam a história de vida de uma pessoa. 263

**memória de longo prazo** Depósito com capacidade praticamente ilimitada que retém informações por longos períodos. 262

**memória de reconhecimento visual** Capacidade de distinguir um estímulo visual familiar de outro não familiar quando ambos são mostrados ao mesmo tempo. 179

**memória de trabalho** Armazenamento de curto prazo de informações que estão sendo ativamente processadas. 186, 262

**memória episódica** Memória de longo prazo de experiências ou eventos específicos, ligados a um tempo e lugar. 263

**memória explícita** Memória intencional e consciente, em geral de fatos, nomes e eventos; às vezes chamada de memória declarativa. 186

**memória genérica** Memória que produz roteiros de rotinas familiares para guiar o comportamento. 263

**memória implícita** Recordação inconsciente, em geral de hábitos e habilidades; às vezes chamada de memória procedural. 186

**memória sensorial** Armazenamento inicial, breve, temporário, de informação sensorial. 262

**menarca** A primeira menstruação da menina. 399

**mesossistema** Termo de Bronfenbrenner referente às ligações entre dois ou mais microssistemas. 33

**metacognição** Consciência da pessoa de seus próprios processos mentais. 349

**metamemória** O entendimento dos processos da memória. 339

**método canguru** Método de contato íntimo em que o recém-nascido é colocado de bruços entre os seios da mãe. 123

**método científico** Sistema de princípios estabelecidos e de processos de investigação científica que inclui a identificação do problema a ser estudado, a formulação de uma hipótese a ser testada pela pesquisa, a coleta e análise de dados, a formulação de conclusões provisórias e a divulgação dos resultados. 38

**microssistema** Termo de Bronfenbrenner referente a uma situação na qual a criança interage pessoalmente com outras no dia a dia. 33

**mielinização** Processo de revestimento de neurônios com mielina, uma substância gordurosa que permite maior rapidez de comunicação entre as células. 141

**mistura de código** O uso de elementos de duas línguas, às vezes na mesma expressão, por crianças pequenas em lares onde ambas as línguas são faladas. 196

**modelo de interação social** Modelo baseado na teoria sociocultural de Vygotsky que propõe que as crianças constroem memórias autobiográficas por meio da conversação com adultos sobre eventos compartilhados. 264

**modelo mecanicista** Modelo que vê o desenvolvimento humano como uma série de respostas previsíveis a estímulos. 23

**modelo organicista** Modelo que vê o desenvolvimento humano como algo iniciado internamente por um organismo ativo e que ocorre em uma sequência de etapas qualitativamente diferentes. 23

**monitoração eletrônica fetal** Monitoração mecânica dos batimentos cardíacos do feto durante o trabalho de parto. 111

**moralidade convencional (ou moralidade de conformidade com o papel**

# Glossário

**convencional)** Segundo nível da teoria do raciocínio moral de Kohlberg, no qual os padrões das figuras de autoridade são internalizados. 424

**moralidade pós-convencional (ou moralidade dos princípios morais autônomos)** Terceiro nível da teoria do raciocínio moral de Kohlberg, em que as pessoas seguem princípios morais internalizados e podem decidir entre padrões morais conflitantes. 424

**moralidade pré-convencional** Primeiro nível da teoria de Kohlberg sobre o julgamento moral, em que o controle é externo e as regras são obedecidas para se obter recompensas ou evitar punição, ou por interesse pessoal. 424

**moratória** Estado de identidade, descrito por Marcia, no qual uma pessoa está atualmente considerando alternativas (em crise) e parece estar rumando para o compromisso. 444

**morte celular** No desenvolvimento cerebral, a eliminação normal do excesso de células cerebrais para obter um funcionamento mais eficiente. 141

**mudança qualitativa** Mudança de tipo, estrutura ou organização, como a mudança da comunicação não verbal para a verbal. 24

**mudança quantitativa** Mudança em número ou quantidade, como em altura, peso ou tamanho do vocabulário. 24

**mutações** Alterações permanentes nos genes ou nos cromossomos que podem produzir características prejudiciais, mas que fornecem a matéria-prima da evolução. 66

**não normativa** Característica de um evento incomum que acontece com determinada pessoa ou de um evento típico que ocorre fora de seu período habitual. 15

**natimorto** Morte do feto na ou após a 20ª semana de gestação. 125

**neonato** O bebê recém-nascido, com até 4 semanas de idade. 114

**neurociência cognitiva** Estudo dos vínculos entre processos neurais e capacidades cognitivas. 41

**neurônios** Células nervosas. 141

**neurônios-espelhos** Neurônios que são ativados quando uma pessoa faz alguma coisa ou observa outro fazendo a mesma coisa. 206

**nível socioeconômico (NSE)** Combinação de fatores econômicos e sociais que descreve um indivíduo ou uma família e que inclui renda, educação e ocupação. 13

**normativa** Característica de um evento que ocorre de modo semelhante para a maioria das pessoas de um grupo. 15

**obediência comprometida** Na terminologia de Kochanska, obediência incondicional às ordens dos pais, sem advertências ou deslizes. 223

**obediência situacional** Na terminologia de Kochanska, obediência às ordens parentais somente na presença de sinais de controle constante dos pais. 223

**obesidade** Sobrepeso extremo em relação a idade, sexo, altura e tipo corporal. 80

**observação laboratorial** Método de pesquisa em que todos os participantes são observados sob as mesmas condições controladas. 40

**observação naturalista** Método de pesquisa em que o comportamento é estudado em ambientes naturais sem intervenção ou manipulação. 40

**observação participante** Método de pesquisa em que o observador vive com as pessoas ou participa da atividade que está sendo observada. 43

**operatório-concreto** Terceiro estágio do desenvolvimento cognitivo piagetiano (aproximadamente dos 7 aos 12 anos), durante o qual as crianças desenvolvem pensamento lógico, mas não abstrato. 332

**operatório-formal** Segundo Piaget, o estágio final do desenvolvimento cognitivo, caracterizado pela habilidade de pensar em termos abstratos. 418

**organização** (1) Termo de Piaget para a criação de categorias ou sistemas de conhecimento. (2) Estratégia mnemônica de categorizar o material a ser lembrado. 31, 339

**orientação sexual** Foco de interesse sexual, romântico e afetuoso consistente, seja heterossexual, seja homossexual ou bissexual. 447

**orientação visual** O uso dos olhos para orientar movimentos das mãos ou de outras partes do corpo. 151

**papéis de gênero** Comportamentos, interesses, atitudes, habilidades e traços de personalidade que uma cultura considera apropriados para cada sexo; diferem para homens e mulheres. 283

**paradigma do "rosto sem expressão"** Procedimento de pesquisa utilizado para medir a regulação mútua em bebês entre 2 e 9 meses de idade. 216

**parentalidade autoritária** Estilo de parentalidade que enfatiza o controle e a obediência. 298

**parentalidade autoritativa (democrática)** Estilo de parentalidade que combina respeito pela individualidade da criança com uma tentativa de incutir valores sociais. 298

**parentalidade permissiva (indulgente)** Estilo de parentalidade que enfatiza a autoexpressão e a autorregulação. 298

**participação guiada** Participação do adulto em uma atividade da criança, ajudando a estruturá-la e a aproximar a compreensão da criança da compreensão do próprio adulto. 187

**parto cesariano** Parto em que o bebê é removido cirurgicamente do útero. 112

**parto natural ou preparado** Método de parto que busca reduzir ou eliminar a utilização de fármacos, motiva ambos os pais a participar plenamente e a controlar a percepção de dor. 113

**parturição** Ato ou processo de dar à luz. 110

**pensamento convergente** Pensamento visando encontrar a resposta correta para um problema. 360

**pensamento divergente** Pensamento que produz uma variedade de possibilidades novas e diferentes. 360

**percepção de profundidade** Capacidade para perceber objetos e superfícies em três dimensões. 152

**percepção tátil** Capacidade de adquirir informação sobre propriedades de objetos, como tamanho, peso e textura, por meio de seu manuseio. 152

**período crítico** Intervalo de tempo específico em que determinado evento ou sua ausência causa um impacto específico sobre o desenvolvimento. 15

**período embrionário** Segundo período da gestação (da segunda à oitava semana), caracterizado pelo rápido crescimento e desenvolvimento dos principais sistemas e órgãos do corpo. 90

**período fetal** Período final da gestação (da 8ª semana até o nascimento), caracterizado pela crescente diferenciação das partes do corpo e grande aumento de seu tamanho. 91

**período germinal** As duas primeiras semanas do desenvolvimento pré--natal, caracterizadas por rápida divisão celular, aumento da complexidade e da diferenciação e implantação na parede do útero. 86

**período neonatal** As primeiras quatro semanas de vida, um período de transição entre a dependência intrauterina e a existência independente. 114

**períodos sensíveis** Momentos de desenvolvimento em que um determinado evento ou sua ausência normalmente tem um efeito forte no desenvolvimento. 17

**permanência do objeto** Na terminologia de Piaget, compreensão de que uma pessoa ou objeto ainda existe quando está fora do campo de visão. 175

**personalidade** Combinação relativamente consistente de emoções, temperamento, pensamento e comportamento que torna cada pessoa única. 202

**perspectiva cognitiva** Visão segundo a qual os processos do pensamento são essenciais para o desenvolvimento. 30

## Glossário

**perspectiva contextual** Visão do desenvolvimento infantil que vê o indivíduo como inseparável do contexto social. 33

**perspectiva da aprendizagem** Visão do desenvolvimento humano na qual se acredita que as mudanças no comportamento resultam da experiência. 28

**perspectiva evolucionista/sociobiológica** Visão do desenvolvimento humano que se concentra nas bases evolucionistas e biológicas do comportamento social. 35

**perspectiva psicanalítica** Visão do desenvolvimento humano como moldado por forças inconscientes. 24

**pesquisa qualitativa** Pesquisa que se concentra em dados não numéricos, como experiências, sentimentos ou crenças. 38

**pesquisa quantitativa** Pesquisa que trata de dados objetivamente medidos. 37

**plasticidade** (1) Capacidade de modificação do desempenho. (2) Modificabilidade, ou "modelagem", do cérebro por meio da experiência. 17, 145

**pós-maturo** Feto que não nasceu até a 42ª semana de gestação. 125

**pragmática** (1) O conhecimento prático necessário para usar a linguagem para fins de comunicação. (2) Contexto social da linguagem. 268, 347

**preconceito** Atitude desfavorável em relação a membros de certos grupos diferentes do da própria pessoa, principalmente grupos raciais ou étnicos. 380

**preferência visual** Tendência dos bebês a passar mais tempo olhando para uma imagem e não para outra. 178

**princípio cefalocaudal** Princípio segundo o qual o desenvolvimento ocorre de cima para baixo, isto é, as partes superiores do corpo desenvolvem-se antes das partes inferiores. 86

**princípio próximo-distal** Princípio segundo o qual o desenvolvimento ocorre de dentro para fora, isto é, as partes do corpo próximas ao centro desenvolvem-se antes das extremidades. 86

**produtividade *versus* inferioridade** Quarto estágio do desenvolvimento psicossocial de Erikson, no qual a criança deve aprender as habilidades produtivas que sua cultura requer ou então enfrentar sentimentos de inferioridade. 366

**promoção social** Política de passagem automática de ano, mesmo quando as crianças não correspondem aos padrões acadêmicos. 354

**psicologia evolucionista** Aplicação dos princípios de Darwin sobre seleção natural e sobrevivência do mais adaptado à psicologia humana. 35

**psicoterapia individual** Tratamento psicológico no qual o terapeuta se reúne

individualmente com a pessoa que tem o transtorno. 328

**puberdade** Processo pelo qual o indivíduo atinge a maturidade sexual e a capacidade de reproduzir. 394

**punição** No condicionamento operante, processo que diminui a probabilidade de um comportamento ser repetido. 30

**raciocínio hipotético-dedutivo** Capacidade, segundo Piaget, que acompanha o estágio operatório-formal, de desenvolver, considerar e testar hipóteses. 418

**raciocínio dedutivo** Tipo de raciocínio lógico que parte de uma premissa geral sobre uma classe para uma conclusão sobre determinado membro ou membros da classe. 333

**raciocínio indutivo** Tipo de raciocínio lógico que parte de observações particulares sobre membros de uma classe para uma conclusão geral sobre aquela classe. 333

**reações circulares** Na terminologia de Piaget, processos pelos quais o bebê aprende a reproduzir ocorrências desejadas originalmente descobertas ao acaso. 171

**rebelião adolescente** Padrão de instabilidade emocional, característico de uma minoria de adolescentes, que pode envolver conflito com a família, alienação da sociedade adulta, comportamento impulsivo e rejeição dos valores adultos. 456

**reconhecimento** A capacidade de identificar um estímulo encontrado anteriormente. 263

**recuperação** Processo pelo qual a informação é acessada ou trazida de volta do armazenamento na memória. 262

**recuperação baseada na visualização** Processo de recuperar o som de uma palavra impressa ao ver a palavra inteira. 349

**referenciação social** Compreensão de uma situação ambígua baseada na percepção de outra pessoa. 218

**reforço** No condicionamento operante, processo em que um comportamento é fortalecido, aumentando a probabilidade de que seja repetido. 29

**regulação mútua** Processo em que o bebê e o cuidador comunicam estados emocionais um para o outro e respondem de acordo. 216

**representações únicas** Na terminologia neopiagetiana, primeiro estágio no desenvolvimento da autodefinição, no qual a criança descreve a si mesma em termos de características individuais, desconexas, e em termos de tudo ou nada. 279

**retenção** Estratégia mnemônica para manter um item na memória de trabalho por meio de repetição consciente. 339

**retirada do amor** Estratégia disciplinar que envolve ignorar, isolar ou mostrar desagrado por uma criança. 296

**roteiro (*script*)** Esboço geral memorizado de um evento familiar e repetido, usado para guiar o comportamento. 263

**segregação de gênero** Tendência a escolher companheiros de brincadeira do próprio gênero. 293

**seleção randômica** Seleção de uma amostra de tal modo que cada pessoa em uma população tenha chances iguais e independentes de ser escolhida. 38

**seriação** Capacidade de ordenar itens segundo sua dimensão. 332

**síndrome alcoólica fetal (SAF)** Combinação de anomalias mentais, motoras e do desenvolvimento que afeta os filhos de algumas mulheres que bebem muito durante a gravidez. 97

**síndrome da imunodeficiência adquirida (aids)** Doença viral que enfraquece o funcionamento eficaz do sistema imunológico. 98

**síndrome da morte súbita infantil (SMSI)** Morte súbita inexplicável de um bebê aparentemente saudável. 154

**síndrome de Down** Distúrbio cromossômico caracterizado por deficiência intelectual entre moderada e severa e por sinais físicos como a pele dobrada para baixo nos cantos internos dos olhos. 71

**síndrome do bebê sacudido** Forma de maus-tratos em que sacudir um bebê ou uma criança pequena pode causar danos cerebrais, paralisia ou morte. 160

**sintaxe** Regras para formar sentenças em determinada língua. 192

**sistema nervoso central** O cérebro e a medula espinal. 138

**sistemas de ação** Combinações cada vez mais complexas de habilidades motoras que permitem um espectro mais amplo ou mais preciso de movimentos e um maior controle do ambiente. 149, 238

**sistemas representativos** Autoconceitos amplos e inclusivos que integram vários aspectos da identidade. *366*

**situação estranha** Técnica de laboratório utilizada para estudar o apego do bebê. 211

**socialização** O desenvolvimento de hábitos, habilidades, valores e motivações compartilhados por membros responsáveis e produtivos de uma sociedade. 220

**socialização cultural** Práticas parentais que ensinam as crianças sobre sua herança racial ou étnica e promovem tradições e orgulho culturais. 447

**surto de crescimento puberal** Aumento acentuado na altura e no peso que precede a maturidade sexual. 399

**taxa de mortalidade infantil** Proporção de bebês nascidos vivos que morrem no primeiro ano de vida. 154

**técnicas indutivas** Técnicas disciplinares destinadas a induzir o comportamento

Glossário **481**

desejável por apelo à racionalidade e ao senso de justiça da criança. 296

**tecnologia de reprodução assistida (TRA)** Métodos utilizados para alcançar a concepção por meios artificiais. 58

**temperamento** Disposição característica ou estilo de abordagem e reação a situações. 81, 207

**tendência secular** Tendência que pode ser vista apenas observando-se diversas gerações, tal como a tendência a alcançar mais cedo a altura adulta e a maturidade sexual, que começou um século atrás em alguns países. 400

**teoria** Conjunto coerente de conceitos logicamente relacionados que procura organizar, explicar e predizer dados. 22

**teoria bioecológica** Abordagem de Bronfenbrenner para entender processos e contextos do desenvolvimento infantil e que identifica cinco níveis de influência ambiental. 33

**teoria da aprendizagem social** Teoria segundo a qual os comportamentos são aprendidos pela observação e imitação de modelos. Também chamada de *teoria social cognitiva*. 30

**teoria da mente** Consciência e entendimento de processos mentais. 257

**teoria da seleção sexual** Teoria de Darwin de que os papéis de gênero se desenvolveram em resposta às necessidades reprodutivas diferentes dos homens e das mulheres. 285

**teoria das inteligências múltiplas** Teoria de Gardner de que cada pessoa tem várias formas diferentes de inteligência. 344

**teoria do esquema de gênero** Teoria segundo a qual a criança socializa-se em seus papéis de gênero desenvolvendo uma rede de informações mentalmente organizada sobre o que significa ser masculino ou feminino em determinada cultura. 286

**teoria dos estágios cognitivos** Teoria de Piaget segundo a qual o desenvolvimento cognitivo da criança avança em uma série de quatro estágios que envolvem tipos qualitativamente distintos de operações mentais. 31

**teoria dos sistemas dinâmicos (TSD)** Teoria de Thelen, segundo a qual o desenvolvimento motor é um processo dinâmico de coordenação ativa de múltiplos sistemas do bebê em relação ao ambiente. 153

**teoria ecológica da percepção** Teoria desenvolvida por Eleanor e James Gibson que descreve o desenvolvimento das habilidades motoras e perceptuais como partes interdependentes de um sistema funcional que orienta o comportamento em diversos contextos. 152

**teoria social cognitiva** Expansão da teoria da aprendizagem social de Albert Bandura; ela afirma que as crianças aprendem os papéis de gênero por meio da socialização. 287

**teoria sociocultural** Teoria de Vygotsky sobre os fatores contextuais que afetam o desenvolvimento infantil. 32

**teoria triárquica da inteligência** Teoria de Sternberg que descreve três elementos da inteligência: componencial (habilidade analítica), experiencial (*insight* e originalidade) e contextual (pensamento prático). 345

**terapia comportamental** Terapia que usa princípios da teoria da aprendizagem para eliminar comportamentos indesejáveis. 328

**terapia familiar** Tratamento psicológico no qual o terapeuta se reúne simultaneamente com toda a família para analisar os padrões de funcionamento familiar. 328

**teratógeno** Agente ambiental, como, por exemplo, vírus, drogas, radiações, que pode interferir no desenvolvimento pré-natal normal e causar anormalidades. 94

**Teste de Avaliação do Desenvolvimento de Denver** Teste aplicado a crianças de 1 mês a 6 anos para determinar se elas estão se desenvolvendo normalmente. 149

**Teste de Habilidade Escolar de Otis-Lennon (OLSAT 8)** Teste de inteligência coletivo para crianças do jardim de infância ao ensino médio. 341

**testes culturalmente justos** Testes de inteligência que lidam com experiências comuns a várias culturas, visando eliminar o viés cultural. 343

**testes de QI (quociente de inteligência)** Testes psicométricos que procuram medir a inteligência comparando o desempenho de quem responde ao teste com normas padronizadas. 169

**testes dinâmicos** Testes baseados na teoria de Vygotsky que enfatizam mais o potencial do que a aprendizagem passada. 346

**testes livres de aspectos culturais** Testes de inteligência que, se fossem possíveis de conceber, não teriam nenhum conteúdo cultural associado. 343

**tipificação de gênero** Processo de socialização pelo qual a criança, ainda pequena, aprende a se apropriar dos papéis de gênero. 225, 283

**transdução** Termo de Piaget para a tendência de uma criança pré-operatória a vincular mentalmente determinadas experiências, havendo ou não uma relação causal lógica. 253

**transferência intermodal** Capacidade de utilizar informações obtidas por meio de um dos sentidos para orientar outro. 180

**transmissão multifatorial** Combinação de fatores genéticos e ambientais que produz certos traços complexos. 66

**transtorno da conduta (TC)** Padrão repetitivo, persistente, de comportamento antissocial agressivo que viola as normas sociais ou os direitos de terceiros. 326

**transtorno de ansiedade de separação** Condição envolvendo ansiedade excessiva e prolongada sobre a separação de casa ou de pessoas às quais se esteja vinculado. 327

**transtorno de ansiedade generalizada** Ansiedade que não foca em um único alvo. 327

**transtorno de déficit de atenção/hiperatividade (TDAH)** Síndrome caracterizada por desatenção e distração persistentes, impulsividade, baixa tolerância à frustração e atividade excessiva inoportuna. 357

**transtorno de oposição desafiante (TOD)** Padrão de comportamento, persistente na terceira infância, marcado por negatividade, hostilidade e desafio. 326

**transtorno obsessivo-compulsivo (TOC)** Ansiedade despertada por pensamentos intrusivos e repetitivos, imagens ou impulsos, muitas vezes originando comportamentos compulsivos e ritualísticos. 327

**troca de código** Mudança na fala para corresponder à situação, como acontece com pessoas que são bilíngues. 196

**ultrassom** Procedimento clínico pré-natal que utiliza ondas sonoras de alta frequência para detectar os contornos do feto e seus movimentos, de modo a determinar se a gravidez segue normalmente. 91

**variável dependente** Em um experimento, a condição que pode ou não se alterar como resultado de mudanças na variável independente. 45

**variável independente** Em um experimento, a condição sobre a qual o experimentador exerce controle direto. 45

**viés de atribuição de hostilidade** Tendência a perceber que os outros querem machucar e a revidar como retaliação ou autodefesa. 384

**vínculo mãe-bebê** Sentimento de ligação próxima e zelosa da mãe com o filho recém-nascido. 127

**violação de expectativas** Método de pesquisa em que a desabituação a um estímulo que conflita com a experiência é tomada como evidência de que o bebê reconhece o novo estímulo como algo que o surpreende. 183

**zigoto** Organismo unicelular resultante da fecundação. 57

**zona de desenvolvimento proximal (ZDP)** Termo de Vygotsky para a diferença entre o que uma criança pode fazer sozinha e o que a criança pode fazer com ajuda. 32, 266

# Referências

Aaron, V., Parker, K. D., Ortega, S., & Calhoun, T. (1999). The extended family as a source of support among African Americans. *Challenge: A Journal of Research on African American Men, 10*(2), 23-36.

Abbey, A., Andrews, F. M., & Halman, J. (1992). Infertility and subjective wellbeing: The mediating roles of self-esteem, internal control, and interpersonal conflict. *Journal of Marriage and the Family, 54,* 408-417.

Aber, J. L., Brown, J. L., & Jones, S. M. (2003). Developmental trajectories toward violence in middle childhood: Course, demographic differences, and response to school-based intervention. *Developmental Psychology, 39,* 324-348.

Abma, J. C., Chandra, A., Mosher, W. D., Peterson, L., & Piccinino, L. (1997). Fertility, family planning, and women's health: New data from the 1995 National Survey of Family Growth. *Vital Health Statistics, 23*(19). Washington, DC: National Center for Health Statistics.

Abma, J. C., Martinez, G. M., Mosher, W. D., & Dawson, B. S. (2004). Teenagers in the United States: Sexual activity, contraceptive use, and childbearing, 2002. *Vital Health Statistics, 23*(24). Washington, DC: National Center for Health Statistics.

Abramovitch, R., Corter, C., & Lando, B. (1979). Sibling interaction in the home. *Child Development, 50,* 997-1003.

Abramovitch, R., Corter, C., Pepler, D., & Stanhope, L. (1986). Sibling and peer interactions: A final follow-up and comparison. *Child Development, 57,* 217-229.

Abramovitch, R., Pepler, D., & Corter, C. (1982). Patterns of sibling interaction among preschool-age children. In M. E. Lamb (Ed.), *Sibling relationships: Their nature and significance across the lifespan* (pp. 61-86). Hillsdale, NJ: Erlbaum.

Achter, J. A., & Lubinski, D. (2003). Fostering exceptional development in intellectually talented populations. In W. B. Walsh (Ed.)., *Counseling psychology and optimal human functioning* (pp. 279-296). Mahwah, NJ: Erlbaum.

Ackerman, B. P., Kogos, J., Youngstrom, E., Schoff, K., & Izard, C. (1999). Family instability and the problem behaviors of children from economically disadvantaged families. *Developmental Psychology, 35*(1), 258-268.

Ackerman, M. J., Siu, B. L., Sturner, W. Q., Tester D. J., Valdivia, C. R., Makielski, J. C., & Towbin, J. A. (2001). Postmortem molecular analysis of SCN5A defects in sudden infant death syndrome. *Journal of the American Medical Association, 286,* 2264-2269.

Acosta, M. T., Arcos-Burgos, M., & Muenke, M. (2004). Attention deficit/hyperactivity disorder (ADHD): Complex phenotype, simple genotype? *Genetics in Medicine, 6,* 1-15.

ACT for Youth Upstate Center of Excellence. (2002). *Adolescent brain development. Research facts and findings.* [A collaboration of Cornell University, University of Rochester, and the NYS Center for School Safety.] Retrieved March 23, 2004, from www.human.cornell.edu/actforyouth

Adam, E. K., Gunnar, M. R., & Tanaka, A. (2004). Adult attachment, parent emotion, and observed parenting behavior: Mediator and moderator models. *Child Development, 75,* 110-122.

Adams, G. (2009, January 28). Octuplets born: It's a boy ... a boy ... four more boys ... and two girls. *The Independent.* Retrieved January 30, 2009, from www.independent.co.uk/news/world/octuplets/americas-born-its-a-boy-a-boy-four-more-boys-and-two-girls-1517840.html

Adams, R., & Laursen, B. (2001). The organization and dynamics of adolescent conflict with parents and friends. *Journal of Marriage and the Family, 63,* 97-110.

Administration for Children and Families. (2006a). *FACES 2003 research brief and program quality in Head Start.* Washington, DC: Author.

Administration for Children and Families. (2006b). *FACES findings: New research on Head Start outcomes and program quality.* Washington, DC: Author.

Adolph, K. E. (2000). Specificity of learning: Why infants fall over a veritable cliff. *Psychological Science, 11,* 290-295.

Adolph, K. E. (2008). Learning to move. *Current Directions in Psychological Science, 17,* 213-218.

Adolph, K. E., & Eppler, M. A. (2002). Flexibility and specificity in infant motor skill acquisition. In J. Fagen & H. Hayne (Eds.), *Progress in infancy research* (Vol. 2, pp. 121-167). Mahwah, NJ: Erlbaum.

Adolph, K. E., Vereijken, B., & Shrout, P. E. (2003). What changes in infant walking and why. *Child Development, 74,* 475-497.

Ahnert, L., Gunnar, M. R., Lamb, M. E., & Barthel, M. (2004). Transition to child care: Associations with infant-mother attachment, infant negative emotion and corticol elevation. *Child Development, 75,* 639-650.

Ahnert, L., & Lamb, M. E. (2003). Shared care: Establishing a balance between home and child care settings. *Child Development, 74,* 1044-1049.

Ahrons, C. R., & Tanner, J. L. (2003). Adult children and their fathers: Relationship changes 20 years after parental divorce. *Family Relations, 52,* 340-351.

Ainsworth, M.D.S. (1967). *Infancy in Uganda: Infant care and the growth of love.* Baltimore: Johns Hopkins University Press.

Ainsworth, M.D.S., Blehar, M. C., Waters, E., & Wall, S. (1978). *Patterns of attachment: A psychological study of the strange situation.* Hillsdale, NJ: Erlbaum.

Akinbami, L. (2006). The state of childhood asthma, United States, 1980-2005. *Advance Data from Vital and Health Statistics, 381.* Hyattsville, MD: National Center for Health Statistics.

Alaimo, K., Olson, C. M., & Frongillo, E. A. (2001). Food insufficiency and American school-aged children's cognitive, academic, and psychosocial development. *Pediatrics, 108,* 44-53.

Alan Guttmacher Institute (AGI). (1994). *Sex & America's teenagers.* New York: Author.

Alan Guttmacher Institute (AGI). (1999). *Facts in brief: Teen sex and pregnancy.* Retrieved January 31, 2000, from www.agi_usa.org/pubs/fb_teen_sex.html#sfd

Alati, R., Al Mamun, A., Williams, G. M., O'Callaghan, M., Najman, J. M., & Bor, W. (2006). In utero alcohol exposure and prediction of alcohol disorders in early adulthood: A birth cohort study. *Archives of General Psychiatry, 63*(9), 1009-1016.

Albanese, A., & Stanhope, R. (1993). Growth and metabolic data following growth hormone treatment of children with intrauterine growth retardation. *Hormone Research, 39,* 8-12.

Albertsson-Wikland, K., Aronson, A. S., Gustafsson, J., Hagenäs, L., Ivarsson, S. A., Jonsson, B., et al. (2008). Dose-dependent effect of growth hormone on final height in children with short stature without growth hormone deficiency. *Journal of Clinical Endocrinology & Metabolism, 93*(11), 4342-4350.

Alexander, K. L., Entwisle, D. R., & Dauber, S. L. (1993). First-grade classroom behavior: Its short-and long-term consequences for school performance. *Child Development, 64,* 801-814.

Alexander, K. L., Entwisle, D. R., & Olson, L. S. (2007). Lasting consequences of the summer learning gap. *American Sociological Review, 72,* 167-180.

Alibeik, H., & Angaji, S. A. (2010). Developmental aspects of left handedness. *Australian Journal of Basic and Applied Sciences, 4*(5), 881-977.

Allen, G. L., & Ondracek, P. J. (1995). Age-sensitive cognitive abilities related to children's acquisition of spatial knowledge. *Developmental Psychology, 31,* 934-945.

Allen, J. P., McElhaney, K. B., Land, D. J., Kuperminc, G. P., Moore, C. W., O'Beirner-Kelly, H., & Kilmer, S. L. (2003). A secure base in adolescence: Markers of attachment security in the mother-adolescent relationship. *Child Development, 74,* 292-307.

Allen, J. P., & Philliber, S. (2001). Who benefits most from a broadly targeted prevention program? Differential efficacy across populations in the Teen Outreach Program. *Journal of Community Psychology, 29,* 637-655.

Allen, J. P., Porter, M. R., McFarland, F. C., Marsh, P., & McElhaney, K. B. (2005). The two faces of adolescents' success with peers: Adolescent popularity, social adaptation, and deviant behavior. *Child Development, 76*(3), 747-760.

Allen, K. R., Blieszner, R., & Roberto, K. A. (2000). Families in the middle and later years: A review and critique of research in the 1990s. *Journal of Marriage and the Family, 62,* 911-926.

Alloway, T. P. (2006). How does working memory work in the classroom? *Education Research and Reviews, 1,* 134-139.

Alloway, T. P., Gathercole, S. E., Kirkwood, H., & Elliot, J. (2009). The cognitive and behavioral characteristics of children with low working memory. *Child Development, 80*(2), 606-621.

Almeida, D. M., Wethington, E., & Chandler, A. L. (1999). Daily transmission of tensions between marital dyads and parent-child dyads. *Journal of Marriage and the Family, 61,* 49-61.

Al-Oballi Kridli, S. (2002). Health beliefs and practices among Arab Women. *MCN, The American Journal of Maternal/Child Nursing, 27,* 178-182.

Als, H., Duffy, F. H., McAnulty, G. B., Rivkin, M. J., Vajapeyam, S., Mulkern, R. V., et al. (2004). Early experience alters brain function and structure. *Pediatrics, 113,* 846-857.

Almli, C. R., Ball, R. H., & Wheeler, M. E. (2001). Human fetal and neonatal movement patterns: Gender differences and fetal-to-natal continuity. *Developmental Psychobiology, 38*(4), 252-273.

Alsaker, F. D. (1992). Pubertal timing, overweight, and psychological adjustment. *Journal of Early Adolescence, 12*(4), 396-419.

Altschul, I., Oyserman, D., & Bybee, D. (2006). Racial-ethnic identity in mid-adolescence: Content and change as predictors of academic achievement. *Child Development, 77,* 1155-1169.

Aluti, A., Cattaneo, F., Galimberti, S., Benninghoff, U., Cassani, B., Callegaro, L., et al. (2009). Gene therapy for immunodeficiency due to adenosine deaminase deficiency. *New England Journal of Medicine, 360,* 447-458.

Amato, P. R. (2003). Reconciling divergent perspectives: Judith Wallerstein, quantitative family research, and children of divorce. *Family Relations, 52,* 332-339.

Amato, P. R. (2005). The impact of family formation change on the cognitive, social, and emotional well-being of the next generation. *Future of Children, 15,* 75-96.

Amato, P. R., & Booth, A. (1997). *A generation at risk: Growing up in an era of family upheaval.* Cambridge, MA: Harvard University Press.

Amato, P. R., & Gilbreth, J. G. (1999). Nonresident fathers and children's wellbeing: A meta-analysis. *Journal of Marriage and the Family, 61,* 557-573.

American Academy of Child & Adolescent Psychiatry (AACAP). (1997). *Children's sleep problems.* [Fact sheet no. 34]. Washington, DC: Author.

American Academy of Child & Adolescent Psychiatry. (AACAP). (2003). Talking to children about terrorism and war. *Facts for Families* #87. Retrieved April 22, 2005, from www.aacap.org/publications/factsfam/87.htm

American Academy of Pediatric Dentistry, Council on Clinical Affairs. (2002). Clinical guideline on infant oral health. *Reference Manual,* 54.

American Academy of Pediatrics (AAP). (1986). *Positive approaches to day care dilemmas: How to make it work.* Elk Grove Village, IL: Author.

American Academy of Pediatrics (AAP). (2000). Shaken baby syndrome. Retrieved February 17, 2007, from http://aappolicy.aappublications.org/cgi/content/full/pediatrics;108/1/206

American Academy of Pediatrics (AAP). (2004, September 30). *American Academy of Pediatrics (AAP) supports Institute of Medicine's (IOM) childhood obesity recommendations.* [Press release]. Elk Grove Village, IL: Author.

American Academy of Pediatrics (AAP) and Canadian Paediatric Society. (2000). Prevention and management of pain and stress in the neonate. *Pediatrics, 105*(2), 454-461.

American Academy of Pediatrics (AAP) Committee on Adolescence. (1999). Adolescent pregnancy—current trends and issues: 1998. *Pediatrics, 103,* 516-520.

American Academy of Pediatrics (AAP) Committee on Adolescence. (2000). Suicide and suicide attempts in adolescents. *Pediatrics, 105*(4), 871-874.

American Academy of Pediatrics (AAP) Committee on Adolescence. (2001). Condom use by adolescents. *Pediatrics, 107*(6), 1463-1469.

American Academy of Pediatrics (AAP) Committee on Adolescence. (2003). Policy statement: Identifying and treating eating disorders. *Pediatrics, 111,* 204-211.

American Academy of Pediatrics (AAP) Committee on Adolescence and Committee on Early Childhood, Adoption, and Dependent Care. (2001). Care of adolescent parents and their children. *Pediatrics, 107,* 429-434.

American Academy of Pediatrics (AAP) Committee on Bioethics. (1992, July). Ethical issues in surrogate motherhood. *AAP News,* 14-15.

American Academy of Pediatrics (AAP) Committee on Children with Disabilities and Committee on Drugs. (1996). Medication for children with attentional disorders. *Pediatrics, 98,* 301-304.

American Academy of Pediatrics (AAP) Committee on Community Health Services. (1996). Health needs of homeless children and families. *Pediatrics, 88,* 789-791.

American Academy of Pediatrics Committee on Drugs. (1982). Psychotropicdrugs in pregnancy and lactation. *Pediatrics, 69,* 241-244.

American Academy of Pediatrics (AAP) Committee on Drugs (2001). The transfer of drugs and other chemicals into human milk. *Pediatrics, 108*(3), 776-789.

American Academy of Pediatrics (AAP) Committee on Environmental Health. (2005). Lead exposure in children: Prevention, detection, and management. *Pediatrics, 116,* 1036-1046.

American Academy of Pediatrics (AAP) Committee on Fetus and Newborn & American College of Obstetricians and Gynecologists (ACOG) Committee on Obstetric Practice. (1996). Use and abuse of the Apgar score. *Pediatrics, 98,* 141-142.

American Academy of Pediatrics (AAP) Committee on Fetus and Newborn & American College of Obstetricians and Gynecologists (ACOG) Committee on Obstetric Practice. (2006). The Apgar score. *Pediatrics, 117,* 1444-1447.

American Academy of Pediatrics (AAP) Committee on Genetics. (1996). Newborn screening fact sheet. *Pediatrics, 98,* 1-29.

American Academy of Pediatrics (AAP) Committee on Genetics. (1999). Folic acid for the prevention of neural tube defects. *Pediatrics, 104,* 325-327.

American Academy of Pediatrics (AAP) Committee on Injury and Poison Prevention (1995). Skateboard injuries. *Pediatrics, 95,* 611-612.

American Academy of Pediatrics (AAP) Committee on Injury and Poison Prevention. (2000). Firearm-related injuries affecting the pediatric population. *Pediatrics, 105*(4), 888-895.

American Academy of Pediatrics (AAP) Committee on Nutrition. (1992). Statement on cholesterol. *Pediatrics, 90,* 469-473.

American Academy of Pediatrics (AAP) Committee on Nutrition. (2003). Prevention of pediatric overweight and obesity. *Pediatrics, 112,* 424-430.

American Academy of Pediatrics (AAP) Committee on Nutrition. (2006). Dietary recommendations for children and adolescents: A guide for practitioners. *Pediatrics, 117*(2), 544-559.

American Academy of Pediatrics (AAP) Committee on Pediatric Research. (2000). Race/ethnicity, gender, socioeconomic status—research exploring their effects on child health: A subject review. *Pediatrics, 105,* 1349-1351.

American Academy of Pediatrics (AAP) Committee on Practice and Ambulatory Medicine and Section on Ophthalmology. (2002). Use of photoscreening for children's vision screening. *Pediatrics, 109,* 524-525.

American Academy of Pediatrics (AAP) Committee on Psychosocial Aspects of Child and Family Health. (1998). Guidance for effective discipline. *Pediatrics, 101,* 723-728.

American Academy of Pediatrics (AAP) Committee on Psychosocial Aspects of Child and Family Health. (2002). Coparent or second-parent adoption by same-sex parents. *Pediatrics, 109*(2), 339-340.

American Academy of Pediatrics (AAP) Committee on Psychosocial Aspects of Child and Family Health and Committee on Adolescence. (2001). Sexuality education for children and adolescence. *Pediatrics, 108*(2), 498-502.

American Academy of Pediatrics (AAP) Committee on Public Education. (2001). Policy statement: Children, adolescents, and television. *Pediatrics, 107,* 423-426.

American Academy of Pediatrics (AAP) Committee on Quality Improvement. (2002). *Making advances against jaundice in infant care (MAJIC).* Retrieved October 25, 2002, from www/aap.org/visit/majic.htm

American Academy of Pediatrics (AAP) Committee on Sports Medicine and Fitness and Committee on School Health. (2001). Organized sports for children and preadolescents. *Pediatrics, 107*(6) 1459-1462.

American Academy of Pediatrics (AAP) Committee on Substance Abuse. (2001). Tobacco's toll:

Implications for the pediatrician. *Pediatrics, 107*, 794-798.

American Academy of Pediatrics (AAP) Section on Breastfeeding. (2005). Breastfeeding and the use of human milk. *Pediatrics, 115*, 496-506.

American Academy of Pediatrics (AAP), Stirling, J., Jr., and the Committee on Child Abuse and Neglect and Section on Adoption and Foster Care; American Academy of Child and Adolescent Psychiatry, Amaya-Jackson, L.; & National Center for Child Traumatic Stress, Amaya-Jackson, L. (2008). Understanding the behavioral and emotional consequences of child abuse. *Pediatrics, 122*(3), 667-673.

American Academy of Pediatrics (AAP) Task Force on Infant Sleep Position and Sudden Infant Death Syndrome. (2000). Changing concepts of sudden infant death syndrome: Implications for infant sleeping environment and sleep position. *Pediatrics, 105*, 650-656.

American Academy of Pediatrics Task Force on Sudden Infant Death Syndrome. (2005). The changing concept of sudden infant death syndrome: Diagnostic coding shifts, controversies regarding sleeping environment, and new variables to consider in reducing risk. *Pediatrics, 116*, 1245-1255.

American College of Nurse-Midwives. (2005). *Position statement: Home births.* Silver Spring, MD: Author.

American College of Obstetricians and Gynecologists (ACOG). (2002). *Early pregnancy loss: Miscarriage and molar pregnancy.* Washington, DC: Author.

American College of Obstetricians and Gynecologists (ACOG). (2008, February 6). *ACOG news release: ACOG statement on home births.* Retrieved November 13, 2008, from www.acog.org/from_publications/home/press_releases/nr02-06-08-2.cfm

American Congress of Obstetricians and Gynecologists (2002). Exercise during pregnancy and the postpartum period. ACOG Committee Opinion No. 267. *Obstetrics and Gynecology, 99*, 171-173.

American Dental Association (2007). Thumb sucking and pacifier use. *The Journal of the American Dental Association, 138*(8), 1176.

American Heart Association, Gidding, S. S., Dennison, B. A., Birch, L. L., Daniels, S. R., Gilman, M. W., et al. (2006). Dietary recommendations for children and adolescents: A guide for practitioners. *Pediatrics, 117*, 544-559.

American Medical Association House of Delegates. (2008, June). *Resolution 205: Home deliveries.* Proceedings of the American Medical Association House of Delegates, Fifteenth Annual Meeting, Chicago, IL. Retrieved from www.ama-assn.org/ama1/pub/mm/upload/471/205.doc

American Psychiatric Association. (1994). *Diagnostic and statistical manual of mental disorders* (4th ed.). Washington, DC: Author.

American Psychiatric Association. (2000). *Diagnostic and statistical manual of mental disorders* (4th ed., Text Revision). Washington, DC: Author.

American Psychological Association. (n.d.). *Answers to your questions about sexual orientation and homosexuality.* [Brochure]. Washington, DC: Author.

American Psychological Association (APA). (2002). Ethical principles of psychologists and code of conduct. *American Psychologist, 57*, 1060-1073.

American Psychological Association (APA) and American Academy of Pediatrics (AAP). (1996). *Raising children to resist violence: What you can do.* [Brochure]. Retrieved from www.apa.org/helpcenter/resist-violence.aspx

American Public Health Association. (2004). *Disparities in infant mortality. Fact sheet.* Retrieved April 18, 2004, from www.medscape.com/viewarticle/472721

America's Youngest Outcasts: 2010. (2011). The National Center on Family Homelessness, Needham, MA.

Ames, E. W. (1997). *The development of Romanian orphanage children adopted to Canada: Final report* (National Welfare Grants Program, Human Resources Development, Canada). Burnaby, BC, Canada: Fraser University, Psychology Department.

Amsel, E., Goodman, G., Savoie, D., & Clark, M. (1996). The development of reasoning about causal and noncausal influences on levers. *Child Development, 67*, 1624-1646.

Amso, D., & Casey, B. J. (2006). Beyond what develops when: Neuroimaging may inform how cognition changes with development. *Current Directions in Psychological Science, 15*, 24-29.

Anastasi, A. (1988). *Psychological testing* (6th ed.). New York: Macmillan.

Anastasi, A., & Schaefer, C. E. (1971). Note on concepts of creativity and intelligence. *Journal of Creative Behavior, 3*, 113-116.

Anderson, A. H., Clark, A., & Mullin, J. (1994). Interactive communication between children: Learning how to make language work in dialog. *Journal of Child Language, 21*, 439-463.

Anderson, C. (2000). *The impact of interactive violence on children.* Statement before the Senate Committee on Commerce, Science, and Transportation, 106th Congress, 1st session.

Anderson, D. A., & Hamilton, M. (2005). Gender role stereotyping of parents in children's picture books: The invisible father. *Sex Roles, 52*, 145-151.

Anderson, D. R., Huston, A. C., Schmitt, K. L., Linebarger, D. L., & Wright, J. C. (2001). Early childhood television viewing and adolescent behavior. *Monographs of the Society for Research in Child Development, 66*(1) [Serial No. 264].

Anderson, D. R., & Pempek, T. A. (2005). Television and very young children. *American Behavioral Scientist, 48*(5), 505-522.

Anderson, M., Kaufman, J., Simon, T. R., Barrios, L., Paulozzi, L., Ryan, G., et al. (2001). School-associated violent deaths in the United States, 1994-1999. *Journal of the American Medical Association, 286*(21), 2695-2702.

Anderson, P., Doyle, L. W., & the Victorian Infant Collaborative Study Group. (2003). *Journal of the American Medical Association, 289*, 3264-3272.

Anderson, P. O. (1995). Alcohol and breastfeeding. *Journal of Human Lactation, 11*, 321-323.

Anderson, R. N., & Smith, B. L. (2005). Deaths: Leading causes for 2002. *National Vital Statistics Reports, 53*(17). Hyattsville, MD: National Center for Health Statistics.

Anderson, S. E., Dallal, G. E., & Must, A. (2003). Relative weight and race influence average age at menarche: Results from two nationally representative surveys of U.S. girls studied 25 years apart. *Pediatrics 2003, 111*, 844-850.

Anderssen, N., Amlie, C., & Ytteroy, E. A. (2002). Outcomes for children with lesbian or gay parents: A review of studies from 1978 to 2000. *Scandinavian Journal of Psychology, 43*(4), 335-351.

Ang, S., Rodgers, J. L., & Wanstrom, L. (2010). The Flynn Effect within subgroups in the U.S.: Gender, race, income, education, and urbanization differences in the NLSY-Children data. *Intelligence, 38*(4), 367-384.

Antonarakis, S. E., & Down Syndrome Collaborative Group. (1991). Parental origin of the extra chromosome in trisomy 21 as indicated by analysis of DNA polymorphisms. *New England Journal of Medicine, 324*, 872-876.

Apfelbaum, E. P., Pauker, K., Ambady, N., Sommers, S. R., & Norton, M. I. (2008). Learning (not) to talk about race: When older children underperform in social categorization. *Developmental Psychology, 44*(5), 1513-1518. doi:10.1037/a0012835

Apgar, V. (1953). A proposal for a new method of evaluation of the newborn infant. *Current Research in Anesthesia and Analgesia, 32*, 260-267.

Archer, J. (2004). Sex differences in aggression in real-world settings: A meta-analytic review. *Review of General Psychology, 8*, 291-322.

Archer, S. L. (1993). Identity in relational contexts: A methodological proposal. In J. Kroger (Ed.), *Discussions on ego identity* (pp. 75-99). Hillsdale, NJ: Erlbaum.

Arcus, D., & Kagan, J. (1995). Temperament and craniofacial variation in the first two years. *Child Development, 66*, 1529-1540.

Arend, R., Gove, F., & Sroufe, L. A. (1979). Continuity of individual adaptation from infancy to kindergarten: A predictive study of ego--resiliency and curiosity in preschoolers. *Child Development, 50*(4), 950-959.

Arias, E., MacDorman, M. F., Strobino, D. M., & Guyer, B. (2003). Annual summary of vital statistics—2002. *Pediatrics, 112*, 1215-1230.

Arner, P. (2000). Obesity—a genetic disease of adipose tissue? *British Journal of Nutrition, 83*(1), 9-16.

Arnestad, M., Crotti, L., Rognum, T. O., Insolia, R., Pedrazzini, M., Ferrandi, C., et al. (2007). Prevalence of long-qt syndrome gene variants in sudden infant death syndrome. *Circulation, 115*, 361-367.

Arnett, J. J. (1998, September-December). Learning to stand alone: The contemporary American transition to adulthood in cultural and historical context. *Human Development, 41*.

Arnett, J. J. (1999). Adolescent storm and stress, reconsidered. *American Psychologist, 54*, 317-326.

Arnett, J. J. (2001). Conceptions of the transition to adulthood: Perspectives from adolescence through midlife. *Journal of Adult Development, 8*(2), 133-143.

Arnett, J. J. (2003). Conceptions of the transition to adulthood among emerging adults in American ethnic groups. In J. J. Arnett & N. L. Galambos (Eds.), Exploring cultural conceptions of the transition to adulthood. *New Directions for Child and Adolescent Development, 100*, 63-75.

Arnett, J. J. (2007). Emerging adulthood: What is it, and what is it good for? *Child Development Perspectives, 1*, 68-73.

Arnett, J. J., & Galambos, N. L. (2003). Culture and conceptions of adulthood. In J. J. Arnett & N. L. Galambos (Eds.), Exploring cultural conceptions of the transition to adulthood. *New Directions for Child and Adolescent Development, 100*, 91-98.

Asher, M. I., Montefort, S., Björkstén, B., Lai, C. K., Strachan, D. P., Weiland, S. K., et al. (2006). Worldwide time trends in the prevalence of symptoms of asthma, allergic rhinoconjunctivitis, and eczema in childhood: ISAAC phases one and three repeat multicountry cross-sectional surveys. *Lancet, 368*(9537), 733-743.

Ashman, S. B., & Dawson, G. (2002). Maternal depression, infant psychobiological development, and risk for depression. In S. H. Goodman, & I. H. Gotlib (Eds.), *Children of depressed parents: Mechanisms of risk and implications for treatment* (pp. 37-58). Washington, DC: American Psychological Association.

Associated Press. (2004a, November 22). *Boys have no place in politics: 4-year-old*. AP Newswire.

Associated Press. (2004b, April 29). *Mom in C-section case received probation: Woman originally charged with murder for delaying operation*. Retrieved June 8, 2004, from www.msnbc.msn.com/id/4863415/

Astington, J. W. (1993). *The child's discovery of the mind*. Cambridge, MA: Harvard University Press.

Athansiou, M. S. (2001). Using consultation with a grandmother as an adjunct to play therapy. *Family Journal—Consulting and Therapy for Couples and Families, 9*, 445-449.

Aud, S., Hussar, W., Johnson, F., Kena, G. & Roth, E. (2012). *The condition of education 2012*. (NCES 2012045). Hyattsville, MD: National Center on Education Statistics.

Austin, E. W., Pinkleton, B. E., & Fujioka, Y. (2000). The role of interpretation processes and parental discussion in the media's effects on adolescents' use of alcohol. *Pediatrics, 105*(2), 343-349.

Austin, P. F., Ferguson, G., Yan, Y., Campigotto, M., Royer, M., & Coplen, D. (2008). Combination therapy with desmopressin and an anticholinergic medication for nonresponders to desmopressin for monosymptomatic nocturnal enuresis: A randomized double-blind, placebo controlled trial. *Pediatrics, 122*(5), 1027-1032.

Auyeng, B., Baron-Cohen, S., Ashwin, E. Kinckmeyer, R., Taylor, K. Hackett, G., & Hines, M. (2009) Fetal testosterone predicts sexually differentiated childhood behavior in girls and in boys. *Psychological Science, 20*, 144-148.

Babu, A., & Hirschhorn, K. (1992). *A guide to human chromosome defects* (Birth Defects:

*Original Article Series, 28*[2]). White Plains, NY: March of Dimes Birth Defects Foundation.

Bada, H. S., Das, A., Bauer, C. R., Shankaran, S., Lester, B., LaGasse, L., et al. (2007). Impact of prenatal cocaine exposure on child behavior problems through school age. *Pediatrics, 119*, 348-359.

Badcock, C., & Crespi, B. (2006). Imbalanced genomic imprinting in brain development: An evolutionary basis for the aetiology of autism. *Journal of Evolutionary Biology, 19*, 1007-1032.

Badcock, C., & Crespi, B. (2008). Battle of the sexes may set the brain. *Nature, 454*, 1054-1055.

Baddeley, A. (1996). Exploring the central executive. *Quarterly Journal of Experimental Psychology: Human Experimental Psychology* (Special Issue: Working Memory), *49A*, 5-28.

Baddeley, A. (1998). Recent developments in working memory. *Current Opinion in Neurobiology, 8*, 234-238.

Baddeley, A. D. (1981). The concept of working memory: A view of its current state and probable future development. *Cognition, 10*, 17-23.

Baddeley, A. D. (1986). *Working memory*. London, UK: Oxford University Press.

Baddeley, A. D. (1992). Working memory. *Science, 255*, 556-559.

Baddeley, A. D. (2001). Is working memory still working? *American Psychologist, 56*, 851-864.

Baddock, S. A., Galland, B. C., Bolton, D. P. G., Williams, S. M., & Taylor, B. J. (2006). Differences in infant and parent behaviors during routine bed sharing compared with cot sleeping in the home setting. *Pediatrics, 117*, 1599-1607.

Baer, J. S., Sampson, P. D., Barr, H. M., Connor, P. D., & Streissguth, A. P. (2003). A 21-year longitudinal analysis of the effects of prenatal alcohol exposure on young adult drinking. *Archives of General Psychiatry, 60*, 377-385.

Baillargeon, R. (1994). How do infants learn about the physical world? *Current Directions in Psychological Science, 3*, 133-140.

Baillargeon, R. (1999). Young infants' expectations about hidden objects. *Developmental Science, 2*, 115-132.

Baillargeon, R., & DeVos, J. (1991). Object permanence in young infants: Further evidence. *Child Development, 62*, 1227-1246.

Baillargeon, R. H., Zoccolillo, M., Keenan, K., Côté, S., Pérusse, D., Wu, H.-X., et al. (2007). Gender differences in physical aggression: A prospective population-based survey of children before and after 2 years of age. *Developmental Psychology, 43*, 13-26.

Bainbridge, J. W., Smith, A. J., Barker, S. S., Robbie, S., Henderson, R., Balaggan, K., et al. (2008). Effect of gene therapy on visual function in Leber's congenital amaurosis. *New England Journal of Medicine, 358*, 2282-2284.

Baird, A. A., Gruber, S. A., Fein, D. A., Maas, L. C., Steingard, R. J., Renshaw, P. F., et al. (1999). Functional magnetic resonance imaging of facial affect recognition in children and adolescents. *Journal of the American Academy of Child and Adolescent Psychiatry, 38*, 195-199.

Baird, G., Pickles, A., Simonoff, E., Charman, T., Sullivan, P., Chandler, S., et al. (2008, February 5). Measles vaccination and antibody response in

autism spectrum disorders. *Archives of Disease in Childhood.* [ePub].

Baldi, S., Jin, Y., Skemer, J., Green, P., & Herget, D. (2007). *Highlights from PISA 2006: Performance of U.S. fifteen-year-olds in science and mathematics literacy in an international context* (NCES-016). Washington, DC: U.S. Department of Education, National Center for Education Statistics.

Balercia, G., Mosca, F., Mantero, F., Boscaro, M., Mancini, A., Ricciardo-Lamonica, G., & Littarru, G. (2004). Coenzyme q(10) supplementation in infertile men with idiopathic asthenozoospermia: An open, uncontrolled pilot study. *Fertility and Sterility, 81*, 93-98.

Baltes, P. B., & Smith, J. (2004). Lifespan psychology: From developmental contextualism to developmental biocultural co-constructivism. *Research in Human Development, 1*, 123-144.

Bandura, A. (1977). *Social learning theory*. Englewood Cliffs, NJ: Prentice Hall.

Bandura, A. (1986). *Social foundations of thought and action: A social cognitive theory*. Englewood Cliffs, NJ: Prentice Hall.

Bandura, A. (1989). Social cognitive theory. In R. Vasta (Ed.), *Annals of child development* (Vol. 6, pp. 1-60). Greenwich, CT: JAI.

Bandura, A., Barbaranelli, C., Caprara, G. V., & Pastorelli, C. (1996). Multifaceted impact of self-efficacy beliefs on academic functioning. *Child Development, 67*, 1206-1222.

Bandura, A., Barbaranelli, C., Caprara, G. V., & Pastorelli, C. (2001). Self-efficacy beliefs as shapers of children's aspirations and career trajectories. *Child Development 72*(1), 187-206.

Bandura, A., & Bussey, K. (2004). On broadening the cognitive, motivational, and sociostructural scope of theorizing about gender development and functioning: comment on Martin, Ruble, and Szkrybalo (2002). *Psychological Bulletin, 130*(5), 691-701.

Bandura, A., Ross, D., & Ross, S. A. (1961). Transmission of aggression through imitation of aggressive models. *Journal of Abnormal and Social Psychology, 63*, 575-582.

Bandura, A., Ross, D., & Ross, S. A. (1963). Imitation of film-mediated aggressive models. *Journal of Abnormal and Social Psychology, 66*, 3-11.

Bandura, A., & Walters, R. H. (1963). *Social learning and personality development*. New York: Holt, Rinehart, & Winston.

Banks, E. (1989). Temperament and individuality: A study of Malay children. *American Journal of Orthopsychiatry, 59*, 390-397.

Banta, D., & Thacker, S. B. (2001). Historical controversy in health technology assessment: The case of electronic fetal monitoring. *Obstetrical and Gynecological Survey, 56*(11), 707-719.

Barber, B. (1996). Parental psychological control: Revisiting a neglected construct. *Child Development, 67*, 3296-3319.

Barber, B. L., & Eccles, J. S. (1992). Longterm influence of divorce and single parenting on adolescent, family and work related values, behaviors, and aspirations. *Psychological Bulletin, 111*(1), 108-126.

Barkley, R. A. (1998, September). Attention-deficit hyperactivity disorder. *Scientific American,* pp. 66-71.

Barlow, S. E., & Dietz, W. H. (1998). Obesity evaluation and treatment: Expert committee recommendations. *Pediatrics, 102*(3), e29. Retrieved from http://pediatrics.aappublications.org/cgi/content/full/3/102/e29

Baron-Cohen, S. (2005). The essential difference: The male and female brain. *Phi Kappa Phi Forum, 85*(1), 23-26.

Baron-Cohen, S., Leslie, A. M., & Frith, U. (1985). Does the autistic child have a "theory of mind"? *Cognition, 21*(1), 37-46.

Bartick, M., & Reinhold, A. (2010). The burden of suboptimal breastfeeding in the United States: A pediatric cost analysis. *Pediatrics, 125,* 1048-1056.

Bartoshuk, L. M., & Beauchamp, G. K. (1994). Chemical senses. *Annual Review of Psychology, 45,* 419-449.

Bartz, J. A. (2010). Oxytocin electively improves empathic accuracy. *Psychological Science, 21*(10), 1426-1428. doi: 10.1177/0956797610383439

Bates, E., O'Connell, B., & Shore, C. (1987). Language and communication in infancy. In J. D. Osofsky (Ed.), *Handbook of infant development* (2nd ed., pp. 149-203). New York: Wiley.

Bauer, P. J. (1993). Memory for gender-consistent and gender-inconsistent event sequences by twenty-five-month-old children. *Child Development, 64,* 285-297.

Bauer, P. J. (1996). What do infants recall of their lives? Memory for specific events by 1-to 2-year-olds. *American Psychologist, 51,* 29-41.

Bauer, P. J. (2002). Long-term recall memory: Behavioral and neurodevelopmental changes in the first 2 years of life. *Current Directions in Psychological Science, 11,* 137-141.

Bauer, P. J., Wenner, J. A., Dropik, P. L., & Wewerka, S. S. (2000). Parameters of remembering and forgetting in the transition from infancy to early childhood. *Monographs of the Society for Research in Child Development, 65*(4). [Serial No. 263]. Malden, MA: Blackwell.

Bauer, P. J., Wiebe, S. A., Carver, L. J., Waters, J. M., & Nelson, C. A. (2003). Developments in long-term explicit memory late in the first year of life: Behavioral and electrophysiological indices. *Psychological Science, 14,* 629-635.

Bauman, L. J., Silver, E. J., & Stein, R.E.K. (2006). Cumulative social disadvantage and child health. *Pediatrics, 117,* 1321-1328.

Baumer, E. P., & South, S. J. (2001). Community effects on youth sexual activity. *Journal of Marriage and Family, 63,* 540-554.

Baumrind, D. (1971). Harmonious parents and their preschool children. *Developmental Psychology, 41,* 92-102.

Baumrind, D. (1989). Rearing competent children. In W. Damon (Ed.), *Child development today and tomorrow* (pp. 349-378). San Francisco, CA: Jossey-Bass.

Baumrind, D. (1991). Parenting styles and adolescent development. In J. Brooks-Gunn, R.

Lerner, & A. C. Peterson (Eds.), *The encyclopedia of adolescence* (pp. 746-758). New York: Garland.

Baumrind, D. (1996a). A blanket injunction against disciplinary use of spanking is not warranted by the data. *Pediatrics, 88,* 828-831.

Baumrind, D. (1996b). The discipline controversy revisited. *Family Relations, 45,* 405-414.

Baumrind, D. (2005). Patterns of parental authority and adolescent autonomy. In J. Smetana (Ed.), *Changing boundaries of parental authority during adolescence: New directions for child and adolescent development* (No. 108, pp. 61-70). San Francisco, CA: Jossey-Bass.

Baumrind, D., & Black, A. E. (1967). Socialization practices associated with dimensions of competence in preschool boys and girls. *Child Development, 38,* 291-327.

Baumrind, D., Larzelere, R. E., & Cowan, P. A. (2002). Ordinary physical punishment: Is it harmful? Comment on Gershoff (2002). *Psychological Bulletin, 128,* 580-589.

Baumrind, D., Larzelere, R. E., & Owens, E. B. (2010). Effects of preschool parents' power assertive patterns and practices on adolescent development. *Parenting: Science and Practice, 10*(3), 157-201.

Bauserman, R. (2002). Child adjustment in joint-custody versus sole-custody arrangements: A meta-analytic review. *Journal of Family Psychology, 16,* 91-102.

Baydar, N., Greek, A., & Brooks-Gunn, J. (1997). A longitudinal study of the effects of the birth of a sibling during the first 6 years of life. *Journal of Marriage and the Family, 59,* 939-956.

Baydar, N., Hyle, P., & Brooks-Gunn, J. (1997). A longitudinal study of the effects of the birth of a sibling during preschool and early grade school years. *Journal of Marriage and the Family, 59,* 957-965.

Bayley, N. (1969). *Bayley Scales of Infant Development.* New York: Psychological Corporation.

Bayley, N. (1993). *Bayley Scales of Infant Development: II.* New York: Psychological Corporation.

Bayley, N. (2005). *Bayley Scales of Infant Development: III.* New York: Harcourt Brace.

Bayliss, D. M., Jarrold, C., Baddeley, A. D., Gunn, D. M., & Leigh, E. (2005). Mapping the developmental constraints on working memory span performance. *Developmental Psychology, 41*(4), 579-597.

Beals, D. E., & Snow, C. E. (1994). Thunder is when the angels are upstairs bowling: Narratives and explanations at the dinner table. *Journal of Narrative and Life History, 4,* 331-352.

Beauchamp, G. K., & Mennella, J. A. (2009). Early flavor learning and its impact on later feeding behavior. *Journal of Pediatric Gastroenterology and Nutrition, 48*(1), 25-30.

Beckett, C., Maughan, B., Rutter, M., Castle, J., Colvert, E., Groothues, C., et al. (2006). Do the effects of severe early deprivation on cognition persist into early adolescence? Findings from the English and Romanian adoptees study. *Child Development, 77,* 696-711.

Behne, R., Carpenter, M., Call, J., & Tomasello, M. (2005). Unwilling versus unable: Infants'

understanding of intentional action. *Developmental Psychology, 41,* 328-337.

Behrman, R. E. (1992). *Nelson textbook of pediatrics* (13th ed.). Philadelphia, PA: Saunders.

Beidel, D. C., & Turner, S. M. (1998). *Shy children, phobic adults: Nature and treatment of social phobia.* Washington, DC: American Psychological Association.

Bekedam, D. J., Engelsbe1, S., Mol, B. W., Buitendijk, S. E., & van der Pal-de Bruin, K. M. (2002). Male predominance in fetal distress during labor. *American Journal of Obstetrics and Gynecology, 187,* 1605-1607.

Belizzi, M. (2002, May). *Obesity in children—what kind of future are we creating?* Presentation at the Fifty-Fifth World Health Assembly Technical Briefing, Geneva, Switzerland.

Bell, J. F., Zimmerman, F. J., & Diehr, P. K. (2008) Maternal work and birth outcome disparities. *Maternal & Child Health Journal, 12,* 415-426.

Bell, L. G., & Bell, D.C. (2005). Family dynamics in adolescence affect midlife well-being. *Journal of Family Psychology, 19,* 198-207.

Bell, M. A., & Fox, N. A. (1992). The relations between frontal brain electrical activity and cognitive development during infancy. *Child Development, 63,* 1142-1163.

Belsky, J. (1984). Two waves of day care research: Developmental effects and conditions of quality. In R. Ainslie (Ed.), *The child and the day care setting.* New York: Praeger.

Belsky, J. (1997). Variation in susceptibility to environmental influence: An evolutionary argument. *Psychological Inquiry, 8,* 230-235.

Belsky, J. (2005). Differential susceptibility to rearing influence: An evolutionary hypothesis and some evidence. In B. J. Ellis & D. F. Bjorklund (Eds.), *Origins of the social mind: Evolutionary psychology and child development* (pp.139-163). New York: Guilford Press.

Belsky, J., Fish, M., & Isabella, R. (1991). Continuity and discontinuity in infant negative and positive emotionality: Family antecedents and attachment consequences. *Developmental Psychology, 27,* 421-431.

Belsky J., Houts, R. M., & Fearon, R.M.P. (2010). Infant attachment and the timing of puberty: Testing an evolutionary hypothesis. *Psychological Science, 21,* 1195-1201. doi:10.1177/0956797610379867

Belsky, J., Steinberg, L., & Draper, P. (1991). Childhood experience, interpersonal development and reproductive strategy: An evolutionary theory of socialization. *Child Development, 62,* 647-670.

Belsky, J., Steinberg, L. D., Houts, R. M., Friedman, S. L., DeHart, G., Cauffman, E., et al. (2007). Family rearing antecedents of pubertal timing. *Child Development, 78*(4), 1302-1321.

Bem, S. L. (1983). Gender schema theory and its implications for child development: Raising gender-aschematic children in a gender-schematic society. *Signs, 8,* 598-616.

Bem, S. L. (1985). Androgyny and gender schema theory: A conceptual and empirical integration. In T. B. Sondregger (Ed.), *Nebraska symposium on motivation, 1984: Psychology and gender.* Lincoln: University of Nebraska Press.

Bem, S. L. (1993). *The lenses of gender: Transforming the debate on sexual inequality.* New Haven, CT: Yale University Press.

Bendersky, M., Bennett, D., & Lewis, M. (2006). Aggression at age 5 as a function of prenatal exposure to cocaine, gender, and environmental risk. *Journal of Pediatric Psychology, 31,* 71-84.

Benenson, J. F. (1993). Greater preference among females than males for dyadic interaction in early childhood. *Child Development, 64,* 544-555.

Benes, F. M., Turtle, M., Khan, Y., & Farol, P. (1994). Myelination of a key relay zone in the hippocampal formation occurs in the human brain during childhood, adolescence, and adulthood. *Archives of General Psychiatry, 51,* 447-484.

Bennett, D.S., Bendersky, M., & Lewis, M. (2008). Children's cognitive ability from 4 to 9 years old as a function of prenatal cocaine exposure, environmental risk, and maternal verbal intelligence. *Developmental Psychology, 44,* 919-928.

Benson, E. (2003). Intelligent intelligence testing. *Monitor on Psychology, 43*(2), 48-51.

Berg, S. J, & Wynne-Edwards, K. E. (2001). Changes in testosterone, cortisol, and estradiol levels in men becoming fathers. *Mayo Clinic Proceedings, 76,* 582-592.

Bergeman, C. S., & Plomin, R. (1989). Genotype-environment interaction. In M. Bornstein & J. Bruner (Eds.), *Interaction in human development* (pp. 157-171). Hillsdale, NJ: Erlbaum.

Bergen, D. (2002). The role of pretend play in children's cognitive development. *Early Childhood Research & Practice, 4*(1). Retrieved from http://ecrp.uiuc.edu/v4n1/bergen.html

Berger, K. S. (2007). Update on bullying at school: Science forgotten? *Developmental Review, 27,* 91-92.

Berk, L. E. (1986a). Development of private speech among preschool children. *Early Child Development and Care, 24,* 113-136.

Berk, L. E. (1986b). Private speech: Learning out loud. *Psychology Today, 20*(5), 34-42.

Berk, L. E., & Garvin, R. A. (1984). Development of private speech among low income Appalachian children. *Developmental Psychology, 20,* 271-286.

Berk, L. E. (1992). Children's private speech: An overview of theory and the status of research. In R. M. Diaz & L. E. Berk (Eds.), *Private speech: From social interaction to self-regulation* (pp. 17-53). Hillsdale, NJ: Erlbaum.

Berkowitz, G. S., Skovron, M. L., Lapinski, R. H., & Berkowitz, R. L. (1990). Delayed childbearing and the outcome of pregnancy. *New England Journal of Medicine, 322,* 659-664.

Berkowitz, R. I., Stallings, V. A., Maislin, G., & Stunkard, A. J. (2005). Growth of children at high risk of obesity during the first 6 years of life: Implications for prevention. *American Journal of Clinical Nutrition, 81,* 140-146.

Berndt, T. J., & Perry, T. B. (1990). Distinctive features and effects of early adolescent friendships. In R. Montemayor, G. R. Adams, & T. P. Gullotta (Eds.), *From childhood to adolescence: A transitional period?* (Vol. 2, pp. 269-287). Newbury Park, CA: Sage.

Bernier, A., & Meins, E. (2008). A threshold approach to understanding the origins of attachment disorganization. *Developmental Psychology, 44,* 969-982.

Bernstein, P. S. (2003, December 12). Achieving equity in women's and perinatal health. *Medscape Ob/Gyn & Women's Health, 8.* [ePub].

Berrueta-Clement, J. R., Schweinhart, L. J., Barnett, W. S., Epstein, A. S., & Weikart, D. P. (1985). *Changed lives: The effects of the Perry Preschool Program on youths through age 19.* Ypsilanti, MI: High/Scope.

Berrueta-Clement, J. R., Schweinhart, L. J., Barnett, W. S., & Weikart, D. P. (1987). The effects of early educational intervention on crime and delinquency in adolescence and early adulthood. In J. D. Burchard & S. N. Burchard (Eds.), *Primary prevention of psychopathology: Vol. 10. Prevention of delinquent behavior* (pp. 220-240). Newbury Park, CA: Sage.

Berry, M., Dylla, D. J., Barth, R. P., & Needell, B. (1998). The role of open adoption in the adjustment of adopted children and their families. *Children and Youth Services Review, 20,* 151-171.

Berry, R. J., Li, Z., Erickson, J. D., Li, S., Moore, C. A., Wang, H., et al. (1999). Prevention of neural-tube defects with folic acid in China. *New England Journal of Medicine, 341,* 1485-1490.

Bertenthal, B. I., & Campos, J. J. (1987). New directions in the study of early experience. *Child Development, 58,* 560-567.

Bertenthal, B. I., Campos, J. J., & Barrett, K. C. (1984). Self-produced locomotion: An organizer of emotional, cognitive, and social development in infancy. In R. N. Emde & R. J. Harmon (Eds.), *Continuities and discontinuities in development* (pp. 175-209). New York: Plenum Press.

Bertenthal, B. I., Campos, J. J., & Kermoian, R. (1994). An epigenetic perspective on the development of self-produced locomotion and its consequences. *Current Directions in Psychological Science, 3*(5), 140-145.

Bertenthal, B. I., & Clifton, R. K. (1998). Perception and action. In W. Damon (Ed.-in-Chief), D. Kuhn & R. S. Siegler (Vol. Eds.), *Handbook of child psychology: Vol. 2. Cognition perception, and language* (pp. 51-102). New York: Wiley.

Bethell, C. D., Read, D., & Blumberg, S. J. (2005). Mental health in the United States: Health care and well being of children with chronic emotional, behavioral, or developmental problem—United States, 2001. *Morbidity and Mortality Weekly Report, 54,* 985-989.

Beumont, P J.V., Russell, J. D., & Touyz, S. W. (1993). Treatment of anorexia nervosa. *Lancet, 341,* 1635-1640.

Bialystok, E., & Senman, L. (2004). Executive processes in appearance-reality tasks: The role of inhibition of attention and symbolic representation. *Child Development, 75,* 562-579.

Biason-Lauber, A., Konrad, D., Navratil, F., & Schoenle, E. J. (2004). A WNT4 mutation associated with Mullerian-duct regression and virilization in a 46, XX woman. *New England Journal of Medicine, 351,* 792-798.

Bibbins-Domingo, K., Coxson, P., Pletcher, M. J., Lightwood, J., & Goldman, L. (2007). Adolescent overweight and future adult coronary heart disease. *New England Journal of Medicine, 357,* 2371-2379.

Biblarz, T. J., & Stacey, J. (2010). How does gender of the parent matter? *Journal of Marriage and Family, 72,* 3-22.

Bierman, K. L., Smoot, D. L., & Aumiller, K. (1993). Characteristics of aggressive rejected, aggressive (nonrejected), and rejected (non-aggressive) boys. *Child Development, 64,* 139-151.

Birmaher, B. (1998). Should we use antidepressant medications for children and adolescents with depressive disorders? *Psychopharmacology Bulletin, 34,* 35-39.

Birmaher, B., Ryan, N. D., Williamson, D. E., Brent, D. A., Kaufman, J., Dahl, R. E., et al. (1996). Childhood and adolescent depression: A review of the past 10 years. *Journal of the American Academy of Child, 35,* 1427-1440.

Biro, F. M., Galvez, M. P., Greenspan, L. C., Succop, P. A., Vengeepuram, N., Pinney, S. M., et al. (2010). Pubertal assessment method and baseline characteristics in a mixed longitudinal study of girls. *Pediatrics, 126*(3), 583-590.

Bittles, A. H., Bower, C., Hussain, R., & Glasson, E. J. (2006). The four ages of Down syndrome. *European Journal of Public Health, 17*(2), 221-225.

Bjork, J. M., Knutson, B., Fong, G. W., Caggiano, D. M., Bennett, S. M., & Hommer, D. W. (2004). Incentive-elicited brain activities in adolescents: Similarities and differences from young adults. *Journal of Neuroscience, 24,* 1793-1802.

Bjorklund, D. F. (1997). The role of immaturity in human development. *Psychological Bulletin, 122,* 153-169.

Bjorklund, D. F., & Harnishfeger, K. K. (1990). The resources construct in cognitive development: Diverse sources of evidence and a theory of inefficient inhibition. *Developmental Review, 10,* 48-71.

Bjorklund, D. F., & Pellegrini, A. D. (2000). Child development and evolutionary psychology. *Child Development, 71,* 1687-1708.

Bjorklund, D. F., & Pellegrini, A. D. (2002). *The origins of human nature: Evolutionary developmental psychology.* Washington, DC: American Psychological Association.

Black, J. E. (1998). How a child builds its brain: Some lessons from animal studies of neural plasticity. *Preventive Medicine, 27,* 168-171.

Black, M. M., & Krishnakumar, A. (1998). Children in low-income, urban settings: Interventions to promote mental health and well-being. *American Psychologist, 53,* 636-646.

Black, R. E., Morris, S. S., & Bryce, J. (2003). Where and why are 10 million children dying each year? *Lancet, 361,* 2226-2234.

Blair, C. (2002). School readiness: Integrating cognition and emotion in a neurobiological conceptualization of children's functioning at school entry. *American Psychologist, 57,* 111-127.

Blakemore, S., & Choudhury, S. (2006). Development of the adolescent brain: Implications for executive function and social cognition. *Journal of Child Psychology and Psychiatry, 47*(3), 296-312.

Blakeslee, S. (1997, April 17). Studies show talking with infants shapes basis of ability to think. *New York Times*, p. D21.

Bleske-Rechek, A, Lubinski, D., & Benbow, C. P. (2004). Meeting the educational needs of special populations. Advanced placement's role in developing exceptional human capital. *Psychological Sciences, 15*, 217-224.

Block, R. W., Krebs, N. F., the Committee on Child Abuse and Neglect, & the Committee on Nutrition. (2005). *Pediatrics, 116*(5), 1234-1237.

Bloom, B. (1985). *Developing talent in young people*. New York: Ballantine.

Bloom, B., Cohen, R. A., Vickerie, J. L., & Wondimu, E. A. (2003). Summary health statistics for U.S. children: National Health Interview Survey, 2001. *Vital and Health Statistics, 10*(216). Hyattsville, MD: National Center for Health Statistics.

Blum, R., & Reinhart, P. (2000). *Reducing the risk: Connections that make a difference in the lives of youth*. University of Minnesota, Division of General Pediatrics and Adolescent Health.

Boatman, D., Freeman, J., Vining, E., Pulsifer, M., Miglioretti, D., Minahan, R., et al. (1999). Language recovery after left hemispherectomy in children with late onset seizures. *Annals of Neurology, 46*(4), 579-586.

Bocskay, K. A., Tang, D., Orjuela, M. A., Liu, X., Warburton, D. P., & Perera, F. P. (2005). Chromosomal aberrations in cord blood are associated with prenatal exposure to carcinogenic polycyclic aromatic hydrocarbons. *Cancer Epidemiology Biomarkers and Prevention, 14*, 506-511.

Bodrova, E., & Leong, D. J. (2005). High quality preschool programs: What would Vygotsky say? *Early Education & Development, 16*(4), 437-446.

Bodrova, E., & Leong, D. J. (1998). Adult influences on play: The Vygotskian approach. In D. P. Fromberg & D. Bergen (Eds.), *Play from birth to twelve and beyond: Contexts, perspectives, and meanings* (pp. 277-282). New York: Garland.

Bogaert, A. F. (2005). Age at puberty and father absence in a national probability sample. *Journal of Adolescence, 28*, 541-546.

Bogaert, A. F. (2006). Biological versus nonbiological older brothers and men's sexual orientation. *Proceedings of the National Academy of Sciences, 103*, 10771-10774.

Bogaert A. F. (2008). Menarche and father absence in a national probability sample. *Journal of Biosocial Science, 40*(4), 623-636.

Bogard, K., & Takanishi, R. (2005). Pre-K through 3: An aligned and coordinated approach to education for children 3-8 years old. *Social Policy Report, 19*(3).

Bogatz, G. A., & Ball, S. (1971). *The second year of Sesame Street: A continuing education* (Vols. 1-2). Princeton, NJ: Educational Testing Service.

Bojczyk, K. E., & Corbetta, D. (2004). Object retrieval in the 1st year of life: Learning effects of task exposure and box transparency. *Developmental Psychology, 40*, 54-66.

Bollinger, M. B. (2003). Involuntary smoking and asthma severity in children: Data from the Third National Health and Nutrition Examination Survey (NHANES III). *Pediatrics, 112*, 471.

Bonham, V. L., Warshauer-Baker, E., & Collins, F. S. (2005). Race and ethnicity in the genome era. *American Psychologist, 60*, 9-15.

Booth, J. L., & Siegler, R. S. (2006). Developmental and individual differences in pure numerical estimation. *Developmental Psychology, 41*, 189-201.

Booth, J. R., Burman, D. D., Meyer, J. R., Lei, Z., Trommer, B. L., Davenport, D., et al. (2003). Neural development of selective attention and response inhibition. *Neuroimage, 20*, 737-751.

Booth, J. R., Perfetti, C.A., & MacWhinney, B. (1999). Quick, automatic, and general activation of orthographic and phonological representations in young readers. *Developmental Psychology, 35*(1), 3-19.

Borman, G., Boulay, M., Kaplan, J., Rachuba, L., & Hewes, G. (1999, December 13). *Evaluating the longterm impact of multiple summer interventions on the reading skills of low-income, early elementary students*. [Preliminary report, Year 1]. Baltimore, MD: Center for Social Organization of Schools, Johns Hopkins University.

Bornstein, D. (2010, November 8). Fighting bullying with babies. *The New York Times*. Retrieved from http://opinionator.blogs.nytimes.com/2010/11/08/fighting-bullying-with-babies/?emc=eta1

Bornstein, M. H. & Cote, L. R. (with Maital, S., Painter, K., Park, S. Y., Pascual, L., Pecheux, M. G., Ruel, J., et al.). (2004). Cross-linguistic analysis of vocabulary in young children: Spanish, Dutch, French, Hebrew, Italian, Korean, and American English. *Child Development, 75*, 1115-1139.

Bornstein, M. H., Hahn, C.-S., Bell, C., Haynes, O. M., Slater, A., Golding, J., et al. (2006). Stability in cognition across early childhood: A developmental cascade. *Psychological Science, 17*, 151-158.

Bornstein, M. H., Haynes, O. M., O'Reilly, A. W., & Painter, K. (1996). Solitary and collaborative pretense play in early childhood: Sources of individual variation in the development of representational competence. *Child Development, 67*, 2910-2929.

Bornstein, M. H., & Sigman, M. D. (1986). Continuity in mental development from infancy. *Child Development, 57*, 251-274.

Bornstein, M. H., & Tamis-LeMonda, C. S. (1994). Antecedents of information processing skills in infants: Habituation, novelty responsiveness, and cross-modal transfer. *Infant Behavior and Development, 17*, 371-380.

Borowsky, I. A., Ireland, M., & Resnick, M. D. (2001). Adolescent suicide attempts: Risks and protectors. *Pediatrics, 107*(3), 485-493.

Borse, N. N., Gilchrist, J., Dellinger, A. M., Rudd, R. A., Ballesteros, M. F., & Sleet, D. A. (2008). *CDC childhood injury reports: Patterns of unintentional injuries among 0-19 year olds in the United States, 2000-2006*. Atlanta, GA: Centers for Disease Control and Prevention, National Center for Injury Prevention and Control.

Bosch, J., Sullivan, S., Van Dyke, D. C., Su, H., Klockau, L., Nissen, K., et al. (2003). Promoting a healthy tomorrow here for children adopted from abroad. *Contemporary Pediatrics, 20*(2), 69-86.

Bosman, J. (2010, October). Picture books no longer a staple for children. *The New York Times*. Retrieved from http://www.nytimes.com/2010/10/08/us/08picture.html?emc=eta1

Boss, P. (2006). *Loss, trauma, and resilience: Therapeutic work with ambiguous loss*. New York: Norton.

Boss, P. (2007). Ambiguous loss theory: Challenges for scholars and practitioners. *Family Relations, 56*(2), 105-111.

Bouchard, T. J. (1994). Genes, environment, and personality. *Science, 264*, 1700-1701.

Bouchard, T. J. (2004). Genetic influence on human psychological traits: A survey. *Current Directions in Psychological Science, 13*, 148-154.

Bouchard, T. J., & McGue, M. (2003). Genetic and environmental influences on human psychological differences. *Developmental Neurobiology, 54*(1), 4-45.

Bouchey, H. A., & Furman, W. (2003). Dating and romantic experiences in adolescence. In G. R. Adams & M. D. Berzonsky (Eds.), *Blackwell handbook of adolescence* (pp. 313-329). Oxford, UK: Blackwell.

Boulton, M. J. (1995). Playground behaviour and peer interaction patterns of primary school boys classified as bullies, victims and not involved. *British Journal of Educational Psychology, 65*, 165-177.

Boulton, M. J., & Smith, P. K. (1994). Bully/victim problems in middle school children: Stability, self-perceived competence, peer perception, and peer acceptance. *British Journal of Developmental Psychology, 12*, 315-329.

Boutin, P., Dina, C., Vasseur, F., Dubois, S. S., Corset, L., Seron, K., et al. (2003). GAD2 on chromosome 10p12 is a candidate gene for human obesity. *Public Library of Science Biology, 1*(3), e68.

Bower, T.G.R. (1966). The visual world of infants. *Scientific American, 215*, 80-92.

Bowlby, J. (1951). Maternal care and mental health. *Bulletin of the World Health Organization, 3*, 355-534.

Bowlby, J. (1969). *Attachment and loss: Vol. I. Attachment*. London, UK: Hogarth Press & the Institute of Psychoanalysis.

Bowman, S. A., Gortmaker, S. L., Ebbeling, C. B., Pereira, M.A., & Ludwig, D. S. (2004). Effects of fast food consumption on energy intake and diet quality among children in a national household survey. *Pediatrics, 113*, 112-118.

Boyles, S. (2002, January 27). Toxic landfills may boost birth defects. *WebMD Medical News*. Retrieved February 5, 2007, from www.webmd.com/content/article/3606/25_1181.htm

Brabeck, M. M., & Shore, E. L. (2003). Gender differences in intellectual and moral development? The evidence refutes the claims. In J. Demick & C. Andreoletti (Eds.), *Handbook of adult development* (pp. 351-368). New York: Plenum Press.

Bracher, G., & Santow, M. (1999). Explaining trends in teenage childbearing in Sweden. *Studies in Family Planning, 30*, 169-182.

Bradley, R., & Caldwell, B. (1982). The consistency of the home environment and its relation to child development. *International Journal of Behavioral Development, 5*, 445-465.

Bradley, R., Caldwell, B., & Rock, S. (1988). Home environment and school performance: A ten-year follow-up and examination of three models of environmental action. *Child Development, 59*, 852-867.

Bradley, R. H. (1989). Home measurement of maternal responsiveness. In M. H. Bornstein (Ed.), *Maternal responsiveness: Characteristics and consequences* (pp. 63-74). [New Directions for Child Development No. 43]. San Francisco: Jossey-Bass.

Bradley, R. H., Corwyn, R. F., Burchinal, M., McAdoo, H. P., & Coll, C. G. (2001). The home environment of children in the United States: Part II: Relations with behavioral development through age thirteen. *Child Development, 72*(6), 1868-1886.

Bradley, R. H., Corwyn, R. F., McAdoo, H. P., & Coll, C. G. (2001). The home environment of children in the United States: Part I: Variation by age, ethnicity, and poverty status. *Child Development, 72*(6), 1844-1867.

Braine, M. (1976). Children's first word combinations. *Monographs of the Society for Research in Child Development, 41*(1). [Serial No. 164].

Brannon, E. M. (2002). The development of ordinal numerical knowledge in infancy. *Cognition, 83*, 223-240.

Branum, A., & Lukacs, S. L. (2008). *Food allergy among U.S. children: Trends in prevalence and hospitalizations.* [Data Brief No. 10]. Hyattsville, MD: National Center for Health Statistics.

Brass, L. M., Isaacsohn, J. L., Merikangas, K. R., & Robinette, C. D. (1992). A study of twins and stroke. *Stroke, 23*(2), 221-223.

Braswell, G. S. (2006). Sociocultural contexts for the early development of semiotic production. *Psychological Bulletin, 132*, 877-894.

Braswell, G. S., & Callanan, M. A. (2003). Learning to draw recognizable graphic representations during mother-child interactions. *Merrill-Palmer Quarterly, 49*, 471-494.

Bratton, S. C., & Ray, D. (2002). Humanistic play therapy. In D. J. Cain (Ed.), *Humanistic psychotherapies: Handbook of research and practice* (pp. 369-402). Washington, DC: American Psychological Association.

Braun, H., Jenkins, F., & Grigg, W. (2006). *A closer look at charter schools using hierarchical linear modeling* (NCES 2006-460). Washington, DC: U.S. Government Printing Office.

Braungart, J. M., Plomin, R., DeFries, J. C., & Fulker, D. W. (1992). Genetic influence on tester-rated infant temperament as assessed by Bayley's Infant Behavior Record: Nonadoptive and adoptive siblings and twins. *Developmental Psychology 28*, 40-47.

Braungart-Rieker, J. M., Garwood, M. M., Powers, B. P., & Wang, X. (2001). Parental sensitivity, infant affect, and affect regulation: Predictors

of later attachment. *Child Development, 72*, 252-270.

Bray, J. H., & Hetherington, E. M. (1993). Families in transition: Introduction and overview. *Journal of Family Psychology, 7*, 3-8.

Brazelton, T. B. (1973). *Neonatal Behavioral Assessment Scale.* Philadelphia, PA: Lippincott.

Brazelton, T. B. (1984). *Neonatal Behavioral Assessment Scale.* Philadelphia, PA: Lippincott.

Brazelton, T. B., & Nugent, J. K. (1995). *Neonatal Behavioral Assessment Scale* (3rd ed.). Cambridge, England: Cambridge University Press.

Brazelton, T. B., & Nugent, J. K. (2001). *Neonatal Behavioral Assessment Scale* (4th ed.). Wiley.

Breastfeeding and HIV International Transmission Study Group. (2004). Late postnatal transmission of HIV-1 in breastfed children: An individual patient data meta-analysis. *Journal of Infectious Diseases, 189*, 2154-2166.

Brendgen, M., Dionne, G., Girard, A., Boivin, M., Vitaro, F., & Perusse, D. (2005). Examining genetic and environmental effects on social aggression: A study of 6-year-old twins. *Child Development, 76*, 930-946.

Brenneman, K., Massey, C., Machado, S. F., & Gelman, R. (1996). Young children's plans differ for writing and drawing. *Cognitive Development, 11*, 397-419.

Brenner, R. A., Sismons-Morton, B. G., Bhaskar, B., Revenis, M., Das, A., & Clemens, J. D. (2003). Infant-parent bed sharing in an inner-city population. *Archives of Pediatrics and Adolescent Medicine, 57*, 33-39.

Brent, D. A., & Birmaher, B. (2002). Adolescent depression. *New England Journal of Medicine, 347*, 667-671.

Brent, D. A., & Mann, J. J. (2006). Familial pathways to suicidal behavior—understanding and preventing suicide among adolescents. *New England Journal of Medicine, 355*, 2719-2721.

Brent, M. R., & Siskind, J. M. (2001). The role of exposure to isolated words in early vocabulary development. *Cognition, 81*, 33-34.

Bretherton, I. (1990). Communication patterns, internal working models, and the intergenerational transmission of attachment relationships. *Infant Mental Health Journal, 11*(3), 237-252.

Brewaeys, A., Ponjaert, I., Van Hall, V. E., & Golombok, S. (1997). Donor insemination: Child development and family functioning in lesbian mother families. *Human Reproduction, 12*, 1349-1359.

Brezina, T. (1999). Teenage violence toward parents as an adaptation to family strain: Evidence from a national survey of male adolescents. *Youth & Society, 30*, 416-444.

Bridge, J. A., Iyengar, S., Salary, C. B., Barbe, R. P., Birmaher, B., Pincus, H. A., et al. (2007). Clinical response and risk for reported suicidal ideation and suicide attempts in pediatric antidepressant treatment: A meta-analysis of randomized controlled trials. *Journal of the American Medical Association, 297*, 1683-1696.

Briggs, J. L. (1970). *Never in anger.* Cambridge, MA: Harvard University Press.

Brin, D. J. (2004). The use of rituals in grieving for a miscarriage or stillbirth. *Women & Therapy, 27*, 123-132.

Brodowski, M. L., Nolan, C. M., Gaudiosi, J. A., Yuan, Y. Y., Zikratova, L., Oritz, M. J., et al. (2008). Nonfatal maltreatment of infants—United States, October 2005-September 2006. *Morbidity & Mortality Weekly Report, 57*(13), 336-339.

Brody, G. H. (1998). Sibling relationship quality: Its causes and consequences. *Annual Review of Psychology, 49*, 1-24.

Brody, G. H. (2004). Siblings' direct and indirect contributions to child development. *Current Directions in Psychological Science, 13*, 124-126.

Brody, G. H., Chen, Y.-F., Murry, V. M., Ge, X., Simons, R. L., Gibbons, F. X., et al. (2006). Perceived discrimination and the adjustment of African American youths: A five-year longitudinal analysis with contextual moderation effects. *Child Development, 77*(5), 1170-1189.

Brody, G. H., Ge., X., Conger, R., Gibbons, F. X., Murry, V. M., Gerrard, M., & Simons, R. L. (2001). The influence of neighborhood disadvantage, collective socialization, and parenting on African American children's affiliation with deviant peers. *Child Development, 72*(4), 1231-1246.

Brody, G. H., Kim, S., Murry, V. M., & Brown, A. C. (2004). Protective longitudinal paths linking child competence to behavioral problems among African American siblings. *Child Development, 75*, 455-467.

Brody, J. E. (1995, June 28). Preventing birth defects even before pregnancy. *New York Times*, p. C10.

Brody, L. R., Zelazo, P. R., & Chaika, H. (1984). Habituation-dishabituation to speech in the neonate. *Developmental Psychology, 20*, 114-119.

Broekmans, F. J., Soules, M. R., & Fauser, B. C. (2009). Ovarian aging: Mechanisms and clinical consequences. *Endocrine Reviews, 30*(5), 465-493.

Broidy, L. M., Tremblay, R. E., Brame, B., Fergusson, D., Horwood, J. L., Laird, R., et al. (2003). Developmental trajectories of childhood disruptive behaviors and adolescent delinquency: A six-site cross-national study. *Developmental Psychology, 39*(2), 222-245.

Bronfenbrenner, U. (1979). *The ecology of human development.* Cambridge, MA: Harvard University Press.

Bronfenbrenner, U. (1986). Ecology of the family as a context for human development: Research perspectives. *Developmental Psychology, 22*, 723-742.

Bronfenbrenner, U. (1994). Ecological models of human development. In T. Husen & T. N. Postlethwaite (Eds.), *International encyclopedia of education* (Vol. 3, 2nd ed., pp. 1643-1647). Oxford, U.K.: Pergamon Press/Elsevier Science.

Bronfenbrenner, U., & Morris, P. A. (1998). The ecology of developmental processes. In W. Damon (Series Ed.) & R. Lerner (Vol. Ed.), *Handbook of child psychology: Vol. I. Theoretical models of human development* (5th ed., pp. 993-1028). New York: Wiley.

Bronner, E. (1999, January 22). Social promotion is bad; repeating a grade may be worse. *New York*

*Times.* Retrieved from http://search.nytimes.com/search/daily/bin/fastweb?getdocPsitePsiteP13235POPwAA APsocial%7Epromotion

Bronstein, P., Clauson, J., Stoll, M. F., & Abrams, C. L. (1993). Parenting behavior and children's social, psychological, and academic adjustment in diverse family structures. *Family Relations, 42,* 268-276.

Brookmeyer, K. A., Henrich, C. C., & Schwab-Stone, M. (2005). Adolescents who witness community violence: Can parent support and prosocial cognitions protect them from committing violence? *Child Development, 76,* 917-929.

Brooks, R., & Meltzoff, A. N. (2002). The importance of eyes: How infants interpret adult looking behavior. *Developmental Psychology, 38,* 958-966.

Brooks, R., & Meltzoff, A. N. (2005). The development of gaze following and its relation to language. *Developmental Science, 8,* 535-543.

Brooks, R., & Meltzoff, A. N. (2008). Infant gaze following and pointing predict accelerated vocabulary growth through two years of age: A longitudinal, growth curve modeling study. *Journal of Child Language, 35,* 207-220.

Brooks-Gunn, J. (2003). Do you believe in magic? What can we expect from early childhood intervention programs? *SRCD Social Policy Report, 17*(1).

Brooks-Gunn, J., Britto, P. R., & Brady, C. (1998). Struggling to make ends meet: Poverty and child development. In M. E. Lamb (Ed.), *Parenting and child development in "non-traditional" families* (pp. 279-304). Mahwah, NJ: Erlbaum.

Brooks-Gunn, J., Duncan, G. J., Leventhal, T., & Aber, J. L. (1997). Lessons learned and future directions for research on the neighborhoods in which children live. In J. Brooks-Gunn, G. J. Duncan, & J. L. Aber (Eds.), *Neighborhood poverty: Context and consequences for children* (Vol. 1, pp. 279-297). New York: Russell Sage Foundation.

Brooks-Gunn, J., Han, W.-J., & Waldfogel, J. (2002). Maternal employment and child cognitive outcomes in the first three years of life: The NICHD study of early child care. *Child Development, 73,* 1052-1072.

Broude, G. J. (1995). *Growing up: A crosscultural encyclopedia.* Santa Barbara, CA: ABC-CLIO.

Brousseau, E. (2006, May). *The effect of maternal body mass index on efficacy of dinoprosteone vaginal insert for cervical ripening.* Paper presented at the annual meeting of the American College of Obstetricians and Gynecologists, Washington, D.C.

Brown, A. L., Metz, K. E., & Campione, J. C. (1996). Social interaction and individual understanding in a community of learners: The influence of Piaget and Vygotsky. In A. Tryphon & J. Voneche (Eds.), *Piaget-Vygotsky: The social genesis of thought* (pp. 145-170). Hove, England: Psychology/Erlbaum (UK) Taylor & Francis.

Brown, A. S., Begg, M. D., Gravenstein, S., Schaefer, C. A., Wyatt, R. J., Bresnahan, M., Babulas, V. P., & Susser, E. S. (2004). Serologic evidence of prenatal influence in the etiology of schizophrenia. *Archives of General Psychiatry, 61,* 774-780.

Brown, A. S., Tapert, S. F., Granholm, E., & Delis, D. C. (2000) Neurocognitive functioning of adolescents: Effects of protracted alcohol use. *Alcoholism: Clinical and Experimental Research, 24,* 64-171.

Brown, B. B., & Klute, C. (2003). Friendships, cliques, and crowds. In G. R. Adams & M. D. Berzonsky. (Eds.). *Blackwell handbook of adolescence* (pp. 330-348). Malden, MA: Blackwell.

Brown, B. B., Mounts, N., Lamborn, S. D., & Steinberg, L. (1993). Parenting practices and peer group affiliation in adolescence. *Child Development, 64,* 467-482.

Brown, G. L., Schoppe-Sullivan, S. J., Mangelsdorf, S. C., & Neff, C. (2010). Observed and reported supportive coparenting as predictors of infant-mother and infant-father attachment security. *Early Child Development and Care, 180*(1-2), 121-137.

Brown, J. D., L'Engle, K. L., Pardun, C. J., Guo, G., Kenneavy, K., & Jackson, C. (2006). Sexy media matter: Exposure to sexual content in music, movies, television, and magazines predicts black and white adolescents' sexual behavior. *Pediatrics, 117,* 1018-1027.

Brown, J. L. (1987). Hunger in the U.S. *Scientific American, 256*(2), 37-41.

Brown, J. R., & Dunn, J. (1996). Continuities in emotion understanding from three to six years. *Child Development, 67,* 789-802.

Brown, L. J., Kaste, L. M., Selwitz, R. H., & Furman, L. J. (1996). Dental caries and sealant usage in U.S. children, 1988-1991. *Journal of the American Dental Association, 127,* 335-343.

Brown, L. J., Wall, T. P., & Lazar, V. (2000). Trends in untreated caries in primary teeth of children 2-to 10-years old. *Journal of the American Dental Association, 131,* 93-100.

Brown, L. M., & Gilligan, C. (1990, April). *The psychology of women and the development of girls.* Paper presented at the Laurel-Harvard Conference on the Psychology of Women and the Education of Girls, Cleveland, OH.

Brown, P. (1993, April 17). Motherhood past midnight. *New Scientist,* pp. 4-8.

Brown, S. L. (2004). Family structure and child well-being: The significance of parental cohabitation. *Journal of Marriage and Family, 66,* 351-367.

Brown, S. S. (1985). Can low birth weight be prevented? *Family Planning Perspectives, 17*(3), 112-118.

Browne, A., & Finkelhor, D. (1986). Impact of child sexual abuse: A review of research. *Psychological Bulletin, 99*(1), 66-77.

Brownell, C. A., Ramani, G. B., & Zerwas, S. (2006). Becoming a social partner with peers: Cooperation and social understanding in one-and two-year-olds. *Child Development, 77,* 803-821.

Bruer, J. T. (2001). A critical and sensitive period primer. In D. B. Bailey, J. T. Bruer, F. J. Symons, & J. W. Lichtman (Eds.), *Critical thinking about critical periods: A series from the National Center for Early Development and Learning* (pp. 289-292). Baltimore, MD: Paul Brooks.

Bruner, A. B., Joffe, A., Duggan, A. K., Casella, J. F., & Brandt, J. (1996). Randomised study of

cognitive effects of iron supplementation in non-anaemic irondeficient adolescent girls. *Lancet, 348,* 992-996.

Brunson, K. L., Kramar, E., Lin, B., Chen, Y., Colgin, L. L., Yanagihara, T. K., Lynch, G., & Baram, T. Z. (2005). Mechanisms of late-onset cognitive decline after early-life stress. *Journal of Neuroscience, 25*(41), 9328-9338.

Bryant, B. K. (1987). Mental health, temperment, family, and friends: Perspectives on children's empathy and social perspective taking. In N. Eisenberg & J. Strayer (Eds.), Empathy and its development of competence in adolescence. *Child Development, 66,* 129-138.

Bryce, J., Boschi-Pinto, C., Shibuya, K., & the WHO Child Health Epidemiology Reference Group. (2005). WHO estimates of the causes of death in children. *Lancet, 365,* 1147-1152.

Buchanan, C. M., Eccles, J. S., & Becker, J. B. (1992). Are adolescents the victims of raging hormones? Evidence for activational effects of hormones on moods and behavior at adolescence. *Psychological Bulletin, 111*(1), 62-107.

Büchel, C., & Sommer, M. (2004). Unsolved mystery: What causes stuttering? *PLoS Biology, 2,* 0159-0163.

Buck Louis, G., Gray, L., Marcus, M., Ojeda, S., Pescovitz, O., Witchel, S., et al. (2008). Environmental factors and puberty timing: Expert panel research needs. *Pediatrics, 121,* S192-S207.

Buckner, J. C., Bassuk, E. L., Weinreb, L. F., & Brooks, M. G. (1999). Homelessness and its relation to the mental health and behavior of low-income school-age children. *Developmental Psychology, 35*(1), 246-257.

Buehler, C. (2006). Parents and peers in relation to early adolescent problem behavior. *Journal of Marriage and Family, 68,* 109-124.

Buhrmester, D. (1990). Intimacy of friendship, interpersonal competence, and adjustment during preadolescence and adolescence. *Child Development, 61,* 1101-1111.

Buhrmester, D. (1996). Need fulfillment, interpersonal competence, and the developmental contexts of early adolescent friendship. In W. M. Bukowski, A. F. Newcomb, & W. W. Hartup (Eds.), *The company they keep: Friendship in childhood and adolescence* (pp. 158-185). New York: Cambridge University Press.

Buhrmester, D., & Furman, W. (1990). Perceptions of sibling relationships during middle childhood and adolescence. *Child Development, 61,* 138-139.

Buist, K. L., Dekovic, M., & Prinzie, P. (2013). Sibling relationship quality and psychopathology of children and adolescents: A meta-analysis. *Clinical Psychology Review, 33*(1), 97-106.

Bulkley, K., & Fisler, J. (2002). *A decade of charter schools: From theory to practice.* Philadelphia, PA: Consortium for Policy Research in Education, Graduate School of Education, University of Pennsylvania.

Bunikowski, R., Grimmer, I., Heiser, A., Metze, B., Schafer, A., & Obladen, M. (1998). Neurodevelopmental outcome after prenatal exposure to opiates. *European Journal of Pediatrics, 157,* 724-730.

Burchinal, M. R., Campbell, F. A., Bryant, D. M., Wasik, B. H., & Ramey, C. T. (1997). Early intervention and mediating processes in cognitive performance of children of low-income African American families. *Child Development, 68,* 935-954.

Burchinal, M. R., Roberts, J. E., Nabors, L. A., & Bryant, D. M. (1996). Quality of center child care and infant cognitive and language development. *Child Development, 67,* 606-620.

Burhans, K. K., & Dweck, C. S. (1995). Helplessness in early childhood: The role of contingent worth. *Child Development, 66,* 1719-1738.

Burns, B. J., Phillips, S. D., Wagner, H. R., Barth, R. P., Kolko, D. J., Campbell, Y., & Landsverk, J. (2004). Mental health need and access to mental health services by youths involved with child welfare: A national survey. *Journal of the American Academy of Child & Adolescent Psychiatry, 43,* 960-970.

Burt, A., Annest, J. L., Ballesteros, M. F., & Budnitz, D. S. (2006). Nonfatal, unintentional medication exposures among young children—United States, 2001-2003. *Morbidity and Mortality Weekly Report, 55,* 1-5.

Bushman, B. J., & Huesmann, L. R. (2001). Effects of televised violence on aggression. In J. Singer & D. Singer (Eds.), *Handbook of children and the media* (pp. 223-254). Thousand Oaks, CA: Sage.

Bushnell, E. W., & Boudreau, J. P. (1993). Motor development and the mind: The potential role of motor abilities as a determinant of aspects of perceptual development. *Child Development, 64,* 1005-1021.

Bussey, K. (2011). Gender identity development. In S. J. Schwarts, K. Luyckx, and V. L. Vignoles (Eds.). *Handbook of Identity Theory and Research: Vol. 1. structures and processes* (pp. 603-628). New York: NY: Springer.

Bussey, K., & Bandura, A. (1992). Self-regulatory mechanisms governing gender development. *Child Development, 63,* 1236-1250.

Bussey, K., & Bandura, A. (1999). Social cognitive theory of gender development and differentiation. *Psychological Review, 106,* 676-713.

Byrne, M., Agerbo, E., Ewald, H., Eaton, W. W., & Mortensen, P. B. (2003). Parental age and risk of schizophrenia. *Archives of General Psychiatry, 60,* 673-678.

Byrnes, J. P., & Fox, N. A. (1998). The educational relevance of research in cognitive neuroscience. *Educational Psychology Review, 10,* 297-342.

Bystron, I., Rakic, P., Molnar, Z., & Blakemore, C. (2006). The first neurons of the human cerebral cortex. *Nature Neuroscience, 9*(7), 880-886.

Caballero, B. (2006). Obesity as a consequence of undernutrition. *Journal of Pediatrics, 149*(5, Suppl. 1), 97-99.

Cabrera, N. J., Tamis-LeMonda, C. S., Bradley, R. H., Hofferth, S., & Lamb, M. E. (2000). Fatherhood in the twenty-first century. *Child Development, 71,* 127-136.

Cacciatore, J. (2007). Effects of support groups on post traumatic stress responses in women experiencing stillbirth. *Omega, 55,* 71-90.

Cacciatore, J., DeFrain, J., & Jones, K.L.C. (2008). When a baby dies: Ambiguity and stillbirth. *Marriage & Family Review, 44*(4), 439-454.

Caelli, K., Downie, J., & Letendre, A. (2002). Parents' experiences of midwife-managed care following the loss of a baby in a previous pregnancy. *Journal of Advanced Nursing, 39,* 127-136.

Caldji, C., Diorio, J., & Meaney, M. J. (2003). Variations in maternal care alter GABA(A) receptor subunit expression in brain regions associated with fear. *Neuropsychopharmacology, 28,* 1950-1959.

Caldwell, B. M., & Bradley, R. H. (1984). *Home observation for measurement of the environment.* Unpublished manuscript, University of Arkansas at Little Rock.

Calkins, S. D., & Fox, N. A. (1992). The relations among infant temperament, security of attachment, and behavioral inhibition at twenty-four months. *Child Development, 63,* 1456-1472.

Camarata, S., & Woodcock, R. (2006). Sex differences in processing speed: Developmental effects in males and females. *Intelligence, 34*(3), 231-252.

Cameron, L., Rutland, A., Brown, R., & Douch, R. (2006). Changing children's intergroup attitudes towards refugees: Testing different models of extended contact. *Child Development, 77,* 1208-1219.

Campbell, A., Shirley, L., & Candy, J. (2004). A longitudinal study of gender-related cognition and behaviour. *Developmental Science, 7,* 1-9.

Campbell, A., Shirley, L., Heywood, C., & Crook, C. (2000). Infants' visual preference for sex-congruent babies, children, toys, and activities: A longitudinal study. *British Journal of Developmental Psychology, 18,* 479-498.

Campbell, F. A., Ramey, C. T., Pungello, E., Sparling, J., & Miller-Johnson, S. (2002). Early childhood education: Young adult outcomes from the Abecedarian Project. *Applied Developmental Science, 6*(1), 42-57.

Campos, J., Bertenthal, B., & Benson, N. (1980, April). *Self-produced locomotion and the extraction of form invariance.* Paper presented at the meeting of the International Conference on Infant Studies, New Haven, CT.

Canfield, R. L., Henderson, C. R., Cory-Slechta, D. A., Cox, C., Jusko, T. A., & Lanphear, B. P. (2003). Intellectual impairment in children with blood lead concentrations below 10 adolescence to young adulthood: Prevalence, prediction, and association with STD contraction. *Developmental Psychology, 38,* 394-406.

Cantor, J. (1994). Confronting children's fright responses to mass media. In D. Zillman, J. Bryant, & A. C. Huston (Eds.), *Media, children, and the family: Social scientific, psychoanalytic, and clinical perspectives* (pp. 139-150). Hillsdale, NJ: Erlbaum.

Cao, A., Rosatelli, M. C., Monni, G., & Galanello, R. (2002). Screening for thalassemia: A model of success. *Obstetrics and Gynecology Clinics of North America, 29*(2), 305-328.

Capaldi, D. M., Stoolmiller, M., Clark, S., & Owen, L. D. (2002). Heterosexual risk behaviors in at-risk young men from early adolescence to young adulthood: Prevalence, prediction, and STD contraction. *Developmental Psychology, 38,* 394-406.

Caplan, M., Vespo, J., Pedersen, J., & Hay, D. F. (1991). Conflict and its resolution in small groups of one-and two-year olds. *Child Development, 62,* 1513-1524.

Caprara, G. V., Fida, R., Vecchione, M., Del Bove, G., Vecchio, G. M., Barbaranelli, et al. (2008). Longitudinal analysis of the role of perceived self-efficacy for self-regulated learning in academic continuance and achievement. *Journal of Educational Psychology, 100*(3), 525-534.

Capute, A. J., Shapiro, B. K., & Palmer, F. B. (1987). Marking the milestones of language development. *Contemporary Pediatrics, 4*(4), 24.

Card, N., Stucky, B., Sawalani, G., & Little, T., (2008) Direct and indirect aggression during childhood and adolescence: A meta-analytic review of gender differences, intercorrelations, and relations to maladjustment. *Child Development, 79*(5), 1185-1229.

Carlson, E. A. (1998). A prospective longitudinal study of attachment disorganization/disorientation. *Child Development, 69*(4), 1107-1128.

Carlson, E. A., Sroufe, L. A., & Egeland, B. (2004). The construction of experience: A longitudinal study of representation and behavior. *Child Development, 75,* 66-83.

Carlson, M. J. (2006). Family structure, father involvement, and adolescent behavioral outcomes. *Journal of Marriage and Family, 68,* 137-154.

Carlson, S. M., Moses, L. J., & Hix, H. R. (1998). The role of inhibitory processes in young children's difficulties with deception and false belief. *Child Development, 69*(3), 672-691.

Carlson, S. M., & Taylor, M. (2005). Imaginary companions and impersonated characters: Sex differences in children's fantasy play. *Merrill-Palmer Quarterly, 51*(1), 93-118.

Carlson, S. M., Wong, A., Lemke, M., & Cosser, C. (2005). Gesture as a window in children's beginning understanding of false belief. *Child Development, 76,* 73-86.

Carmichael, M. (2004, January 26). In parts of Asia, sexism is ingrained and gender selection often means murder. No girls, please. *Newsweek,* p. 50.

Carnethon, M. R., Gulati, M., & Greenland, P. (2005). Prevalence and cardiovascular disease correlates of low cardiorespiratory fitness in adolescents and adults. *Journal of the American Medical Association, 294,* 2981-2988.

Carothers, S. S., Borkowski, J. G., Lefever, J. B., & Whitman, T. L. (2005). Religiosity and the socioemotional adjustment of adolescent mothers and their children. *Journal of Family Psychology, 19,* 263-275.

Carraher, T. N., Schliemann, A. D., & Carraher, D. W. (1988). Mathematical concepts in everyday life. In G. B. Saxe & M. Gearhart (Eds.), *Children's mathematics. New Directions in Child Development, 41,* 71-87.

Carrel, L., & Willard, B. F. (2005). X-inactivation profile reveals extensive variability in X-linked gene expression in females. *Nature, 434,* 400-404.

Carskadon, M.A., Acebo, C., Richardson, G. S., Tate, B. A., & Seifer, R. (1997). Long nights protocol: Access to circadian parameters in adolescents. *Journal of Biological Rhythms, 12*, 278-289.

Carter, R. C., Jacobson, S. W., Molteno, C. D., Chiodo, L. M., Viljoen, D., & Jacobson, J. L. (2005). Effects of prenatal alcohol exposure on infant visual acuity. *The Journal of Pediatrics, 147*(4), 473-479.

Carver, P. R., & Iruka, I. U. (2006). *After-school programs and activities: 2005* (NCES 2006-076). Washington, DC: National Center for Education Statistics.

Casaer, P. (1993). Old and new facts about perinatal brain development. *Journal of Child Psychology and Psychiatry, 34*(1), 101-109.

Case, R. (1985). *Intellectual development: Birth to adulthood.* Orlando, FL: Academic Press.

Case, R. (1992). Neo-Piagetian theories of child development. In R. Sternberg & C. Berg (Eds.), *Intellectual development* (pp. 161-196). New York: Cambridge University Press.

Case, R., & Okamoto, Y. (1996). The role of central conceptual structures in the development of children's thought. *Monographs of the Society for Research in Child Development, 61*(1-2). [Serial No. 246].

Casper, L. M. (1997). My daddy takes care of me: Fathers as care providers. *Current Population Reports* (P70-59). Washington, DC: U.S. Bureau of the Census.

Caspi, A. (2000). The child is father of the man: Personality continuity from childhood to adulthood. *Journal of Personality and Social Psychology, 78*, 158-172.

Caspi, A., Lynam, D., Moffitt, T. E., & Silva, P. (1993). Unraveling girls' delinquency: Biological, dispositional, and contextual contributions to adolescent misbehavior. *Developmental Psychology, 29*(1), 19-30.

Caspi, A., McClay, J., Moffitt, T. E., Mill, J., Martin, J., Craig, I. W., Taylor, A., & Poulton, R. (2002). Role of genotype in the cycle of violence in maltreated children. *Science, 297*, 851-854.

Caspi, A., & Silva, P. (1995). Temperamental qualities at age 3 predict personality traits in young adulthood: Longitudinal evidence from a birth cohort. *Child Development, 66*, 486-498.

Caspi, A., Sugden, K., Moffitt, T. E., Taylor, A., Craig, I. W., Harrington, H., et al. (2003). Influence of life stress on depression: Moderation by a polymorphism in the 5-HTT gene. *Science, 301*, 386-389.

Cassidy, K. W., Werner, R. S., Rourke, M., Zubernis, L. S., & Balaraman, G. (2003). The relationship between psychological understanding and positive social behaviors. *Social Development, 12*, 198-221.

Caughey, A. B., Hopkins, L. M., & Norton, M. E. (2006). Chorionic villus sampling compared with amniocentesis and the difference in the rate of pregnancy loss. *Obstetrics and Gynecology, 108*, 612-616.

Ceci, S. J. (1991). How much does schooling influence general intelligence and its cognitive components? A reassessment of the evidence. *Developmental Psychology, 27*, 703-722.

Ceci, S. J., & Gilstrap, L. L. (2000). Determinants of intelligence: Schooling and intelligence. In A. Kazdin (Ed.), *Encyclopedia of psychology.* Washington, DC, & New York: American Psychological Association and Oxford University Press.

Ceci, S. J., & Williams, W. M. (1997). Schooling, intelligence, and income. *American Psychologist, 52*(10), 1051-1058.

Celis, W. (1990, August 16). More states are laying school paddle to rest. *New York Times*, pp. A1, B12.

Center for Education Reform. (2004, August 17). *Comprehensive data discounts New York Time account; reveals charter schools performing at or above traditional schools.* [CER Press Release]. Retrieved from www.edreform.com/Press_Box/Press _Releases/?Charter_ Schools_Produce_Strong _Student_ Achievement&year=2004

Center for Education Reform. (2008). *Just the FAQs—charter schools.* Retrieved April 8, 2008, from www.edreform.com/index.cfm?fuseAction= document&documentID=60&sectionID=67&NE WSYEAR=2008

Center for Effective Discipline. (2005). *Facts about corporal punishment in Canada.* Retrieved April 20, 2005, from www.stophitting.com/news

Center for Law and Social Policy. (2008). *Head Start participants, programs, families, and staff in 2006.* [Fact sheet]. Washington, DC: Author.

Center for Weight and Health. (2001). *Pediatric overweight: A review of the literature: Executive summary.* Berkeley: University of California at Berkeley.

Center on Addiction and Substance Abuse at Columbia University (CASA). (1996, June). *Substance abuse and the American woman.* New York: Author.

Centers for Disease Control and Prevention (CDC). (2000a). *CDC's guidelines for school and community programs: Promoting lifelong physical activity.* Retrieved May 26, 2000, from www.cdc.gov/nccdphp/dash/phactaag.htm

Centers for Disease Control and Prevention (CDC). (2000b). *Tracking the hidden epidemic: Trends in STDs in the U.S., 2000.* Washington, DC: Author.

Centers for Disease Control and Prevention (CDC). (2001). Recommendations for using fluoride to prevent and control dental caries in the United States. *Morbidity and Mortality Weekly Report, 50*(RR14), 1-42.

Centers for Disease Control and Prevention (CDC). (2004). National, state, and urban area vaccination coverage among children aged 19-36 months—United States, 2003. *Morbidity and Mortality Weekly Report, 53*, 658-661.

Centers for Disease Control and Prevention (CDC). (2005a). *Assisted reproductive technology: Home.* Retrieved January 25, 2006, from www.cdc.gov/ART/

Centers for Disease Control and Prevention (CDC). (2006a). Achievements in public health: Reduction in perinatal transmission of HIV infection—United States, 1985-2005. *Morbidity and Mortality Weekly Report, 55*(21), 592-597.

Centers for Disease Control and Prevention (CDC). (2006b). Improved national prevalence estimates for 18 selected major birth defects—United States, 1999-2001. *Morbidity and Mortality Weekly Report, 54*(51 & 52), 1301-1305.

Centers for Disease Control and Prevention (CDC). (2006c). Recommendations to improve preconception health and health care—United States. *Morbidity and Mortality Weekly Report, 55*(RR06), 1-23.

Centers for Disease Control and Prevention (CDC). (2007a, June). Cases of HIV infection and AIDS in the United States and dependent areas, 2005. *HIV/AIDS Surveillance_Report, 17* (Rev. ed.).

Centers for Disease Control and Prevention (CDC). (2007b). Trends in oral health status: United States, 1988-1994 and 1999-2004. *Vital Health Statistics, 11*(248).

Centers for Disease Control and Prevention (CDC). (2007c). *Web-based Injury Statistics Query and Reporting System.* Retrieved June 2007 from www.cdc.gov/injury/wisqars/index.html

Centers for Disease Control and Prevention (CDC). (2008a). Prevalence of self-reported postpartum depressive symptoms—17 states, 2004-2005. *Morbidity and Mortality Weekly Report, 57*(14), 361-366.

Centers for Disease Control and Prevention (CDC). (2008b, Summer). *Suicide: Facts at a glance.* Atlanta, GA: Author.

Centers for Disease Control and Prevention (CDC). (2008c). *Understanding teen dating violence.* [Fact sheet]. Atlanta, GA: Author.

Centers for Disease Control and Prevention (CDC). (2009). Births, marriages, divorces, and deaths: Provisional data for 2008. *National Vital Statistics Reports, 57*(19).

Centers for Disease Control and Prevention (CDC). (2010). NCHS Data Brief: Mortality among teenagers aged 12-19 years: United States, 1999-2006. Retrieved January 4, 2013, from http://www.cdc.gov/nchs/data/databriefs/db37.htm

Centers for Disease Control and Prevention (CDC). (2012). Youth Risk Behavior Survveillance—2011. Accessed January 4, 2013: http://www.cdc.gov/mmwr/pdf/ss/ss6104.pdf

Centers for Disease Control and Prevention (CDC). (2012a). Sexual Experience and Contraceptive Use among Female Teens—United States, 1995, 2002, and 2006-2010. *Morbidity and Mortality Weekly Report, 61*(17), 297-301.

Centers for Medicare and Medicaid Services. (2009). *Low cost health insurance for families and children.* Retrieved from www.cms.hhs.gov/lowcosthealthinsfamchild/

Central Intelligence Agency. (2008, December 4.) *The world factbook: United States.* Retrieved December 14, 2008, from www.cia.gov/library/publications/the-world-factbook/geos/us.html

Ceppi, G., & Zini, M. (1998). *Children, spaces, relations: Metaproject for an environment for young children.* Eggio Emilia, Italy: Municipality of Reggio Emilia Inanzia ricerca.

Chambers, C. D., Hernandez-Diaz, S., Van Marter, L. J., Werler, M. M., Louik, C., Jones, K. L., & Mitchell, A. A. (2006). Selective serotonin-reuptake inhibitors and risk of persistent pulmonary hypertension of the newborn. *New England Journal of Medicine, 354,* 579-587.

Chambers, R. A., Taylor, J. R., & Potenza, M. N. (2003). Developmental neurocircuitry of motivation in adolescence: A critical period of addiction vulnerability. *American Journal of Psychiatry, 160,* 1041-1052.

Chan, R. W., Raboy, B., & Patterson, C. J. (1998). Psychosocial adjustment among children conceived via donor insemination by lesbian and heterosexual mothers. *Child Development, 69,* 443-457.

Chandra, A., Martin, S., Collins, R., Elliott, M., Berry, S., Kanouse, D., & Miu, A. (2008). Does watching sex on television predict teen pregnancy? Findings from a National Longitudinal Survey of Youth. *Pediatrics, 122*(5), 1047-1054.

Chao, R. K. (1994). Beyond parental control and authoritarian parenting style: Understanding Chinese parenting through the cultural notion of training. *Child Development, 65,* 1111-1119.

Chao, R. K. (1996). Chinese and European American mothers' beliefs about the role of parenting in children's school success. *Journal of Cross-Cultural Psychology, 27,* 403-423.

Chao, R. K. (2001). Extending research on the consequences of parenting style for Chinese Americans and European Americans. *Child Development, 72,* 1832-1843.

Chapman, C., Laird, J., & Kewal-Ramani, A. (2010). *Trends in high school dropout and completion rates in the United States: 1972-2008* (NCES 2011-012). Retrieved from National Center for Education Statistics website: http://nces.ed.gov/pubsearch

Chapman, M., & Lindenberger, U. (1988). Functions, operations, and décalage in the development of transitivity. *Developmental Psychology, 24,* 542-551.

Charlesworth, A., & Glantz, S. A. (2005). Smoking in the movies increases adolescent smoking: A review. *Pediatrics, 116,* 1516-1528.

Chehab, F. F., Mounzih, K., Lu, R., & Lim, M. E. (1997). Early onset of reproductive function in normal female mice treated with leptin. *Science, 275,* 88-90.

Chen, A., & Rogan, W. J. (2004) Breastfeeding and the risk of postneonatal death in the United States. *Pediatrics, 113,* 435-439.

Chen, C., & Stevenson, H. W. (1995). Motivation and mathematics achievement: A comparative study of Asian-American, Caucasian-American, and East Asian high school students. *Child Development, 66,* 1215-1234.

Chen, E., Matthews, K. A., & Boyce, W. T. (2002). Socioeconomic differences in children's health: How and why do these relationships change with age? *Psychological Bulletin, 128,* 295-329.

Chen, L., Baker, S. B., Braver, E. R., & Li, G. (2000). Carrying passengers as a risk factor for crashes fatal to 16-and 17-year-old drivers. *Journal of the American Medical Association, 283*(12), 1578-1582.

Chen, P. C., & Wang, J. D. (2006). Parental exposure to lead and small for gestational age births. *American Journal of Industrial Medicine 49*(6), 417-422.

Chen, P.-L., Avramopoulos, D., Lasseter, V. K., McGrath, J. A., Fallin, M. D., Liang, K-Y., et al. (2009). Fine mapping on chromosome 10q22-q23 implicates *Neuregulin 3* in schizophrenia. *American Journal of Human Genetics, 84,* 21-34.

Chen, W., Li, S., Cook, N. R., Rosner, B. A., Srinivasan, S. R., Boerwinkle, E., & Berenson, G. S. (2004). An autosomal genome scan for loci influencing longitudinal burden of body mass index from childhood to young adulthood in white sibships. The Bogalusa Heart Study. *International Journal of Obesity, 28,* 462-469.

Chen, X., Cen, G., Li, D., & He, Y. (2005). Social functioning and adjustment in Chinese children: The imprint of historical time. *Child Development, 76,* 182-195.

Cheruku, S. R., Montgomery-Downs, H. E., Farkas, S. L., Thoman, E. B., & Lammi-Keefe C. J. (2002). Higher maternal plasma docosahexaenoic acid during pregnancy is associated with more mature neonatal sleep-state patterning. *American Journal of Clinical Nutrition, 76,* 608-613.

Chervin, R. D., Ruzicka, D. L., Giordani, B. J., Weatherly, R. A., Dillon, J. E., Hodges, E. K., et al. (2006). Sleep-disordered breathing, behavior, and cognition in children before and after adenotonsillectomy. *Pediatrics, 117,* e-769-e788.

Chess, S., & Thomas, A. (1982). Infant bonding: Mystique and reality. *American Journal of Orthopsychiatry, 52*(2), 213-222.

Child Trends Databank. (2012). Sexually active teens: Indicators on children and youth. Retrieved April 4, 2013, from http://www.childtrendsdatabank.org/sites/default/files/23_Sexually_Active_Teens.pdf

Child Trends Databank. (2013). *Family structure: Indicators on children and youth.* Retrieved from http://www.childtrendsdatabank.org/sites/default/files/59_Family_Structure.pdf

Child Welfare Information Gateway. (2008a). *Child abuse and neglect fatalities: Statistics and interventions.* Retrieved November 4, 2008, from www.childwelfare.gov/factsheets/pubs/fatality.cfm

Child Welfare Information Gateway. (2008b). *Preventing child abuse and neglect.* Retrieved February 9, 2009, from www.childwelfare.gov/preventing/

Children in North America Project. (2008). *Growing up in North America: The economic well-being of children in Canada, the United States, and Mexico.* Baltimore, MD: Annie E. Casey Foundation.

Children's Defense Fund. (1998). *The state of America's children yearbook, 1998.* Washington, DC: Author.

Children's Defense Fund. (2004). *The state of America's children 2004.* Washington, DC: Author.

Children's Defense Fund. (2008). *The state of America's children 2008.* Washington, DC: Author.

Children's Defense Fund. (2012). *The state of America's children handbook 2012.* Retrieved January 7, 2013, from http://www.childrensdefense.org/child-research-data-publications/data/soac-2012-handbook.pdf

Chiriboga, C. A., Brust, J.C.M., Bateman, D., & Hauser, W. A. (1999). Dose-response effect of fetal cocaine exposure on newborn neurologic function. *Pediatrics, 103,* 79-85.

Chodirker, B. N., Cadrin, C., Davies, G., Summers, A. M., Wilson, R. D., Winsor, E.J.T., & Young, D. (2001, July). Canadian guidelines for prenatal diagnosis: Techniques of prenatal diagnosis. *JOGC Clinical Practice Guidelines, 105.*

Chomitz, V. R., Cheung, L.W.Y., & Lieberman, E. (1995). The role of lifestyle in preventing low birth weight. *The Future of Children, 5*(1), 121-138.

Chomsky, C. S. (1969). *The acquisition of syntax in children from five to ten.* Cambridge, MA: MIT Press.

Chomsky, N. (1957). *Syntactic structures.* The Hague, The Netherlands: Mouton.

Chomsky, N. (1972). *Language and mind* (2nd ed.). New York: Harcourt Brace Jovanovich.

Chomsky, N. (1995). *The minimalist program.* Cambridge, MA: MIT Press.

Chorpita, B. P., & Barlow, D. H. (1998). The development of anxiety: The role of control in the early environment. *Psychological Bulletin, 124,* 3-21.

Christakis, D. A., Zimmerman, F. J., DiGiuseppe, D. L., & McCarty, C. A. (2004). Early television exposure andsubsequent attentional problems in children. *Pediatrics, 113,* 708-713.

Christakis, N. A., & Fowler, J. H. (2007). The spread of obesity in a large social network over 32 years. *New England Journal of Medicine, 357,* 370-379.

Christian, M. S., & Brent, R. L. (2001). Teratogen update: Evaluation of the reproductive and developmental risks of caffeine. *Teratology, 64*(1), 51-78.

Christie, J. F. (1998). Play as a medium for literacy development. In D. P. Fromberg & D. Bergen (Eds.), *Play from birth to 12 and beyond: Contexts, perspectives, and meanings* (pp. 50-55). New York: Garland.

Chu, S. Y., Bachman, D. J., Callaghan, W. M., Whitlock, E. P., Dietz, P. M., Berg, C. J., et al. (2008). Association between obesity during pregnancy and increased use of health care. *New England Journal of Medicine, 358,* 1444-1453.

Chua, E. F., Schacter, D. L., Rand-Giovanetti, E., & Sperling, R. A. (2006). Understanding metamemory: Neural correlates of the cognitive process and subjective level of confidence in recognition memory. *Neuroimage, 29*(4), 1150-1160.

Chung, H. L., & Steinberg, L. (2006). Relations between neighborhood factors, parenting behaviors, peer deviance, and delinquency among serious juvenile offenders. *Developmental Psychology, 42,* 319-331.

Cicchetti, D., & Toth, S. L. (1998). The development of depression in children and adolescents. *American Psychologist, 53,* 221-241.

Cicchino, J. B., & Rakison, D. H. (2008). Producing and processing self-propelled motion in infancy. *Developmental Psychology, 44,* 1232-1241.

Cicero, S. Curcio, P., Papageorghiou, A., Sonek, J., & Nicolaides, K. (2001). Absence of nasal bone in fetuses with trisomy 21 at 11-14 weeks of gestation: An observational study. *Lancet, 358,* 1665-1667.

Cicirelli, V. G. (1976). Family structure and interaction: Sibling effects on socialization. In M. F. McMillan & S. Henao (Eds.), *Child psychiatry: Treatment and research* (pp. 190-203). New York: Brunner/Mazel.

Cicirelli, V. G. (1994). Sibling relationships in cross-cultural perspective. *Journal of Marriage and the Family, 56,* 7-20.

Cicirelli, V. G. (1995). *Sibling relationships across the life span.* New York: Plenum Press.

Cillessen, A.H.N., & Mayeux, L. (2004). From censure to reinforcement: Developmental changes in the association between aggression and social status. *Child Development, 75,* 147-163.

Clark, L., & Tiggeman, M. (2008) Sociocultural and individual psychology predictors of body image in young girls: A prospective study. *Developmental Psychology, 44,* 1124-1134.

Clark, S. L. (2012). Strategies for reducing maternal mortality. *Seminars in Perinatology, 36*(1), 42-47.

Clarke-Stewart, K. A. (1987). Predicting child development from day care forms and features: The Chicago study. In D. A. Phillips (Ed.), *Quality in child care: What does the research tell us?* Washington, DC: National Association for the Education of Young Children.

Clayton, E. W. (2003). Ethical, legal, and social implications of genomic medicine. *New England Journal of Medicine, 349,* 562-569.

Clearfield, M. W., & Mix, K. S. (1999). Number versus contour length in infants' discrimination of small visual sets. *Current Directions in Psychological Science, 10,* 408-411.

Clément, K., Vaisse, C., Lahlou, N., Cabrol, S., Pelloux, V., Cassuto, D., et al. (1998). A mutation in the human leptin receptor gene causes obesity and pituitary dysfunction. *Nature, 392,* 398-401.

Cleveland, E., & Resse, E. (2005). Maternal structure and autonomy support in conversations about the past: Contributions to children's autobiographical memory. *Developmental Psychology, 41,* 376-388.

Cleveland, H. H., & Wiebe, R. P. (2003). The moderation of adolescent-to-peer similarity in tobacco and alcohol use by school level of substance use. *Child Development, 74,* 279-291.

Clifton, R. K., Muir, D. W., Ashmead, D. H., & Clarkson, M. G. (1993). Is visually guided reaching in early infancy a myth? *Child Development, 64,* 1099-1110.

Coffman, J. L., Ornstein, P. A., McCall, L. W., & Curran, P. J. (2008) Linking teachers' memory-relevant language and the development of children's memory skills. *Developmental Psychology, 44,* 1640-1654.

Cohany, S. R., & Sok, E. (2007). Trends in labor force participation of married mothers of infants. *Monthly Labor Review, 9-16.*

Cohen, L. B., & Amsel, L. B. (1998). Precursors to infants' perception of the causality of a simple event. *Infant Behavior and Development, 21,* 713-732.

Cohen, L. B., Chaput, H. H., & Cashon, C. H. (2002). A constructivist model of infant cognition. *Cognitive Development, 17,* 1323-1343.

Cohen, L. B., & Marks, K. S. (2002). How infants process addition and subtraction events. *Developmental Science, 5,* 186-201.

Cohen, L. B., & Oakes, L. M. (1993). How infants perceive a simple causal event. *Developmental Psychology, 29,* 421-433.

Cohen, L. B., Rundell, L. J., Spellman, B. A., & Cashon, C. H. (1999). Infants' perception of causal chains. *Current Directions in Psychological Science, 10,* 412-418.

Cohn, J. F., & Tronick, E. Z. (1983). Three-month-old infants' reaction to simulated maternal depression. *Child Development, 54*(1), 185-193.

Coie, J. D., & Dodge, K. A. (1998). Aggression and antisocial behavior. In W. Damon (Series Ed.) & N. Eisenberg (Vol. ed.), *Handbook of child psychology: Vol. 3. Social, emotional, and personality development* (5th Ed., pp. 780-862). New York: Wiley.

Colby, A., & Damon, W. (1992). *Some do care: Contemporary lives of moral commitment.* New York: Free Press.

Colby, A., Kohlberg, L., Gibbs, J., & Lieberman, M. (1983). A longitudinal study of moral development. *Monographs of the Society for Research in Child Development, 48*(1-2). [Serial No. 200].

Cole, M. (1998). *Cultural psychology: A once and future discipline.* Cambridge, MA: Belknap.

Cole, P. M., Barrett, K. C., & Zahn-Waxler, C. (1992). Emotion displays in two-year-olds during mishaps. *Child Development, 63,* 314-324.

Cole, P. M., Bruschi, C. J., & Tamang, B. L. (2002). Cultural differences in children's emotional reactions to difficult situations. *Child Development, 73*(3), 983-996.

Cole, T. B. (1999). Ebbing epidemic: Youth homicide rate at a 14-year low. *Journal of the American Medical Association, 281,* 25-26.

Coleman, J. S. (1988). Social capital in the creation of human capital. *American Journal of Sociology, 94*(Suppl. 95), S95-S120.

Coleman-Phox, K., Odouli, R., & Li, D-K. (2008). Use of a fan during sleep and the risk of sudden infant death syndrome. *Archives of Pediatric & Adolescent Medicine, 162*(10), 963-968.

Coley, R. L., Morris, J. E., & Hernandez, D. (2004). Out-of-school care and problem behavior trajectories among low-income adolescents: Individual, family, and neighborhood characteristics as added risks. *Child Development, 75,* 948-965.

Coley, R. L., Votruba-Drzal, E., & Schindler, H. S. (2009). Fathers' and mothers' parenting predicting and responding to adolescent sexual risk behaviors. *Child Development, 80,* 808-827.

Collier, V. P. (1995). Acquiring a second language for school. *Directions in Language and Education, 1*(4), 1-11.

Collins, J. G., & LeClere, F. B. (1997). *Health and selected socioeconomic characteristics of the family: United States, 1988-90* (DHHS No. PHS 97-1523). Washington, DC: U.S. Government Printing Office.

Collins, W. A., Maccoby, E. E., Steinberg, L., Hetherington, E. M., & Bornstein, M. H. (2000). Contemporary research in parenting: The case

for nature and nurture. *American Psychologist, 55,* 218-232.

Colombo, J. (1993). *Infant cognition: Predicting later intellectual functioning.* Thousand Oaks, CA: Sage.

Colombo, J. (2002). Infant attention grows up: The emergence of a developmental cognitive neuroscience perspective. *Current Directions in Psychological Science, 11,* 196-200.

Colombo, J., & Janowsky, J. S. (1998). A cognitive neuroscience approach to individual differences in infant cognition. In J. E. Richards (Ed.), *Cognitive neuroscience of attention* (pp. 363-391). Mahwah, NJ: Erlbaum.

Colombo, J., Kannass, K. N., Shaddy, J., Kundurthi, S., Maikranz, J. M., Anderson, C. J., et al. (2004). Maternal DHA and the development of attention in infancy and toddlerhood. *Child Development, 75,* 1254-1267.

Coltrane, S., & Adams, M. (1997). Work-family imagery and gender stereotypes: Television and the reproduction of difference. *Journal of Vocational Behavior, 50,* 323-347.

Comer, J., Furr, J., Beidas, R., Weiner, C., & Kendall, P. (2008) Children and terrorism-related news: Training parents in coping and media iteracy. *Journal of Consulting and Clinical Psychology, 76*(4), 568-578.

Commissioner's Office of Research and Evaluation and Head Start Bureau, Department of Health and Human Services. (2001). *Building their futures: How Early Head Start programs are enhancing the lives of infants and toddlers in low-income families. Summary report.* Washington, DC: Author.

Committee on Obstetric Practice. (2002). ACOG committee opinion: Exercise during pregnancy and the postpartum period. *International Journal of Gynaecology & Obstetrics, 77*(1), 79-81.

Community Paediatrics Committee, Canadian Paediatrics Society. (2005). Management of primary nocturnal enuresis. *Paediatrics and Child Health, 10,* 611-614.

Conde-Agudelo, A., Rosas-Bermúdez, A., & Kafury-Goeta, A. C. (2006). Birth spacing and risk of adverse perinatal outcomes: A meta-analysis. *Journal of the American Medical Association, 295,* 1809-1823.

Conel, J. L. (1939, 1941, 1947, 1951, 1955, 1959, 1963, 1967). *The Postnatal Development of the Human Cerebral Cortex, Vols. I-VIII.* Cambridge, MA: Harvard University Press.

Conger, R. D., & Conger, K. J. (2002). Resilience in midwestern families: Selected findings from the first decade of a prospective, longitudinal study. *Journal of Marriage and Family, 64*(2), 361-373.

Conger, R. D., Conger, K. J., Elder, G. H., Jr., Lorenz, F. O., Simons, R. L., & Whitbeck, L. B. (1993). Family economic stress and adjustment of early adolescent girls. *Developmental Psychology, 29,* 206-219.

Conger, R. D., & Elder, G. H., Jr. (1994). *Families in troubled times.* New York: DeGruyter.

Conger, R. D., Ge, X., Elder, G. H., Jr., Lorenz, F. O., & Simons, R. L. (1994). Economic stress, coercive family process, and developmental problems of adolescents. *Child Development, 65*(2), 541-561.

Constantino, J. N. (2003). Autistic traits in the general population: A twin study. *Archives of General Psychiatry, 60*, 524-530.

Constantino, J. N., Grosz, D., Saenger, P., Chandler, D. W., Nandi, R., & Earls, F. J. (1993). Testosterone and aggression in children. *Journal of the Academy of Child and Adolescent Psychiatry, 32*, 1217-1222.

Cooper, H. (1989a). *Homework*. White Plains, NY: Longman.

Cooper, H. (1989b, November). Synthesis of research on homework. *Educational Leadership*, 85-91.

Cooper, H., Robinson, J. C., & Pattall, E. A. (2006). Does homework improve academic achievement? A synthesis of research, 1987-2003. *Review of Educational Research, 76*(1), 1-62.

Cooper, R. P., & Aslin, R. N. (1990). Preference for infant-directed speech in the first month after birth. *Child Development, 61*, 1584-1595.

Cooper, W. O., Hernandez-Diaz, S., Arbogast, P. G., Dudley, J. A., Dyer, S., Gideon, P. S., Hall, K., & Ray, W. A. (2006). Major congenital formations after first-trimester exposure to ACE inhibitors. *New England Journal of Medicine, 354*, 2443-2451.

Coplan, R. J., Prakash, K., O'Neil, K., & Armer, M. (2004). Do you "want" to play? Distinguishing between conflicted-shyness and social disinterest in early childhood. *Developmental Psychology, 40*, 244-258.

Corbet, A., Long, W., Schumacher, R., Gerdes, J., Cotton, R., & the American Exosurf Neonatal Study Group 1. (1995). Double-blind developmental evaluation at 1-year corrected age of 597 premature infants with birth weight from 500 to 1,350 grams enrolled in three placebo-controlled trials of prophylactic synthetic surfactant. *Journal of Pediatrics, 126*, S5-S12.

Corbin, C. (1973). *A textbook of motor development*. Dubuque, IA: Wm. C. Brown.

Correa, A., Botto, L., Liu, V., Mulinare, J., & Erickson, J. D. (2003). Do multivitamin supplements attenuate the risk for diabetes-associated birth defects? *Pediatrics, 111*, 1146-1151.

Correa, A., Gilboa, S. M., Besser, L. M., Botto, L. D., Moore, C. A., Hobbs, C. A., et al. (2008). Diabetes mellitus and birth defects. *American Journal of Obstetrics & Gynecology, 199*(237), e1-e9.

Costello, E. J., Compton, S. N., Keeler, G., & Angold, A. (2003). Relationship between poverty and psychopathology: A natural experiment. *Journal of the American Medical Association, 290*, 2023-2029.

Council on Sports Medicine and Fitness and Council on School Health. (2006). Active healthy living: Prevention of childhood obesity through increased physical activity. *Pediatrics, 117*, 1834-1842.

Courage, M. L., & Howe, M. L. (2002). From infant to child: The dynamics of cognitive change in the second year of life. *Psychological Bulletin, 128*, 250-277.

Cowan, C. P., & Cowan, P. A. (2000). *When partners become parents: The big life change for couples*. Mahwah, NJ; Erlbaum.

Cowan, N., Nugent, L. D., Elliott, E. M., Ponomarev, I., & Saults, J. S. (1999). The role of attention in the development of short-term memory: Age differences in the verbal span of apprehension. *Child Development, 70*, 1082-1097.

Cowan, W. M. (1979, September). The development of the brain. *Scientific American, 241*(3), 113-133.

Coyle, T. R., & Bjorklund, D. F. (1997). Age differences in, and consequences of, multiple-and variable-strategy use on a multitrial sort-recall task. *Developmental Psychology, 33*, 372-380.

Crain-Thoreson, C., & Dale, P. S. (1992). Do early talkers become early readers? Linguistic precocity, preschool language, and emergent literacy. *Developmental Psychology, 28*, 421-429.

Crary, D. (2007, January 6). After years of growth, foreign adoptions by Americans decline sharply. *Associated Press*.

Cratty, B. J. (1986). *Perceptual and motor development in infants and children* (3rd ed.). Upper Saddle River, NJ: Pearson Education, Inc.

Crawford, C. (1998). Environments and adaptations: Then and now. In C. Crawford & D. L. Krebs (Eds.), *Handbook of evolutionary psychology: Ideas, issues, and applications* (pp. 275-302). Mahwah, NJ: Erlbaum.

Crawford, J. (2007). The decline of bilingual education: How to reverse a troubling trend? *International Multilingual Research Journal, 1*(1), 33-38.

Crespi, B., Summers, K., & Dorus, S. (2007). Adaptive evolution of genes underlying schizophrenia. *Proceedings of the Royal Society of London B, 274*, 2801-2810.

Crespi, B. J. (2008). Genomic imprinting in the development and evolution of psychotic spectrum conditions. *Biological Reviews, 83*, 441-493.

Crick, N. R., Casas, J. F., & Nelson, D. A. (2002). Toward a more comprehensive understanding of peer maltreatment: Studies of relational victimization. *Current Directions in Psychological Science, 11*(3), 98-101.

Crick, N. R., & Dodge, K. A. (1994). A review and reformulation of social information-processing mechanisms in children's social adjustment. *Psychological Bulletin, 115*, 74-101.

Crick, N. R., & Dodge, K. A. (1996). Social information-processing mechanisms in reactive and proactive aggression. *Child Development, 67*, 993-1002.

Crick, N. R., & Grotpeter, J. K. (1995). Relational aggression, gender, and social psychological adjustment. *Child Development, 66*, 710-722.

Crockenberg, S. C. (2003). Rescuing the baby from the bathwater: How gender and temperament influence how child care affects child development. *Child Development, 74*, 1034-1038.

Cronk, L. B., Ye, B., Tester, D. J., Vatta, M., Makielski, J. C., & Ackerman, M. J. (2006, May). *Identification of CAV3-encoded caveolin-3 mutations in sudden infant death syndrome*. Presentation at Heart Rhythm 2006, the 27th Annual Scientific Sessions of the Heart Rhythm Society, Boston.

Crouter, A., & Larson, R. (Eds.). (1998). *Temporal rhythms in adolescence: Clocks, calendars, and the coordination of daily life*. [New Directions in Child and Adolescent Development, No. 82]. San Francisco: Jossey-Bass.

Crouter, A. C., MacDermid, S. M., McHale, S. M., & Perry-Jenkins, M. (1990). Parental monitoring and perception of children's school performance and conduct in dual-and single-earner families. *Developmental Psychology, 26*, 649-657.

Crowley, S. L. (1993, October). Grandparents to the rescue. *AARP Bulletin*, pp. 1, 16-17.

Cui, M., Conger, R. D., & Lorenz, F. O. (2005). Predicting change in adolescent adjustment from change in marital problems. *Developmental Psychology, 41*, 812-823.

Cunniff, C., & Committee on Genetics. (2004). Prenatal screening and diagnosis for pediatricians. *Pediatrics, 114*, 889-894.

Cunningham, F. G., & Leveno, K. J. (1995). Childbearing among older women: The message is cautiously optimistic. *New England Journal of Medicine, 333*, 1002-1004.

Currie, C., Roberts, C., Morgan, A., Smith, R., Settertobulte, W., & Samdal, O. (Eds.). (2004). *Young people's health in context*. Geneva, Switzerland: World Health Organization.

Curtiss, S. (1977). *Genie*. New York: Academic Press.

Cutter-Wilson, E. & Richmond, T. (2011). Understanding teen dating violence: Practical screening and intervention strategies for pediatric and adolescent healthcare providers. *Current Opinions in Pediatrics, 23*(4), 379-383.

Czikszentmihalyi, M. (1996). *Creativity: Flow and the psychology of discovery and invention*. New York: HarperCollins.

Daiute, C., Hartup, W. W., Sholl, W., & Zajac, R. (1993, March). *Peer collaboration and written language development: A study of friends and acquaintances*. Paper presented at the meeting of the Society for Research in Child Development, New Orleans, LA.

Dale, P. S., Simonoff, E., Bishop, D.V.M., Eley, T. C., Oliver, B., Price, T. S., et al. (1998). Genetic influence on language delay in two-year-old children. *Nature Neuroscience, 1*, 324-328.

Daly, M., & Wilson, M. (1988). *Homicide*. Hawthorne, NY: Aldine de Gruyter.

Daly, R. (2005). Drop in youth antidepressant use prompts call for FDA monitoring. *Psychiatric News, 40*(19), 18.

Danesi, M. (1994). *Cool: The signs and meanings of adolescence*. Toronto, Canada: University of Toronto Press.

Daniel, I., Berg, C., Johnson, C. H., & Atrash, H. (2003). Magnitude of maternal morbidity during labor and delivery: United States, 1993-1997. *American Journal of Public Health, 93*, 633-634.

Daniels, S. R., Greer, F. R., & the Committee on Nurition. (2008). Lipid screening and cardiovascular health in childhood. *Pediatrics, 122*, 198-208.

Darling, N., Kolasa, M., & Wooten, K. G. (2008). National, state, and local area vaccination coverage among children aged 19-35 Months—United States, 2007. *Morbidity & Mortality Weekly Report, 57*(35), 961-966.

Darling, N., & Steinberg, L. (1993). Parenting style as context: An integrative model. *Psychological Bulletin, 113,* 487-496.

Darroch, J. E., Singh, S., Frost, J. J., & the Study Team. (2001). Differences in teenage pregnancy rates among five developed countries: The roles of sexual activity and contraceptive use. *Family Planning Perspectives, 33,* 244-250, 281.

Darwin, C. (1871). *The descent of man, and selection in relation to sex.* London: John Murray.

Darwin, C. (1872). *The expression of the emotions in man and animals.* Chicago, IL: University of Chicago Press.

Datar, A., & Sturm, R. (2004a). Childhood overweight and parent-and teacher-reported behavior problems. *Archives of Pediatric and Adolescent Medicine, 158,* 804-810.

Datar, A., & Sturm, R. (2004b). Duke physical education in elementary school and body mass index: Evidence from the Early Childhood Longitudinal Study. *American Journal of Public Health, 94,* 1501-1507.

David and Lucile Packard Foundation. (2004). Children, families, and foster care: Executive summary. *The Future of Children, 14*(1). Retrieved from www.futureofchildren.org

Davidson, J.I.F. (1998). Language and play: Natural partners. In D. P. Fromberg & D. Bergen (Eds.), *Play from birth to 12 and beyond: Contexts, perspectives, and meanings* (pp. 175-183). New York: Garland.

Davidson, R. J., & Fox, N. A. (1989). Frontal brain asymmetry predicts infants' response to maternal separation. *Journal of Abnormal Psychology, 948*(2), 58-64.

Davis, A. S. (2008). Children with Down syndrome: Implications for assessment and intervention in the school. *School Psychology Quarterly, 23,* 271-281.

Davis, B. E., Moon, R. Y., Sachs, H. C., & Ottolini, M. C. (1998). Effects of sleep position on infant motor development. *Pediatrics, 102*(5), 1135-1140.

Davis, M., & Emory, E. (1995). Sex differences in neonatal stress reactivity. *Child Development, 66,* 14-27.

Davison, K. K., & Birch, L. L. (2001). Weight status, parent reaction, and self concept in 5-year-old girls. *Pediatrics, 107,* 46-53.

Davison, K. K., Susman, E. J., & Birch, L. L. (2003). Percent body fat at age 5 predicts earlier pubertal development among girls at age 9. *Pediatrics, 111,* 815-821.

Dawson, D. A. (1991). Family structure and children's health and well-being. Data from the 1988 National Health Interview Survey on child health. *Journal of Marriage and the Family, 53,* 573-584.

Dawson, G. (2007). Despite major challenges, autism research continues to offer hope. *Archives of Pediatric and Adolescent Medicine, 161,* 411-412.

Dawson, G., Frey, K., Panagiotides, H., Yamada, E., Hessl, D., & Osterling, J. (1999). Infants of depressed mothers exhibit atypical frontal electrical brain activity during interactions with mother and with a familiar nondepressed adult. *Child Development, 70,* 1058-1066.

Dawson, G., Klinger, L. G., Panagiotides, H., Hill, D., & Spieker, S. (1992). Frontal lobe activity and affective behavior of infants of mothers with depressive symptoms. *Child Development, 63,* 725-737.

Day, J. C., Janus, A., & Davis, J. (2005). Computer and Internet use in the United States: 2003. *Current Population Reports* (P23-208). Washington, DC: U.S. Census Bureau.

Day, S. (1993, May). Why genes have a gender. *New Scientist, 138*(1874), 34-38.

de Castro, B. O., Veerman, J. W., Koops, W., Bosch, J. D., & Monshouwer, H. J. (2002). Hostile attribution of intent and aggressive behavior: A meta-analysis. *Child Development, 73,* 916-934.

de Roos, S. (2006). Young children's God concepts: Influences of attachment and religious socialization in a family and school context. *Religious Education, 101*(1), 84-103.

De Schipper, E., Riksen-Walraven, M., & Geurts, S. (2006). Effects of child-caregiver ratio on the interactions between caregivers and children in child-care centers: An experimental study. *Child Development, 77*(4), 861-874.

De Wolff, M. S., & van IJzendoorn, M. H. (1997). Sensitivity and attachment: A meta-analysis on parental antecedents of infant attachment. *Child Development, 68,* 571-591.

Deardorff, J., Gonzales, N. A., Christopher, S., Roosa, M. W., & Millsap, R. E. (2005). Early puberty and adolescent pregnancy: The influence of alcohol use. *Pediatrics, 116,* 1451-1456.

DeBell, M., & Chapman, C. (2006). *Computer and Internet use by students in 2003: Statistical analysis report* (NCES 2006-065). Washington, DC: National Center for Education Statistics.

DeCasper, A. J., & Fifer, W. P. (1980). Of human bonding: Newborns prefer their mothers' voices. *Science, 208,* 1174-1176.

DeCasper, A. J., Lecanuet, J. P., Busnel, M. C., Granier-Deferre, C., & Maugeais, R. (1994). Fetal reactions to recurrent maternal speech. *Infant Behavior and Development, 17,* 159-164.

DeCasper, A. J., & Spence, M. J. (1986). Prenatal maternal speech influences newborns' perceptions of speech sounds. *Infant Behavior and Development, 9,* 133-150.

Decety, J., Michalaska, K., Akitsuki, Y., & Lahey, B. (2009). Atypical empathetic responses in adolescents with aggressive conduct disorder: A functional MRI investigation. *Biological Psychology, 80,* 203-211.

Dee, D. L., Li, R., Lee, L., & Grummer-Strawn, L. M. (2007). Association between breastfeeding practices and young children's language and motor development. *Pediatrics, 119*(Suppl. 1), 592-598.

DeFranco, E. A., Stamilio, D. M., Boslaugh, S. E., Gross, G. A., & Muglia, L. J. (2007). A short interpregnancy interval is a risk factor for preterm birth and its recurrence. *American Journal of Obstetrics and Gynecology, 197*(264), e1-e6.

Dekovic, M., & Janssens, J. (1992). Parents' child-rearing style and child's sociometric status. *Developmental Psychology, 28,* 925-932.

Delaney, C. (2000). Making babies in a Turkish village. In J. DeLoache & A. Gottlieb (Eds.), *A world of babies: Imagined childcare guides for seven societies* (pp. 117-144). New York: Cambridge University Press.

DeLoache, J. S. (2006). Mindful of symbols. *Scientific American Mind, 17,* 70-75.

DeLoache, J., & Gottlieb, A. (2000). If Dr. Spock were born in Bali: Raising a world of babies. In J. DeLoache & A. Gottlieb (Eds.), *A world of babies: Imagined childcare guides for seven societies* (pp. 1-27). New York: Cambridge University Press.

DeLoache, J. S., Miller, K. F., & Pierroutsakos, S. L. (1998). Reasoning and problem solving. In D. Kuhn & R. S. Siegler (Eds.), *Handbook of child psychology: Vol. 2. Cognition, perception, and language* (5th ed., pp. 801-850). New York: Wiley.

DeLoache, J. S., Pierroutsakos, S. L., & Uttal, D. H. (2003). The origins of pictorial competence. *Current Directions in Psychological Science, 12,* 114-118.

DeLoache, J. S., Pierroutsakos, S. L., Uttal, D. H., Rosengren, K. S., & Gottlieb, A. (1998). Grasping the nature of pictures. *Psychological Science, 9,* 205-210.

DeLoache, J. S., Uttal, D. H., & Rosengren, K. S. (2004). Scale errors offer evidence for a perception-action dissociation early in life. *Science, 304,* 1027-1029.

Deming, D. (2009). Early childhood intervention and life-cycle skill development: Evidence from Head Start. *American Economic Journal: Applied Economics, 1*(3), 111-134.

DeNavas-Walt, C., Proctor, B. D., & Smith, J. C. (2012). U.S. Census Bureau, *Current Population Reports, P60-243, Income, Poverty, and Health Insurance* Washington, DC: U.S. Government Printing Office. *Coverage in the United States: 2011.* Washington, DC: U.S. Government Printing Office.

Denham, S. A., Blair, K. A., DeMulder, E., Levitas, J., Sawyer, K., Auerbach-Major, S., & Queenan, P. (2003). Preschool emotional competence: Pathway to social competence? *Child Development, 74,* 238-256.

Dennis, T. (2006). Emotional self-regulation in preschoolers: The interplay of child approach reactivity, parenting, and control capacities. *Developmental Psychology, 42,* 84-97.

Dennis, W. (1936). A bibliography of baby biographies. *Child Development, 7,* 71-73.

Denton, K., West, J., & Walston, J. (2003). *Reading—young children's achievement and classroom experiences: Findings from The Condition of Education 2003.* Washington, DC: National Center for Education Statistics.

Department of Immunization, Vaccines, and Biologicals, World Health Organization; United Nations Children's Fund; Global Immunization Division, National Center for Immunization and Respiratory Diseases (proposed); & McMorrow, M. (2006). Vaccine preventable deaths and the global immunization vision and strategy, 2006-2015. *Morbidity and Mortality Weekly Report, 55,* 511-515.

Deptula, D. P., & Cohen, R. (2004). Aggressive, rejected, and delinquent children and adolescents:

A comparison of their friendships. *Aggression and Violent Behavior, 9*(1), 75-104.

Derringer, J., Krueger, R. F., Dick, D. M., Saccone, S, Grucza, R. A., Agrawal, A., & Gene Environment Association Studies (GENEVA) Consortium. (2011). Predicting sensation seeking from dopamine genes: A candidate-system approach. *Psychological Science, 2,* 413-415. doi:10.1177/0956797610380699

Detrich, R., Phillips, R., & Durett, D. (2002). *Critical issue: Dynamic debate—determining the evolving impact of charter schools.* North Central Regional Educational Laboratory. Retrieved from www.ncrel.org/sdrs/areas/issues/envrnmnt/go/go800.htm

Deutsch, F. M., Servis, L. J. & Payne, J. D. (2001). Paternal participation in child care and its effects on children's self-esteem and attitudes toward gender roles. *Journal of Family Issues, 22*(8), 1000-1024.

Devaney, B., Johnson, A., Maynard, R., & Trenholm, C. (2002). *The evaluation of abstinence education programs funded under Title V, Section 510: Interim report.* Washington, DC: U.S. Department of Health and Human Services.

DeVoe, J. F., Peter, K., Kaufman, P., Miller, A., Noonan, M., Snyder, T. D., & Baum, K. (2004). *Indicators of school crime and safety: 2004* (NCES 2005-002/NCJ 205290). Washington, DC: U.S. Departments of Education and Justice.

Dewing, P., Shi, T., Horvath, S., & Vilain, E. (2003). Sexually dimorphic gene expression in mouse brain precedes gonadal differentiation. *Molecular Brain Research, 118,* 82-90.

Diamond, A. (1991). Neuropsychological insights into the meaning of object concept development. In S. Carey & R. Gelman (Eds.), *Epigensis of mind* (pp. 67-110). Hillsdale, NJ: Erlbaum.

Diamond, A. (2002). Normal development of prefrontal cortex from birth to young adulthood: Cognitive functions, anatomy, and biochemistry. In D.T. Strauss & R.T. Knight (Eds.), *Principles of frontal lobe function* (pp. 466-503). New York: Oxford University Press.

Diamond, A. (2007). Interrelated and interdependent. *Developmental Science, 10,* 152-158.

Diamond, L. M., & Savin-Williams, R. C. (2003). The intimate relationships of sexual-minority youths. In G. R. Adams & M. D. Berzonsky (Eds.), *Blackwell handbook of adolescence* (pp. 393-412). Malden, MA: Blackwell.

Diamond, M., & Sigmundson, H. K. (1997). Sex reassignment at birth: Longterm review and clinical implications. *Archives of Pediatric and Adolescent Medicine, 151,* 298-304.

Dick, D. M., Alieve, F., Kramer, J., Wang, J., Anthony, H., Bertelsen, S., et al. (2007). Association of CHRM2 with IQ: Converging evidence for a gene influencing intelligence. *Behavioral Genetics, 37*(2), 265-272.

Dick, D. M., Rose, R. J., Kaprio, J., & Viken, R. (2000). Pubertal timing and substance use: Associations between and within families across late adolescence. *Developmental Psychology, 36,* 180-189.

Dickens, W. T., & Flynn, J. R. (2006). Black Americans reduce the racial IQ gap: Evidence

from standardization samples. *Psychological Science, 17*(10), 913-920.

Diemand-Yauman, C., Oppenheimer, D., & Vaughan, E. (2011). Fortune favors the bold (and the italicized): Effects of disfluency on educational outcomes. *Cognition, 118*(1), 111-115. doi: 10.1016/j.cognition.2010.09.012

Dietert, R. R. (2005). Developmental immunotoxicology (DIT): Is DIT testing necessary to ensure safety? *Proceedings of the 14th Immunotoxicology Summer School, Lyon, France, October 2005,* 246-257.

DiFranza, J. R., Aligne, C. A., & Weitzman, M. (2004). Prenatal and postnatal environmental tobacco smoke exposure and children's health. *Pediatrics, 113,* 1007-1015.

Dillon, R. M. (2009, February 1). Woman with octuplets obsessed with having kids: Mom. *Chicago Sun-Times,* p. 18A.

Dilworth-Bart, J. E., & Moore., C. F. (2006). Mercy mercy me: Social injustice and the prevention of environmental pollutant exposures among ethnic minority and poor children. (2006). *Child Development, 77*(2), 247-265.

DiMarco, M. A., Menke, E. M., & McNamara, T. (2001). Evaluating a support group for peri-natal loss. *MCN American Journal of Maternal and Child Nursing, 26,* 135-140.

Dingfelder, S. (2004). Programmed for psychopathology? Stress during pregnancy may increase children's risk for mental illness, researchers say. *Monitor on Psychology, 35*(2), 56-57.

DiPietro, J. A. (2004). The role of prenatal maternal stress in child development. *Current Directions in Psychological Science, 13*(2), 71-74.

DiPietro, J. A., Bornstein, M. H., Costigan, K. A., Pressman, E. K., Hahn, C. S., Painter, K., et al. (2002). What does fetal movement predict about behavior during the first two years of life? *Developmental Psychobiology, 40*(4), 358-371.

DiPietro, J. A., Hodgson, D. M., Costigan, K. A., Hilton, S. C., & Johnson, T.R.B. (1996). Development of fetal movement fetal heart rate coupling from 20 weeks through term. *Early Human Development, 44,* 139-151.

DiPietro, J. A., Novak, M.F.S.X., Costigan, K. A., Atella, L. D., & Reusing, S. P. (2006). Maternal psychological distress during pregnancy in relation to child development at age 2. *Child Development, 77*(3), 573-587.

Dishion, T. J., McCord, J., & Poulin, F. (1999). When intervention harms. *American Psychologist, 54,* 755-764.

Dishion, T. J., Shaw, D., Connell, A., Garnder, F., Weaver, C., & Wilson, M. (2008). The family check-up with high-risk indigent families: Preventing problem behavior by increasing parents' positive behavior support in early childhood. *Child Development, 79,* 1395-1414.

Dishion, T., J., & Stormshak, E. (2007) *Intervening in children's lives: An ecological, family-centered approach to mental health care.* Washington, DC: APA Books.

Dishion, T. J., & Tipsord, J.M. (2011). Peer contagion in child and adolescent social and emotional development. *Annual Review of Psychology, 62,* 189-214.

Dittmar, H., Halliwell, E., & Ive, S. (2006). Does Barbie make girls want to be thin? The effect of experimental exposure to images of dolls on the body image of 5-to 8-year-old girls. *Developmental Psychology, 42,* 283-292.

Dodge, K. A., Coie, J. D., & Lynam, D. (2006). Aggression and antisocial behavior in youth. In N. Eisenberg, W. Damon, and R. Lerner (Eds.) *Handbook of Child Psychology: Vol. 3, Social, emotional and personality development* (6th ed.), pp. 719-788. Hoboken, NJ: Wiley.

Dodge, K. A., Coie, J. D., Pettit, G. S., & Price, J. M. (1990). Peer status and aggression in boys' groups: Developmental and contextual analysis. *Child Development, 61,* 1289-1309.

Dodge, K. A., Dishion, T. J., & Lansford, J. E. (2006). Deviant peer influences in intervention and public policy for youth. *Social Policy Report, 20,* 3-19.

Dodge, K. A., Pettit, G. S., & Bates, J. E. (1994). Socialization mediators of the relation between socioeconomic status and child conduct problems. *Child Development, 65,* 649-665.

Dollinger, S. J. (2007). Creativity and conservatism. *Personality and Individual Differences, 43,* 1025-1035.

D'Onofrio, B. M., Turkheimer, E., Emery, R. E., Slutske, W. S., Heath, A. C., Madden, P. A., & Martin, N. G. (2006). A genetically informed study of the processes underlying the association between parental marital instability and offspring adjustment. *Developmental Psychology, 42,* 486-499.

Donovan, W. L., Leavitt, L. A., & Walsh, R. O. (1998). Conflict and depression predict maternal sensitivity to infant cries. *Infant Behavior and Development, 21,* 505-517.

Dougherty, T. M., & Haith, M. M. (1997). Infant expectations and reaction time as predictors of childhood speed of processing and IQ. *Developmental Psychology, 33,* 146-155.

Dowshen, S., Crowley, J., & Palusci, V. J. (2004). Shaken baby/shaken impact syndrome. Retrieved February 17, 2007, from www.kidshealth.org/parent/brain/medical/shaken.html

Dozier, M., Stovall, K. C., Albus, K. E., & Bates, B. (2001). Attachment for infants in foster care: The role of caregiver state of mind. *Child Development, 72,* 1467-1477.

Drabick, D.A.G., Gadow, K. D., & Sprafkin, J. (2006). Co-occurrence of conduct disorder and depression in a clinic-based sample of boys with ADHD. *Journal of Child Psychology and Pscyhiatry, 47*(8), 766-774.

Drewnowski, A., & Eichelsdoerfer, P. (2009). The Mediterranean diet: Does it have to cost more? *Public Health Nutrition, 12*(9A), 1621-1628.

Drug Policy Alliance. (2004, June 23). *South Carolina v. McKnight.* Retrieved April 6, 2005, from www.drugpolicy.org/womenpregnan/law/mcknight.cfm

Drumm, P., & Jackson, D. W. (1996). Developmental changes in questioning strategies during adolescence. *Journal of Adolescent Research, 11,* 285-305.

Dubé, E. M., & Savin-Williams, R. C. (1999). Sexual identity development among ethnic sexual-minority youths. *Developmental Psychology, 35*(6), 1389-1398.

Dube, S. R., Anda, R. F., Felitti, V. J., Chapman, D. P., Williamson, D. F., & Giles, W. H. (2001). Childhood abuse, household dysfunction, and the risk of attempted suicide throughout the life span: Findings from the Adverse Childhood Experiences Study. *Journal of the American Medical Association, 286*(24), 3089-3096.

Dube, S. R., Anda, R. F., Whitfield, C. L., Brown, D. W., Felitti, V. J., Dong, M., & Giles, W. H. (2005) Long-term consequences of childhood sexual abuse by gender of victim. *American Journal of Preventative Medicine, 28*(5), 430-438.

Dube, S. R., Felitti, V. J., Dong, M., Chapman, D. P., Giles, W. H., & Anda, R. F. (2003, March). Childhood abuse, neglect, and household dysfunction and the risk of illicit drug use: The Adverse Childhood Experiences Study. *Pediatrics, 111*(3), 564-572.

Duckworth, A., & Seligman, M.E.P. (2005). Self-discipline outdoes IQ in predicting academic performance of adolescents. *Psychological Science, 26*, 939-944.

Duenwald, M. (2003, July 15). After 25 years, new ideas in the prenatal test tube. *New York Times.* Retrieved from www.nytimes.com/2003/07/15/health/15IVF.html?ex

Duke, J., Huhman, M., & Heitzler, C. (2003). Physical activity levels among children aged 9-13 years—United States, 2002. *Morbidity and Mortality Weekly Report, 52*, 785-788.

Duncan, G. J., & Brooks-Gunn, J. (1997). Income effects across the life span: Integration and interpretation. In G. J. Duncan & J. Brooks-Gunn (Eds.), *Consequences of growing up poor* (pp. 596-610). New York: Russell Sage Foundation.

Dunn, J. (1985). *Sisters and brothers.* Cambridge, MA: Harvard University Press.

Dunn, J. (1991). Young children's understanding of other people: Evidence from observations within the family. In D. Frye & C. Moore (Eds.), *Children's theories of mind: Mental states and social understanding* (pp. 97-114). Hillsdale, NJ: Erlbaum.

Dunn, J. (1996). Sibling relationships and perceived self-competence: Patterns of stability between childhood and early adolescence. In A. J. Sameroff & M. M. Haith (Eds.), *The five to seven year shift: The age of reason and responsibility* (pp. 253-269). Chicago: University of Chicago Press.

Dunn, J. (2006). Moral development in early childhood and social interaction in the family. In M. Killen & J. Smetana (Eds), *Handbook of Moral Development,* (p. 331-350). Mahwah, NJ: Earlbaum.

Dunn, J., Brown, J., Slomkowski, C., Tesla, C., & Youngblade, L. (1991). Young children's understanding of other people's feelings and beliefs: Individual differences and antecedents. *Child Development, 62*, 1352-1366.

Dunn, J., & Hughes, C. (2001). "I got some swords and you're dead!": Violent fantasy, antisocial behavior, friendship, and moral sensibility in young children. *Child Development, 72*, 491-505.

Dunn, J., & Kendrick, C. (1982). *Siblings: Love, envy and understanding.* Cambridge, MA: Harvard University Press.

Dunn, J., & Munn, P. (1985). Becoming a family member: Family conflict and the development of social understanding in the second year. *Child Development, 56*, 480-492.

Dunham, P., Dunham, F., & O'Keefe, C. (2000). Two-year-olds' sensitivity to a parent's knowledge state: Mind reading or contextual cues? *British Journal of Developmental Psychology, 18*(4), 519-532.

Dunson, D. (2002). *Late breaking research session. Increasing infertility with increasing age: Good news and bad news for older couples.* Paper presented at 18th Annual Meeting of the European Society of Human Reproduction and Embryology, Vienna.

Dunson, D. B., Colombo, B., & Baird, D. D. (2002). Changes with age in the level and duration of fertility in the menstrual cycle. *Human Reproduction, 17*, 1399-1403.

DuPont, R. L. (1983). Phobias in children. *Journal of Pediatrics, 102*, 999-1002.

Dux, P. E., Ivanoff, J. G., Asplund, C. L., & Marois, R. (2006). Isolation of a central bottleneck of information processing with time-resolved fMRI. *Neuron, 52*(6), 1109-1120.

Dweck, C. S. (2008). Mindsets: How praise is harming youth and what can be done about it. *School Library Medical Activities Monthly, 24*(5), 55-58.

Dweck, C. S., & Grant, H. (2008). Self theories, goals, and meaning. In J. Y. Shaw & W. L. Gardner (Eds.). *Handbook of motivation science* (pp. 405-416). New York: Guilford Press.

Dwyer, T., Ponsonby, A. L., Blizzard, L., Newman, N. M., & Cochrane, J. A. (1995). The contribution of changes in the prevalence of prone sleeping position to the decline in sudden infant death syndrome in Tasmania. *Journal of the American Medical Association, 273*, 783-789.

Dye, J. L. (2010). *Fertility of American women: 2008.* Retrieved November 20, 2012 from http://www.census.gov/prod/2010pubs/p20-563.pdf

Dye, J. L., & Johnson, T. D. (2009). A child's day: 2006 (selected indicators of child well-being). *Current Population Reports* (P70-118). Washington, DC: U.S. Census Bureau.

East, P. L., & Khoo, S. T. (2005). Longitudinal pathways linking family factors and sibling relationship qualities to adolescent substance use and sexual risk behaviors. *Journal of Family Psychology, 19*, 571-580.

Eating disorders—Part I. (1997, October). *The Harvard Mental Health Letter,* pp. 1-5.

Eaton, D. K., Kann, L., Kinchen, S., Shanklin, S., Ross, J., Hawkins, J., et al. (2008). Youth risk behavior surveillance—United States, 2007. *Morbidity and Mortality Weekly Report, 57*(SS-4), 1-131.

Eccles, A. (1982). *Obstetrics and gynaecology in Tudor and Stuart England.* Kent, OH: Kent State University Press.

Eccles, J. S. (2004). Schools, academic motivation, and stage-environment fit. In R. M. Lerner & L. Steinberg (Eds), *Handbook of adolescent*

*development* (2nd ed., pp. 125-153). Hoboken, NJ: Wiley.

Eccles, J. S., Wigfield, A., & Byrnes, J. (2003). Cognitive development in adolescence. In I. B. Weiner (Ed.), *Handbook of psychology: Vol. 6. Developmental psychology* (pp. 325-350). New York: Wiley.

Eccles, R. (1978). The central rhythm of the nasal cycle. *Acta Oto-laryngologica, 86* (5-6), 464-468.

Echeland, Y., Epstein, D. J., St-Jacques, B., Shen, L., Mohler, J., McMahon, J. A., & McMahon, A. P. (1993). Sonic hedgehog, a member of a family of putative signality molecules, is implicated in the regulation of CNS polarity. *Cell, 75*, 1417-1430.

Ecker, J. L., & Frigoletto, F. D., Jr. (2007). Cesarean delivery and the risk-benefit calculus. *New England Journal of Medicine, 356*, 885-888.

Eckerman, C. O., Davis, C. C., & Didow, S. M. (1989). Toddlers' emerging ways of achieving social coordination with a peer. *Child Development, 60*, 440-453.

Eckerman, C. O., & Didow, S. M. (1996). Nonverbal imitation and toddlers' mastery of verbal means of achieving coordinated action. *Developmental Psychology, 32*, 141-152.

Eckerman, C. O., & Stein, M. R. (1982). The toddler's emerging interactive skills. In K. H. Rubin & H. S. Ross (Eds.), *Peer relationships and social skills in childhood* (pp. 41-71). New York: Springer-Verlag.

Eddleman, K. A., Malone, F. D., Sullivan, L., Dukes, K., Berkowitz, R. L., & Kharbutli, Y., et al. (2006). Pregnancy loss rates after midtrimester amniocentesis. *Obstetrics and Gynecology, 108*(5), 1067-1072.

Eden, G. F., Jones, K. M., Cappell, K., Gareau, L., Wood, F. B., Zeffiro, T. A., et al. (2004). Neural changes following remediation in adult developmental dyslexia. *Neuron, 44*, 411-422.

Eder, W., Ege, M. J., & von Mutius, E. (2006). The asthma epidemic. *New England Journal of Medicine, 355*, 2226-2235.

Edwards, C. P. (1981). The comparative study of the development of moral judgment and reasoning. In R. Monroe, R. Monroe, & B. B. Whiting (Eds.), *Handbook of cross-cultural human development* (pp. 501-526). New York: Garland.

Edwards, C. P. (1994, April). *Cultural relativity meets best practice, or, anthropology and early education, a promising friendship.* Paper presented at the meeting of the American Educational Research Association, New Orleans.

Edwards, C. P. (2002). Three approaches from Europe: Waldorf, Montessori, and Reggio Emilia. *Early Childhood Research and Practice, 4*(1), 14-38.

Edwards, C. P. (2003). "Fine designs" from Italy: Montessori education and the Reggio Emilia approach. *Montesorri Life: Journal of the American Montessori Society, 15*(1), 33-38.

Ehrenreich, B., & English, D. (2005). *For her own good: Two centuries of the experts' advice to women.* New York: Anchor.

Eichler, E. E., & Zimmerman, A. W. (2008). A hot spot of genetic instability in autism. *New England Journal of Medicine, 358*, 737-739.

Eiger, M. S., & Olds, S. W. (1999). *The complete book of breastfeeding* (3rd ed.). New York: Workman.

Eimas, P. (1985). The perception of speech in early infancy. *Scientific American, 252*(1), 46-52.

Eimas, P., Siqueland, E., Jusczyk, P., & Vigorito, J. (1971). Speech perception in infants. *Science, 171,* 303-306.

Einarson, A., & Boskovic, R. (2009). Use and safety of antipsychotic drugs during pregnancy. *Journal of Psychiatric Practice, 15*(3), 183-192.

Eisenberg, A. R. (1996). The conflict talk of mothers and children: Patterns related to culture, SES, and gender of child. *Merrill-Palmer Quarterly, 42,* 438-452.

Eisenberg, N. (1992). *The caring child.* Cambridge, MA: Harvard University Press.

Eisenberg, N. (2000). Emotion, regulation, and moral development. *Annual Review of Psychology, 51,* 665-697.

Eisenberg, N., & Fabes, R. A. (1998). Prosocial development. In W. Damon (Series Ed.), & N. Eisenberg (Vol. Ed.), *Handbook of child psychology: Vol. 3. Social, emotional, and personality development* (5th ed., pp. 701-778). New York: Wiley.

Eisenberg, N., Fabes, R. A., & Murphy, B. C. (1996). Parents' reactions to children's negative emotions: Relations to children's social competence and comforting behavior. *Child Development, 67,* 2227-2247.

Eisenberg, N., Fabes, R. A., Nyman, M., Bernzweig, J., & Pinuelas, A. (1994). The relations of emotionality and regulation to children's anger-related reactions. *Child Development, 65,* 109-128.

Eisenberg, N., Fabes, R. A., Shepard, S. A., Guthrie, I. K., Murphy, B. C., & Reiser, M. (1999). Parental reactions to children's negative emotions: Longitudinal relations to quality of children's social functioning. *Child Development, 70*(2), 513-534.

Eisenberg, N., Fabes, R. A., & Spinrad, T. L. (2006). Prosocial development. In W. Damon & R. M. Lerner (Series Eds.) & N. Eisenberg (Vol. Ed.), *Handbook of child psychology: Vol 3. Social, emotional and personality development* (pp. 646-718). Hoboken: NJ: Wiley.

Eisenberg, N., Guthrie, I. K., Fabes, R. A., Reiser, M., Murphy, B. C., Holgren, R., Maszk, P., & Losoya, S. (1997). The relations of regulation and emotionality to resiliency and competent social functioning in elementary school children. *Child Development, 68,* 295-311.

Eisenberg, N., & Morris, A. D. (2004). Moral cognitions and prosocial responding in adolescence. In R. M. Lerner & L. Steinberg (Eds.), *Handbook of adolescent psychology* (2nd ed., pp. 155-188). Hoboken, NJ: Wiley.

Eisenberg, N., Spinrad, T. L., Fabes, R. A., Reiser, M., Cumberland, A., Shepard, S. A., et al. (2004). The relations of effortful control and impulsivity to children's resiliency and adjustment. *Child Development, 75,* 25-46.

Elder, G. H., Jr. (1974). *Children of the Great Depression: Social change in life experience.* Chicago: University of Chicago Press.

Elder, G. H., Jr. (1998). The life course as developmental theory. *Child Development, 69*(1), 1-12.

Elia, J., Ambrosini, P. J., & Rapoport, J. L. (1999). Treatment of attention-deficit hyperactivity disorder. *New England Journal of Medicine, 340,* 780-788.

Elicker, J., Englund, M., & Sroufe, L. A. (1992). Predicting peer competence and peer relationships in childhood from early parent-child relationships. In R. Parke & G. Ladd (Eds.), *Family peer relationships: Modes of linkage* (pp. 77-106). Hillsdale, NJ: Erlbaum.

Eliot, L. (1999). *What's going on in there? How the brain and mind develop in the first five years of life.* New York: Bantam Books.

Elkind, D. (1981). *The hurried child.* Reading, MA: Addison-Wesley.

Elkind, D. (1984). *All grown up and no place to go.* Reading, MA: Addison-Wesley.

Elkind, D. (1986). *The miseducation of children: Superkids at risk.* New York: Knopf.

Elkind, D. (1997). *Reinventing childhood: Raising and educating children in a changing world.* Rosemont, NJ: Modern Learning Press.

Elkind, D. (1998). Teenagers in crisis: *All grown up and no place to go.* Reading, MA: Perseus Books.

Elliott, D. S. (1993). Health enhancing and health compromising lifestyles. In S. G. Millstein, A. C. Petersen, & E. O. Nightingale (Eds.), *Promoting the health of adolescents: New directions for the twenty-first century* (pp. 119-145). New York: Oxford University Press.

Elliott, V. S. (2000, November 20). Doctors caught in middle of ADHD treatment controversy: Critics charge that medications are being both under-and overprescribed. *AMNews.* Retrieved April 21, 2005, from www.ama-assn.org/amednews/2000/11/20/hlsb1120.htm

Ellis, B. J., Bates, J. E., Dodge, K. A., Fergusson, D. M., Horwood, L. J., Pettit, G. S., & Woodward, L. (2003). Does father-absence place daughters at special risk for early sexual activity and teenage pregnancy? *Child Development, 74,* 801-821.

Ellis, B. J., & Garber, J. (2000). Psychosocial antecedents of variation in girls' pubertal timing: Maternal depression, stepfather presence, and marital family stress. *Child Development, 71*(2), 485-501.

Ellis, B. J., McFadyen-Ketchum, S., Dodge, K. A., Pettit, G. S., & Bates, J. E. (1999). Quality of early family relationships and individual differences in the timing of pubertal maturation in girls: A longitudinal test of an evolutionary model. *Journal of Personality and Social Psychology, 77,* 387-401.

Ellis, K. J., Abrams, S. A., & Wong, W. W. (1997). Body composition of a young, multiethnic female population. *American Journal of Clinical Nutrition, 65,* 724-731.

Ellison, M., Hotamisligil, S., Lee, H., Rich-Edwards, J., Pang, S., & Hall, J. (2005). Psychosocial risks associated with multiple births resulting from assisted reproduction. *Fertility and Sterility, 83,* 1422-1428.

Eltzschig, H. K., Lieberman, E. S., & Camann, W. R. (2003). Regional anesthesia and analgesia for labor and delivery. *New England Journal of Medicine, 348,* 319-332.

Emde, R. N., Plomin, R., Robinson, J., Corley, R., DeFries, J., Fulker, D. W., et al. (1992). Temperament, emotion, and cognition at 14 months: The MacArthur longitudinal twin study. *Child Development, 63,* 1437-1455.

Engle, P. L., Black, M. M., Behrman, J. R., de Mello, M. C., Gertler, P. J., Kapiriri, et al. (2007). Strategies to avoid the loss of developmental potential in more than 200 million children in the developing world. *The Lancet, 369*(9557), 20-26.

Engle, P. L., & Breaux, C. (1998). Fathers' involvement with children: Perspectives from developing countries. *Social Policy Report, 12*(1), 1-21.

Eogan, M. A., Geary, M. P., O'Connell, M. P., & Keane, D. P. (2003). Effect of fetal sex on labour and delivery: Retrospective review. *British Medical Journal, 326,* 137.

Erdley, C. A., Cain, K. M., Loomis, C. C., Dumas-Hines, F., & Dweck, C. S. (1997). Relations among children's social goals, implicit personality theories, and responses to social failure. *Developmental Psychology, 33,* 263-272.

Erikson, E. H. (1950). *The life cycle completed.* New York: Norton.

Erikson, E. H. (1968). *Identity: Youth and crisis.* New York: Norton.

Erikson, E. H. (1973). The wider identity. In K. Erikson (Ed.), *In search of common ground: Conversations with Erik H. Erikson and Huey P. Newton.* New York: Norton.

Erikson, E. H. (1982). *The life cycle completed.* New York: Norton.

Erikson, E. H., Erikson, J. M., & Kivnick, H. Q. (1986). *Vital involvement in old age: The experience of old age in our time.* New York: Norton.

Eriksson, P. S., Perfilieva, E., Björk-Eriksson, T., Alborn, A., Nordborg, C., Peterson, D. A., & Gage, F. H. (1998). Neurogenesis in the adult human hippocampus. *Nature Medicine, 4,* 1313-1317.

Etzel, R. A. (2003). How environmental exposures influence the development and exacerbation of asthma. *Pediatrics, 112*(1), 233-239.

Evans, A. D., & Lee, K. (2010). Promising to tell the truth makes 8-to 16-year-olds more honest. *Behavioral Sciences and the Law, 28*(6), 801-811.

Evans, G. W. (2004). The environment of childhood poverty. *American Psychologist, 59,* 77-92.

Evans, G. W., & English, K. (2002). The environment of poverty: Multiple stressor exposure, psycholophysiological stress and socioemotional adjustment. *Child Development, 73*(4), 1238-1248.

Fabes, R. A., Carlo, G., Kupanoff, K., & Laible, D. (1999). Early adolescence and prosocial/moral behavior: I. The role of individual processes. *Journal of Early Adolescence, 19,* 5-16.

Fabes, R. A., & Eisenberg, N. (1992). Young children's coping with interpersonal anger. *Child Development, 63,* 116-128.

Fabes, R. A., Leonard, S. A., Kupanoff, K., & Martin, C. L. (2001). Parental coping with children's negative emotions: Relations with children's emotional and social responding. *Child Development, 72,* 907-920.

Fabes, R. A., Martin, C. L.,& Hanish, L. D. (2003, May). Young children's play qualities in same-, other-, and mixed-gender peer groups. *Child Development, 74*(3), 921-932.

Fabricius, W. V. (2003). Listening to children of divorce: New findings that diverge from Wallerstein, Lewis, and Blakeslee. *Family Relations, 52,* 385-394.

Facio, A., & Micocci, F. (2003). Emerging adulthood in Argentina. In J. J. Arnett & N. L. Galambos (Eds.), Exploring cultural conceptions of the transition to adulthood. *New Directions for Child and Adolescent Development, 100,* 21-32.

Faden, V. B. (2006). Trends in initiation of alcohol use in the United States: 1975-2003. *Alcoholism: Clinical and Experimental Research. 30*(6), 1011-1022.

Fagan, J. F., Holland, C. R., & Wheeler, K. (2007). The prediction, from infancy, of adult IQ. *Intelligence, 35,* 225-231.

Fagan, J., Palkovitz, R., Roy, K., & Farrie, D. (2009). Pathways to paternal engagement: Longitudinal effects of risk and resilience on nonresident fathers. *Developmental Psychology, 45*(5), 1389-1405.

Fagot, B. I. (1997). Attachment, parenting, and peer interactions of toddler children. *Developmental Psychology, 33,* 489-499.

Fagot, B. I., & Leinbach, M. D. (1995). Gender knowledge in egalitarian and traditional families. *Sex Roles, 32,* 513-526.

Fagot, B. I., Rogers, C. S., & Leinbach, M. D. (2000). Theories of gender socialization. In T. Eckes & H. M. Trautner (Eds.). *The developmental social psychology of gender.* Mahwah, NJ: Earlbaum.

Falbo, T. (2006). *Your one and only: Educational psychologist dispels myths surrounding only children.* Retrieved July 20, 2006, from www.utexas.edu/features/archive/2004/single.htm

Falbo, T., & Polit, D. F. (1986). Quantitative review of the only child literature: Research evidence and theory development. *Psychological Bulletin, 100*(2), 176-189.

Falbo, T., & Poston, D. L. (1993). The academic, personality, and physical outcomes of only children in China. *Child Development, 64,* 18-35.

Fantz, R. L. (1963). Pattern vision in newborn infants. *Science, 140,* 296-297.

Fantz, R. L. (1964). Visual experience in infants: Decreased attention to familiar patterns relative to novel ones. *Science, 146,* 668-670.

Fantz, R. L. (1965). Visual perception from birth as shown by pattern selectivity. In H. E. Whipple (Ed.), New issues in infant development. *Annals of the New York Academy of Science, 118,* 793-814.

Fantz, R. L., Fagen, J., & Miranda, S. B. (1975). Early visual selectivity. In L. Cohen & P. Salapatek (Eds.), *Infant perception: From sensation to cognition: Vol. 1. Basic visual processes* (pp. 249-341). New York: Academic Press.

Fantz, R. L., & Nevis, S. (1967). Pattern preferences and perceptual-cognitive development in early infancy. *Merrill-Palmer Quarterly, 13,* 77-108.

Farver, J.A.M., Kim, Y. K., & Lee, Y. (1995). Cultural differences in Korean and Anglo-American preschoolers' social interaction and play behavior. *Child Development, 66,* 1088-1099.

Farver, J.A.M., Xu, Y., Eppe, S., Fernandez, A., & Schwartz, D. (2005). Community violence, family conflict, and preschoolers' socioemotional functioning. *Developmental Psychology, 41,* 160-170.

Fasig, L. (2000). Toddlers' understanding of ownership: Implications for self-concept development. *Social Development, 9,* 370-382.

Fawzi, W. W., Msamanga, G. I., Urassa, W., Hertzmark, E., Petraro, P., Willett, W. C., & Spiegelman, D. (2007). Vitamins and perinatal outcomes among HIV-negative women in Tanzania. *New England Journal of Medicine, 356,* 1423-1431.

Fear, J. M., Champion, J. E., Reeslund, K. L., Forehand, R., Colletti, C., Roberts, L., & Compas, B. E. (2009). Parental depression and interparental conflict: Children and adolescents' self-blame and coping responses. *Journal of Family Psychology, 23*(5), 762-766. doi:10.1037/a0016381

Fearon, P., O'Connell, P., Frangou, S., Aquino, P., Nosarti, C., Allin, M., et al. (2004). Brain volume in adult survivors of very low birth weight: A sibling-controlled study. *Pediatrics, 114,* 367-371.

Fearon, R. P., Bakersmans-Kranenburg, M. K., van IJzendoorn, M. H., Lapsley, A., & Roisman, G. I. (2010). The significance of insecure attachment and disorganization in the development of children's externalizing behavior: A meta-analytic study. *Child Development, 81*(2), 435-456.

Federal Bureau of Investigation (FBI). (2007). *Crime in the United States, 2005.* Retrieved June 2007 from www.fbi.gov/ucr/05cius

Federal Interagency Forum on Child and Family Statistics. (2005). *America's children: Key national indicators of well-being, 2005.* Washington, DC: U.S. Government Printing Office.

Federal Interagency Forum on Child and Family Statistics. (2007). *America's children: Key indicators of well-being, 2007.* Washington, DC: U.S. Government Printing Office.

Federal Interagency Forum on Child and Family Statistics. (2009). *America's children: Key national indicators of well-being, 2009.* Retrieved from www.childstats.gov/americaschildren/eco3.asp

Federal Interagency Forum on Child and Family Statistics. (2012). America's children in brief: Key national indicators of well-being, (2012). Retrieved from http://www.childstats.gov/americaschildren/care.asp

Federal Interagency Forum on Child and Family Statistics. (2012a). *America's children: Key indicators of well-being, 2012.* Retrieved from http://www.childstats.gov/americaschildren/eco.asp

Feingold, A., & Mazzella, R. (1998). Gender differences in body image are increasing. *Psychological Science, 9*(3), 190-195.

Ferber, R. (1985). *Solve your child's sleep problems.* New York: Simon & Schuster.

Ferber, S. G., & Makhoul, I. R. (2004). The effect of skin-to-skin contact (Kangaroo Care) shortly after birth on the neurobehavioral responses of the term newborn: A randomized, controlled trial. *Pediatrics, 113,* 858-865.

Ferguson, C. J. (2013). Violent video games and the Supreme Court: Lessons for the scientific community in the wake of Brown. vs Entertainment Merchants Association. *American Psychologist, 68*(2), 57-74.

Ferguson, C. J., & Savage, J. (2012). Have recent studies addressed methodological issues raised by five decades of television violence research? A critical review. *Aggression and Violent Behavior, 17,* 129-139.

Fergusson, D. M., Boden, J. M., & Horwood, L. J. (2008). Exposure to childhood sexual and physical abuse and adjustment in early adulthood. *Child Abuse & Neglect, 32,* 607-619.

Fergusson, D. M., Horwood, L. J., Ridder, E. M., & Beautrais, A. L. (2005). Subthreshold depression in adolescence and mental health outcomes in adulthood. *Archives of General Psychiatry, 62*(1), 66-72.

Fergusson, D. M., Horwood, L. J., & Shannon, F. T. (1986). Factors related to the age of attainment of nocturnal bladder control: An 8-year longitudinal study. *Pediatrics, 78,* 884-890.

Fernald, A., Perfors, A., & Marchman, V. A. (2006). Picking up speed in understanding: Speech processing efficiency and vocabulary growth across the second year. *Developmental Psychology, 42,* 98-116.

Fernald, A. (1985). Four-month-old infants prefer to listen to motherease. *Infant Behavior and Development, 8,* 181-195.

Fernald, A., Pinto, J. P., Swingley, D., Weinberg, A., & McRoberts, G. W. (1998). Rapid gains in speed of verbal processing by infants in the 2nd year. *Psychological Science, 9*(3), 228-231.

Fernald, A., Swingley, D., & Pinto, J. P. (2001). When half a word is enough: Infants can recognize spoken words using partial phonetic information. *Child Development, 72,* 1003-1015.

Field, A. E., Austin, S. B., Taylor, C. B., Malspeis, S., Rosner, B., Rockett, H. R., et al. (2003). Relation between dieting and weight change among preadolescents and adolescents. *Pediatrics, 112*(4), 900-906.

Field, A. E., Camargo, C. A., Taylor, B., Berkey, C. S., Roberts, S. B., & Colditz, G. A. (2001). Peer, parent, and media influence on the development of weight concerns and frequent dieting among preadolescent and adolescent girls and boys. *Pediatrics, 107*(1), 54-60.

Field, T. (1995). Infants of depressed mothers. *Infant Behavior and Development, 18,* 1-13.

Field, T. (1998a). Emotional care of the at-risk infant: Early interventions for infants of depressed mothers. *Pediatrics, 102,* 1305-1310.

Field, T. (1998b). Massage therapy effects. *American Psychologist, 53,* 1270-1281.

Field, T. (1998c). Maternal depression effects on infants and early intervention. *Preventive Medicine, 27,* 200-203.

Field, T. (2010). Touch for socioemotional and physical well-being: A review. *Developmental Review, 30*(4), 367-383.

Field, T., Diego, M., & Hernandez-Reif, M. (2007). Massage therapy research. *Developmental Review, 27,* 75-89.

Field, T., Diego, M., Hernandez-Reif, M., Schanberg, S., & Kuhn, C. (2003). Depressed mothers who are "good interaction" partners versus those who are withdrawn or intrusive. *Infant Behavior & Development, 26,* 238-252.

Field, T., Fox, N. A., Pickens, J., Nawrocki, T., & Soutollo, D. (1995). Right frontal EEG activation in 3-to 6-month-old infants of depressed mothers. *Developmental Psychology, 31,* 358-363.

Field, T., Grizzle, N., Scafidi, F., Abrams, S., Richardson, S., Kuhn, C., & Schanberg, S. (1996). Massage therapy for infants of depressed mothers. *Infant Behavior and Development, 19,* 107-112.

Field, T., Hernandez-Reif, M., & Freedman, J. (2004). Stimulation programs for preterm infants. *Social Policy Report, 18*(1), 1-19.

Field, T. M. (1978). Interaction behaviors of primary versus secondary caretaker fathers. *Developmental Psychology, 14,* 183-184.

Field, T. M., & Roopnarine, J. L. (1982). Infant-peer interaction. In T. M. Field, A. Huston, H. C. Quay, L. Troll, & G. Finley (Eds.), *Review of human development* (pp. 164-179). New York: Wiley.

Field, T. M., Sandberg, D., Garcia, R., Vega-Lahr, N., Goldstein, S., & Guy, L. (1985). Pregnancy problems, postpartum depression, and early infant-mother interactions. *Developmental Psychology, 21,* 1152-1156.

Fields, J. (2003). Children's living arrangements and characteristics: March 2002. *Current Population Reports* (p. 20-547). Washington, DC: U.S. Bureau of the Census.

Fields, J. (2004). America's families and living arrangements: 2003. *Current Population Reports* (P20-553). Washington, DC: U.S. Census Bureau.

Fields, J. M., & Smith, K. E. (1998, April). *Poverty, family structure, and child wellbeing: Indicators from the SIPP* (Population Division Working Paper No. 23, U.S. Bureau of the Census). Paper presented at the annual meeting of the Population Association of America, Chicago, IL.

Fields, R. D., & Stevens-Graham, B. (2002). New insights into neuron-glia communication. *Science, 298,* 556-62.

Fiese, B., & Schwartz, M. (2008). Reclaiming the family table: Mealtimes and child health and wellbeing. *Society for Research in Child Development Social Policy Report, 23*(4).

Fifer, W. P., & Moon, C. M. (1995). The effects of fetal experience with sound. In J. P. Lecanuet, W. P. Fifer, N. A. Krasnegor, & W. P. Smotherman (Eds.), *Fetal development: A psychobiological perspective* (pp. 351-366). Hillsdale, NJ: Erlbaum.

Finer, L. B. (2007). Trends in premarital sex in the United States, 1954-2003. *Public Health Reports, 122,* 73-78.

Finn, J. D. (2006). *The adult lives of at-risk students: The roles of attainment and engagement in high* school (NCES 2006-328). Washington, DC: U.S. Department of Education, National Center for Education Statistics.

Finn, J. D., Gerber, S. B., & Boyd-Zaharias, J. (2005). Small classes in the early grades, academic achievement, and graduating from high school. *Journal of Educational Psychology, 97,* 214-223.

Finn, J. D., & Rock, D. A. (1997). Academic success among students at risk for dropout. *Journal of Applied Psychology, 82,* 221-234.

Fiscella, K., Kitzman, H. J., Cole, R. E., Sidora, K. J., & Olds, D. (1998). Does child abuse predict adolescent pregnancy? *Pediatrics, 101,* 620-624.

Fischer, K. (1980). A theory of cognitive development: The control and construction of hierarchies of skills. *Psychological Review, 87,* 477-531.

Fischer, K. W. (2008). Dynamic cycles of cognitive and brain development: Measuring growth in mind, brain, and education. In A. M. Battro, K.W. Fischer, & P. Léna (Eds.), *The educated brain.* Cambridge, UK: Cambridge University Press, 127-150.

Fischer, K. W., & Pruyne, E. (2003). Reflective thinking in adulthood. In J. Demick & C. Andreoletti (Eds.), *Handbook of adult development* (pp. 169-198). New York: Plenum Press.

Fischer, K. W., & Rose, S. P. (1994). Dynamic development of coordination of components in brain and behavior: A framework for theory and research. In G. Dawson & K. W. Fischers (Eds.), *Human behavior and the developing brain* (pp. 3-66). New York: Guilford Press.

Fischer, K. W., & Rose, S. P. (1995, Fall). Concurrent cycles in the dynamic development of brain and behavior. *SRCD Newsletter,* pp. 3-4, 15-16.

Fischhoff, B., Bruine de Bruin, W., Parker, A. M., Millstein, S. G., & Halpern-Felsher, B. L. (2010). Adolescents' perceived risk of dying. *Journal of Adolescent Health, 46,* 265-269.

Fisher, C. B., Hoagwood, K., Boyce, C., Duster, T., Frank, D. A., Grisso, T., et al. (2002). Research ethics for mental health science involving ethnic minority children and youth. *American Psychologist, 57,* 1024-1040.

Fivush, R., & Haden, C. A. (2006). Elaborating on elaborations: Role of maternal reminiscing style in cognitive and socioemotional development. *Child Development, 77,* 1568-1588.

Fivush, R., & Nelson, K. (2004). Culture and language in the emergence of autobiographical memory. *Psychological Science, 15,* 573-577.

Flannagan, C. A., Bowes, J. M., Jonsson, B., Csapo, B., & Sheblanova, E. (1998). Ties that bind: Correlates of adolescents' civic commitment in seven countries. *Journal of Social Issues, 54,* 457-475.

Flavell, J. (1963). *The developmental psychology of Jean Piaget.* New York: Van Nostrand.

Flavell, J. H. (1970). Developmental studies of mediated memory. In H. W. Reese & L. P. Lipsitt (Eds.), *Advances in child development and behavior* (Vol. 5, pp. 181-211). New York: Academic.

Flavell, J. H. (1993). Young children's understanding of thinking and consciousness. *Current Directions in Psychological Science, 2,* 40-43.

Flavell, J. H. (2000). Development of children's knowledge about the mental world. *International Journal of Behavioral Development, 24*(1), 15-23.

Flavell, J. H., Green, F. L., & Flavell, E. R. (1986). Development of knowledge about the appearance-reality distinction. *Monographs of the Society for Research in Child Development, 51*(1). [Serial No. 212].

Flavell, J. H., Green, F. L., & Flavell, E. R. (1995). Young children's knowledge about thinking. *Monographs of the Society for Research in Child Development, 60*(1). [Serial No. 243].

Flavell, J. H., Green, F. L., Flavell, E. R., & Grossman, J. B. (1997). The development of children's knowledge about inner speech. *Child Development, 68,* 39-47.

Flavell, J. H., Miller, P. H., & Miller, S. A. (2002). *Cognitive development.* Englewood Cliffs, NJ: Prentice Hall.

Flook, L., & Fuligni, A. (2008). Family and school spillover in adolescents' daily lives. *Child Development, 79*(3), 776-787.

Flook, L., Repetti, R. L., & Ullman, J. B. (2005). Classroom social experiences as predictors of academic performance. *Developmental Psychology, 41,* 319-327.

Flores, G., Fuentes-Afflick, E., Barbot, O., Carter-Pokras, O., Claudio, L., Lara, M., et al. (2002). The health of Latino children: Urgent priorities, unanswered questions, and a research agenda. *Journal of the American Medical Association, 288,* 82-90.

Flores, G., Olson, L., & Tomany-Korman, S. C. (2005). Racial and ethnic disparities in early childhood health and health care. *Pediatrics, 115,* e183-e193.

Flynn, J. R. (1984). The mean IQ of Americans: Massive gains 1932 to 1978. *Psychological Bulletin, 95,* 29-51.

Flynn, J. R. (1987). Massive IQ gains in 14 nations: What IQ tests really measure. *Psychological Bulletin, 101,* 171-191.

Fomby, P., & Cherlin, A. J. (2007). Family instability and child well-being. *American Sociological Review, 72*(2), 181-204.

Fontanel, B., & d'Harcourt, C. (1997). *Babies, history, art and folklore.* New York: Abrams.

Ford, R. P., Schluter, P. J., Mitchell, E. A., Taylor, B. J., Scragg, R., & Stewart, A. W. (1998). Heavy caffeine intake in pregnancy and sudden infant death syndrome (New Zealand Cot Death Study Group). *Archives of Disease in Childhood, 78*(1), 9-13.

Forhan, S. E., Gottlieb, S. L., Sternberg, M. R., Xu, F., Datta, D., Berman, S., & Markowitz, L. E. (2008, March 13). *Prevalence of sexually transmitted infections and bacterial vaginosis among female adolescents in the United States: Data from the National Health and Nutritional Examination Survey (NHANES) 2003-2004.* Oral presentation at the meeting of the 2008 National STD Prevention Conference, Chicago.

Forste, R., & Hoffman, J. P. (2008). Are us mothers meeting the *Healthy People 2010* breastfeeding targets for initiation, duration, and exclusivity? The 2003 and 2004 national immunization surveys. *Journal of Human Lactation, 24,* 278-288.

Foster, E. M., & Watkins, S. (2010). The value of reanalysis: TV viewing and attention problems. *Child Development.*

Foster, G. D., Sherman, S., Borradaile, K. E., Grundy, K. M., Vander Veur, S. S., Nachmani, J., et al. (2008). A policy based school intervention to prevent obesity and overweight. *Pediatrics, 121,* e794-e802.

Fowler, J. (1981). *Stages of faith: The psychology of human development and the quest for meaning.* New York: Harper & Row.

Fowler, J. W. (1989). Strength for the journey: Early childhood development in selfhood and faith. In D. A. Blazer, J. W. Fowler, K. J. Swick, A. S. Honig, P. J. Boone, B. M. Caldwell, R. A. Boone, & L. W. Barber (Eds.), *Faith development in early childhood* (pp. 1-63). New York: Sheed & Ward.

Fox, M. K., Pac, S., Devaney, B., & Jankowski, L. (2004). Feeding Infants and Toddlers Study: What foods are infants and toddlers eating? *Journal of the American Dietetic Association, 104,* 22-30.

Fox, N. A., Hane, A. A., & Pine, D. S. (2007). Plasticity for affective neurocircuitry: How the environment affects gene expression. *Current Directions in Psychological Science, 16*(1), 1-5.

Fox, N. A., Kimmerly, N. L., & Schafer, W. D. (1991). Attachment to mother/attachment to father: A meta-analysis. *Child Development, 62,* 210-225.

Fraga, M., F., Ballestar, E., Paz, M. F., Ropero, S., Setien, F., Ballestar, M. L., et al. (2005). Epigenetic differences arise during the lifetime of monozygotic twins. *Proceedings of the National Academy of Sciences, USA, 102,* 10604-10609.

Franic, S., Middledorp, C. M., Dolan, C. V., Ligthart, L., & Boomsma, D. I. (2010). Childhood and adolescent anxiety and depression: Beyond heritability. *Journal of the American Academy of Child & Adolescent Psychiatry, 49*(8), 820-829.

Frank, D. A., Augustyn, M., Knight, W. G., Pell, T., & Zuckerman, B. (2001). Growth, development, and behavior in early childhood following prenatal cocaine exposure. *Journal of the American Medical Association, 285,* 1613-1625.

Frankenburg, W. K., Dodds, J., Archer, P., Bresnick, B., Maschka. P., Edelman, N., & Shapiro, H. (1992). *Denver II training manual.* Denver: Denver Developmental Materials.

Frankenburg, W. K., Dodds, J. B., Fandal, A. W., Kazuk, E., & Cohrs, M. (1975). *The Denver Developmental Screening Test: Reference manual.* Denver: University of Colorado Medical Center.

Franks, P. W., Hanson, R. L., Knowler, W. C., Sievers, M. L., Bennett, P. H., & Looker, H. C. (2010). Childhood obesity, other cardiovascular risk factors, and premature death. *New England Journal of Medicine, 362,* 485-493.

Frans, E. M., Sandin, S., Reichenberg, A., Lichtenstein, P., Långström, N., & Hultman, C. M. (2008). Advancing paternal age and bipolar disorder. *Archives of General Psychiatry, 65,* 1034-1040.

Fraser, A. M., Brockert, J. F., & Ward, R. H. (1995). Association of young maternal age with adverse reproductive outcomes. *New England Journal of Medicine, 332*(17), 1113-1117.

Fredricks, J. A., & Eccles, J. S. (2002). Children's competence and value beliefs from childhood through adolescence: Growth trajectories in two male-sex-typed domains. *Developmental Psychology, 38,* 519-533.

Freeark, K., Rosenberg, E. B., Bornstein, J., Jozefowicz-Simbeni, D., Linkevich, M., & Lohnes, K. (2005). Gender differences and dynamics shaping the adoption life cycle: Review of the literature and recommendations. *American Journal of Orthopsychiatry, 75,* 86-101.

Freeman, C. (2004). *Trends in educational equity of girls & women: 2004* (NCES 2005016). Washington, DC: National Center for Education Statistics.

Freking, K., & Neergaard, L. (2009, February 12). Health news court issues ruling in autism case. *Associated Press.* Retrieved February 12, 2009, from http://news.yahoo.com/s/ap/20090212/ap_on_go_ot/autism_ruling

French, R. M., Mareschal, D., Mermillod, M., & Quinn, P. C. (2004). The role of bottom-up processing in perceptual categorization by 3-to 4-month old infants: Simulations and data. *Journal of Experimental Psychology: General, 133*(3), 382-397.

French, S. A., Story, M., & Jeffery, R. W. (2001). Environmental influences on eating and physical activity. *Annual Review of Public Health, 22,* 309-335.

French, S. E., Seidman, E., Allen, L., & Aber, J. L. (2006). The development of ethnic identity during adolescence. *Developmental Psychology, 42,* 1-10.

Freud, S. (1953). *A general introduction to psychoanalysis* (J. Rivière, Trans.) New York: Perma-books. (Original work published 1935)

Freud, S. (1964a). New introductory lectures on psychoanalysis. In J. Strachey (Ed. & Trans.), *The standard edition of the complete psychological works of Sigmund Freud* (Vol. 22). London: Hogarth. (Original work published 1933)

Freud, S. (1964b). An outline of psychoanalysis. In J. Strachey (Ed. & Trans.), *The standard edition of the complete psychological works of Sigmund Freud* (Vol. 23). London: Hogarth. (Original work published 1940)

Frey, K. S., Hirschstein, M. K., Snell, J. L., Edstrom, L.V.S., MacKenzie, E. P., & Broderick, C. J. (2005). Reducing playground bullying and supporting beliefs: An experimental trial of the Steps to Respect program. *Developmental Psychology, 41,* 479-491.

Fried, P. A., & Smith, A. M. (2001). A literature review of the consequences of prenatal marijuana exposure: An emerging theme of a deficiency in aspects of executive function. *Neurotoxicology and Teratology, 23,* 1-11.

Friedman, L. J. (1999). *Identity's architect.* New York: Scribner.

Friend, M., & Davis, T. L. (1993). Appearance-reality distinction: Children's understanding of the physical and affective domains. *Developmental Psychology, 29,* 907-914.

Fromkin, V., Krashen, S., Curtiss, S., Rigler, D., & Rigler, M. (1974). The development of language in Genie: Acquisition beyond the "critical period." *Brain and Language, 15*(9), 28-34.

Fuligni, A. J. (1997). The academic achievement of adolescents from immigrant families: The roles of family background, attitudes, and behavior. *Child Development, 68,* 351-363.

Fuligni, A. J. (2001). Family obligation and the academic motivation of adolescents from Asian, Latin American, and European backgrounds. *New Directions for Child and Adolescent Development, 94,* 61-76.

Fuligni, A. J., & Eccles, J. S. (1993). Perceived parent-child relationships and early adolescents' orientation toward peers. *Developmental Psychology, 29,* 622-632.

Fuligni, A. J., Eccles, J. S., Barber, B. L., & Clements, P. (2001). Early adolescent peer orientation and adjustment during high school. *Developmental Psychology, 37*(1), 28-36.

Fuligni, A. J., & Stevenson, H. W. (1995). Time use and mathematics achievement among American, Chinese, and Japanese high school students. *Child Development, 66,* 830-842.

Fuligni, A. J., Yip, T., & Tseng, V. (2002). The impact of family obligation on the daily activities and psychological wellbeing of Chinese American adolescents. *Child Development, 73*(1), 302-314.

Furman, L. (2005). What is attention-deficit hyperactivity disorder (ADHD)? *Journal of Child Neurology, 20,* 994-1003.

Furman, L., Taylor, G., Minich, N., & Hack, M. (2003). The effect of maternal milk on neonatal morbidity of very low birth-weight infants. *Archives of Pediatrics and Adolescent Medicine, 157,* 66-71.

Furman, W. (1982). Children's friendships. In T. M. Field, A. Huston, H. C. Quay, L. Troll, & G. E. Finley (Eds.), *Review of human development* (pp. 327-342). New York: Wiley.

Furman, W., & Bierman, K. L. (1983). Developmental changes in young children's conception of friendship. *Child Development, 54,* 549-556.

Furman, W., & Buhrmester, D. (1985). Children's perceptions of the personal relationships in their social networks. *Developmental Psychology, 21,* 1016-1024.

Furman, W., & Wehner, E. A. (1997). Adolescent romantic relationships: A developmental perspective. In S. Shulman & A. Collins (Eds.), Romantic relationships in adolescence: Developmental perspectives. *New Directions for Child and Adolescent Development, 78,* 21-36.

Furrow, D. (1984). Social and private speech at two years. *Child Development, 55,* 355-362.

Furstenberg, Jr., F. F., Rumbaut, R. G., & Setterstein, Jr., R. A. (2005). On the frontier of adulthood: Emerging themes and new directions. In R. A. Settersten Jr., F. F. Furstenberg Jr., & R. G. Rumbaut (Eds.), *On the frontier of adulthood: Theory, research, and public policy* (pp. 3-25). Chicago: University of Chicago Press.

Fussell, E., & Furstenberg, F. (2005). The transition to adulthood during the twentieth century: Race, nativity, and gender. In R. A. Settersten Jr., F. F. Furstenberg Jr., & R. G. Rumbaut (Eds.), *On the frontier of adulthood: Theory, research, and public policy* (pp. 29-75). Chicago: University of Chicago Press.

Gabbard, C. P. (1996). *Lifelong motor development* (2nd ed.). Madison, WI: Brown and Benchmark.

Gabhainn, S., & François, Y. (2000). Substance use. In C. Currie, K. Hurrelmann, W. Settertobulte, R. Smith, & J. Todd (Eds.), *Health behaviour in schoolaged children: A WHO cross-national study (HBSC) international report* (pp. 97-114). [WHO Policy Series: Healthy Policy for Children and Adolescents, Series No. 1.] Copenhagen, Denmark: World Health Organization Regional Office for Europe.

Gable, S., Chang, Y., & Krull, J. L. (2007). Television watching and frequency of familiy meals are predictive of overweight onset and persistence in a national sample of school-age children. *Journal of the American Dietetic Association, 107,* 53-61.

Gabriel, T. (1996, January 7). High-tech pregnancies test hope's limit. *New York Times,* pp. 1, 18-19.

Gaffney, M., Gamble, M., Costa, P., Holstrum, J., & Boyle, C. (2003). Infants tested for hearing loss—United States, 1999-2001. *Morbidity and Mortality Weekly Report, 51,* 981-984.

Gagne, J. R., & Saudino, K. J. (2010). Wait for it! A twin study of inhibitory control in early childhood. *Behavioral Genetics, 40*(3), 327-337.

Galotti, K. M., Komatsu, L. K., & Voelz, S. (1997). Children's differential performance on deductive and inductive syllogisms. *Developmental Psychology, 33,* 70-78.

Ganger, J. & Brent, M. R. (2004). Reexamining the vocabulary spurt. *Developmental Psychology, 40,* 621-632.

Gannon, P. J., Holloway, R. L., Broadfield, D. C., & Braun, A. R. (1998). Asymmetry of chimpanzee planum temporale: Humanlike pattern of Wernicke's brain language homlog. *Science, 279,* 22-222.

Gans, J. E. (1990). *America's adolescents: How healthy are they?* Chicago: American Medical Association.

Garbarino, J., Dubrow, N., Kostelny, K., & Pardo, C. (1992). *Children in danger: Coping with the consequences of community violence.* San Francisco: Jossey-Bass.

Gardiner, H. W., & Kozmitzki, C. (2005). *Lives across cultures: Cross-cultural human development.* Boston: Allyn & Bacon.

Gardner, H. (1993). *Frames of mind: The theory of multiple intelligences.* New York: Basic. (Original work published 1983)

Gardner, H. (1995). Reflections on multiple intelligences: Myths and messages. *Phi Delta Kappan,* pp. 200-209.

Gardner, H. (1998). Are there additional intelligences? In J. Kane (Ed.), *Education, information, and transformation: Essays on learning and thinking.* Englewood Cliffs, NJ: Prentice Hall.

Gardner, M., & Steinberg, L. (2005). Peer influence on risk taking, risk preference, and risky decision making in adolescence and adulthood: An experimental study. *Developmental Psychology, 41,* 625-635.

Garland, A. F., & Zigler, E. (1993). Adolescent suicide prevention: Current research and social policy implications. *American Psychologist, 48*(2), 169-182.

Garlick, D. (2003). Integrating brain science research with intelligence research. *Current Directions in Psychological Science, 12,* 185-192.

Garmon, L. C., Basinger, K. S., Gregg, V. R., & Gibbs, J. C. (1996). Gender differences in stage and expression of moral judgment. *Merrill-Palmer Quarterly, 42,* 418-437.

Garner, P. W., & Estep, K. M. (2001). Emotional competence, emotional socialization, and young children's peer-related social competence. *Early Education & Development, 12*(1), 29-48.

Garner, P. W., & Power, T. G. (1996). Preschoolers' emotional control in the disappointment paradigm and its relation to temperament, emotional knowledge, and family expressiveness. *Child Development, 67,* 1406-1419.

Gartrell, N., Deck, A., Rodas, C., Peyser, H., & Banks, A. (2005). The National Lesbian Family Study: Interviews with the 10-year-old children. *American Journal of Orthopsychiatry, 75,* 518-524.

Gartstein, M. A., & Rothbart, M. K. (2003). Studying infant temperament via the Revised Infant Behavior Questionnaire. *Infant Behavior & Development, 26,* 64-86.

Gatewood, J. D., Wills, A., Shetty, S., Xu, J., Arnold, A. P., Burgoyne, P. S., & Rissman, E. F. (2006). Sex chromosome complement and gonadal sex influence aggressive and parental behaviors in mice. *Journal of Neuroscience, 26,* 2335-2342.

Gathercole, S. E., & Alloway, T. P. (2008). *Working memory and learning: A practical guide.* Thousand Oaks, CA: Sage.

Gauvain, M. (1993). The development of spatial thinking in everyday activity. *Developmental Review, 13,* 92-121.

Gauvain, M., & Perez, S. M. (2005). Parent-child participation in planning children's activities outside of school in European American and Latino families. *Child Development, 76,* 371-383.

Gazzaniga, M. S. (Ed.). (2000). *The new cognitive neurosciences* (2nd ed.). Cambridge, MA: MIT Press.

Ge, X., Brody, G. H., Conger, R. D., Simons, R. L., & Murry, V. (2002). Contextual amplification of pubertal transitional effect on African American children's problem behaviors. *Developmental Psychology, 38,* 42-54.

Ge, X., Conger, R. D., & Elder, G. H. (1996). Coming of age too early: Pubertal influences on girls' vulnerability to psychological distress. *Child Development, 67,* 3386-3400.

Ge, X., Conger, R. D., & Elder, G. H. (2001a). Pubertal transition, stressful life events, and the emergence of gender differences in adolescent depressive symptoms. *Developmental Psychology, 37*(3), 404-417.

Geary, D. C. (1993). Mathematical disabilities: Cognitive, neuropsychological, and genetic components. *Psychological Bulletin, 114,* 345-362.

Geary, D. C. (1999). Evolution and developmental sex differences. *Current Directions in Psychological Science, 8*(4), 115-120.

Geary, D. C. (2006). Development of mathematical understanding. In W. Damon (Ed.) & D. Kuhl & R. S. Siegler (Vol. Eds.), *Handbook of child psychology (6th ed.): Cognition, perception, and language,* Vol 2. (pp. 777-810). New York: John Wiley & Sons.

Gedo, J. (2001). *The enduring scientific contributions of Sigmund Freud.* Retrieved November 20, 2012, from http://www.pep-web.org/document.php?id=AOP.029.0105A.

Geidd, J. N. (2008). The teen brain: Insights from neuroimaging. *Journal of Adolescent Health, 42,* 321-323.

Geier, D. A., & Geier, M. R. (2006). Early downward trends in neurodevelopmental disorders following removal of thimerosal-containing vaccines. *Journal of American Physicians & Surgeons, 11*(1), 8-13.

Gelfand, D. M., & Teti, D. M. (1995, November). How does maternal depression affect children? *The Harvard Mental Health Letter,* p. 8.

Gélis, J. (1991). *History of childbirth: Fertility, pregnancy, and birth in early modern Europe.* Boston: Northeastern University Press.

Gelman, R. (2006). Young natural-number mathematicians. *Current Directions in Psychological Science, 15,* 193-197.

Gelman, R., Spelke, E. S., & Meck, E. (1983). What preschoolers know about animate and inanimate objects. In D. R. Rogers & J. S. Sloboda (Eds.), *The acquisition of symbolic skills* (pp. 297-326). New York: Plenum Press.

Genesee, F., Nicoladis, E., & Paradis, J. (1995). Language differentiation in early bilingual development. *Journal of Child Language, 22,* 611-631.

George, C., Kaplan, N., & Main, M. (1985). *The Berkeley Adult Attachment Interview.* [Unpublished protocol]. Department of Psychology, University of California, Berkeley, CA.

George, T. P., & Hartmann, D. P. (1996). Friendship networks of unpopular, average, and popular children. *Child Development, 67,* 2301-2316.

Gershoff, E. T. (2002). Corporal punishment by parents and associated child behaviors and experiences: A meta-analytic and theoretical review. *Psychological Bulletin, 128,* 539-579.

Gershoff, E. T., Aber, J. L., Raver, C. C., & Lennon, M. C. (2007). Income is not enough: Incorporating material hardship into models of income associations with parenting and child development. *Child Development, 78,* 70-95.

Gervai, J., Nemoda, Z., Lakatos, K., Ronai, Z., Toth, I., Ney, K., & Sasvari-Szekely, M. (2005). Transmission disequilibrium tests confirm the link between DRD4 gene polymorphism and infant attachment. *American Journal of Medical Genetics, Part B (Neuropsychiatric Genetics), 132B,* 126-130.

Gesell, A. (1929). Maturation and infant behavior patterns. *Psychological Review, 36,* 307-319.

Gettler, L. T., McDade, T. W., Feranil, A. B., & Kuzawa, C.W. (2011). Longitudinal evidence that fatherhood decreases testosterone in human males. *Proceedings of the National Academy of Science 108*(39), 1-6.

Getzels, J. W. (1964). Creative thinking, problem-solving, and instruction. In *Yearbook of the National Society for the Study of Education* (Part 1, pp. 240-267). Chicago: University of Chicago Press.

Getzels, J. W. (1984, March). *Problem finding in creativity in higher education.* The Fifth Rev. Charles F. Donovan, SJ, Lecture, Boston College, School of Education, Boston, MA.

Getzels, J. W., & Jackson, P. W. (1962). *Creativity and intelligence: Explorations with gifted students.* New York: Wiley.

Getzels, J. W., & Jackson, P. W. (1963). The highly intelligent and the highly creative adolescent: A summary of some research findings. In C. W. Taylor & F. Baron (Eds.), *Scientific creativity; Its recognition and development* (pp. 161-172). New York: Wiley.

Gibbons, L., Belizan, J. M., Lauer, J. A., Betran, A. P., Merialdi, M., & Althabe, F. (2010). The global numbers and costs of additionally needed and unnecessary caesarean sections performed per year: Overuse as a barrier to universal coverage. *World Health Report 30,* 2010. World Health Organization World Health Report Background Paper, 30. Retrieved from http://www.who.int/healthsystems/topics/financing/healthreport/30C-sectioncosts.pdf/

Gibbs, J. C. (1991). Toward an integration of Kohlberg's and Hoffman's theories of moral development. In W. M. Kurtines & J. L. Gewirtz (Eds.), *Handbook of moral behavior and development: Advances in theory, research, and application* (Vol. 1, pp. 183-222). Hillsdale, NJ: Erlbaum.

Gibbs, J. C. (1995). The cognitive developmental perspective. In W. M. Kurtines & J. L. Gewirtz (Eds.), *Moral development: An introduction.* Boston: Allyn & Bacon.

Gibbs, J. C., & Schnell, S. V. (1985). Moral development "versus" socialization. *American Psychologist, 40*(10), 1071-1080.

Gibson, E. J. (1969). *Principles of perceptual learning and development.* New York: Appleton-Century-Crofts.

Gibson, E. J., & Pick, A. D. (2000). *An ecological approach to perceptual learning and development.* New York: Oxford University Press.

Gibson, E. J., & Walker, A. S. (1984). Development of knowledge of visual tactual affordances of substance. *Child Development, 55,* 453-460.

Gibson, J. J. (1979). *The ecological approach to visual perception.* Boston: Houghton-Mifflin.

Giedd, J. N., Blumenthal, J., Jeffries, N. O., Castellanos, F. X., Zijdenbos, A., Paus, T., Evans, A. C., & Rapoport, J. L. (1999). Brain development during childhood and adolescence: A longitudinal MRI study. *Nature Neuroscience, 2,* 861-863.

Gilboa, S., Correa, A., Botto, L., Rasmussen, S., Waller, D., Hobbs, C., et al. (2009). Association between prepregnancy body mass index and congenital heart defects. *American Journal of Obstetrics and Gynecology, 202*(1), 51-61.

Gill, B., & Schlossman, S. (1996). "A sin against childhood": Progressive education and the crusade to abolish homework, 1897-1941. *American Journal of Education, 105,* 27-66.

Gill, B. P., & Schlossman, S. L. (2000). The lost cause of homework reform. *American Journal of Education, 109,* 27-62.

Gilligan, C. (1982). *In a different voice: Psychological theory and women's development.* Cambridge, MA: Harvard University Press.

Gilligan, C. (1987a). Adolescent development reconsidered. In E. E. Irwin (Ed.), *Adolescent social behavior and health* (pp. 63-92). San Francisco: Jossey-Bass.

Gilligan, C. (1987b). Moral orientation and moral development. In E. F. Kittay & D. T. Meyers (Eds.), *Women and moral theory* (pp. 19-33). Totowa, NJ: Rowman & Littlefield.

Gilmore, J., Lin, W., Prastawa, M. W., Looney, C. B., Vetsa, Y.S.K., Knickmeyer, R. C., et al. (2007). Regional gray matter growth, sexual dimorphism, and cerebral asymmetry in the neonatal brain. *Journal of Neuroscience, 27*(6), 1255-1260.

Ginsburg, G. S., & Bronstein, P. (1993). Family factors related to children's intrinsic/extrinsic motivational orientation and academic performance. *Child Development, 64,* 1461-1474.

Ginsburg, H., & Opper, S. (1979). *Piaget's theory of intellectual development* (2nd ed.). Englewood Cliffs, NJ: Prentice Hall.

Ginsburg, H. P. (1997). Mathematics learning disabilities: A view from developmental psychology. *Journal of Learning Disabilities, 30,* 20-33.

Ginsburg, K., & Committee on Communications & the Committee on Psychosocial Aspects of Child and Family Health, American Academy of Pediatrics (AAP). (2007). The importance of play in promoting healthy child development. *Pediatrics, 119,* 182-191.

Ginsburg-Block, M. D., & Fantuzzo, J. W. (1998). An evaluation of the relative effectiveness of NCTM standards-based interventions for low-achieving urban elementary students. *Journal of Educational Psychology, 90,* 560-569.

Giordano, P. C., Cernkovich, S. A., & DeMaris, A. (1993). The family and peer relations of black adolescents. *Journal of Marriage and the Family, 55,* 277-287.

Giordano, P. C., Longmore, M. A., & Manning, W. D. (2006). Gender and the meanings of adolescent romantic relationships: A focus on boys. *American Sociological Review, 71*(2), 260-287.

Giscombé, C. L., & Lobel, M. (2005). Explaining disproportionately high rates of adverse birth outcomes among African Americans: The impact of stress, racism, and related factors in pregnancy. *Psychological Bulletin, 131,* 662-683.

Gjerdingen, D. (2003). The effectiveness of various postpartum depression treatments and the impact of antidepressant drugs on nursing infants. *Journal of American Board of Family Practice, 16,* 372-382.

Glaser, D. (2000). Child abuse and neglect and the brain: A review. *Journal of Child Psychiatry, 41,* 97-116.

Glassbrenner, D., Carra, J. S., & Nichols, J. (2005). Recent estimates of safety belt use. *Journal of Safety Research, 35*(2), 237-244.

Glasson, E. J., Bower, C., Petterson, B., de Klerk, N., Chaney, G., & Hallmayer, J. F. (2004). Perinatal factors and the development of autism: A population study. *Archives of General Psychiatry, 61,* 618-627.

Gleason, T. R., Sebanc, A. M., & Hartup, W. W. (2000). Imaginary companions of preschool children. *Developmental Psychology, 36,* 419-428.

Gleitman, L. R., Newport, E. L., & Gleitman, H. (1984). The current status of the motherese hypothesis. *Journal of Child Language, 11,* 43-79.

Glenn, N., & Marquardt, E. (2001). *Hooking up, hanging out, and hoping for Mr. Right: College women on dating and mating today.* New York: Institute for American Values.

Gluckman, P. D., Wyatt, J. S., Azzopardi, D., Ballard, R., Edwards, A. D., Ferriero, D. M., et al. (2005). Selective head cooling with mild systemic hypothermia after neonatal encephalopathy: Multicentre randomized trial. *Lancet, 365,* 663-670.

Goerning, J., & Feins, F. (Eds.). (2003). *Choosing a better life? Evaluating the moving to opportunity social experiment.* Washington, DC: Urban Institute Press.

Goetz, P. J. (2003). The effects of bilingualism on theory of mind development. *Bilingualism: Language and Cognition, 6,* 1-15.

Gogtay, N., Giedd, J. N., Lusk, L., Hayashi, K. M., Greenstein, D., Vaituzis, A. C., et al. (2004). Dynamic mapping of human cortical development during childhood through early adulthood. *Proceedings of the National Academy of Sciences, USA, 101,* 8174-8179.

Goldenberg, R. L., Kirby, R., & Culhane, J. F. (2004). Stillbirth: A review. *Journal of Maternal-Fetal & Neonatal Medicine, 16*(2), 79-94.

Goldenberg, R. L., & Rouse, D. J. (1998). Prevention of premature labor. *New England Journal of Medicine, 339,* 313-320.

Goldin-Meadow, S. (2007). Pointing sets the stage for learning language—and creating language. *Child Development, 78*(3), 741-745.

Goldman, L., Falk, H., Landrigan, P. J., Balk, S. J., Reigart, J. R., & Etzel, R. A. (2004). Environmental pediatrics and its impact on government health policy. *Pediatrics, 113,* 1146-1157.

Goldman, R. (1964). *Religious thinking from childhood to adolescence.* London: Routledge & Kegan Paul.

Goldstein, M., King, A., & West, M. (2003). Social interaction shapes babbling: Testing parallels between birdsong and speech. *Proceedings of the National Academy of Sciences, USA, 100,* 8030-8035.

Goldstein, S. E., Davis-Kean, P. E., & Eccles, J. E. (2005). Parents, peers, and problem behavior: A longitudinal investigation of the impact of relationship perceptions and characteristics on the development of adolescent problem behavior. *Developmental Psychology, 2,* 401-413.

Goleman, D. (1995, July 1). A genetic clue to bed-wetting is located: Researchers say discovery shows the problem is not emotions! *New York Times,* p. 8.

Goler, N. C., Armstrong, M. A., Taillac, C. J., & Osejo, V. M. (2008). Substance abuse treatment linked with prenatal visits improves perinatal outcomes: A new standard. *Journal of Perinatology, 28,* 597-603.

Golinkoff, R. M., & Hirsch-Pasek, K. (2006). Baby wordsmith. *Current Directions in Psychological Science, 15,* 30-33.

Golinkoff, R. M., Jacquet, R. C., Hirsh-Pasek, K., & Nandakumar, R. (1996). Lexical principles may underlie the learning of verbs. *Child Development, 67,* 3101-3119.

Golomb, C., & Galasso, L. (1995). Make believe and reality: Explorations of the imaginary realm. *Developmental Psychology, 31,* 800-810.

Golombok, S., Perry B., Burston, A., Murray, C., Mooney-Summers, J., Stevens, M., & Golding, J. (2003). Children with lesbian parents: A community study. *Developmental Psychology, 39,* 20-33.

Golombok, S., Rust, J., Zervoulis, K., Croudace, T., Golding, J., & Hines, M. (2008). Developmental trajectories of sex-typed behaviors in boys and girls: A longitudinal general population study of children aged 2.5-8 years. *Child Development, 79,* 1583-1593.

Golub, M., Collman, G., Foster, P., Kimmel, C., Rajpert-De Meyts, E., Reiter, E., et al. (2008). Public health implications of altered puberty timing. *Pediatrics, 121,* S218-s230.

Göncü, A., Mistry, J., & Mosier, C. (2000). Cultural variations in the play toddlers. *International Journal of Behavioral Development, 24,* 321-329

Gonzales, N. A., Cauce, A. M., & Mason, C. A. (1996). Interobserver agreement in the assessment of parental behavior and parent-adolescent conflict: African American mothers, daughters, and independent observers. *Child Development, 67,* 1483-1498.

Gonzales, P., Guzman, J. C., Partelow, L., Pahlke, E., Jocelyn, L., Kastberg, D., & Williams, T. (2004). *Highlights from the Trends in International Mathematics and Science Study (TIMSS) 2003.* (NCES 2005-205). Washington, DC: National Center for Education Statistics, U.S. Department of Education, Institute of Education Sciences.

Gootman, E. (2007, January 22). Taking middle schoolers out of the middle. *New York Times,* p. A1.

Gopnik, A., Sobel, D. M., Schulz, L. E., & Glymour, C. (2001). Causal learning mechanisms in very young children: Two-, three-, and four-year-olds infer causal relations from patterns of variation and covariation. *Developmental Psychology, 37*(5), 620-629.

Gorman, M. (1993). Help and self-help for older adults in developing countries. *Generations, 17*(4), 73-76.

Gosselin, P., Perron, M., & Maassarani, R. (2009). Children's ability to distinguish between enjoyment and non-enjoyment smiles. *Infant and Child Development, 19*(3), 297-312. doi: 10.1002/icd.648

Gortmaker, S. L., Must, A., Perrin, J. M., Sobol, A. M., & Dietz, W. H. (1993). Social and economic consequences of overweight in adolescence and young adulthood. *New England Journal of Medicine, 329,* 1008-1012.

Gosden, R. G., & Feinberg, A. P. (2007). Genetics and epigenetics—nature's pen-and-pencil set. *New England Journal of Medicine, 356,* 731-733.

Gottfried, A., E., Fleming, J. S., & Gottfried, A. W. (1998). Role of cognitively stimulating home environment in children's academic intrinsic motivation: A longitudinal study. *Child Development, 69,* 1448-1460.

Gottfried, A. W., Cook, C. R., Gottfried, A. E., & Morris, P. E. (2005). Educational characteristics of adolescents with gifted academic intrinsic motivation: A longitudinal investigation from school entry through early adulthood. *Gifted Child Quarterly, 49*(2), 172-186.

Gottlieb, A. (2000). Luring your child into this life: A Beng path for infant care. In J. DeLoache & A. Gottlieb (Eds.), *A world of babies: Imagined childcare guides for seven societies* (pp. 55-89). New York: Cambridge University Press.

Gottlieb, G. (1991). Experiential canalization of behavioral development theory. *Developmental Psychology, 27*(1), 4-13.

Gottlieb, G. (2007). Probabilistic epigenesis. *Developmental Science, 10,* 1-11.

Gottman, J. M., & Notarius, C. I. (2000). Decade review: Observing marital interaction. *Journal of Marriage and the Family, 62,* 927-947.

Goubet, N. & Clifton, R. K. (1998). Object and event representation in 6 1/2-month-old infants. *Developmental Psychology, 34,* 63-76.

Gould, E., Reeves, A. J., Graziano, M.S.A., & Gross, C. G. (1999). Neurogenesis in the neocortex of adult primates. *Science, 286,* 548-552.

Graber, J. A., Brooks-Gunn, J., & Warren, M. P. (1995). The antecedents of menarcheal age: Heredity, family environment, and stressful life events. *Child Development, 66,* 346-359.

Graber, J. A., Lewinsohn, P. M., Seeley, J. R., & Brooks-Gunn, J. (1997). Is psychopathology associated with the timing of pubertal development? *Journal of the American Academy of Child and Adolescent Psychiatry, 36,* 1768-1776.

Grady, B. (2002, December). *Miscarriage: The need to grieve.* Retrieved April 9, 2006, from www.parenting-plus.newsletter/com0212.htm

Grantham-McGregor, S., Powell, C., Walker, S., Chang, S., & Fletcher, P. (1994). The long-term follow-up of severely malnourished children who participated in an intervention program. *Child Development, 65,* 428-439.

Gray, J. R., & Thompson, P. M. (2004). Neurobiology of intelligence: Science and ethics. *Neuroscience, 5,* 471-492.

Gray, M. R., & Steinberg, L. (1999). Unpacking authoritative parenting: Reassessing a multidimensional construct. *Journal of Marriage and the Family, 61,* 574-587.

Gray, P. B., Yang, C. J., & Pope Jr., H. G. (2006). Fathers have lower salivary testosterone levels than umarried men and married on-fathers in Beijing, China. *Proceedings of the Royal Society of Biological Sciences, 273*(1584), 333-339.

Green, R. E., Krause, J., Briggs, A. W., Maricic, T., Stenzel, U., Kircher, M., et al. (2010). A draft sequence of the Neandertal genome. *Science, 7*(328), 710-722. doi: 10.1126/science.1188021

Greene, M. F. (2002). Outcomes of very low birth weight in young adults. *New England Journal of Medicine, 346*(3), 146-148.

Greenfield, P. (2009). Technology and informal education: What is taught, what is learned. *Science, 323,* 69-71.

Greenfield, P. M., & Childs, C. P. (1978). Understanding sibling concepts: A developmental study of kin terms in Zinacanten. In P. R. Dasen (Ed.), *Piagetian psychology* (pp. 335-358). New York: Gardner.

Greenhouse, L. (2000a, February 29). Program of drug-testing pregnant women draws review by the Supreme Court. *New York Times,* p. A12.

Greenhouse, L. (2000b, September 9). Should a fetus's well-being override a mother's rights? *New York Times,* pp. B9, B11.

Greenstone, M., & Chay, K. (2003). The impact of air pollution on infant mortality: Evidence from geographic variation in pollution shocks induced by a recession. *Quarterly Journal of Economics, 118,* 1121-1167.

Gregg, V. R., Winer, G. A., Cottrell, J. E., Hedman, K. E., & Fournier, J. S. (2001). The persistence of a misconception about vision after educational interventions. *Psychonomic Bulletin and Review, 8,* 622-626.

Grigorenko, E. L., Meier, E., Lipka, J., Mohatt, G., Yanez, E., & Sternberg, R. J. (2004). Academic and practical intelligence: A case study of the Yup'ik in Alaska. *Learning and Individual Differences, 14*(4), 183-207.

Grigorenko, E. L., & Sternberg, R. J. (1998). Dynamic testing. *Psych Bulletin, 124,* 75-111.

Groce, N. E., & Zola, I. K. (1993). Multiculturalism, chronic illness, and disability. *Pediatrics, 91,* 1048-1055.

Gross, R. T., & Duke, P. (1980). The effect of early versus late physical maturation on adolescent behavior. [Special issue: I. Litt (Ed.), Symposium on adolescent medicine]. *Pediatric Clinics of North America, 27,* 71-78.

Grotevant, H. D., McRoy, R. G., Eide, C. L., & Fravel, D. L. (1994). Adoptive family system dynamics: Variations by level of openness in the adoption. *Family Process, 33*(2), 125-146.

Gruber, H. (1981). *Darwin on man: A psychological study of scientific creativity* (2nd ed.). Chicago: University of Chicago Press.

Grusec, J. E., & Goodnow, J. J. (1994). Impact of parental discipline methods on the child's internalization of values: A reconceptualization of current points of view. *Developmental Psychology, 30,* 4-19.

Guberman, S. R. (1996). The development of everyday mathematics in Brazilian children with limited formal education. *Child Development, 67,* 1609-1623.

Guendelman, S., Kosa, J. L., Pearl, M., Graham, S., Goodman, J., & Kharrazi, M. (2009). Juggling work and breastfeeding: Effects of maternity leave and occupational characteristics. *Pediatrics, 123,* e38-e46.

Guerino, P., Hurwitz, M. D., Noonan, M. E., & Kaffenberger, S. M. (2006). *Crime, violence, discipline, and safety in U.S. public schools: Findings from the School Survey on Crime and Safety: 2003-2004* (NCES 2007-303). Washington, DC: National Center for Education Statistics.

Guilford, J. P. (1956). Structure of intellect. *Psychological Bulletin, 53,* 267-293.

Guilford, J. P. (1959). Three faces of intellect. *American Psychologist, 14,* 469-479.

Guilford, J. P. (1960). Basic conceptual problems of the psychology of thinking. *Proceedings of the New York Academy of Sciences, 91*, 6-21.

Guilford, J. P. (1967). *The nature of human intelligence.* New York: McGraw-Hill.

Guilford, J. P. (1986). *Creative talents: Their nature, uses and development.* Buffalo, NY: Bearly.

Guilleminault, C., Palombini, L., Pelayo, R., & Chervin, R. D. (2003). Sleeping and sleep terrors in prepubertal children: What triggers them? *Pediatrics, 111*, e17-e25.

Gullone, E. (2000). The development of normal fear: A century of research. *Clinical Psychology Review, 20*, 429-451.

Gundersen, C., Lohman, B. J., Garasky, S., Stewart, S., & Eisenmann, J. (2008). Food security, maternal stressors, and overweight among low-income U.S. children: Results from the National Health and Nutrition Examination Survey (1999-2002). *Pediatrics, 122*, e529-e540.

Gunnar, M. R., Larson, M. C., Hertsgaard, L., Harris, M. L., & Brodersen, L. (1992). The stressfulness of separation among 9-month-old infants: Effects of social context variables and infant temperament. *Child Development, 63*, 290-303.

Gunnoe, M. L., & Hetherington, E. M. (2004). Stepchildren's perceptions of noncustodial mothers and noncustodial fathers: Differences in socioemotional involvement and associations with adolescent adjustment problems. *Journal of Family Psychology, 18*, 555-563.

Gunnoe, M. L., & Mariner, C. L. (1997). Toward a developmental-contextual model of the effects of parental spanking on children's aggression. *Archives of Pediatric and Adolescent Medicine, 151*, 768-775.

Gunturkun, O. (2003). Human behaviour: Adult persistence of head-turning asymmetry. *Nature, 421*, 711. doi:10.1038/421711a

Guo, G., Roettger, M., & Cai, T. (2008). The integration of genetic propensities into social-control models of delinquency and violence among male youths. *American Sociological Review, 73*, 543-568.

Gutman, L. M., & Eccles, J. S. (2007). Stage-environment fit during adolescence: Trajectories of family relations and adolescent outcomes. *Developmental Psychology, 43*, 522-537.

Guzick, D. S., Carson, S. A., Coutifaris, C., Overstreet, J. W., Factor-Litvak, P., Steinkampf, M. P., et al. (1999). Efficacy of superovulation and intrauterine insemination in the treatment of infertility. *New England Journal of Medicine, 340*, 177-183.

Hack, M., Flannery, D. J., Schluchter, M., Cartar, L., Borawski, E., & Klein, N. (2002). Outcomes in young adulthood for very low-birth-weight infants. *New England Journal of Medicine, 346*(3), 149-157.

Hack, M., Youngstrom, E. A., Cartar, L., Schluchter, M., Taylor, H. G., Flannery, D., et al. (2004). Behavioral outcomes and evidence of psychopathology among very low birth weight infants at age 20 years. *Pediatrics, 114*, 932-940.

Hagan, J. F., Committee on Psychosocial Aspects of Child and Family Health, & Task Force on Terrorism. (2005). Psychosocial implications of disaster or terrorism on children: A guide for pediatricians. *Pediatrics, 116*, 787-796.

Hahn, R., Fuqua-Whitley, D., Wethington, H., Lowy, J., Liberman, A., Crosby, A., et al. (2007). The effectiveness of universal school-based programs for the prevention of violent and aggressive behavior: A report on recommendations of the Task Force on Community Preventive Services. *Morbidity and Mortality Weekly Report, 56*(RR07), 1-12.

Haig, D. (1993). Genetic conflicts in human pregnancy. *Quarterly Review of Biology, 68*, 495-532.

Haith, M. M. (1986). Sensory and perceptual processes in early infancy. *Journal of Pediatrics, 109*(1), 158-171.

Haith, M. M. (1998). Who put the cog in infant cognition? Is rich interpretation too costly? *Infant Behavior and Development, 21*(2), 167-179.

Haith, M. M., & Benson, J. B. (1998). Infant cognition. In D. Kuhn & R. S. Siegler (Eds.), *Handbook of child psychology: Vol. 2. Cognition, perception, and language* (5th ed., pp. 199-254). New York: Wiley.

Halbower, A. C., Degaonkar, M., Barker, P. B., Early, C. J., Marcus, C. L., Smith, P. L., et al. (2006). Childhood obstructive sleep apnea associates with neuropsychological deficits and neuronal brain injury. *PLoS Medicine, 3*, e301-e312.

Halgunseth, L. C., Ispa, J. M., & Rudy, D. (2006). Parental control in Latino families: An integrated review of the literature. *Child Development, 77*, 1282-1297.

Hall, D. G., & Graham, S. A. (1999). Lexical form class information guides word-to-object mapping in preschoolers. *Child Development, 70*, 78-91.

Hallfors, D. D. Waller, M. W., Bauer, D., Ford, C. A., & Halpern, C. T. (2005). Which comes first in adolescence—sex and drugs or depression? *American Journal of Preventive Medicine, 29*, 1163-1170.

Halpern, C., Young, M., Waller, M., Martin, S., & Kupper, L. (2003). Prevalence of partner violence in same-sex romantic and sexual relationships in a national sample of adolescents. *Journal of Adolescent Health, 35*(2), 124-131.

Halpern, D. F., Benbow, C. P., Geary, D. C., Gur, R. C., Hyde, J. S., & Gernsbacher, M. A. (2007). The science of sex differences in science and mathematics. *Psychological Science in the Public Interest, 8*, 1-51.

Hamilton, L., Cheng, S., & Powell, B. (2007). Adoptive parents, adaptive parents: Evaluating the importance of biological ties for parental involvement. *American Sociological Review, 72*, 95-116.

Hamilton, M. C., Anderson, D., Broaddus, M., & Young, K. (2006) Gender stereotyping and under-representation of female characters in 200 popular children's picture books: A 21st century update. *Sex Roles: A Journal of Research, 55*, 757-765.

Hamlin, J. K., Wynn, K., & Bloom, P. (2007). Social evaluation by preverbal infants. *Nature, 450*, 557-559.

Hammad, T. A., Laughren, T., & Racoosin, J. (2006). Suicidality in pediatric patients treated with antidepressant drugs. *Archives of General Psychiatry, 63*, 332-339.

Hampden-Thompson, G., & Johnston. J. S. (2006). *Variation in the relationship between nonschool factors and student achievement on international assessments* (NCES 2006-014). Washington, DC: U.S. Department of Education, National Center for Education Statistics.

Hamre, B. K., & Pianta, R. C. (2005). Can instructional and emotional support in the first-grade classroom make a difference for children at risk of school failure? *Child Development, 76*, 949-967.

Handmaker, N. S., Rayburn, W. F., Meng, C., Bell, J. B., Rayburn, B. B., & Rappaport, V. J. (2006). Impact of alcohol exposure after pregnancy recognition on ultrasonographic fetal growth measures. *Alcoholism: Clinical and Experimental Research, 30*, 892-898.

Hanney, L., & Kozlowska, K. (2002). Healing traumatized children: Creating illustrated storybooks in family therapy. *Family Process, 41*(1), 37-65

Hannigan, J. H., & Armant, D. R. (2000). Alcohol in pregnancy and neonatal outcome. *Seminars in Neonatology, 5*, 243-254.

Hansen, D., Lou, H. C., & Olsen, J. (2000). Serious life events and congenital malformations: A national study with complete follow-up. *Lancet, 356*, 875-880.

Hansen, M., Janssen, I., Schiff, A., Zee, P. C., & Dubocovich, M. L. (2005). The impact of school daily schedule on adolescent sleep. *Pediatrics, 115*, 1555-1561.

Hara, H. (2002). Justifications for bullying among Japanese school children. *Asian Journal of Social Psychology, 5*, 197-204.

Hardway, C., & Fuligni, A. J. (2006). Dimensions of family connectedness among adolescents with Mexican, Chinese, and European backgrounds. *Developmental Psychology, 42*, 1246-1258.

Hardy, R., Kuh, D., Langenberg, C., & Wadsworth, M. E. (2003). Birth weight, childhood social class, and change in adult blood pressure in the 1946 British birth cohort. *Lancet, 362*, 1178-1183.

Hardy-Brown, K., & Plomin, R. (1985). Infant communicative development: Evidence from adoptive and biological families for genetic and environmental influences on rate differences. *Developmental Psychology, 21*, 378-385.

Hardy-Brown, K., Plomin, R., & DeFries, J. C. (1981). Genetic and environmental influences on rate of communicative development in the first year of life. *Developmental Psychology, 17*, 704-717.

Harlow, H. F., & Harlow, M. K. (1962). The effect of rearing conditions on behavior. *Bulletin of the Menninger Clinic, 26*, 213-224.

Harlow, H. F., & Zimmerman, R. R. (1959). Affectional responses in the infant monkey. *Science, 130*, 421-432.

Harnishfeger, K. K., & Bjorklund, D. F. (1993). The ontogeny of inhibition mechanisms: A renewed approach to cognitive development. In M. L. Howe & R. P. Pasnak (Eds.), *Emerging themes in cognitive development* (Vol. 1, pp. 28-49). New York: Springer-Verlag.

Harnishfeger, K. K., & Pope, R. S. (1996). Intending to forget: The development of cognitive inhibition in directed forgetting. *Journal of Experimental Psychology, 62*, 292-315.

Harris, G. (1997). Development of taste perception and appetite regulation. In G. Bremner, A. Slater, & G. Butterworth (Eds.), *Infant development: Recent advances* (pp. 9-30). East Sussex, UK: Psychology Press.

Harris, L. H., & Paltrow, L. (2003). The status of pregnant women and fetuses in U.S. criminal law. *Journal of the American Medical Association, 289*, 1697-1699.

Harris, P. L., Brown, E., Marriott, C., Whittall, S., & Harmer, S. (1991). Monsters, ghosts, and witches: Testing the limits of the fantasy-reality distinction in young children. In G. E. Butterworth, P. L. Harris, A. M. Leslie, & H. M. Wellman (Eds.), *Perspective on the child's theory of mind* (pp. 143-164). Oxford: Oxford University Press.

Harris, P. L., Olthof, T., Meerum Terwogt, M., & Hardman, C. (1987). Children's knowledge of situations that provoke emotion. *International Journal of Behavioral Development, 10*, 319-343.

Harrist, A. W., & Waugh, R. M. (2002). Dyadic synchrony: Its structure and function in children's development. *Developmental Review, 22*, 555-592.

Harrist, A. W., Zain, A. F., Bates, J. E., Dodge, K. A., & Pettit, G. S. (1997). Subtypes of social withdrawal in early childhood: Sociometric status and social-cognitive differences across four years. *Child Development, 68*, 278-294.

Hart, C. H., DeWolf, M., Wozniak, P., & Burts, D. C. (1992). Maternal and paternal disciplinary styles: Relations with preschoolers' playground behavioral orientation and peer status. *Child Development, 63*, 879-892.

Hart, C. H., Ladd, G. W., & Burleson, B. R. (1990). Children's expectations of the outcome of social strategies: Relations with sociometric status and maternal disciplinary style. *Child Development, 61*, 127-137.

Harter, S. (1990). Causes, correlates, and the functional role of global self-worth: A life-span perspective. In J. Kolligan & R. Sternberg (Eds.), *Competence considered: Perceptions of competence and incompetence across the life-span* (pp. 67-97). New Haven, CT: Yale University Press.

Harter, S. (1993). Developmental changes in self-understanding across the 5 to 7 shift. In A. Sameroff & M. Haith (Eds.), *Reason and responsibility: The passage through childhood* (pp. 207-236). Chicago: University of Chicago Press.

Harter, S. (1996). Developmental changes in self-understanding across the 5 to 7 shift. In J. Sameroff & M. M. Haith (Eds.), *The five to seven year shift: The age of reason and responsibility* (pp. 207-235). Chicago: University of Chicago Press.

Harter, S. (1998). The development of self-representations. In W. Damon (Series Ed.) & N. Eisenberg (Vol. Ed.), *Handbook of child psychology: Vol. 3. Social, emotional, and personality development* (5th ed., pp. 553-617). New York: Wiley.

Harter, S. (2006). The self. In W. Damon & R. M. Lerner (Series Eds.) & N. Eisenberg (Vol. Ed.), *Handbook of child psychology: Vol 3. Social, emotional and personality development* (pp. 505-570). Hoboken: NJ: Wiley.

Hartshorn, K., Rovee-Collier, C., Gerhardstein, P., Bhatt, R. S., Wondoloski, R. L., Klein, P., et al. (1998). The ontogeny of long-term memory over the first year-and-a-half of life. *Developmental Psychobiology, 32*, 69-89.

Hartup, W. W. (1992). Peer relations in early and middle childhood. In V. B. Van Hasselt & M. Hersen (Eds.), *Handbook of social development: A lifespan perspective* (pp. 257-281). New York: Plenum Press.

Hartup, W. W. (1996a). The company they keep: Friendships and their developmental significance. *Child Development, 67*, 1-13.

Hartup, W. W. (1996b). Cooperation, close relationships, and cognitive development. In W. M. Bukowski, A. F. Newcomb, & W. W. Hartup (Eds.), *The company they keep: Friendship in childhood and adolescence* (pp. 213-237). New York: Cambridge University Press.

Hartup, W. W., & Stevens, N. (1999). Friendships and adaptation across the life span. *Current Directions in Psychological Science, 8*, 76-79.

Harvard Medical School. (2004, December). Children's fears and anxieties. *Harvard Mental Health Letter, 21*(6), 1-3.

Harvey, J. H., & Pauwels, B. G. (1999). Recent developments in close relationships theory. *Current Directions in Psychological Science, 8*(3), 93-95.

Harwood, R. L., Schoelmerich, A., Ventura-Cook, E., Schulze, P. A., & Wilson, S. P. (1996). Culture and class influences on Anglo and Puerto Rican mothers' beliefs regarding long-term socialization goals and child behavior. *Child Development, 67*, 2446-2461.

Haswell, K., Hock, E., & Wenar, C. (1981). Oppositional behavior of preschool children: Theory and intervention. *Family Relations, 30*, 440-446.

Hatcher, P. J., Hulme, C., & Ellis, A. W. (1994). Ameliorating early reading failure by integrating the teaching of reading and phonological skills: The phonological linkage hypotheses. *Child Development, 65*, 41-57.

Hauck, F. R., Herman, S. M., Donovan, M., Iyasu, S., Moore, C. M., Donoghue, E., et al. (2003). Sleep environment and the risk of sudden infant death syndrome in an urban population: The Chicago Infant Mortality Study. *Pediatrics, 111*, 1207-1214.

Hauck, F. R., Omojokun, O. O., & Siadaty, M. S. (2005). Do pacifiers reduce the risk of sudden infant death syndrome? A meta-analysis. *Pediatrics, 116*, e716-e723.

Haugaard, J. J. (1998). Is adoption a risk factor for the development of adjustment problems? *Clinical Psychology Review, 18*, 47-69.

Hawes, A. (1996). Jungle gyms: The evolution of animal play. *ZooGoer, 25*(1). Retrieved July 18, 2006, from http://nationalzoo.si.edu/Publications/ZooGoer/1996/1/junglegyms.cfm

Hawkins, J. D., Catalano, R. F., Kosterman, R., Abbott, R., & Hill, K. G. (1999). Preventing adolescent health-risk behaviors by strengthening protection during childhood. *Archives of Pediatrics and Adolescent Medicine, 153*, 226-234.

Hawkins, J. D., Catalano, R. F., & Miller, J. Y. (1992). Risk and protective factors for alcohol and other drug problems in adolescence and early adulthood: Implications for substance abuse programs. *Psychological Bulletin, 112*(1), 64-105.

Hawks, J., Wang, E. T., Cochran, G. M., Harpending, H. C., & Moyzis, R. K. (2007). Recent acceleration of human adaptive evolution. *Proceedings of the National Academy of Sciences, USA, 104*, 20753-20758.

Hay, D (1994). Prosocial development. *Journal of Child Psychology and Psychiatry, 35*, 29-71.

Hay, D. (2003). Pathways to violence in the children of mothers who were depressed post partum. *Developmental Psychology, 39*, 1083-1094.

Hay, D. F., Payne, A., & Chadwick, A. (2004). Peer relations in childhood. *Journal of Child Psychology and Psychiatry, 45*, 84-108.

Hay, D. F., Pedersen, J., & Nash, A. (1982). Dyadic interaction in the first year of life. In K. H. Rubin & H. S. Ross (Eds.), *Peer relationships and social skills in children*. New York: Springer.

Hayashi, M., & Abe, A. (2008). Short daytime naps in a car seat to counteract daytime sleepiness: The effect of backrest angle. *Sleep and Biological Rhythms, 6*, 34-44.

Hayes, A., & Batshaw, M. L. (1993). Down syndrome. *Pediatric Clinics of North America, 40*, 523-535.

Hayghe, H. (1986, February). Rise in mothers' labor force activity includes those with infants. *Monthly Labor Review, 109*, 43-45.

Hayne, H., Barr, R., & Herbert, J. (2003). The effect of prior practice on memory reactivation and generalization. *Child Development, 74*, 1615-1627.

Healy, A. J., Malone, F. D., Sullivan, L. M., Porter, T. F., Luthy, D. A., Comstock, C. H., et al. (2006). Early access to prenatal care: Implications for racial disparity in perinatal mortality. *Obstetrics and Gynecology, 107*, 625-631.

Heath, S. B. (1989). Oral and literate tradition among black Americans living in poverty. *American Psychologist, 44*, 367-373.

Heffner, L. J. (2004). Advanced maternal age-how old is too old? *New England Journal of Medicine, 351*, 1927-1929.

Helms, J. E. (1992). Why is there no study of cultural equivalence in standardized cognitive ability testing? *American Psychologist, 47*, 1083-1101.

Helms, J. E., Jernigan, M., & Macher, J. (2005). The meaning of race in psychology and how to change it: A methodological perspective. *American Psychologist, 60*, 27-36.

Helwig, C. C., & Jasiobedzka, U. (2001). The relation between law and morality: Children's reasoning about socially beneficial and unjust laws. *Child Development, 72*, 1382-1393.

Henderson, H. A., Marshall, P. J., Fox, N. A., & Rubin, K. H. (2004). Psychophysiological and behavioral evidence for varying forms and functions of nonsocial behavior in preschoolers. *Child Development, 75*, 251-263.

Henrich, C., Ginicola, M., Finn-Stevenson, M., & Zigler, E. (2006). *The school of the 21st century is making a difference: Findings from two evaluations.* [Issue brief]. New Haven, CT: Zigler Center in Child Development and Social Policy, Yale University.

Herdt, G., & McClintock, M. (2000). The magical age of ten. *Archives of Sexual Behavior, 29*(6), 587-606. doi: 10.1023/A:1002006521067

Hernandez, D. J. (1997). Child development and the social demography of childhood. *Child Development, 68,* 149-169.

Hernandez, D. J. (2004, Summer). Demographic change and the life circumstances of immigrant families. In R. E. Behrman (Ed.), *Children of immigrant families* (pp. 17-48). *The Future of Children, 14*(2). Retrieved October 7, 2004, from www.futureofchildren.org

Hernandez, D. J., Denton, N. A., & Macartney, S. E. (2007). Child poverty in the U.S.: A new family budget approach with comparison to European countries. In H. Wintersberger, L. Alanen, T. Olk, & J. Qvortrup (Eds.), *Childhood, generational order and the welfare state: Exploring children's social and economic welfare. Volume 1 of COST A19 Children's Welfare* (pp. 109-140). Odense: University Press of Southern Denmark.

Hernandez, D. J., Denton, N. A., & Macartney, S. E. (2008). Children in immigrant families: Looking to America's future. *SRCD Social Policy Report, 22.* [No. 111].

Hernandez, D. J., & Macartney, S. E. (2008, January). *Racial-ethnic inequality in child well-being from 1985-2004: Gaps narrowing, but persist.* [No. 9]. New York: Foundation for Child Development.

Heron, M. P, Hoyert, D. L., Murphy, S. L., Xu, J. Q., Kochanek, K. D., & Tejada-Vera, B. (2009). Deaths: Final data for 2006. *National Vital Statistics Reports, 57*(14). Hyattsville, MD: National Center for Health Statistics.

Herrera, C., & Dunn., J. (1997). Early experineces with family conflict: Implications for arguments with a close friend. *Developmental Psychology, 33,* 869-881.

Herrnstein, R. J., & Murray, C. (1994). *The bell curve: Intelligence and class structure in American life.* New York: Free Press.

Hertenstein, M. J., & Campos, J. J. (2004). The retention effects of an adult's emotional displays on infant behavior. *Child Development, 75,* 595-613.

Hertz-Pannier, L., Chiron, C., Jambaque, I., Renaux-Kieffer, V., Van de Moortele, P., Delalande, O., et al. (2002). Late plasticity for language in a child's non-dominant hemisphere. A pre-and post-surgery fMRI study. *Brain, 125*(2), 361-372.

Hertz-Picciotto, I., & Delwiche, L. (2009). The rise in autism and the role of age at diagnosis. *Epidemiology, 20,* 84-90.

Hesketh, T., Lu, L., & Xing, Z. W. (2005). The effect of China's one-child policy after 25 years. *New England Journal of Medicine, 353,* 1171-1176.

Hespos, S. J., & Baillargeon, R. (2008). Young infants' actions reveal their developing knowledge of support variables: Converging evidence for violation-of-expectation findings. *Cognition, 107*(1), 304-316.

Hess, S. Y., & King, J. C. (2009). Effects of maternal zinc supplementation on pregnancy and lactation outcomes. *Food and Nutrition Bulletin, 30*(1), 60-78.

Hesso, N. A., & Fuentes, E. (2005). Ethnic differences in neonatal and postneonatal mortality. *Pediatrics, 115,* e44-e51.

Hetherington, E. M. (1987). Family relations six years after divorce. In K. Pasley & M. Ihinger-Tallman (Eds.), *Remarriage and stepparenting today: Research and theory* (pp. 185-205). New York: Guilford Press.

Hetherington, E. M., & Kelly, J. (2002). *For better or worse: Divorce reconsidered.* New York: Norton.

Hetherington, E. M., Stanley-Hagan, M., & Anderson, E. (1989). Marital transitions: Child's perspective. *American Psychologist, 44,* 303-312.

Hewlett, B. S. (1987). Intimate fathers: Patterns of paternal holding among Aka pygmies. In M. E. Lamb (Ed.), *The father's role: Cross-cultural perspectives* (pp. 295-330). Hillsdale, NJ: Erlbaum.

Hewlett, B. S. (1992). Husband-wife reciprocity and the father-infant relationship among Aka pygmies. In B. S. Hewlett (Ed.), *Father-child relations: Cultural and biosocial contexts* (pp. 153-176). New York: de Gruyter.

Hewlett, B. S., Lamb, M. E., Shannon, D., Leyendecker, B., & Schölmerich, A. (1998). Culture and early infancy among central African foragers and farmers. *Developmental Psychology, 34*(4), 653-661.

Hickling, A. K., & Wellman, H. M. (2001). The emergence of children's causal explanations and theories: Evidence from everyday conversations. *Developmental Psychology, 37*(5), 668-683.

Hickman, M., Roberts, C., & de Matos, M. G. (2000). Exercise and leisure time activities. In C. Currie, K. Hurrelmann, W. Settertobulte, R. Smith, & J. Todd (Eds.), *Health and health behaviour among young people: A WHO crossnational study (HBSC) international report* (pp. 73-82). [WHO Policy Series: Health Policy for Children and Adolescents, Series No. 1]. Copenhagen, Denmark: World Health Organization Regional Office for Europe.

Hill, A. L., Degan, K. A., Calkins, S. D., & Keane, S. P. (2006). Profiles of externalizing behavior problems for boys and girls across preschool: The roles of emotional regulation and inattention. *Developmental Psychology, 42,* 913-928.

Hill, D. A., Gridley, G., Cnattingius, S., Mellemkjaer, L., Linet, M., Adami, H.-O., et al. (2003). Mortality and cancer incidence among individuals with Down syndrome. *Archives of Internal Medicine, 163,* 705-711.

Hill, J. L., Waldfogel, J., Brooks-Gunn, J., & Han, W.-J. (2005). Maternal employment and child development: A fresh look using newer methods. *Developmental Psychology, 41,* 833-850.

Hill, J. P. (1987). Research on adolescents and their families: Past and prospect. In E. E. Irwin (Ed.), *New directions in child development: Adolescent social behavior and health* (pp. 13-32). San Francisco: Jossey-Bass.

Hill, N., & Tyson, D. (2009). Parental involvement in middle school: A meta-analytical assessment of the strategies that promote achievement. *Developmental Psychology, 45*(3), 740-763.

Hill, N. E., & Taylor, L. C. (2004). Parental school involvement and children's academic achievement: Pragmatics and issues. *Current Directions in Psychological Science, 13,* 161-168.

Hillier, L. (2002). "It's a catch-22": Same-sex-attracted young people on coming out to parents. In S. S. Feldman & D. A. Rosenthal (Eds.), Talking sexuality. *New Directions for Child and Adolescent Development, 97,* 75-91.

Hillier, T. A., Pedula, K. L., Vesco, K. K., Schmidt, M. M., Mullen, J. A., LeBlanc, E. S., & Pettitt, D. J. (2008). Excess gestational weight gain: Modifying fetal macrosomia risk associated with maternal glucose. *Obstetrics & Gynecology, 112,* 1007-1014.

Hillis, S. D., Anda, R. F., Dubé, S. R., Felitti, V. J., Marchbanks, P. A., & Marks, J. S. (2004). The association between adverse childhood experiences and adolescent pregnancy, long-term psychosocial consequences, and fetal death. *Pediatrics, 113,* 320-327.

Hinckley, A. F., Bachard, A. M., & Reif, J. S. (2005). Late pregnancy exposures to disinfection by-products and growth-related birth outcomes. *Environmental Health Perspectives, 113,* 1808-1813.

Hines, A. M. (1997). Divorce-related transitions, adolescent development, and the role of the parent-child relationship: A review of the literature. *Journal of Marriage and the Family, 59,* 375-388.

Hingson, R. W., Heeren., T., & Winter, M. R. (2006) Age at drinking onset and alcohol dependence: Age at onset, duration, and severity. *Archivers of Pediatrics & Adolescent Medicine, 160,* 739-746.

Hitchins, M. P., & Moore, G. E. (2002, May 9). Genomic imprinting in fetal growth and development. *Expert Reviews in Molecular Medicine, 4,* 1-9.

Hjelmborg, J., Iachine, I., Skytthe, A., Vaupel, J., McGue, M., et. al., (2006). Genetic influence on human lifespan and longevity. *Human Genetics 199*(3), 312-321.

Hoban, T. F. (2004). Sleep and its disorders in children. *Seminars in Neurology, 24,* 327-340.

Hobson, J. A., & Silvestri, L. (1999, February). Parasomnias. *Harvard Mental Health Letter,* pp. 3-5.

Hodges, E.V.E., Boivin, M., Vitaro, F., & Bukowski, W. M. (1999). The power of friendship: Protection against an escalating cycle of peer victimization. *Developmental Psychology, 35,* 94-101.

Hodnett, E. D., Gates, S., Hofmeyr, G. J., & Sakala, C. (2005). Continuous support for women during childbirth (Cochrane Review). *The Cochrane Library,* Issue 1, Oxford.

Hoff, E. (2003). The specificity of environmental influence: Socioeconomic status affects early vocabulary development via maternal speech. *Child Development, 74,* 1368-1378.

Hoff, E. (2006). How social contexts support and shape language development. *Developmental Review, 26*, 55-88.

Hofferth, S. L., & Jankuniene, Z. (2000, April 2). *Children's after-school activities.* Paper presented at biennial meeting of the Society for Research on Adolescence, Chicago, IL.

Hoffman, M. L. (1970a). Conscience, personality, and socialization techniques. *Human Development, 13*, 90-126.

Hoffman, M. L. (1970b). Moral development. In P. H. Mussen (Ed.), *Carmichael's manual of child psychology* (Vol. 2, 3rd ed., pp. 261-360). New York: Wiley.

Hoffrage, U., Weber, A., Hertwig, R., & Chase, V. M. (2003). How to keep children safe in traffic: Find the daredevils early. *Journal of Experimental Psychology: Applied, 9*, 249-260.

Hofman, P. L., Regan, F., Jackson, W. E., Jefferies, C., Knight, D. B., Robinson, E. M., & Cutfield, W. S. (2004). Premature birth and later insulin resistance. *New England Journal of Medicine, 351*, 2179-2186.

Hogge, W. A. (2003). The clinical use of karyotyping spontaneous abortions. *American Journal of Obstetrics and Gynecology, 189*, 397-402.

Holden, G. W., & Miller, P. C. (1999). Enduring and different: A meta-analysis of the similarity in parents' child rearing. *Psychological Bulletin, 125*, 223-254.

Holditch-Davis, D., Scher, M., Schwartz, T., & Hudson-Barr, D. (2004). Sleeping and waking state development in preterm infants. *Early Human Development, 80*, 43-64.

Holmes E. A., James, E. L., Kilford, E. J., & Deeprose, C. (2010). Key steps in developing a cognitive vaccine against traumatic flashbacks: Visuospatial tetris versus verbal pub quiz. *PLoS ONE, 5*(11), e13706. doi:10.1371/journal.pone.0013706

Holowka, S., & Petitto, L. A. (2002). Left hemisphere cerebral specialization for babies while babbling. *Science, 297*, 1515.

Holtzman, N. A., Murphy, P. D., Watson, M. S., & Barr, P. A. (1997). Predictive genetic testing: From basic research to clinical practice. *Science, 278*, 602-605.

Honein, M. A., Paulozzi, L. J., Mathews, T. J., Erickson, J. D., & Wong, L.-Y. C. (2001). Impact of folic acid fortification of the U.S. food supply on the occurrence of neural tube defects. *Journal of the American Medical Association, 285*, 2981-2986.

Hong, Y., Morris, M. W., Chiu, C., & Benet-Martinez, V. (2000). Multicultural Minds: A dynamic constructivist approach to culture and cognition. Retrieved November 20, 2012, from http://test.scripts.psu.edu/users/n/x/nxy906/COMPS/indivdualismandcollectivism/culture%20lit/Hongminds.pdf

Hopkins, B., & Westra, T. (1988). Maternal handling and motor development: An intracultural study. *Genetic, Social and General Psychology Monographs, 14*, 377-420.

Hopkins, B., & Westra, T. (1990). Motor development, maternal expectations, and the role of handling. *Infant Behavior and Development, 13*, 177-122.

Horbar, J. D., Wright, E. C., Onstad, L., & the Members of the National Institute of Child Health and Human Development Neonatal Research Network. (1993). Decreasing mortality associated with the introduction of surfactant therapy: An observational study of neonates weighing 601 to 1300 grams at birth. *Pediatrics, 92*, 191-196.

Hornig, M., Briese, T., Buie, T., Bauman, M. L., Lauwer, G., Siemetzki, U., et al. (2008). Lack of association between measles virus vaccine and autism with enteropathy: A case-control study. *PloS One, 3*(9), e3140-1371.

Horwitz, B. N., Neiderhiser, J. M., Ganiban, J. M., Spotts, E. L., Lichtenstein, P., & Reiss, D. (2010). Genetic and environmental influences on global family conflict. *Journal of Family Psychology, 24*(2), 217-220.

Houltberg, B. J., Henry, C. S, & Morris, A. S. (2012). Family interactions, exposure to violence, and emotion regulation: Perceptions of children and early adolescents at risk. *Family Relations, 61*: 283-296. doi: 10.1111/j.1741-3729.2011.00699.x

Howard, K. S., Lefever, J. B., Borkowski, J. G., & Whitman, T. L. (2006). Fathers' influence in the lives of children with adolescent mothers. *Journal of Family Psychology, 20*, 468-476.

Howe, M. L. (2003). Memories from the cradle. *Current Directions in Psychological Science, 12*, 62-65.

Howe, M. L., & Courage, M. L. (1993). On resolving the enigma of infantile amnesia. *Psychological Bulletin, 113*, 305-326.

Howe, M. L., & Courage, M. L. (1997). The emergence and early development of autobiographical memory. *Psychological Review, 104*, 499-523.

Howe, N., Petrakos, H., Rinaldi, C. M., & LeFebvre, R. (2005). "This is a bad dog, you know ...": Constructing shared meanings during sibling pretend play. *Child Development, 76*, 783-794.

Howell, R. R. (2006). We need expanded newborn screening. *Pediatrics, 117*, 1800-1805.

Howes, C., Matheeson, C. C., & Hamilton, C. E. (1994). Maternal, teaching, and child-care history correlates of children's relationships with peers. *Child Development, 65*, 264-273.

Howlett, N., Kirk, E., & Pine, K. J. (2010). Does "wanting the best" create more stress? The link between baby sign classes and maternal anxiety. *Infant and Child Development, 20*. Advance online publication. doi: 10.1002/icd.705

Hoyert, D. L., Heron, M. P., Murphy, S. L., & Kung, H. C. (2006). Deaths: Final data for 2003. *National Vital Statistics Reports, 54*(13). Hyattsville, MD: National Center for Health Statistics.

Hoyert, D. L., Mathews, T. J., Menacker, F., Strobino, D. M., & Guyer, B. (2006). Annual summary of vital statistics: 2004. *Pediatrics, 117*, 168-183.

Hoxby, C. M. (2004). *Achievement in charter schools and regular public schools in the United States: Understanding the differences.* Cambridge, MA: Department of Economics, Harvard University.

Hu, W. (2011, January 4). Math that moves: Schools embrace the iPad. *The New York Times.* Retrieved from http://www.nytimes.com/2011/01/05/education/05tablets.html?ref=education

Hudson, V. M., & den Boer, A. M. (2004). *Bare branches: Security implications of Asia's surplus male population.* Cambridge, MA: MIT Press.

Huesmann, L. R., & Kirwil, L. (2007). Why observing violence increases the risk of violent behavior in the observer. In D. Flannery, A. Vazinsyi, & I. Waldman (Eds.), *The Cambridge handbook of violent behavior and agression* (pp. 545-570). Cambridge, UK: University Press.

Huesmann, L. R., Moise-Titus, J., Podolski, C. L., & Eron, L. (2003). Longitudinal relations between children's exposure to TV violence and their aggressive and violent behavior in young adulthood: 1977-1992. *Developmental Psychology, 39*, 201-221.

Huesmann, R. (2007) The impact of electronic media violence: Scientific theory and research. *Journal of Adolescent Health, 41*, S6-S13.

Huge payout in U.S. stuttering case. (2007, August 17). *BBC News.* Retrieved from http://news.bbc.co.uk/2/hi/americas/6952446.stm

Hughes, D., Rodriguez, J., Smith, E. P., Johnson, D. J., Stevenson, H. C., & Spicer, P. (2006). Parents' ethnic-racial socialization practices: A review of research and directions for future study. *Developmental Psychology, 42*, 747-770.

Hughes, I. A. (2004). Female development—all by default? *New England Journal of Medicine, 351*, 748-750.

Hughes, K. L., Bailey, T. R., & Mechur, M. J. (2001). *School-to-work: Making a difference in education: A research report to America.* New York: Columbia University, Teachers College, Institute on Education and the Economy.

Huizink, A. C., Mulder, E.J.H., & Buitelaar, J. K. (2004). Prenatal stress and risk for psychopathology: Specific effects or induction of general susceptibility? *Psychological Bulletin 130*, 80-114.

Huizink, A., Robles de Medina, P., Mulder, E., Visser, G., & Buitelaar, J. (2002). Psychological measures of prenatal stress as predictors of infant temperament. *Journal of the American Academy of Child & Adolescent Psychiatry, 41*, 1078-1085.

Hujoel, P. P., Bollen, A.-M., Noonan, C. J., & del Aguila, M. A. (2004). Antepartum dental radiography and infant low birth weight. *Journal of the American Medical Association, 291*, 1987-1993.

Human Rights Watch. (2008). *A violent education: Corporeal punishment in U.S. public schools.* Retrieved April 15, 2010, from www.aclu.org/human-rights-racial-justice/violent-education-corporal-punishment-children-us-public-schools

Humphreys, A. P., & Smith, P. K. (1984). Rough-and-tumble in preschool and playground. In P. K. Smith (Ed.), *Play in animals and humans* (pp. 241-266). Oxford: Blackwell.

Humphreys, G. W. (2002). Cognitive neuroscience. In H. Pashler, & D. Medin (Eds.), *Steven's handbook of experimental psychology: Vol. 2. Memory and cognitive processes* (3rd ed., pp. 77-112). New York: Wiley.

Hunt, C. E. (1996). Prone sleeping in healthy infants and victims of sudden infant death syndrome. *Journal of Pediatrics, 128,* 594-596.

Huntsinger, C. S., & Jose, P. E. (1995). Chinese American and Caucasian American family interaction patterns in spatial rotation puzzle solutions. *Merrill-Palmer Quarterly, 41,* 471-496.

Huston, A. C., & Aronson, S. R. (2005). Mothers' time with infant and time in employment as predictors of mother-child relationships and children's early development. *Child Development, 76,* 467-482.

Huston, A. C., Duncan, G. J., McLoyd, V. C., Crosby, D. A., Ripke, M. N., Weisner, T. S., & Eldred, C. A. (2005). Impacts on children of a policy to promote employment and reduce poverty for low-income parents: New hope after 5 years. *Developmental Psychology, 41,* 902-918.

Huston, A. C., & Wright, J. C. (1983). Childrens' processing of television: The informative functions of formal features. In J. Bryant & D. R. Anderson (Eds.), *Children's understanding of television: Research on attention and comprehension* (pp. 35-68). New York: Academic Press.

Huston, H. C., Duncan, G. J., Granger, R., Bos, J., McLoyd, V., Mistry, R., et al. (2001). Work-based antipoverty programs for parents can enhance the performance and social behavior of children. *Child Development, 72*(1), 318-336.

Huttenlocher, J. (1998). Language input and language growth. *Preventive Medicine, 27,* 195-199.

Huttenlocher, J., Haight, W., Bryk, A., Seltzer, M., & Lyons, T. (1991). Early vocabulary growth: Relation to language input and gender. *Developmental Psychology, 27,* 236-248.

Huttenlocher, J., Levine, S., & Vevea, J. (1998). Environmental input and cognitive growth: A study using time period comparisons. *Child Development, 69,* 1012-1029.

Huttenlocher, J., Vasilyeva, M., Cymerman, E., & Levine, S. (2002). Language input and child syntax. *Cognitive Psychology, 45,* 337-374.

Hyde, J., Lindberg, S., Linn, M., Ellis, A., & Williams, C. (2008). Gender similarities characterize math performance. *Science, 321*(5888), 494-495.

Hyde, J., & Mertz, J. (2009). Gender, culture, and mathematics performance. *Proceedings of the National Academy of Sciences, 106*(8), 801-807.

Hyde, J. S. (2005). The gender similarity hypothesis. *American Psychologist, 60,* 581-592.

Iacoboni, M. (2008). *Mirroring people: The new science of how we connect with others.* New York: Farrar, Straus, & Giroux.

Iacoboni, M., & Mazziotta, J. C. (2007). Mirror neuron system: Basic findings and clinical applications. *Annals of Neurology, 62,* 213-218.

Ialongo, N. S., Edelsohn, G., & Kellam, S. G. (2001). A further look at the prognostic power of young children's reports of depressed mood and feelings. *Child Development, 72,* 736-747.

Iervolino, A. C., Hines, M., Golombok, S. E., Rust, J., & Plomin, R. (2005). Genetic and environmental influences on sex-types behavior during the preschool years. *Child Development, 76,* 826-840.

Iervolino, A. C., Pike, A., Manke, B., Reiss, D., Hetherington, E. M., & Plomin, R. (2002). Genetic and environmental influences in adolescent peer socialization: Evidence from two genetically sensitive designs. *Child Development, 73*(1), 162-174.

Iglowstein, I., Jenni, O. G., Molinari, L., & Largo, R. H. (2003). Sleep duration from infancy to adolescence: Reference values and generational trends. *Pediatrics, 111,* 302-307.

Imada, T., Zhang, Y., Cheour, M., Taulu, S., Ahonen, A., & Kuhl, P. (2006). Infant speech perception activates Broca's area: A developmental magnetoencephalography study. *NeuroReport, 17,* 957-962.

Ingersoll, E. W., & Thoman, E. B. (1999). Sleep/wake states of preterm infants: Stability, developmental change, diurnal variation, and relation with care giving activity. *Child Development, 70,* 1-10.

Ingram, J. L., Stodgell, C. S., Hyman, S. L., Figlewicz, D. A., Weitkamp, L. R., & Rodier, P. M. (2000). Discovery of allelic variants of HOXA1 and HOXB1: Genetic susceptibility to autism spectrum disorders. *Teratology, 62,* 393-406.

International Committee for Monitoring Assisted Reproductive Technologies (ICMART). (2006, June). *2002 World report on ART.* Report released at meeting of the European Society of Human Reproduction and Embryology, Prague.

Institute of Medicine of the National Academies. (2005). *Preventing childhood obesity: Health in the balance.* Washington, DC: Author.

Institute of Medicine National Academy of Sciences. (1993, November). *Assessing genetic risks: Implications for health and social policy.* Washington, DC: National Academy of Sciences.

Iruka, I. U., & Carver, P. R. (2006). *Initial results from the 2005 NHDS Early Childhood Program Participation Survey* (NCES 2006-075). Washington, DC: National Center for Education Statistics.

Isaacson, W. (2007). *Einstein: His life and universe.* New York: Simon & Schuster.

Isabella, R. A. (1993). Origins of attachment: Maternal interactive behavior across the first year. *Child Development, 64,* 605-621.

ISLAT Working Group. (1998). ART into science: Regulation of fertility techniques. *Science, 281,* 651-652.

Isley, S., O'Neil, R., & Parke, R. (1996). The relation of parental affect and control behaviors to children's classroom acceptance: A concurrent and predictive analysis. *Early Education and Development, 7,* 7-23.

Izard, C. E., Porges, S. W., Simons, R. F., Haynes, O. M., & Cohen, B. (1991). Infant cardiac activity: Developmental changes and relations with attachment. *Developmental Psychology, 27,* 432-439.

Jaccard, J., & Dittus, P. J. (2000). Adolescent perceptions of maternal approval of birth control and sexual risk behavior. *American Journal of Public Health, 90,* 1426-1430.

Jackson, A. (1997a). The math wars: California battles it out over mathematics, Education Reform (Part I). *Notices of the AMS.* Retrieved January 22, 1999, from www.ams.org/notices/199706/comm-calif.pdf

Jackson, A. (1997b). The math wars: California battles it out over mathematics, Education Reform (Part II). *Notices of the AMS.* Retrieved January 22, 1999, from www.ams.org/notices/199707/comm-calif2.pdf

Jacobsen, T., & Hofmann, V. (1997). Children's attachment representations: Longitudinal relations to school behavior and academic competency in middle childhood and adolescence. *Developmental Psychology, 33,* 703-710.

Jacobson, J. L., & Wille, D. E. (1986). The influence of attachment pattern on developmental changes in peer interaction from the toddler to the preschool period. *Child Development, 57,* 338-347.

Jacobson, K. C., & Crockett, L. J. (2000). Parental monitoring and adolescent adjustment: An ecological perspective. *Journal of Research on Adolescence, 10*(1), 65-97.

Jaffee, S., & Hyde, J. S. (2000). Gender differences in moral orientation: A meta-analysis. *Psychological Bulletin, 126,* 703-726.

Jaffee, S. R., Caspi, A., Moffitt, T. E., Dodge, K. A., Rutter, M., Taylor, A., & Tully, L. A. (2005). Nature x nature: Genetic vulnerabilities interact with physical maltreatment to promote conduct problems. *Developmental Psychopathology, 17,* 67-84.

Jaffee, S. R., Caspi, A., Moffitt, T. E., Polo-Tomas, M., Price, T. S., & Taylor, A. (2004). The limits of child effects: Evidence for genetically mediated child effects on corporal punishment but not on physical maltreatment. *Developmental Psychology, 40,* 1047-1058.

Jagers, R. J., Bingham, K., & Hans, S. L. (1996). Socialization and social judgments among inner-city African-American kindergartners. *Child Development, 67,* 140-150.

Jain, T., Missmer, S. A., & Hornstein, M. D. (2004). Trends in embryo-transfer practice and in outcomes of the use of assisted reproductive technology in the United States. *New England Journal of Medicine, 350,* 1639-1645.

Jankowiak, W. (1992). Father-child relations in urban China. In B. S. Hewlett ( Ed.), *Father-child relations: Cultural and bisocial contexts* (pp. 345-363). New York: de Gruyter.

Jankowski, J. J., Rose, S. A., & Feldman, J. F. (2001). Modifying the distribution of attention in infants. *Child Development, 72,* 339-351.

Janowsky, J. S., & Carper, R. (1996). Is there a neural basis for cognitive transitions in school-age children? In A. J. Sameroff & M. M. Haith (Eds.), *The five to seven year shift: The age of reason and responsibility* (pp. 33-56). Chicago: University of Chicago Press.

Janssen, I., Craig, W. M., Boyce, W. F., & Pickett, W. (2004). Associations between overweight and obesity with bullying behaviors in school-aged children. *Pediatrics, 113,* 1187-1194.

Jarvis, M. J. (2004). Why people smoke. In J. Britton (Ed.), *ABC of smoking cessation* (pp. 4-6). Malden, MA: Blackwell.

Javaid, M. K., Crozier, S. R., Harvey, N. C., Gale, C. R., Dennison, E. M., Boucher, B. J., et al. (2006). Maternal vitamin D status during pregnancy and childhood bone mass at age 9 years: A longitudinal study. *Lancet, 367*(9504), 36-43.

Jensen, A. R. (1969). How much can we boost IQ and scholastic achievement? *Harvard Educational Review, 39,* 1-123.

Jeynes, W. H., & Littell, S. W. (2000). A meta-analysis of studies examining the effect of whole language instruction on the literacy of low-SES students. *Elementary School Journal, 101*(1), 21-33.

Ji, B. T., Shu, X. O., Linet, M. S., Zheng, W., Wacholder, S., Gao, Y. T., Ying, D. M., & Jin, F. (1997). Paternal cigarette smoking and the risk of childhood cancer among offspring of nonsmoking mothers. *Journal of the National Cancer Institute, 89,* 238-244.

Jiao, S., Ji, G., & Jing, Q. (1996). Cognitive development of Chinese urban only children and children with siblings. *Child Development, 67,* 387-395.

Jipson, J. L., & Gelman, S. A. (2007). Robots and rodents: Children's inferences about living and nonliving kinds. *Child Development, 78*(6), 1675-1688.

Ji-Yeon, K., McHale, S. M., Crouter, A. C., & Osgood, D. W. (2007). Longitudinal linkages between sibling relationships and adjustment from middle childhood through adolescence. *Developmental Psychology, 43*(4), 960-973.

Jodl, K. M., Michael, A., Malanchuk, O., Eccles, J. S., & Sameroff, A. (2001). Parents' roles in shaping early adolescents' occupational aspirations. *Child Development 72*(4), 1247-1265.

Johnson, C. P., Myers, S. M., & the Council on Children with Disabilities. (2007). Identification and evaluation of children with autism spectrum disorders. *Pediatrics, 120,* 1183-1215.

Johnson, D. J., Jaeger, E., Randolph, S. M., Cauce, A. M., Ward, J., & National Institute of Child Health and Human Development Early Child Care Research Network (2003). Studying the effects of early child care experiences on the development of children of color in the United States: Toward a more inclusive research agenda. *Child Development, 74,* 1227-1244.

Johnson, J. E. (1998). Play development from ages four to eight. In D. P. Fromberg & D. Bergen (Eds.), *Play from birth to twelve and beyond: Contexts, perspectives, and meanings* (pp. 145-153). New York: Garland.

Johnson, J. G., Cohen, P., Gould, M. S., Kasen, S., Brown, J., & Brook, J. S. (2002). Childhood adversities, interpersonal difficulties, and risk for suicide attempts during late adolescence and early adulthood. *Archives of General Psychiatry, 59,* 741-749.

Johnson, K. (2004, March 27). Harm to fetuses becomes issue in Utah and elsewhere. *New York Times.* Retrieved March 29, 2004, from www.nytimes.com/2004/03027//national/27FETU.html?ex=1081399221&eu=1&en=ede725fc158cb2bd

Johnson, M. H. (1998). The neural basis of cognitive development. In D. Kuhn & R. S. Siegler (Eds.), *Handbook of child psychology: Vol. 2. Cognition, perception, and language* (5th ed., pp. 1-49). New York: Wiley.

Johnson, R. A., Hoffmann, J. P., & Gerstein, D. R. (1996). *The relationship between family structure and adolescent substance use* (No.

SMA 96-3086). Washington, DC: U.S. Department of Health and Human Services.

Johnston, L. D., O'Malley, P. M., Bachman, J. G., & Schulenberg, J. E. (2013). *Monitoring the future national results on drug use: 2012 Overview, key findings on adolescent drug use.* Ann Arbor: Institute for Social Research, The University of Michigan.

Jones, H. W., & Toner, J. P. (1993). The infertile couple. *New England Journal of Medicine, 329,* 1710-1715.

Jones, N. A., Field, T., Fox, N. A., Davalos, M., Lundy, B., & Hart, S. (1998). Newborns of mothers with depressive symptoms are physiologically less developed. *Infant Behavior & Development, 21*(3), 537-541.

Jones, N. A., Field, T., Fox, N. A., Lundy, B., & Davalos, M. (1997). EEG activation in one-month-old infants of depressed mothers. *Development and Psychopathology, 9,* 491-505.

Jones, R., Homa, D., Meyer, P., Brody, D., Caldwell, K., Pirkle, J., & Brown., M. (2009). Trends in blood lead levels and blood lead testing among U.S. children aged 1 to 5 years, 1988-2004. *Pediatrics, 123,* e376-e385.

Jordan, B. (1993). *Birth in four cultures: A cross-cultural investigation of childbirth in Yucatan, Holland, Sweden, and the United States* (4th ed.). Prospect Heights, IL: Waveland Press. (Original work published 1978)

Jordan, N. C., Kaplan, D., Olah, L. N., & Locunia, M. N. (2006). Number sense growth in kindergarten: A longitudinal investigation of children at risk for mathematics difficulties. *Child Development, 77,* 153-175.

Joussemet, M., Vitaro, F., Barker, E., Cote, S., Nagin, D., Zoccolillo, M., & Tremblay, R. (2008). Controlling parenting and physical aggression during elementary school. *Child Development, 79*(2), 411-425.

Juffer, F., & van IJzendoorn, M. H. (2007). Adoptees do not lack self-esteem: A meta-analysis of studies on self-esteem of transracial, international, and domestic adoptees. *Psychological Bulletin APA, 133*(6), 1067-1083.

Juul-Dam, N., Townsend, J., & Courchesne, E. (2001). Prenatal, perinatal, and neonatal factors in autism, pervasive developmental disorder—not otherwise specified, and the general population. *Pediatrics, 107*(4), e63.

Jusczyk, P. W. (2003). The role of speech perception capacities in early language acquisition. In M. T. Banich & M. Mack (Eds.), *Mind, brain, and language: Multidisciplinary perspectives* (pp. 61-83). Mahwah, NJ: Erlbaum.

Jusczyk, P. W., & Hohne, E. A. (1997). Infants' memory for spoken words. *Science, 277,* 1984-1986.

Just, M. A., Cherkassky, V. L., Keller, T. A., Kana, R. K., & Minshew, N. J. (2007). Functional and anatomical cortical underconnectivity in autism: Evidence from an fMRI study of an executive function task and corpus callosum morphometry. *Cerebral Cortex, 17*(4), 951-961.

Juster, F. T., Ono. H., & Stafford, F. P. (2004). *Changing times of American youth: 1981-2003.* [Child Development Supplement]. Ann Arbor:

University of Michigan Institute for Social Research.

Kaczynski, K. J., Lindahl, K. M., Malik, N. M., & Laurenceau, J. (2006). Marital conflict, maternal and paternal parenting, and child adjustment: A test of mediation and moderation. *Journal of Family Psychology, 20,* 199-208.

Kagan, J. (1997). Temperament and the reactions to unfamiliarity. *Child Development, 68,* 139-143.

Kagan, J. (2008). In defense of qualitative changes in development. *Child Development, 79,* 1606-1624.

Kagan, J., & Snidman, N. (2004). *The long shadow of temperament.* Cambridge, MA: Belknap.

Kaiser Family Foundation, Hoff, T., Greene, L., & Davis, J. (2003). *National survey of adolescents and young adults: Sexual health knowledge, attitudes and experiences.* Menlo Park, CA: Henry J. Kaiser Foundation.

Kalil, A., & Ziol-Guest, K. M. (2005). Single mothers' employment dynamics and adolescent well-being. *Child Development, 76,* 196-211.

Kalish, C. W. (1998). Young children's predictions of illness: Failure to recognize probabilistic cause. *Developmental Psychology, 34*(5), 1046-1058.

Kanaya, T., Scullin, M. H., & Ceci, S. J. (2003). The Flynn effect and U.S. policies: The impact of rising IQ scores on American society via mental retardation diagnoses. *American Psychologist, 58,* 778-790.

Kanetsuna, T., & Smith, P. K. (2002). Pupil insight into bullying and coping with bullying: A bi-national study in Japan and England. *Journal of School Violence, 1,* 5-29.

Kang, C., Riazuddin, S., Mundorff, J., Krasnewich, D., Friedman, P., Mullikin, J. C., & Drayna, D. (2010). Mutations in the lysosomal enzyme-targeting pathway and persistent stuttering. *New England Journal of Medicine, 362,* 677-685.

Kaplan, H., & Dove, H. (1987). Infant development among the Ache of East Paraguay. *Developmental Psychology, 23,* 190-198.

Kaplow, J. B., & Widom, C. S. (2007). Age of onset of child maltreatment predicts long-term mental health outcomes. *Journal of Abnormal Psychology, 116,* 176-187.

Kaplowitz, P. B. (2008). The link between body fat and the timing of puberty. *Pediatrics, 121*(2, Suppl. 3), S208-S217.

Kaplowitz, P. B., Oberfield, S. E., & the Drug and Therapeutics and Executive Committees of the Lawson Wilkins Pediatric Endocrine Society. (1999). Reexamination of the age limit for defining when puberty is precocious in girls in the United States: Implications for evaluation and treatment. *Pediatrics, 104,* 936-941.

Karafantis, D. M., & Levy, S. R. (2004). The role of children's lay theories about the malleability of human attributes in beliefs about and volunteering for disadvantaged groups. *Child Development, 75,* 236-250.

Karasick, L. B., Tamis-LeMonda, C. S., & Adolph, K.E. (2011). Transition from crawling to walking and infants' actions with objects and people. *Child Development, 82*(4), 1199-1209.

Katzman, R. (1993). Education and prevalence of Alzheimer's disease. *Neurology, 43,* 13-20.

Kaufman, A. S., & Kaufman, N. L. (1983). *Kaufman Assessment Battery for Children: Administration and scoring manual.* Circle Pines, MN: American Guidance Service.

Kaufman, A. S., & Kaufman, N. L. (2003). *Kaufman Assessment Battery for Children* (2nd ed.). Circle Pines, MN: American Guidance Service.

Kaufman, J., Yang, B-Z., Douglas-Palumberi, H., Houshyar, S., Lipschitz, D., Krystal, J. H., & Gelernter, J. (2004). Social supports and serotonin transporter gene moderate depression in maltreated children. *Proceedings of the National Academy of Sciences, USA, 101,* 17316-17321.

Kawabata, Y., & Crick, N. (2008). The roles of cross-racial/ethnic friendships in social adjustment. *Developmental Psychology, 44*(4), 1177-1183.

Kazdin, A. E., & Benjet, C. (2003). Spanking children: Evidence and issues. *Current Directions in Psychological Science, 12,* 99-103.

Keegan, R. T. (1996). Creativity from childhood to adulthood: A difference of degree and not of kind. *New Directions for Child Development, 72,* 57-66.

Keegan, R. T., & Gruber, H. E. (1985). Charles Darwin's unpublished "Diary of an Infant": An early phase in his psychological work. In G. Eckardt, W. G. Bringmann, & L. Sprung (Eds.), *Contributions to a history of developmental psychology: International William T. Preyer Symposium* (pp.127-145). Berlin, Germany: Walter de Gruyter.

Keel, P. K., & Klump, K. L. (2003). Are eating disorders culture-bound syndromes? Implications for conceptualizing their etiology. *Psychological Bulletin, 129,* 747-769.

Keenan, K., & Shaw, D. (1997). Developmental and social influences on young girls' early problem behavior. *Psychological Bulletin, 121*(1), 95-113.

Keil, F. C., Lockhart, K. L., & Schlegel, E. (2010). A bump on a bump? Emerging intuitions concerning the relative difficulty of the sciences. *Journal of Experimental Psychology. General, 139*(1), 1-15.

Keller, B. (1999, February 24). A time and place for teenagers. *Education Week on the WEB.* Retrieved March 11, 2004, from www.4uth. gov.ua/usa/english/educ/century/ew/vol-18/24studen.htm

Kelley, M. L., Smith, T. S., Green, A. P., Berndt, A. E., & Rogers, M. C. (1998). Importance of fathers' parenting to African-American toddler's social and cognitive development. *Infant Behavior & Development, 21,* 733-744.

Kellman, P. J., & Arterberry, M. E. (1998). The cradle of knowledge: Development of perception in infancy. Cambridge, MA: MIT Press.

Kellman, P. J., & Banks, M. S. (1998). Infant visual perception. In W. Damon (Series Ed.), D. Kuhn, & R. S. Siegler (Vol. Eds.), *Handbook of child psychology: Vol. 2, Cognition, perception, and language* (5th Ed., pp. 103-146). New York: Wiley.

Kellogg, N., & the Committee on Child Abuse and Neglect. (2005). The evaluation of sexual abuse in children. *Pediatrics, 116*(2), 506-512.

Kellogg, R. (1970). Understanding children's art. In P. Cramer (Ed.), *Readings in developmental psychology today.* Delmar, CA: CRM.

Kelly, A. M., Wall, M., Eisenberg, M., Story, M., & Neumark-Sztainer, D. (2004). High body satisfaction in adolescent girls: Association with demographic, socio-environmental, personal, and behavioral factors. *Journal of Adolescent Health, 34,* 129.

Kelly, J. B., & Emery, R. E. (2003). Children's adjustment following divorce: Risk and resiliency perspectives. *Family Relations, 52,* 352-362.

Kellymom Breast Feeding and Parenting. (2006). Average calorie and fat content of human milk. Retrieved from http://www.kellymom.com/nutrition/milk/change-milkfat.html

Kere, J., Hannula-Jouppi, K., Kaminen-Ahola, N., Taipale, M., Eklund, R., Nopola-Hemmi, J., & Kaariainen, H. (2005, October). *Identification of the dyslexia susceptibility gene for DYX5 on chromosone 3.* Paper presented at the American Society of Human Genetics meeting, Salt Lake City, UT.

Kerns, K. A., & Barth, J. M. (1995) Attachment and play-convergence across components of parent-child relationships and their relations to peer competence. *Journal of Social and Personal Relationships, 12,* 243-260.

Kerns, K. A., Don, A., Mateer, C. A., & Streissguth, A. P. (1997). Cognitive deficits in nonretarded adults with fetal alcohol syndrome. *Journal of Learning Disabilities, 30,* 685-693.

Kerr, D.C.R., Lopez, N. L., Olson, S. L., & Sameroff, A. J. (2004). Parental discipline and externalizing behavior problems in early childhood: The roles of moral regulation and child gender. *Journal of Abnormal Child Psychology, 32*(4), 369-383.

Kestenbaum, R., & Gelman, S. A. (1995). Preschool children's identification and understanding of mixed emotions. *Cognitive Development, 10,* 443-458.

Khashan, A. S., Abel, K. M., McNamee, R., Pedersen, M. G., Webb, R. T., Baker, P. N., Kenny, L. C., & Mortensen, P. B. (2008). Higher risk of offspring schizophrenia following antenatal maternal exposure to severe adverse life events. *Archives of General Psychiatry, 65,* 146-152.

Khoury, M. J., McCabe, L. L., & McCabe, E.R.B. (2003). Population screening in the age of genomic medicine. *New England Journal of Medicine, 348,* 50-58.

Kier, C., & Lewis, C. (1998). Preschool sibling interaction in separated and married families: Are same-sex pairs or older sisters more sociable? *Journal of Child Psychology and Psychiatry, 39,* 191-201.

Killen, J. D., Robinson, T. N., Ammerman, S., Hayward, C., Rogers, J., Stone, C., Samuels, D., Levin, S. K., Green, S., & Schatzberg, A. F. (2004). Randomized clinical trial of the efficacy of bupropion combined with nicotine patch in the treatment of adolescent smokers. *Journal of Consulting and Clinical Psychology, 72,* 729-735.

Kim, J., McHale, S. M., Osgood, D. W., & Crouter, A. C. (2006). Longitudinal course and family correlates of sibling relationships from childhood through adolescence. *Child Development, 77,* 1746-1761.

Kim, J., Peterson, K. E., Scanlon, K. S., Fitzmaurice, G. M., Must, A., Oken, E., et al. (2006). Trends in overweight from 1980 through 2001 among preschool-aged children enrolled in a health maintenance organization. *Obesity, 14*(7), 1107-1112.

Kim, K. J., Conger, R. D., Elder, G. H., Jr., & Lorenz, F. O. (2003). Reciprocal influences between stressful life events and adolescent internalizing and externalizing problems. *Child Development, 74*(1), 127-143.

Kim, Y, S., Koh, Y.-J., & Leventhal, B. (2005). School bullying and suicidal risk in Korean middle school students. *Pediatrics, 115,* 357-363.

Kim-Cohen, J., Moffitt, T. E., Caspi, A., & Taylor, A. (2004). Genetic and environmental processes in young children's resilience and vulnerability to socioeconomic deprivation. *Child Development, 75,* 651-668.

Kimball, M. M. (1986). Television and sexrole attitudes. In T. M. Williams (Ed.), *The impact of television: A natural experiment in three communities* (pp. 265-301). Orlando, FL: Academic Press.

King, K. M., Meehan, B. T., Trim, R. S., & Chassin, L. (2006). Market or mediator? The effects of adolescent substance use on young adult educational attainment. *Addiction, 101,* 1730-1740.

King, W. J., MacKay, M., Sirnick, A., & The Canadian Shaken Baby Study Group. (2003). Shaken baby syndrome in Canada: Clinical characteristics and outcomes of hospital cases. *Canadian Medical Association Journal, 168,* 155-159.

Kinney, H. C., Filiano, J. J., Sleeper, L. A., Mandell, F., Valdes-Dapena, M., & White, W. F. (1995). Decreased muscarinic receptor binding in the arcuate nucleus in sudden infant death syndrome. *Science, 269,* 1446-1450.

Kinsella, K., & Phillips, P. (2005). Global aging: The challenges of success. *Population Bulletin, No. 1.* Washington, DC: Population Reference Bureau.

Kinsella, K., & Velkoff, V. A. (2001). *An aging world: 2001.* U.S. [Census Bureau, Series P95/01-1]. Washington, DC: U.S. Government Printing Office.

Kinsley, C. H., & Meyer, E. A. (2010). The construction of the maternal brain: Theoretical comment on Kim et al. (2010). *Behavioral Neuroscience, 124*(5), 710-714.

Kirby, D. (1997). *No easy answers: Research findings on programs to reduce teen pregnancy.* Washington, DC: National Campaign to Prevent Teen Pregnancy.

Kirby, D., & Laris, B. (2009). Effective curriculum-based sex and STD/HIV education programs for adolescents. *Child Development Perspectives, 3,* 21-29.

Kirkorian, H. L., Wartella, E. A., & Anderson, D. R. (2008). Media and young children's learning. *Future of Children, 18,* 39-61.

Kirschner, P. A., & Karpinski, A. C. (2010). Facebook and academic performance. *Computers in Human Behavior, 26*(6), 1237-1245.

Kirschner, S., & Tomasello, M. (2010). Joint music making promotes prosocial behavior in 4-year-old children. *Evolution and Human Behavior, 31*(5), 354-364. doi: 10.1016/j.evolhumbehav.2010.04.004

Kisilevsky, B. S., & Hains, S.M.J. (2010). Exploring the relationship between fetal heart rate and cognition. *Infant and Child Development, 19,* 60-75.

Kisilevsky, B. S., Hains, S.M.J, Brown, C. A., Lee, C. T., Cowperthwaite, B., Stutzman, S. S., et al. (2009). Fetal sensitivity to properties of maternal speech and language. *Infant Behavior and Development, 32,* 59-71.

Kisilevsky, B. S., Hains, S. M., Lee, K., Xie, X., Huang, H., Ye, H. H., et al. (2003). Effects of experience on fetal voice recognition. *Psychological Science, 14*(3), 220-224.

Kisilevsky, B. S., Muir, D. W., & Low, J. A. (1992). Maturation of human fetal responses to vibroacoustic stimulation. *Child Development, 63,* 1497-1508.

Klar, A.J.S. (1996). A single locus, RGHT, specifies preference for hand utilization in humans. *Cold Spring Harbor Symposia on Quantitative Biology 61,* 59-65. Cold Spring Harbor, NY: Cold Spring Harbor Laboratory Press.

Klaus, M. H., & Kennell, J. H. (1982). *Parent-infant bonding* (2nd ed.). St. Louis, MO: Mosby.

Klein, J. D., & the American Academy of Pediatrics Committee on Adolescence. (2005). Adolescent pregnancy: Current trends and issues. *Pediatrics, 116,* 281-286.

Kleinmann, R. E., Hall, S., Green, H., Korzec-Ramirez, D., Patton, K., Pagano, M. E., & Murphy, J. M. (2002). Diet, breakfast, and academic performance in children. *Annals of Nutrition and Metabolism, 46*(Suppl. 1), 24-30.

Klein-Velderman, M., Bakermans-Kranenburg, M. J., Juffer, F., & van IJzendoorn, M. H. (2006). Effects of attachment-based interventions on maternal sensitivity and infant attachment: Differential susceptibility of highly reactive infants. *Journal of Family Psychology, 20,* 266-274.

Klibanoff, R. S., Levine, S. C., Huttenlocher, J., Vasilyeva, M., & Hedges, L. V. (2006). Preschool children's mathematical knowledge: The effect of teacher "math talk." *Developmental Psychology, 42,* 59-69.

Klump, K. L., & Culbert, K. M. (2007). Molecular genetic studies of eating disorders: Current status and future directions. *Current Directions in Psychological Science, 16,* 37-41.

Knafo, A., & Plomin, R. (2006). Parental discipline and affection and children's prosocial behavior: Genetic and environmental links. *Journal of Personality and Social Psychology, 90,* 147-164.

Knecht, S., Drager, B., Deppe, M., Bobe, L., Lohmann, H., Floel, A., et al. (2000). Handedness and hemispheric language dominance in healthy humans. *Brain: A Journal of Neurology, 123*(12), 2512-2518.

Knickmeyer, R., Baron-Cohen, S., Raggatt, P., & Taylor, K. (2005). Foetal testosterone, social relationships, and restricted interests in children. *Journal of Child Psychology and Psychiatry, 46,* 198-210.

Knickmeyer, R. C., Gouttard, S., Kang, C, Evans, D., Wilber, K, Smith, J. K., et al. (2008). A structural MRI study of human brain development from birth to 2 years. *The Journal of Neuroscience, 28*(47), 12176-12182.

Knudsen, E. I. (1999). Early experience and critical periods. In M. J. Zigmond (Ed.), *Fundamental neuroscience* (pp. 637-654). San Diego, CA: Academic.

Kochanska, G. (1992). Children's interpersonal influence with mothers and peers. *Developmental Psychology, 28,* 491-499.

Kochanska, G. (1993). Toward a synthesis of parental socialization and child temperament in early development of conscience. *Child Development, 64,* 325-437.

Kochanska, G. (1995). Children's temperament, mothers' discipline, and security of attachment: Multiple pathways to emerging internalization. *Child Development, 66,* 597-615.

Kochanska, G. (1997a). Multiple pathways to conscience for children with different temperaments: From toddlerhood to age 5. *Developmental Psychology, 33,* 228-240.

Kochanska, G. (1997b). Mutually responsive orientation between mothers and their young children: Implications for early socialization. *Child Development, 68,* 94-112.

Kochanska, G. (2001). Emotional development in children with different attachment histories: The first three years. *Child Development, 72,* 474-490.

Kochanska, G. (2002). Mutually responsive orientation between mothers and their young children: A context for the early development of conscience. *Current Directions in Psychological Science, 11,* 191-195.

Kochanska, G., & Aksan, N. (1995). Mother-child positive affect, the quality of child compliance to requests and prohibitions, and maternal control as correlates of early internalization. *Child Development, 66,* 236-254.

Kochanska, G., Aksan, N., & Carlson, J. J. (2005). Temperament, relationships, and young children's receptive cooperation with their parents. *Developmental Psychology, 41,* 648-660.

Kochanska, G., Aksan, N., & Joy, M. E. (2007). Children's fearfulness as a moderator of parenting in early socialization: Two longitudinal studies. *Developmental Psychology, 43,* 222-237.

Kochanska, G., Aksan, N., Knaack, A., & Rhines, H. M. (2004). Maternal parenting and children's conscience: Early security as moderator. *Child Development, 75,* 1229-1242.

Kochanska, G., Askan, N., Prisco, T. R., & Adams, E. E. (2008). Mother-child and father-child mutually responsive orientation in the first two years and children's outcomes at preschool age: Mechanisms of influence. *Child Development, 79,* 30-44.

Kochanska, G., Coy, K. C., & Murray, K. T. (2001). The development of self-regulation in the first four years of life. *Child Development, 72*(4), 1091-1111.

Kochanska, G., Gross, J. N., Lin, M. H., & Nichols, K. E. (2002). Guilt in young children: Development, determinants, and relations with a broader system of standards. *Child Development, 73*(2), 461-482.

Kochanska, G., Tjebkes, T. L., & Forman, D. R. (1998). Children's emerging regulation of conduct: Restraint, compliance, and internalization from infancy to the second year. *Child Development, 69*(5), 1378-1389.

Koenig, H. G. (1994). *Aging and God.* New York: Haworth.

Kogan, M. D., Blumberg, S. J., Schieve, L A., Boyle, C. A., Perrin, J. M., Chandour, R. M., et al. (2009). Prevalence of parent-reported diagnosis of autism spectrum disorder among children in the U.S., 2007. *Pediatrics, 124*(5), 1395-1403.

Kogan, M. D., Newacheck, P. W., Honberg, L., & Strickland, B. (2005). Association between underinsurance and access to care among children with special health care needs in the United States. *Pediatrics, 116,* 1162-1169.

Kohen, D. E., Leventhal, T., Dahinten, V. S., & McIntosh, C. N. (2008). Neighborhood disadvantage: Pathways of effects for young children. *Child Development, 79,* 156-169.

Kohlberg, L. (1966). A cognitive developmental analysis of children's sex role concepts and attitudes. In E. E. Maccoby (Ed.), *The development of sex differences.* Stanford CA: Stanford University Press.

Kohlberg, L. (1969). Stage and sequence: The cognitive-developmental approach to socialization. In D. A. Goslin (Ed.), *Handbook of socialization theory and research* (pp 347-480). Chicago: Rand McNally.

Kohlberg, L. (1981). *Essays on moral development.* San Francisco: Harper & Row.

Kohlberg, L., & Gilligan, C. (1971, Fall). The adolescent as a philosopher: The discovery of the self in a postconventional world. *Daedalus, 100,* 1051-1086.

Kohlberg, L., & Ryncarz, R. A. (1990). Beyond justice reasoning: Moral development and consideration of a seventh stage. In C. N. Alexander & E. J. Langer (Eds.), *Higher stages of human development* (pp. 191-207). New York: Oxford University Press.

Kohlberg, L., Yaeger, J., & Hjertholm, E. (1968). Private speech: Four studies and a review of theories. *Child Development, 39,* 691-736.

Kolata, G. (2003, February 18). Using genetic tests, Ashkenazi Jews vanquish a disease. *New York Times,* pp. D1, D6.

Kolbert, E. (1994, January 11). Canadians curbing TV violence. *New York Times,* pp. C15, C19.

Kopp, C. B. (1982). Antecedents of self-regulation. *Developmental Psychology, 18,* 199-214.

Koren, G., Pastuszak, A., & Ito, S. (1998). Drugs in pregnancy. *New England Journal of Medicine, 338,* 1128-1137.

Korner, A. (1996). Reliable individual differences in preterm infants' excitation management. *Child Development, 67,* 1793-1805.

Korner, A. F., Zeanah, C. H., Linden, J., Berkowitz, R. I., Kraemer, H. C., & Agras, W. S. (1985). The relationship between neonatal and later activity and temperament. *Child Development, 56,* 38-42.

Kosterman, R., Graham, J. W., Hawkins, J. D., Catalano, R. F., & Herrenkohl, T. I. (2001). Childhood risk factors for persistence of violence in the transition to adulthood: A social development perspective. *Violence & Victims. Special Issue: Developmental Perspectives on Violence and Victimization, 16*(4), 355-369.

Kowal, A. K., & Pike, L. B. (2004). Sibling influences on adolescents' attitudes toward safe sex practices. *Family Relations, 53*, 377-384.

Kozhimannil, K. B., Pereira, M., & Harlow, B. (2009). Association between diabetes and perinatal depression among low-income mothers. *Journal of the American Medical Association, 301*, 842-847.

Kozlowska, K., & Hanney, L. (1999). Family assessment and intervention using an interactive art exercise. *Australia and New Zealand Journal of Family Therapy, 20*(2), 61-69.

Kralovec, E., & Buell, J. (2000). *The end of homework*. Boston: Beacon.

Kramer, L. (2010). The essential ingredients of successful sibling relationships: An emerging framework for advancing theory and practice. *Child Development Perspectives, 4*(2), 80-86.

Kramer, L., & Kowal, A. K. (2005). Sibling relationship quality from birth to adolescence: The enduring contributions of friends. *Journal of Family Psychology, 19*, 503-511.

Kramer, M. S., Aboud, F., Mironova, E., Vanilovich, I., Platt, R. W., Matush, L., et al. for the Promotion of Breastfeeding Intervention Trial (PROBIT) Study Group. (2008). Breastfeeding and child cognitive development: New evidence from a large randomized trial. *Archives of General Psychiatry, 65*(5), 578-584.

Kramer, M. S., Chalmers, B., Hodnett, E. D., Sevkovskaya, Z., Dzikovich, I., Shapiro, S., et al. (2001). Promotion of Breastfeeding Intervention Trial (PROBIT): A randomized trial in the Republic of Belarus. *Journal of the American Medical Association, 285*, 413-420.

Krashen, S., & McField, G. (2005). What works? Reviewing the latest evidence on bilingual education. *Language Learner, 1*(2), 7-10, 34.

Krause, K. W. (2009, January-February). Change we can believe in: "Race" and continuing selection in the human genome. *The Humanist*, pp. 20-22.

Krauss, S., Concordet, J. P., & Ingham, P. W. (1993). A functionally conserved homolog of the Drosophila segment polarity gene hh is expressed in tissues with polarizing activity in zebrafish embryos. *Cell, 75*, 1431-1444.

Krausz, C. (2010). Genetic Testing of Male Infertility. In D. T. Carrell & C. M. Peterson (Eds.), *Reproductive endocrinology and infertility* (pp. 431-444). New York: Springer.

Kraut, R., Kiesler S., Boneva, B., Cummings, J. Helgeson, V., & Crawford, A. (2002). Internet paradox revisited. *Journal of Social Issues, 58*, 49-74.

Kraut, R., Patterson, M., Lunmark, V., Kiesler, S., Mukopadhyay, T., & Scherlis, W. (1998). Internet paradox: A social technology that reduces social involvement and psychological well being? *American Psychologist, 53*, 1017-1031.

Kreider, R. M. (2003). Adopted children and stepchildren: 2000. *Census 2000 Special Reports*. Washington, DC: U.S. Bureau of the Census.

Kreider, R. M. (2008). Living arrangements of children: 2004. *Current Population Reports*. [No. 70-114]. Washington, DC: U.S. Census Bureau.

Kreider, R. M., & Fields, J. (2005). *Living arrangements of children: 2001*. Current Population Reports. [No. P70-104]. Washington, DC: U.S. Census Bureau.

Kreutzer, M., Leonard, C., & Flavell, J. (1975). An interview study of children's knowledge about memory. *Monographs of the Society for Research in Child Development, 40*(1). [Serial No. 159].

Krevans, J., & Gibbs, J. C. (1996). Parents' use of inductive discipline: Relations to children's empathy and prosocial behavior. *Child Development, 67*, 3263-3277.

Kringelbach, M. L., Lehtonen, A., Squire, S., Harvey, A. G., Craske, M. G., Holliday, I. E., et al. (2008). A specific and rapid neural signature for parental instinct. *PLoS ONE, 3*(2), e1664-1673.

Krishnamoorthy, J. S., Hart, C., & Jelalian, E. (2006). The epidemic of childhood obesity: Review of research and implications for public policy. *Society for Research in Child Development (SRCD) Social Policy Report, 20*(2).

Kroger, J. (1993). Ego identity: An overview. In J. Kroger (Ed.), *Discussions on ego identity* (pp. 1-20). Hillsdale, NJ: Erlbaum.

Kroger, J. (2003). Identity development during adolescence. In G. R. Adams & M. D. Berzonsky (Eds.), *Blackwell handbook of adolescence* (pp. 205-226). Malden, MA: Blackwell.

Kroger, J., & Haslett, S. J. (1991). A comparison of ego identity status transition pathways and change rates across five identity domains. *International Journal of Aging and Human Development, 32*, 303-330.

Krueger, A. B. (2003, February). Economic considerations and class size. *The Economic Journal, 113*, F34-F63.

Krueger, A. B., & Whitmore, D. M. (2000, April). *The effect of attending a small class in the early grades on college-test taking and middle school test results: Evidence from Project STAR*. [NBER Working Paper No. W7656]. Cambridge, MA: National Bureau of Economic Research.

Kuczmarski, R. J., Ogden, C. L., Grummer-Strawn, L. M., Flegal, K. M., Guo, S. S., Wei, R., et al. (2000). *CDC growth charts: United States*. [Advance data, No. 314]. Washington, DC: Centers for Disease Control and Prevention.

Kuczynski, L., & Kochanska, G. (1995). Function and content of maternal demands: Developmental significance of early demands for competent action. *Child Development, 66*, 616-628.

Kuhl, P., & Rivera-Gaxiola, M. (2008). Neural substrates of language acquisition. *Annual Review of Neuroscience, 31*, 511-534.

Kuhl, P. K. (2004). Early language acquisition: Cracking the speech code. *Nature Reviews Neuroscience, 5*, 831-843.

Kuhl, P. K., Andruski, J. E., Chistovich, I. A., Chistovich, L. A., Kozhevnikova, E. V., Ryskina, V. L., et al. (1997). Cross-language analysis of phonetic units in language addressed to infants. *Science, 277*, 684-686.

Kuhl, P. K., Conboy, B. T., Padden, D., Nelson, T., & Pruitt, J. (2005). Early speech perception and later language development: Implications for the "critical period." *Language Learning and Development, 1*, 237-264.

Kuhl, P. K., Williams, K. A., Lacerda, F., Stevens, K. N., & Lindblom, B. (1992). Linguistic experience alters phonetic perception in infants by 6 months of age. *Science, 255*, 606-608.

Kuhn, D. (2006). Do cognitive changes accompany developments in the adolescent brain? *Perspectives on Psychological Science, 1*, 59-67.

Kuhn. D., & Dean, D. (2005). Is developing scientific thinking all about learning to control variables? *Psychological Science, 16*, 866-870.

Kumwenda, N. I., Hoover, D. R., Mofenson, L. M., Thigpen, M. C., Kafulafula, G., Li, Q., et al. (2008). Extended antiretroviral prophylaxis to reduce breast-milk HIV-1 transmission. *New England Journal of Medicine, 359*, 119-129.

Kung, H-C., Hoyert, D. L., Xu, J., & Murphy, S. L. (2008). Deaths: Final data for 2005. *National Vital Statistics Reports, 56*(10). Hyattsville, MD: National Center for Health Statistics.

Kuperman, S., Chan, G., Kramer, J. R., Bierut, L., Buckholz, K. K., Fox, L., et al. (2005). Relationship of age of first drink to child behavioral problems and family psychopathology. *Alcoholism: Clinical and Experimental Research, 29*(10), 1869-1876.

Kupersmidt, J. B., & Coie, J. D. (1990). Preadolescent peer status, aggression, and school adjustment as predictors of externalizing problems in adolescence. *Child Development, 61*, 1350-1362.

Kurjak, A., Kupesic, S., Matijevic, R., Kos, M., & Marton, M. (1999). First trimester malformation screening. *European Journal of Obstetrics & Gynecology and Reproductive Biology, 85*(1), 93-96.

Kushnir, T., Xu, F., & Wellman, H. M. (2010). Young children use statistical sampling to infer the preferences of other people. *Psychological Science, 21*, 1134-1140.

Kuther, T., & McDonald, E. (2004). Early adolescents' experiences with, and views of, Barbie. *Adolescence, 39*, 39-51.

Kye, C., & Ryan, N. (1995). Pharmacologic treatment of child and adolescent depression. *Child and Adolescent Psychiatric Clinics of North America, 4*, 261-281.

Labarere, J., Gelbert-Baudino, N., Ayral, A. S., Duc, C., Berchotteau, M., Bouchon, N., et al. (2005). Efficacy of breast-feeding support provided by trained clinicians during an early, routine, preventive visit: A prospective, randomized, open trial of 226 mother-infant pairs. *Pediatrics, 115*, e139-e146.

Laberge, L., Tremblay, R. E., Vitaro, F., & Montplaisir, J. (2000). Development of parasomnias from childhood to early adolescence. *Pediatrics, 106*, 67-74.

Labov. T. (1992). Social and language boundaries among adolescents. *American Speech, 67*, 339-366.

Ladd, G., Herald-Brown, S., & Reiser, M. (2008). Does chronic classroom peer rejection predict the development of children's classroom participation during the grade school years? *Child Development, 79*(4), 1001-1015.

Ladd, G. W. (1996). Shifting ecologies during the 5-to 7-year period: Predicting children's adjustment during the transition to grade school. In A. J. Sameroff & M. M. Haith (Eds.), *The five to seven year shift: The age of reason and responsibility* (pp. 363-386). Chicago: University of Chicago Press.

Ladd, G. W., Kochenderfer, B. J., & Coleman, C. C. (1996). Friendship quality as a predictor of young children's early school adjustment. *Child Development, 67,* 1103-1118.

LaFontana, K. M., & Cillessen, A.H.N. (2002). Children's perceptions of popular and unpopular peers: A multi-method assessment. *Developmental Psychology, 38,* 635-647.

Lagattuta, K. H. (2005). When you shouldn't do what you want to do: Young children's understanding of desires, rules, and emotions. *Child Development, 76,* 713-733.

Lagercrantz, H., & Slotkin, T. A. (1986). The "stress" of being born. *Scientific American, 254*(4), 100-107.

Laible, D. J., & Thompson, R. A. (1998). Attachment and emotional understanding in preschool children. *Developmental Psychology, 34*(5), 1038-1045.

Laible, D. J., & Thompson, R. A. (2002). Mother-child conflict in the toddler years: Lessons in emotion, morality, and relationships. *Child Development, 73,* 1187-1203.

Laird, J., Lew, S., DeBell, M., & Chapman, C. (2006). *Dropout rates in the United States: 2002 and 2003* (NCES 2006-062). Washington, DC: U.S. Department of Education, National Center for Education Statistics.

Laird, R. D., Pettit, G. S., Bates, J. E., & Dodge, K. A. (2003). Parents' monitoring relevant knowledge and adolescents' delinquent behavior: Evidence of correlated developmental changes and reciprocal influences. *Child Development, 74,* 752-768.

Lakatos, K., Nemoda, Z., Toth, I., Ronai, Z., Ney, K., Sasvari-Szekely, M., & Gervai, J. (2002). Further evidence for the role of the dopamine D4 receptor gene (DRD4) in attachment disorganization: Interaction of the III exon 48 bp repeat and the _521 C/T promoter polymorphisms. *Molecular Psychiatry, 7,* 27-31.

Lakatos, K., Toth, I., Nemoda, Z., Ney, K., Sasvari-Szekely, M., & Gervai, J. (2000). Dopamine D4 receptor (DRD4) gene polymorphism is associated with attachment disorganization. *Molecular Psychiatry, 5,* 633-637.

Lalonde, C. E., & Werker, J. F. (1995). Cognitive influences on cross-language speech perception in infancy. *Infant Behavior and Development, 18,* 459-475.

Lamason, R. L., Mohideen, M.A.P.K., Mest, R., Wong, A. C., Norton, H. L., Arcs, M. C., et al. (2005). SLC24A5, a putative cation exchanger affects pigmentation in zebrafish and humans. *Science, 310,* 1782-1786.

Lamb, M. E. (1981). The development of father-infant relationships. In M. E. Lamb (Ed.), *The role of the father in child* development (2nd ed., pp. 459-488). New York: Wiley.

Lamb, M. E. (1983). Early mother-neonate contact and the mother-child relationship. *Journal of Child Psychology & Psychiatry & Allied Disciplines, 24,* 487-494.

Lamb, M. E., Frodi, A. M., Frodi, M., & Hwang, C. P. (1982). Characteristics of maternal and paternal behavior in traditional and non-traditional

Swedish families. *International Journal of Behavior Development, 5,* 131-151.

Lamberg, A. (2007) Sleep-disordered breathing may spur behavioral learning problems in children. *Journal of the American Medical Association, 297,* 2681-2683.

Lamborn, S. D., Mounts, N. S., Steinberg, L., & Dornbusch, S. M. (1991). Patterns of competence and adjustment among adolescents from authoritative, authoritarian, indulgent, and neglectful families. *Child Development, 62,* 1049-1065.

Lamm, C., Zelazo, P. D., & Lewis, M. D. (2006) Neural correlates of cognitive control in childhood and adolescence: Disentangling the contributions of age and executive function. *Neuropsychologia, 44,* 2139-2148.

Landon, M. B., Hauth, J. C. Leveno, K. J., Spong, C. Y., Leindecker, S., Varner, M. W., et al. (2004). Maternal and perinatal outcomes associated with trial of labor after prior cesarean delivery. *New England Journal of Medicine, 351,* 2581-2589.

Landry, S. H., Smith, K. E., Swank, P. R., & Miller-Loncar, C. L. (2000). Early maternal and child influences on children's later independent cognitive and social functioning. *Child Development, 71,* 358-375.

Långström, N., Rahman, Q., Carlström, E., & Lichtenstein, P. (2008). Genetic and environmental effects on same-sex sexual behavior: A population study of twins in Sweden. *Archives of Sexual Behavior* (ePub).

Lanphear, B. P. Aligne, C. A., Auinger, P., Weitzman, M., & Byrd, R. S. (2001). Residential exposure associated with asthma in U.S. children. *Pediatrics, 107,* 505-511.

Lansford, J. (2009). Parental divorce and children's adjustment. *Perspectives on Psychological Science, 4*(2), 14-152.

Lansford, J. E., Chang, L., Dodge, K. A., Malone, P. S., Oburu, P., Palmérus, K., et al. (2005). Physical discipline and children's adjustment: Cultural normativeness as a moderator. *Child Development, 76,* 1234-1246.

Lansford, J. E., & Dodge, K. A. (2008) Cultural norms for adult corporal punishment of children and societal rates of endorsement and use of violence. *Parenting: Science & Practice, 8*(3), 257-270.

Lansford, J. E., Dodge, K. A., Pettit, G. S., Bates, J. E., Crozier, J., & Kaplow, J. (2002). A 12-year prospective study of the long-term effects of early child physical maltreatment on psychological, behavioral, and academic problems in adolescence. *Archives of Pediatric and Adolescent Medicine, 156*(8), 824-830.

Lansford, J. E., Malone, P. S., Castellino, D. R., Dodge, K. A., Pettit, G. S., & Bates, J. E. (2006). Trajectories of internalizing, externalizing, and grades for children who have and have not experienced their parents' divorce or separation. *Journal of Family Psychology, 20,* 292-301.

Lanting, C. I., Fidler, V., Huisman, M., Touwen, B.C.L., & Boersma, E. R. (1994). Neurological differences between 9-year-old children fed breastmilk or formula-milk as babies. *Lancet, 334,* 1319-1322.

Larsen, D. (1990, December-1991, January). Unplanned parenthood. *Modern Maturity,* pp. 32-36.

Larson, R. (2008). Family mealtimes as a developmental context. *Social Policy Report, 22*(4), 21.

Larson, R., & Seepersad, S. (2003). Adolescents' leisure time in the United States: Partying, sports, and the American experiment. In S. Verma & R. Larson (Eds.), Examining adolescent leisure time across cultures: Developmental opportunities and risks. *New Directions for Child and Adolescent Development, 99,* 53-64.

Larson, R., & Wilson, S. (2004). Adolescents across place and time: Globalization and the changing pathways to adulthood. In R. M. Lerner & L. Steinberg (Eds.), *Handbook of adolescent psychology* (2nd ed., pp. 299-331). Hoboken, NJ: Wiley.

Larson, R. W. (1997). The emergence of solitude as a constructive domain of experience in early adolescence. *Child Development, 68,* 80-93.

Larson, R. W., Moneta, G., Richards, M. H., & Wilson, S. (2002). Continuity, stability, and change in daily emotional experience across adolescence. *Child Development, 73,* 1151-1165.

Larson, R. W., & Verma, S. (1999). How children and adolescents spend time across the world: Work, play, and developmental opportunities. *Psychological Bulletin, 125,* 701-736.

Larzalere, R. E. (2000). Child outcomes of nonabusive and customary physical punishment by parents: An updated literature review. *Clinical Child and Family Psychology Review, 3,* 199-221.

Laucht, M., Esser, G., & Schmidt, M. H. (1994). Contrasting infant predictors of later cognitive functioning. *Journal of Child Psychology and Psychiatry, 35,* 649-652.

Laursen, B. (1996). Closeness and conflict in adolescent peer relationships: Interdependence with friends and romantic partners. In W. M. Bukowski, A. F. Newcomb, & W. W. Hartup (Eds.), *The company they keep: Friendship in childhood and adolescence* (pp. 186-210). New York: Cambridge University Press.

Lavelli, M. & Fogel, A. (2005). Developmental changes in the relationship between the infant's attention and emotion during early face-to-face communication: The 2-month transition. *Developmental Psychology, 41,* 265-280.

Lawn, J. E., Cousens, S., & Zupan, J., for the Lancet Neonatal Survival Steering Team. (2005). 4 million neonatal deaths: When? Where? Why? *The Lancet, 365,* 891-900.

Lawn, J. E., Gravett, M. G., Nunes, T. M., Rubens, C. E., Stanton, C., & the GAPPS Review Group. (2010). Global report on preterm birth and stillbirth (1 of 7): Definitions, description of the burden and opportunities to improve data. *BMC Pregnancy and Childbirth, 10*(Suppl. 1), S1.

Le, H. N. (2000). Never leave your little one alone: Raising an Ifaluk child. In J. S. DeLoache & A. Gottlieb (Eds.), *A world of babies: Imagined childcare guides for seven societies* (pp. 199-201). Cambridge, UK: Cambridge University Press.

Leaper, C., Anderson, K. J., & Sanders, P. (1998). Moderators of gender effects on parents' talk to their children: A meta-analysis. *Developmental Psychology, 34*(1), 3-27.

Leaper, C., & Smith, T. E. (2004). A meta-analytic review of gender variations in children's language use: Talkativeness, affiliative speech, and assertive speech. *Developmental Psychology, 40,* 993-1027.

Leblanc, M., & Ritchie, M. (2001). A meta-analysis of play therapy outcomes. *Counseling Psychology Quarterly, 14,* 149-163.

Lecanuet, J. P., Granier-Deferre, C., & Busnel, M-C. (1995). Human fetal auditory perception. In J. P. Lecanuet, W. P. Fifer, N. A. Krasnegor, & W. P. Smotherman (Eds.), *Fetal development: A psychobiological perspective* (pp. 239-262). Hillsdale, NJ: Erlbaum.

Lee, F. R. (2004, July 3). Engineering more sons than daughters: Will it tip the scales toward war? *New York Times,* pp. A17, A19.

Lee, J. M., Appugliese, D., Kaciroti, N., Corwyn, R. F., Bradley, R., & Lumeng, J. C. (2007). Weight status in young girls and the onset of puberty. *Pediatrics, 119,* E624-E630.

Lee, M. M. (2006). Idiopathic short stature. *New England Journal of Medicine, 354,* 2576-2582.

Lee, S. J., Ralston, H.J.P., Drey, E. A., Partridge, J. C., & Rosen, M. A. (2005). Fetal pain: A systematic multidisciplinary review of the evidence. *Journal of the American Medical Association, 294,* 947-954.

Lee, S. M., & Edmonston, B. (2005). New marriages, new families: U.S. racial and Hispanic intermarriage. *Population Bulletin, 60*(2). Washington, DC: Population Reference Bureau.

Legerstee, M., & Varghese, J. (2001). The role of maternal affect mirroring on social expectancies in three-month-old infants. *Child Development, 72,* 1301-1313.

Leman, P. J., Ahmed, S., & Ozarow, L. (2005). Gender, gender relations, and the social dynamics of children's conversations. *Developmental Psychology, 41,* 64-74.

Lemke, M., Sen, A., Pahlke, E., Partelow, L., Miller, D., Williams, T., Kastberg, D., & Jocelyn, L. (2004). *International outcomes of learning in mathematics literacy and problem solving: PISA 2003. Results from the U.S. Perspective* (NCES 2005-003). Washington, DC: National Center for Education.

Lenneberg, E. H. (1967). *Biological functions of language.* New York: Wiley.

Lenneberg, E. H. (1969). On explaining language. *Science, 164*(3880), 635-643.

Lenroot, R. K., & Giedd, J. N. (2006). Brain development in children and adolescents: Insights from anatomical magnetic resonance imaging. *Neuroscience and Biobehavioral Reviews, 30*(6), 718-729.

Lesch, K. P., Bengel, D., Heils, A., Sabol, S. Z., Greenberg, B. D., Petri, S., et al. (1996). Association of anxiety-related traits with a polymorphism in the serotonin transporter gene regulatory region. *Science, 274,* 1527-1531.

Leslie, A. M. (1982). The perception of causality in infants. *Perception, 11,* 173-186.

Leslie, A. M. (1984). Spatiotemporal continuity and the perception of causality in infants. *Perception, 13,* 287-305.

Leslie, A. M. (1995). A theory of agency. In D. Sperber, D. Premack, and A. J. Premack, (Eds.), *Causal Cognition.* Oxford: Clarendon Press, 121-149.

Leslie, L. K., Newman, T. B., Chesney, J., & Perrin, J. M. (2005). The Food and Drug Administration's deliberations on antidepressant use in pediatric patients. *Pediatrics, 116,* 195-204.

Lester, B. M., & Boukydis, C.F.Z. (1985). *Infant crying: Theoretical and research perspectives.* New York: Plenum Press.

LeVay, S. (1991). A difference in hypothalamic structure between heterosexual and homosexual men. *Science, 253,* 1034-1037.

Levine, J. A., Emery, C. R., & Pollack, H. (2007). The well-being of children born to teen mothers. *Journal of Marriage and Family, 69,* 105-122.

Levine, L. J., & Edelstein, R. S. (2009). Emotion and memory narrowing: A review and goal-relevance approach. *Cognition and Emotion, 23*(5), 833-875.

LeVine, R. A. (1974). Parental goals: A cross-cultural view. *Teacher College Record, 76,* 226-239.

LeVine, R. A. (1989). Human parental care: Universal goals, cultural strategies, individual behavior. In R. A. LeVine, P. M. Miller, & M. M. West (Eds.), *Parental behavior in diverse societies* (pp. 3-12). San Francisco: Jossey-Bass.

LeVine, R. A. (1994). *Child care and culture: Lessons from Africa.* Cambridge, UK: Cambridge University Press.

Levine, S. C., Vasilyeva, M., Lourenco, S. E., Newcombe, N. S., & Huttenlocher, J. (2005). Socioeconimic status modifies the sex differences in spatial skills. *Psychological Science, 16,* 841-845.

Levron, J., Aviram, A., Madgar, I., Livshits, A., Raviv, G., Bider, D., et al. (1998, October). *High rate of chromosomal aneupoloidies in testicular spermatozoa retrieved from azoospermic patients undergoing testicular sperm extraction for in vitro fertilization.* Paper presented at the 16th World Congress on Fertility and Sterility and the 54th annual meeting of the American Society for Reproductive Medicine, San Francisco, CA.

Levy-Shiff, R., Zoran, N., & Shulman, S. (1997). International and domestic adoption: Child, parents, and family adjustment. *International Journal of Behavioral Development, 20,* 109-129.

Lewinsohn, P. M., Gotlib, I. H., Lewinsohn, M., Seeley, J. R., &Allen, N. B. (1998). Gender differences in anxiety disorders and anxiety symptoms in adolescence. *Journal of Abnormal Psychology, 107,* 109-117.

Lewis, M. (1995). Self-conscious emotions. *American Scientist, 83,* 68-78.

Lewis, M. (1997). The self in self-conscious emotions. In S. G. Snodgrass & R. L. Thompson (Eds.), *The self across psychology: Self-recognition, self-awareness, and the self-concept* (Vol. 818, pp. 119-142). New York: Annals of the New York Academy of Sciences.

Lewis, M. (1998). Emotional competence and development. In D. Pushkar, W. Bukowski, A. E. Schwartzman, D. M. Stack, & D. R. White (Eds.), *Improving competence across the lifespan* (pp. 27-36). New York: Plenum Press.

Lewis, M. (2003). The emergence of consciousness and its role in human development. *Annals of the New York Academy of Sciences, 1001,* 104-133.

Lewis, M. (2007). Early emotional development. In A. Slater and M. Lewis (Eds.), *Introduction to infant development.* Malden, MA: Blackwell.

Lewis, M., & Brooks, J. (1974). Self, other, and fear: Infants' reaction to people. In H. Lewis & L. Rosenblum (Eds.), *The origins of fear: The origins of behavior* (Vol. 2, pp. 195-228). New York: Wiley.

Lewis, M., & Carmody, D. P. (2008). Self-representation and brain development. *Developmental Psychology, 44,* 1329-1334.

Lewit, E., & Kerrebrock, N. (1997). Population-based growth stunting. *The Future of Children, 7*(2), 149-156.

Li, R., Chase, M., Jung, S., Smith, P.J.S., Loeken, M. R. (2005). Hypoxic stress in diabetic pregnancy contributes to impaired embryo gene expression and defective development by inducing oxidative stress. *American Journal of Physiology: Endocrinology and Metabolism, 289,* 591-599.

Li, X., Li, S., Ulusoy, E., Chen, W., Srinivasan, S. R., & Berenson, G. S. (2004). Childhood adiposity as a predictor of cardiac mass in adulthood. *Circulation, 110,* 3488-3492.

Liberman, I. Y., & Liberman, A. M. (1990). Whole language vs. code emphasis: Underlying assumptions and their implications for reading instruction. *Annals of Dyslexia, 40,* 51-76.

Lickliter, R., & Honeycutt, H. (2003). Developmental dynamics: Toward a biologically plausible evolutionary psychology. *Psychological Bulletin, 129,* 819-835.

Lickona, T. (Ed.). (1976). *Moral development and behavior.* New York: Holt.

Lillard, A., & Curenton, S. (1999). Do young children understand what others feel, want, and know? *Young Children, 54*(5), 52-57.

Lillard, A., & Else-Quest, N. (2006). The early years: Evaluating Montessori education. *Science, 313,* 1893-1894.

Lin, S., Hwang, S. A., Marshall, E. G., & Marion, D. (1998). Does paternal occupational lead exposure increase the risks of low birth weight or prematurity? *American Journal of Epidemiology, 148,* 173-181.

Lin, S. S., & Kelsey, J. L. (2000). Use of race and ethnicity in epidemiological research: Concepts, methodological issues, and suggestions for research. *Epidemiologic Reviews, 22*(2), 187-202.

Lindsey, E. W., Cremeens, P. R., & Caldera, Y. M. (2010). Gender differences in mother-toddler and father-toddler verbal initiations and responses during a caregiver and play context. *Sex Roles, 63,* 399-411.

Linnet, K. M., Wisborg, K., Obel, C., Secher, N. J., Thomsen, P. H., Agerbo, E., & Henriksen, T. B. (2005). Smoking during pregnancy and the risk of hyperkinetic disorder in offspring. *Pediatrics, 116,* 462-467.

Lippman, L. H., & McIntosh, H. (2010). *The demographics of spirituality and religiosity among youth: International and U. S. patterns (2010-21).* Retrieved from http://www.childtrends.org/Files//Child_Trends-2010_09_27_RB_Spirituality.pdf

Lissau, I., Overpeck, M. D., Ruan, J., Due, P., Holstein, B. E., Hediger, M. L., & Health Behaviours in School-Aged Children Obesity Working Group. (2004). Body mass index and overweight in adolescents in 13 European countries, Israel, and the Untied States. *Archives of Pediatric and Adolescent Medicine, 158,* 27-33.

Liszkowski, U., Carpenter, M., Striano, T., & Tomasello, M. (2006). 12-and 18-month-olds point to provide information for others. *Journal of Cognition and Development, 7,* 173-187.

Liszkowski, U., Carpenter, M., & Tomasello, M. (2008). Twelve-month-olds communicate helpfully and appropriately for knowledgeable and ignorant partners. *Cognition, 108,* 732-739.

Littleton, H., Breitkopf, C., & Berenson, A. (2006, August 13). *Correlates of anxiety symptoms during pregnancy and association with perinatal outcomes: A meta-analysis.* Presentation at the 114th annual convention of the American Psychological Association, New Orleans, LA.

Liu, J., Raine, A., Venables, P. H., Dalais, C., & Mednick, S. A. (2003). Malnutrition at age 3 years and lower cognitive ability at age 11 years. *Archives of Pediatric and Adolescent Medicine, 157,* 593-600.

Liu, S. V. (2006). Evolution: An integrated theory—criticisms on Darwinism—fifteen years ago. *Pioneer 1,* 10-28.

Livson, N., & Peskin, H. (1980). Perspectives on adolescence from longitudinal research. In J. Adelson (Ed.), *Handbook of adolescent psychology* (pp. 47-80). New York: Wiley.

Lloyd, J. J., & Anthony, J. C. (2003). Hanging out with the wrong crowd: How much difference can parents make in an urban environment? *Journal of Urban Health, 80,* 383-399.

Lloyd, T., Andon, M. B., Rollings, N., Martel, J. K., Landis, J. R., Demers, L. M., et al. (1993). Calcium supplementation and bone mineral density in adolescent girls. *Journal of the American Medical Association, 270,* 841-844.

LoBue, V., & DeLoache, J. (2011). Pretty in pink: The early development of gender-stereotyped colour preferences. *British Journal of Developmental Psychology, 29*(3), 656-667. doi: 10.1111/j.2044-835X.2011.02027.x

Lock, A., Young, A., Service, V., & Chandler, P. (1990). Some observations on the origin of the pointing gesture. In V. Volterra & C. J. Erting (Eds.), *From gesture to language in hearing and deaf children* (pp. 42-55). New York: Springer.

Lock, J., Walker, L. R., Rickert, V. I., & Katzman, D. K. (2005). Suicidality in adolescents being treated with antidepressant medications and the black box label: Position paper of the Society for Adolescent Medicine. *Journal of Adolescent Health, 36,* 92-93.

Lockwood, C. J. (2002). Predicting premature delivery—no easy task. *New England Journal of Medicine, 346,* 282-284.

Lohse, N., Hansen, A. E., Pedersen, G., Kronborg, G., Gerstoft, J., Sørensen, H. T., et al. (2007). Survival of persons with and without HIV infection in Denmark, 1995-2005. *Annals of Internal Medicine, 146,* 87-95.

Lonczak, H. S., Abbott, R. D., Hawkins, J. D., Kosterman, R., & Catalano, R. F. (2002). Effects of the Seattle Social Development Project on sexual behavior, pregnancy, birth, and sexually transmitted disease. *Archives of Pediatric and Adolescent Medicine, 156,* 438-447.

Longnecker, M. P., Klebanoff, M. A., Zhou, H., & Brock, J. W. (2001). Association between maternal serum concentration of the DDT metabolite DDE and preterm and small-for-gestational-age babies at birth. *Lancet, 358,* 110-114.

Longworth, H. L., & Kingdon, C. K. (2010) Fathers in the birth room: What are they expecting and experiencing? A phenomenological study. *Midwifery, 27*(5), 588-594.

Lonigan, C. J., Burgess, S. R., & Anthony, J. L. (2000). Development of emergent literacy and early reading skills in preschool children: Evidence from a latent-variable longitudinal study. *Developmental Psychology, 36,* 593-613.

Lorenz, K. (1957). Comparative study of behavior. In C. H. Schiller (Ed.), *Instinctive behavior.* New York: International Universities Press.

Lorsbach, T. C., & Reimer, J. F. (1997). Developmental changes in the inhibition of previously relevant information. *Journal of Experimental Child Psychology, 64,* 317-342.

Louise Brown: The world's first "test-tube baby" ushered in a revolution in fertility. (1984, March). *People Weekly,* p. 82.

Love, J. M., Kisker, E. E., Ross, C., Raikes, H., Constantine, J., Boller, K., et al. (2005). The effectiveness of Early Head Start for 3-year-old children and their parents: Lessons for policy and programs. *Developmental Psychology, 41,* 885-901.

Love, J. M., Kisker, E. E., Ross, C. M., Schochet, P. Z., Brooks-Gunn, J., Paulsell, D., et al. (2002). *Making a difference in the lives of infants and toddlers and their families: The impacts of Early Head Start.* Washington, DC: Administration on Children, Youth, and Families, U.S. Department of Health and Human Services.

Lubell, K. M., Kegler, S. R., Crosby, A. E., & Karch, M. D. (2007). Suicide trends among youths and young adults aged 10-24 years—United States, 1990-2004. *Morbidity and Mortality Weekly Report, 56*(35), 905-908.

Lucile Packard Children's Hospital at Stanford. (2009). *Failure to thrive.* Retrieved February 9, 2009, from www.lpch.org/DiseaseHealthInfo/Health/growth/Library/thrive.html

Ludwig, D. S. (2007). Childhood obesity—the shape of things to come. *New England Journal of Medicine, 357,* 2325-2327.

Ludwig, J., & Phillips, D. (2007). The benefits and costs of head start. *Social Policy Report, 21,* 3-20.

Lugaila, T. A. (2003). A child's day: 2000 (Selected indicators of child well-being). *Current*

*Population Reports* (P70-89). Washington, DC: U.S. Census Bureau.

Luke, B., Mamelle, N., Keith, L., Munoz, F., Minogue, J., Papiernik, E., et al. (1995). The association between occupational factors and preterm birth: A United States nurses' study. *American Journal of Obstetrics and Gynecology, 173,* 849-862.

Luna, B., Garver, K. E., Urban, T. A., Lazar, N. A., & Sweeney, J. A. (2004). Maturation of cognitive processes from late childhood to adulthood. *Child Development, 75,* 1357-1372.

Lundy, B. L. (2003). Father-and mother-infant face-to-face interactions: Differences in mind-related comments and infant attachment? *Infant Behavior & Development, 26,* 200-212.

Lundy, B. L., Jones, N. A., Field, T., Nearing, G., Davalos, M., Pietro, P. A., et al. (1999). Prenatal depression effects on neonates. *Infant Behavior and Development, 22,* 119-129.

Luthar, S. S., & Latendresse, S. J. (2005). Children of the affluence: Challenges to well-being. *Current Directions in Psychological Science, 14,* 49-53.

Lyons-Ruth, K., Alpern, L., & Repacholi, B. (1993). Disorganized infant attachment classification and maternal psychosocial problems as predictors of hostile-aggressive behavior in the preschool classroom. *Child Development, 64,* 572-585.

Lytton, H., & Romney, D. M. (1991). Parents' differential socialization of boys and girls: A meta-analysis. *Psychological Bulletin, 109*(2), 267-296.

Lyytinen, P., Poikkeus, A., Laakso, M., Eklund, K., & Lyytinen, H. (2001). Language development and symbolic play in children with and without familial risk for dyslexia. *Journal of Speech, Language, and Hearing Research, 44,* 873-885.

Maccoby, E. (1980). *Social development.* New York: Harcourt Brace Jovanovich.

Maccoby, E. E. (1984). Middle childhood in the context of the family. In W. A. Collins (Ed.), *Development during middle childhood* (pp. 184-239). Washington, DC: National Academy.

Maccoby, E. E. (1992). The role of parents in the socialization of children: An historical overview. *Developmental Psychology, 28,* 1006-1017.

Maccoby, E. E. (2000). Perspectives on gender development. *International Journal of Behavioral Development, 24*(4), 398-406.

Maccoby, E. E. (2002). Gender and group process: A developmental perspective. *Current Directions in Psychological Science, 11,* 54-58.

Maccoby, E. E., & Jacklin, C. N. (1987). Gender segregation in childhood. *Advances in Child Development and Behavior, 20,* 239-287.

Maccoby, E. E., & Lewis, C. C. (2003). Less day care or different day care? *Child Development, 74,* 1069-1075.

Maccoby, E. E., & Martin, J. A. (1983). Socialization in the context of the family: Parent-child interaction. In P. H. Mussen (Series Ed.) & E. M. Hetherington (Vol. Ed.), *Handbook of child psychology: Vol. 4. Socialization, personality, and social development* (pp. 1-101). New York: Wiley.

MacDonald, K. (1998). Evolution and development. In A. Campbell & S. Muncer (Eds.), *Social development* (pp. 21-49). London: UCL Press.

## Referências

Macdonald, K., & Hershberger, S. (2005). Theoretical issues in the study of evolution and development. In R. Burgess & K. MacDonald (Eds.), *Evolutionary Perspectives on Human Development* (2nd ed., pp. 21-72). Thousand Oaks, CA: Sage.

MacDorman, M. F., & Kirmeyer, S. (2009). Fetal and perinatal mortality, United States, 2005. *National Vital Statistics Reports, 57*(8). Hyattsville, MD: National Center for Health Statistics.

MacDorman, M. F., & Mathews, T. J. (2008). Recent trends in infant mortality in the United States. *NCHS Data Brief, 9.* Hyattsville, MD: National Center for Health Statistics.

MacKinnon-Lewis, C., Starnes, R., Volling, B., & Johnson, S. (1997). Perceptions of parenting as predictors of boys' sibling and peer relations. *Developmental Psychology, 33,* 1024-1031.

MacLean, K. (2003). The impact of institutionalization in child development. *Development and Psychopathology, 15*(4), 853-884.

Macmillan, C., Magder, L. S., Brouwers, P., Chase, C., Hittelman, J., Lasky, T., et al. (2001). Head growth and neurodevelopment of infants born to HIV-infected drug-using women. *Neurology, 57,* 1402-1411.

MacMillan, H. M., Boyle, M. H., Wong, M.Y.-Y., Duku, E. K., Fleming, J. E., & Walsh, C. A. (1999). Slapping and spanking in childhood and its association with lifetime prevalence of psychiatric disorders in a general population sample. *Canadian Medical Association Journal, 161,* 805-809.

Macmillan, R., McMorris, B. J., & Kruttschnitt, C. (2004). Linked lives: Stability and change in maternal circumstances and trajectories of antisocial behavior in children. *Child Development, 75,* 205-220.

Maestripieri, D., Higley, J., Lindell, S., Newman, T., McCormack, K., & Sanchez, M. (2006). Early maternal rejection affects the development of monoaminergic systems and adult abusive parenting in Rhesus Macaques (Macaca mulatta). *Behavioral Neuroscience, 120,* 1017-1024.

Mahoney, J. L. (2000). School extracurricular activity participation as a moderator in the development of antisocial patterns. *Child Development, 71*(2), 502-516.

Mahoney, J. L., Lord, H., & Carryl, E. (2005). An ecological analysis of after-school program participation and the development of academic performance and motivational attributes for disadvantaged children. *Child Development, 76*(4), 811-825.

Main, M. (1995). Recent studies in attachment: Overview, with selected implications for clinical work. In S. Goldberg, R. Muir, & J. Kerr (Eds.), *Attachment theory: Social, developmental, and clinical perspectives* (pp. 407-470). Hillsdale, NJ: Analytic Press.

Main, M., Kaplan, N., & Cassidy, J. (1985). Security in infancy, childhood and adulthood: A move to the level of representation. In I. Bretherton & E. Waters (Eds.), *Growing points in attachment. Monographs of the Society for Research in Child Development, 50*(1-20), 66-104.

Main, M., & Solomon, J. (1986). Discovery of an insecure, disorganized/disoriented attachment pattern: Procedures, findings, and implications for the classification of behavior. In M.Yogman & T. B. Brazelton (Eds.), *Affective development in infancy* (pp. 95-124). Norwood, NJ: Ablex.

Makino, M., Tsuboi, K., & Dennerstein, L. (2004). Prevalence of eating disorders: A comparison of Western and non-Western countries. *Medscape General Medicine, 6*(3). Retrieved September 27, 2004, from www.medscape.com/viewarticle/487413

Makrides, M., Gibson, R. A., McPhee, A. J., Collins, C. T., Davis, P. G., Doyle, L. W., et al. (2009). Neurodevelopmental outcomes of preterm infants fed high-dose docosahexaenoic acid. *Journal of the American Medical Association, 301,* 175-182.

Malaguzzi, L. (1993). For an education based on relationships. *Young Children, 49*(1), 9-12.

Malaspina, D., Harlap, S., Fennig, S., Heiman, D., Nahon, D., Feldman, D., & Susser, E. S. (2001). Advancing paternal age and the risk of schizophrenia. *Archives of General Psychiatry, 58,* 361-371.

Malloy, M. H. (2008). Impact of Cesarean section on neonatal mortality rates among very preterm infants in the United States, 2000-2003. *Pediatrics, 122,* 285-292.

Malone, F. D., Canick, J. A., Ball, R. H., Nyberg, D. A., Comstock, C. H., Bukowski, R., et al. (2005). First-trimester or second-trimester screening, or both, for Down's syndrome. *New England Journal of Medicine, 353,* 2001-2011.

Malone, L. M., West, J., Flanagan, K. D., & Park, J. (2006). *Statistics in brief: The early reading and mathematics achievement of children who repeated kindergarten or who began school a year late* (NCES 2006-064). Washington, DC: National Center for Education Statistics.

Mandler, J. M. (1998). Representation. In D. Kuhn & R. S. Siegler (Eds.), *Handbook of child psychology: Vol. 2. Cognition, perception, and language* (5th ed., pp. 255-308). New York: Wiley.

Mandler, J. M. (2007). On the origins of the conceptual system. *American Psychologist, 62,* 741-751.

Mandler, J. M., & McDonough, L. (1993). Concept formation in infancy. *Cognitive Development, 8,* 291-318.

Mandler, J. M., & McDonough, L. (1996). Drinking and driving don't mix: Inductive generalization in infancy. *Cognition, 59,* 307-335.

Mandler, J. M., & McDonough, L. (1998). Cognition across the life span: On developing a knowledge base in infancy. *Developmental Psychology, 34,* 1274-1288.

Manlove, J., Ryan, S., & Franzetta, K. (2003). Patterns of contraceptive use within teenagers' first sexual relationships. *Perspectives on Sexual and Reproductive Health, 35,* 246-255.

March of Dimes Birth Defects Foundation. (1987). *Genetic counseling: A public health information booklet* (Rev. ed.). White Plains, NY: Author.

March of Dimes Birth Defects Foundation. (2004a). *Cocaine use during pregnancy.* [Fact sheet]. Retrieved October 29, 2004, from www.marchofdimes.com/professionals/681_1169.asp

March of Dimes Birth Defects Foundation. (2004b). *Marijuana: What you need to know.* Retrieved October 29, 2004, from www.marchofdimes.com/pnhec/159_4427.asp

March of Dimes Foundation. (2002). *Toxoplasmosis.* [Fact sheet]. Wilkes-Barre, PA: Author.

Marchman, V. A., & Fernald, A. (2008). Speed of word recognition and vocabulary knowledge in infancy predict cognitive and language outcomes in later childhood. *Developmental Science, 11,* F9-16.

Marcia, J. E. (1966). Development and validation of ego identity status. *Journal of Personality and Social Psychology, 3*(5), 551-558.

Marcia, J. E. (1979, June). *Identity status in late adolescence: Description and some clinical implications.* Address given at Symposium on Identity Development, Rijksuniversitat Groningen, The Netherlands.

Marcia, J. E. (1980). Identity in adolescence. In J. Adelson (Ed.), *Handbook of adolescent psychology* (pp. 159-187). New York: Wiley.

Marcia, J. E. (1993). The relational roots of identity. In J. Kroger (Ed.), *Discussions on ego identity* (pp. 101-120). Hillsdale, NJ: Erlbaum.

Markoff, J. (1992, October 12). Miscarriages tied to chip factories. *New York Times,* pp. A1, D2.

Marks, H. (2000). Student engagement in instructional activity: Patterns in the elementary, middle, and high school years. *American Education Research Journal, 37,* 153-184.

Marlow, N., Wolke, D., Bracewell, M. A., & Samara, M., for the EPICure Study Group. (2005). Neurologic and developmental disability at six years of age after extremely preterm birth. *New England Journal of Medicine, 352,* 9-19.

Marshall, N. L. (2004). The quality of early child care and children's development. *Current Directions in Psychological Science, 13,* 165-168.

Marshall, T. A., Levy, S. M., Broffitt, B., Warren, J. J., Eichenberger-Gilmore, J. M., Burns, T. L., & Stumbo, P. J. (2003) Dental caries and beverage consumption in young children. *Pediatrics, 112,* e184-e191.

Martin, C. L., Eisenbud, L., & Rose, H. (1995). Children's gender-based reasoning about toys. *Child Development, 66,* 1453-1471.

Martin, C. L., & Fabes, R. A. (2001). The stability and consequences of young children's same-sex peer interactions. *Developmental Psychology, 37,* 431-446.

Martin, C. L., & Halverson, C. F. (1981). A schematic processing model of sex typing and stereotyping in children. *Child Development, 52,* 1119-1134.

Martin, C. L., & Ruble, D. (2004). Children's search for gender cues: Cognitive perspectives on gender development. *Current Directions in Psychological Science, 13,* 67-70.

Martin, C. L., Ruble, D. N., & Szkrybalo, J. (2002). Cognitive theories of early gender development. *Psychological Bulletin, 128,* 903-933.

Martin, J. A., Hamilton, B. E., Sutton, P. D., Ventura, S. J., Menacker, F., & Kirmeyer, S. (2006). Births:

Final data for 2004. *National Vital Statistics Reports, 55*(1). Hyattsville, MD: National Center for Health Statistics.

Martin, J. A., Hamilton, B. E., Sutton, P. D., Ventura, S. J., Menacker, F., Kirmeyer, S., & Mathews, T. J. (2009). Births: Final data for 2006. *National Vital Statistics Reports, 57*(7). Hyattsville, MD: National Center for Health Statistics.

Martin, J. A., Hamilton, B. E., Sutton, P. D., Ventura, S. J., Menacker, F., Kirmeyer, S., & Munson, M. (2007). Births: Final data for 2005. *National Vital Statistics Reports, 56*(6). Hyattsville, MD: National Center for Health Statistics.

Martin, J. A., Hamilton, B. E., Sutton, P. D., Ventura, S. J., Menacker, F., & Munson, M. L. (2005). Births: Final data for 2003. *National Vital Statistics Reports, 54*(2). Hyattsville, MD: National Center for Health Statistics.

Martin, J. A., Hamilton, B. E., Ventura, S. J., Osterman, M.J.K., Wilson, E. C., & Mathews, T. J. (2012). Births: Final data for 2010. *National Vital Statistics Report, 61*(1). Hyattsville, MD: National Center for Health Statistics.

Martin, N., & Montgomery, G. (2002, March 18). *Is having twins, either identical or fraternal, in someone's genes? Is there a way to increase your chances of twins or is having twins just luck?* Retrieved March 7, 2006, from http://genepi.qimr.edu.au/Scientific American Twins.html

Martin, R., Noyes, J., Wisenbaker, J., & Huttunen, M. (2000). Prediction of early childhood negative emotionality and inhibition from maternal distress during pregnancy. *Merrill-Palmer Quarterly, 45,* 370-391.

Martinez, G., Copen, C. E., & Abma, J. C. (2011). Teenagers in the United States: Sexual activity, contraceptive use, and childbearing, 2006-2010 National Survey of Family Growth. National Center for Health Statistics. *Vital Health Stat 23*(31).

Martínez-González, M. A., Gual, P., Lahortiga, F., Alonso, Y., de Irala-Estévez, J., & Cervera, S. (2003). Parental factors, mass media influences, and the onset of eating disorders in a prospective population-based cohort. *Pediatrics, 111,* 315-320.

Marwick, C. (1997). Health care leaders from drug policy group. *Journal of the American Medical Association, 278,* 378.

Marwick, C. (1998). Physician leadership on national drug policy finds addiction treatment works. *Journal of the American Medical Association, 279,* 1149-1150.

Masse, L. C., & Tremblay, R. E. (1997). Behavior of boys in kindergarten and the onset of substance use during adolescence. *Archives of General Psychiatry, 54,* 62-68.

Masten, A., Best, K., & Garmezy, N. (1990). Resilience and development: Contributions from the study of children who overcome adversity. *Development and Psychopathology, 2,* 425-444.

Masten, A. S. (2001). Ordinary magic: Resilience processes in development. *American Psychologist, 56,* 227-238.

Masten, A. S., & Coatsworth, J. D. (1998). The development of competence in favorable and unfavorable environments: Lessons from research

on successful children. *American Psychologist, 53,* 205-220.

Mathews, T. J., & MacDorman, M. F. (2008). Infant mortality statistics from the 2005 period linked birth/infant death data set. *National Vital Statistics Report, 57*(2), 1-32.

Mathie, A., & Carnozzi, A. (2005). *Qualitative research for tobacco control: A how-to introductory manual for researchers and development practitioners.* Ottawa, Ontario, Canada: International Development Research Centre.

Matsumoto, D., & Juang, L. (2008). *Culture and psychology* (4th ed.). Belmont, CA: Wadsworth.

May, K. A., & Perrin, S. P. (1985). Prelude: Pregnancy and birth. In S.M.H. Hanson & F. W. Bozett (Eds.), *Dimensions of fatherhood* (pp. 64-91). Beverly Hills, CA: Sage.

Mayer, D. P. (1998). Do new teaching standards undermine performance on old tests? *Educational Evaluation and Policy Analysis, 20,* 53-73.

Mayo Clinic (2013). Retrieved March 15, 2013, from www.mayoclinic.com/health/infertility/DS00310/DSECTION=causes

Mayo Foundation for Medical Education and Research. (2009, January). Beyond the human genome: Meet the epigenome. *Mayo Clinic Health Letter, 27*(1), pp. 4-5.

Mayseless, O., & Scharf, M. (2003). What does it mean to be an adult? The Israeli experience. In J. J. Arnett & N. L. Galambos (Eds.), Exploring cultural conceptions of the transition to adulthood. *New Directions for Child and Adolescent Development, 100,* 5-20.

McCall, D. D., & Clifton, R. K. (1999). Infants' means-end search for hidden objects in the absence of visual feedback. *Infant Behavior and Development, 22*(2), 179-195.

McCall, R. B., & Carriger, M. S. (1993). A meta-analysis of infant habituation and recognition memory performance as predictors of later IQ. *Child Development, 64,* 57-79.

McCallum, K. E., & Bruton, J. R. (2003). The continuum of care in the treatment of eating disorders. *Primary Psychiatry, 10*(6), 48-54.

McCartt, A. T. (2001). Graduated driver licensing systems: Reducing crashes among teenage drivers. *Journal of the American Medical Association, 286,* 1631-1632.

McCarty, M. E., Clifton, R. K., Ashmead, D. H., Lee, P., & Goubet, N. (2001). How infants use vision for grasping objects. *Child Development, 72,* 973-987.

McClearn, G. E., Johansson, B., Berg, S., Pedersen, N. L., Ahern, F., Petrill, S. A., & Plomin, R. (1997). Substantial genetic influence on cognitive abilities in twins 80 or more years old. *Science, 276,* 1560-1563.

McClintock, M. K., & Herdt, G. (1996). Rethinking puberty: The development of sexual attraction. *Current Directions in Psychological Science, 5*(6), 178-183.

McCord, J. (1996). Unintended consequences of punishment. *Pediatrics, 88,* 832-834.

McCoy, A. R., & Reynolds, A. J. (1999). Grade retention and school performance: An extended

investigation. *Journal of School Psychology, 37,* 273-298.

McCrink, K., & Wynn, K. (2004). Large-number addition and subtraction by 9-month-old infants. *Psychological Science, 15,* 776-781.

McDaniel, M., Paxson, C., & Waldfogel, J. (2006). Racial disparities in childhood asthma in the United States: Evidence from the National Health Interview Survey, 1997 to 2003. *Pediatrics, 117,* 868-877.

McDowell, M., Fryar, C., Odgen, C., & Flegal, K. (2008). Anthropometric reference data for children and adults: United States, 2003-2006. *National health statistics report* (No. 10). Hyattsville, MD: National Center for Health Statistics.

McDowell, M. M., Wang, C.-Y., & Kennedy-Stephenson, J. (2008). *Breastfeeding in the United States: Findings from the National Health and Nutrition Examination Surveys, 1999-2006.* [NCHS Data Briefs, No. 5]. Hyattsville, MD: National Center for Health Statistics.

McElwain, N. L., & Volling, B. L. (2005). Preschool children's interactions with friends and older siblings: Relationship specificity and joint contributions to problem behavior. *Journal of Family Psychology, 19,* 486-496.

McGue, M. (1997). The democracy of the genes. *Nature, 388,* 417-418.

McGuffin, P., Owen, M. J., & Farmer, A. E. (1995). Genetic basis of schizophrenia. *Lancet, 346,* 678-682.

McGuffin, P., Riley, B., & Plomin, R. (2001). Toward behavioral genomics. *Science, 291,* 1232-1249.

McGuigan, F. & Salmon, K. (2004). The time to talk: The influence of the timing of adult-child talk on children's event memory. *Child Development, 75,* 669-686.

McHale, S. M., Kim, J., Whiteman, S., & Crouter, A. C. (2004). Links between sex-typed time use in middle childhood and gender development in early adolescence. *Developmental Psychology, 40,* 868-881.

McHale, S. M., Updegraff, K. A., Helms-Erikson, H., & Crouter, A. C. (2001). Sibling influences on gender development in middle childhood and early adolescence: A longitudinal study. *Developmental Psychology, 37,* 115-125.

McKenna, J. J., & Mosko, S. (1993). Evolution and infant sleep: An experimental study of infant-parent cosleeping and its implications for SIDS. *Acta Paediatrica, 389*(Suppl.), 31-36.

McKenna, J. J., Mosko, S. S., & Richard, C. A. (1997). Bedsharing promotes breastfeeding. *Pediatrics, 100,* 214-219.

McKenna, K.Y.A., & Bargh, J. A. (2000). Plan 9 from cyberspace: The implication of the Internet for personality and social psychology. *Personality and Social Psychology Review, 4,* 57-75.

McKusick, V. A. (2001). The anatomy of the human genome. *Journal of the American Medical Association, 286*(18), 2289-2295.

McLanahan, S., & Sandefur, G. (1994). *Growing up with a single parent.* Cambridge, MA: Harvard University Press.

McLeod, R., Boyer, K., Karrison, T., Kasza, K., Swisher, C., Roizen, N., et al. (2006). Outcome of treatment for congenital toxoplasmosis, 1981-2004: The national collaborative Chicago-based, congenital toxoplasmosis study. *Clinical Infectious Diseases: An Official Publication of the Infectious Diseases Society of America, 42*(10), 1383-1394.

McLeskey, J., Lancaster, M., & Grizzle, K. L. (1995). Learning disabilities and grade retention: A review of issues with recommendations for practice. *Learning Disabilities Research & Practice, 10*, 120-128.

McLoyd, V. C. (1990). The impact of economic hardship on black families and children: Psychological distress, parenting, and socioemotional development. *Child Development, 61*, 311-346.

McLoyd, V. C. (1998). Socioeconomic disadvantage and child development. *American Psychologist, 53*, 185-204.

McLoyd, V. C., & Smith, J. (2002). Physical discipline and behavior problems in African American, European American, and Hispanic children: Emotional support as a moderator. *Journal of Marriage and Family, 64*, 40-53.

McQueeny, T., Schweinsburg, B. C., Schweinsburg, A. D., Jacobus, J., Bava, S., Frank, L. R, & Tapert, S. F. (2009). Altered white matter integrity in adolescent binge drinkers. *Alcoholism: Clinical and Experimental Research, 33*(7), 1278-1285.

McQuillan, J., Greil, A. L., White, L., & Jacob, M. C. (2003). Frustrated fertility: Infertility and psychological distress among women. *Journal of Marriage and Family, 65*, 1007-1018.

Mears, B. (2005, March 1). *High court: Juvenile death penalty unconstitutional: Slim majority cites 'evolving standards' in American society.* Retrieved March 30, 2005, from http://cnn.com./2005/LAW/03/01/scotus.death.penalty

Medland, S. E., Duffy, D. L., Wright, M. J., Geffen, G. M., Hay, D. A., Levy, F., et al. (2009). Genetic influences on handedness: Data from 25,732 Australian and Dutch twin families. *Neuropsychologica, 47*(2), 33-337.

Meeks, J. J., Weiss, J., & Jameson, J. L. (2003, May). Dax1 is required for testis formation. *Nature Genetics, 34*, 32-33.

Meezan, W., & Rauch, J. (2005). Gay marriage, same-sex parenting, and America's children. *Future of Children, 15*, 97-115.

Meier, D. (1995). *The power of their ideas.* Boston: Beacon.

Meier, R. (1991, January-February). Language acquisition by deaf children. *American Scientist, 79*, 60-70.

Meijer, A. M., & van den Wittenboer, G.L.H. (2007). Contributions of infants' sleep and crying to marital relationship of first-time parent couples in the 1st year after childbirth. *Journal of Family Psychology, 21*, 49-57.

Meins, E. (1998). The effects of security of attachment and maternal attribution of meaning on children's linguistic acquisitional style. *Infant Behavior and Development, 21*, 237-252.

Meis, P. J., Klebanoff, M., Thom, E., Dombrowski, M. P., Sibai, B., Moawad, A. H., et al. (2003). Prevention of recurrent preterm delivery by 17 alpha-hydroxyprogesterone caproate. *New England Journal of Medicine, 348*, 2379-2385.

Melby, J., Conger, R, Fang, S., Wickrama, K., & Conger, K. (2008). Adolescent family experiences and educational attainment during early adulthood. *Developmental Psychology, 44*(6), 1519-1536.

Meltzoff, A. N. (2007). "Like me": A foundation for social cognition. *Developmental Science, 10*, 126-134.

Meltzoff, A. N., & Moore, M. K. (1989). Imitation in newborn infants: Exploring the range of gestures imitated and the underlying mechanisms. *Developmental Psychology, 25*, 954-962.

Meltzoff, A. N., & Moore, M. K. (1994). Imitation, memory, and the representation of persons. *Infant Behavior and Development, 17*, 83-99.

Meltzoff, A. N., & Moore, M. K. (1998). Object representation, identity, and the paradox of early permanence: Steps toward a new framework. *Infant Behavior & Development, 21*, 201-235.

Menacker, F., & Hamilton, B. E. (2010, March). *Recent trends in cesarean delivery in the United States.* NCHS Data Brief No. 35. Hyattsville, MD: National Center for Health Statistics.

Menacker, F., Martin, J. A., MacDorman, M. F., & Ventura, S. J. (2004). Births to 10-14 year-old mothers, 1990-2002: Trends and health outcomes. *National Vital Statistics Reports, 53*(7). Hyattsville, MD: National Center for Health Statistics.

Mendle, J., Turkheimer, E., D'Onofrio, B. M., Lynch, S. K., Emery, R. E., Slutske, W. S., & Martin, N. G. (2006). Family structure and age at menarche: A children-of-twins approach. *Developmental Psychology, 42*, 533-542.

Mendle, J., Turkheimer, E., & Emery, R. E. (2007). Detrimental psychological outcomes associated with early pubertal timing in adolescent girls. *Developmental Review, 27*, 249-266.

Menegaux, F., Baruchel, A., Bertrand, Y., Lescoeur, B., Leverger, G., Nelken, B., et al. (2006). Household exposure to pesticides and risk of childhood acute leukaemia. *Occupational and Environmental Medicine, 63*(2), 131-134.

Meng, H., Smith, S. D., Hager, K., Held, M., Liu, J., Olson, R. K., et al. (2005, October). *A deletion in DCDC2 on 6p22 is associated with reading disability.* Paper presented at the American Society of Human Genetics meeting, Salt Lake City, UT.

Mennella, J. A., & Beauchamp, G. K. (1996). The early development of human flavor preferences. In E. D. Capaldi (Ed.), *Why we eat what we eat: The psychology of eating* (pp. 83-112). Washington DC: American Psychological Association.

Mennella, J. A., & Beauchamp, G. K. (2002). Flavor experiences during formula feeding are related to preferences during childhood. *Early Human Development, 68*, 71-82.

Mennella, J. A., Jagnow, C. P., & Beauchamp, G. K. (2001). Prenatal and postnatal flavor learning by human infants. *Pediatrics, 107*, E88.

Ment, L. R., Vohr, B., Allan, W., Katz, K. H., Schneider, K. C., Westerveld, M., et al. (2003). Changes in cognitive function over time in very low-birth-weight infants. *Journal of the American Medical Association, 289*, 705-711.

Merewood, A., Mehta, S. D., Chamberlain, L. B., Philipp, B. L., & Bauchner, H. (2005). Breastfeeding rates in US baby-friendly hospitals: Results of a national survey. *Pediatrics, 116*, 628-634.

Merrell, K., Gueldner, B., Ross, S., & Isava, D. (2008). How effective are school bullying intervention programs? A meta-analysis of intervention research. *School Psychology Quarterly, 23*(1), 26-42.

Mesch, G. (2001). Social relationships and Internet use among adolescents in Israel. *Social Science Quarterly, 82*, 329-340.

Messinger, D. S., Bauer, C. R., Das, A., Seifer, R., Lester, B. M., Lagasse, L. L., et al. (2004). The maternal lifestyle study: Cognitive, motor, and behavioral outcomes of cocaine-exposed and opiate-exposed infants through three years of age. *Pediatrics, 113*, 1677-1685.

Messinis, L., Krypianidou, A., Maletaki, S., & Papathanasopoulos, P. (2006). Neuropsychological deficits in long-term cannabis users. *Neurology, 66*, 737-739.

Meyer, I. H. (2003). Prejudice, social stress, and mental health in lesbian, gay, and bisexual populations: Conceptual issues and research evidence. *Psychological Bulletin, 129*, 674-697.

Miech, R. A., Kumanyika, S. K., Stettler, N., Link, B., Phelan, J. C., & Chang, V. W. (2006). Trends in the association of poverty with overweight among US adolescents, 1971-2004. *Journal of the American Medical Association, 295*, 2385-2393.

Miedzian, M. (1991). *Boys will be boys: Breaking the link between masculinity and violence.* New York: Doubleday.

Migeon, B. R. (2006). The role of X inactivation and cellular mosaicism in women's health and sex-specific disorders. *Journal of the American Medical Association, 295*, 1428-1433.

Mikkola, K., Ritari, N., Tommiska, V., Salokorpi, T., Lehtonen, L., Tammela, O., et al. (2005). Neurodevelopmental outcome at 5 years of age of a national cohort of extremely low birth weight infants who were born in 1996-1997. *Pediatrics, 116*, 1391-1400.

Miles C. L., Matthews, J., Brennan, L., & Mitchell, S. (2010). Changes in the content of children's school lunches across the school week. *Health Promotion Journal of Australia, 21*(3), 196-201.

Miller, J. W., Naimi, T. S., Brewer, R. D., & Jones, S. E. (2007). Binge drinking and associated health risk behaviors among high school students. *Pediatrics, 119*, 76-85.

Miller-Kovach, K. (2003). *Childhood and adolescent obesity: A review of the scientific literature.* Unpublished manuscript. Weight Watchers International.

Millman, R. P., Working Group on Sleepiness in Adolescents/Young Adults, & AAP Committee on Adolescents. (2005). Excessive sleepiness in adolescents and young adults: Causes, consequences, and treatment strategies. *Pediatrics, 115*, 1774-1786.

Mills, J. L., & England, L. (2001). Food fortification to prevent neural tube defects: Is it working? *Journal of the American Medical Association, 285*, 3022-3033.

Mindell, J. A., Sadeh, A., Wiegand, B., How, T. H., & Goh, D.Y.T. (2010). Cross-cultural differences in infant and toddler sleep. *Sleep Medicine, 11*, 274-289.

Miniño, A. M., Anderson, R. N., Fingerhut, L. A., Boudreault, M. A., & Warner, M. (2006). Deaths: Injuries, 2002. *National Vital Statistics Reports, 54*(10). Hyattsville, MD: National Center for Health Statistics.

Mischel, W. (1966). A social learning view of sex differences in behavior. In E. Maccoby (Ed.), *The development of sex differences* (pp. 57-81). Stanford, CA: Stanford University Press.

Mishra G. D., Cooper R., Tom, S. E., & Kuh, D. (2009). Early life circumstances and their impact on menarche and menopause. *Women's Health* (Lond Engl) 5, 175-190.

Mistry, R. S., Vandewater, E. A., Huston, A. C., & McLoyd, V. (2002). Economic well-being and children's social adjustment: The role of family process in an ethnically diverse low income sample. *Child Development, 73*, 935-951.

Mitchell, E. A., Blair, P. S., & L'Hoir, M. P. (2006). Should pacifiers be recommended to prevent sudden infant death syndrome? *Pediatrics, 117*, 1755-1758.

Miyake, K., Chen, S., & Campos, J. (1985). Infants' temperament, mothers' mode of interaction and attachment in Japan: An interim report. In I. Bretherton & E. Waters (Eds.), Growing points of attachment theory and research. *Monographs of the Society for Research in Child Development, 50*(1-2, Serial No. 109), 276-297.

Mix, K. S., Huttenlocher, J., & Levine, S. C. (2002). Multiple cues for quantification in infancy: Is number one of them? *Psychological Bulletin, 128*, 278-294.

Mix, K. S., Levine, S. C., & Huttenlocher, J. (1999). Early fraction calculation ability. *Developmental Psychology, 35*, 164-174.

Mlot, C. (1998). Probing the biology of emotion. *Science, 280*, 1005-1007.

Modzeleski, W., Feucht, T., Rand, M., Hall, J. E., Simon, T. R., Butler, L., et al. (2008). School-associated student homicides—United States, 1992-2006. *Morbidity and Mortality Weekly Report, 57*(2), 33-36.

Moffitt, T. E. (1993). Adolescent-limited and life-course persistent antisocial behavior: A developmental taxonomy. *Psychological Review, 100*, 674-701.

Mohajer, S. T. (2009a, February 10). Octuplets' mom had controversial doctor. *Associated Press*. Retrieved February 10, 2009, from http://news.aol.com/article/octuplets-nadya-suleman/328104

Mohajer, S. T. (2009b, February 6). Octuplet mom's doctor is investigated. *Associated Press*. Retrieved February 6, 2009, from http://news.aol.com/article/octuplets-mom-speaks/331827?icid=200100397x1217799767x1201239528

Mohajer, S. T. (2009c, February 12). Octuplet mom seeks donations online: Plus, taxpayers may have to help cover her costs. *Associated Press*. Retrieved February 12, 2009, from http://news.aol.com/octuplets/article-mom-web-site/334503

Mojon-Azzi, S., Kunz, A., & Mojon D. S. (2010). Strabismus and discrimination in children: Are children with strabismus invited to fewer birthday parties? *British Journal of Opthalmology, 95*(4), 473-476. doi: 10.1136/bjo.2010.185793

Mondschein, E. R., Adolph, K. E., & Tamis-Lemonda, C. S. (2000). Gender bias in mothers' expectations about infant crawling. *Journal of Experimental Child Psychology. Special Issue on Gender, 77*, 304-316.

Money, J., Hampson, J. G., & Hampson, J. L. (1955). Hermaphroditism: Recommendations concerning assignment of sex, change of sex and psychologic management. *Buletin of the Johns Hopkins Hospital, 97*(4), 284-300.

Montague, D.P.F., & Walker-Andrews, A. S. (2001). Peekaboo: A new look at infants' perception of emotion expressions. *Developmental Psychology, 37*, 826-838.

Montessori, M. (with Chattin-McNichogls, J.). (1995). *The absorbent mind*. New York: Holt.

Moon, C., Cooper, R. P., & Fifer, W. P. (1993). Two-day-olds prefer their native language. *Infant Behavior and Development, 16*, 495-500.

Moon, R. Y., Sprague, B. M., & Patel, K. M. (2005). Stable prevalence but changing risk factors for sudden infant death syndrome in child care settings in 2001. *Pediatrics, 116*, 972-977.

Mooney-Somers, J., & Golombok, S. (2000). Children of lesbian mothers: From the 1970s to the new millennium. *Sexual & Relationship Therapy 15*(2), 121-126.

Moore, S. E., Cole, T. J., Poskitt, E.M.E., Sonko, B. J., Whitehead, R. G., McGregor, I. A., & Prentice, A. M. (1997). Season of birth predicts mortality in rural Gambia. *Nature, 388*, 434.

Morelli, G. A., Rogoff, B., Oppenheim, D., & Goldsmith, D. (1992). Cultural variation in infants' sleeping arrangements: Questions of independence. *Developmental Psychology, 28*, 604-613.

Morgan, R. A., Dudley, M. E., Wunderlich, J. R., Hughes, M. S., Yang, J. C., Sherry, R. M., et al. (2006, August 31). *Cancer regression in patients mediated by transfer of genetically engineered lymphocytes*. Retrieved from www.sciencemag.org/cgi/content/abstract/1129003v1. doi: 10.1126/science.1129003

Morison, P., & Masten, A. S. (1991). Peer reputation in middle childhood as a predictor of adaptation in adolescence: A seven-year follow-up. *Child Development, 62*, 991-1007.

Morris, R. J., & Kratochwill, T. R. (1983). *Treating children's fears and phobias: A behavioral approach*. Boston: Allyn & Bacon.

Morrison, J. A., Friedman, L. A., Harlan, W. R., Harlan, L. C., Barton, B. A., Schreiber, G. B., & Klein, D. J. (2005). Development of the metabolic syndrome in black and white adolescent girls. *Pediatrics, 116*, 1178-1182.

Morrissey, T. W. (2009). Multiple child-care arrangements and young children's behavioral outcomes. *Child Development, 80*, 59-76.

Mortensen, E. L., Michaelson, K. F., Sanders, S. A., & Reinisch, J. M. (2002). The association between duration of breastfeeding and adult intelligence. *Journal of the American Medical Association, 287*, 2365-2371.

Morton, H. (1996). *Becoming Tongan: An ethnography of childhood*. Honolulu: University of Hawaii Press.

Moses, L. J., Baldwin, D. A., Rosicky, J. G., & Tidball, G. (2001). Evidence for referential understanding in the emotions domain at twelve and eighteen months. *Child Development, 72*, 718-735.

Mosher, W. D., Chandra, A., & Jones, J. (2005). *Sexual behavior and selected health measures: Men and women 15-44 years of age, United States, 2002*. [Advance data from vital and health statistics; No. 362]. Hyattsville, MD: Centers for Disease Control and Prevention, National Center for Health Statistics.

Mosier, C. E., & Rogoff, B. (2003). Privileged treatment of toddlers: Cultural aspects of individual choice and responsibility. *Developmental Psychology, 39*, 1047-1060.

Moster, D., Lie, R.T., & Markestad, T. (2008). Long-term medical and social consequences of preterm birth. *New England Journal of Medicine, 359*, 262-273.

Moulson, M. C., Fox, N. A., Zeanah, C. H., & Nelson, C. A. (2009). Early adverse experiences and the neurobiology of facial emotion processing. *Developmental Psychology, 45*, 17-30.

Mounts, N. S., & Steinberg, L. (1995). An ecological analysis of peer influence on adolescent grade point average and drug use. *Developmental Psychology, 31*, 915-922.

Msall, M.S.E. (2004). Developmental vulnerability and resilience in extremely preterm infants. *Journal of the American Medical Association, 292*, 2399-2401.

MTA Cooperative Group. (1999). A 14-month randomized clinical trial of treatment strategies for attention deficit/hyperactivity disorder. *Archives of General Psychiatry, 56*, 1073-1986.

MTA Cooperative Group. (2004a). National Institute of Mental Health multimodal treatment study of ADHD follow-up: Changes in effectiveness and growth after the end of treatment. *Pediatrics, 113*, 762-769.

MTA Cooperative Group. (2004b). National Institute of Mental Health multimodal treatment study of ADHD follow-up: 24-month outcomes of treatment strategies for attention-deficit/hyperactivity disorder. *Pediatrics, 113*, 754-769.

Mulford, C., & Giordano, P. (2008). Teen dating violence: A closer look at adolescent romantic relationships. *National Institute of Justice Journal, 261*.

Mullan, D., & Currie, C. (2000). Socioeconomic equalities in adolescent health. In C. Currie, K. Hurrelmann, W. Settertobulte, R. Smith, & J. Todd (Eds.), *Health and health behaviour among young people: A WHO crossnational study (HBSC) international report* (pp. 65-72). [WHO Policy Series: Healthy Policy for Children and Adolescents, Series No. 1]. Copenhagen, Denmark: World Health Organization Regional Office for Europe.

Mumme, D. L., & Fernald, A. (2003). The infant as onlooker: Learning from emotional reactions observed in a television scenario. *Child Development, 74*, 221-237.

Munakata, Y. (2001). Task-dependency in infant behavior: Toward an understanding of the processes underlying cognitive development. In

F. Lacerda, C. von Hofsten, & M. Heimann (Eds.), *Emerging cognitive abilities in early infancy* (pp. 29-52). Hillsdale, NJ: Erlbaum.

Munakata, Y., McClelland, J. L., Johnson, M. J., & Siegler, R. S. (1997). Rethinking infant knowledge: Toward an adaptive process account of successes and failures in object permanence tasks. *Psychological Review, 104,* 686-714.

Munk-Olsen, T., Laursen, T. M., Pedersen, C. B., Mors, O., & Mortensen, P. B. (2006). New parents and mental disorders: A population-based register study. *Journal of the American Medical Association, 296,* 2582-2589.

Munson, M. L., & Sutton, P. D. (2004). Births, marriages, divorces, and deaths: Provisional data for November 2003. *National Vital Statistics Reports, 52*(20). Hyattsville, MD: National Center for Health Statistics.

Murachver, T., Pipe, M., Gordon, R., Owens, J. L., & Fivush, R. (1996). Do, show, and tell: Children's event memories acquired through direct experience, observation, and stories. *Child Development, 67,* 3029-3044.

Murchison, C., & Langer, S. (1927). Tiedemann's observations on the development of the mental facilities of children. *Journal of Genetic Psychology, 34,* 204-230.

Muris, P., Merckelbach, H., & Collaris, R. (1997). Common childhood fears and their origins. *Behaviour Research and Therapy, 35,* 929-937.

Murray, B. (1998, June). Dipping math scores heat up debate over math teaching: Psychologists differ over the merits of teaching children "whole math." *APA Monitor, 29*(6), 34-35.

Murray, M. L., deVries, C. S., & Wong, I.C.K. (2004). A drug utilisation study of anti-depressants in children and adolescents using the General Practice Research data base. *Archives of the Diseases of Children, 89,* 1098-1102.

Mussen, P. H., & Jones, M. C. (1957). Self-conceptions, motivations, and interpersonal attitudes of late-and early-maturing boys. *Child Development, 28,* 243-256.

Must, A., Jacques, P. F., Dallal, G. E., Bajema, C. J., & Dietz, W. H. (1992). Long-term morbidity and mortality of overweight adolescents: A follow-up of the Harvard Growth Study of 1922 to 1935. *New England Journal of Medicine, 327*(19), 1350-1355.

Mustanski, B. S., DuPree, M. G., Nievergelt, C. M., Bocklandt, S., Schork, N. J., & Hamer, D. H. (2005). A genomewide scan of male sexual orientation. *Human Genetics, 116,* 272-278.

Mustillo, S., Worthman, C., Erkanli, A., Keeler, G., Angold, A., & Costello, E. J. (2003). Obesity and psychiatric disorder: Developmental trajectories. *Pediatrics, 111,* 851-859.

Muter, V., Hulme, C., Snowling, M. J., & Stevenson, J. (2004). Phonemes, rimes, vocabulary, and grammatical skill as foundations of early reading development: Evidence from a longitudinal study. *Developmental Psychology, 40,* 665-681.

Myers, S. M., Johnson, C. P., & Council on Children With Disabilities. (2007). Management of children with autism spectrum disorders. *Pediatrics, 120*(5), 1162-1182.

Nader, P. R., Bradley, R. H., Houts, R. M., McRitchie, S. L., & O'Brien, M. (2008). Moderate-to-vigorous physical activity from ages 9 to 15 years. *Journal of the American Medical Association, 300,* 295-305.

Nadig, A. S., Ozonoff, S., Young, G. S., Rozga, A., Sigman, M., & Rogers, S. J. (2007). A prospective study of response to name in infants at risk for autism. (Name response at 12 months as screening tool for ASDs). *Archives of Pediatric and Adolescent Medicine, 161,* 378-383.

Nagaoka, J., & Roderick, M. (April 2004). *Ending social promotion: The effects of retention.* Chicago: Consortium on Chicago School Research.

Nagaraja, J., Menkedick, J., Phelan, K. J., Ashley, P., Zhang, X., & Lanphear, B. P. (2005). Deaths from residential injuries in US children and adolescents, 1985-1997. *Pediatrics, 116,* 454-461.

Nagy, E. (2008). Innate intersubjectivity: Newborns' sensitivity to communication disturbance. *Developmental Psychology, 44*(6), 1779-1784.

Naito, M., & Miura, H. (2001). Japanese childrens' numerical competencies: Age-and school-related influences on the development of number concepts and addition skills. *Developmental Psychology, 37,* 217-230.

Najman, J. M., Hayatbakhsh, M. R., Heron, M. A., Bor, W., O'Callaghan, M. J., & Williams, G.M. (2009). The impact of episodic and chronic poverty on child cognitive development. *The Journal of Pediatrics, 154*(2), 284-289.

Nansel, T. R., Overpeck, M., Pilla, R. S., Ruan, W. J., Simons-Morton, B., & Scheidt, P. (2001). Bullying behaviors among U.S. youth: Prevalence and association with psychosocial adjustment. *Journal of the American Medical Association, 285,* 2094-2100.

Napier, J. L., & Jost, J. T. (2008). Why are conservatives happier than liberals? *Psychological Science, 19*(6), 565-572. doi:10.1111/j.1467-9280.2008.02124.x

Nash, J. M. (1997, February 3). Fertile minds. *Time,* pp. 49-56.

Natenshon, A. (2006). *Parental influence takes precedence over Barbie and the media.* Retrieved December 15, 2007, from www.empoweredparents.com/prevention/1prevention_09.htm

Nathanielsz, P. W. (1995). The role of basic science in preventing low birth weight. *The Future of Our Children, 5*(1), 57-70.

National Assessment of Educational Progress: The Nation's Report Card. (2004). *America's charter schools: Results from the NAEP 2003 Pilot Study* (NCES 2005-456). Jessup, MD: U.S. Department of Education.

National Association of Child Care Resource and Referral Agencies (NACCRRA). (2010). *Parents and the high cost of child care: 2010 update.* Retrieved from http://www.naccrra.org/docs/High_Cost_Report_2010_One_Pager_072910a-final.pdf

National Association for Gifted Children. (n.d.). *Frequently asked questions.* Retrieved April 29, 2010, from www.nagc.org/index2.aspx?id=548

National Center for Education Statistics (NCES). (2001). *The condition of education 2001* (Publication No. 2001-072). Washington, DC: U.S. Government Printing Office.

National Center for Education Statistics (NCES). (2003). *The condition of education, 2003* (Publication No. 2003-067). Washington, DC: Author.

National Center for Education Statistics (NCES). (2004a). *National assessment of educational progress: The nation's report card. Mathematics highlights 2003* (NCES 2004-451). Washington, DC: U.S. Department of Education.

National Center for Education Statistics (NCES). (2004b). *National Assessment of Educational Progress: The nation's report card. Reading highlights 2003* (NCES 2004-452). Washington, DC: U.S. Department of Education.

National Center for Education Statistics. (2005). *Children born in 2001—first results from the base year of Early Childhood Longitudinal Study, Birth Cohort (ECLS-B).* Retrieved November 19, 2004, from http://nces.ed.gov/pubs2005/children/index.asp

National Center for Education Statistics. (2006). *Calories in, calories out: Food and exercise in public elementary schools, 2005* (NCES 2006-057). Washington, DC: Author.

National Center for Education Statistics (NCES). (2007). *The condition of education 2007* (NCES2007-064). Washington, DC: U.S. Government Printing Office.

National Center for Education Statistics (NCES). (2007a, July). *Demographic and school characteristics of students receiving special education in the elementary grades.* Retrieved April 29, 2010, from http://nces.ed.gov/pubsearch/pubsinfo.asp?pubid=2007005

National Center for Education Statistics (NCES). (2008). *1.5 million homeschooled students in the United States in 2007.* [Issue Brief]. Washington, DC: Author.

National Center for Education Statistics (NCES). (2009). *The condition of education 2009* (NCES 2009-081). Washington, DC: Author.

National Center for Health Statistics (NCHS). (1999). Abstract adapted from *Births: Final data for 1999* by mid-Atlantic parents of multiples. Retrieved March 7, 2006, from www.orgsites.com/va/mapom/_pgg1.php3

National Center for Health Statistics (NCHS). (2004). *Health, United States, 2004 with chartbook on trends in the health of Americans* (DHHS Publication No. 2004-1232). Hyattsville, MD: Author.

National Center for Health Statistics (NCHS). (2005). *Health, United States, 2005* (DHHS Publication No. 2005-1232). Hyattsville, MD: Author.

National Center for Health Statistics (NCHS). (2006). *Health, United States, 2006.* Hyattsville, MD: Author.

National Center for Health Statistics (NCHS). (2007). Trends in oral health status: United States, 1988-1994 and 1999-2004. *Vital Health Statistics, 11*(248). Hyattsville, MD: Author.

National Center for Health Statistics (NCHS). (2009). Distribution of teen births by age, 2007. *Vital Statistics Reports.* Hyattsville, MD: Author.

National Center for Injury Prevention and Control (NCIPC). (2004). *Fact sheet: Teen drivers.* Retrieved May 7, 2004, from www.cdc.gov/ncipc

National Center for Learning Disabilities. (2004a). *Dyslexia: Learning disabilities in reading.* [Fact sheet]. Retrieved May 30, 2004, from www.ld.org/LDInfoZone/InfoZone_FactSheet_Dyslexia.cfm

National Center for Learning Disabilities. (2004b). *LD at a glance.* [Fact sheet]. Retrieved May 30, 2004, from www.ld.org/LDInfoZone/InfoZone_FactSheet_LD.cfm

National Center on Addiction and Substance Abuse (CASA). (2006, September). *The importance of family dinners III.* New York: Columbia University.

National Center on Addiction and Substance Abuse (CASA). (2007, September). *The importance of family dinners IV.* Retrieved from www.casacolumbia.org/

National Center on Shaken Baby Syndrome. (2000). *SBS questions.* Retrieved from www.dontshake.com/sbsquestions.html

National Clearinghouse on Child Abuse and Neglect Information (NCCANI). (2004). Long-term consequences of child abuse and neglect. Retrieved October, 5, 2004, from http://nccanch.acf.hhs.gov/pubs/factsheets/longtermconsequences.cfm

National Coalition for the Homeless. (2009). *Why are people homeless?* [NCH fact sheet #1]. Retrieved from www.nationalhomeless.org/factsheets/why.html

National Commission for the Protection of Human Subjects of Biomedical and Behavioral Research. (1978). *Report.* Washington, DC: Author.

National Conference of State Legislatures. (2008). *Fetal homicide.* Retrieved November 2, 2008, from www/ncsl.org/programs/health/fethom.htm

National Council of Teachers of Mathematics (NCTM). (2006). *Curriculum focal points for prekindergarten through grade 8 mathematics.* Reston, VA: Author.

National Diabetes Education Program. (2008). *Overview of diabetes in children and adolescents. A fact sheet from the National Diabetes Education Program.* Retrieved from http://ndep.nih.gov/media/diabetes/youth/youth_FS.htm

National Diabetes Information Clearinghouse (NDIC). (2007). *National diabetes statistics.* Retrieved from http://diabetes.niddk.nih.gov/DM/PUBS/statistics/#allages

National Enuresis Society. (1995). *Enuresis.* [Fact sheet]. New York: Author.

National Fatherhood Initiative. (2013). *The father factor: Data on the consequences of father absence.* Retrieved from http://www.fatherhood.org/media/consequences-of-father-absence-statistics

National High Blood Pressure Education Program Working Group on High Blood Pressure in Children and Adolescents. (2004). The fourth report on the diagnosis, evaluation, and treatment of high blood pressure in children and adolescents. *Pediatrics, 114*(2-Suppl.), 555-576.

National Highway Traffic Safety Administration. (2009, November). *Traffic safety facts research note.* Washington, DC: Author.

National Institute of Child Health and Development (NICHD). (2008). *Facts about Down Syndrome.* Retrieved from www.nichd.nih.gov/publications/pubs/downsyndrome.cfm

National Institute of Child Health and Health Development (NICHD). (2010). Phenylketonuria (PKU). Retrieved February 5, 2012, from www.nichd.nih.gov/health/topics/phenylketonuria.cfm

National Institute of Dental and Craniofacial Research. (2004). *Dental sealants in children (Age 6 to 11).* Retrieved from www.nidcr.nih.gov/DataStatistics/FindDataByTopic/DentalSealants/Children

National Institute of Mental Health (NIMH). (1999, April). *Suicide facts.* Retrieved from www.nimh.nih.gov/research/suifact.htm

National Institute of Mental Health (NIMH). (2001a). *Helping children and adolescents cope with violence and disasters: Fact sheet* (NIH Publication No. 01-3518). Bethesda, MD: Author.

National Institute of Mental Health (NIMH). (2001b). *Teenage brain: A work in progress.* Retrieved March 11, 2004, from www.nimh.gov/publicat/teenbrain.cfm

National Institute of Mental Health (NIMH). (2002). Preventive sessions after divorce protect children into teens. Retrieved April 5, 2012, from www.nimh.nih.gov

National Institute of Mental Health (NIMH). (2009). *Autism spectrum disorders.* Retrieved from www.nimh.nih.gov/health/publications/autism/complete-index.shtml

National Institute of Neurological Disorders and Stroke (NINDS). (2006, January 25). NINDS *Shaken baby syndrome information page.* Retrieved June 20, 2006, from www.ninds.nih.gov/disorders/shakenbaby/shakenbaby.htm

National Institute of Neurological Disorders and Stroke (NINDS). (2007). NINDS *Asperger syndrome information page.* Retrieved from www.ninds.nih.gov/disorders/asperger/asperger.htm

National Institutes of Health. (2010). Consensus Development Conference on Vaginal Birth after Cesarean: New Insights. Bethesda, MD, March 8-10.

National Institutes of Health Consensus Development Panel. (2001). National Institutes of Health Consensus Development conference statement: Phenylketonuria screening and management. October 16-18, 2000. *Pediatrics, 108*(4), 972-982.

National Library of Medicine. (2003). *Medical encyclopedia: Conduct disorder.* Retrieved April 23, 2005, from www.nlm.nih.gov/medlineplus/ency/article/000919.htm

National Library of Medicine. (2004). *Medical encyclopedia: Oppositional defiant disorder.* Retrieved April 23, 2005, from www.nlm.nih.gov/medlineplus/ency/article/001537.htm

National Institute on Drug Abuse (NIDA). (1996). *Monitoring the future.* Washington, DC: National Institutes of Health.

National Institute on Drug Abuse (NIDA). (2008). *Quarterly report: Potency Monitoring Project (Report 100). December 16, 2007 thru March 15, 2008.* Conducted by National Center for Natural Products Research, University of Mississippi.

National Parents' Resource Institute for Drug Education. (1999, September 8). *PRIDE surveys, 1998-99 national summary: Grades 6-12.* Bowling Green, KY: Author.

National Reading Panel. (2000). *Report of the National Reading Panel: Teaching children to read: An evidence-based assessment of the scientific research literature on reading and its implications for reading instruction: Reports of the subgroups.* Washington, DC: U.S. Government Printing Office.

National Research Council (NRC). (1993a). *Losing generations: Adolescents in high risk settings.* Washington, DC: National Academy Press.

National Research Council (NRC). (1993b). *Understanding child abuse and neglect.* Washington, DC: National Academy Press.

National Research Council (NRC). (2006). *Food insecurity and hunger in the United States: An assessment of the measure.* Washington, DC: National Academies Press.

National Sleep Foundation. (2004). *Sleep in America.* Washington, DC: Author.

National Survey on Drug Use and Health (NSDUH). (2006). Substance use treatment need among adolescents: 2003-2004. *The NSDUH* Report (Issue 24). Rockville, MD: Office of Applied Statistics, Substance Abuse and Mental Health Services Administration (SAMHSA), U.S. Department of Health and Human Services (USDHHS).

National Survey on Drug Use and Health (NSDUH). (2012). Substance Abuse and Mental Health Services Administration, *Results from the 2011 national survey on drug use and health: Mental health findings,* NSDUH Series H-45, HHS Publication No. (SMA) 12-4725. Rockville, MD: Substance Abuse and Mental Health Services Administration, 2012. Retrieved April 1, 2013, from www.samhsa.gov/data/NSDUH/2k11MH_FindingsandDetTables/2K11MHFR/NSDUHmhfr2011.htm

Neale, B. M., Lasky-Su., J., Anney, R., Franke, B., Zhou, K., Maller, J. B., et al. (2008). Genome-wide association scan of attention deficit hyperactivity disorder. *American Journal of Medical Genetics Part B: Neuropsychiatric Genetics, 147B*(8), 1337-1344.

Nef, S., Verma-Kurvari, S., Merenmies, J., Vassallt, J.-D., Efstratiadis, A., Accili, D., & Parada, L. F. (2003). Testis determination requires insulin receptor family function in mice. *Nature, 426,* 291-295.

Neisser, U., Boodoo, G., Bouchard, T. J., Jr., Boykin, A. W., Brody, N., Ceci, S. J., et al. (1996). Intelligence: Knowns and unknowns. *American Psychologist, 51*(2), 77-101.

Neitzel, C., & Stright, A. D. (2003). Relations between parents' scaffolding and children's academic self-regulation: Establishing a foundation of self-regulatory competence. *Journal of Family Psychology, 17,* 147-159.

Nelson, C. A. (1995). The ontogeny of human memory: A cognitive neuroscience perspective. *Developmental Psychology, 31,* 723-738.

Nelson, C. A. (2008). A neurobiological perspective on early human deprivation. *Child Development Perspectives, 1,* 13-18.

Nelson, C. A., Monk, C. S., Lin, J., Carver, L. J., Thomas, K. M., & Truwit, C. L. (2000). Functional neuroanatomy of spatial working memory in children. *Developmental Psychology, 36,* 109-116.

Nelson, C. A., Thomas, K. M., & deHaan, M. (2006). Neural bases of cognitive development In W. Damon & R. Lerner (Eds.), *Handbook of Child Psychology* (6th ed.). New York: Wiley.

Nelson, K. (1993). The psychological and social origins of autobiographical memory. *Psychological Science, 47,* 7-14.

Nelson, K. (2005). Evolution and development of human memory systems. In B. J. Ellis & D. F. Bjorklund (Eds.), *Origins of the social mind: Evolutionary psychology and child development* (pp. 319-345). New York: Guilford Press.

Nelson, K., & Fivush, R. (2004). The emergence of autobiographical memory: A social cultural developmental theory. *Psychological Bulletin, 111,* 486-511.

Nelson, K. B., Dambrosia, J. M., Ting, T. Y., & Grether, J. K. (1996). Uncertain value of electronic fetal monitoring in predicting cerebral palsy. *New England Journal of Medicine, 334,* 613-618.

Nelson, L. J. (2003). Rites of passage in emerging adulthood: Perspectives of young Mormons. In J. J. Arnett & N. L. Galambos (Eds.), Exploring cultural conceptions of the transition to adulthood. *New Directions for Child and Adolescent Development, 100,* 33-49.

Nelson, L. J., & Marshall, M. F. (1998). *Ethical and legal analyses of three coercive policies aimed at substance abuse by pregnant women.* Princeton, NJ: Robert Wood Johnson Substance Abuse Policy Research Foundation.

Nelson, M. C., & Gordon-Larsen, P. (2006). Physical activity and sedentary behavior patterns are associated with selected adolescent risk behaviors. *Pediatrics, 117,* 1281-1290.

Neumark-Sztainer, D., Wall, M., Haines, J., Story, M., Sherwood, N. E., & van den Berg, P. A. (2007). Shared risk and protective factors for overweight and disordered eating in adolescents. *American Journal of Preventive Medicine, 33,* 359-369.

Neville, A. (n.d.). *The emotional and psychological effects of miscarriage.* Retrieved April 9, 2006, from www.opendoors.com.au/EffectsMiscarriage/EffectsMiscarriage.htm

Neville, H. J., & Bavelier, D. (1998). Neural organization and plasticity of language. *Current Opinion in Neurobiology, 8*(2), 254-258.

Newacheck, P. W., Strickland, B., Shonkoff, J. P., Perrin, J. M., McPherson, M., McManus, M., et al. (1998). An epidemiologic profile of children with special health care needs. *Pediatrics, 102,* 117-123.

Newcomb, A. F., & Bagwell, C. L. (1995). Children's friendship relations: A meta-analytic review. *Psychological Bulletin, 117*(2), 306-347.

Newcomb, A. F., Bukowski, W. M., & Pattee, L. (1993). Children's peer relations: A meta-analytic review of popular, rejected, neglected, controversial, and average sociometric status. *Psychological Bulletin, 113,* 99-128.

Newman, D. L., Caspi, A., Moffitt, T. E., & Silva, P. A. (1997). Antecedents of adult interpersonal functioning: Effects of individual differences in age 3 temperament. *Developmental Psychology, 33,* 206-217.

Newman, R. S. (2005). The cocktail party effect in infants revisited: Listening to one's name in noise. *Developmental Psychology, 41,* 352-362.

Newport, E., & Meier, R. (1985). The acquisition of American Sign Language. In D. Slobin (Ed.), *The crosslinguistic study of language acquisition* (Vol. 1, pp. 881-938). Hillsdale, NJ: Erlbaum.

Newport, E. L. (1991). Contrasting concepts of the critical period for language. In S. Carey & R. Gelman (Eds.), *The epigenesis of mind: Essays on biology and cognition* (pp. 111-130). Hillsdale, NJ: Erlbaum.

Newport, E. L., Bavelier, D., & Neville, H. J. (2001). Critical thinking about critical periods: Perspectives on a critical period for language acquisition. In E. Dupoux (Ed.), *Language, brain, and cognitive development: Essays in honor of Jacques Mehler* (pp. 481-502). Cambridge, MA: MIT Press.

NICHD Early Child Care Research Network. (1996). Characteristics of infant child care: Factors contributing to positive caregiving. *Early Childhood Research Quarterly, 11,* 269-306.

NICHD Early Child Care Research Network. (1997). The effects of infant child care on infant-mother attachment security: Results of the NICHD study of early child care. *Child Development, 68,* 860-879.

NICHD Early Child Care Research Network. (1998a). Early child care and self-control, compliance and problem behavior at 24 and 36 months. *Child Development, 69,* 1145-1170.

NICHD Early Child Care Research Network. (1998b). Relations between family predictors and child outcomes: Are they weaker for children in child care? *Developmental Psychology, 34,* 1119-1127.

NICHD Early Child Care Research Network. (1999a). Child outcomes when child care center classes meet recommended standards for quality. *American Journal of Public Health, 89,* 1072-1077.

NICHD Early Child Care Research Network. (2000). The relation of child care to cognitive and language development. *Child Development, 71,* 960-980.

NICHD Early Child Care Research Network. (2001a). Child care and children's peer interaction at 24 and 36 months: The NICHD Study of Early Child Care. *Child Development, 72,* 1478-1500.

NICHD Early Child Care Research Network. (2001b). Child-care and family predictors of preschool attachment and stability from infancy. *Developmental Psychology, 37,* 847-862.

NICHD Early Child Care Research Network. (2002). Child-care structure "process" outcome: Direct and indirect effects of child-care quality on young children's development. *Psychological Science, 13,* 199-206.

NICHD Early Child Care Research Network. (2003). Does amount of time spent in child care predict socioemotional adjustment during the transition to kindergarten? *Child Development, 74,* 976-1005.

NICHD Early Child Care Research Network. (2004a). Are child developmental outcomes related to before-and after-school care arrangement? Results from the NICHD Study of Early Child Care. *Child Development 75,* 280-295.

NICHD Early Child Care Research Network. (2004b). Does class size in first grade relate to children's academic and social performance or observed classroom processes? *Developmental Psychology, 40,* 651-664.

NICHD Early Child Care Research Network. (2005a). Duration and developmental timing of poverty and children's cognitive and social development from birth through third grade. *Child Development, 76,* 795-810.

NICHD Early Child Care Research Network. (2005b). Early child care and children's development in the primary grades: Follow-up results from the NICHD study of early child care. *American Educational Research Journal, 42*(3), 537-570.

NICHD Early Child Care Research Network. (2005c). Predicting individual differences in attention, memory, and planning in first graders from experiences at home, child care, and school. *Developmental Psychology, 41,* 99-114.

NICHD Early Child Care Research Network. (2006). Infant-mother attachment classification: Risk and protection in relation to changing maternal caregiving quality. *Developmental Psychology, 42,* 38-58.

Nickerson, A. B., & Nagel, R. J. (2005). Parent and peer attachment in late childhood and early adolescence. *Journal of Early Adolescence, 25,* 223-249.

Nie, N. H. (2001). Sociability, interpersonal relations and the Internet: Reconciling conflicting findings: *American Behavioral Scientist, 45,* 420-435.

Nielsen, M., Dissanayake, C., & Kashima, Y. (2003). A longitudinal investigation of self-other discrimination and the emergence of mirror self-recognition. *Infant Behavior & Development, 26,* 213-226.

Nielsen, M., Suddendorf, T., & Slaughter, V. (2006). Mirror self-recognition beyond the face. *Child Development, 77,* 176-185.

Nielsen, M., & Tomaselli, K. (2010). Overimitation in Kalahari Bushman children and the origins of human cultural cognition. *Psychological Science, 21* (5), 729-736.

Nilsen, E. S., & Graham, S.A. (2009). The relations between children's communicative perspective-taking and executive functioning. *Cognitive Psychology, 58,* 220-249.

Nirmala, A., Reddy, B. M., & Reddy, P. P. (2008). Genetics of human obesity: An overview. *International Journal of Human Genetics, 8,* 217-226.

Nisan, M., & Kohlberg, L. (1982). Universality and variation in moral judgment: A longitudinal and cross sectional study in Turkey. *Child Development, 53,* 865-876.

Nisbett, R. E. (1998). Race, genetics, and IQ. In C. Jencks & M. Phillips (Eds.), *The black-white test score gap* (pp. 86-102). Washington, DC: Brookings Institution.

Nisbett, R. E. (2005). Heredity, environment, and race differences in IQ: A commentary on Rushton and Jensen (2005). *Psychology, Public Policy, and Law, 11,* 302-310.

Nix, R. L., Pinderhughes, E. E., Dodge, K. A., Bates, J. E., Pettit, G. S., & McFadyen-Ketchum, S. A. (1999). The relation between mothers' hostile attribution tendencies and children's externalizing behavior problems: The mediating role of mothers' harsh discipline practices. *Child Development, 70*(4), 896-909.

Nobre, A. C., & Plunkett, K. (1997). The neural system of language: Structure and development. *Current Opinion in Neurobiology, 7,* 262-268.

Noirot, E., & Algeria, J. (1983). Neonate orientation towards human voice differs with type of feeding. *Behavioral Processes, 8,* 65-71.

Noll, J. G., Trickett, P. K., & Putnam, F. M. (2003). A prospective investigation of the impact of childhood sexual abuse on the development of sexuality. *Journal of Consulting and Clinical Psychology, 71*(3), 575-586.

Nord, M., Andrews, A., & Carlson, S. (2008). *Household food security in the United States, 2007* (ERR-66). Retrieved from www.ers.usda.gov/publications/err66

Noriuchi, M., Kikuchi, Y., & Senoo, A. (2008). The functional neuroanatomy of maternal love: Mother's response to infant's attachment behaviors. *Biological Psychiatry, 63,* 415-423.

Nourot, P. M. (1998). Sociodramatic play: Pretending together. In D. P. Fromberg & D. Bergen (Eds.), *Play from birth to twelve and beyond: Contexts, perspectives, and meanings* (pp. 378-391). New York: Garland.

Nucci, L., Hasebe, Y., & Lins-Dyer, M. T. (2005). Adolescent psychological well-being and parental control. In J. Smetana (Ed.), *Changing boundaries of parental authority during adolescence: New directions for child and adolescent development* (pp. 17-30). San Francisco: Jossey-Bass.

Nugent, J. K., Lester, B. M., Greene, S. M., Wieczorek-Deering, D., & O'Mahony, P. (1996). The effects of maternal alcohol consumption and cigarette smoking during pregnancy on acoustic cry analysis. *Child Development, 67,* 1806-1815.

Oakes, L. M. (1994). Development of infants' use of continuity cues in their perception of causality. *Developmental Psychology, 30,* 869-879.

Oakes, L. M., Coppage, D. J., & Dingel, A. (1997). By land or by sea: The role of perceptual similarity in infants' categorization of animals. *Developmental Psychology, 33,* 396-407.

Ober, C., Tan, Z., Sun, Y., Possick, J. D., Pan, L., Nicolae, R., et al. (2008). *New England Journal of Medicine, 358,* 1682-1691.

Oberman, L. M., & Ramachandran, V. S. (2007). The simulating social mind: The role of the mirror neuron system and simulation in the social and communicative deficits of autism spectrum disorders. *Psychological Bulletin, 133,* 310-327.

O'Brien, C. M., & Jeffery, H. E. (2002). Sleep deprivation, disorganization and fragmentation during opiate withdrawal in newborns. *Pediatric Child Health, 38,* 66-71.

O'Brien, M., & Huston, A. C. (1985). Development of sex-typed play behavior in toddlers. *Developmental Psychology, 21*(5), 866-871.

O'Connor, T., Heron, J., Golding, J., Beveridge, M., & Glover, V. (2002). Maternal antenatal anxiety and children's behavioural/emotional problems at 4 years. *British Journal of Psychiatry, 180,* 502-508.

Odgers, C., Caspi, A., Nagin, D., Piquero, A., Slutske, W., Milne, B., et al. (2008). Is it important to prevent early exposure to drugs and alcohol among adolescents? *Psychological Science, 19*(10), 1037-1044.

Offer, D., & Church, R. B. (1991). Generation gap. In R. M. Lerner, A. C. Petersen, & J. Brooks-Gunn (Eds.), *Encyclopedia of adolescence* (pp. 397-399). New York: Garland.

Offer, D., Kaiz, M., Ostrov, E., & Albert, D. B. (2002). Continuity in the family constellation. *Adolescent and Family Health, 3,* 3-8.

Offer, D., Offer, M. K., & Ostrov, E. (2004). *Regular guys: 34 years beyond adolescence.* Dordrecht, The Netherlands: Kluwer Academic.

Offer, D., Ostrov, E., & Howard, K. I. (1989). Adolescence: What is normal? *American Journal of Diseases of Children, 143,* 731-736.

Offer, D., Ostrov, E., Howard, K. I., & Atkinson, R. (1988). *The teenage world: Adolescents' self-image in ten countries.* New York: Plenum Press.

Offer, D., & Schonert-Reichl, K. A. (1992). Debunking the myths of adolescence: Findings from recent research. *Journal of the American Academy of Child and Adolescent Psychiatry, 31,* 1003-1014.

Office of National Drug Control Policy. (2008). *Teen marijuana use worsens depression: An analysis of recent data shows "self-medicating" could actually make things worse.* Washington, DC: Executive Office of the President.

Offit, P. A., Quarles, J., Gerber, M. A., Hackett, C. J., Marcuse, E. K., Kollman, T. R., et al. (2002). Addressing parents' concerns: Do multiple vaccines overwhelm or weaken the infant's immune system? *Pediatrics, 109,* 124-129.

Ofori, B., Oraichi, D., Blais, L., Rey, E., & Berard, A. (2006). Risk of congenital anomalies in pregnant users of non-steroidal anti-inflammatory drugs: A nested case-control study. *Birth Defects Research. Part B, Developmental and Reproductive Toxicology, 77*(4), 268-279.

Ogbuanu, I. U., Karmaus, W., Arshad, S. H., Kurukulaaratchy, R. J., & Ewart, S. (2009). Effect of breastfeeding duration on lung function at age 10 years: a prospective birth cohort study. *Thorax, 64,* 62-66.

Ogden, C. L., Carroll, M. D., Curtin, L. R., McDowell, M. A., Tabak, C. J., & Flegal, K. M. (2006). Prevalence of overweight and obesity in the United States, 1999-2004. *Journal of the American Medical Association, 295,* 1549-1555.

Ogden, C. L., Carroll, M. D., & Flegal, K. M. (2008). High body mass index for age among U.S. children and adolescents, 2003-2006. *Journal of the American Medical Association, 299,* 2401-2405.

Ogden, C. L., Fryar, C. D., Carroll, M. D., & Flegal, K. M. (2004). Mean body weight, height, and body mass index, United States 1960-2002. *Advance Data from Vital and Health Statistics,*

*No 347.* Hyattsville, MD: National Center for Health Statistics.

Olds, S. W. (1989). *The working parents' survival guide.* Rocklin, CA: Prima.

Olds, S. W. (2002). *A balcony in Nepal: Glimpses of a Himalayan village.* Lincoln, NE: ASJA Books, an imprint of iUniverse.

O'Leary, C., Nassar, N., Kurinczuk, J., & Bower, C. (2009). Impact of maternal alcohol consumption on fetal growth and preterm birth. *BJOG, 116,* 390-400.

Olfson, M., Blanco, C., Liu, L., Moreno, C., & Laje, G. (2006). National trends in the outpatient treatment of children and adolescents with antipsychotic drugs. *Archives of General Psychiatry, 63,* 679-685.

Ollendick, T. H., Yang, B., King, N. J., Dong, Q., & Akande, A. (1996). Fears in American, Australian, Chinese, and Nigerian children and adolescents: A crosscultural study. *Journal of Child Psychology and Psychiatry, 37,* 213-220.

Olson, K. R., & Spelke, E. S. (2008). Foundations of cooperation in young children. *Cognition, 108,* 222-231.

Olthof, T., Schouten, A., Kuiper, H., Stegge, H., & Jennekens-Schinkel, A. (2000). Shame and guilt in children: Differential situational antecedents and experiential correlates. *British Journal of Developmental Psychology, 18,* 51-64.

Olweus, D. (1995). Bullying or peer abuse at school: Facts and intervention. *Current Directions in Psychological Science, 4,* 196-200.

Opdal, S. H., & Rognum, T. O. (2004). The sudden infant death syndrome gene: Does it exist? *Pediatrics, 114,* e506-e512.

O'Rahilly, S. (1998). Life without leptin. *Nature, 392,* 330-331.

Orenstein, P. (2002, April 21). Mourning my miscarriage. Retrieved from www.NYTimes.com

Organization for Economic Co-operation and Development (OECD). (2004). Education at a glance: OECD indicators—2004. *Education & Skills, 2004*(14), 1-456.

Organisation for Economic Co-operation and Development. (OECD). (2008a). *Education at a glance.* Paris, France: Author.

Organisation for Economic Co-operation and Development (2012). *Living arrangements of children.* Retrieved from http://www.oecd.org/els/soc/41919559.pdf

Orr, D. P., & Ingersoll, G. M. (1995). The contribution of level of cognitive complexity and pubertal timing behavioral risk in young adolescents. *Pediatrics, 95*(4), 528-533.

Oshima-Takane, Y., Goodz, E., & Derevensky, J. L. (1996). Birth order effects on early language development: Do secondborn children learn from overheard speech? *Child Development, 67,* 621-634.

Ossorio, P., & Duster, T. (2005). Race and genetics: Controversies in biomedical, behavioral, and forensic sciences. *American Psychologist, 60,* 115-128.

Ott, M. G., Schmidt, M., Schwarzwaelder, K., Stein, S., Siler, U., Koehl, U., et al. (2006). Correction of X-linked chronic granulomatous disease by gene therapy, augmented by insertional activation of MDS1-EVI1, PRDM16 or SETBP1. *Nature Medicine, 12*, 401-409.

Ouellette, G. P., & Sénéchal, M. (2008). A window into early literacy: Exploring the cognitive and linguistic underpinnings of invented spelling. *Scientific Studies of Reading, 12*(2), 195-219.

Out of sight, out of mind: Hidden cost of neglected tropical diseases (2010, November 25). *The Guardian.* Retrieved from http://www.guardian.co.uk/science/blog/2010/nov/25/neglectedtropical-diseases

Overbeek, G., Stattin, H., Vermulst, A., Ha, T., & Engels, R.C.M.E. (2007). Parent-child relationships, partner relationships, and emotional adjustment: A birth-to-maturity prospective study. *Developmental Psychology, 43*, 429-437.

Owen, C. G., Whincup, P. H., Odoki, K., Gilg, J. A., & Cook, D. G. (2002). Infant feeding and blood cholesterol: A study in adolescents and a systematic review. *Pediatrics, 110*, 597-608.

Owens, J., Spirito, A., McGuinn, N., & Nobile, C. (2000). Sleep habits and sleep disturbance in elementary school children. *Developmental and Behavioral Pediatrics, 21*, 27-30.

Owens, R. E. (1996). *Language development* (4th ed.). Boston: Allyn & Bacon.

Padden, C. A. (1996). Early bilingual lives of deaf children. In I. Parasnis (Ed.), *Cultural and language diversity and the deaf experience* (pp. 99-116). New York: Cambridge University Press.

Padilla, A. M., Lindholm, K. J., Chen, A., Duran, R., Hakuta, K., Lambert, W., & Tucker, G. R. (1991). The English-only movement: Myths, reality, and implications for psychology. *American Psychologist, 46*(2), 120-130.

Paige, R. U. (2005). Proceedings of the American Psychological Association, Incorporated, for the legislative year 2004. Minutes of the meeting of the Council of Representatives July 28 & 30, 2004, Honolulu, HI. Retrieved November 18, 2004, from http://www.apa.org/governance/

Palella, F. J., Delaney, K. M., Moorman, A. C., Loveless, M. O., Fuhrer, J., Satten, G. A., et al. (1998). Declining morbidity and mortality among patients with advanced human immunodeficiency virus infection. *New England Journal of Medicine, 358*, 853-860.

Paley, B., & O'Connor, M. J. (2011). Behavioral interventions for children and adolescents with fetal alcohol spectrum disorders. *Alcohol Research & Health, 34*(1), 64-75

Palkovitz, R. (1985). Fathers' birth attendance, early contact, and extended contact with their newborns: A critical review. *Child Development, 56*, 392-406.

Pan, B. A., Rowe, M. L., Singer, J. D., & Snow, C. E. (2005). Maternal correlates of growth in toddler vocabulary production in low-income families. *Child Development, 76*, 763-782.

Panigrahy, A., Filiano, J., Sleeper, L. A., Mandell, F., Valdes-Dapena, M., Krous, H. F., et al. (2000). Decreased serotonergic receptor binding in rhombic lip-derived regions of the medulla oblongata in the sudden infant death syndrome. *Journal of Neuropathology and Experimental Neurology, 59*, 377-384.

Papadatou-Pastou, M. Martin, M., Munafo, M., & Jones, G. (2008). Sex differences in left-handedness: A meta-analysis of 144 studies. *American Psychological Association Bulletin, 134*(5), 677-699.

Papalia, D. (1972). The status of several conservation abilities across the lifespan. *Human Development, 15*, 229-243.

Park, J. M., Metraux, S., & Culhane, D. P. (2010). Behavioral health services use among heads of homeless and housed poor families. *Journal of Health Care for the Poor and Underserved, 21*(2), 582-590.

Park, S., Belsky, J., Putnam, S., & Crnic, K. (1997). Infant emotionality, parenting, and 3-year inhibition: Exploring stability and lawful discontinuity in a male sample. *Developmental Psychology, 33*, 218-227.

Park, Y., & Killen, M. (2010). When is peer rejection justifiable? Children's understanding across two cultures. *Cognitive Development, 25*(3), 290-301. doi: 10.1016/j.cogdev.2009.10.004

Parke, R. D. (2004a). Development in the family. *Annual Review of Psychology, 55*, 365-399.

Parke, R. D. (2004b). The Society for Research in Child Development at 70: Progress and promise. *Child Development, 75*, 1-24.

Parke, R. D., & Buriel, R. (1998). Socialization in the family: Ethnic and ecological perspectives. In W. Damon (Series Ed.) & N. Eisenberg (Vol. Ed.), *Handbook of child psychology: Vol. 3. Social, emotional, and personality development* (5th ed., pp. 463-552). New York: Wiley.

Parke, R. D., Grossman, K., & Tinsley, R. (1981). Father-mother-infant interaction in the newborn period: A German-American comparison. In T. M. Field, A. M. Sostek, P. Viete, & P. H. Leideman (Eds.), *Culture and early interaction* (pp. 95-114). Hillsdale, NJ: Erlbaum.

Parker, J. D., Woodruff, T. J., Basu, R., & Schoendorf, K. C. (2005). Air pollution and birth weight among term infants in Califiornia. *Pediatrics, 115*, 121-128.

Parker, L., Pearce, M. S., Dickinson, H. O., Aitkin, M., & Craft, A. W. (1999). Stillbirths among offspring of male radiation workers at Sellafield Nuclear Reprocessing Plant. *Lancet, 354*, 1407-1414.

Parry, W. (2010, August 29). Bring it: Boys make benefit from aggressive play. *Today Health.* Retrieved from http://today.msnbc.msn.com/id/38882665/ns/health kids_and_parenting/

Parten, M. B. (1932). Social play among preschool children. *Journal of Abnormal and Social Psychology, 27*, 243-269.

Pascual-Leone, A., Amedi, A., Fregni, F., & Merabet, L. B. (2005). The plastic human brain cortex. *Annual Review of Neuroscience, 28*, 377-401.

Pastor, P. N., & Reuben, C. A. (2008). Diagnosed attention deficit hyperactivity disorder and learning disability, United States, 2004-2006. National Center for Health Statistics. *Vital Health Statistics, 10*(237).

Patenaude, A. F., Guttmacher, A. E., & Collins, F. S. (2002). Genetic testing and psychology: New roles, new responsibilities. *American Psychologist, 57*, 271-282.

Paterson, D. S., Trachtenberg, F. L., Thompson, E. G., Belliveau, R. A., Beggs, A. H., Darnell, R., et al. (2006). Multiple serotogenic brainstem abnormalities in sudden infant death syndrome. *Journal of the American Medical Association, 296*, 2124-2132.

Patrick, K., Norman, G. J., Calfas, K. J., Sallis, J. F., Zabinski, M. F., Rupp, J., & Cella, J. (2004). Diet, physical activity, and sedentary behaviors as risk factors for overweight in adolescence. *Archives of Pediatric Adolescent Medicine, 158*, 385-390.

Patterson, C. J. (1992). Children of lesbian and gay parents. *Child Development, 63*, 1025-1042.

Patterson, C. J. (1995a). Lesbian mothers, gay fathers, and their children. In A. R. D'Augelli & C. J. Patterson (Eds.), *Lesbian, gay, and bisexual identities over the lifespan: Psychological perspectives* (pp. 293-320). New York: Oxford University Press.

Patterson, C. J. (1995b). Sexual orientation and human development: An overview. *Developmental Psychology, 31*, 3-11.

Patterson, G. R., DeBaryshe, B. D., & Ramsey, E. (1989). A developmental perspective on antisocial behavior. *American Psychologist, 44*(2), 329-335.

Pauen, S. (2002). Evidence for knowledge-based category discrimination in infancy. *Child Development, 73*, 1016-1033.

Pauli-Pott, U., Mertesacker, B., Bade, U., Haverkock, A., & Beckman, D. (2003). Parental perceptions and infant temperament development. *Infant Behavior and Development, 26*, 27-48.

Paus, T., Zijdenbos, A., Worsley, K., Collins, D. L., Blumenthal, J., Giedd, J. N., et al. (1999). Structural maturation of neural pathways in children and adolescents: In vivo study. *Science, 283*, 1908-1911.

Pawelski, J. G., Perrin, E. C., Foy, J. M., Allen, C. E., Crawford, J. E., Del Monte, M., et al. (2006). The effects of marriage, civil union, and domestic partnership laws on the health and well-being of children. *Pediatrics, 118*, 349-364.

Pearce, M. J., Jones, S. M., Schwab-Stone, M. E., & Ruchkin, V. (2003). The protective effects of religiousness and parent involvement on the development of conduct problems among youth exposed to violence. *Child Development, 74*, 1682-1696.

Pellegrini, A. D., & Archer, J. (2005). Sex differences in competitive and aggressive behavior: A view from sexual selection theory. In B. J. Ellis & D. F. Bjorklund (Eds.), *Origins of the social mind: Evolutionary psychology and child development* (pp. 219-244). New York: Guilford Press.

Pellegrini, A. D., Kato, K., Blatchford, P., & Baines, E. (2002). A short-term longitudinal study of children's playground games across the first year of school: Implications for social competence and adjustment to school. *American Educational Research Journal, 39*, 991-1015.

Pellegrini, A. D., & Long, J. D. (2002). A longitudinal study of bullying, dominance, and victimization during the transition from primary school through secondary school. *British Journal of Developmental Psychology, 20*, 259-280.

Pendlebury, J. D., Wilson, R.J.A., Bano, S., Lumb, K. J., Schneider, J. M., & Hasan, S. U. (2008). Respiratory control in neonatal rats exposed to prenatal cigarette smoke. *American Journal of Respiratory and Critical Care Medicine, 177,* 1255-1261.

Pennington, B. F., Moon, J., Edgin, J., Stedron, J., & Nadel, L. (2003). The neuropsychology of Down syndrome: Evidence for hippocampal dysfunction. *Child Development, 74,* 75-93.

Pepper, S. C. (1942). *World hypotheses.* Berkeley: University of California Press.

Pepper, S. C. (1961). *World hypotheses.* Berkeley: University of California Press.

Perera, F., Tang, W-y., Herbstman, J., Tang, D., Levin, L., Miller, R., & Ho, S.-m. (2009). Relation of DNA methylation of 5'-CpG island of *ACSL3* to transplacental exposure to airborne polycyclic aromatic hydrocarbons and childhood asthma. *PLoS ONE 4,* e44-e48.

Perera, F. P., Rauh, V., Whyatt, R. M., Tsai, W.-Y., Bernert, J. T., Tu, Y.-H., et al. (2004). Molecular evidence of an interaction between prenatal environmental exposures and birth outcomes in a multiethnic population. *Environmental Health Perspectives, 112,* 626-630.

Perie, M., Grigg, W. S., & Dion, G. S. (2005). *The nation's report card: Mathematics 2005* (NCES 2006-453). U.S. Department of Education, Institute of Education Sciences, National Center for Education Statistics. Washington, DC: U.S. Government Printing Office.

Perrin, E. C., & the AAP Committee on Psychosocial Aspects of Child and Family Health. (2002). Technical report: Coparent or second-parent adoption by same-sex parents. *Pediatrics, 109*(2), 341-344.

Perrin, E. M., Finkle, J. P., & Benjamin, J. T. (2007). Obesity prevention and the primary care pediatrician's office. *Current Opinion in Pediatrics, 19*(3), 354-361.

Pesonen, A., Raïkkönen, K., Keltikangas-Järvinen, L., Strandberg, T., & Järvenpää, A. (2003). Parental perception of infant temperament: Does parents' joint attachment matter? *Infant Behavior & Development, 26,* 167-182.

Petersen, A. C. (1993). Presidential address: Creating adolescents: The role of context and process in developmental transitions. *Journal of Research on Adolescents, 3*(1), 1-18.

Petersen, A. C., Compas, B. E., Brooks-Gunn, J., Stemmler, M., Ey, S., & Grant, K. E. (1993). Depression in adolescence. *American Psychologist, 48*(2), 155-168.

Petit, D., Touchette, E., Tremblay, R. E., Boivin, M., & Montplaisir, J. (2007). Dyssomnias and parasomnias in early childhoold. *Pediatrics, 119*(5), e1016-e1025.

Petitto, L. A., Holowka, S., Sergio, L., & Ostry, D. (2001). Language rhythms in babies' hand movements. *Nature, 413,* 35-36.

Petitto, L. A., Katerelos, M., Levy, B., Gauna, K., Tetrault, K., & Ferraro, V. (2001). Bilingual signed and spoken language acquisition from birth: Implications for mechanisms underlying bilingual language acquisition. *Journal of Child Language, 28,* 1-44.

Petitto, L. A., & Kovelman, I. (2003). The bilingual paradox: How signing-speaking bilingual children help us to resolve it and teach us about the brain's mechanisms underlying all language acquisition. *Learning Languages, 8,* 5-18.

Petitto, L. A., & Marentette, P. F. (1991). Babbling in the manual mode: Evidence for the ontogeny of language. *Science, 251,* 1493-1495.

Petrill, S. A., Lipton, P. A., Hewitt, J. K., Plomin, R., Cherny, S. S., Corley, R., & DeFries, J. C. (2004). Genetic and environmental contributions to general cognitive ability through the first 16 years of life. *Developmental Psychology, 40,* 805-812.

Pettit, G. S., Bates, J. E., & Dodge, K. A. (1997). Supportive parenting, ecological context, and children's adjustment: A seven-year longitudinal study. *Child Development, 68,* 908-923.

Phillips, D. F. (1998). Reproductive medicine experts till an increasingly fertile field. *Journal of the American Medical Association, 280,* 1893-1895.

Phinney, J. S. (1998). Stages of ethnic identity development in minority group adolescents. In R. E. Muuss & H. D. Porton (Eds.), *Adolescent behavior and society: A book of readings* (pp. 271-280). Boston: McGraw-Hill.

Piaget, J. (1929). *The child's conception of the world.* New York: Harcourt Brace.

Piaget, J. (1932). *The moral judgment of the child.* New York: Harcourt Brace.

Piaget, J. (1952). *The origins of intelligence in children.* New York: International Universities Press. (Original work published 1936)

Piaget, J. (1962). *The language and thought of the child* (M. Gabain, Trans.). Cleveland, OH: Meridian. (Original work published 1923)

Piaget, J. (1964). *Six psychological studies.* New York: Vintage.

Piaget, J. (1969). *The child's conception of time* (A. J. Pomerans, Trans.). London: Routledge & Kegan Paul.

Piaget, J. (1972). Intellectual evolution from adolescence to adulthood. *Human Development, 15,* 1-12.

Piaget, J., & Inhelder, B. (1967). *The child's conception of space.* New York: Norton.

Piaget, J., & Inhelder, B. (1969). *The psychology of the child.* New York: Basic Books.

Picker, J. (2005). The role of genetic and environmental factors in the development of schizophrenia. *Psychiatric Times, 22,* 1-9.

Pickett, W., Streight, S., Simpson, K., & Brison, R. J. (2003). Injuries experienced by infant children: A population-based epidemiological analysis. *Pediatrics, 111,* e365-e370.

Pierce, K. M., Hamm, J. V., & Vandell, D. L. (1999). Experiences in after-school programs and children's adjustment in first-grade classrooms. *Child Development, 70*(3), 756-767.

Piernas, C., & Popkin, B. M. (2010). Trends in snacking among U.S. children. *Health Affairs, 29*(3), 398-404.

Pierroutsakos, S. L., & DeLoache, J. S. (2003). Infants' manual exploration of pictorial objects varying in realism. *Infancy, 4,* 141-156.

Pike, A., Coldwell, J., & Dunn, J. F. (2005). Sibling relationships in early/middle childhood: Links

with individual adjustment. *Journal of Family Psychology, 19,* 523-532.

Pillow, B. H. (2002). Children's and adult's evaluation of the certainty of deductive inferences, inductive inferences and guesses. *Child Development, 73*(3), 779-792.

Pillow, B. H., & Henrichon, A. J. (1996). There's more to the picture than meets the eye: Young children's difficulty understanding biased interpretation. *Child Development, 67,* 803-819.

Pines, M. (1981). The civilizing of Genie. *Psychology Today, 15*(9), 28-34.

Plant, L. D., Bowers, P. N., Liu, Q., Morgan, T., Zhang, T., State, M. W., et al. (2006). A common cardiac sodium channel variant associated with sudden infant death in African Americans, SCN5A S1103Y. *Journal of Clinical Investigation, 116*(2), 430-435.

Pleck, J. H. (1997). Paternal involvement: Levels, sources, and consequences. In M. E. Lamb (Ed.), *The role of the father in child development* (3rd ed., pp. 66-103). New York: Wiley.

Plomin, R. (1990). The role of inheritance in behavior. *Science, 248,* 183-188.

Plomin, R. (1996). Nature and nurture. In M. R. Merrens & G. G. Brannigan (Eds.), *The developmental psychologist: Research adventures across the life span* (pp. 3-19). New York: McGraw-Hill.

Plomin, R. (2004). Genetics and developmental psychology. *Merrill-Palmer Quarterly, 50,* 341-352.

Plomin, R., & Daniels, D. (1987). Why are children in the same family so different from one another? *Behavioral and Brain Sciences, 10,* 1-16.

Plomin, R., & Daniels, D. (2011). Why are children in the same family so different from one another? *International Journal of Epidemiology, 40*(3), 563-582.

Plomin, R., & DeFries, J. C. (1999). The genetics of cognitive abilities and disabilities. In S. J. Ceci & W. M. Williams (Eds.), *The nature nurture debate: The essential readings* (pp. 178-195). Malden, MA: Blackwell.

Plomin, R., & Kovas, Y. (2005). Generalist genes and learning disabilities. *Psychological Bulletin, 131,* 592-617.

Plomin, R., Owen, M. J., & McGuffin, P. (1994). The genetic bases of behavior. *Science, 264,* 1733-1739.

Plomin, R., & Rutter, M. (1998). Child development, molecular genetics, and what to do with genes once they are found. *Child Development, 69*(4), 1223-1242.

Plomin, R., & Spinath, F. M. (2004). Intelligence: Genetics, genes, and genomics. *Journal of Personality and Social Psychology, 86,* 112-129.

Pogarsky, G., Thornberry, T. P., & Lizotte, A. J. (2006). Developmental outcomes for children of young mothers. *Journal of Marriage and Family, 68,* 332-344.

Polit, D. F., & Falbo, T. (1987). Only children and personality development: A quantitative review. *Journal of Marriage and the Family, 49,* 309-325.

Pollack, S. D. (2008). Mechanisms linking early experience and the emergence of emotions: Illustration from the study of maltreated children.

*Current Directions in Psychological Science, 17*, 370-375.

Pollak, S. D., & Kistler, D. J. (2002). Early experience is associated with the development of categorical representations for facial expressions of emotion. *Proceedings of the National Academy of Sciences, USA, 99*, 9072-9076.

Pomerantz, E. M., & Saxon, J. L. (2001). Conceptions of ability as stable and self-evaluative processes: A longitudinal examination. *Child Development, 72*, 152-173.

Pomery, E. A., Gibbons, F. X., Gerrard, M., Cleveland, M. J., Brody, G. H., & Wills, T. A. (2005). Families and risk: Prospective analyses of familial and social influences on adolescent substance use. *Journal of Family Psychology, 19*, 560-570.

Pong, S., Dronkers, J., & Hampden-Thompson, G. (2003). Family policies and children's school achievement in single-versus two-parent families. *Journal of Marriage and the Family, 65*, 681-699.

Pope, A. W., Bierman, K. L., & Mumma, G. H. (1991). Aggression, hyperactivity, and inattention-immaturity: Behavior dimensions associated with peer rejection in elementary school boys. *Developmental Psychology, 27*, 663-671.

Population Reference Bureau. (2006). *2006 world population data sheet*. Washington, DC: Author.

Posada, G., Gao, Y., Wu, F., Posada, R., Tascon, M., Schoelmerich, A., et al. (1995). The secure-base phenomenon across cultures: Children's behavior, mothers' preferences, and experts' concepts. In E. Waters, B. E. Vaughn, G. Posada, & K. Kondo-Ikemura (Eds.), Care-giving, cultural, and cognitive perspectives on secure-base behavior and working models: New growing points of attachment theory and research (pp. 27-48). *Monographs of the Society for Research in Child Development, 60*(2-30). [Serial No. 244].

Posner, J. K., & Vandell, D. L. (1999). After-school activities and the development of low-income urban children: A longitudinal study. *Developmental Psychology, 35*(3), 868-879.

Posner, M. L., & DiGirolamo, G. J. (2000). Cognitive neuroscience: Origins and promise. *Psychological Bulletin, 126*(6), 873-889.

Posthuma, D., & de Gues, E.J.C. (2006). Progress in the molecular-genetic study of intelligence. *Current Directions in Psychological Science, 36*(1), 1-3.

Powell, M. B., & Thomson, D. M. (1996). Children's memory of an occurrence of a repeated event: Effects of age, repetition, and retention interval across three question types. *Child Development, 67*, 1988-2004.

Power, T. G., & Chapieski, M. L. (1986). Childrearing and impulse control in toddlers: A naturalistic investigation. *Developmental Psychology, 22*, 271-275.

Powlishta, K. K., Serbin, L. A., Doyle, A. B., & White, D. R. (1994). Gender, ethnic, and body type biases: The generality of prejudice in childhood. *Developmental Psychology, 30*, 526-536.

Practice Committee of the American Society for Reproductive Technology, American Society for Reproductive Medicine. (2006). Guidelines on number of embryos transferred. *Fertility & Sterility, 86*(Suppl. 5), S52.

Prechtl, H.F.R., & Beintema, D. J. (1964). The neurological examination of the full-term newborn infant. *Clinics in developmental medicine* (No.12). London: Heinemann.

Preissler, M., & Bloom, P. (2007). Two-year-olds appreciate the dual nature of pictures. *Psychological Science, 18*(1), 1-2.

Pruden, S. M., Hirsch-Pasek, K., Golinkoff, R. M., & Hennon, E. A. (2006). The birth of words: Ten-month-olds learn words through perceptual salience. *Child Development, 77*, 266-280.

Putallaz, M., & Bierman, K. L. (Eds.). (2004). *Aggression, antisocial behavior, and violence among girls: A developmental perspective*. New York: Guilford Press.

Putnam, F. (2002). Ten-year research update review: Child sexual abuse. *Journal of the American Academy of Child & Adolescent Psychiatry, 42*(3), 269-278.

Quadrel, M. J., Fischoff, B., & Davis, W. (1993). Adolescent (in) vulnerability. *American Psychologist, 48*, 102-116.

Quattrin, T., Liu, E., Shaw, N., Shine, B., & Chiang, E. (2005). Obese children who are referred to the pediatric oncologist: Characteristics and outcome. *Pediatrics, 115*, 348-351.

Quinn, P. C., Eimas, P. D., & Rosenkrantz, S. L. (1993). Evidence for representations of perceptually similar natural categories by 3-month-old and 4-month-old infants. *Perception, 22*, 463-475.

Quinn, P. C., Westerlund, A., & Nelson, C. A. (2006). Neural markers of categorization in 6-month-old infants. *Psychological Science, 17*, 59-66.

Rabiner, D., & Coie, J. (1989). Effect of expectancy induction on rejected peers' acceptance by unfamiliar peers. *Developmental Psychology, 25*, 450-457.

Racz, S. J., & McMahon, R. J. (2011). The relationship between parental knowledge and monitoring and child and adolescent conduct: A 10-year update. *Clinical Child and Family Psychology Review, 14*(4), 377-398.

Raikes, H., Pan, B. A., Luze, G., Tamis-LeMonda, C. S., Brooks-Gunn, J., Constantine, J., et al. (2006). Mother-child book-reading in low-income families: Correlates and outcomes during three years of life. *Child Development, 77*, 924-953.

Raine, A., Mellingen, K., Liu, J., Venables, P., & Mednick, S. (2003). Effects of environmental enrichment at ages 3-5 years in schizotypal personality and antisocial behavior at ages 17 and 23 years. *American Journal of Psychiatry, 160*, 1627-1635.

Raizada, R., Richards, T., Meltzoff, A., & Kuhl, P. (2008). Socioeconomic status predicts hemispheric specialisation of the left inferior frontal gyrus in young children. *NeuroImage, 40*(3), 1392-1401. doi: 10.1016/j.neuroimage.2008.01.021

Rakison, D. H. (2005). Infant perception and cognition. In B. J. Ellis & D. F. Bjorklund (Eds.), *Origins of the social mind* (pp. 317-353). New York: Guilford Press.

Rakoczy, H., Tomasello, M., & Striano. T. (2004). Young children know that trying is not pretending: A test of the "behaving-as-if" construal of children's early concept of pretense. *Developmental Psychology, 40*, 388-399.

Rakyan, V., & Beck., S. (2006). Epigenetic inheritance and variation in mammals. *Current Opinion in Genetics and Development, 16*(6), 573-577.

Ram, A., & Ross, H. S. (2001). Problem solving, contention, and struggle: How siblings resolve a conflict of interests. *Child Development, 72*, 1710-1722.

Ramagopalan, S. V., Maugeri, N. J., Handunnetthi, L., Lincoln, M. R., Orton, S-M., Dyment, D. A., et al. (2009). Expression of the multiple sclerosis-associated MHC class II allele *HLA-DRB1\*1501* is regulated by vitamin D. *PLoS Genetics, 5*(2), (ePub).

Ramakrishnan K. (2008). Evaluation and treatment of enuresis. *American Family Physician, 78*(4), 489-496.

Ramani, G. B., & Siegler, R. S. (2008). Promoting broad and stable improvements in low-income children's numerical knowledge through playing number board games. *Child Development, 79*, 375-394.

Ramey, C. T., & Ramey, S. L. (1996). Early intervention: Optimizing development for children with disabilities and risk conditions. In M. Wolraich (Ed.), *Disorders of development and learning: A practical guide to assessment and management* (2nd ed., pp. 141-158). Philadelphia: Mosby.

Ramey, C. T., & Ramey, S. L. (1998a). Early intervention and early experience. *American Psychologist, 53*, 109-120.

Ramey, C. T., & Ramey, S. L. (1998b). Prevention of intellectual disabilities: Early interventions to improve cognitive development. *Preventive Medicine, 21*, 224-232.

Ramey, C. T., & Ramey, S. L. (2003, May). *Preparing America's children for success in school*. Paper prepared for an invited address at the White House Early Childhood Summit on Ready to Read, Ready to Learn, Denver, CO.

Ramey, G., & Ramey, V. (2010). The rug rat race. In D. H. Romer & J. Wolfers (Eds.), *Brookings papers on economic activity* (pp. 129-200). Washington, DC: Brookings Institution.

Ramey, S. L., & Ramey, C. T. (1992). Early educational intervention with disadvantaged children—to what effect? *Applied and Preventive Psychology, 1*, 131-140.

Ramoz, N., Reichert, J. G., Smith, C. J., Silverman, J. M., Bespalova, I. N., Davis, K. L., & Buxbaum, J. D. (2004). Linkage and association of the mitochondrial aspartate/glutamate carrier SLC25A12 gene with autism. *American Journal of Psychiatry, 161*, 662-669.

Ramsey, P. G., & Lasquade, C. (1996). Preschool children's entry attempts. *Journal of Applied Developmental Psychology, 17*, 135-150.

Rao, P. A., Beidel, D. C., Turner, S. M., Ammerman, R. T., Crosby, L. E., & Sallee, F. R. (2007). Social anxiety disorder in children and adolescence: Descriptive psychopathology. *Behaviour Research and Therapy, 45*(6), 1181-1191.

Rapoport, J. L., Addington, A. M., Frangou, S., & Psych, M. (2005). The neurodevelopmental model of schizophrenia: Update 2005. *Molecular Psychiatry, 10,* 434-449.

Rask-Nissilä, L., Jokinen, E., Terho, P., Tammi, A., Lapinleimu, H., Ronnemaa, T., et al. (2000). Neurological development of 5-year-old children receiving a low-saturated fat, low cholesterol diet since infancy. *Journal of the American Medical Association, 284*(8), 993-1000.

Rathbun, A., West, J., & Germino-Hausken, E. (2004). *From kindergarten through third grade: Children's beginning school experiences* (NCES 2004-007). Washington, DC: National Center for Education Statistics.

Rauh, V. A., Whyatt, R. M., Garfinkel, R., Andrews, H., Hoepner, L., Reyes, A., et al. (2004). Developmental effects of exposure to environmental tobacco smoke and material hardship among inner-city children. *Neurotoxicology and Teratology, 26,* 373-385.

Raver, C. C. (2002). Emotions matter: Making the case for the role of young children's emotional development for early school readiness. *Social Policy Report, 16*(3).

Reaney, P. (2006, June 21). Three million babies born after fertility treatment. *Medscape.* Retrieved January 29, 2007, from www.medscape.com/viewarticle/537128

Recchia, H. E. & Howe, N. (2009). Associations between social understanding, sibling relationship quality, and siblings' conflict strategies and outcomes. *Child Development, 80*(5), 1564-1578.

Reef, S. E., Strebel, P., Dabbagh, A., Gacic-Dobo, M., & Cochi, S. (2011). Progress toward control of rubella and prevention of congenital rubella syndrome—worldwide, 2009. *Journal of Infectious Diseases, 204,*(1), 24-27.

Reefhuis, J., Honein, M. A., Schieve, L. A., Correa, A., Hobbs, C. A., Rasmussen, S. A., and the National Birth Defects Prevention Study. (2008). Assisted reproductive technology and major structural birth defects in the United States. *Human Reproduction, 387,* 1-7.

Reese, D. (2000). A parenting manual, with words of advice for Puritan mothers. In J. DeLoache & A. Gottlieb (Eds.), *A world of babies: Imagined child-care guides for seven societies* (pp. 29-54). New York: Cambridge University Press.

Reese, E. (1995). Predicting children's literacy from mother-child conversations. *Cognitive Development, 10,* 381-405.

Reese, E., & Cox, A. (1999). Quality of adult book reading affects children's emergent literacy. *Developmental Psychology, 35,* 20-28.

Reese, E., & Newcombe, R. (2007). Training mothers in elaborative reminiscing enhances children's autobiographical memory and narrative. *Child Development, 78*(4), 1153-1170.

Reichenberg, A., Gross, R., Weiser, M., Bresnahan, M., Silverman, J., Harlap, S., et al. (2006). Advancing paternal age and autism. *Archives of General Psychiatry, 63*(9), 1026-1032.

Reiner, W. (2000, May 12). *Cloacal exstrophy: A happenstance model for androgen imprinting.* Presentation at the meeting of the Pediatric Endocrine Society, Boston.

Reiner, W. G., & Gearhart, J. P. (2004). Discordant sexual identity in some genetic males with cloacal exstrophy assigned to female sex at birth. *New England Journal of Medicine, 350*(4), 333-341.

Reiss, A. L., Abrams, M. T., Singer, H. S., Ross, J. L., & Denckla, M. B. (1996). Brain development, gender and IQ in children: A volumetric imaging study. *Brain, 119,* 1763-1774.

Remafedi, G., French, S., Story, M., Resnick, M. D., & Blum, R. (1998). The relationship between suicide risk and sexual orientation: Results of a population-based study. *American Journal of Public Health, 88,* 57-60.

Remez, L. (2000). Oral sex among adolescents: Is it sex or is it abstinence? *Family Planning Perspectives, 32,* 298-304.

Rende, R., Slomkowski, C., Lloyd-Richardson, E., & Niaura, R. (2005). Sibling effects on substance use in adolescence: Social contagion and genetic relatedness. *Journal of Family Psychology, 19,* 611-618.

Repetti, R. L., Taylor, S. E., & Seeman, T. S. (2002). Risky families: Family social environments and the mental and physical health of the offspring. *Psychological Bulletin, 128*(2), 330-366.

Resnick, L. B. (1989). Developing mathematical knowledge. *American Psychologist, 44,* 162-169.

Resnick, M. D., Bearman, P. S., Blum, R. W., Bauman, K. E., Harris, K. M., Jones, J., et al. (1997). Protecting adolescents from harm: Findings from the National Longitudinal Study on Adolescent Health. *Journal of the American Medical Association, 278,* 823-832.

Rethman, J. (2000). Trends in preventative care: Caries risk assessment and indications for sealants. *The Journal of the American Dental Association, 131*(1), 85-125.

Reuters. (2004b). *Senate passes unborn victims bill.* Retrieved March 29, 2004, from www.nytimes.com/reuters/politics/politics-congress-unborn.html?ex=1081399302&ei=1&en=63639 4338d275008

Reutter, M. (2005, November 8). *Fetal rights: Pregnant alcohol and drug users.* Retrieved November 2, 2008, from www.worldlawdirect.com/article/2024/Fetal_rights:_Pregnant_alcohol_and_drug_users.html

Reynolds, A. J., & Temple, J. A. (1998). Extended early childhood intervention and school achievement: Age thirteen findings from the Chicago Longitudinal Study. *Child Development, 69,* 231-246.

Reynolds, A. J., Temple, J. A., Robertson, D. L., & Mann, E. A. (2001). Long-term effects of an early childhood intervention on educational achievement and juvenile arrest. A 15-year follow-up of low-income children in public schools. *Journal of American Medical Association, 285*(18), 2339-2346.

Rhee, S. H. & Waldman, I. D. (2002). Genetic and environmental influences on antisocial behavior: A meta-analysis of twin and adoption studies. *Psychological Bulletin, 128,* 490-529.

Rhoton-Vlasak, A. (2000). Infections and infertility. *Primary Care Update for OB/GYNS, 7*(5), 200-206.

Ricciuti, H. N. (1999). Single parenthood and school readiness in white, black, and Hispanic

6-and 7-year-olds. *Journal of Family Psychology, 13,* 450-465.

Ricciuti, H. N. (2004). Single parenthood, achievement, and problem behavior in white, black, and Hispanic children. *Journal of Educational Research, 97,* 196-206.

Rice, C., Koinis, D., Sullivan, K., Tager-Flusberg, H., & Winner, E. (1997). When 3-year-olds pass the appearance-reality test. *Developmental Psychology, 33,* 54-61.

Rice, M., Oetting, J. B., Marquis, J., Bode, J., & Pae, S. (1994). Frequency of input effects on SLI children's word comprehension. *Journal of Speech and Hearing Research, 37,* 106-122.

Rice, M. L. (1982). Child language: What children know and how. In T. M. Field, A. Huston, H. C. Quay, L. Troll, & G. E. Finley (Eds.), *Review of human development research.* New York: Wiley.

Rice, M. L. (1989). Children's language acquisition. *American Psychologist, 44*(2), 149-156.

Rice, M. L., Huston, A. C., Truglio, R., & Wright, J. (1990). Words from "Sesame Street": Learning vocabulary while viewing. *Developmental Psychology, 26,* 421-428.

Rice, M. L., Taylor, C. L., & Zubrick, S. R. (2008). Language outcomes of 7-year-old children with or without a history of late language emergence at 24 months. *Journal of Speech, Language, and Hearing Research, 51,* 394-407.

Richardson, J. (1995). *Achieving gender equality in families: The role of males.* Innocenti Global Seminar, Summary Report. Florence, Italy: UNICEF International Child Development Centre, Spedale degli Innocenti.

Riddle, R. D., Johnson, R. L., Laufer, E., & Tabin, C. (1993). Sonic hedgehog mediates the polarizing activity of the ZPA. *Cell, 75,* 1401-1416.

Rideout, V. J., Vandewater, E. A., & Wartella, E. A. (2003). *Zero to six: Electronic media in the lives of infants, toddlers and preschoolers.* Menlo Park, CA: Kaiser Family Foundation.

Riemann, M. K., & Kanstrup Hansen, I. L. (2000). Effects on the fetus of exercise in pregnancy. *Scandinavian Journal of Medicine & Science in Sports. 10*(1), 12-19.

Rifkin, J. (1998, May 5). Creating the "perfect" human. *Chicago Sun-Times,* p. 29.

Rios-Ellis, B., Bellamy, L., & Shoji, J. (2000). An examination of specific types of *ijime* within Japanese schools. *School Psychology International, 21,* 227-241.

Ritchie, L., Crawford, P., Woodward-Lopez, G., Ivey, S., Masch, M., & Ikeda, J. (2001). *Prevention of childhood overweight: What should be done?* Berkeley, CA: Center for Weight and Health, U.C. Berkeley.

Ritter, J. (1999, November 23). Scientists close in on DNA code. *Chicago Sun-Times,* p. 7.

Rivara, F. (1999). Pediatric injury control in 1999: Where do we go from here? *Pediatrics, 103*(4), 883-888.

Rivera, J. A., Sotres-Alvarez, D., Habicht, J.-P., Shamah, T., & Villalpando, S. (2004). Impact of the Mexican Program for Education, Health and Nutrition (Progresa) on rates of growth and anemia in infants and young children. *Journal of the American Medical Association, 291,* 2563-2570.

Rivera, S. M., Wakeley, A., & Langer, J. (1999). The drawbridge phenomenon: Representational reasoning or perceptual preference? *Developmental Psychology, 35*(2), 427-435.

Roberts, G. C., Block, J. H., & Block, J. (1984). Continuity and change in parents' child-rearing practices. *Child Development, 55,* 586-597.

Robin, D. J., Berthier, N. E., & Clifton, R. K. (1996). Infants' predictive reaching for moving objects in the dark. *Developmental Psychology, 32,* 824-835.

Robins, R. W., & Trzesniewski, K. H. (2005). Self-esteem development across the lifespan. *Current Directions in Psychological Science, 14*(3), 158-162.

Rochat, P., Querido, J. G., & Striano, T. (1999). Emerging sensitivity to the timing and structure of proto conversations in early infancy. *Developmental Psychology, 35,* 950-957.

Rochat, P., & Striano, T. (2002). Who's in the mirror? Self-other discrimination in specular images by 4-and 9-month-old infants. *Child Development, 73,* 35-46.

Roderick, M., Engel, M., & Nagaoka, J. (2003). *Ending social promotion: Results from Summer Bridge.* Chicago: Consortium on Chicago School Research.

Rodier, P. M. (2000, February). The early origins of autism. *Scientific American,* pp. 56-63.

Rodkin, P. C., Farmer, T. W., Pearl, R., & Van Acker, R. (2000). Heterogeneity of popular boys: Antisocial and prosocial configurations. *Developmental Psychology, 36*(1), 14-24.

Rogan, W. J, Dietrich, K. N., Ware, J. H., Dockery, D. W., Salganik, M., Radcliffe, J., et al. (2001). The effect of chelation therapy with succimer on neuropsychological development in children exposed to lead. *New England Journal of Medicine, 344,* 1421-1426.

Rogler, L. H. (2002). Historical generations and psychology: The case of the Great Depression and World War II. *American Psychologist, 57*(12), 1013-1023.

Rogoff, B., Mistry, J., Göncü, A., & Mosier, C. (1993). Guided participation in cultural activity by toddlers and caregivers. *Monographs of the Society for Research in Child Development, 58*(8). [Serial No. 236].

Rogoff, B., & Morelli, G. (1989). Perspectives on children's development from cultural psychology. *American Psychologist, 44,* 343-348.

Rolls, B. J., Engell, D., & Birch, L. L. (2000). Serving portion size influences 5-year-old but not 3-year-old children's food intake. *Journal of the American Dietetic Association, 100,* 232-234.

Romano, E., Tremblay, R. E., Boulerice, B., & Swisher, R. (2005). Multi-level correlates of childhood physical aggression and prosocial behavior. *Journal of Abnormal Child Psychology, 33*(5), 565-578.

Ronca, A. E., & Alberts, J. R. (1995). Maternal contributions to fetal experience and the transition from prenatal to postnatal life. In J. P. Lecanuet, W. P. Fifer, N. A. Krasnegor, & W. P. Smotherman (Eds.), *Fetal development: A psychobiological perspective* (pp. 331-350). Hillsdale, NJ: Erlbaum.

Roopnarine, J., & Honig, A. S. (1985, September). The unpopular child. *Young Children,* 59-64.

Roopnarine, J. L., Hooper, F. H., Ahmeduzzaman, M., & Pollack, B. (1993). Gentle play partners: Mother-child and father-child play in New Delhi, India. In K. MacDonald (Ed.), *Parent-child play* (pp. 287-304). Albany: State University of New York Press.

Roopnarine, J. L., Talokder, E., Jain, D., Josh, P., & Srivastav, P. (1992). Personal well-being, kinship ties, and mother-infant and father-infant interactions in single-wage and dual-wage families in New Delhi, India. *Journal of Marriage and the Family, 54,* 293-301.

Roosa, M. W., Deng, S., Ryu, E., Burrell, G. L., Tein, J., Jones, S., Lopez, V., & Crowder, S. (2005). Family and child characteristics linking neighborhood context and child externalizing behavior. *Journal of Marriage and Family, 667,* 515-529.

Rose, A. J., & Rudolph, K. D. (2006). A review of sex differences in peer relationship processes: Potential trade-offs for the emotional and behavioral development of girls and boys. *Psychological Bulletin, 132,* 98-131.

Rose, S. A., & Feldman, J. F. (1995). Prediction of IQ and specific cognitive abilities at 11 years from infancy measures. *Developmental Psychology, 31,* 685-696.

Rose, S. A., & Feldman, J. F. (1997). Memory and speed: Their role in the relation of infant information processing to later IQ. *Child Development, 68,* 630-641.

Rose, S. A., & Feldman, J. F. (2000). The relation of very low birth weight to basic cognitive skills in infancy and childhood. In C. A. Nelson (Ed.), *The effects of early adversity on neurobehavioral development. The Minnesota Symposia on Child Psychology* (Vol. 31, pp. 31-59). Mahwah, NJ: Erlbaum.

Rose, S. A., Feldman, J. F., & Jankowski, J. J. (2001). Attention and recognition memory in the 1st year of life: A longitudinal study of preterm and full-term infants. *Developmental Psychology, 37,* 135-151.

Rose, S. A., Feldman, J. F., & Jankowski, J. J. (2002). Processing speed in the 1st year of life: A longitudinal study of preterm and full-term infants. *Developmental Psychology, 38,* 895-902.

Rose, S., Jankowski, J., & Feldman, J. (2002). Speed of processing and face recognition at 7 and 12 months. *Infancy, 3*(4), 435-455.

Rosenbaum, J. (2009). Patient teenagers? A comparison of the sexual behavior of virginity pledgers and matched nonpledgers. *Pediatrics, 123,* e110-e120.

Rosenblum, G. D., & Lewis, M. (1999). The relations among body image, physical attractiveness, and body mass in adolescence. *Child Development, 70,* 50-64.

Rosenthal, E. (2003, July 20). Bias for boys leads to sale of baby girls in China. *New York Times,* sec. 1, p. 6.

Ross, H. S. (1996). Negotiating principles of entitlement in sibling property disputes. *Developmental Psychology, 32,* 90-101.

Rossi, R. (1996, August 30). Small schools under microscope. *Chicago Sun-Times,* p. 24.

Rossoni, E., Feng, J., Tirozzi, B., Brown, D., Leng, G., & Moos, F. (2008). Emergent synchronous bursting of oxytocin neuronal network. *PloS Computational Biology, 4*(7). (ePub).

Rothbart, M. K., Ahadi, S. A., & Evans, D. E. (2000). Temperament and personality: Origins and outcomes. *Journal of Personality and Social Psychology, 78,* 122-135.

Rothbart, M. K., Ahadi, S. A., Hershey, K. L., & Fisher, P. (2001). Investigations of temperament at three to seven years: The Children's Behavior Questionnaire. *Child Development, 72,* 1394-1408.

Rothbart, M. K., & Hwang, J. (2002). Measuring infant temperament. *Infant Behavior & Development, 25*(1), 113-116.

Rouse, C., Brooks-Gunn, J., & McLanahan, S. (2005). Introducing the issue. *The Future of Children, 15*(1), 5-14.

Roush, W. (1995). Arguing over why Johnny can't read. *Science, 267,* 1896-1898.

Rovee-Collier, C. (1996). Shifting the focus from what to why. *Infant Behavior and Development, 19,* 385-400.

Rovee-Collier, C. (1999). The development of infant memory. *Current Directions in Psychological Science, 8,* 80-85.

Rowe, M. L., Ozcaliskan, S., & Goldin-Meadow, S. (2008). Learning words by hand: Gesture's role in predicting vocabulary development. *First Language, 28,* 182-199.

Rowland, A. S., Umbach, D. M., Stallone, L., Naftel, J., Bohlig, E. M., & Sandler, D. P. (2002). Prevalence of medication treatment for attention-deficit hyperactivity disorder among elementary school children in Johnston County, North Carolina. *American Journal of Public Health, 92,* 231-234.

Rubin, D. H., Erickson, C. J., San Agustin, M., Cleary, S. D., Allen, J. K., & Cohen, P. (1996). Cognitive and academic functioning of homeless children compared with housed children. *Pediatrics, 97,* 289-294.

Rubin, D. H., Krasilnikoff, P. A., Leventhal, J. M., Weile, B., & Berget, A. (1986, August 23). Effect of passive smoking on birth weight. *Lancet,* 415-417.

Rubin, K. (1982). Nonsocial play in preschoolers: Necessary evil? *Child Development, 53,* 651-657.

Rubin, K. H., Bukowski, W., & Parker, J. G. (1998). Peer interactions, relationships, and groups. In W. Damon (Series Ed.) & N. Eisenberg (Vol. Ed.), *Handbook of child psychology: Vol. 3. Social, emotional, and personality development* (5th ed., pp. 619-700). New York: Wiley.

Rubin, K. H., Burgess, K. B., Dwyer K. M. & Hastings, P. D. (2003). Predicting preschoolers' externalizing behavior from toddler temperament, conflict, and maternal negativity. *Developmental Psychology, 39*(1), 164-176.

Rubin, K. H., Burgess, K. B., & Hastings, P. D. (2002). Stability and social-behavioral consequences of toddlers' inhibited temperament and parenting behaviors. *Child Development, 73*(2), 483-495.

Ruble, D. M., & Brooks-Gunn, J. (1982). The experience of menarche. *Child Development, 53,* 1557-1566.

Ruble, D. N., & Dweck, C. S. (1995). Self-conceptions, person conceptions, and their development. In N. Eisenberg, (Ed.), *Social development: Review of personality and social psychology* (pp. 109-139). Thousand Oaks, CA: Sage.

Ruble, D. N., & Martin, C. L. (1998). Gender development. In W. Damon (Series Ed.) & N. Eisenberg (Vol. Ed.), *Handbook of child psychology: Vol. 3. Social, emotional, and personality development* (5th ed., pp. 933-1016). New York: Wiley.

Ruble, D. N., Martin, C. L., & Berenbaum, S. A. (2006). Gender development. In W. Damon & R. M. Lerner (Series Eds.) & D. Kuhn & R. S. Seigler (Vol. Eds.), *Handbook of child psychology: Vol 2. Cognition, perception, and language* (pp. 858-932). Hoboken, NJ: Wiley.

Rudolph, K. D., Lambert, S. F., Clark, A. G., & Kurlakowsky, K. D. (2001). Negotiating the transition to middle school: The role of self-regulatory processes. *Child Development, 72*(3), 929-946.

Rueda, M. R., & Rothbart, M. K. (2009). The influence of temperament on the development of coping: The role of maturation and experience. *New Directions for Child and Adolescent Development, 124,* 19-31.

Rueter, M. A., & Conger, R. D. (1995). Antecedents of parent-adolescent disagreements. *Journal of Marriage and the Family, 57,* 435-448.

Rueter, M. A., & Koerner, A. F. (2009). The effect of family communication patterns on adopted adolescent adjustment. *Journal of Marriage and Family, 70*(3), 715-727.

Ruiz, F., & Tanaka, K. (2001). The *ijime* phenomenon and Japan: Overarching consideration for cross-cultural studies. *Psychologia: An International Journal of Psychology in the Orient, 44,* 128-138.

Rushton, J. P., & Jensen, A. R. (2005). Thirty years of research on race differences in cognitive ability. *Psychology, Public Policy, and Law, 11,* 235-294.

Rutland, A. F., & Campbell, R. N. (1996). The relevance of Vygotsky's theory of the "zone of proximal development" to the assessment of children with intellectual disabilities. *Journal of Intellectual Disability Research, 40,* 151-158.

Rutter, M. (2002). Nature, nurture, and development: From evangelism through science toward policy and practice. *Child Development, 73,* 1-21.

Rutter, M. (2007). Gene-environment interdependence. *Developmental Science, 10,* 12-18.

Rutter, M., O'Connor, T. G., & the English and Romanian Adoptees (ERA) Study Team. (2004). Are there biological programming effects for psychological development? Findings from a study of Romanian adoptees. *Developmental Psychology, 40,* 81-94.

Ryan, A. (2001). The peer group as a context for the development of young adolescent motivation and achievement. *Child Development, 72*(4), 1135-1150.

Ryan, A. S. (1997). The resurgence of breast-feeding in the United States. *Pediatrics, 99.* Retrieved from www.pediatrics.org/cgi/content/full/99/4/e12

Ryan, A. S., Wenjun, Z., & Acosta, A. (2002). Breastfeeding continues to increase into the new millennium. *Pediatrics, 110,* 1103-1109.

Ryan, V., & Needham, C. (2001). Nondirective play therapy with children experiencing psychic trauma. *Clinical Child Psychology and Psychiatry, 6,* 437-453. [Special Issue].

Rymer, R. (1993). *An abused child: Flight from silence.* New York: HarperCollins.

Saarni, C., Campos, J. J., Camras, A., & Witherington, D. (2006). Emotional development: Action, communication, and understanding. In N. Eisenberg, W. Damon, and R. Lerner (Eds.) *Handbook of Child Psychology: Vol. 3, Social, emotional and personality development* (6th ed.), pp. 226-299. Hoboken, NJ: Wiley.

Saarni, C., Mumme, D. L., & Campos, J. J. (1998). Emotional development: Action, communication, and understanding. In W. Damon (Series Ed.) & N. Eisenberg (Vol. Ed.), *Handbook of child psychology: Vol. 3. Social, emotional, and personality development* (5th ed., pp. 237-309). New York: Wiley.

Sadeh, A., Raviv, A., & Gruber, R. (2000). Sleep patterns and sleep disruptions in school age children. *Developmental Psychology, 36*(3), 291-301.

Saffran, J. R., Pollak, S. D., Seibel, R. L., & Shkolnik, A. (2007). Dog is a dog is a dog: Infant rule learning is not specific to language. *Cognition, 105*(3), 669-680.

Saigal, S., Hoult, L. A., Streiner, D. L., Stoskopf, B. L., & Rosenbaum, P. L. (2000). School difficulties at adolescence in a regional cohort of children who were extremely low birth weight. *Pediatrics, 105,* 325-331.

Saigal, S., Stoskopf, B., Streiner, D., Boyle, M., Pinelli, J., Paneth, N., & Goddeeris, J. (2006). Transition of extremely low-birth-weight infants from adolescence to young adulthood: Comparison with normal birth-weight controls. *Journal of the American Medical Association, 295,* 667-675.

Saigal, S., Stoskopf, B. L., Streiner, D. L., & Burrows, E. (2001). Physical growth and current health status of infants who were of extremely low birth weight and controls at adolescence. *Pediatrics, 108*(2), 407-415.

Salkind, N. J. (Ed.). (2005). Smiling. *The encyclopedia of human development.* Thousand Oaks, CA: Sage.

Salmela-Aro, K., Tynkkynen, L., & Vuori, J. (2010). Parents' work burnout and adolescents' school burnout: Are they shared? *European Journal of Developmental Psychology, 8*(2), 215-227. doi: 10.1080/17405620903578060

Samara, M., Marlow, N., Wolke, D. for the EPICure Study Group. (2008). Pervasive behavior problems at 6 years of age in a total-population sample of children born at 25 weeks of gestation. *Pediatrics, 122,* 562-573.

Samdal, O., & Dür, W. (2000). The school environment and the health of adolescents. In C. Currie, K. Hurrelmann, W. Settertobulte, R. Smith, & J. Todd (Eds.), *Health and health behaviour among young people: A WHO cross-national study (HBSC) international report* (pp. 49-64). WHO Policy Series: Health Policy for Children and Adolescents, Series No. 1. Copenhagen, Denmark: World Health Organization Regional Office for Europe.

Sampson, R. J. (1997). The embeddedness of child and adolescent development: A community-level perspective on urban violence. In J. McCord (Ed.), *Violence and childhood in the inner city* (pp. 31-77). Cambridge, England: Cambridge University Press.

Samuelsson, M., Radestad, I., & Segesten, K. (2001). A waste of life: Fathers' experience of losing a child before birth. *Birth, 28,* 124-130.

Sandler, D. P., Everson, R. B., Wilcox, A. J., & Browder, J. P. (1985). Cancer risk in adulthood from early life exposure to parents' smoking. *American Journal of Public Health, 75,* 487-492.

Sandler, W., Meir, I., Padden, C., & Aronoff, M. (2005). The emergence of grammar: Systematic structure in a new language. *Proceedings of the National Academy of Sciences, 102,* 2661-2665.

Sandnabba, H. K., & Ahlberg, C. (1999). Parents' attitudes and expectations about children's cross-gender behavior. *Sex Roles, 40,* 249-263.

Sandstrom, M. J., & Coie, J. D. (1999). A developmental perspective on peer rejection: Mechanisms of stability and change. *Child Development 70*(4), 955-966.

Santos, I. S., Victora, C. G., Huttly, S., & Carvalhal, J. B. (1998). Caffeine intake and low birth weight: A population-based case-control study. *American Journal of Epidemiology, 147,* 620-627.

Sapienza, C. (1990, October). Parental imprinting of genes. *Scientific American,* pp. 52-60.

Sapp, F., Lee, K., & Muir, D. (2000). Three-year-olds' difficulty with the appearance-reality distinction: Is it real or apparent? *Developmental Psychology, 36,* 547-560.

Sargent, J. D., & Dalton, M. (2001). Does parental disapproval of smoking prevent adolescents from becoming established smokers? *Pediatrics, 108*(6), 1256-1262.

Sarnecka, B. W. & Carey, S. (2007). How counting represents number: What children must learn and when they learn it. *Cognition, 108*(3), 662-674.

Saswati, S., Chang, J., Flowers, L., Kulkarni, A., Sentelle, G., Jeng, G., et al. (2009). *Assisted reproductive technology surveillance—United States, 2006* (Centers for Disease Control: June, 2009).

Satcher, D. (2001). *Women and smoking: A report of the Surgeon General.* Washington, DC: Department of Health and Human Services.

Saudino, K. J. (2003a). Parent ratings of infant temperament: Lessons from twin studies. *Infant Behavior & Development, 26,* 100-107.

Saudino, K. J. (2003b). The need to consider contrast effects in parent-rated temperament. *Infant Behavior & Development, 26,* 118-120.

Saudino, K. J., Wertz, A. E., Gagne, J. R., & Chawla, S. (2004). Night and day: Are siblings as different in temperament as parents say they are? *Journal of Personality and Social Psychology, 87,* 698-706.

Saunders, N. (1997, March). Pregnancy in the 21st century: Back to nature with a little assistance. *Lancet, 349*, s17-s19.

Savage, J. S., Fisher, J. O., & Birch, L. L. (2007). Parental influence on eating behavior: Conception to Adolescence. *Journal of Law, Medicine, and Ethics, 35*(1), 22-34.

Savage, S. L., & Au, T. K. (1996). What word learners do when input contradicts the mutual exclusivity assumption. *Child Development, 67*, 3120-3134.

Savic, I., Berglund, H., & Lindström, P. (2005). Brain response to putative pheromones in homosexual men. *Proceedings of the National Academy of Sciences, 102*, 7356-7361.

Savic, I., Berglund, H., & Lindström, P. (2006). Brain response to putative pheromones. *Proceedings of the National Academy of Sciences, 102*(20), 7356-7361.

Savic, I., & Lindström, P. (2008). PET and MRI show differences in cerebral assymetry and functional connectivity between homo-and heterosexual subjects. *Proceedings of the National Academy of Sciences USA, 105*(27), 9403-9408.

Savin-Williams, R. C. (2006). Who's gay? Does it matter? *Current Directions in Psychological Science, 15*, 40-44.

Sawhill, I. (2006). *Opportunity in America: The role of education: Policy brief Fall 2006.* Princeton-Brookings: The Future of Education. Retrieved from www.brookings.edu/es/research/projects/foc/20060913foc.pdf

Saxe, R., & Carey, S. (2006). The perception of causality in infancy. *Acta Psychologica, 123*, 144-165.

Saxe, R., Tenenbaum, J. B., & Carey, S. (2005). Secret agents: Inferences about hidden causes by 10-and 12-month old infants. *Psychological Science, 16*, 995-1001.

Saxe, R., Tzelnic, T., & Carey, S. (2007). Knowing who dunnit: Infants identify the causal agent in an unseen causal interaction. *Developmental Psychology, 43*, 149-158.

Scarr, S. (1992). Developmental theories for the 1990s: Development and individual differences. *Child Development, 63*, 1-19.

Scarr, S. (1998). American child care today. *American Psychologist, 53*, 95-108.

Scarr, S., & McCartney, K. (1983). How people make their own environments: A theory of genotype-environment effects. *Child Development, 54*, 424-435.

Schacter, D. L. (1999). The seven sins of memory: Insights from psychology and cognitive neuroscience. *American Psychologist, 54*, 182-203.

Scheers, N. J., Rutherford, G. W., & Kemp, J. S. (2003). Where should infants sleep? A comparison of risk for suffocation of infants sleeping in cribs, adult beds, and other sleeping locations. *Pediatrics, 112*, 883-889.

Scheidt, P., Overpeck, M. D., Whatt, W., & Aszmann, A. (2000). In C. Currie, K. Hurrelmann, W. Settertobulte, R. Smith, & J. Todd (Eds.), *Health and health behaviour among young people: A WHO cross-national study (HBSC) international report* (pp. 24-38). [WHO Policy Series: Healthy Policy for Children

and Adolescents, Series No. 1]. Copenhagen, Denmark: World Health Organization Regional Office for Europe.

Schemo, D. J. (2004, August 19). Charter schools lagging behind, test scores show. *New York Times*, pp. A1, A16.

Scher, A., Epstein, R., & Tirosh, E. (2004). Stability and changes in sleep regulation: A longitudinal study from 3 months to 3 years. *International Journal of Behavioral Development, 28*(3), 268-274.

Scher, M. S., Richardson, G. A., & Day, N. L. (2000). Effects of prenatal crack/cocaine and other drug exposure on electroencephalographic sleep studies at birth and one year. *Pediatrics, 105*, 39-48.

Schieve, L. A., Meikle, S. F., Ferre, C., Peterson, H. B., Jeng, G., & Wilcox, L. S. (2002). Low and very low birth weight in infants conceived with use of assisted reproductive technology. *New England Journal of Medicine, 346*, 731-737.

Schmidt, M. E., Rich, M., Rifas-Shiman, S., Oken, E., & Taveras, E. (2009). Television viewing in infancy and child cognition at 3 years of age in a US cohort. *Pediatrics, 123*(3), 370-375.

Schmitt, B. D. (1997). Nocturnal enuresis. *Pediatrics in Review, 18*, 183-190.

Schmitt, S. A., Simpson, A. M., & Friend, M. (2011). A longitudinal assessment of the home literacy environment and early language. *Infant and Child Development, 20*(6), 409-431.

Schmitz, S., Saudino, K. J., Plomin, R., Fulker, D. W., & DeFries, J. C. (1996). Genetic and environmental influences on temperament in middle childhood: Analyses of teacher and tester ratings. *Child Development, 67*, 409-422.

Schnaas, L., Rothenberg, S. J., Flores, M., Martinez, S., Hernandez, C., Osorio, E., et al. (2006). Reduced intellectual development in children with prenatal lead exposure. *Environmental Health Perspectives, 114*(5), 791-797.

Schneider, B. H., Atkinson, L., & Tardif, C. (2001). Child-parent attachment and children's peer relations: A quantitative review. *Developmental Psychology, 37*, 86-100.

Schneider, H., & Eisenberg, D. (2006). Who receives a diagnosis of attention-deficit hyperactivity disorder in the United States elementary school population? *Pediatrics, 117*, 601-609.

Schneider, M. (2002). *Do school facilities affect academic outcomes?* Washington, DC: National Clearinghouse for Educational Facilities.

Scholten, C. M. (1985). *Childbearing in American society: 1650-1850.* New York: New York University Press.

Schöner, G., & Thelen, E. (2006). Using dynamic field theory to rethink infant habituation. *Psychological Review, 113*, 273-299.

Schonert-Reichl, K. A., & Hymel, S. (n.d.). *Educating the heart as well as the mind.* Canadian Education Association. Retrieved from http://www.greenbankms.ocdsb.ca/educating%20the%20heart.pdf

Schore, A. N. (1994). *Affect regulation and the origin of the self: The neurobiology of emotional development.* Hillsdale, NJ: Erlbaum.

Schug, J., Yuki, M., & Maddux, W. (2010). Relational mobility explains between and within culture

differences in self-disclosure to close friends. *Psychological Science, 2*(10), 1471-1478. doi: 10.1177/0956797610382786

Schulenberg, J., O'Malley, P., Backman, J., & Johnston, L. (2005). Early adult transitions and their relation to well-being and substance use. In R. A. Settersten Jr., F. F. Furstenberg Jr., & R. G. Rumbaut (Eds.), *On the frontier of adulthood: Theory, research, and public policy* (pp. 417-453). Chicago: University of Chicago Press.

Schulenberg, J. E., & Zarrett, N. R. (2006). Mental health during emerging adulthood: Continuity and discontinuity in courses, causes, and functions. In J. J. Arnett & J. L. Tanner (Eds.), *Emerging adults in America: Coming of age in the 21st century* (pp. 135-172). Washington DC: American Psychological Association.

Schulting, A. B., Malone, P. S., & Dodge, K. A. (2005). The effect of school-based kindergarten transition policies and practices on child academic outcomes. *Developmental Psychology, 41*, 860-871.

Schulz, M. S., Cowan, C. P., & Cowan, P. A. (2006). Promoting healthy beginnings: A randomized controlled trial of a preventive intervention to preserve marital quality during the transition to parenthood. *Journal of Consulting and Clinical Psychology, 74*, 20-31.

Schumann, C. M., & Amaral, D. G. (2006). Stereological analysis of amygdala neuron number in autism. *The Journal of Neuroscience, 26*(29), 7674-7679.

Schumann, J. (1997). The view from elsewhere: Why there can be no best method for teaching a second language. *The Clarion: Magazine of the European Second Language Acquisition, 3*(1), 23-24.

Schwartz, D., Chang, L., & Farver, J. M. (2001). Correlates of victimization in Chinese children's peer groups. *Developmental Psychology, 37*(4), 520-532.

Schwartz, D., Dodge, K. A., Pettit, G. S., Bates, J. E., & the Conduct Problems Prevention Research Group. (2000). Friendship as a moderating factor in the pathway between early harsh home environment and later victimization in the peer group. *Developmental Psychology, 36*, 646-662.

Schwartz, D., McFadyen-Ketchum, S. A., Dodge, K. A., Pettit, G. S., & Bates, J. E. (1998). Peer group victimization as a predictor of children's behavior problems at home and in school. *Developmental and Psychopathology, 10*, 87-99.

Schwartz, L. L. (2003). A nightmare for King Solomon: The new reproductive technologies. *Journal of Family Psychology, 17*, 292-237.

Schweinhart, L. J. (2007). Crime prevention by the High/Scope Perry preschool program. *Victims & Offenders, 2*(2), 141-160.

Schweinhart, L. J., Barnes, H. V., & Weikart, D. P. (1993). *Significant benefits: The High/Scope Perry Preschool Study through age 27* (Monographs of the High/Scope Educational Research Foundation No. 10). Ypsilanti, MI: High/Scope.

Schwimmer, J. B., Burwinkle, T. M., & Varni, J. W. (2003, April). Health-related quality of life of severely obese children and adolescents. *Journal of the American Medical Association, 289*(14), 1813-1819.

Scott, G., & Ni, H. (2004). Access to health care among Hispanic/Latino children: United States, 1998-2001. *Advance Data from Vital and Health Statistics* [No. 344]. Hyattsville, MD: National Center for Health Statistics.

Scott, M., Booth, A., King. V., & Johnson, D. (2007). Post-divorce father-adolescent closeness. *Journal of Marriage and Family, 69,* 1194-1208.

Seifer, R. (2003). Twin studies, biases of parents, and biases of researchers. *Infant Behavior & Development, 26,* 115-117.

Seifer, R., Schiller, M., Sameroff, A. J., Resnick, S., & Riordan, K. (1996). Attachment, maternal sensitivity, and infant temperament during the first year of life. *Developmental Psychology, 32,* 12-25.

Seiner, S. H., & Gelfand, D. M. (1995). Effects of mother's simulated withdrawal and depressed affect on mother-toddler interactions. *Child Development, 60,* 1519-1528.

Seitz, V. (1990). Intervention programs for impoverished children: A comparison of educational and family support models. *Annals of Child Development, 7,* 73-103.

Selman, R. L. (1980). *The growth of interpersonal understanding: Developmental and clinical analyses.* New York: Academic.

Selman, R. L., & Selman, A. P. (1979, April). Children's ideas about friendship: A new theory. *Psychology Today,* pp. 71-80.

Seltzer, J. A. (2000). Families formed outside of marriage. *Journal of Marriage and the Family, 62,* 1247-1268.

Sen, A., Partelow, L., & Miller, D. C. (2005). *Comparative indicators of education in the United States and other G8 countries: 2004* (NCES 2005-021). Washington, DC: National Center for Education Statistics.

Sénéchal, M., & LeFevre, J. (2002). Parental involvement in the development of children's reading skill: A five-year longitudinal study. *Child Development, 73*(2), 445-460.

Senghas, A., & Coppola, M. (2001). Children creating language: How Nicaraguan sign language acquired a spatial grammar. *Psychological Science, 12,* 323-328.

Senghas, A., Kita, S., & Ozyürek, A. (2004). Children creating core properties of language: Evidence from an emerging sign language in Nicaragua. *Science, 305,* 1779-1782.

Serbin, L., Poulin-Dubois, D., Colburne, K. A., Sen, M., & Eichstedt, J. A. (2001). Gender stereotyping in infancy: Visual preferences for knowledge of gender-stereotyped toys in the second year. *International Journal of Behavioral Development, 25,* 7-15.

Serbin, L. A., Moller, L. C., Gulko, J., Powlishta, K. K., & Colburne, K. A. (1994). The emergence of gender segregation in toddler playgroups. In C. Leaper (Ed.), *Childhood gender segregation: Causes and consequences* (New Directions for Child Development No. 65, pp. 7-17). San Francisco: Jossey-Bass.

Servin, A., Bohlin, G., & Berlin, L. (1999). Sex differences in a 1-, 3-, and 5-year-olds' choice in a structured play session. *Scandinavian Journal of Pschology, 40,* 43-48.

Sethi, A., Mischel, W., Aber, J. L., Shoda, Y., & Rodriguez, M. L. (2000). The role of strategic attention deployment in development of self-regulation: Predicting preschoolers' delay of gratification from mother-toddler interactions. *Developmental Psychology, 36,* 767-777.

Shachar-Dadon, A., Schulkin, J., & Leshem, M. (2009). Adversity before conception will affect adult progeny in rats. *Developmental Psychology, 45*(1), 9-16.

Shackman, J. E., Shackman, A. J., & Pollak, S. D. (2007). Physical abuse amplifies attention to threat and increases anxiety in children. *Emotion, 7,* 838-852.

Shah, T., Sullivan, K., & Carter, J. (2006). Sudden infant death syndrome and reported maternal smoking during pregnancy. *American Journal of Public Health, 96*(10), 1757-1759.

Shanahan, M., Porfeli, E., & Mortimer, J. (2005). Subjective age identity and the transition to adulthood: When do adolescents become adults? In R. A. Settersten Jr., F. F. Furstenberg Jr., & R. G. Rumbaut (Eds.), *On the frontier of adulthood: Theory, research, and public policy* (pp. 225-255). Chicago: University of Chicago Press.

Shankaran, S., Bada, H. S., Smeriglio, V. L., Langer, J. C., Beeghly, M., & Poole, W. K. (2004). The maternal lifestyle study: Cognitive, motor, and behavioral outcomes of cocaine-exposed and opiate-exposed infants through three years of age. *Pediatrics, 113,* 1677-1685.

Shannon, J. D., Tamis-LeMonda, C. S., London, K., & Cabrera, N. (2002). Beyond rough and tumble: Low income fathers' interactions and children's cognitive development at 24 months. *Parenting: Science & Practice, 2*(2), 77-104.

Shannon, M. (2000) Ingestion of toxic substances by children. *New England Journal of Medicine, 342,* 186-191.

Shapiro, A. F., & Gottman, J. M. (2003, September). Bringing baby home: Effects on marriage of a psycho-education intervention with couples undergoing the transition to parenthood, evaluation at 1-year post intervention. In A. J. Hawkins (Chair), *Early family interventions.* Symposium conducted at the meeting of the National Council on Family Relations, Vancouver, British Columbia.

Shapiro-Mendoza, C. K., Kimball, M., Tomashek, K. M., Anderson, R. N., & Blanding, S. (2009). U.S. infant mortality trends attributable to accidental suffocation and strangulation in bed from 1984 through 2004: Are rates increasing? *Pediatrics, 123,* 533-539.

Sharma, A. R., McGue, M. K., & Benson, P. L. (1996a). The emotional and behavioral adjustment of United States adopted adolescents, Part I: An overview. *Children and Youth Services Review, 18,* 83-100.

Sharma, A. R., McGue, M. K., & Benson, P. L. (1996b). The emotional and behavioral adjustment of United States adopted adolescents, Part II: Age at adoption. *Children and Youth Services Review, 18,* 101-114.

Sharon, T., & DeLoache, J. S. (2003). The role of perseveration in children's symbolic understanding and skill. *Developmental Science, 6*(3), 289-296.

Shatz, M., & Gelman, R. (1973). The development of communication skills: Modifications in the speech of young children as a function of listener. *Monographs of the Society for Research in Child Development, 38*(5). [Serial No. 152].

Shaw, B. A., Krause, N., Liang, J., & Bennett, J. (2007). Tracking changes in social relations throughout late life. *Journal of Gerontology: Social Sciences, 62B,* S90-S99.

Shaw, P., Greenstein, D., Lerch, J., Clasen, L., Lenroot, R., Gogtay, N., et al. (2006). Intellectual ability and cortical development in children and adolescents. *Nature, 440,* 676-679.

Shayer, M., Ginsburg, D., & Coe, R. (2007). Thirty years on—a large anti-Flynn effect? The Piagetian Test Volume & Heaviness norms 1975-2003. *British Journal of Educational Psychology, 77*(1), 25-41.

Shaywitz, S. (2003). *Overcoming dyslexia: A new and complete science-based program for overcoming reading problems at any level.* New York: Knopf.

Shaywitz, S. E. (1998). Current concepts: Dyslexia. *New England Journal of Medicine, 338,* 307-312.

Shaywitz, S. E., Mody, M., & Shaywitz, B. A. (2006). Neural mechanisms in dyslexia. *Current Directions in Psychological Science, 15,* 278-281.

Shea, K. M., Little, R. E., & the ALSPAC Study Team. (1997). Is there an association between preconceptual paternal X-ray exposure and birth outcome? *American Journal of Epidemiology, 145,* 546-551.

Shea, S., Basch, C. E., Stein, A. D., Contento, I. R., Irigoyen, M., & Zybert, P. (1993). Is there a relationship between dietary fat and stature or growth in children 3 to 5 years of age? *Pediatrics, 92,* 579-586.

Shiono, P. H., & Behrman, R. E. (1995). Low birth weight: Analysis and recommendations. *The Future of Children, 5*(1), 4-18.

Shonkoff, J., & Phillips, D. (2000). Growing up in child care. In I. Shonkoff & D. Phillips (Eds.), *From neurons to neighborhoods* (pp. 297-327). Washington, DC: National Research Council/ Institute of Medicine.

Shulman, S., Scharf, M., Lumer, D., & Maurer, O. (2001). Parental divorce and young adult children's romantic relationships: Resolution of the divorce experience. *American Journal of Orthopsychiatry, 71,* 473-478.

Shwe, H. I., & Markman, E. M. (1997). Young children's appreciation of the mental impact of their communicative signals. *Developmental Psychology, 33*(4), 630-636.

Sicherer, S. H. (2002). Food allergy. *Lancet, 360*(9334), 701-710.

Siegal, M., & Peterson, C. C. (1998). Preschoolers' understanding of lies and innocent and negligent mistakes. *Developmental Psychology, 34*(2), 332-341.

Siegler, R. S. (1998). *Children's thinking* (3rd ed.). Upper Saddle River, NJ: Prentice Hall.

Siegler, R. S. (2000). The rebirth of children's learning. *Child Development, 71*(1), 26-35.

Siegler, R. S., & Booth, J. L. (2004). Development of numerical estimation in young children. *Child Development, 75*, 428-444.

Siegler, R. S., & Opfer, J. E. (2003). The development of numerical estimation: Evidence for multiple representations of numerical quantity. *Psychological Science, 14*, 237-243.

Siegler, R. S., & Richards, D. (1982). The development of intelligence. In R. Sternberg (Ed.), *Handbook of human intelligence* (pp. 897-971). London: Cambridge University Press.

Sieving, R. E., McNeely, C. S., & Blum, R. W. (2000). Maternal expectations, mother-child connectedness, and adolescent sexual debut. *Archives of Pediatric & Adolescent Medicine, 154*, 809-816.

Sieving, R. E., Oliphant, J. A., & Blum, R. W. (2002). Adolescent sexual behavior and sexual health. *Pediatrics in Review, 23*, 407-416.

Sigman, M., Cohen, S. E., & Beckwith, L. (1997). Why does infant attention predict adolescent intelligence? *Infant Behavior and Development, 20*, 133-140.

Silverman, W. K., La Greca, A. M., & Wasserstein, S. (1995). What do children worry about? Worries and their relation to anxiety. *Child Development, 66*, 671-686.

Simmons, R. G., Blyth, D. A., & McKinney, K. L. (1983). The social and psychological effect of puberty on white females. In J. Brooks-Gunn & A. C. Petersen (Eds.), *Girls at puberty: Biological and psychological perspectives* (229-272). New York: Plenum Press.

Simmons, R. G., Blyth, D. A., Van Cleave, E. F., & Bush, D. M. (1979). Entry into early adolescence: The impact of school structure, puberty, and early dating on self-esteem. *American Sociological Review, 44*(6), 948-967.

Simon, G. E. (2006). The antidepressant quandary—considering suicide risk when treating adolescent depression. *New England Journal of Medicine, 355*, 2722-2723.

Simon, G. E., Savarino, J., Operskalski, B., & Wang, P. S. (2006). Suicide risk during antidepressant treatment. *American Journal of Psychiatry, 163*, 41-47.

Simons, R. L., Chao, W., Conger, R. D., & Elder, G. H. (2001). Quality of parenting as mediator of the effect of childhood defiance on adolescent friendship choices and delinquency: A growth curve analysis. *Journal of Marriage and the Family, 63*, 63-79.

Simons, R. L., Lin, K.-H., & Gordon, L. C. (1998). Socialization in the family of origin and male dating violence: A prospective study. *Journal of Marriage and the Family, 60*, 467-478.

Simonton, D. K. (1990). Creativity and wisdom in aging. In J. E. Birren & K. W. Schaie (Eds.), *Handbook of the psychology of aging* (pp. 320-329). New York: Academic Press.

Simpson, J. E. (2005). Choosing the best prenatal screening protocol. *New England Journal of Medicine, 353*, 2068-2070.

Simpson, K. (2001). The role of testosterone in aggression. *McGill Journal of Medicine, 6*, 32-40.

Sines, E., Syed, U., Wall, S., & Worley, H. (2007). Postnatal care: A critical opportunity to save mothers and newborns. *Policy Perspectives on Newborn Health.* Washington, DC: Save the Children and Population Reference Bureau.

Singer, D. G., & Singer, J. L. (1990). *The house of make-believe: Play and the developing imagination.* Cambridge, MA: Harvard University Press.

Singer, J. L., & Singer, D. G. (1981). *Television, imagination, and aggression: A study of preschoolers.* Hillsdale, NJ: Erlbaum.

Singer, J. L., & Singer, D. G. (1998). *Barney & Friends* as entertainment and education: Evaluating the quality and effectiveness of a television series for preschool children. In J. K. Asamen & G. L. Berry (Eds.), *Research paradigms, television, and social behavior* (pp. 305-367). Thousand Oaks, CA: Sage.

Singer, L. T., Minnes, S., Short, E., Arendt, K., Farkas, K., Lewis, B., et al. (2004). Cognitive outcomes of preschool children with prenatal cocaine exposure. *Journal of the American Medical Association, 291*, 2448-2456.

Singer-Freeman, K. E., & Goswami, U. (2001). Does half a pizza equal half a box of chocolates? Proportional matching in an analogy task. *Cognitive Development, 16*(3), 811-829.

Singh, G. K., Kogan, M. D., & Dee, D. L. (2007). Nativity/immigrant status, race/ethnicity, and socioeconomic determinants of breastfeeding initiation and duration in the United States, 2003. *Pediatrics, 119*(Suppl. 1), 538-547.

Singh, G. K., Yu, S. M., Siahpush, M., & Kogan, M. D. (2008). High levels of physical inactivity and sedentary behaviors among U.S. immigrant children and adolescents. *Archives of Pediatrics and Adolescent Medicine, 162*(8), 756-763.

Singh, S., Wulf, D., Samara, R., & Cuca, Y. P. (2000). Gender differences in the timing of first intercourse: Data from 14 countries. *International Family Planning Perspectives, Part 1, 26*, 21-28.

Singhal, A., Cole, T. J., Fewtrell, M., & Lucas, A. (2004). Breastmilk feeding and lipoprotein profile in adolescents born preterm: Follow-up of a prospective randomised study. *Lancet, 363*, 1571-1578.

Sipos, A., Rasmussen, F., Harrison, G., Tynelius, P., Lewis, G., Leon, D. A., et al. (2004). Paternal age and schizophrenia: A population based cohort study. *British Medical Journal, 329*, 1070-1073.

Sisson, S. B., Broyles, S. T., Newton, R. L., Baker, B. L., & Chernausek, S. D. (2011). TVs in the bedrooms of children: Does it impact health and behavior? *Preventive Medicine, 52*(2), 104-108.

Skadberg, B. T., Morild, I., & Markestad, T. (1998). Abandoning prone sleeping: Effects on the risk of sudden infant death syndrome. *Journal of Pediatrics, 132*, 234-239.

Skinner, B. F. (1938). *The behavior of organisms: An experimental approach.* New York: Appleton-Century.

Skinner, B. F. (1957). *Verbal behavior.* New York: Appleton-Century-Crofts.

Skinner, D. (1989). The socialization of gender identity: Observations from Nepal. In J. Valsiner (Ed.), *Child development in cultural context* (pp. 181-192). Toronto: Hogrefe & Huber.

Skoe, E. E., & Diessner, R. E. (1994). Ethic of care, justice, identity, and gender: An extension and replication. *Merrill-Palmer Quarterly, 40*, 272-289.

Skolnick Weisberg, D., & Bloom, P. (2009). Young children separate multiple pretend worlds. *Developmental Science, 12*(5), 699-705. doi: 10.1111/j.1467-7687.2009.00819.x

Slade, A., Belsky, J., Aber, J. L., & Phelps, J. L. (1999). Mothers' representation of their relationships with their toddlers: Links to adult attachment and observed mothering. *Developmental Psychology, 35*, 611-619.

Slobin, D. (1970). Universals of grammatical development in children. In W. Levitt & G. Flores d'Arcais (Eds.), *Advances in psycholinguistic research* (pp. 174-186). Amsterdam, The Netherlands: North Holland.

Slobin, D. (1973). Cognitive prerequisites for the acquisition of language. In C. Ferguson & D. Slobin (Eds.), *Studies of child language development* (pp. 175-208). New York: Holt, Rinehart, & Winston.

Slobin, D. (1983). Universal and particular in the acquisition of grammar. In E. Wanner & L. Gleitman (Eds.), *Language acquisition: The state of the art* (pp. 128-170). Cambridge, UK: Cambridge University Press.

Slobin, D. (1990). The development from child speaker to native speaker. In J. W. Stigler, R. A. Schweder, G. H. Herdt (Eds.) *Cultural Psychology: Essays on comparative human development.* New York: Cambridge University Press, 233-258.

Sly, R. M. (2000). Decreases in asthma mortality in the United States. *Annal of Allergy, Asthma, and Immunology, 85*, 121-127.

Slyper, A. H. (2006). The pubertal timing controversy in the USA, and a review of possible causative factors for the advance in timing of onset of puberty. *Clinical Endocrinology, 65*, 1-8.

Small, M. Y. (1990). *Cognitive development.* New York: Harcourt Brace.

Smedley, A., & Smedley, B. D. (2005). Race as biology is fiction, racism as a social problem is real: Anthropological and historical perspectives on the social construction of race. *American Psychologist, 60*, 16-26.

Smetana, J., Crean, H., & Campione-Barr, N. (2005). Adolescents' and parents' changing conceptions of parental authority. In J. Smetana (Ed.), *Changing boundaries of parental authority during adolescence: New directions for child and adolescent development, no. 108* (pp. 31-46). San Francisco: Jossey-Bass.

Smetana, J. G., Metzger, A., Gettman, D. C., & Campione-Barr, N. (2006). Disclosure and secrecy in adolescent-parent relationships. *Child Development, 77*, 201-217.

Smilansky, S. (1968). *The effects of sociodramatic play on disadvantaged preschool children.* New York: Wiley.

Smith, G.C.S., Pell, J. P., Cameron, A. D., & Dobbie, R. (2002). Risk of perinatal death associated with labor after previous cesarean delivery in uncomplicated term pregnancies. *Journal of the American Medical Association, 287*, 2684-2690.

Smith, L. B., & Thelen, E. (2003). Development as a dynamic system. *Trends in Cognitive Sciences, 7,* 343-348.

Smith, L. M., LaGasse, L. L., Derauf, C., Grant, P., Shah, R., Arria, A., et al. (2006). The infant development, environment, and lifestyle study: Effects of prenatal methamphetamine exposure, polydrug exposure, and poverty on intrauterine growth. *Pediatrics, 118,* 1149-1156.

Smith, P. K. (2005a). Play: Types and functions in human development. In A. D. Pellegrini & P. K. Smith (Eds.), *The nature of play* (pp. 271-291). New York: Guilford Press.

Smith, P. K. (2005b). Social and pretend play in children. In A. D. Pellegrini & P. K. Smith (Eds.), *The nature of play* (pp. 173-209). New York: Guilford Press.

Smith, P. K., & Levan, S. (1995). Perceptions and experiences of bullying in younger pupils. *British Journal of Educational Psychology, 65,* 489-500.

Smith, R. (1999, March). The timing of birth. *Scientific American,* pp. 68-75.

Smith, R. (2007). Parturition. *New England Journal of Medicine, 356,* 271-283.

Smith-Khuri, E., Iachan, R., Scheidt, P. C., Overpeck, M. D., Gabhainn, S. N., Pickett, W., & Harel, Y. (2004). A cross-national study of violence-related behaviors in adolescents. *Archives of Pediatrics and Adolescent Medicine, 158,* 539-544.

Smolak, L., & Murnen, S.K. (2002). A meta-analytic examination of the relationship between child sexual abuse and eating disorders. *International Journal of Eating Disorders, 31,* 136-150.

Smotherman, W. P., & Robinson, S. R. (1995). Tracing developmental trajectories into the prenatal period. In J. P. Lecanuet, W. P. Fifer, N. A. Krasnegor, & W. P. Smotherman (Eds.), *Fetal development. A psychobiological perspective* (pp. 15-32). Hillsdale, NJ: Erlbaum.

Smotherman, W. P., & Robinson, S. R. (1996). The development of behavior before birth. *Developmental Psychology, 32,* 425-434.

Snarey, J. R. (1985). Cross-cultural universality of social-moral development: A critical review of Kohlbergian research. *Psychological Bulletin, 97,* 202-232.

Snow, C. E. (1990). The development of definitional skill. *Journal of Child Language, 17,* 697-710.

Snow, C. E. (1993). Families as social contexts for literacy development. In C. Daiute (Ed.), *The development of literacy through social interaction* (New Directions for Child Development No. 61, pp. 11-24). San Francisco: Jossey-Bass.

Snow, C. E., & Beals, D. E. (2006). Mealtime talk that supports literacy development. In R. W. Larson, A. R. Wiley, & K. R. Branscomb (Eds.), *Family mealtime as a context of development and socialization,* No. 111 (pp. 51-66). San Francisco: Jossey-Bass.

Snow, M. E., Jacklin, C. N., & Maccoby, E. E. (1983). Sex-of-child differences in father-child interaction at one year of age. *Child Development, 54,* 227-232.

Snyder, E. E., Walts, B., Perusse, L., Chagnon, Y. C., Weisnagel, S. J., Raniken, T., & Bouchard, C. (2004). The human obesity gene map. *Obesity Research, 12,* 369-439.

Snyder, J., Bank, L., & Burraston, B. (2005). The consequences of antisocial behavior in older male siblings for younger brothers and sisters. *Journal of Family Psychology, 19,* 643-653.

Snyder, J., Cramer, A., Frank, J., & Patterson, G. R. (2005). The contributions of ineffective discipline and parental hostile attributions of child misbehavior to the development of conduct problems at home and school. *Developmental Psychology, 41,* 30-41.

Snyder, J., West, L., Stockemer, V., Gibbons, S., & Almquist-Parks, L. (1996). A social learning model of peer choice in the natural environment. *Journal of Applied Developmental Psychology, 17,* 215-237.

Snyder, T. D., & Hoffman, C. M. (2001). *Digest of education statistics, 2000.* Washington, DC: National Center for Education Statistics.

Sobel, D. M., Tenenbaum, J. B., & Gopnik, A. (2004). Children's causal inferences from indirect evidence: Backwards blocking and Bayesian reasoning in preschoolers. *Cognitive Science, 28,* 303-333.

Sobolewski, J. M., & Amato, P. J. (2005). Economic hardship in the family of origin and children's psychological well-being in adulthood. *Journal of Marriage and Family, 67,* 141-156.

Sobolewski, J. M., & King, V. (2005). The importance of the coparental relationship for nonresident fathers' ties to children. *Journal of Marriage and Family, 67,* 1196-1212.

Society for Assisted Reproductive Technology & the American Fertility Society. (1993). Assisted reproductive technology in the United States and Canada: 1991 results from the Society for Assisted Reproductive Technology generated from the American Fertility Society Registry. *Fertility and Sterility, 59,* 956-962.

Society for Assisted Reproductive Technology & the American Society for Reproductive Medicine. (2002). Assisted reproductive technology in the United States: 1998 results generated from the American Society for Reproductive Medicine/ Society for Assisted Reproductive Technology Registry. *Fertility & Sterility, 77*(1), 18-31.

Society for Neuroscience. (2008). Neural disorders: Advances and challenges. In *Brain facts: A primer on the brain and nervous system* (pp. 36-54). Washington, DC: Author.

Society for Research in Child Development (SRCD). (2007). *Ethical standards for research with children.* Retrieved May 20, 2008, from www. srcd.org/ethicalstandards.html

Soenens, B., Vansteenkiste, M., Luyckx, K., & Goossens, L. (2006). Parenting and adolescent problem behavior: An integrated model with adolescent self-disclosure and perceived parental knowledge as intervening variables. *Developmental Psychology, 42,* 305-318.

Sokol, R. J., Delaney-Black, V., & Nordstrom, B. (2003). Fetal alcohol spectrum disorder. *Journal of the American Medical Association, 209,* 2996-2999.

Sokol, R. Z., Kraft, P., Fowler, I. M., Mamet, R., Kim, E., & Berhane, K. T. (2006). Exposure to environmental ozone alters semen quality.

Environmental Health Perspectives, 114(3), 360-365.

Soliday, E. (2007). Infant feeding and cognition: Integrating a developmental perspective. *Child Development Perspectives, 1*(1), 19-25.

Solowij, N., Stephens, R. S., Roffman, R. A., Babor, T., Kadden, R., Miller, M., et al. (2002). Cognitive functioning of long-term heavy cannabis users seeking treatment. *Journal of the American Medical Association, 287,* 1123-1131.

Sondergaard, C., Henriksen, T. B., Obel, C., & Wisborg, K. (2001). Smoking during pregnancy and infantile colic. *Pediatrics, 108*(2), 342-346.

Sontag, L. M., Graber, J. A., Brooks-Gunn, J., & Warren, M. (2008). Coping with social stress: Implications for psychopathology in young adolescent girls. *Journal of Abnormal Child Psychology, 36*(8), 1159-1174.

Sood, B., Delaney-Black, V., Covington, C., Nordstrom-Klee, B., Ager, J., Templin, T., et al. (2001). Prenatal alcohol exposure and childhood behavior at age 6 to 7 years: I. Dose-response effect. *Pediatrics, 108*(8), e461-e462.

Sophian, C., Garyantes, D., & Chang, C. (1997). When three is less than two: Early developments in children's understanding of fractional quantities. *Developmental Psychology, 33,* 731-744.

Sophian, C., & Wood, A. (1997). Proportional reasoning in young children: The parts and the whole of it. *Journal of Educational Psychology, 89,* 309-317.

Sophian, C., Wood, A., & Vong, K. I. (1995). Making numbers count: The early development of numerical inferences. *Developmental Psychology, 31,* 263-273.

Sorof, J. M., Lai, D., Turner, J., Poffenbarger, T., & Portman, R. J. (2004). Overweight, ethnicity, and the prevalence of hypertension in school-aged children. *Pediatrics, 113,* 475-482.

Souter, V. L., Parisi, M. A., Nyholt, D. R., Kapur, R. P., Henders, A. K., Opheim, K. E., et al. (2007). A case of true hermaphroditism reveals an unusual mechanism of twinning. *Human Genetics Journal, 121*(2), 179-185.

Spelke, E. (1994). Initial knowledge: Six suggestions. *Cognition, 50,* 431-445.

Spelke, E. S. (1998). Nativism, empiricism, and the origins of knowledge. *Infant Behavior and Development, 21*(2), 181-200.

Spelke, E. S. (2005). Sex differences in intrinsic aptitude for mathematics and science? A critical review. *American Psychologist, 60,* 950-958.

Spencer, J. P., Clearfield, M., Corbetta. D., Ulrich, B., Buchanan, P., & Schöner, G. (2006). Moving toward a grand theory of development: In memory of Esther Thelen. *Child Development, 77,* 1521-1538.

Spencer, J. P., Smith, L. B., & Thelen, E. (2001). Tests of a dynamic systems account of the A-not-B error: The influence of prior experience on the spatial memory abilities of two-year-olds. *Child Development, 72,* 1327-1346.

Sperling, M. A. (2004). Prematurity—a window of opportunity? *New England Journal of Medicine, 351,* 2229-2231.

Spiegel, D. (1985). The use of hypnosis in controlling cancer pain. *CA: A Cancer Journal for Clinicians, 35*(4), 221-231.

Spinath, F. M., Price, T. S., Dale, P. S., & Plomin, R. (2004). The genetic and environmental origins of language disability and ability. *Child Development, 75,* 445-454.

Spinrad, T. L., Eisenberg, N., Harris, E., Hanish, L., Fabes, R. A., Kupanoff, K., et al. (2004). The relation of children's everyday nonsocial peer play behavior to their emotionality, regulation, and social functioning. *Developmental Psychology, 40,* 67-80.

Spira, E. G., Brachen, S. S., & Fischel, J. E. (2005). Predicting improvement after first-grade reading difficulties: The effects of oral language, emergent literacy, and behavior skills. *Developmental Psychology, 41,* 225-234.

Spitz, R. A. (1945). Hospitalism: An inquiry into the genesis of psychiatric conditioning in early childhood. In D. Fenschel et al. (Eds.), *Psychoanalytic studies of the child* (Vol. 1, pp. 53-74). New York: International Universities Press.

Spitz, R. A. (1946). Hospitalism: A followup report. In D. Fenschel et al. (Eds.), *Psychoanalytic studies of the child* (Vol. 1, pp. 113-117). New York: International Universities Press.

Spohr, H. L., Willms, J., & Steinhausen, H.-C. (1993). Prenatal alcohol exposure and long-term developmental consequences. *Lancet, 341,* 907-910.

Sroufe, L. A. (1979). Socioemotional development. In J. Osofsky (Ed.), *Handbook of infant development* (pp. 462-515) New York: John Wiley.

Sroufe, L. A. (1997). *Emotional development.* Cambridge, UK: Cambridge University Press.

Sroufe, L. A., Carlson, E., & Shulman, S. (1993). Individuals in relationships: Development from infancy through adolescence. In D. C. Funder, R. D. Parke, C. Tomlinson-Keasey, & K. Widaman (Eds.), *Studying lives through time: Personality and development* (pp. 315-342). Washington, DC: American Psychological Association.

Sroufe, L. A., Coffino, B., & Carlson, E. A. (2010). Conceptualizing the role of early experience: Lessons from the Minnesota Longitudinal Study. *Developmental Review, 30*(1), 36-51.

Sroufe, L. A., Egeland, B., Carlson, E. A., & Collins, W. A. (2005). *The development of the person: The Minnesota study of risk and adaptation from birth to adulthood.* New York: Guilford Publications.

St. Clair, D., Xu, M., Wang, P., Yu, Y., Fang, Y., Zhang, F., et al. (2005). Rates of adult schizophrenia following prenatal exposure to the Chinese famine of 1959-1961. *Journal of the American Medical Association, 294,* 557-562.

Staff, J., Mortimer, J. T., & Uggen, C. (2004). Work and leisure in adolescence. In R. M. Lerner & L. Steinberg (Eds.), *Handbook of adolescent development* (2nd ed., pp. 429-450). Hoboken, NJ: Wiley.

Stahl, S. A., McKenna, M. C., & Pagnucco, J. R. (1994). The effects of whole-language instruction: An update and a reappraisal. *Educational Psychologist, 29,* 175-185.

Standing, E. M. (1957). *Maria Montessori: Her life and work.* New York: Plume.

Standley, J. M. (1998). Strategies to improve outcomes in critical care—the effect of music and multimodal stimulation on responses of premature infants in neonatal intensive care. *Pediatric Nursing, 24,* 532-538.

Starr, J. M., Deary, I. J., Lemmon, H., & Whalley, L. J. (2000). Mental ability age 11 years and health status age 77 years. *Age and Ageing, 29,* 523-528.

Staub, E. (1996). Cultural-societal roots of violence: The examples of genocidal violence and of contemporary youth violence in the United States. *American Psychologist, 51,* 117-132.

Stauder, J.E.A., Molenaar, P.C.M., & Van der Molen, M. W. (1993). Scalp topography of event-related brain potentials and cognitive transition during childhood. *Child Development, 64,* 769-788.

Steinberg, L. (2000, January 19). *Should juvenile offenders be tried as adults? A developmental perspective on changing legal policies.* Paper presented as part of a Congressional Research Briefing entitled "Juvenile Crime: Causes and Consequences." Washington, DC: Government Printing Office.

Steinberg, L. (2005). Psychological control: Style or substance? In J. Smetana (Ed.), *Changing boundaries of parental authority during adolescence: New directions for child and adolescent development, no. 108* (pp. 71-78). San Francisco: Jossey-Bass.

Steinberg, L. (2007). Risk taking in adolescence: New perspectives from brain and behavioral science. *Current Directions in Psychological Science, 16,* 55-59.

Steinberg, L., & Darling, N. (1994). The broader context of social influence in adolescence. In R. Silberstein & E. Todt (Eds.), *Adolescence in context* (pp. 25-45). New York: Springer.

Steinberg, L., Dornbusch, S. M., & Brown, B. B. (1992). Ethnic differences in adolescent achievement: An ecological perspective. *American Psychologist, 47,* 723-729.

Steinberg, L., Eisengard, B., & Cauffman, E. (2006). Patterns of competence and adjustment among adolescents from authoritative, authoritarian, indulgent, and neglectful homes: A replication in a sample of serious juvenile offenders. *Journal of Research on Adolescence, 16*(1), 47-58.

Steinberg, L., & Scott, E. S. (2003). Less guilty by reason of adolescence: Developmental immaturity, diminished responsibility, and the juvenile death penalty. *American Psychologist, 58,* 1009-1018.

Steinhausen, H. C. (2002). The outcome of anorexia nervosa in the 20th century. *American Journal of Psychiatry, 159,* 1284-1293.

Stennes, L. M., Burch, M. M., Sen, M. G., & Bauer, P. J. (2005). A longitudinal study of gendered vocabulary and communicative action in young children. *Developmental Psychology, 41,* 75-88.

Sternberg, R. J. (1985). *Beyond IQ: A triarchic theory of human intelligence.* New York: Cambridge University Press.

Sternberg, R. J. (1987, September 23). The use and misuse of intelligence testing: Misunderstanding meaning, users over-rely on scores. *Education Week,* pp. 22, 28.

Sternberg, R. J. (1993). *Sternberg Triarchic Abilities Test.* Unpublished manuscript.

Sternberg, R. J. (1997). The concept of intelligence and its role in lifelong learning and success. *American Psychologist, 52,* 1030-1037.

Sternberg, R. J. (2004). Culture and intelligence. *American Psychologist, 59,* 325-338.

Sternberg, R. J. (2005). There are no public policy implications: A reply to Rushton and Jensen (2005). *Psychology, Public Policy, and Law, 11,* 295-301.

Sternberg, R. J., & Clinkenbeard, P. (1995). A triarchic view of identifying, teaching, and assessing gifted children. *Roeper Review, 17,* 255-260.

Sternberg, R. J., Grigorenko, E. L., & Kidd, K. K. (2005). Intelligence, race, and genetics. *American Psychologist, 60,* 46-59.

Sternberg, R. J., Grigorenko, E. L., & Oh, S. (2001). The development of intelligence at midlife. In M. E. Lachman (Ed.), *Handbook of midlife development* (pp. 217-247). New York: Wiley.

Sternberg, R. J., Torff, B., & Grigorenko, E. L. (1998). Teaching triarchically improves school achievement. *Journal of Educational Psychology, 90*(3), 374-384.

Stevens, J. H., & Bakeman, R. (1985). A factor analytic study of the HOME scale for infants. *Developmental Psychology, 21,* 1106-1203.

Stevenson, D., Verter, J., Fanaroff, A., Oh, W., Ehrenkranz, R., Shankaran, S., et al. (2000). Sex differences of very low birthweight infants: The newborn male disadvantage. *Archives of Disease in Childhood: Fetal and Neonatal, 83*(3), 182-185.

Stevenson, H. W. (1995). Mathematics achievement of American students: First in the world by the year 2000? In C. A. Nelson (Ed.), *The Minnesota Symposia on Child Psychology: Vol. 28. Basic and applied perspectives on learning, cognition, and development* (pp. 131-149). Mahwah, NJ: Erlbaum.

Stevenson, H. W., Chen, C., & Lee, S. Y. (1993). Mathematics achievement of Chinese, Japanese, and American children: Ten years later. *Science, 258*(5081), 53-58.

Stevenson, H. W., Lee, S., Chen, C., & Lummis, M. (1990). Mathematics achievement of children in China and the United States. *Child Development, 61,* 1053-1066.

Stevenson, H. W., Lee, S. Y., Chen, C., Stigler, J. W., Hsu, C. C., & Kitamura, S. (1990). Contexts of achievement: A study of American, Chinese, and Japanese children. *Monographs of the Society for Research in Child Development, 55*(1-2). [Serial No. 221].

Stevenson-Hinde, J., & Shouldice, A. (1996). Fearfulness: Developmental consistency. In A. J. Sameroff & M. M. Haith (Eds.), *The five-to seven-year shift: The age of reason and responsibility* (pp. 237-252). Chicago: University of Chicago Press.

Stewart, I. C. (1994, January 29). Two part message [Letter to the editor]. *New York Times,* p. A18.

Stewart, M. G., Glaze, D. G., Friedman, E. M., Smith, E. O., & Bautista, M. (2005).

Quality of life and sleep study findings after adenotonsillectomy in children with obstructive sleep apena. *Archives of Otolaryngology-Head and Neck Surgery, 131,* 308-314.

Stice, E., & Bearman, K. (2001). Body image and eating disturbances prospectively predict increases in depressive symptoms in adolescent girls: A growth curve analysis. *Developmental Psychology, 37*(5), 597-607.

Stice, E., Presnell, K., & Bearman, S. K. (2001). Relation of early menarche to depression, eating disorders, substance abuse, and comorbid psychopathology among adolescent girls. *Developmental Psychology, 37,* 608-619.

Stice, E., Presnell, K., Shaw, H., & Rohde, P. (2005). Psychological and behavioral risk factors for obesity onset in adolescent girls: A prospective study. *Journal of Consulting and Clinical Psychology, 73,* 195-202.

Stice, E., Spoor, S., Bohon, C., & Small, D. M. (2008). Relation between obesity and blunted striatal response to food is moderated by TaqIA A1 allele. *Science, 322,* 449-452.

Stillwell, R., & Sable, J. (2013). Public school graduates and dropouts from the common core of data: School year 2009-10: First look (Provisional Data) (NCES 2013-309). U.S. Department of Education. Washington, DC: National Center for Education Statistics. Retrieved April 4, 2013, from http://nces.ed.gov/pubsearch

Stipek, D. J., Gralinski, H., & Kopp, C. B. (1990). Self-concept development in the toddler years. *Developmental Psychology, 26,* 972-977.

Stoecker, J. J., Colombo, J., Frick, J. E., & Allen, J. R. (1998). Long-and short-looking infants' recognition of symmetrical and asymmetrical forms. *Journal of Experimental Child Psychology, 71,* 63-78.

Stoelhorst, M.S.J., Rijken, M., Martens, S. E., Brand, R., den Ouden, A. L., Wit, J.-M., et al. (2005). Changes in neonatology: Comparison of two cohorts of very preterm infants (gestational age = 32 weeks): The Project on Preterm and Small for Gestational Age Infants 1983 and the Leiden Follow-up Project on Prematurity 1996-1997. *Pediatrics, 115,* 396-405.

Stoll, B. J., Hansen, N. I., Adams-Chapman, I., Fanaroff, A. A., Hintz, S. R., Vohr, B., et al. (2004). Neurodevelopmental and growth impairment among extremely low-birth-weight infants with neonatal infection. *Journal of the American Medical Association, 292,* 2357-2365.

Stone, W. L., McMahon, C. R., Yoder, P. J., & Walden, T. A. (2007). Early social-communicative and cognitive development of younger siblings of children with autism spectrum disorders. *Archives of Pediatric and Adolescent Medicine, 161,* 384-390.

Stothard, K. J., Tennant, P.W.G., Bell, R., & Rankin, J. (2009). Maternal overweight and obesity and the risk of congenital anomalies: A systematic review and meta-analysis. *Journal of the American Medical Association, 301,* 636-650.

Stout, H. (2010, October 15). Toddlers' favorite toy: The iPhone. *The New York Times.* Retrieved from http://www.nytimes.com/2010/10/17/fashion/17TODDLERS.html?pagewanted=2&_r=1&emc=eta1

Strassberg, Z., Dodge, K. A., Pettit, G. S., & Bates, J. E. (1994). Spanking in the home and children's subsequent aggression toward kindergarten peers. *Development and Psychopathology, 6,* 445-461.

Strathearn, L., Li, J., Fonagy, P., & Montague, P. R. (2008). What's in a smile? Maternal brain responses to infant facial cues. *Pediatrics, 122,* 40-51.

Straus, M. A. (1994a). *Beating the devil out of them: Corporal punishment in American families.* San Francisco, CA: Jossey-Bass.

Straus, M. A. (1994b). Should the use of corporal punishment by parents be considered child abuse? In M. A. Mason & E. Gambrill (Eds.), *Debating children's lives: Current controversies on children and adolescents* (pp. 196-222). Newbury Park, CA: Sage.

Straus, M. A. (1999). Is it time to ban corporal punishment of children? *Canadian Medical Association Journal, 161,* 821-822.

Straus, M. A. (2010). Prevalence, societal causes, and trends in corporal punishment by parents in world perspective. *Law and Contemporary Problems, 73*(1), 1-30.

Straus, M. A., & Field, C. J. (2003). Psychological aggression by American parents: National data on prevalence, chronicity, and severity. *Journal of Marriage and Family, 65,* 795-808.

Straus, M. A., & Paschall, M. J. (1999, July). *Corporal punishment by mothers and children's cognitive development: A longitudinal study of two age cohorts.* Paper presented at the Sixth International Family Violence Research Conference, University of New Hampshire, Durham, NH.

Straus, M. A., & Stewart, J. H. (1999). Corporal punishment by American parents: National data on prevalence, chronicity, severity, and duration, in relation to child and family characteristics. *Clinical Child and Family Psychology Review, 2*(21), 55-70.

Straus, M. A., Sugarman, D. B., & Giles-Sims, J. (1997). Spanking by parents and subsequent antisocial behavior of children. *Archives of Pediatric and Adolescent Medicine, 151,* 761-767.

Strayer, D., & Drews, F. (2004). Profiles in driver distraction: Effects of cell phone conversations on younger and older drivers. *Human Factors, 4*(4), 640-649.

Strayer, D., & Drews, F. (2007). Cell-phone-induced driver distract;on. *Current Directions in Psychological Science, 16*(3), 128-131.

Strayer, D. L., Drews, F. A., & Crouch, D. J. (2006). A comparison of the cell phone driver and the drunk driver. *Human Factors, 48*(2), 381-391.

Streissguth, A. P., Aase, J. M., Clarren, S. K., Randels, S. P., LaDue, R. A., & Smith, D. F. (1991). Fetal alcohol syndrome in adolescents and adults. *Journal of the American Medical Association, 265,* 1961-1967.

Streissguth, A. P., Bookstein, F. L., Barr, H. M., Sampson, P. D., O'Malley, K., & Young, J. K. (2004). Risk factors for adverse life outcomes in fetal alcohol syndrome and fetal alcohol effects.

*Journal of Developmental & Behavioral Pediatrics, 25,* 228-238.

Strenze, T. (2007). Intelligence and socioeconomic success: A meta-analytic review of longitudinal research. *Intelligence, 35*(5), 401-426.

Striano, T. (2004). Direction of regard and the still-face effect in the first year: Does intention matter? *Child Development, 75,* 468-479.

Striegel-Moore, R. H., & Bulik, C. (2007). Risk factors for eating disorders. *American Psychologist, 62,* 181-198.

Stright, A. D., Gallagher, K. C., & Kelley, K. (2008). Infant temperament moderates relations between maternal parenting in early childhood and children's adjustment in first grade. *Child Development, 79,* 186-200.

Strobel, A., Camoin, T.I.L., Ozata, M., & Strosberg, A. D. (1998). A leptin missense mutation associated with hypogonadism and morbid obesity. *Nature Genetics, 18,* 213-215.

Strohschein, L. (2005). Parental divorce and child mental health trajectories. *Journal of Marriage and Family, 67,* 1286-1300.

Strömland, K., & Hellström, A. (1996). Fetal alcohol syndrome—an ophthalmological and socioeducational prospective study. *Pediatrics, 97,* 845-850.

Stromwall, L. A., Granhag, P. A., & Landstrom, S. (2007). Children's prepared and unprepared lies: Can adults see through their strategies? *Applied Cognitive Psychology, 21,* 457-471.

Stubbs, M. L., Rierdan, J., & Koff, E. (1989). Developmental differences in menstrual attitudes. *Journal of Early Adolescence, 9*(4), 480-498.

Stueve, A., & O'Donnell, L. N. (2005). Early alcohol initiation and subsequent sexual and alcohol risk behaviors among urban youths. *American Journal of Public Health, 95,* 887-893.

Stuttering Foundation. (2006). *Stuttering: Straight talk for teachers* (Pub. No. 0125). Memphis, TN: Author.

Substance Abuse and Mental Health Services Administration (SAMHSA). (2004, October 22). Alcohol dependence or abuse and age at first use. *The NSDUH Report.* Retrieved December 18, 2004, from http://oas.samhsa.gov/2k4/ageDependence/ageDependence.htm

Substance Abuse and Mental Health Services Administration (SAMHSA), Office of Applied Studies. (2006). Academic performance and substance use among students aged 12 to 17: 2002, 2003, and 2004. *The NSDUH Report* (Issue 18). Rockville, MD: Author.

Sue, S., & Okazaki, S. (1990). Asian-American educational achievements: A phenomenon in search of an explanation. *American Psychologist 45*(8), 913-920.

Suicide—Part I. (1996, November). *The Harvard Mental Health Letter,* pp. 1-5.

Sun, Y. (2001). Family environment and adolescents' well-being before and after parents' marital disruption. *Journal of Marriage and the Family, 63,* 697-713.

Sundet, J., Barlaug, D., & Torjussen, T. (2004). The end of the Flynn Effect? A study of secular trends in mean intelligence test scores of Norwegian conscripts during half a century. *Intelligence, 32,* 349-362.

Suomi, S., & Harlow, H. (1972). Social rehabilitation of isolate-reared monkeys. *Developmental Psychology, 6,* 487-496.

Surkan, P. J., Stephansson, O., Dickman, P. W., & Cnattingius, S. (2004). Previous preterm and small-for-gestational-age births and the subsequent risk of stillbirth. *New England Journal of Medicine, 350,* 777-785.

Susman, E. J., & Rogol, A. (2004). Puberty and psychological development. In R. M. Lerner & L. Steinberg (Eds.), *Handbook of adolescent psychology* (2nd ed., pp. 15-44). Hoboken, NJ: Wiley.

Susman-Stillman, A., Kalkoske, M., Egeland, B., & Waldman, I. (1996). Infant temperament and maternal sensitivity as predictors of attachment security. *Infant Behavior and Development, 19,* 33-47.

Susser, E. S., & Lin, S. P. (1992). Schizophrenia after prenatal exposure to the Dutch hunger winter of 1944-1945. *Archives of General Psychiatry, 49,* 983-988.

Suzuki, L. A., & Valencia, R. R. (1997). Race-ethnicity and measured intelligence: Educational implications. *American Psychologist, 52,* 1103-1114.

Swain, I., Zelano, P., & Clifton, R. (1993). Newborn infants' memory for speech sounds retained over 24 hours. *Developmental Psychology, 29,* 312-323.

Swain, I. U., Zelazo, P. R., & Clifton, R. K. (1993). Newborn infants' memory for speech sounds retained over 24 hours. *Developmental Psychology, 29,* 312-323.

Swain, J. E., Tasgin, E., Mayes, L. C., Feldman, R., Constable, R. T., & Leckman, J. F. (2008). Maternal brain response to own baby-cry is affected by cesarean section delivery. *Journal of Child Psychology and Psychiatry, 49,* 1042-1052.

Swallen, K. C., Reither, E. N., Haas, S. A., & Meier, A. M. (2005). Overweight, obesity, and health-related quality of life among adolescents: The National Longitudinal Study of Adolescent Health. *Pediatrics, 115,* 340-347.

Swamy, G. K., Ostbye, T., & Skjaerven, R. (2008). Association of preterm birth with long-term survival, reproduction, and next-generation preterm birth. *Journal of the American Medical Association, 299,* 1429-1436.

Swan, S. H., Kruse, R. L., Liu, F., Barr, D. B., Drobnis, E. Z., Redmon, J. B., et al. (2003). Semen quality in relation to biomarkers of pesticide exposure. *Environmental Health Perspectives, 111,* 1478-1484.

Swanston, H. Y., Tebbutt, J. S., O'Toole, B. I., & Oates, R. K. (1997). Sexually abused children 5 years after presentation: A case-control study. *Pediatrics, 100,* 600-608.

Swarr, A. E., & Richards, M. H. (1996). Longitudinal effects of adolescent girls' pubertal development, perceptions of pubertal timing, and parental relations on eating problems. *Developmental Psychology, 32,* 636-646.

Swedo, S., Rettew, D. C., Kuppenheimer, M., Lum, D., Dolan, S., & Goldberger, E. (1991). Can adolescent suicide attemptors be distinguished from at-risk adolescents? *Pediatrics, 88*(3), 620-629.

Swingley, D. (2008). The roots of the early vocabulary in infants' learning from speech. *Current Directions in Psychological Science, 17,* 308-312.

Swingley, D., & Fernald, A. (2002). Recognition of words referring to present and absent objects by 24-month olds. *Journal of Memory and Language, 46,* 39-56.

Szaflarski, J. P., Holland, S. K., Schmithorst, V. J., & Weber-Byars, A. (2004). *An fMRI study of cerebral language lateralization in 121 children and adults.* Paper presented at the 56th Annual Meeting of the American Academy of Neurology, San Francisco, CA.

Szatmari, P., Paterson, A. D., Zwaigenbaum, L., Roberts, W., Brian, J., Liu, X.-Q., et al. (2007). Mapping autism risk loci using genetic linkage and chromosomal rearrangements. *Nature Genetics, 39,* 319-328.

Szkrybalo, J., & Ruble, D. N. (1999). God made me a girl: Sex category constancy judgments and explanations revisited. *Developmental Psychology, 35,* 392-403.

Tackett, J. L., Krueger, R. F., Iacono, W. G., & McGue, M. (2005). Symptom-based subfactors of DSM-defined conduct disorder: Evidence for etiologic distinctions. *Journal of Abnormal Psychology, 114,* 483-487.

Tamis-LeMonda, C. S., Bornstein, M. H., & Baumwell, L. (2001). Maternal responsiveness and children's achievement of language milestones. *Child Development, 72*(3), 748-767.

Tamis-LeMonda, C. S., Shannon, J. D., Cabrera, N. J., & Lamb, M. E. (2004). Fathers and mothers at play with their 2-and 3-year-olds: Contributions to language and cognitive development. *Child Development, 75,* 1806-1820.

Tanda, G., Pontieri, F. E., & DiChiara, G. (1997). Cannabinoid and heroin activation of mesolimbic dopamine transmission by a common N1 opiod receptor mechanism. *Science, 276,* 2048-2050.

Tao, K.-T. (1998). An overview of only child family mental health in China. *Psychiatry and Clinical Neurosciences, 52*(Suppl.), S206-S211.

Tarkan, L. (2005, November 22). Screening for abnormal embryos can offer hope after heartbreak. *New York Times.*

Taveras, E. M., Capra, A. M., Braveman, P. A., Jensvold, N. G., Escobar, G. J., & Lieu, T. A. (2003). Clinician support and psychosocial risk factors associated with breastfeeding discontinuation. *Pediatrics, 112,* 108-115.

Taylor, C. A., Lee, S. J., Guterman, N. B., & Rice, J. C. (2010). Use of spanking for 3-year-old children and associated intimate partner aggression or violence. *Pediatrics, 126*(3), 415-424. doi: 10.1542/peds.2010-0314

Taylor, M. (1997). The role of creative control and culture in children's fantasy/reality judgments. *Child Development, 68,* 1015-1017.

Taylor, M., & Carlson, S. M. (1997). The relation between individual differences in fantasy and theory of mind. *Child Development, 68,* 436-455.

Taylor, M., Carlson, S. M., Maring, B. L., Gerow, L., & Charley, C. M. (2004). The characteristics and correlates of fantasy in school-age children: Imaginary companions, impersonation, and social understanding. *Developmental Psychology, 40,* 1173-1187.

Taylor, M., Cartwright, B. S., & Carlson, S. M. (1993). A developmental investigation of children's imaginary companions. *Developmental Psychology, 28,* 276-285.

Taylor, R. D., & Roberts, D. (1995). Kinship support in maternal and adolescent well-being in economically disadvantaged African-American families. *Child Development, 66,* 1585-1597.

Teachers Resisting Unhealthy Children's Entertainment (TRUCE). (2008). *Media action guide.* Retrieved April 15, 2010, from www.truceteachers.org/mediaviolence.html

Teachman, J. D., Tedrow, L. M., & Crowder, K. D. (2000). The changing demography of America's families. *Journal of Marriage and Family, 62,* 1234-1246.

Teasdale, T. W., & Owen, D. R. (2008). Secular declines in cognitive test scores: A reversal of the Flynn effect. *Intelligence, 36,* 121-126.

Temple, J. A., Reynolds, A. J., & Miedel, W. T. (2000). Can early intervention prevent high school dropout? Evidence from the Chicago Child-Parent Centers. *Urban Education, 35*(1), 31-57.

Tenenbaum, H., & Leaper, C. (2002). Are parents' gender schemas related to their children's gender-related cognitions? A meta-analysis. *Developmental psychology, 38*(4), 615-630.

Tenenbaum, H. R., & Leaper, C. (2003). Parent-child conversations about science: The socialization of gender inequities. *Developmental Psychology, 39*(1), 34-47.

Termine, N. T., & Izard, C. E. (1988). Infants' responses to their mothers' expressions of joy and sadness. *Developmental Psychology, 24,* 223-229.

Tester, D. J., Carturan, E., Dura, M., Reiken, S., Wronska, A., Marks, A. R., & Ackerman, M. J. (2006, May). *Molecular and functional characterization of novel RyR2-encoded cardiac ryanodine receptor/calcium release channel mutations in sudden infant death syndrome.* Presentation at Heart Rhythm 2006, the 27th annual scientific sessions of the Heart Rhythm Society, Boston.

Test-tube baby: It's a girl. (1978, August 7). *Time,* p. 68.

Teti, D. M., & Ablard, K. E. (1989). Security of attachment and infant-sibling relationships: A laboratory study. *Child Development, 60,* 1519-1528.

Teti, D. M., Bo-Ram, K., Mayer, G., & Countermine, M. (2010). Maternal emotional availability at bedtime predicts infant sleep quality. *Journal of Family Psychology, 24*(3), 307-315.

Teti, D. M., Gelfand, D. M., Messinger, D. S., & Isabella, R. (1995). Maternal depression and the quality of early attachment: An examination of infants, preschoolers, and their mothers. *Developmental Psychology, 31,* 364-376.

Teti, D. M., Sakin, J. W., Kucera, E., Corns, K. M., & Eiden, R. D. (1996). And baby makes four: Predictors of attachment security among preschool-age firstborns during the transition to siblinghood. *Child Development, 67,* 579-596.

Thapar, A., Fowler, T., Rice, F., Scourfield, J., van den Bree, M., Thomas, H., Harold, G., & Hay, D. (2003). Maternal smoking during pregnancy and attention deficit hyperactivity disorder symptoms in offspring. *American Journal of Psychiatry, 160,* 1985-1989.

Thapar, A., Langley, K., Fowler, T., Rice, F., Turic, D., Whittinger, N., et al. (2005). Catechol O-methyltransferase gene variant and birth weight predict early-onset antisocial behavior in children with attention-deficit/hyperactivity disorder. *Archives of General Psychiatry, 62,* 1275-1278.

The Early College High School Initiative. (n.d.). Retrieved March 31, 2004, from www.earlycolleges.org

The First Test-tube baby. (1978, July 31). *Time,* pp. 58-70.

Thelen, E. (1995). Motor development: A new synthesis. *American Psychologist, 50*(2), 79-95.

Thelen, E., & Fisher, D. M. (1982). Newborn stepping: An explanation for a "disappearing" reflex. *Developmental Psychology, 18,* 760-775.

Thelen, E., & Fisher, D. M. (1983). The organization of spontaneous leg movements in newborn infants. *Journal of Motor Behavior, 15,* 353-377.

Thoma, S. J., & Rest., J. R. (1999). The relationship between moral decision making and patterns of consolidation and transition in moral judgment development. *Developmental Psychology, 35,* 323-334.

Thomas, A., & Chess, S. (1977). *Temperament and development.* New York: Brunner/Mazel.

Thomas, A., & Chess, S. (1984). Genesis and evolution of behavioral disorders: From infancy to early adult life. *American Journal of Orthopsychiatry, 141*(1), 1-9.

Thomas, A., Chess, S., & Birch, H. G. (1968). *Temperament and behavior disorders in children.* New York: New York University Press.

Thomas, W. P., & Collier, V. P. (1997). *School effectiveness for language minority students.* Washington, DC: National Clearinghouse for Bilingual Education.

Thomas, W. P., & Collier, V. P. (1998). Two languages are better than one. *Educational Leadership, 55*(4), 23-28.

Thompson, L. A., Goodman, D. C., Chang, C-H., & Stukel, T. A. (2005). Regional variation in rates of low birth weight. *Pediatrics, 116,* 1114-1121.

Thompson, P. M., Cannon, T. D., Narr, K. L., van Erp, T., Poutanen, V., Huttunen, M., et al. (2001). Genetic influences on brain structure. *Nature Neuroscience, 4,* 1253-1258.

Thompson, P. M., Giedd, J. N., Woods, R. P., MacDonald, D., Evans, A. C., & Toga, A. W. (2000). Growth patterns in the developing brain detected by using continuum mechanical tensor maps. *Nature, 404,* 190-193.

Thompson, R. A. (1990). Vulnerability in research: A developmental perspective on research risk. *Child Development, 61,* 1-16.

Thompson, R. A. (1991). Emotional regulation and emotional development. *Educational Psychology Review, 3,* 269-307.

Thompson, R. A. (1998). Early sociopersonality development. In W. Damon (Series Ed.) & N. Eisenberg (Vol. Ed.), *Handbook of child psychology: Vol. 3. Social, emotional, and personality development* (4th ed., pp. 25-104). New York: Wiley.

Thompson, R. A. (2011). Emotion and emotion regulation: Two sides of the developing coin. *Emotion Review, 3*(1), 53-61.

Thompson, W. W., Price, C., Goodson, B., Shay, D. K., Benson, P., Hinrichsen, V. L., et al. (2007). Early thimerosal exposure and neuropsychological outcomes at 7 to 10 years. *New England Journal of Medicine, 357,* 1281-1292.

Thomson, E., Mosley, J., Hanson, T. L., & McLanahan, S. S. (2001). Remarriage, cohabitation, and changes in mothering behavior. *Journal of Marriage and Family, 63,* 370-380.

Thorne, A., & Michaelieu, Q. (1996). Situating adolescent gender and self-esteem with personal memories. *Child Development, 67,* 1374-1390.

Tidwell, L. C., & Walther, J. B. (2002). Computer-mediated communication effects on disclosure, impressions, and interpersonal evaluations: Getting to know one another a bit at a time. *Human Communication Research, 28*(3), 317-348.

Tincoff, R., & Jusczyk, P. W. (1999). Some beginnings of word comprehension in 6-month-olds. *Psychological Science, 10,* 172-177.

Tisdale, S. (1988). The mother. *Hippocrates, 2*(3), 64-72.

Tita, A.T.N., Landon, M. B., Spong, C. Y., Lai, Y., Leveno, K. J., Varner, M. W., et al. (2009). Timing of elective repeat cesarean delivery at term and neonatal outcomes. *New England Journal of Medicine, 360,* 111-120.

Tither, J., & Ellis, B. (2008) Impact of fathers on daughter's age at menarche: A genetically and environmentally controlled sibling study. *Developmental Psychology, 44*(5), 1409-1420.

Toga, A., & Thompson, P. M. (2005). Genetics of brain structure and intelligence. *Annual Review of Neurology, 28,* 1-23.

Toga, A. W., Thompson, P. M., & Sowell, E. R. (2006). Mapping brain maturation. *Trends in Neurosciences, 29*(3), 148-159.

Tolan, P. H., Gorman-Smith, D., & Henry, D. B. (2003). The developmental ecology of urban males' youth violence. *Developmental Psychology, 39,* 274-291.

Tomasello, M. (2007). Cooperation and communication in the 2nd year of life. *Child Development Perspectives, 1,* 8-12.

Tomasello, M., Carpenter, M., & Liszkowski, U. (2007). A new look at infant pointing. *Child Development, 78,* 705-722.

Tomashek, K. M., Hsia, J., & Iyasu, S. (2003). Trends in postneonatal mortality attributable to injury, United States, 1988-1998. *Pediatrics, 111,* 1215-1218.

Torrance, E. P. (1966). *The Torrance Tests of Creative Thinking: Technical norms manual* (Research ed.). Princeton, NJ: Personnel Press.

Torrance, E. P. (1974). *The Torrance Tests of Creative Thinking: Technical norms manual.* Bensonville, IL: Scholastic Testing Service.

Torrance, E. P., & Ball, O. E. (1984). *Torrance Tests of Creative Thinking: Streamlined (revised) manual, Figural A and B.* Bensonville, IL: Scholastic Testing Service.

Totsika, V., & Sylva, K. (2004). The Home Observation for Measurement of the Environment revisited. *Child and Adolescent Mental Health, 9,* 25-35.

Townsend, N. W. (1997). Men, migration, and households in Botswana: An exploration of connections over time and space. *Journal of Southern African Studies, 23,* 405-420.

Trautner, H. M., Ruble, D. N., Cyphers, L., Kirsten, B., Behrendt, R., & Hartmann, P. (2005). Rigidity and flexibility of gender stereotypes in childhood: Developmental or differential? *Infant and Child Development, 14*(4), 365-381.

Tremblay, R. E., Nagin, D. S., Séguin, J. R., Zoccolillo, M., Zelazo, P. D., Boivin, M., et al. (2004). Physical aggression during early childhood: Trajectories and predictors. *Pediatrics, 114,* e43-e50.

Trimble, J. E., & Dickson, R. (2005). Ethnic gloss. In C. B. Fisher & R. M. Lerner (Eds.), *Encyclopedia of applied developmental science* (Vol. 1, pp. 412-415). Thousand Oaks, CA: Sage.

Trionfi, G., & Reese, E. (2009). A good story: Children with imaginary companions create richer narratives. *Child Development, 80*(4), 1301-1313.

Troiano, R. P. (2002). Physical inactivity among young people. *New England Journal of Medicine, 347.*

Tronick, E. (1972). Stimulus control and the growth of the infant's visual field. *Perception and Psychophysics, 11,* 373-375.

Tronick, E., Als, H., Adamson, L., Wise, S., & Brazelton, T. B. (1978). The infant's response to entrapment between contradictory messages in face-to-face interaction. *Journal of the American Academy of Child Psychiatry, 17*(1), 1-13.

Tronick, E. Z. (1989). Emotions and emotional communication in infants. *American Psychologist, 44*(2), 112-119.

Tronick, E. Z., Morelli, G. A, & Ivey, P. (1992). The Efe forager infant and toddler's pattern of social relationships: Multiple and simultaneous. *Developmental Psychology, 28,* 568-577.

Troseth, G. L., & DeLoache, J. S. (1998). The medium can obscure the message: Young children's understanding of video. *Child Development, 69,* 950-965.

Troseth, G. L., Saylor, M. M., & Archer, A. H. (2006). Young children's use of video as a source of socially relevant information. *Child Development, 77,* 786-799.

Tryba, A. K., Peña, F., & Ramirez, J. M. (2006). Gasping activity in vitro: A rhythm dependent on 5-HT2A receptors. *Journal of Neuroscience, 26*(10), 2623-2634.

Tsao, F. M., Liu, H. M., & Kuhl, P. K. (2004). Speech perception in infancy predicts language development in the second year of life: A longitudinal study. *Child Development, 75*, 1067-1084.

Tsuchiya, K., Matsumoto, K., Miyachi, T., Tsujii, M., Nakamura, K., Takagai, S., et al. (2008). Paternal age at birth and high-functioning autistic-spectrum disorder in offspring. *British Journal of Psychiatry, 193*, 316-321.

Tupler, L. A., & De Bellis, M. D. (2006). Segmented hippocampal volute in children and adolescents with posttraumatic stress disorder. *Biological Psychiatry, 59*, 523-529.

Turati, C., Simion, F., Milani, I., & Umilta, C. (2002). Newborns' preference for faces: What is crucial? *Developmental Psychology, 38*, 875-882.

Turkheimer, E., Haley, A., Waldron, J., D'Onofrio, B., & Gottesman, I. I. (2003). Socioeconomic status modifies heritability of IQ in young children. *Psychological Science, 14*, 623-628.

Turkle, S. (2011). *Alone together: Why we expect more from technology and less from each other.* New York: Basic Books.

Turner, P. J., & Gervai, J. (1995). A multidimensional study of gender typing in preschool children and their parents: Personality, attitudes, preferences, behavior, and cultural differences. *Developmental Psychology, 31*, 759-772.

Turrisi, R., Wiersman, K. A., & Hughes, K. K. (2000). Binge-drinking-related consequences in college students: Role of drinking beliefs and mother-teen communication. *Psychology of Addictive Behaviors, 14*(4), 342-345.

Twenge, J. M. (2000). The age of anxiety? Birth cohort change in anxiety and neuroticism, 1952-1993. *Journal of Personality and Social Psychology, 79*, 1007-1021.

Twenge, J. M., Campbell, W. K., & Foster, C. A. (2003). Parenthood and marital satsifaction: A meta-analytic review. *Journal of Marriage and Family, 65*, 574-583.

UNAIDS. (2006). *Report on the global AIDS epidemic.* Geneva: Author.

United Nations Children's Fund (UNICEF). (2007). *The state of the world's children 2008: Child survival.* New York: Author.

United Nations Children's Fund. (UNICEF). (2008a). *State of the world's children: Child survival.* Retrieved from www.unicef.org/sowc08/

United Nations Children's Fund (UNICEF). (2008b). *State of the world's children 2009: Maternal and newborn health.* New York: Author.

United Nations Children's Fund (UNICEF). (2009). *Worldwide deaths of children under five decline, continuing positive trend.* Retrieved from www.unicef.org/childsurvival/index_51095.html

United Nations Children's Fund (UNICEF). (2012). *State of the World's Children 2012: Children in an Urban World.* New York: Author.

United Nations Children's Fund (UNICEF) and World Health Organization (WHO). (2004). *Low birthweight: Country, regional and global estimates.* New York: UNICEF.

United Nations High Commissioner for Human Rights. (1989, November 20). *Convention on the Rights of the Child.* General Assembly Resolution 44/25.

United States Breastfeeding Committee. (2002). *Benefits of breastfeeding.* Raleigh, NC: Author.

University of Virginia Health System. (2004). *How chromosome abnormalities happen: Meiosis, mitosis, maternal age, environment.* Retrieved September 16, 2004, from www.healthsystem.virginia.edu/UVAHealth/peds_genetics/happen.cfm

U.S. Bureau of Labor Statistics. (2008a, May 30). *Employment characteristics of families in 2007.* [News release]. Washington, DC: U.S. Department of Labor.

U.S. Bureau of Labor Statistics. (2008b). *Women in the labor force: A databook* (Report 1011). Washington, DC: U.S. Department of Labor.

U.S. Bureau of Labor Statistics. (2012, April 26). Employment characteristics of families in 2011. [News release]. Washington, DC: U.S. Department of Labor. (http://www.bls.gov/news.release/famee.nr0.htm).

U.S. Census Bureau. (2001, September 7; revised November 17, 2008). *Multigenerational households number 4 million according to Census 2000.* [Press release]. Retrieved January 23, 2009, from www.census.gov/Press-Release/www/releases/archives/aging_population/000374.html

U.S. Census Bureau. (2008a, August 14). *An older and more diverse nation by midcentury.* [Press release]. Retrieved November 8, 2008, from hwww/census.gov/PressRelease/www/releases/archives/population/012496.html

U.S. Census Bureau. (2008b). *Who's minding the kids? Child care arrangements: Spring 2005.* Washington, DC: U.S. Census Bureau, Housing and Household Economic Statistics Division, Fertility & Family Statistics Branch.

U.S. Census Bureau. (2009a). *Births, deaths, and life expectancy by country or area, Table 3.* Washington, DC: U.S. Census Bureau, International Data Base. Retrieved from www.census.gov/compendia/statab/2010/tables/10s1303.xls

U.S. Census Bureau. (2009b). School enrollment in the United States, 2007, Table 1: Enrollment status of the population 3 years old and over, by sex, age, race, Hispanic origin, foreign born, and foreign-born parentage: October 2007, Hispanic. *School enrollment—social and economic characteristics of students: October 2007.* Washington, DC: Author.

U.S. Census Bureau. (2009c). School enrollment in the United States, 2007, Table 3. Nursery and primary school enrollment of people 3 to 6 years old, by control of school, attendance status, age, race, Hispanic origin, mother's labor force status and education, and family income. *School enrollment—social and economic chracteristics of students: October 2007.* Washington, DC: Author.

U.S. Census Bureau. (2009d). *Census bureau estimates nearly half of children under age 5 are minorities.* Retrieved November 20, 2012, from www.census.gov/newsroom/releases/archives/population/cb09-75.html

U.S. Department of Agriculture & U.S. Department of Health and Human Services (USDHHS). (2000). *Dietary guidelines for Americans* (5th ed.). [USDA Home and Garden Bulletin No. 232]. Washington, DC: U.S. Department of Agriculture.

U.S. Department of Agriculture & U.S. Department of Health and Human Services (USDHHS). (2005). *Dietary guidelines for Americans, 2005.* Washington, DC: U.S. Government Printing Office.

U.S. Department of Agriculture Economic Research Service. (2011). *Food security stats of U. S. households in 2011.* Retrieved April 1, 2013, from http://www.ers.usda.gov/topics/food-nutrition-assistance/food-security-in-the-us/key-statistics-graphics.aspx#foodsecure

U.S. Department of Education Institute of Education Sciences. (2008). *K-12 practitioners' circle.* Retrieved April 15, 2010, from http://nces.ed.gov/practitioners/parents.asp

U.S. Department of Education, National Center for Education Statistics. (2004). *Early Childhood Longitudinal Study, Birth Cohort, Restricted-Use File (NCES 2004-093).*

U.S. Department of Education, National Center for Education Statistics, Integrated Postsecondary Education Data System (IPEDS). (2010, Fall). *Graduate fields of study.* Retrieved from http://nces.ed.gov/programs/coe/indicator_gfs.asp

U.S. Department of Energy Office of Science, Office of Biological and Environmental Research, Human Genome Program. (2008a). *Human genome project information: Gene testing.* Retrieved December 22, 2008, from www.ornl.gov/sci/techresources/Human_Genome/medicine/genetest.shtml

U.S. Department of Energy Office of Science, Office of Biological and Environmental Research, Human Genome Program. (2008b). *Human genome project information: Gene therapy.* Retrieved August 16, 2008, from www.ornl.gov/sci/techresources/Human_Genome/medicine/genetherapy.shtml

U.S. Department of Health and Human Services (USDHHS). (1996a). *Health, United States, 1995* (DHHS Publication No. PHS 96-1232). Washington, DC: U.S. Government Printing Office.

U.S. Department of Health and Human Services (USDHHS). (1996b). *HHS releases study of relationship between family structure and adolescent substance abuse.* [Press release]. Retrieved from www.hhs.gov

U.S. Department of Health and Human Services (USDHHS). (1999a). *Blending perspectives and building common ground: A report to Congress on substance abuse and child protection.* Washington, DC: U.S. Government Printing Office.

U.S. Department of Health and Human Services (USDHHS). (1999b). *Mental health: A report of the Surgeon General.* Rockville, MD: U.S. Department of Health and Human Services, Substance Abuse and Mental Health Services Administration, National Institutes of Health, National Institute of Mental Health.

U.S. Department of Health and Human Services (USDHSS). (2001). *Oral health in America: A report of the Surgeon General* (NIH Publication No. 00-4713). Rockville, MD: U.S. Department of Health and Human Services, Insitute of Dental and Craniofacial Research.

U.S. Department of Health and Human Services (USDHHS). (2003a). *State funded pre-kindergarten: What the evidence shows.* Retrieved from http://aspe.hhs.gov/hsp/state-funded-pre-k/index.htm

U.S. Department of Health and Human Services (USDHHS). (2003b). *Strengthening Head Start: What the evidence shows.* Retrieved from http://aspe.hhs.gov/hsp/StrengthenHeadStart03/index.htm

U.S. Department of Health and Human Services (USDHHS), Administration on Children, Youth, and Families. (2006). *Child maltreatment 2004.* Washington, DC: U.S. Government Printing Office.

U.S. Department of Health and Human Services (USDHHS), Administration on Children, Youth and Families. (2008). *Child maltreatment 2006.* Washington, DC: U.S. Government Printing Office.

U.S. Department of Health and Human Services (USDHHS), Office on Child Abuse and Neglect. (2009). *Protecting children in families affected by substance abuse disorders.* Retrieved February 15, 2012, from www.childwelfare.gov/pubs/usermanuals/substanceuse/substanceuse.pdf

US Department of Health and Human Services (USDHHS). (2012). *Youth risk behavior surveillance: United States 2011.* MMWR Surveillance Summaries, 61(4): Table 65. Retrieved April 12, 2013, from http://www.cdc.gov/mmwr/pdf/ss/ss6104.pdf

U.S. National Library of Medicine. National Institutes of Health. Topiramate monograph. Retrieved February 5, 2012, from http://www.nlm.nih.gov/medlineplus/druginfo/meds/a697012.html.

U. S. Preventive Services Task Force. (2006). Screening for speech and language delay in preschool children: Recommendation statement. *Pediatrics, 117,* 497-501.

Vainio, S., Heikkiia, M., Kispert, A., Chin, N., & McMahon, A. P. (1999). Female development in mammals is regulated by Wnt-4 signaling. *Nature, 397,* 405-409.

Valadez-Meltzer, A., Silber, T. J., Meltzer, A. A., & D'Angelo, L. J. (2005). Will I be alive in 2005? Adolescent level of involvement in risk behaviors and belief in near-future death. *Pediatrics, 116,* 24-31.

Valkenburg, P., & Peter, J. (2009). Social consequences of the Internet for adolescents: A decade of research. *Current Directions in Psychological Science, 18*(11), 1-5.

Valkenburg, P. M., & Peter, J. (2007). Preadolescents and adolescents' online communication and their closeness to friends. *Developmental Psychology, 43,* 267-277.

Van, P. (2001). Breaking the silence of African American women: Healing after pregnancy loss. *Health Care Women International, 22,* 229-243.

Van den Boom, D. C. (1989). Neonatal irritability and the development of attachment. In G. A. Kohnstamm, J. E. Bates, & M. K. Rothbart (Eds.), *Temperament in childhood* (pp. 299-318). Chichester, UK: Wiley.

Van den Boom, D. (1994). The influence of temperament and mothering on attachment and exploration: An experimental manipulation of sensitive responsiveness among lower-class mothers with irritable infants. *Child Development, 65,* 1457-1477.

van Goozen, S., Fairchild, G., Snoek, H., & Harold, G. (2007). The evidence for a neurobiological model of childhood antisocial behavior. *Psychological Bulletin, 133,* 149-182.

van IJzendoorn, M. H., & Bakermans-Kranenburg, M. J. (2006). DRD47-repeat polymorphism moderates the association between maternal unresolved loss or trauma and infant disorganization. *Attachment & Human Development, 8*(4), 291-307.

van IJzendoorn, M. H., & Juffer, F. (2005). Adoption is a successful natural intervention enhancing adopted children's IQ and school performance. *Current Directions in Psychological Science, 14,* 326-330.

van IJzendoorn, M. H., Juffer, F., & Poelhuis, C.W.K. (2005). Adoption and cognitive development: A meta-analytic comparison of adopted and nonadopted children's IQ and school performance. *Psychological Bulletin, 131,* 301-316.

van IJzendoorn, M. H., & Kroonenberg, P. M. (1988). Cross-cultural patterns of attachment: A meta-analysis of the Strange Situation. *Child Development, 59,* 147-156.

van IJzendoorn, M. H., & Sagi, A. (1997). Cross-cultural patterns of attachment: Universal and contextual dimensions. In J. Cassidy & P. R. Shaver (Eds.), *Handbook on attachment theory and research* (pp. 713-734). New York: Guilford Press.

van IJzendoorn, M. H., & Sagi, A. (1999). Cross-cultural patterns of attachment: Universal and contextual dimensions. In J. Cassidy & P. R. Shaver (Eds.), *Handbook of attachment: Theory, research, and clinical applications* (pp. 713-734). New York: Guilford Press.

van IJzendoorn, M. H., Schuengel, C., & Bakermans-Kranenburg, M. J. (1999). Disorganized attachment in early childhood: Meta-analysis of precursors, concomitants, and sequelae. *Development and Psychopathology, 11,* 225-250.

van IJzendoorn, M. H., Vereijken, C.M.J.L., Bakermans-Kranenburg, M. J., & Riksen-Walraven, J. M. (2004). Assessing attachment security with the Attachment Q Sort: Meta-analytic evidence for the validity of the observer AQS. *Child Development, 75,* 1188.

Van Voorhis, B. J. (2007). In vitro fertilization. *New England Journal of Medicine, 356,* 379-386.

Vance, M. L., & Mauras, N. (1999). Growth hormone therapy in adults and children. *New England Journal of Medicine, 341*(16), 1206-1216.

Vandell, D. L. (2000). Parents, peer groups, and other socializing influences. *Developmental Psychology, 36,* 699-710.

Vandell, D. L., & Bailey, M. D. (1992). Conflicts between siblings. In C. U. Shantz & W. W. Hartup (Eds.), *Conflict in child and adolescent development* (pp. 242-269). New York: Cambridge University Press.

Vandewater, E. A., Rideout, V. J., Wartella, E. A., Huang, X., Lee, J. H., & Shim, M.-s. (2007). Digital childhood: Electronic media and technology use among infants, toddlers, and preschoolers. *Pediatrics, 119,* e1006-e1015.

Varendi, H., Porter, R. H., & Winberg J. (1997). Natural odour preferences of newborn infants change over time. *Acta Paediatrica, 86,* 985-990.

Vargha-Khadem, F., Gadian, D. G., Watkins, K. E., Connelly, A., Van Paesschen, W., & Mishkin, M. (1997). Differential effects of early hippocampal pathology on episodic and semantic memory. *Science, 277,* 376-380.

Vasilyeva, M., & Huttenlocher, J. (2004). Early development of scaling ability. *Developmental Psychology, 40,* 682-690.

Vasilyeva, M., Huttenlocher, J., & Waterfall, H. (2006). Effects of language intervention on syntactic skill levels in preschoolers. *Developmental Psychology, 42,* 164-174.

Vaughn, B. E., Stevenson-Hinde, J., Waters, E., Kotsaftis, A., Lefever, G. B., Shouldice, A., et al. (1992). Attachment security and temperament in infancy and early childhood: Some conceptual clarifications. *Developmental Psychology, 28,* 463-473.

Veenstra, R., Lindenberg, S., Oldehinkel, A. J., De Winter, A. F., Verhulst, F. C., & Ormel, J. (2005). Bullying and victimization in elementary schools: A comparison of bullies, victims, bully/victims, and uninvolved preadolescents. *Developmental Psychology, 41,* 672-682.

Ventura, A. K., & Mennella, J. A. (2011). Innate and learned preferences for sweet taste during childhood. *Current Opinion in Clinical Nutrition and Metabolic Care, 14*(4), 379-384.

Ventura, S. J., Mathews, T. J., & Hamilton, B. E. (2001). Births to teenagers in the United States, 1940-2000. *National Vital Statistics Reports, 49*(10). Hyattsville, MD: National Center for Health Statistics.

Vereecken, C., & Maes, L. (2000). Eating habits, dental care and dieting. In C. Currie, K. Hurrelmann, W. Settertobulte, R. Smith, & J. Todd (Eds.), *Health and health behaviour among young people: A WHO cross-national study (HBSC) international report* (pp. 83-96). [WHO Policy Series: Healthy Policy for Children and Adolescents, Series No. 1]. Copenhagen, Denmark: World Health Organization Regional Office for Europe.

Verlinsky, Y., Rechitisky, S., Verlinsky, O., Masciangelo, C., Lederer, K., & Kuliev, A. (2002). Preimplantation diagnosis for early onset Alzheimer disease caused by V717L mutation. *Journal of the American Medical Association, 287,* 1018-1021.

Verma, S., & Larson, R. (2003). Editors' notes. In S. Verma & R. Larson (Eds.), Chromosomal congenital anomalies and residence near hazardous waste landfill sites. *Lancet, 359,* 320-322.

Verschueren, K., Buyck, P., & Marcoen, A. (2001). Self-representations and socioemotional competence in young children: A 3-year longitudinal study. *Developmental Psychology, 37,* 126-134.

Verschueren, K., Marcoen, A., & Schoefs, V. (1996). The internal working model of the self, attachment, and competence in five-year-olds. *Child Development, 67,* 2493-2511.

Vgontzas, A. N., & Kales, A. (1999). Sleep and its disorders. *Annual Review of Medicine, 50,* 387-400.

Viner, R. M., & Cole, T. J. (2005). Television viewing in early childhood predicts adult body mass index. *Journal of Pediatrics, 147,* 429-435.

Vitaro, F., Tremblay, R. E., Kerr, M., Pagani, L., & Bukowski, W. M. (1997). Disruptiveness, friends' characteristics, and delinquency in early adolescence: A test of two competing models of development. *Child Development, 68,* 676-689.

Vittone, M. (2010, June 16). *Drowning doesn't look like drowning.* Retrieved from http:// gcaptain.com/maritime/blog/drowning/?10981

Vohr, B. R., Wright, L. L., Poole, K., & McDonald, S. A. for the NICHD Neonatal Research Network Follow-up Study. (2005). Neurodevelopmental outcomes of extremely low birth weight infants = 30 weeks' gestation between 1993 and 1998. *Pediatrics, 116,* 635-643.

Volkow, N., Wang, G-J., Newcorn, J., Telang, F., Solanto, M. V., Fowler, J. S., et al. (2007). Depressed dopamine activity in caudate and preliminary evidence of limbic involvement in adults with attention-deficit/hyperactivity disorder. *Archives of General Psychiatry, 64,* 932-940.

Vondra, J. I., & Barnett, D. (1999). A typical attachment in infancy and early childhood among children at developmental risk. *Monographs of the Society for Research in Child Development, 64*(3). [Serial No. 258].

von Gontard, A., Heron, J., & Joinson, C. (2011). Family history of nocturnal enuresis and urinary incontinence: Results from a large epidemiological study. *The Journal of Urology, 185*(6), 2303-2307.

von Hofsten, C. (2004). An action perspective on motor development. *Cognitive Sciences, 8*(1), 266-272.

Vosniadou, S. (1987). Children and metaphors. *Child Development, 58,* 870-885.

Votruba-Drzal, E., Li-Grining, C. R., & Maldonado-Carreno, C. (2008). A developmental perspective on full-versus part-day kindergarten and children's academic trajectories through fifth grade. *Child Development, 79,* 957-978.

Vrijenhoek, T., Buizer-Voskamp, J. E., van der Stelt, I., Strengman, E., Sabatti, C., van Kessel, A. G., et al. (2008). Recurrent CNVs disrupt three candidate genes in schizophrenia patients. *American Journal of Human Genetics, 83,* 504-510.

Vrijheld, M., Dolk, H., Armstrong, B., Abramsky, L., Bianchi, F., Fazarinc, I., et al. (2002). Chromosomal congenital anomalies and

residence near hazardous waste landfill sites. *The Lancet, 359*(9303), 320-322.

Vuchinich, S., Angelelli, J., & Gatherum, A. (1996). Context and development in family problem solving with preadolescent children. *Child Development, 67,* 1276-1288.

Vuoksimaa, E., Koskenvuo, M., Rose, R. J., & Kaprio, J. (2009). Origins of handedness: A nationwide study of 30,161 adults. *Neuropsychologia, 7*(5), 1294-1301.

Vuori, L., Christiansen, N., Clement, J., Mora, J., Wagner, M., & Herrera, M. (1979). Nutritional supplementation and the outcome of pregnancy: 2. Visual habitation at 15 days. *Journal of Clinical Nutrition, 32,* 463-469.

Vygotsky, L. S. (1962). *Thought and language.* Cambridge, MA: MIT Press. (Original work published 1934)

Vygotsky, L. S. (1978). *Mind in society: The development of higher psychological processes.* Cambridge, MA: Harvard University Press.

Waber, D. P., De Moor, C., Forbes, P. W., Almli, C. R., Botteron, K. N., Leonard, G., et al. (2007). The NIH MRI study of normal brain development: Performance of a population based sample of healthy children aged 6 to 18 years on a neuropsychological battery. *Journal of the International Neuropsychological Society, 13*(5), 729-746.

Wadsworth, M. E., Raviv, T., Reinhard, C., Wolff, B., Santiago, C. D., & Einhorn, L. (2008). An indirect effects model of the association between poverty and child functioning: The role of children's poverty related stress. *The Journal of Loss and Trauma: International Perspectives on Stress and Coping, 13*(2-3), 156-185.

Wadsworth, M. E., & Santiago, C. D. (2008). Risk and resiliency processes in ethnically diverse families in poverty. *Journal of Family Psychology, 22,* 299-410.

Wahlbeck, K., Forsen, T., Osmond, C., Barker, D.J.P., & Erikkson, J. G. (2001). Association of schizophrenia with low maternal body mass index, small size at birth, and thinness during childhood. *Archives of General Psychiatry, 58,* 48-55.

Wainright, J. L., Russell, S. T., & Patterson, C. J. (2004). Psychosocial adjustment, school outcomes, and romantic relationships of adolescents with same-sex parents. *Child Development, 75,* 1886-1898.

Waisbren, S. E., Albers, S., Amato, S., Ampola, M., Brewster, T. G., Demmer, L., et al. (2003). Effect of expanded newborn screening for biochemical disorders on child outcomes and parental stress. *Journal of the American Medical Association, 290,* 2564-2572.

Wakefield, M., Reid, Y., Roberts, L., Mullins, R., & Gillies, P. (1998). Smoking and smoking cessation among men whose partners are pregnant: A qualitative study. *Social Science and Medicine, 47,* 657-664.

Waknine, Y. (2006). Highlights from MMWR: Prevalence of U.S. birth defects and more. *Medscape.* Retrieved January 9, 2006, from www.medscape.com/viewarticle/521056

Wald, N. J. (2004). Folic acid and the prevention of neural-tube defects. *New England Journal of Medicine, 350,* 101-103.

Waldman, I. D. (1996). Aggressive boys' hostile perceptual and response biases: The role of attention and impulsivity. *Child Development, 67,* 1015-1033.

Walk, R. D., & Gibson, E. J. (1961). A comparative and analytical study of visual depth perception. *Psychology Monographs, 75*(15).

Waller, M. W., Hallfors, D. D., Halpern, C. T., Iritani, B., Ford, C. A., & Guo, G. (2006). Gender differences in associations between depressive symptoms and patterns of substance use and risky sexual behavior among a nationally representative sample of U.S. adolescents. *Archives of Women's Mental Health, 9,* 139-150.

Waller, N. G., Kojetin, B. A., Bouchard, T. J. Jr., Lykken, D. T., & Tellegen, A. (1990). Genetic and environmental influences on religious interests, attitudes, and values: A study of twins reared apart and together. *Psychological Science, 1*(2), 138-142.

Wallerstein, J., & Corbin, S. B. (1999). The child and the vicissitudes of divorce. In R. M. Galatzer-Levy & L. Kraus (Eds.), *The scientific basis of child custody decisions* (pp. 73-95). New York: Wiley.

Wallerstein, J. S., Lewis, J. M., & Blakeslee, S. (2000). *The unexpected legacy of divorce: A 25-year landmark study.* New York: Hyperion.

Walma van der Molen, J. (2004). Violence and suffering in television news: Toward a broader conception of harmful television content for children. *Pediatrics, 113,* 1771-1775.

Walsh, T., McClellan, J. M., McCarthy, S. E., Addington, A. M., Pierce, S. B., Cooper, G. M., et al. (2008). Rare structural variants disrupt multiple genes in neurodevelopmental pathways in schizophrenia. *Science, 320,* 539-43.

Wang, D. W., Desai, R. R., Crotti, L., Arnestad, M., Insolia, R., Pedrazzini, M., et al. (2007). Cardiac sodium channel dysfunction in sudden infant death syndrome. *Circulation, 115,* 368-376.

Wang, H., Parry, S., Macones, G., Sammel, M. D., Kuivaniemi, H., Tromp, G., et al. (2006). A functional SNP in the promoter of the SERPINH1 gene increases risk of preterm premature rupture of membranes in African Americans. *Proceedings of the National Academy of Sciences, USA, 103,* 13463-13467.

Wang, Q. (2004). The emergence of cultural self-constructs: Autobiographical memory and self-description in European American and Chinese children. *Developmental Psychology, 40,* 3-15.

Wang, Y., & Lobstein, T. (2006). Worldwide trends in childhood overweight and obesity. *International Journal of Obesity, 1*(1), 11-25.

Wardle, J., Robb, K. A., Johnson, F., Griffith, J., Brunner, E., Power, C., & Tovèe, M. (2004). Socioeconomic variation in attitudes to eating and weight in female adolescents. *Health Psychology, 23,* 275-282.

Warneken, F., & Tomasello, M. (2006). Altruistic helping in human infants and young chimpanzees. *Science, 311,* 1301-1303.

## Referências

Warneken, F., & Tomasello, M. (2008). Extrinsic rewards undermine altruistic tendencies in 20-month-olds. *Developmental Psychology, 44*, 1785-1788.

Warner, J. (2008, January 4). Domestic disturbances. *New York Times*. Retrieved February 11, 2008, from http://warner.blogs.nytimes.com/2008/01/03/outsourced-wombs/

Wasik, B. H., Ramey, C. T., Bryant, D. M., & Sparling, J. J. (1990). A longitudinal study of two early intervention strategies: Project CARE. *Child Development, 61*, 1682-1696.

Watamura, S. E., Donzella, B., Alwin, J., & Gunnar, M. R. (2003). Morning-to-afternoon increases in cortisol concentrations for infants and toddlers at child care: Age differences and behavioral correlates. *Child Development, 74*, 1006-1020.

Waters, E., & Deane, K. E. (1985). Defining and assessing individual differences in attachment relationships: Methodology and the organization of behavior in infancy and early childhood. *Monographs of the Society for Research in Child Development, 50*, 41-65.

Waters, E., Wippman, J., & Sroufe, L. A. (1979). Attachment, positive affect, and competence in the peer group: Two studies in construct validation. *Child Development, 50*, 821-829.

Waters, K. A., Gonzalez, A., Jean, C., Morielli, A., & Brouillette, R. T. (1996). Face-straight-down and face-near-straightdown positions in healthy prone-sleeping infants. *Journal of Pediatrics, 128*, 616-625.

Watkins, M., Rasmussen, S. A., Honein, M. A., Botto, L. D., & Moore, C. A. (2003). Maternal obesity and risk for birth defects. *Pediatrics, 111*, 1152-1158.

Watson, A. C., Nixon, C. L., Wilson, A., & Capage, L. (1999). Social interaction skills and theory of mind in young children. *Developmental Psychology, 35*(2), 386-391.

Watson, J. B., & Rayner, R. (1920). Conditioned emotional reactions. *Journal of Experimental Psychology, 3*, 1-14.

Weese-Mayer, D. E., Berry-Kravis, E. M., Maher, B. S., Silvestri, J. M., Curran, M. E., & Marazita, M. L. (2004). Sudden infant death syndrome: Association with a promoter polymorphism of the serotonin transporter gene. *American Journal of Medical Genetics, 117A*, 268-274.

Wegienka, G., Johnson, C. C., Havstad, S., Ownby, D. R., Nicholas, C., & Zoratti, E. M. (2011). Lifetime dog and cat exposure and dog-and cat-specific sensitization at age 18 years. *Clinical & Experimental Allergy, 41*(7), 979-986.

Wegman, M. E. (1992). Annual summary of vital statistics—1991. *Pediatrics, 90*, 835-845.

Weichold, K., Silbereisen, R. K., & Schmitt-Rodermund, E. (2003). Short-term and long-term consequences of early vs. late physical maturation in adolescents. In C. Haywood (Ed.), *Puberty and Psychopathology*. New York: Cambridge University Press.

Weinberg, M. K., & Tronick, E. Z. (1996). Infant affective reactions to the resumption of maternal interaction after the still-face. *Child Development, 67*(3), 905-914.

Weinberger, B., Anwar, M., Hegyi, T., Hiatt, M., Koons, A., & Paneth, N. (2000). Antecedents and neonatal consequences of low Apgar scores in preterm newborns. *Archives of Pediatric and Adolescent Medicine, 154*, 294-300.

Weinberger, D. R. (2001, March 10). A brain too young for good judgment. *New York Times*. Retrieved from www.nytimes.com/2001/03/10/opinion/10WEIN.html?ex_985250309&ei_1&en_995bc03f7a8c7207

Weinraub, M. (1978). The effects of height on infants' social responses to unfamiliar persons. *Child Development, 49*(3), 598-603.

Weinreb, L., Wehler, C., Perloff, J., Scott, R., Hosmer, D., Sagor, L., & Gundersen, C. (2002). Hunger: Its impact on children's health and mental health. *Pediatrics, 110*, 816.

Weinstock, H., Berman, S., & Cates, W., Jr. (2004). Sexually transmitted diseases among American youth: Incidence and prevalence estimates, 2000. *Perspectives on Sexual and Reproductive Health, 36*, 6-10.

Weisner, T. S. (1993). Ethnographic and ecocultural perspectives on sibling relationships. In Z. Stoneman & P. W. Berman (Eds.), *The effects of mental retardation, visibility, and illness on sibling relationships* (pp. 51-83). Baltimore, MD: Brooks.

Weiss, B., Amler, S., & Amler, R. W. (2004). Pesticides. *Pediatrics, 113*, 1030-1036.

Weiss, B., Dodge, K. A., Bates, J. E, & Pettit, G. S. (1992). Some consequences of early harsh discipline: Child aggression and a maladaptive social information processing style. *Child Development, 63*, 1321-1335.

Weiss, L. A., Shen, Y., Korn, J. M., Arking, D. E., Miller, D. T., Fossdal, R., et al. (2008). Association between microdeletion and microduplication at 16p11.2 and autism. *New England Journal of Medicine, 358*, 667-675.

Weissman, M. M., Warner, V., Wickramaratne, P. J., & Kandel, D. B. (1999). Maternal smoking during pregnancy and psychopathology in offspring followed to adulthood. *Journal of the American Academy of Child and Adolescent Psychiatry, 38*, 892-899.

Weisz, J. R., McCarty, C. A., & Valeri, S. M. (2006). Effects of psychotherapy for depression in children and adolescents: A meta-analysis. *Psychological Bulletin, 132*, 132-149.

Weisz, J. R., Weiss, B., Han, S. S., Granger, D. A., & Morton, T. (1995). Effects of psychotherapy with children and adolescents revisited: A meta-analysis of treatment outcome studies. *Psychological Bulletin, 117*(3), 450-468.

Welch-Ross, M. K., & Schmidt, C. R. (1996). Gender-schema development and children's story memory: Evidence for a developmental model. *Child Development, 67*, 820-835.

Wellman, H. M., & Cross, D. (2001). Theory of mind and conceptual change. *Child Development, 72*, 702-707.

Wellman, H. M., Cross, D., & Watson, J. (2001). Meta-analysis of theory-of-mind development: The truth about false belief. *Child Development, 72*, 655-684.

Wellman, H. M., & Liu, D. (2004). Scaling theory-of-mind tasks. *Child Development, 75*, 523-541.

Wellman, H. M., Lopez-Duran, S., LaBounty, J., & Hamilton, B. (2008). Infant attention to intentional action predicts preschool theory of mind. *Developmental Psychology, 44*, 618-623.

Wellman, H. M., & Woolley, J. D. (1990). From simple desires to ordinary beliefs: The early development of everyday psychology. *Cognition, 35*, 245-275.

Wells, G. (1985). Preschool literacy-related activities and success in school. In D. R. Olson, N. Torrence, & A. Hilyard (Eds.), *Literacy, language, and learning* (pp. 229-255). New York: Cambridge University Press.

Wells, J., & Lewis, L. (2006). *Internet access in the U.S. public schools and classrooms: 1990-2005* (NCES 2007-020). Washington, DC: National Center for Education Statistics.

Weng, X., Odouli, R., & Li, D.-K. (2008). Maternal caffeine consumption during pregnancy and the risk of miscarriage: A prospective cohort study. *American Journal of Obstetrics and Gynecology, 198*(3), e279-e287.

Wentworth, N., Benson, J. B., & Haith, M. M. (2000). The development of infants' reaches for stationary and moving targets. *Child Development, 71*, 576-601.

Wentzel, K. R. (2002). Are effective teachers like good parents? Teaching styles and student adjustment in early adolescence. *Child Development, 73*, 287-301.

Werker, J. F. (1989). Becoming a native listener. *American Scientist, 77*, 54-59.

Werker, J. F., Pegg, J. E., & McLeod, P. J. (1994). A cross-language investigation of infant preference for infant-directed communication. *Infant Behavior and Development, 17*, 323-333.

Werner, E., Bierman, L., French, F. E., Simonian, K., Conner, A., Smith, R., & Campbell, M. (1968). Reproductive and environmental casualties: A report on the 10-year follow-up of the children of the Kauai pregnancy study. *Pediatrics, 42*, 112-127.

Werner, E., & Smith, R. S. (2001). *Journeys from childhood to midlife*. Ithaca, NY: Cornell University Press.

Werner, E. E. (1985). Stress and protective factors in children's lives. In A. R. Nichol (Ed.), *Longitudinal studies in child psychology and psychiatry* (pp. 335-355). New York: Wiley.

Werner, E. E. (1987, July 15). *Vulnerability and resiliency: A longitudinal study of Asian Americans from birth to age 30*. Invited address at the ninth biennial meeting of the International Society for the Study of Behavioral Development, Tokyo, Japan.

Werner, E. E. (1989). Children of the garden island. *Scientific American, 260*(4), 106-111.

Werner, E. E. (1993). Risk and resilience in individuals with learning disabilities: Lessons learned from the Kauai longitudinal study. *Learning Disabilities Research and Practice, 8*, 28-34.

Werner, E. E. (1995). Resilience in development. *Current Directions in Psychological Science, 4*(3), 81-85.

Westby, E. L., & Dawson, V. L. (1995). Creativity: Asset or burden in the classroom. *Creativity Research Journal, 8*(1), 1-10.

Westen, D. (1998). The scientific legacy of Sigmund Freud: Toward a psychodynamically informed psychological science. *Psychological Bulletin, 124,* 333-371.

Wexler, A. (2008, August 12). Groundbreaking genetic non-discrimination bill signed into law. *HemOnc Today: Clinical News in Oncology and Hematology.* Retrieved December 14, 2008, from www/hemonctoday.com/article.aspx?rid=30268

Wexler, I. D., Branski, D., & Kerem, E. (2006). War and children. *Journal of the American Medical Association, 296,* 579-581.

Whalley, L. J., & Deary, I. J. (2001). Longitudinal cohort study of childhood IQ and survival up to age 76. *British Medical Journal, 322,* 819.

Whalley, L. J., Starr, J. M., Athawes, R., Hunter, D., Pattie, A., & Deary, I. J. (2000). Childhood mental ability and dementia. *Neurology, 55,* 1455-1459.

Whitaker, R. C., Wright, J. A., Pepe, M. S., Seidel, K. D., & Dietz, W. H. (1997). Predicting obesity in young adulthood from childhood and parental obesity. *New England Journal of Medicine, 337,* 869-873.

White, A. (2001). *Alcohol and adolescent brain development.* Retrieved from www.duke.edu/~amwhite/alc_adik_pf.html

White, B. L. (1971, October). *Fundamental early environmental influences on the development of competence.* Paper presented at the third Western Symposium on Learning: Cognitive Learning, Western Washington State College, Bellingham, WA.

White, B. L., Kaban, B., & Attanucci, J. (1979). *The origins of human competence.* Lexington, MA: Heath.

Whitehurst, G. J., Falco, F. L., Lonigan, C. J., Fischel, J. E., DeBaryshe, B. D., Valdez-Menchaca, M. D., & Caulfield, M. (1988). Accelerating language development through picture book reading. *Developmental Psychology, 24,* 552-559.

Whitehurst, G. J., & Lonigan, C. J. (1998). Child development and emergent literacy. *Child Development, 69,* 848-872.

Whitehurst, G. J., & Lonigan, C. J. (2001). Emergent literacy: Development from prereaders to readers. In S. B. Neuman & D. K. Dickinson (Eds.) *Handbook of Early Literacy Research* (pp. 11-29). New York: Guilford Press.

Whyatt, R. M., Rauh, V., Barr, D. B., Camann, D. E., Andrews, H. F., Garfinkel, R., et al. (2004). Prenatal insecticide exposures and birth weight and length among an urban minority cohort. *Environmental Health Perspectives, 112*(110), 1125-1132.

Widaman, K. F. (2009). Phenylketonuria in children and mothers: Genes, environment, behavior. *Current Directions in Psychological Science, 18*(1), 48-52.

Wilcox, A. J., Dunson, D., & Baird, D. D. (2000). The timing of the "fertile window" in the menstrual cycle: Day specific estimates from a prospective study. *British Medical Journal, 321,* 1259-1262.

Wildsmith, E., Schelar, E., Peterson, K., & Manlove, J. (2010) *Sexually transmitted diseases among young adults: Prevalence, perceived risk and risk-taking behaviors* (Publication 2010-10). Retrieved from http://www.childtrends.org/Files/Child_Trends-2010_05_01_RB_STD.pdf.

Willard, N. E. (2006). *Cyberbullying and cyberthreats.* Eugene, OR: Center for Safe and Responsible Internet Use.

Williams, D. L., Goldstein, G., & Minshew, N. J. (2006). Neuropsychologic functioning in children with autism: Further evidence for disordered complex information-processing. *Child Neuropsychology: A Journal on Normal and Abnormal Development in Childhood and Adolescence, 12*(4-5), 279-298.

Williams, E. R., & Caliendo, M. A. (1984). *Nutrition: Principles, issues, and applications.* New York: McGraw-Hill.

Williams, J., Wake, M., Hesketh, K., Maher, E., & Waters, E. (2005). Health-related quality of life of overweight and obese children. *Journal of the American Medical Association, 293,* 70-76.

Williams, S., O'Connor, E., Eder, M., & Witlock, E. (2009). Screening for child and adolescent depression in primary care settings: A systematic evidence review for the U.S. Preventive Services Task Force. *Pediatrics, 123*(4), 716-735.

Willinger, M., Hoffman, H. T., & Hartford, R. B. (1994). Infant sleep position and risk for sudden infant death syndrome: Report of meeting held January 13 and 14, 1994. *Pediatrics, 93,* 814-819.

Willinger, M., Ko, C.-W., Hoffman, H. J., Kessler, R. C., & Corman, M. J. (2003). Trends in infant bed sharing in the United States, 1993-2000: The National Infant Sleep Position Study. *Archives of Pediatrics & Adolescent Medicine, 157,* 43-49.

Wilson, B. J. (2008). Media and children's aggression, fear, and altruism. *Future of Children, 18,* 87-118.

Wilson, E. O. (1975). *Sociobiology: The new synthesis.* Cambridge, MA: Harvard University Press.

Wilson, G. T., Grilo, C. M., & Vitousek, K. M. (2007). Psychological treatment of eating disorders. *American Psychologist, 62,* 199-216.

Wilson, K., & Ryan, V. (2001). Helping parents by working with their children in individual child therapy. *Child and Family Social Work, 6,* 209-217. [Special issue].

Wilson-Costello, D., Friedman, H., Minich, N., Siner, B., Taylor, G., Schluchter, M., & Hack, M. (2007). Improved neurodevelopmental outcomes for extremely low birth weight infants in 2000-2002. *Pediatrics, 119,* 37-45.

Winner, E. (1997). Exceptionally high intelligence and schooling. *American Psychologist, 52*(10), 1070-1081.

Winner, E. (2000). The origins and ends of giftedness. *American Psychologist, 55,* 159-169.

Wismer Fries, A. B., Ziegler, T., Kurian, J., Jacoris, S., & Pollak, S. (2005, November 22). Early experience in humans is associated with changes in neuropeptides critical for regulating social behavior. *Proceedings of the National Academy of Sciences of the United States of America, 102*(47), 17237-17240.

Wisner, K. L., Chambers, C., & Sit, D.K.Y. (2006). Postpartum depression: A major public health problem. *Journal of the American Medical Association, 296,* 2616-2618.

Woese, C. (1998). Evolution: The universal ancestor. *Proceedings of the National Academy of Sciences, 95,* 6854-6859.

Wolchik, S. A., Sandler, I. N., Millsap, R. E., Plummer, B. A., Greene, S. M., Anderson, E. R., et al. (2002). Six year follow-up of a randomized, controlled trial of preventive interventions for children of divorce. *Journal of the American Medical Association, 288,* 1874-1881.

Wolff, P. H. (1963). Observations on the early development of smiling. In B. M. Foss (Ed.), *Determinants of infant behavior* (Vol. 2). London: Methuen.

Wolff, P. H. (1969). The natural history of crying and other vocalizations in early infancy. In B. M. Foss (Ed.), *Determinants of infant behavior* (Vol. 4, pp. 81-109). London: Methuen.

Wolfson, A. R., Carskadon, M. A., Mindell, J. A., & Drake, C. *The National Sleep Foundation: Sleep in America poll. 2006.* Retrieved March 28, 2013, from www.sleepfoundation.org/sites/default/files/2006_summary_of_findings.pdf

Wolraich, M. L., Wibbelsman, C. J., Brown, T. E., Evans, S. W., Gotlieb, E. M., Knight, J. R., et al. (2005). Attention-deficit/hyperactivity disorder among adolescents: A review of the diagnosis, treatment, and clinical implications. *Pediatrics, 115,* 1734-1746.

Wong, C. A., Scavone, B. M., Peaceman, A. M., McCarthy, R. J., Sullivan, J. T., Diaz, N. T., et al. (2005). The risk of cesarean delivery with neuraxial analgesia given early versus late in labor. *New England Journal of Medicine, 352,* 655-665.

Wong, C. K., Murray, M. L., Camilleri-Novak, D., & Stephens, P. (2004). Increased prescribing trends of paediatric psychtropic medications. *Archives of the Diseases of Children, 89,* 1131-1132.

Wong, H., Gottesman, I., & Petronis, A. (2005). Phenotypic differences in genetically identical organisms: The epigenetic perspective. *Human Molecular Genetics, 14*(Review Issue 1), R11-R18.

Wong, M. M., Nigg, J. T., Zucker, R. A., Puttler, L. I., Fitzgerald, H. E., Jester, J. M., Glass, J. M., & Adams, K. (2006). Behavioral control and resiliency in the onset of alcohol and illicit drug use: A prospective study from preschool to adolescence. *Child Development, 77,* 1016-1033.

Wood, D. (1980). Teaching the young child: Some relationships between social interaction, language, and thought. In D. Olson (Ed.), *The social foundations of language and thought* (pp. 280-296). New York: Norton.

Wood, D., Bruner, J., & Ross, G. (1976). The role of tutoring in problem solving. *Journal of Child Psychiatry and Psychology, 17,* 89-100.

Wood, J. J., & Repetti, R. L. (2004). What gets dad involved? A longitudinal study of change in parental child caregiving involvement. *Journal of Family Psychology, 18*(1) 237-249.

Wood, R. M., & Gustafson, G. E. (2001). Infant crying and adults' anticipated caregiving responses: Acoustic and contextual influences. *Child Development, 72,* 1287-1300.

Wood, W., & Eagly, A. (2002). A cross-cultural analysis of the behavior of women and men: Implications for the origins of sex differences. *Psychological Bulletin, 128,* 699-727.

Woodruff, T. J., Axelrad, D. A., Kyle, A. D., Nweke, O., Miller, G. G., & Hurley, B. J. (2004). Trends in environmentally related childhood illnesses. *Pediatrics, 113,* 1133-1140.

Woodward, A. L., Markman, E. M., & Fitzsimmons, C. M. (1994). Rapid word learning in 13-and 18-month olds. *Development Psychology, 30,* 553-566.

Woolley, J. D. (1997). Thinking about fantasy: Are children fundamentally different thinkers and believers from adults? *Child Development, 68*(6), 991-1011.

Woolley, J. D., & Boerger, E. A. (2002). Development of beliefs about the origins and controllability of dreams. *Developmental Psychology, 38*(1), 24-41.

Wooley, J. D., Phelps, K. E., Davis, D. L., & Mandell, D. J. (1999). Where theories of mind meet magic: The development of children's beliefs about wishing. *Child Development, 70,* 571-587.

World Bank. (2006). *Repositioning nutrition as central to development.* Washington, DC: Author.

World Bank (2012). *World development indicators database.* Retrieved from http://data. worldbank.org/indicator

World Health Organization (WHO). (2008). *Global burden of disease report: 2004 update.* Retrieved from www.who.int/healthinfo/ global_burden_disease/2004_report_update/ en/index.html

World Health Organization (WHO). (2010). *Causes of child mortality for the year 2010.* Retrieved from http://www.who.int/gho/child_ health/mortality/causes/en/index.html

Worth, K., Gibson, J., Chambers, M. S., Nassau, D., Balvinder, K., Rakhra, A. B., & Sargent, J. (2008). Exposure of U.S. adolescents to extremely violent movies, *Pediatrics, 122*(2), 306-312.

Wright, V. C., Chang, J., Jeng, G., & Macaluso, M. (2006). Assisted reproduction technology surveillance—United States, 2003. *Morbidity and Mortality Weekly Report, 55*(SS04), 1-22.

Wright, V. C., Chang, J., Jeng, G., & Macaluso, M. (2008). Assisted reproduction technology surveillance—United States, 2005. *Morbidity and Mortality Weekly Report, 57*(SS05), 1-23.

Wright, V. C., Schieve, L. A., Reynolds, M. A., & Jeng, G. (2003). Assisted reproductive technology surveillance—United States, 2000. *Morbidity and Mortaility Weekly Report, 55*(SS04), 1-22.

Wu, T., Mendola, P., & Buck, G. M. (2002). Ethnic differences in the presence of secondary sex characteristics and menarche among U.S. girls: The Third National Health and Nutrition Survey, 1988-1994. *Pediatrics, 11,* 752-757.

Wulczyn, F. (2004). Family reunification. *The Future of Children, 14*(1). Retrieved from www. princeton.edu/futureofchildren/publications/ docs/14_01_05.pdf

Wynn, K. (1990). Children's understanding of counting. *Cognition, 36,* 155-193.

Wynn, K. (1992). Evidence against empiricist accounts of the origins of numerical knowledge. *Mind and Language, 7,* 315-332.

Wyrobek, A. J., Eskenazi, B., Young, S., Arnheim, N., Tiemann-Boege, I., Jabs, E. W., et al. (2006). Advancing age has differential effects on DNA damage, chromatin integrity, gene mutations, and aneuploidies in sperm. *Proceedings of the National Academy of Sciences of the United States of America, 103*(25), 9601-9606.

Yamada, H. (2004). Japanese mothers' views of young children's areas of personal discretion. *Child Development, 75,* 164-179.

Yamazaki, J. N., & Schull, W. J. (1990). Perinatal loss and neurological abnormalities among children of the atomic bomb. *Journal of the American Medical Association, 264,* 605-609.

Yang, B., Ollendick, T. H., Dong, Q., Xia, Y., & Lin, L. (1995). Only children and children with siblings in the People's Republic of China: Levels of fear, anxiety, and depression. *Child Development, 66,* 1301-1311.

Yim, I. S., Glynn, L. M., Schetter, C. D., Hobel, C. J., Chicz-DeMet, A., & Sandman, C. A. (2009). Risk of postpartum depressive symptoms with elevated corticotrophin-releasing hormone in human pregnancy. *Archives of General Psychiatry, 66,* 162-169.

Yingling, C. D. (2001). Neural mechanisms of unconscious cognitive processing. *Clinical Neurophysiology, 112*(1), 157-158.

Yip, T., Seaton, E. K., & Sellers, R. M. (2006). African American racial identity across the lifespan: Identity status, identity content, and depressive symptoms. *Child Development, 77,* 1504-1517.

Yokota, F., & Thompson, K. M. (2000). Violence in G-rated animated films. *Journal of the American Medical Association, 283,* 2716-2720.

Yoshikawa, H. (1994). Prevention as cumulative protection: Effects of early family support and education on chronic delinquency and its risks. *Psychological Bulletin, 115*(1), 28-54.

Yoshikawa, H., Weisner, T. S., Kalil, A., & Way, N. (2008). Mixing qualitative and quantitative research in developmental science: Uses and methodological choices. *Developmental Psychology, 44,* 344-354.

Young, K., Holcomb, L., Bonkale, W., Hicks, P., Yazdaini U., & German, D. (2007). 5HTTLPR polymorphism and enlargement of the pulvinar: Unlocking the backdoor to the limbic system. *Biological Psychiatry, 61*(6), 813-818.

Youngblade, L. M., & Belsky, J. (1992). Parent-child antecedents of 5-year-olds' close friendships: A longitudinal analysis. *Developmental Psychology, 28,* 700-713.

Youngblade, L. M., Theokas, C., Schulenberg, J., Curry, L., Huang, I-C., & Novak, M. (2007). Risk and promotive factors in families, schools, and communities: A contextual model of positive youth development in adolescence. *Pediatrics, 119*(Suppl.), S47-S53.

*Youth violence: A report of the Surgeon General.* (2001, January). Retrieved from www. surgeongeneral.gov/library/youthviolence/ default.htm

Yu, S. M., Huang, Z. J., & Singh, G. K. (2004). Health status and health services utilization among U.S. Chinese, Asian Indian, Filipino, and Other Asian/Pacific Islander children. *Pediatrics, 113*(1), 101-107.

Yunger, J. L., Carver, P. R., & Perry, D. G. (2004). Does gender identity influence children's psychological well-being? *Developmental Psychology, 40,* 572-582.

Yurgelon-Todd, D. (2002). Inside the teen brain. Retrieved from www.pbs.org/wgbh/pages/ frontline/shows/teenbrain/interviews/todd.html

Zahn-Waxler, C., Friedman, R. J., Cole, P. M., Mizuta, I., & Hiruma, N. (1996). Japanese and U.S. preschool children's responses to conflict and distress. *Child Development, 67,* 2462-2477.

Zahn-Waxler, C., Radke-Yarrow, M., Wagner, E., & Chapman, M. (1992). Development of concern for others. *Developmental Psychology, 28,* 126-136.

Zametkin, A. J., & Ernst, M. (1999). Problems in the management of attention deficit-hyperactivity disorder. *New England Journal of Medicine, 340,* 40-46.

Zanardo, V., Svegliado, G., Cavallin, F., Giustardi, A., Cosmi, E., Litta, P., & Trevisanuto, D. (2010). Elective cesarean delivery: Does it have a negative effect on breastfeeding? *Birth, 37*(4), 275-279.

Zeedyk, M. S., Wallace, L., & Spry, L. (2002). Stop, look, listen, and think? What young children really do when crossing the road. *Accident Analysis and Prevention, 34*(1), 43-50.

Zeiger, J. S., Beaty, T. H., & Liang, K. (2005). Oral clefts, maternal smoking, and TGFA: A meta-analysis of gene-environment interaction. *The Cleft palate-Craniofacial Journal, 42*(1), 58-63.

Zelazo, P. D., & Müller, U. (2002). Executive function in typical and atypical development. In U. Goswami (Ed.), *Handbook of childhood cognitive development* (pp. 445-469). Oxford: Blackwell.

Zelazo, P. D., Müller, U., Frye, D., & Marcovitch, S. (2003). The development of executive function in early childhood. *Monographs of the Society for Research in Child Development, 68*(3). [Serial No. 274].

Zelazo, P. R., Kearsley, R. B., & Stack, D. M. (1995). Mental representations for visual sequences: Increased speed of central processing from 22 to 32 months. *Intelligence, 20,* 41-63.

Zeskind, P. S., & Stephens, L. E. (2004). Maternal selective serotonin reuptake inhibitor use during pregnancy and newborn neurobehavior. *Pediatrics, 11,* 368-375.

Zhang, X., Huang, C. T., Chen, J., Pankratz, M. T., Xi, J., Li, J., et al. (2010). Pax6 is a human neuroectoderm cell fate determinant. *Cell Stem Cell, 7*(1), 90-100.

Zhao, Y. (2002, May 29). Cultural divide over parental discipline. *New York Times.* Retrieved from www.nytimes.com/2002/05/29/nyregion/ cultural-divide-over-parental-discipline.html

Zhao, D., Zhang, Q., Fu, M., Tang, Y., & Zhao, Y. (2010). Effects of physical positions on sleep architectures and post-nap functions among habitual nappers. *Biological Psychology, 83*(3), 207-213. doi: 10.1016/j.biopsycho.2009.12.008

Zhu, B.-P., Rolfs, R. T., Nangle, B. E., & Horan, J. M. (1999). Effect of the interval between pregnancies on perinatal outcomes. *New England Journal of Medicine, 340,* 589-594.

Zigler, E. (1998). School should begin at age 3 years for American children. *Journal of Developmental and Behavioral Pediatrics, 19,* 37-38.

Zigler, E., & Styfco, S. J. (1993). Using research and theory to justify and inform Head Start expansion. *Social Policy Report of the Society for Research in Child Development, 7*(2).

Zigler, E., & Styfco, S. J. (1994). Head Start: Criticisms in a constructive context. *American Psychologist, 49*(2), 127-132.

Zigler, E., & Styfco, S. J. (2001). Extended childhood intervention prepares children for school and beyond. *Journal of the American Medical Association, 285,* 2378-2380.

Zigler, E., Taussig, C., & Black, K. (1992). Early childhood intervention: A promising preventative for juvenile delinquency. *American Psychologist, 47,* 997-1006.

Zimmerman, B. J., Bandura, A., & Martinez-Pons, M. (1992). Self-motivation for academic attainment: The role of self-efficacy beliefs and personal goal setting. *American Educational Research Journal, 29,* 663-676.

Zimmerman, F. J., Christakis, D. A., & Meltzoff., A. N. (2007). Associations between media viewing and language development in children under age 2 years. *Journal of Pediatrics, 151*(4), 364-368.

Zito, J. M., Safer, D. J., dosReis, S., Gardner, J. F., Magder, L., Soeken, K., et al. (2003). Psychotropic practice patterns for youth: A 10-year perspective. *Archives of Pediatrics and Adolescent Medicine 57*(1), 17-25.

Zuckerman, B. S., & Beardslee, W. R. (1987). Maternal depression: A concern for pediatricians. *Pediatrics, 79,* 110-117.

Zylke, J., & DeAngelis, C. (2007). Pediatric chronic diseases—stealing childhood. *Journal of the American Medical Association, 297*(24), 2765-2766.

# Créditos

**Pesquisa de imagens:** Toni Michaels/
PhotoFind, L.L.C.
***Design* do livro:** Maureen McCutcheon
**Capa:** Maureen McCutcheon

## TEXTO e ILUSTRAÇÕES

### Capítulo 1

**Figura 1.1:** De Papalia, *Experience Human Development*, 12th ed. Copyright © 2011. Reimpresso com autorização de The McGraw-Hill Companies, Inc.

**Figura 1.2:** World Development Indicators Database. http://data.worldbank.org/indicator/NY.GNP.MKTP.CN

### Capítulo 2

**Figura 2.2:** De Papalia, *Experience Human Development*, 12th ed. Copyright © 2011. Reimpresso com autorização de The McGraw-Hill Companies, Inc.

**Figura 2.4:** De Papalia, *Experience Human Development*, 12th ed. Copyright © 2011. Reimpresso com autorização de The McGraw-Hill Companies, Inc.

**Figura 2.5:** De Papalia, *Experience Human Development*, 12th ed. Copyright © 2011. Reimpresso com autorização de The McGraw-Hill Companies, Inc.

### Capítulo 3

**Figura 3.2:** De Papalia, *Human Development*, 10th ed. Copyright © 2007. Reimpresso com autorização de The McGraw-Hill Companies, Inc.

**Figura 3.3:** De Papalia, *Experience Human Development*, 12th ed. Copyright © 2011. Reimpresso com autorização de The McGraw-Hill Companies, Inc.

**Figura 3.4:** De Martorell, *Child: From Birth to Adolescence*. Copyright © 2012. Reimpresso com autorização de The McGraw-Hill Companies, Inc.

**Figura 3.5:** De Papalia, *Experience Human Development*, 12th ed. Copyright © 2011. Reimpresso com autorização de The McGraw-Hill Companies, Inc.

**Figura 3.7:** De Papalia, *Experience Human Development*, 12th ed. Copyright © 2011. Reimpresso com autorização de The McGraw-Hill Companies, Inc.

**Figura 3.8:** Reimpresso com autorização de Nature Publishing Group

### Capítulo 4

**Figura 4.2:** De Papalia, *Human Development*, 10th ed. Copyright © 2007. Reimpresso com autorização de The McGraw-Hill Companies, Inc.

**Figura 4.4:** De Papalia, *Experience Human Development*, 12th ed. Copyright © 2011. Reimpresso com autorização de The McGraw-Hill Companies, Inc.

### Capítulo 5

**Figura 5.1:** De Papalia, *Experience Human Development*, 12th ed. Copyright © 2011. Reimpresso com autorização de The McGraw-Hill Companies, Inc.

**Figura 5.2:** De Papalia, *Experience Human Development*, 12th ed. Copyright © 2011. Reimpresso com autorização de The McGraw-Hill Companies, Inc.

**Figura 5.3:** De Martorell, *Child: From Birth to Adolescence*. Copyright © 2012. Reimpresso com autorização de The McGraw-Hill Companies, Inc.

**Figura 5.4:** De Papalia, *Experience Human Development*, 12th ed. Copyright © 2011. Reimpresso com autorização de The McGraw-Hill Companies, Inc.

### Capítulo 6

**Figura 6.1:** De Papalia, *Experience Human Development*, 12th ed. Copyright © 2011. Reimpresso com autorização de The McGraw-Hill Companies, Inc.

**Figura 6.2:** De Papalia, *Experience Human Development*, 12th ed. Copyright © 2011. Reimpresso com autorização de The McGraw-Hill Companies, Inc.

**Figura 6.4:** De Martorell, *Child: From Birth to Adolescence*. Copyright © 2012. Reimpresso com autorização de The McGraw-Hill Companies, Inc.

**Figura 6.5:** De Martorell, *Child: From Birth to Adolescence*. Copyright © 2012. Reimpresso com autorização de The McGraw-Hill Companies, Inc.

**Figura 6.6:** De *The Postnatal Development of the Human Cerebral Cortex* por Jesse Leroy Conel. Copyright © 1939 by the President and Fellows of Harvard College. Reimpresso com autorização.

**Figura 6.8:** UNICEF, The State of the World's Children 2011, UNICEF, New York, 2011, p. 91. Reimpresso com autorização.

**Figura 6.8:** UNICEF, The State of the World's Children 2011, UNICEF, New York, 2011, p. 91. Reimpresso com autorização.

### Capítulo 7

**Quadro 7.1:** Reproduzido com autorização de Wiley, Inc.

**Quadro 7.4:** De Papalia, *Human Development*, 10th ed. Copyright © 2007. Reimpresso com autorização de The McGraw-Hill Companies, Inc.

**Figura 7.1:** "Zero to Six: Electronic Media in the Lives of Infants, Toddlers and Preschoolers" (#3378), The Henry J. Kaiser Family Foundation, October 2003. Esta informação foi reimpressa com autorização da Henry J. Kaiser Family Foundation. Esta Fundação, líder na análise de políticas, no jornalismo e na comunicação da saúde, dedica-se à divulgação de informação confiável e independente sobre os principais problemas de saúde que os norte-americanos enfrentam. A Fundação é uma entidade privada sem fins lucrativos, com sede em Menlo Park, Califórnia.

### Capítulo 8

**Figura 8.1:** De "The Self in self-conscious emotions," por M. Lewis *in* S. G. Snodgrass e R. L. Thompson (eds.), "The Self across psychology: Self-recognition, self-awareness, and the self-concept," 1997. *Annals of the New York Academy of Sciences*, Vol. 818, Figura 1, p. 120. Reimpresso com autorização obtida via RightsLink.

**Figura 8.2:** De Papalia, *Experience Human Development*, 12th ed. Copyright © 2011. Reimpresso com autorização de The McGraw-Hill Companies, Inc.

### Capítulo 9

**Figura 9.1:** De *Papalia, Experience Human Development*, 12th ed. Copyright © 2011. Reimpresso com autorização de The McGraw-Hill Companies, Inc.

**Figura 9.2:** De Papalia, *Experience Human Development*, 12th ed. Copyright © 2011. Reimpresso com autorização de The McGraw-Hill Companies, Inc.

**Figura 1, Box 9.1:** Reproduzido com autorização do editor, a partir de "Global Health: Today's Challenges," *in* The World Health Report: Shaping the Future. Geneva, World Health Organization, 2003.

**Figura 2, Box 9.1:** Reproduzido com autorização do editor, a partir de *The Global Burden of Disease*. Geneva, World Health Organization, 2004 (update 2008).

**Figura 9.4:** America's Yongest Outcasts: 2010. (2011). The National Center on Family Homelessness, Needham, MA.

### Capítulo 10

**Quadro 10.3:** Key Elements of Number Sense in Young Children by Nancy C. Jordan, David Kaplan, Leslie Nabors Olah & Maria N. Locuniak. *Child Development*, 77, 1. 2006. Reproduzido com autorização de Wiley, Inc.

**Figura 10.1:** De Martorell, *Child: From Birth to Adolescence*. Copyright © 2012. Reimpresso com autorização de The McGraw-Hill Companies, Inc.

### Capítulo 11

**Quadro 11.2:** M.B. Parten, "Social Play Among Preschool Children." *Journal of Abnormal Psychology* 27, 243-269, 1932. Reimpresso com autorização da American Psychological Association.

### Capítulo 12

**Figura 12.1:** De "Dynamic mapping of human cortical development during childhood through early adulthood", por N. Gogtay, et al. *Proceedings of the National Academy of Sciences* Vol. 101, No. 21, pp. 8174-8179. May 2004. © 2004 National Academy of Sciences, U.S.A.

**Figura 12.2:** Reproduzido com autorização do editor, a partir de *World Report on Child Injury Prevention*. Geneva, World Health Organization, 2008.

## Capítulo 14

**Figura 14.3:** "Effects of televised violence on aggression," in Singer, J., ed., *Handbook of Children and the Media*. Reproduzido com autorização de SAGE Publications, Inc.

## Capítulo 15

**Figura 15.1:** Reimpresso com autorização de American Academy of Pediatrics.

## Capítulo 16

**Figura 16.1:** De Small. *Cognitive Development*, 1E. © 1990 Wadsworth, a part of Cengage Learning, Inc. Reproduzido com autorização. www.cengage.com/permissions

## Capítulo 17

**Quadro 17.1:** Adaptado de "Developmetal and validation of ego identity status," por J.E. Marcia *in Journal of Personality and Social Psychology* 3 (5), pp. 551-558. Copyright © 1966 by the American Psychological Association

**Quadro 17.1:** Adaptado de "Developmetal and validation of ego identity status," por J.E. Marcia *in Journal of Personality and Social Psychology* 3 (5), pp. 551-558. Copyright © 1966 by the American Psychological Association

**Quadro 17.2:** De "Ego Identity: An Overview" *in Discussion of Ego Identity,* editado por J. Kroger, 1993. Reimpresso com autorização do autor.

**Quadro 17.3:** Reimpresso com autorização de SAGE Publications.

**Quadro 17.4:** "National Survey of Adolescents and Young Adults: Sexual Health Knowledge, Attitudes and Experiences", (#3218), The Henry J. Kaiser Family Foundation, April 2003 http://www.kff.org/hivaids/report/national-survey-of-adolescents-and-young-adults/

**Quadro 17.6:** "Parental psychological control: Revisiting a neglected construct," in *Child Development,* Vol. 67, No. 6, pp. 3296-3319. 1996. Reproduzido com autorização de Wiley, Inc.

**Quadro 17.7:** "Adolescents' and parents' changing conceptions of parental authority," por J. Smetana et al, in *Changing boundaries of parental authority during adolescence: New directions for child and adolescent development*. No. 108, pp. 31-46. Reproduzido com autorização de Wiley, Inc.

### ELEMENTOS DO *DESIGN*

Pelo mundo, © iStock Photos/Jani Bryson
O mundo social, © iStock Photos/Jani Bryson
O mundo da pesquisa, © iStock Photos/Jan Rysavy

### FOTOGRAFIAS

#### Capítulo 1

**Cortina:** © Peter Cade/Getty Images; p. 4: © BananaStock/Punchstock RF; p. 7: © Angela Hampton Picture Library/Alamy; p. 13: © Barcroft Media/Landov; p. 16: © Library of Congress [LC-USF34-T01-009095-C].

#### Capítulo 2

**Cortina:** © Ariel Skelley/Blend Images/Blend Images RF; p. 29: © National Library of Medicine; p. 31: © Bettmann/Corbis Images; p. 33 (em cima):

© Bachrach/Getty Images; p. 33 (em baixo): © Vladimir Godnik/Getty Images RF; p. 34: © Bill Anderson/Science Source/Photo Researchers; p. 35: © A.R. Luria/Dr. Michael Cole, Laboratory of Human Cognition, University of California, San Diego; p. 45: © WDCN/University College London/Science Source.

#### Capítulo 3

**Cortina:** © Debbie Boccabella/Oredia Eurl/SuperStock; p. 70(em baixo): © Rubberball/Getty Images RF; 3.4(em cima à esquerda): © Plush Studios/Blend Images RF; 3.4(em cima à direita): © Ariel Skelley/Blend Images RF; 3.4(ao centro mais à esquerda): © Glow Images RF; 3.4(ao centro mais à direita): © Pixtal/AGE Fotostock RF; 3.4 (ao centro à esquerda): © Sean Justice/Corbis RF; 3.4 (ao centro à direita): © Glow Images RF; p. 72: © AP Photo/Pat Sullivan; p. 77: © Stockbyte/Veer RF; p. 81: © T.K. Wanstal/The Image Works; p. 82: © AP Photo/Peter DeJong.

#### Capítulo 4

**Cortina:** © Jose Luis Pelaez Inc./Blend Images RF; p. 94 (1 mo.): © Petit Format/Nestle/Science Source/Photo Researchers; p. 94 (3 mo.): © Lennart Nilsson/Albert Bonniers Forlag AB, *A Child Is Born,* Dell Publishing Company; p. 94(4 mo.): © Ralph Hutchings/Visuals Unlimited; p. 94 (5 mo.): © James Stevenson/Photo Researchers; p. 94(7 wks.): © Petit Format/Nestle/Science Source/Photo Researchers; p. 95 (6 mo.): © Lennart Nilsson/Albert Bonniers Forlag AB, *A Child Is Born,* Dell Publishing Company; p. 95(7-8 mo.): © Petit Format/Nestle/Science Source/Photo Researchers; p. 95(9 mo.): © Tom Galliher/Galliher Photography; p. 99: © Keith Brofsky/Getty Images RF; p. 102: © Blend Images/Corbis RF; p. 104: © Pixtal/age fotostock RF.

#### Capítulo 5

**Cortina:** © Creatas/PictureQuest RF; p. 124: © Comstock Images RF; p. 130: © Angela Hampton/Alamy; p. 133: © Corbis RF; p. 136: Emmy E. Werner and Ruth S. Smith. *Overcoming the Odds*. Cornell University Press, 1992; p. 138: Harlow Primate Laboratory, University of Wisconsin; p. 139: © Brand X Pictures/Jupiterimages RF.

#### Capítulo 6

**Cortina:** © 2004 image100 Ltd. RF; p. 148: © Diane McDonald/Getty Images RF; p. 157 (em cima à esquerda): © Mimi Forsyth; p. 157 (ao centro em cima): © Lew Merrim/Photo Researchers; p. 157 (ao centro à direita): © Laura Dwight; p. 157 (em baixo à esquerda): © Elizabeth Crews; p. 157 (ao centro em baixo): © Astier/Photo Researchers; p. 157 (em baixo à direita): © BSIP/UIG/Getty Images; p. 158 (ambas): Cortesia de Children's Hospital of Michigan; p. 159: © Blend Images/Getty Images RF; p. 161: © Kwame Zikomo/Purestock/SuperStock RF; p. 164: © Mark Richards/PhotoEdit; p. 170: © Science Photo Library RF/Getty Images RF.

#### Capítulo 7

**Cortina:** © ImageSource/age fotostock RF; p. 180: © Bananastock/PictureQuest RF; p. 186: © Laura

Dwight; p. 187: © Enrico Ferorelli; p. 190: DeLoache, J. S., Uttal, D. H., & Rosengren, K. S. (2004). Scale errors offer evidence for a perception-action dissociation early in life. *Science,* 304, 1047-1029 @2004 American Association for the Advancement of Science. Fotografia por Jackson Smith.; p. 192: © James Kilkelly; p. 194: © Mint Photography/Alamy; p. 202: Cortesia do Department Library Services/American Museum of Natural History. Neg. No. 326799; p. 205: © Rubberball/PictureQuest RF; p. 211: © Brand X Pictures/Punchstock RF; p. 212: © Ariel Skelley/Getty Images RF.

#### Capítulo 8

**Cortina:** © Laoshi/Getty Images RF; p. 220 (em cima): © PhotoAlto/PictureQuest RF; p. 220 (em baixo): © Jose Luis Pelaez Inc./Blend Images RF; 8.1(em cima): © Frare/Davis Photography/Brand X/Corbis RF; 8.1 (ao centro): © Amos Morgan/Getty Images RF; 8.1 (em baixo): © Comstock Images RF; p. 224: © JGI/Jamie Grill/Blend Images RF; p. 228: © Jonathan Finlay; p. 230: © Brand X Pictures/Punchstock RF; p. 237: © Robert Brenner/PhotoEdit; p. 242: © The McGraw-Hill Companies, Inc./Andrew Resek, photographer; p. 244: © Eyewire/Photodisc/Getty Images RF; p. 247: © Digital Vision/Getty Images RF.

#### Capítulo 9

**Cortina:** © Ariel Skelley/Blend Images RF; p. 254: © Janis Christie/Getty Images RF; p. 256: © KidStock/Getty Images RF; p. 263: Cortesia de Gabriela Martorell; p. 269 (ambas): © Tony Freeman/PhotoEdit.

#### Capítulo 10

**Cortina:** © Kidstock/Getty Images RF; p. 276: © Floresco Productions/Corbis RF; p. 281: © Sheila Sheridan; p. 289: © Brand X Pictures/Punchstock RF; p. 292: © Design Pics/Don Hammond RF; p. 296: © Paul Conklin/PhotoEdit.

#### Capítulo 11

**Cortina:** © Ariel Skelley/Getty Images RF; p. 305: © Keith Eng 2007 RF; p. 311: © Erika Stone/Photo Researchers; p. 319 (à esquerda): © Corbis RF; p. 319 (à direita): © LWA/Dann Tardif/Getty Images RF; p. 322: © Myrleen Ferguson Cate/PhotoEdit; p. 327: © White Rock/Getty Images RF; p. 329 (ambas): © Albert Bandura; p. 333: Cortesia de Gabriela Martorell.

#### Capítulo 12

**Cortina:** © John Burcham/National Geographic/Getty Images; p. 339: © Mary Kate Denny/PhotoEdit; p. 344: © Stockbyte/Getty Images RF; p. 347: © BananaStock/Punchstock RF; p. 352: © Martin Rogers/Stock Boston; p. 353: © The McGraw-Hill Companies, Inc./Ken Karp, photographer.

#### Capítulo 13

**Cortina:** © Steve Debenport/Getty Images RF; 13.1: © Image 100/Punchstock RF; p. 368: © AP Photo/Evan Vucci; p. 374: © Brand X Pictures/Alamy RF; p. 376: © Image Source/Alamy RF; p. 388: © Brian Mitchell/Corbis; p. 389: Cortesia de The Volz Family.

## Capítulo 14

**Cortina:** © Digital Vision/Getty Images RF; p. 395: © Michael Justice/The Image Works; p. 397: © Ariel Skelley/Blend Images RF; p. 399: © Comstock/Punchstock RF; p. 402: © Photodisc/Getty Images RF; p. 405: © 2009 Jupiterimages RF; p. 408: © Momatiuk/Eastcott/Woodfin Camp & Associates; p. 416: © Punchstock/BananaStock RF.

## Capítulo 15

**Cortina:** © Cavan Images/Getty Images RF; p. 425: © AP Photo/Enric Marti; p. 430: © Purestock/SuperStock RF; p. 436: © David J. Green/Lifestyle/Alamy; p. 440: © Doug Menuez/Getty Images RF; p. 444: © Roy Morsch/Corbis Images.

## Capítulo 16

**Cortina:** © YouraPechkin/Getty Images RF; p. 451: © BananaStock/PunchStock RF; p. 456: © Fancy Photography/Veer RF; p. 464: © Blend Images/Getty Images RF; p. 467: © Dennis MacDonald/PhotoEdit.

# Índice onomástico

Aaron, V., 10
Abbey, A., 57
Abbott, R. D., 455
Aber, J. L., 216, 221, 300, 371, 372, 384, 446
Ablard, K. E., 226
Abma, J. C., 449-4450, 451
Abramovitch, R., 304
Abrams, C. L., 372
Abrams, M. T., 283
Abrams, S. A., 312
Acebo, C., 404
Achter, J. A., 359
Ackerman, B. P., 390
Ackerman, M. J., 156
Acosta, A., 137
Acosta, M. T., 358
ACT for Youth Upstate Center of Excellence, 402, 403
Adam, E. K., 216
Adams, E. E., 370
Adams, G., 61
Adams, M., 289
Adams, R., 458
Adamson, L., 218
Addington, A. M., 81
Administration for Children and Families, 272
Administration on Children, Youth and Families, 159
Adolph, K. E., 150, 151, 152, 159, 224
Agerbo, E., 81, 102
Ahadi, S. A., 207, 208
Ahlberg, C., 288
Ahmed, S., 347
Ahmeduzzaman, M., 225
Ahnert, L., 215, 229
Ahrons, C. R., 374
Ainsworth, M. D. S., 212, 213
Aitkin, M., 102
Akande, A., 387
Akinbami, L., 322
Akitsuki, Y., 368, 455
Aksan, N., 220, 223, 231
Alaimo, K., 242
Alan Guttmacher Institute (AGI), 453, 454, 455
Alati, R., 97
Albanese, A., 313
Albert, D. B., 456
Alberts, J. R., 93
Albertsson-Wikland, K., 313
Albus, K. E., 216
Alexander, K. L., 350, 352
Algeria, J., 93
Alibeik, H., 239
Aligne, C. A., 97, 248, 323
Allen, G. L., 340
Allen, J. P., 455, 463
Allen, J. R., 179
Allen, K. R., 378
Allen, L., 446
Allen, N. B., 327
Alloway, T. P., 338
Almeida, D. M., 431
Almli, C. R., 93
Almquist-Parks, L., 306
Al-Oballi Kridli, S., 325
Alpern, L., 215
Als, H., 218
Alsaker, F. D., 401
ALSPAC Study Team, 102
Altschul, I., 446
Alwin, J., 228

Amaral, D. G., 142
Amato, P. J., 493
Amato, P. R., 372, 374, 375, 377, 461
Amaya-Jackson, L., 145, 161
Ambrosini, P. J., 358
Amedi, A., 145
American Academy of Child & Adolescent Psychiatry (AACAP), 145, 161, 162, 235, 389
American Academy of Pediatrics (AAP), 11, 66, 95, 136, 148, 158, 182, 229, 245, 247, 298, 377, 466
    Committee on Adolescence, 406, 413, 449, 451, 454-456
    Committee on Bioethics, 62
    Committee on Community Health Services, 248
    Committee on Drugs, 96, 357
    Committee on Early Childhood, Adoption, and Dependent Care, 454
    Committee on Environmental Health, 248
    Committee on Genetics, 69, 95, 104
    Committee on Injury and Poison Prevention, 247, 413
    Committee on Nutrition, 138, 160, 240, 242, 315, 319-321
    Committee on Practice and Ambulatory Medicine and Section on Ophthalmology, 149
    Committee on Psychosocial Aspects of Child and Family Health, 290, 295, 297, 376, 451, 454
    Committee on Public Education, 182, 384
    Committee on Quality Improvement, 117
    Committee on Substance Abuse, 97, 102
    Section on Breastfeeding, 123, 136-138
    Task Force on Sudden Infant Death Syndrome, 156-158
American Academy of Pediatrics Dentistry, 314
American College of Nurse-Midwives, 110
American College of Obstetricians and Gynecologists (ACOG), 90, 110, 117
American Dental Association, 244
American Heart Association, 138, 240, 243, 316, 404
American Psychiatric Association, 208, 237, 326, 356, 377, 406, 410
American Psychological Association (APA), 50, 448, 466
American Public Health Association, 156
America's Youngest Outcasts, 246
Ames, E. W., 147
Amler, R. W., 248
Amlie, C., 377
Ammerman, R. T., 327
Amsel, E., 360
Amsel, L. B., 183
Amso, D., 314
Anastasi, A., 45, 341, 360
Anderson, A. H., 347
Anderson, C., 385
Anderson, C. A., 384, 385
Anderson, D. A., 289
Anderson, D. R., 195, 270, 384
Anderson, E., 376

Anderson, K. J., 225
Anderson, M., 386
Anderson, P., 124
Anderson, P. O., 97
Anderson, R. N., 157, 413
Anderson, S. E., 399, 400
Anderssen, N., 377
Andrews, A., 244
Andrews, F. M., 57
Ang, S., 342
Angaji, S. A., 239
Angelelli, J., 370
Angold, A., 46
Annest, J. L., 245
Anthony, J. C., 467
Antonarakis & Down Syndrome Collaborative Group, 71
Apgar, V., 117
Archer, A. H., 176
Archer, J., 282, 293, 301, 380
Archer, S. L., 445
Arcos-Burgos, M., 358
Arcus, D., 210
Arend, R., 215
Arias, E., 123, 155
Aristóteles, 56
Armant, D. R., 97
Armer, M., 293
Armstrong, M. A., 98
Arner, P., 80
Arnestad, M., 156
Arnett, J. J., 457, 469, 470
Aronoff, M., 194
Aronson, S. R., 227
Arshad, S. H., 137
Arterberry, M. E., 149
Asher, M. I., 321
Ashmead, D. H., 151
Aksan, N., 370
Aslin, R. N., 197
Asplund, C. L., 432
Associated Press, 100, 288
Astington, J. W., 257
Aszmann, A., 403
Atella, L. D., 99
Athansiou, M. S., 328
Atkinson, L., 215
Atkinson, R., 456
Atrash, H., 109
Attanucci, J., 172
Au, T. K., 267
Aud, S., 429
Augustyn, M., 98
Auinger, P., 323
Aumiller, K., 381
Austin, E. W., 411
Austin, P. F., 237
Auyeng, B., 283

Bachand, A. M., 101
Bachman, J. G., 408
Backman, L., 469
Bada, H. S., 98
Badcock, C., 67, 142
Baddeley, A. D., 262, 338
Baddock, S. A., 158
Baer, J. S., 97
Bailey, M. D., 226
Bailey, T. R., 437
Baillargeon, R., 184, 185, 224
Baillargeon, R. H., 282, 301
Bainbridge, J. W., 74
Baines, E., 317, 379
Baird, A. A., 403

Baird, D. D., 57
Bajema, C. J., 321
Bakeman, R., 172
Baker, S. B., 413
Bakermans-Kranenburg, M. J., 213
Balaraman, G., 261
Baldi, S., 429
Baldwin, D. A., 218
Balercia, G., 58
Ball, O. E., 360
Ball, R. H., 93
Ball, S., 281
Ballesteros, M. F., 245
Baltes, P. B., 15
Bandura, A., 26, 270, 284, 302, 351, 385, 435
Bank, L., 462
Banks, A., 377
Banks, E., 209
Banks, M. S., 149
Banta, D., 112
Barbaranelli, C., 351, 435
Barber, B., 463
Barber, B. L., 370, 459
Bargh, J. A., 464
Barker, D. J. P., 81
Barkley, R. A., 357
Barlaug, D., 265
Barlow, D. H., 354
Barlow, S. E., 321
Barnes, H. V., 272, 455
Barnett, D., 212
Barnett, W. S., 272, 468
Barr, H. M., 97
Barr, P. A., 74
Barr, R., 175
Barrett, K. C., 151, 217
Barth, J. M., 306
Barth, R. P., 377
Barthel, M., 215
Bartick, M., 136
Bartoshuk, L. M., 93, 148
Basinger, K. S., 428
Bassuk, E. L., 246
Bateman, D., 98
Bates, B., 216
Bates, E., 189
Bates, J. E., 293, 295, 297, 298, 302, 384, 386, 389, 400, 467
Batshaw, M. L., 72
Bauer, D., 441
Bauer, P. J., 174, 175, 186, 224, 242
Bauman, L. J., 324
Baumer, E. P., 449
Baumrind, D., 295, 296, 297, 298, 299, 300, 431, 458
Baumwell, L., 196
Bauserman, R., 374
Bautista, M., 316
Bavelier, D., 18
Baydar, N., 225
Bayley, N., 169
Bayliss, D. M., 338
Beals, D. E., 369
Beardslee, W. R., 217
Bearman, S. K., 411
Beaty, T. H., 94
Beauchamp, G. K., 95, 148
Beautrais, A. L., 412
Beck, S., 67
Beckett, C., 147
Beckwith, L., 181
Begg, M. D., 81
Behne, R., 206

# Índice onomástico

Behrman, R. E., 103, 123, 321
Beidas, R., 388
Beidel, D. C., 327
Bekedam, D. J., 120
Belizzi, M., 240
Bell, D. C., 458
Bell, J. F., 96
Bell, L. G., 458
Bell, R., 95
Bellamy, L., 386
Belsky, J., 209, 210, 229, 230, 400
Bem, S., 286
Benbow, C. P., 360
Bendersky, M., 98, 302
Benenson, J. F., 293
Benes, F. M., 237
Benet-Martinez, V., 32
Benjamin, J. T., 320
Benjet, C., 297, 298
Bennett, D., 302
Bennett, D. S., 98
Bennett, J., 357
Benson, J. B., 163, 198, 199
Benson, N., 162
Benson, P. L., 406, 407
Berard, A., 96
Berenbaum, S. A., 288
Berenson, A., 99
Berg, C., 109
Berg, S. J., 127
Bergeman, C. S., 78, 79
Bergen, D., 291, 292
Berger, K. S., 386
Berget, A., 102
Berglund, H., 448
Berk, L. E., 268, 269
Berkowitz, G. S., 101
Berkowitz, L., 384, 385
Berkowitz, R. I., 138
Berkowitz, R. L., 101
Berlin, L., 293
Berman, S., 453
Berndt, A. E., 129, 225, 373
Berndt, T. J., 463
Bernier, A., 213
Bernstein, P. S., 109
Bernzweig, J., 302
Berrueta-Clement, J. R., 272, 468
Berry, M., 377
Berry, R. J., 95
Bertenthal, B., 151
Bertenthal, B. I., 151
Berthier, N. E., 151
Best, K., 390
Bethell, C. D., 326
Beumont, P. J. V., 407
Beveridge, M., 99
Bialystok, E., 261
Biason-Lauber, A., 64
Bibbins-Domingo, K., 405
Bichat, X., 57
Bierman, K. L., 302, 306, 381
Binet, A., 31, 168
Bingham, K., 296
Birch, H. G., 81, 207
Birch, L. L., 93, 240, 243, 396, 405
Birmaher, B., 327, 411, 412
Biro, F. M., 397
Bittles, A. H., 72
Bjork, J. M., 403
Bjorklund, D. F., 35, 37, 110, 128, 174, 285, 289, 290, 291, 293, 317, 318, 338, 340, 357
Black, A. E., 324
Black, J. E., 145
Black, K., 501
Black, M. M., 14
Black, R. E., 137
Blair, P. S., 157
Blais, L., 96
Blakemore, C., 141

Blakemore, S., 314, 402, 423
Blakeslee, S., 172, 375
Blanco, C., 328
Blanding, S., 157
Blatchford, P., 317, 379
Blehar, M. C., 212
Bleske-Rechek, A., 360
Blieszner, R., 378
Blizzard, L., 157
Block, J., 370
Block, J. H., 370
Block, R. W., 160
Bloom, B., 244, 324, 359
Bloom, P., 116, 206
Blum, R., 413, 456
Blum, R. W., 449
Blumberg, S. J., 326
Blyth, D. A., 401
Boatman, D., 18
Bocskay, K. A., 101
Bode, J., 270
Boden, J. M., 162
Bodrova, E., 293
Boerger, E. A., 258
Boersma, E. R., 137
Bogaert, A. F., 401, 448
Bogard, K., 273
Bogatz, G. A., 281
Bohlin, G., 293
Bohon, C., 80
Boivin, M., 236, 386
Bojczyk, K. E., 176
Bollen, A. M., 102
Bollinger, M. B., 323
Bolton, D. P. G., 158
Bonham, V. L., 11
Boomsma, D. I., 327
Booth, A., 374, 460
Booth, J. L., 338, 355
Booth, J. R., 349
Borkowski, J. G., 456
Borman, G., 355
Bornstein, M. H., 76, 173, 178, 180, 191, 196, 386
Borowsky, I. A., 413
Borse, N. N., 157
Bosch, J., 378, 379
Bosch, J. D., 384
Boschi-Pinto, C., 241, 242
Boskovic, R., 96
Boslaugh, S. E., 123
Boss, P., 126
Botto, L., 95
Botto, L. D., 99
Bouchard, T. J., 79, 81, 265
Bouchey, H. A., 449, 464
Boudreau, J. P., 17, 149, 152
Boudreault, M. A., 413
Boukydis, C. F. Z., 188
Boulay, M., 355
Boulerice, B., 302
Boulton, M. J., 386
Bourgeois, L., 57
Bousada de Lara, M, 101
Boutin, P., 80
Bower, C., 72, 123
Bower, T. G. R., 151
Bowes, J. M., 429
Bowlby, J., 26, 211
Bowman, S. A., 319
Boyce, W. F., 386
Boyce, W. T., 246
Boyd-Zaharias, J., 353
Boyle, C., 149
Boyles, S., 102
Brabeck, M. M., 428
Bracewell, M. A., 124
Bradley, R. H., 129, 169, 183, 345, 402, 434
Bradley, R. R., 170
Brady, C., 371

Braine, M., 192
Brandt, J., 404
Brannon, E.M., 255
Branski, D., 387
Branum, A., 243
Brass, L. M, 80
Braswell, G. S., 240
Bratton, S. C., 328
Braun, A. R., 193
Braun, H., 355
Braungart, J. M., 209
Braungart-Rieker, J. M., 213
Braver, E. R., 413
Bray, J. H., 372, 376
Brazelton, T. B., 118, 218
Breastfeeding and HIV International Transmission Study Group, 137
Breaux, C., 129
Breitkopf, C., 99
Brendgen, M., 302
Brenner, R. A., 158
Brent, D. A., 411, 412, 413
Brent, M. R., 191, 196
Brent, R. L., 98
Brewaeys, A., 377
Brewer, R. D., 409
Brezina, T., 297
Bridge, J. A., 328
Bridges, M., 374
Briggs, J. L., 7
Brin, D. J., 92
Brison, R. J., 157
Britto, P. R., 371
Broadfield, D. C., 193
Brock, J. W., 101
Brockert, J. F., 101, 454
Brodersen, L., 215
Brodowski, M. L., 159
Brody, G. H., 226, 372, 379, 380, 402, 446, 467
Brody, L. R., 148
Broekmans, F.J., 58
Broidy, L. M., 383
Bronfenbrenner, U., 33
Bronner, E., 355
Bronstein, P., 351, 372
Brookmeyer, K. A., 466
Brooks, J., 219
Brooks, M. G., 246
Brooks, R., 180
Brooks-Gunn, J., 171, 225, 227, 265, 272, 300, 342, 371, 400-402
Broude, G. J., 7, 108, 119, 135, 158, 234
Brouillette, R. T., 156
Brousseau, E., 95
Browder, J. P., 102
Brown, A. C., 372
Brown, A. L., 420
Brown, A. S., 81, 409
Brown, B. B., 432, 462, 463, 467
Brown, E., 260
Brown, G. L., 213
Brown, J., 58, 261
Brown, J. D., 451
Brown, J. L., 95, 284
Brown, J. R., 281
Brown, L., 58
Brown, L. J., 244, 313
Brown, L. M., 10, 445
Brown, P., 101
Brown, R., 380
Brown, S. L., 372, 376, 461
Brown, S. S., 123
Browne, A., 162
Brownell, C. A., 226
Bruer, J. T., 17
Bruine de Bruin, W., 421
Bruner, A. B., 404
Bruner, J., 32
Brunson, K. L., 161
Bruschi, C. J., 202, 367

Brust, J. C. M., 98
Bruton, J. R., 407, 408
Bryant, D. M., 170, 228, 265
Bryce, J., 137, 241
Bryk, A., 196
Büchel, C., 323
Buck, G. M., 397
Buck Louis, G., 396
Buckner, J. C., 246
Budnitz, D. S., 245
Buehler, C., 466
Buell, J., 353
Buhrmester, D., 382, 462
Buist, K. L., 462
Buitelaar, J., 99
Buitelaar, J. K., 99
Buitendijk, S. E., 120
Bukowski, W., 292
Bukowski, W. M., 381, 386
Bulik, C., 406
Bulkley, K., 355
Bunikowski, R., 98
Burch, M. M., 224
Burchinal, M., 169
Burchinal, M. R., 228, 265
Burgess, K. B., 302
Burhans, K. K., 280
Buriel, R., 298, 368, 370, 374
Burleson, B. R., 381
Burns, B. J., 161
Burraston, B., 462
Burrows, E., 124
Burt, A., 245
Burts, D. C., 306
Burwinkle, T. M., 321
Bush, D. M., 401
Bushnell, E. W., 17, 149, 152
Busnel, M. C., 94
Busnel, M. C., 188
Bussey, K., 286-288
Buyck, P., 279
Bybee, D., 446
Byrd, R. S., 323
Byrne, M., 81, 102
Byrnes, J., 420
Byrnes, J. P., 255, 349
Bystron, I., 141

Caballero, B., 94
Cabrera, N., 129
Cabrera, N. J., 129, 373
Cacciatore, J., 92, 126
Caelli, K., 92
Cai, T., 455
Cain, K. M., 280, 384
Caldera, Y. M., 225
Caldji, C., 129
Caldwell, B., 169
Caldwell, B. M., 172
Calhoun, T., 10
Caliendo, M. A., 243
Calkins, S. D., 215, 301
Call, J., 206
Callanan, M. A., 240
Camann, W. R., 113
Camarata, S., 337, 351
Cameron, A. D., 112
Cameron, L., 380
Camilleri-Novak, D., 328
Camoin, T. I. L., 397
Campbell, A., 224, 283
Campbell, F. A., 170, 265
Campbell, R. N., 346
Campbell, W. K., 129
Campione, J. C., 420
Campione-Barr, N., 460
Campos, J., 213
Campos, J. J., 151, 218, 280
Camras, A., 280
Canadian Paediatric Society, 148
Canadian Shaken Baby Study Group, 160

## Índice onomástico

Candy, J., 283
Canfield, R. L., 248
Cantor, J., 303
Cao, A., 72
Capage, L., 261
Capaldi, D. M., 449
Caplan, M., 226
Caprara, G. V., 351, 435
Capute, A. J., 189
Card, N., 383
Carey, S., 183, 255
Carlo, G., 428
Carlson, E., 233
Carlson, E. A., 230, 232, 233
Carlson, J. J., 212
Carlson, M. J., 461
Carlson, S. M., 213, 244, 259, 260
Carlström, E., 448
Carmichael, M., 241
Carmody, D. P., 219
Carnethon, M. R., 414
Carnozzi, A., 39
Carothers, S. S., 456
Carpenter, M., 190, 206
Carper, R., 339
Carra, J. S., 245
Carraher, D. W., 335
Carraher, T. N., 335
Carrel, L., 64
Carriger, M. S., 178, 180, 181
Carroll, M. D., 240, 312
Carryl, E., 371
Carskadon, M. A., 404
Carter, J., 97
Carter, R. C., 97
Cartwright, B. S., 260
Carvalhal, J. B., 98
Carver, L. J., 175
Carver, P. R., 228, 286, 371, 380
Casaer, P., 139
Casas, J. F., 302
Case, R., 32, 278, 340, 420
Casella, J. F., 404
Casey, B. J., 314
Cashon, C. H., 183
Casper, L. M., 129
Caspi, A., 14, 162, 209, 266, 327, 389, 402
Cassidy, J., 216
Cassidy, K. W., 261
Catalano, R. F., 409, 435, 467
Cates, W., Jr., 453
Cauce, A. M., 45
Cauffman, E., 298
Caughey, A. B., 103
Ceci, S. J., 80, 341, 356
Celis, W., 160
Cen, G., 381
Center for Education Reform, 355
Center for Effective Discipline, 297
Center for Law and Social Policy, 272
Center for Weight and Health, 240, 319, 321
Center on Addiction and Substance Abuse at Columbia University (casa), 369
Centers for Disease Control and Prevention (CDC), 57, 95, 103, 217, 245, 373, 396, 450
Centers for Medicare and Medicaid Services, 246
Central Intelligence Agency, 13
Ceppi, G., 272
Cernkovich, S. A., 457
Chadwick, A., 306
Chaika, H., 148
Chambers, C., 217
Chambers, C. D., 96
Chambers, R. A., 403, 408
Chan, R. W., 377

Chandler, A. L., 431
Chandler, P., 190
Chandra, A., 448, 451
Chang, C., 335
Chang, C. H., 122
Chang, J., 57, 58
Chang, L., 386
Chang, S., 242
Chang, Y., 386
Chao, R. K., 300, 343
Chao, W., 467
Chapieski, M. L., 221
Chapman, C., 355, 435
Chapman, M., 206, 333
Chaput, H. H., 183
Charlesworth, A., 411
Charley, C. M., 260
Chase, M., 99
Chase, V. M., 245
Chassin, L., 410
Chawla, S., 81
Chay, K., 155
Chazotte, C., 109
Chehab, F. F., 397
Chen, A., 80, 137
Chen, C., 343, 463
Chen, E., 246
Chen, L., 413
Chen, P. C., 102
Chen, P-L., 81
Chen, S., 213
Chen, W., 319
Chen, X., 381
Cheng, S., 377
Cherkassky, V. L., 142
Cherlin, A. J., 373
Cheruku, S. R., 95
Chervin, R. D., 235, 316
Chesney, J., 328, 412
Chess, S., 81, 127, 207-209
Cheung, L. W. Y., 123
Chiang, E., 242
Children in North America Project, 12
Children's Defense Fund, 13, 228, 246, 454
Childs, C. P., 45
Child Trends Data Bank, 372
Child Welfare Information Gateway, 159, 161
Chin, N., 64
Chiriboga, C. A., 98
Chiu, C., 32
Chomitz, V. R., 123
Chomsky, C. S., 268, 346
Chomsky, N., 183, 208
Chorpita, B. P., 327
Choudhury, S., 314, 402, 403
Christakis, D. A., 180, 182
Christakis, N. A., 80
Christian, M. S., 98
Christopher, S., 402
Chu, S. Y., 94
Chua, E. F., 338
Church, R. B., 456
Cicchetti, D., 327
Cicchino, J. B., 183
Cicirelli, V. G., 379
Cillessen, A. H. N., 381, 383
Clark, A., 347
Clark, A. G., 328
Clark, L., 319
Clark, M., 332
Clark, S., 449
Clarke-Stewart, K. A., 229
Clarkson, M. G., 151
Clauson, J., 372
Clayton, E. W., 74
Clearfield, M. W., 185
Clément, K., 397
Clements, P., 463

Cleveland, E., 263
Cleveland, H. H., 410
Clifton, R. K., 149, 151, 176, 179, 185
Cnattingius, S., 125
Coatsworth, J. D., 381, 384, 389-390
Cochi, S., 99
Cochi, G. M., 68
Cochrane, J. A., 157
Coe, R., 336
Coffino, B., 215
Coffman, J. L., 340
Cohany, S. R., 227
Cohen, B., 214
Cohen, L. B., 183, 184
Cohen, R. A., 244
Cohen, S. E., 181
Cohn, J. F., 218
Cohrs, M., 149
Coie, J. D., 301, 302, 326, 381-385, 466
Colburne, K. A., 224, 293
Colby, A., 426
Coldwell, J., 305, 379
Cole, M., 343
Cole, P. M., 202, 217, 303, 367
Cole, R. E., 162
Cole, T. B., 413
Cole, T. J., 137, 240
Coleman, C. C., 306
Coleman, J. S., 352
Coleman-Pox, K., 156
Coley, R. L., 450, 461
Coll, C. G., 169
Collaris, R., 303
Collier, V. P., 348
Collins, F. S., 11, 74
Collins, J. G., 324
Collins, W. A., 76, 78, 215, 467
Colombo, B., 57
Colombo, J., 95, 178, 181
Coltrane, S., 289
Comer, J., 388
Committee on Adolescence, 406, 413, 449, 451, 454, 455, 456
Committee on Child Abuse and Neglect, 145
    Section on Adoption and Foster Care, 161
Committee on Children with Disabilities, 357
Committee on Communications, 290
Committee on Fetus and Newborn & American College of Obstetricians and Gynecologists, 117
Committee on Nutrition, 138, 160, 240, 242, 315, 320
Committee on Obstetric Practice, 96
Committee on Psychosocial Aspects of Child and Family Health, 290, 295, 297, 376, 377, 451
Committee on Public Education, 182, 384, 385
Committee on School Health, 238
Committee on Sports Medicine and Fitness, 238
Community Paediatrics Committee, Canadian Paediatrics Society, 236
Compton, S. N., 46
Conboy, B. T., 17, 189
Concordet, J. P., 86
Conde-Agudelo, A., 123
Conduct Problems Prevention Research Group, 386
Conger, K., 433
Conger, K. J., 16
Conger, R., 433
Conger, R. D., 16, 17, 401, 458, 460, 467
Connor, P. D., 97
Constantino, J. N., 283
Cook, C. R., 359

Cook, D. G., 137
Copen, C. E., 451
Coplan, R. J., 293, 301, 306
Coppage, D. J., 181
Coppola, M., 194
Corbet, A., 124
Corbetta, D., 176
Corbin, C., 238
Corbin, S. B., 375
Corman, M. J., 158
Corns, K. M., 225
Correa, A., 99
Corter, C., 304
Corwyn, R. F., 169
Cosser, C., 259
Costa, P., 149
Costello, E. J., 46, 328
Costigan, K. A., 93
Cote, L. R., 191
Council on Children with Disabilities, 142
Council on Sports Medicine and Fitness and Council on School Health, 318, 321
Courage, M. L., 32, 36, 191, 219, 263
Courchesne, E., 142
Cowan, C. P., 129, 130
Cowan, N., 262
Cowan, P. A., 129, 130, 297
Cox, A., 197
Coxson, P., 405
Coy, K. C., 223
Coyle, T. R., 340
Craft, A. W., 102
Craig, W. M., 386
Crain-Thoreson, C., 197
Cramer, A., 467
Crary, D., 378
Cratty, B. J., 317
Crawford, C., 285
Crawford, J., 348
Crean, H., 460
Cremeens, P. R., 225
Crespi, B., 67, 81, 142
Crick, N., 382
Crick, N. R., 302, 383, 384
Crnic, K., 210
Crockenberg, S. C., 228
Crockett, L. J., 370
Cronk, L. B., 156
Crook, C., 224
Crosby, A. E., 413
Crosby, L. E., 327
Cross, D., 259
Crouch, D. J., 432
Crouter, A., 404
Crouter, A. C., 244, 288, 370, 380, 462
Crowder, K. D., 10
Crowley, J., 160
Crowley, S. L., 378
Csapo, B., 429
Cuca, Y. P., 449
Cui, M., 460
Culbert, K. M., 406
Culhane, D. P., 246
Culhane, J. F., 125
Cunningham, F. G., 101
Curenton, S., 259, 261
Curran, P. J., 340
Currie, C., 386, 403
Curtiss, S., 18
Cutter-Wilson, E., 465
Czikszentmihalyi, M., 359

Dabbagh, A., 99
Dahinten, V. S., 300
Daiute, C., 350
Dalais, C., 242
Dale, P. S., 197, 269
Dallal, G. E., 321, 399

Dalton, M., 410
Daly, M., 285
Daly, R., 328
Dambrosia, J. M., 112
Damon, W., 426
Danesi, M., 422
Daniel, I., 109
Daniels, D., 84
Daniels, S. R., 138, 240
Darling, N., 159, 298, 459
Darroch, J. E., 455
Darwin, C., 5, 22, 35, 284
Darwin, W. E., 187
Datar, A., 319, 321
Dauber, S. L., 350
Davalos, M., 217
David and Lucile Packard Foundation, 161
Davidson, J. I. F., 293
Davidson, R. J., 214
Davis, A. S., 71
Davis, C. C., 226
Davis, D. L., 260
Davis, J., 355, 449
Davis, M., 224
Davis, T. L., 259
Davis, W., 421
Davis-Kean, P. E., 458
Davison, K. K., 396, 405
Dawson, B. S., 449
Dawson, D. A., 372
Dawson, G., 142, 217
Day, J. C., 355
Day, N. L., 98
Day, S., 68
Dean, D., 420
Deane, K. E., 214
DeAngelis, C., 323
Deardorff, J., 402
Deary, I. J., 341
DeBell, M., 355, 435
DeBellis, M. D., 161
DeCasper, A. J., 94, 188
de Castro, B. O., 384
Decety, J., 368, 465
Deck, A., 377
Dee, D. L., 136, 137
DeFrain, J., 126
DeFranco, E. A., 123
DeFries, J. C., 79, 80, 196, 209
Degan, K. A., 301
de Gues, E. J. C., 80
deHaan, M., 403
Dekovic, M., 381, 462
del Aguila, M. A., 102
Delaney, C., 63
Delaney-Black, V., 97
Delis, D. C., 409
DeLoache, J., 47, 56, 127, 177
DeLoache, J. S., 176, 253
Delwiche, L., 142
DeMaris, A., 457
de Matos, M. G., 404
de Médicis, M., 57
Deming, D., 272
DeNavas-Walt, C., 13
den Boer, A. M., 241
Denckla, M. B., 283
Denham, S. A., 280
Dennerstein, L., 405
Dennis, T., 280
Dennis, W., 5
Denton, K., 274
Denton, N. A., 12
Department of Immunization, Vaccines, and Biologicals, 157
Derevensky, J. L., 197
de Schipper, E., 228
Detrich, R., 355
Deutsch, F. M., 288

Devaney, B., 138, 451
Devi, R., 101
DeVoe, J. F., 387
de Vries, C. S., 328
Dewing, P., 283
DeWolf, M., 306
De Wolff, M. S., 213
d'Harcourt, C., 56, 62, 116, 117, 118, 121, 146
Diamond, A., 6, 186
Diamond, L. M., 448, 449
Diamond, M., 284
DiChiara, G., 410
Dick, D. M., 80, 402
Dickens, W. T., 342
Dickinson, H. O., 102
Dickman, P. W., 125
Dick-Read, G., 113
Dickson, R., 13
Didow, S. M., 226
Diego, M., 123, 217
Diehr, P. K., 96
Diessner, R. E., 428
Dietert, R. R., 102
Dietz, W. H., 242, 321, 405
DiFranza, J. R., 97, 248
DiGirolamo, G. J., 42
DiGiuseppe, D. L., 180
Dillon, R. M., 61
Dilworth-Bart, J. E., 248
DiMarco, M. A., 92
Dingel, A., 181
Dingfelder, S., 99
Diorio, J., 129
DiPietro, J. A., 93, 99
Directrizes da American Psychological Association, 50
Dishion, T. J., 299, 381, 467, 468
Dissanayake, C., 219
Dittmar, H., 320
Dittus, P. J., 449
Dobbie, R., 112
Dodds, J. B., 149
Dodge, K. A., 274, 293, 295, 298, 301, 326, 381-385, 389, 400, 467-468
Dolan, C. V., 327
Don, A., 97
DONA International, 114
Dong, Q., 305, 387
D'Onofrio, B., 343
D'Onofrio, B. M., 375
Donovan, W. L., 217
Donzella, B., 228
Dornbusch, S. M., 432, 459
Dorus, S., 81
Douch, R., 380
Dougherty, T. M., 181
Dove, H., 154
Downie, J., 92
Dowshen, S., 160
Doyle, A. B., 380
Doyle, L. W., 124
Dozier, M., 216
Drabick, D.A.G., 465
Drake, C., 404
Draper, P., 401
Drewnowski, A., 244
Drews, F., 432
Drey, E. A., 91, 148
Dronkers, J., 376
Dropik, P. L., 175
Drug Policy Alliance, 100
Drumm, P., 423
Dubé, E. M., 450
Dube, S. R., 161, 162
Dubocovich, M. L., 404
Dubrow, N., 387
Duckworth, A., 430
Duenwald, M., 61
Duggan, A. K., 404

Duke, J., 318, 319
Duke, P., 401
Dumas-Hines, F., 280, 384
Duncan, G. J., 300, 371
Dunham, F., 192
Dunham, P., 192
Dunn, J., 225, 261, 281, 293, 328, 305, 379
Dunn, J. F., 301, 379
Dunson, D., 57, 58
Dunson, D. B., 57
DuPont, R. L., 303
Dür, W., 434
Durett, D., 355
Duster, T., 12
Dux, P. E., 432
Dweck, C. S., 280, 384
Dwyer, T., 157
Dwyer K. M., 302
Dye, J. L., 10
Dylla, D. J., 377

Eagly, A., 285, 289
Early Child Care Research Network, 213, 217, 229, 265
East, P. L., 462
Eaton, D. K., 396, 404
Eaton, W. W., 81, 102
Ebbeling, C. B., 319
Eccles, J. E., 439
Eccles, J. S., 367, 370, 420, 422, 429, 433, 434, 435, 436, 437, 438, 439, 463
Echeland, Y., 86
Ecker, J. L., 112
Eckerman, C. O., 226
Eddleman, K. A., 103
Edelsohn, G., 328
Edelstein, R. S., 263
Eden, G. F., 357
Eder, M., 412
Eder, W., 322
Edgin, J., 71
Edmonston, B., 12
Edwards, C. P., 222, 271, 272, 428
Edwards, R., 58
Ege, M. J., 322
Egeland, B., 214, 215
Ehrenreich, B., 7
Eichelsdoerfer, P., 244
Eichler, E. E., 142
Eichstedt, J. A., 224
Eiden, R. D., 225
Eiger, M. S., 121
Eimas, P., 149, 193
Eimas, P. D., 181
Einarson, A., 96
Eisenberg, A. R., 370
Eisenberg, D., 357
Eisenberg, M., 406
Eisenberg, N., 205, 206, 221, 223, 280, 301, 302, 306, 367, 424, 426, 428
Eisenbud, L., 287
Eisengart, B., 298
Eisenmann, J., 319
Eklund, K., 269
Elder, G. H., 401, 467
Elder, G. H., Jr., 16, 17
Elia, J., 358
Elicker, J., 215

Elde, C. L., 377
Eliot, L., 93
Elkind, D., 387, 421, 422, 442
Elliot, J., 367
Elliott, D. S., 500
Elliott, E. M., 285
Elliott, V. S., 386
Ellis, A., 430
Ellis, A. W., 349
Ellis, B. J., 400

Ellis, K. J., 312
Ellison, M., 60
Else-Quest, N., 271
Eltzschig, H. K., 113
Emde, R. N., 209
Emery, C. R., 455
Emery, R. E., 374, 375, 401
Emory, E., 224
Engel, M., 355
Engell, D., 240, 243
Engels, R.C.M.E., 458
Engelsbel, S., 120
England, L., 95
Engle, P. L., 129, 242
English, D., 7
English, K., 371
English and Romanian Adoptees (ERA) Study Team, 147
Englund, M., 215
Entwisle, D. R., 350, 352
Eogan, M. A., 120
Eppe, S., 302
Eppler, M. A., 151, 152
Epstein, A. S., 272, 468
Epstein, R., 118
Erdley, C. A., 280, 384
Erickson, J. D., 95, 99
Eriksson, J. G., 81
Erikson, E. H., 25, 27, 210, 282, 366, 442
Erikson, J. M., 25
Eriksson, P. S., 141
Ernst, M., 357, 358
Eron, L, 385
Esser, G., 181
Estep, K. M., 280
Etzel, R. A., 323
Evans, D. E., 207
Evans, G. W., 13, 265, 347, 371
Evans, R. B., 102
Everson, R. B., 102
Ewald, H., 87, 102
Ewart, S., 137

Fabes, R. A., 206, 280, 288, 293, 301, 302, 306, 367, 368, 428
Facio, A., 470
Fagan, J., 128
Fagan, J. F., 178
Fagot, B. I., 215, 288
Fairchild, G., 326, 465
Falbo, T., 305
Fandal, A. W., 149
Fang, S., 433
Fantuzzo, J. W., 354
Fantz, R. L., 179
Farkas, S. L., 95
Farmer, A. E., 81
Farmer, T. W., 383
Farol, P., 237
Farrie, D., 128
Farver, J. A. M., 293, 302
Farver, J. M., 386
Fasig, L., 219
Fauser, B.C., 58
Fawzi, W. W., 120
Fear, J. M., 369
Fearon, P., 124
Fearon, R. M. P., 401
Fearon, R. P., 215
Federal Interagency Forum on Child and Family Statistics, 156, 242-246, 248, 322, 347
Feinberg, A. P., 67
Feingold, A., 405
Feins, F., 300
Feldman, J. F., 124, 179, 180
Feranil, A. B., 127
Ferber, S. G., 119, 123, 236
Ferguson, C. J., 385
Fergusson, D. M., 162

## Índice onomástico

Fergusson, D. M., 237, 412
Fernald, A., 188, 191, 218
Fernandez, A., 302
Fernauld, A., 197
Fewtrell, M., 137
Fidler, V., 137
Field, A. E., 405
Field, C. J., 296
Field, T., 123, 148, 217
Field, T. M., 226
Fields, J., 305, 375
Fields, J. M., 354, 371
Fields, R. D., 402
Fiese, B., 369
Fifer, W. P., 94
Finer, L. B., 449
Fingerhut, L. A., 413
Finkelhor, D., 162
Finkle, J. P., 320
Finn, J. D., 353, 435
Fiscella, K., 162
Fischel, J. E., 349
Fischer, K., 278
Fischer, K. W., 186, 426
Fischhoff, B., 421
Fish, M., 209
Fisher, C. B., 12
Fisher, D. M., 153
Fisher, J. O., 93
Fisher, P., 208
Fisler, J., 355
Fitzsimmons, C. M., 191
Fivush, R., 263, 264
Flanagan, K. D., 274
Flannagan, C. A., 429
Flavell, E. R., 257, 258, 337
Flavell, J., 339
Flavell, J. H., 257, 259, 263, 333, 420
Flegal, K., 135, 312
Flegal, K. M., 235, 312
Fleming, J. S., 352
Fletcher, P., 242
Flook, L., 352, 431
Flores, G., 156, 246, 324
Flynn, J. R., 265, 342
Fogel, A., 216
Fomby, P., 373
Fonagy, P., 211
Fontanel, B., 56, 57, 108, 113, 136
Ford, C. A., 411
Ford, R. P., 98
Forhan, S. E., 452
Forman, D. R., 220
Forsen, T., 81
Foster, C. A., 129
Foster, E. M., 145
Foster, G. D., 321
Fowler, J., 425
Fowler, J. H., 80
Fox, M. K., 138
Fox, N. A., 148, 186, 210, 213, 217, 225, 293, 349
Fraga, M., 60
Fraga, M. F., 67
François, Y., 409, 410
Frangou, S., 81
Franic, S., 327
Frank, D. A., 98
Frank, J., 467
Frankenburg, W. K., 149
Franks, P. W., 321
Frans, E. M., 102
Franzetta, K., 450
Fraser, A. M., 101, 454
Fravel, D. L., 377
Fredricks, J. A., 367
Freedman, J., 123
Freeman, C., 270, 335
Fregni, F., 145
Freking, K., 142

French, R. M., 181
French, S., 413
French, S. A., 319
French, S. E., 446
Freud, S., 24-27
Frey, K. S., 387
Frick, J. E., 179
Fried, P. A., 98
Friedman, E. M., 316
Friedman, L. J., 442
Friedman, R. J., 303
Friend, M., 196, 259
Frigoletto, F. D., Jr., 112
Frodi, A. M., 225
Frodi, M., 225
Fromkin, V., 18
Frongillo, E. A., 242
Frost, J. J., 455
Fryar, C., 134, 312
Fryar, C. D., 312
Frye, D., 262
Fuentes, E., 156
Fujioka, Y., 411
Fuligni, A., 432
Fuligni, A. J., 343, 433, 457, 459, 463
Fulker, D. W., 209
Furman, L., 123, 357
Furman, L. J., 313
Furman, W., 306, 382, 449, 462, 464
Furr, J., 388
Furrow, D., 269
Furstenberg, Jr., F. F., 469
Fussell, E., 469

Gabbard, C. P., 139, 145, 237
Gabhainn, S., 409, 410
Gable, S., 369
Gabriel, T., 62
Gacic-Dobo, M., 99
Gadow, K. D., 465
Gaffney, M., 149
Gagne, J. R., 81
Galambos, N. L., 470
Galanello, R., 72
Galasso, L., 260
Gallagher, K. C., 209
Galland, B. C., 158
Galotti, K. M., 334
Gamble, M., 149
Ganger, J., 191
Gannon, P. J., 193
Gans, J. E., 399
Garasky, S., 319
Garbarino, J., 387
Garber, J., 400
Gardiner, H. W., 108, 154, 420
Gardner, H., 344, 359
Garland, A. F., 413
Garlick, D., 145
Garmezy, N., 390
Garmon, L. C., 428
Garner, P. W., 280
Gartrell, N., 377
Gartstein, M. A., 208
Garver, K. E., 337, 423
Garvin, R. A., 269
Garwood, M. M., 213
Garyantes, D., 355
Gates, S., 114
Gathercole, S. E., 338
Gatherum, A., 370
Gauvain, M., 332, 338
Gazzaniga, M. S., 42
Ge, X., 16, 401, 411
Gearhart, J. P., 284
Geary, D. C., 335, 357
Geary, M. P., 120
Gedo, J., 27
Geidd, J. N., 402
Geier, D. A., 142

Geier, M. R., 142
Gelfand, D. M., 217
Gélis, J., 56
Gelman, R., 255
Gelman, S. A., 255, 281
Genesee, F., 196
George, C., 216
Gerber, S. B., 353
Germino-Hausken, E., 274, 351
Gerow, L., 260
Gershoff, E. T., 297 372
Gerstein, D. R., 409
Gervai, J., 213, 224, 288
Gesell, A., 5
Gettler, L.T., 127
Gettman, D. C., 460
Getzels, J. W., 360
Geurts, S., 228
Gibbons, L., 112
Gibbons, S., 306
Gibbs, J., 426
Gibbs, J. C., 296, 426, 428, 458
Gibson, E. J., 152, 180
Gibson, J. J., 152
Giedd, J. N., 237, 314
Gilboa, S., 95
Gilbreth, J. G., 374
Giles-Sims, J., 297
Gilg, J. A., 137
Gill, B. P., 353
Gillies, P., 102
Gilligan, C., 10, 420, 445
Gilmore, J., 141, 142, 224
Gilstrap, L.L., 80
Ginsburg, D., 336
Ginsburg, G. S., 351
Ginsburg, H., 418
Ginsburg, H. P., 357
Ginsburg, K., 290, 291
Ginsburg-Block, M. D., 354
Giordano, P., 457
Giordano, P. C., 464, 465
Giscombé, C. L., 123
Gjerdingen, D., 217
Glantz, S. A., 411
Glaser, D., 161
Glassbrenner, D., 245
Glasson, E. J., 72, 142
Glaze, D. G., 316
Gleason, T. R., 260
Gleitman, H., 197
Gleitman, L. R., 197
Glenn, N., 375
Global Immunization Division, National Center for Immunization and Respiratory Diseases, 157
Glover, V., 99
Glymour, C., 183
Goering, J., 326
Goetz, P. J., 261
Goh, D. Y. T., 119
Goldenberg, R. L., 122, 124, 125
Golding, J., 99
Goldin-Meadow, S., 190, 194
Goldman, L., 248, 405
Goldman, R., 427
Goldsmith, D., 158
Goldstein, G., 142
Goldstein, M., 196
Goldstein, S. E., 458
Goleman, D., 237
Goler, N. C., 98
Golinkoff, R. M., 191, 267
Golomb, C., 260
Golombok, S., 283, 377
Golombok, S. E., 282
Golub, M., 401
Göncü, A., 187
Gonzales, N. A., 45
Gonzales, P., 354

Gonzalez, A., 156
Goodman, D. C., 122
Goodman, G., 332
Goodnow, J. J., 220, 295, 299, 302
Goodz, E., 197
Goossens, L., 460
Gootman, E., 434
Gopnik, A., 183
Gordon, L. C., 297
Gordon, R., 263
Gordon-Larsen, P., 404
Gorman, M., 10
Gorman-Smith, D., 466
Gortmaker, S. L., 319, 405
Gosden, R. G., 67
Goswami, U., 335
Gotlib, I. H., 327
Gottesman, I., 67
Gottesman, I. I., 343
Gottfried, A. E., 352, 359
Gottfried, A. W., 352, 359
Gottlieb, A., 56, 94, 127, 176
Gottlieb, G., 67, 76
Gottman, J. M., 41, 129
Goubet, N., 151, 176, 185
Gould, E., 141
Gove, F., 215
Graber, J. A., 400
Grady, B., 92
Graham, J. W., 467
Graham, S. A., 256, 267
Gralinski, H., 219
Granger, D. A., 328
Granholm, E., 409
Granier-Deferre, C., 94, 188
Grantham-McGregor, S., 242
Gray, J. R., 341
Gray, M. R., 459
Gray, P. B., 127
Graziano, M. S. A., 141
Greek, A., 225
Green, A. P., 129, 225, 373
Green, F. L., 257, 259
Green, P., 429
Green, R. E., 62
Greene, L., 449
Greene, M. F., 124
Greene, S. M., 97
Greenfield, P., 431
Greenfield, P. M., 45
Greenhouse, L, 100
Greenland, P., 404
Greenstone, M., 155
Greer, F. R., 138, 240
Gregg, V. R., 420
Greil, A. L., 57
Grether, J. K., 112
Grigg, W., 354
Grigorenko, E. L., 11, 342, 352
Grilo, C. M., 406
Grizzle, K. L., 354
Groce, N. E., 325
Gross, C. G., 141
Gross, G. A., 123
Gross, J. N., 296
Gross, R. T., 401
Grossman, J. B., 258
Grossman, K., 225
Grotevant, H. D., 377
Grotpeter, J. K., 383
Gruber, H., 359
Gruber, H. E., 5
Gruber, R., 316, 404
Grummer-Strawn, L. M., 137
Grusec, J. E., 220, 295, 302
Guberman, S. R., 335
Gueldner, B., 387
Guendelman, S., 137
Guerino, P., 386
Guilford, J. P., 360

## Índice onomástico

Guilleminault, C., 235
Gulati, M., 404
Gulko, J., 293
Gullone, E., 387
Gundersen, C., 319
Gunn, D. M., 338
Gunnar, M. R., 215, 216, 228
Gunnoe, M. L., 297, 376
Guo, G., 465
Gustafson, G. E., 203
Gutman, L. M., 458
Guttmacher, A. E., 74
Guyer, B., 60, 97, 123, 155
Guzick, D. S., 61

Ha, T., 458
Haas, S. A., 405
Habicht, J.-P., 95
Hack, M., 123, 124
Haden, C. A., 263
Hagan, J. F., 387, 388
Hahn, R., 466
Haig, D, 94
Haight, W., 196
Haines, S. M. J., 93
Haith, M. M., 148, 149, 151, 181, 184, 185, 186
Halbower, A. C., 316
Haley, A., 343
Halgunseth, L. C., 368
Hall, D. G., 267
Hall, G. S., 5
Hallfors, D. D., 411
Halliwell, E., 320
Halman, J., 57
Halpern, C., 497
Halpern, C. T., 411
Halpern, D. F., 282, 351, 430
Halpern-Felsher, B. L., 421
Halverson, C. F., 286
Hamilton, B., 261
Hamilton, B. E., 112, 454, 455
Hamilton, C. E., 306
Hamilton, L., 377
Hamilton, M., 289
Hamlin, J. K., 206
Hamm, J. V., 371
Hammad, T. A., 328
Hampden-Thompson, G., 376, 433
Hampson, J. G., 284
Hampson, J. L., 284
Hamre, B. K., 350
Han, S. S., 328
Han, W.-J., 227
Handmaker, N. S., 97
Hane, A. A., 210
Hanish, L. D., 293
Hanney, L., 328
Hannigan, J. H., 97
Hans, S. L., 296
Hansen, D., 96
Hansen, M., 404
Hanson, T. L., 376
Hara, H., 386
Hardman, C., 367
Hardway, C., 457
Hardy, R., 124
Hardy-Brown, K., 196
Harlow, B., 211
Harlow, H., 128
Harlow, H. F., 128
Harlow, M. K., 128
Harmer, S., 260
Harnishfeger, K. K., 338
Harold, G., 326, 465
Harpending, H. C., 63
Harris, G., 148
Harris, L. H., 100
Harris, M. L., 215
Harris, P. L., 260, 367

Harrist, A. W., 218, 293
Hart, C., 321, 322
Hart, C. H., 306, 381
Harter, S., 219, 278-281, 366
Hartford, R. B., 157
Hartshorn, K., 168
Hartup, W. W., 260, 306, 350, 379-382, 463
Harvard Medical School, 327, 328
Harvey, J. H., 373
Harvey, W., 56
Harwood, R. L., 223
Hasebe, Y., 458
Haslett, S. J., 444
Hastings, P. D., 302
Haswell, K., 221
Hatcher, P. J., 349
Hauck, F. R., 157
Haugaard, J. J., 377
Hauser, W. A., 98
Hawes, A., 291
Hawkins, J. D., 409, 455, 467
Hawks, J., 63
Hay, D., 217
Hay, D. F., 226, 306
Hayes, A., 72
Hayne, H., 175
Haynes, O. M., 173, 214
He, Y., 381
Healy, A. J., 103
Heath, S. B., 343
Hedges, L. V., 256
Heeren, T., 410
Heffner, L. J., 101
Heikkiia, M., 64
Heitzler, C., 318, 319
Hellström, A., 97
Helms, J. E., 11, 343
Helms-Erikson, H., 288
Helwig, C. C., 426
Henderson, H. A., 293
Henrich, C. C., 466
Henrichon, A. J., 259
Henriksen, T. B., 97
Henry, C. S., 369
Henry, D. B., 466
Herald-Brown, S., 381
Herbert, J., 175
Herdt, G., 396
Herget, D., 429
Hernandez, D., 461
Hernandez, D. J., 10, 12, 405
Hernandez-Reif, M., 123, 217
Heron, J., 99, 156, 237
Heron, M. P., 122, 154, 240, 245, 324
Herrenkohl, T. I., 467
Herrera, C., 306
Herrnstein, R. J., 342
Hershberger, S., 35
Hershey, K. L., 208
Hertenstein, M. J., 151, 218
Hertsgaard, L., 215
Hertwig, R., 245
Hertz-Pannier, L., 18
Hertz-Picciotto, I., 142
Hesketh, K., 321
Hesketh, T., 305
Hespos, S. J., 184
Hess, S. Y., 95
Hesso, N. A., 156
Hetherington, E. M., 76, 372, 374, 375, 376, 467
Hewes, G., 355
Hewlett, B. S., 127, 129, 225
Heywood, C., 224
Hickling, A. K., 254
Hickman, M., 404
Hill, A. L., 301
Hill, D. A., 72
Hill, J. L., 227

Hill, J. P., 456
Hill, K. G., 455
Hill, N., 432
Hill, N. E., 351
Hillier, L., 449
Hillier, T. A., 94
Hillis, S. D., 454
Hilton, S. C., 93
Hinckley, A. F., 101
Hines, A. M., 374, 376
Hines, M., 280
Hingson, R. W., 410
Hipócrates, 56
Hirsch-Pasek, K., 191
Hirsh-Pasek, K., 267
Hiruma, N., 303
Hitchins, M. P., 67
Hix, H. R., 259
Hjelmborg, J., 80
Hoban, T. F., 119, 234-236, 316, 404
Hobson, J. A., 235
Hock, E., 221
Hodges, E. V. E., 386
Hodgson, D. M., 93
Hodnett, E. D., 114
Hoff, E., 195, 196
Hoff, T., 449
Hofferth, S., 129, 373
Hofferth, S. L., 371
Hoffman, C. M., 429
Hoffman, H. J., 158
Hoffman, H. T., 157
Hoffman, M. L., 296
Hoffmann, J. P., 409
Hoffrage, U., 245
Hofman, P. L., 124
Hofmann, V., 215
Hofmeyr, G. J., 114
Hogge, W. A., 90
Hohne, E. A., 188
Holden, G. W., 299
Holditch-Davis, D., 123
Holland, C. R., 178
Holland, S. K., 195
Holloway, R. L., 193
Holowka, S., 195
Holstrum, J., 149
Holtzman, N. A., 74
Honberg, L., 321
Honein, M.A., 95
Honeycutt, H., 76
Hong, Y., 32
Honig, A. S., 306
Hooper, F. H., 225
Hopkins, B., 154
Hopkins, L. M., 103
Horan, J. M., 123
Horbar, J. D., 124
Hornig, M., 159
Hornstein, M. D., 60
Horvath, S., 283
Horwitz, B. N., 79
Horwood, L. J., 162, 237, 412
Hoult, L. A., 124
Houltberg, B. J., 369
Houts, R. M., 319, 401, 404
How, T. H., 119
Howard, K. I., 456
Howard, K. S., 456
Howe, M. L., 32, 36, 191, 219, 263
Howe, N., 226, 304
Howell, R. R., 118
Howes, C., 306
Hoxby, C. M., 355
Hoyert, D. L., 60, 68, 97, 122, 123, 156
Hsia, J., 157
Huang, Z. J., 324
Hudson, V. M., 241
Hudson-Barr, D., 123
Huesmann, L. R., 385, 386

Hughes, C., 293, 301
Hughes, D., 447
Hughes, I. A., 64
Hughes, K. K., 411
Hughes, K. L., 437
Huhman, M., 318, 319
Huisman, M., 137
Huizink, A., 99
Huizink, A. C., 99
Hujoel, P. P., 102
Hulme, C., 349
Human Rights Watch, 295
Humphreys, A. P., 318
Humphreys, G. W., 42
Hunt, C. E., 157
Huntsinger, C. S., 343
Hurwitz, M. D., 386
Hussain, R., 72
Hussar, W., 429
Huston, A. C., 227, 270, 293, 384
Huston, H. C., 371
Huttenlocher, J., 185, 196, 253, 256, 268, 336, 351
Huttly, S., 98
Huttunen, M., 99
Hwang, C. P., 225
Hwang, J., 208
Hwang, S. A., 102
Hyde, J., 430, 431
Hyde, J. S., 282, 301, 428
Hyle, P., 225

Iacoboni, M., 206
Iacono, W. G., 465
Ialongo, N. S., 328
Iervolino, A. C., 283, 288, 467
Iglowstein, I., 404
Imada, T., 195
Ingersoll, E. W., 118, 123
Ingersoll, G. M., 402
Ingham, P. W., 86
Ingram, J. L., 68
Inhelder, B., 256, 333, 336
Insabella, G. M., 374
Institute of Medicine of the National Academies, 319
Ireland, M., 413
Iruka, I. U., 228, 371
Isaacsohn, J. L., 80
Isaacson, W., 269
Isabella, R., 209, 217
Isabella, R. A., 213
Isava, D., 387
ISLAT Working Group, 61
Isley, S., 306
Ispa, J. M., 368
Ito, S., 96
Ivanoff, J. G., 432
Ive, S., 320
Ivey, P., 127
Iyasu, S., 157
Izard, C., 390
Izard, C. E., 214, 216

Jaccard, J., 449
Jacklin, C. N., 225, 293
Jackson, D. W., 423
Jackson, P. W., 354, 362
Jacob, M. C., 57
Jacobsen, T., 215
Jacobson, J. L., 215
Jacobson, K. C., 370
Jacoris, S., 162
Jacquet, R. C., 267
Jaffee, S., 428
Jaffee, S. R., 160, 162, 295
Jagers, R. J., 296
Jain, D., 225
Jain, T., 60
Jameson, J. L., 64

## Índice onomástico

Jankowiak, W., 129
Jankowski, J. J., 124, 179
Jankowski, L., 138
Jankuniene, Z., 371
Janowsky, J. S., 181, 339
Janssen, I., 386, 404
Janssens, J., 381
Janus, A., 355
Jarrold, C., 338
Järvenpää, A., 216
Jarvis, M. J., 410
Jasiobedzka, U., 426
Javaid, M. K., 95
Jean, C., 156
Jeffery, H. E., 98
Jeffery, R. W., 319
Jelalian, E., 321, 322
Jeng, G., 57, 58, 65
Jenkins, F., 355
Jennekens-Schinkel, A., 367
Jenni, O. G., 404
Jernigan, M., 12
Jeynes, W. H., 349
Ji, B. T., 102
Ji, G., 305
Jiao, S., 305
Jin, Y., 429
Jing, Q., 305
Jipson, J. L., 255
Ji-Yeon, K., 226
Jodl, K. M., 435
Joffe, A., 404
Johnson, A., 451
Johnson, C. H., 109
Johnson, C. P., 142
Johnson, D., 460
Johnson, D. J., 10, 11
Johnson, F., 429
Johnson, J. E., 293
Johnson, J. G., 413
Johnson, K., 100
Johnson, M. H., 18, 186
Johnson, M. J., 185
Johnson, R. A., 409
Johnson, R. L., 86
Johnson, S., 302
Johnson, T. R. B., 93
Johnston, L., 469
Johnston, L. D., 408, 409, 410
Johnston, J. S., 433
Joinson, C., 237
Jones, G., 239
Jones, H. W., 57
Jones, J., 448
Jones, K. L. C., 126
Jones, M. C., 401
Jones, N. A., 217
Jones, R., 249
Jones, S. E., 409
Jones, S. M., 384, 498
Jonsson, B., 429
Jordan, B., 108
Jordan, N. C., 255
Jose, P. E., 343
Josh, P., 225
Joussemet, M., 384
Joy, M. E., 223
Juang, L., 343
Juffer, F., 216, 377
Jung, S., 99
Jusczyk, P., 149
Jusczyk, P. W., 188, 191, 192
Just, M. A., 142
Juster, F. T., 317, 318, 319, 368, 457
Juul-Dam, N., 142

Kaban, B., 172
Kaczynski, K. J., 369
Kaffenberger, S. M., 386
Kafury-Goeta, A. C., 123

Kagan, J., 174, 185, 209, 210
Kaiser Family Foundation, 432, 449, 450, 453
Kaiz, M., 456
Kales, A., 236
Kalil, A., 42, 461
Kalish, C. W., 254
Kalkoske, M., 214
Kamrava, M., 61
Kana, R. K., 142
Kanaya, T., 356
Kandel, D. B., 327
Kanetsuna, T., 386
Kang, C., 323
Kanstrup Hansen, I. L., 96
Kaplan, D., 255
Kaplan, H., 154
Kaplan, J., 355
Kaplan, N., 216
Kaplow, J. B., 161
Kaplowitz, P. B., 396, 397
Kaprio, J., 239, 402
Karafantis, D. M., 368
Karasik, L. B., 151
Karch, M. D., 413
Karmaus, W., 137
Kashima, Y., 219
Kaste, L. M., 313
Katerelos, M., 194, 196
Kato, K., 317, 379
Katzman, D. K., 412
Katzman, R., 43
Kaufman, A. S., 346
Kaufman, J., 162
Kaufman, N. L., 346
Kawabata, Y., 382
Kazdin, A. E., 297, 298
Kazuk, E., 149
Keane, D. P., 120
Keane, S. P., 301
Kearsley, R. B., 179
Keegan, R. T., 5, 359
Keel, P. K., 406
Keeler, G., 45
Keenan, K., 224, 282
Kegler, S. R., 413
Kellam, S. G., 328
Keller, B., 7
Keller, T. A., 142
Kelley, K., 209
Kelley, M. L., 129, 225, 373
Kellman, P. J., 149
Kellogg, R., 239
Kelly, A. M., 406
Kelly, J., 375
Kelly, J. B., 374, 375
Kelsey, J. L., 11
Keltikangas-Järvinen, L., 216
Kemp, J. S., 157
Kena, G., 429
Kendall, P., 388
Kendrick, C., 225
Kennedy-Stephenson, J., 136
Kennell, J. H., 127
Kere, J., 357
Kerem, E., 387
Kermoian, R., 151
Kerns, K. A., 97, 306
Kerr, D. C. R., 296
Kerrebrock, N., 242
Kessler, R. C., 158
Kestenbaum, R., 281
Khan, Y., 237
Khoo, S. T., 462
Khoury, M. J., 74
Kidd, K. K., 11, 342
Kier, C., 305
Kikuchi, Y., 211
Killen, J. D., 410
Kim, J., 138, 380, 462

Kim, K. J., 16
Kim, S., 372
Kim, Y, S., 386
Kim, Y. K., 293
Kimball, M., 157
Kim-Cohen, J., 14, 266, 389
Kimmerly, N. L., 213
King, A., 196
King, J. C., 95
King, K. M., 410
King, N. J., 387
King, V., 375, 460
King, W. J., 160
Kingdon, C. K., 128
Kinney, H. C., 156
Kinsella, K., 10, 378
Kirby, D., 453, 455
Kirby, R., 125
Kirkorian, H. L., 270
Kirkwood, H., 338
Kirmeyer, S., 125
Kirwil, L., 385
Kisilevsky, B. S., 94
Kispert, A., 64
Kistler, D. J., 161
Kita, S., 194
Kitzman, H. J., 162
Kivnick, H. Q., 27
Klar, A. J. S., 239
Klaus, M. H., 127
Klebanoff, M. A., 101
Klein, J. D., 449, 451, 454
Kleinmann, R. E., 4
Klein-Velderman, M., 216
Klibanoff, R. S., 256
Klump, K. L., 406
Klute, C., 462, 463
Knaack, A., 223
Knafo, A., 301
Knecht, S., 195
Knickmeyer, R.C., 142
Knight, W. G., 98
Knudsen, E. I., 17
Ko, C.-W., 158
Kochanska, G., 215, 220, 221, 223, 296, 306, 370
Kochenderfer, B. J., 306
Koenig, H. G., 427
Koerner, A. F., 377
Koff, E., 401
Kogan, M. D., 136, 319, 321
Kogos, J., 390
Koh, Y.-J., 386
Kohen, D. E., 300
Kohlberg, L., 336, 420, 423, 424, 425
Koinis, D., 259
Kolasa, M., 159
Kolata, G., 72
Kolbert, E., 303
Komatsu, L. K., 334
Konrad, D., 127
Koops, W., 384
Kopp, C. B., 219, 221
Koren, G., 96
Korner, A., 208
Koskenvuo, M., 239
Kostelny, K., 387
Kosterman, R., 455, 467, 468
Kovas, Y., 356
Kovelman, I., 194, 196
Kowal, A. K., 451
Kozhimannil, K. B., 217
Kozlowska, K., 328
Kozmitzki, C., 108, 154, 420
Kralovec, E., 353
Kramer, L., 226, 305
Kramer, M. S., 137
Krashen, S., 18, 348
Krasilnikoff, P. A., 102
Kratochwill, T. R., 304

Krause, K. W., 63
Krause, N., 357
Krauss, S., 86
Krausz, C., 58
Kraut, R., 464
Krebs, N. F., 160
Kreider, R. M., 305, 375, 376, 377, 378
Kreutzer, M., 339
Krevans, J., 296, 458
Krishnakumar, A., 14
Krishnamoorthy, J. S., 321, 322
Kroger, J., 443, 444, 445
Kroonenberg, P. M., 212
Krueger, A. B., 353
Krueger, R. F., 465
Krull, J. L., 369
Kruttschnitt, C., 467
Krypianidou, A., 410
Kucera, E., 225
Kuczmarski, R. J., 134
Kuczynski, L., 221
Kuh, D., 124, 401
Kuhl, P., 189, 191, 196, 197
Kuhl, P. K., 17, 188, 189, 195
Kuhn, C., 217
Kuhn, D., 314, 402, 403, 420, 422, 423
Kuiper, H., 367
Kung, H.-C., 68, 122
Kung, H. C., 122, 125
Kupanoff, K., 367, 428
Kuperman, S., 410
Kupersmidt, J. B., 381
Kupper, L., 465
Kurian, J., 162
Kurinczuk, J., 123
Kurlakowsky, K. D., 328
Kurukulaaratchy, R. J., 137
Kuther, T., 320
Kuzawa, C. W., 127
Kye, C., 327

Laakso, M., 269
Labarere, J., 137
Laberge, L., 235
LaBounty, J., 261
Labov, T., 422
Lacerda, F., 188
Ladd, G., 381
Ladd, G. W., 274, 306
LaFontana, K. M., 381
Lagattuta, K. H., 281
Lagercrantz, H., 112
La Greca, A. M., 387
Lahey, B., 368, 465
Lai, D., 323
Laible, D., 428
Laible, D. J., 224, 280
Laird, J., 435
Laird, R. D., 465
Laje, G., 328
Lakatos, K., 213
Lalonde, C. E., 189
Lamason, R. L., 65
Lamaze, F., 113
Lamb, M. E., 127, 129, 215, 225, 229, 373
Lamberg, A., 316
Lambert, S. F., 328
Lamborn, S. D., 459, 467
Lamm, C., 337
Lammi-Keefe, C. J., 95
Lancaster, M., 354
Lando, B., 304
Landon, M. B., 112
Langenberg, C., 124
Langer, J., 186
Langer, S., 4
Långström, N., 448
Lanphear, B. P., 323
Lansford, J., 375

## Índice onomástico

Lansford, J. E., 160, 296, 468
Lanting, C. I., 137
Lapinski, R. H., 101-102
Lapsley, A., 215
Largo, R. H., 404
Laris, B., 453
Larsen, D., 378
Larson, M. C., 215
Larson, R., 369, 394, 395, 404, 430, 489
Larson, R. W., 317, 457
Larzalere, R. E., 298
Lasquade, C., 306
Latendresse, S. J., 13
Laucht, M., 181
Laufer, E., 86
Laughren, T., 328
Laurenceau, J., 369
Laursen, B., 456, 458, 462, 463
Laursen, T. M., 217
Lavelli, M., 216
Lawn, J. E., 125, 154
Lazar, N. A., 337, 423
Lazar, V., 244
Le, H. N., 96
Leaper, C., 225, 282, 288
Leavitt, L. A., 217
Leblanc, M., 328
Lecanuet, J. P., 94, 188
LeClere, F. B., 324
Lee, F. R., 241
Lee, J. M., 396, 400
Lee, K., 259
Lee, L., 137
Lee, M. M., 313
Lee, P., 151
Lee, S. J., 91, 148
Lee, S. M., 12
Lee, S. Y., 343
Lee, Y., 293
LeFebvre, R., 304
Lefever, J. B., 456
LeFevre, J., 197
Legerstee, M., 216
Leigh, E., 338
Leinbach, M. D., 288
Leman, P. J., 347
Lemke, M., 259, 429
Lemmon, H., 341
Lenneberg, E. H., 18
Lennon, M. C., 372
Lenroot, R. K., 237, 314
Leonard, C., 339
Leonard, S. A., 367
Leong, D. J., 293
Leshem, M., 99
Leslie, A. M., 183
Leslie, L. K., 328, 412
Lester, B. M., 97, 188
Letendre, A., 92
Levan, S., 396
LeVay, S., 448
Leveno, K. J., 101
Leventhal, B., 386
Leventhal, J. M., 102
Leventhal, T., 300, 371
Levine, J. A., 487
Levine, L. J., 263
LeVine, R. A., 127
Levine, S., 342
Levine, S. C., 185, 256, 335
Levron, J., 58
Levy, S. R., 368
Levy-Shiff, R., 378
Lew, S., 435
Lewinsohn, M., 327
Lewinsohn, P. M., 327, 401
Lewis, C., 305
Lewis, C. C., 230
Lewis, J. M., 375
Lewis, L., 355

Lewis, M., 98, 204, 204, 214, 219, 221, 302, 405
Lewis, M. D., 337
Lewit, E., 242
Leyendecker, B., 127
L'Hoir, M. P., 157
Li, D., 157, 381
Li, D. K., 98
Li, G., 413
Li, J., 211
Li, R., 99, 137
Li, X., 321
Liang, J., 357
Liang, K., 94
Liberman, A. M., 349
Liberman, I. Y., 349
Lichtenstein, P., 448
Lickliter, R., 76
Lickona, T., 425
Lie, R. T., 124
Lieberman, E., 123
Lieberman, E. S., 113
Lieberman, M., 426
Lightwood, J., 405
Li-Grining, C. R., 274
Ligthart, L., 327
Lillard, A., 259, 261, 271
Lim, M. E., 397
Lin, K.-H., 322
Lin, L., 305
Lin, M. H., 296
Lin, S., 102
Lin, S. P., 81
Lin, S. S., 11, 12
Lindahl, K. M., 369
Lindberg, S., 430
Lindblom, B., 188
Lindenberger, U., 333
Lindsey, E. W., 225
Lindström, P., 448
Linebarger, D. L., 385
Linn, M., 430
Linnet, K. M., 97
Lins-Dyer, M. T., 458
Lissau, I., 405
Liszkowski, U., 190
Littell, S. W., 349
Little, R. E., 102
Little, T., 483
Littleton, H., 99
Liu, D., 261
Liu, E., 242
Liu, H. M., 189
Liu, J., 242
Liu, L., 328
Liu, S. V., 22
Liu, V., 99
Livson, N., 401
Lizotte, A. J., 455
Lloyd, J. J., 467
Lloyd, T., 404
Lloyd-Richardson, E., 410, 462
Lobel, M., 123
Lobstein, T., 318
LoBue, V., 47
Lock, A., 190
Lock, J., 412
Locke, J., 23
Lockwood, C. J., 122
Locunia, M. N., 255
Loeken, M. R., 99
Lohman, B. J., 319
Lohse, N., 453
Lonczak, H. S., 455
London, K., 129, 373
Long, J. D., 386
Longmore, M. A., 464
Longnecker, M. P., 101
Longworth, H. L., 128
Lonigan, C. J., 270, 349

Loomis, C. C., 280, 384
Lopez, N. L., 296
Lopez-Duran, S., 261
Lord, H., 371
Lorenz, F. O., 15, 16, 460
Lorenz, K., 17, 35, 127
Lorsbach, T. C., 338
Lou, H. C., 99
Low, J. A., 93
Lu, L., 305
Lu, R., 397
Lubell, K. M., 413
Lubinski, D., 359, 360
Lucas, A., 137
Lucile Packard Children's Hospital at Stanford, 160
Ludwig, D. S., 319, 321
Ludwig, J., 272
Lugaila, T. A., 354, 376
Lukas, S. L., 265
Lumer, D., 375
Lummis, M., 343
Luna, B., 337, 338, 423
Lundy, B., 217
Lundy, B. L., 213, 216, 217
Luthar, S. S., 13
Luyckx, K., 460
Lynam, D., 402
Lynn, T., 196
Lyons-Ruth, K., 215
Lytton, H., 225, 288
Lyytinen, H., 269
Lyytinen, P., 269

Macaluso, M., 57, 58
Macartney, S. E., 12, 405
Maccoby, E., 224, 298
Maccoby, E. E., 76, 225, 230, 285, 288, 293, 467
MacDermid, S. M., 370
MacDonald, K., 35, 211
MacDorman, M. F., 120, 122, 123, 125, 155, 454
Macher, J., 12
MacKinnon-Lewis, C., 302
MacLean, K., 147
Macmillan, C., 98
Macmillan, R., 467
MacMillan, H. M., 297
MacWhinney, B., 349
Maes, L., 404, 406
Maestripieri, D., 162
Maher, E., 321
Mahoney, J. L., 371, 468
Main, M., 212, 216
Maislin, G., 138
Makhoul, I. R., 115, 119, 123
Makino, M., 405
Malaguzzi, L., 272
Malanchuk, O., 435
Malaspina, D., 81, 102
Maldonado-Carreno, C., 274
Maletaki, S., 410
Malik, N. M., 369
Malloy, M. H., 112
Malone, F. D., 110
Malone, L. M., 298
Malone, P. S., 297
Mandell, D. J., 260
Mandler, J. M., 181, 185
Mangelsdorf, S. C., 213
Manlove, J., 450, 452
Mann, E. A., 468
Mann, J. J., 413
Manning, W. D., 464
Marchman, V. A., 188, 191
March of Dimes Birth Defects Foundation, 98
Marcia, J. E., 443, 444, 445, 446
Marcoen, A., 215, 279

Marcovitch, S., 262
Marentette, P. F., 194
Mareschal, D., 181
Mariner, C. L., 297
Maring, B. L., 260
Marion, D., 102
Markestad, T., 124, 157
Markman, E. M., 191, 192
Markoff, J., 101
Marks, H., 435
Marks, K. S., 184
Marlow, N., 124
Marois, R., 432
Marquardt, E., 375
Marquis, J., 270
Marriott, C., 260
Marsh, P., 463
Marshall, E. G., 102
Marshall, M. F., 100
Marshall, N. L., 228, 245
Marshall, P. J., 293
Martin, C. L., 224, 283, 284, 286, 287, 288, 293, 367
Martin, J. A., 86, 91, 94, 97, 101, 102, 103, 109, 112, 117, 118, 120, 122, 124, 125, 298, 427, 454
Martin, M., 239
Martin, N., 60
Martin, R., 99
Martin, S., 465
Martinez, G., 449-451
Martinez, G. M., 449
Martínez-González, M. A., 406
Martinez-Pons, M., 351
Marwick, C., 100
Mason, C. A., 45
Masse, L. C., 409
Masten, A., 381
Masten, A. S., 384, 389, 390
Mateer, C. A., 97
Matheeson, C. C., 306
Mathews, T. J., 60, 95, 97, 120, 122, 123, 155, 156, 454, 455
Mathie, A., 39
Matsumoto, D., 343
Matthews, K. A., 246
Maugeais, R., 188
Mauras, N., 313
Maurer, O., 375
May, K. A., 128
Mayeux, L., 381, 383
Maynard, R., 451
Mayo Foundation for Medical Education and Research, 67
Mayseless, O., 470
Mazzella, R., 436
Mazziotta, J. C., 206
McAdoo, H. P., 169
McCabe, E.R.B., 74
McCabe, L. L., 74
McCall, D. D., 151
McCall, L. W., 340
McCall, R. B., 178, 180
McCallum, K. E., 407, 408
McCartney, K., 78, 79
McCartt, A. T., 412
McCarty, C. A., 180, 412
McCarty, M. E., 151
McClearn, G. E., 79, 80
McClelland, J. L., 185
McClintock, M. K., 396
McCord, J., 296, 297, 467
McCoy, A. R., 354
McDade, T. W., 127
McDaniel, M., 322
McDonald, E., 320
McDonald, S. A., 124
McDonough, L., 181
McDowell, M., 134, 312
McElhaney, K. B., 463

## Índice onomástico

McElwain, N. L., 305
McFadyen-Ketchum, S., 400
McFadyen-Ketchum, S. A., 386
McFarland, F. C., 463
McField, G., 348
McGue, M., 265, 465
McGue, M. K., 378
McGuffin, P., 76, 79, 81
McGuigan, F., 264
McGuinn, N., 316
McHale, S. M., 226, 288, 370, 380, 462
McIntosh, C. N., 300
McKay, M., 160
McKenna, J. J., 158
McKenna, K.Y.A., 464
McKenna, M. C., 349
McKinney, K. L., 402
McKusick, V. A., 74
McLanahan, S., 265, 342, 375
McLanahan, S. S., 376
McLeod, P. J., 197
McLeod, R., 99
McLeskey, J., 354
McLoyd, V., 372
McLoyd, V. C., 265, 295, 298, 371
McMahon, A. P., 64
McMahon, C. R., 142
McMahon, R. J., 460
McMorris, B. J., 467
McMorrow, M., 157
McNamara, T., 92
McNeely, C. S., 449
McQueeny, T., 440
McQuillan, J., 57
McRitchie, S. L., 319, 404
McRoberts, G. W., 191
McRoy, R. G., 377
Meaney, M. J., 129
Mechur, M. J., 437
Meck, E., 255
Medland, S. E., 239
Mednick, S., 242
Mednick, S. A., 242
Meehan, B. T., 410
Meeks, J. J., 64
Meerum Terwogt, M., 367
Meezan, W., 377
Meier, A. M., 405
Meier, D., 434
Meier, R., 194
Meijer, A. M., 130
Meins, E., 213, 215
Meir, I., 194
Meis, P. J., 122
Melby, J., 433
Mellingen, K., 243
Meltzer, A. A., 422
Meltzoff, A. N., 174, 182, 184
Menacker, F., 60, 97, 112, 454
Mendel, G., 22, 64
Mendle, J., 400, 401
Mendola, P., 397
Meng, H., 357
Menke, E. M., 92
Mennella, J. A., 93, 95, 148
Ment, L. R., 125
Merabet, L. B., 145
Merckelbach, H., 303
Merikangas, K. R., 80
Mermillod, M., 181
Merrell, K., 387
Mertz, J., 430, 431
Mesch, G., 463
Messinger, D. S., 98, 217
Messinis, L., 410
Metraux, S., 246
Metz, K. E., 420
Metzger, A., 460
Meyer, I. H., 448
Michael, A., 435

Michaelieu, Q., 445
Michaelson, K. F., 137
Michalaska, K., 368, 465
Micocci, F., 470
Middeldorp, C. M., 327
Miech, R. A., 405
Miedel, W. T., 354
Miedzian, M., 288
Migeon, B. R., 64
Mikkola, K., 124
Milani, I., 179
Miller, D. C., 350
Miller, J. W., 409
Miller, J. Y., 409
Miller, K. F., 253
Miller, P. C., 299
Miller, P. H., 333, 420
Miller, S. A., 333, 420
Miller-Johnson, S., 170
Miller-Kovach, K., 321
Millman, R. P., 404
Mills, J. L., 95
Millsap, R. E., 402
Millstein, S. G., 421
Mindell, J.A., 119
Mindell, J. A., 404
Minich, N., 123
Miniño, A. M., 412
Minshew, N. J., 142
Miranda, S. B., 179
Mischel, W., 221, 287
Mishra, G. D., 401
Missmer, S. A., 60
Mistry, J., 187
Mistry, R. S., 371
Mitchell, E. A., 157
Miura, H., 255
Mix, K. S., 185, 335
Miyake, K., 213
Mizuta, I., 303
Mlot, C., 205
Mody, M., 357
Moffitt, T. E., 14, 209, 266, 389, 402, 457, 467
Mohajer, S. T., 60, 61
Moise-Titus, J., 385
Mol, B. W., 120
Molenaar, P. C. M., 335
Molinari, L., 404
Moller, L. C., 293
Molnar, Z., 141
Mondschein, E. R., 150, 224
Moneta, G., 457
Money, J., 284
Monni, G., 72
Monshouwer, H. J., 384
Montague, D. P. F., 216
Montague, P. R., 211
Montessori, M., 271
Montgomery, G., 64
Montgomery-Downs, H. E., 60
Montplaisir, J., 235
Moon, C., 94
Moon, J., 71
Moon, R. Y., 156
Mooney-Somers, J., 377
Moore, C. A., 95, 174
Moore, C. F., 248
Moore, G. E., 67
Moore, M. K., 174
Moore, S. E., 95
Morelli, G., 45
Morelli, G. A., 127, 158
Moreno, C., 328
Morgan, R. A., 74
Morielli, A., 156
Morild, I., 157
Morison, P., 381
Morris, A. D., 424, 426, 428
Morris, A. S., 369

Morris, J. E., 461
Morris, M. W., 32
Morris, P. A., 33
Morris, P. E., 359
Morris, R. J., 304
Morris, S. S., 137
Morrison, J. A., 405
Morrissey, T. W., 229
Mors, O., 217
Mortensen, E. L., 137
Mortensen, P. B., 81, 102, 217
Mortimer, J., 469
Mortimer, J. T., 437
Morton, H., 7
Morton, T., 328
Moses, L. J., 218, 259
Mosher, W. D., 448, 449, 450
Mosier, C., 187
Mosier, C. E., 222
Mosko, S. S., 158
Mosley, J., 376
Moster, D., 124
Moulson, M. C., 148
Mounts, N., 467
Mounts, N. S., 459
Mounzih, K., 397
Moyzis, R. K., 63
Msall, M. S. E., 124
MTA Cooperative Group, 358
Muenke, M., 358
Muglia, L. J., 123
Muir, D., 259
Muir, D. W., 93, 151
Mulder, E., 99
Mulder, E. J. H., 99
Mulford, C., 465
Mulinare, J., 99
Mullan, D., 403
Müller, U., 142, 262
Mullin, J., 347
Mullins, R., 102
Mumma, G. H., 381
Mumme, D. L., 218, 280
Munafo, M., 239
Munakata, Y., 185
Munk-Olsen, T., 217
Munn, P., 226
Murachver, T., 263
Murchison, C., 4
Muris, P., 303
Murnen, S. K., 162
Murphy, B. C., 368
Murphy, P. D., 74
Murphy, S. L., 68, 122
Murray, C., 342
Murray, K. T., 223
Murray, M. L., 328
Murry, V., 402
Murry, V. M., 372
Mussen, P. H., 401
Must, A., 321, 399, 400, 405
Mustillo, S., 319
Muter, V., 270
Myers, S. M., 143

Nabors, L. A., 228
Nadel, L., 71
Nader, P. R., 319, 404
Nadig, A. S., 142
Nagaoka, J., 355
Nagel, R. J., 495
Nagy, E., 218
Naimi, T. S., 409
Naito, M., 255
Najman, J. M., 371
Nandakumar, R., 267
Nangle, B. E., 123
Nansel, T. R., 386
Nash, A., 226
Nassar, N., 123

Natenshon, A., 320
Nathanielsz, P. W., 123
National Assessment of Educational Progress, 350, 354
National Center for Child Traumatic Stress, 145, 161
National Center for Education Statistics (NCES), 274, 316, 321, 347, 348, 436, 466
National Center for Health Statistics (NCHS), 60, 103, 109, 156, 356
National Center for Injury Prevention and Control, 413
National Center for Learning Disabilities, 356
National Center for Teachers of Mathematics, 383
National Center on Addiction and Substance Abuse at Columbia University, 369
National Center on Shaken Baby Syndrome, 160
National Clearinghouse on Child Abuse and Neglect Information (NCCANI), 161, 162
National Coalition for the Homeless, 246
National Commission for the Protection of Human Subjects of Biomedical and Behavioral Research, 50
National Conference of State Legislatures, 100
National Diabetes Education Program, 323
National Diabetes Information Clearinghouse, 323
National Enuresis Society, 236
National Fatherhood Initiative, 373
National High Blood Pressure Education Program Working Group on High Blood Pressure in Children and Adolescents, 323
National Highway Traffic Safety Administration, 412
National Institute on Drug Abuse (NIDA), 409
National Institute of Child Health and Human Development (NICHD), 49, 71, 227, 229
 Early Child Care Research Network, 213, 215, 217, 229, 230, 265, 270, 337, 371
 Study of Early Child Care, 49, 227
National Institute of Dental and Craniofacial Research, 313
National Institute of Mental Health (NIMH), 18, 142, 314, 373, 388, 402, 403, 413
National Institute of Neurological Disorders and Stroke (NINDS), 142, 160
National Institutes of Health, 113
National Library of Medicine, 326
National Parents' Resource Institute for Drug Education, 410
National Reading Center, 349
National Research Council (NRC), 161, 162, 244, 351, 437
National Sleep Foundation, 235, 316
National Survey on Drug Use and Health (NSDUH), 408, 411
Navratil, F., 64
Nawrocki, T., 217
Needell, B., 377
Needham, C., 328
Neergaard, L., 142
Neff, C., 213
Neisser, U., 265, 272, 342, 343
Nelson, C. A., 145, 147, 148, 175, 181, 262, 403
Nelson, D. A., 302

# Índice onomástico

Nelson, K., 168, 174, 186, 263
Nelson, K. B., 112
Nelson, L. J., 100, 470
Nelson, M. C., 404
Nelson, T., 17, 189
Neumark-Sztainer, D., 369, 406
Neville, A., 90
Neville, H. J., 18
Nevis, S., 179
Newacheck, P. W., 321, 324
Newcomb, A. F., 381
Newcombe, R., 264
Newman, D. L., 209
Newman, N. M., 157
Newman, R. S., 189
Newman, T. B., 328, 412
Newport, E. L., 18, 194
Niaura, R., 462
Nichols, J., 245
Nichols, K. E., 296
Nickerson, A. B., 463
Nicoladis, E., 196
Nie, N. H., 463
Nielsen, M., 219
Nilsen, E. S., 256
Nirmala, A., 80
Nisan, M., 428
Nisbett, R. E., 342, 343
Nix, R. L., 295
Nixon, C. L., 261
Nobile, C., 316
Nobre, A. C., 195
Noirot, E., 93
Noll, J. G., 162
Noonan, C. J., 102
Noonan, M. E., 386
Nord, M., 244
Nordstrom, B., 97
Noriuchi, M., 211
Norton, M. E., 103
Notarius, C. I., 41
Nourot, P. M., 293
Novak, M. F. S. X., 99
Noyes, J., 99
Nucci, L., 458, 459
Nugent, J. K., 97, 118
Nugent, L. D., 262
Nyman, M., 302

Oakes, L. M., 181, 183
Oates, R. K., 162
Obel, C., 97
Ober, C., 322
Oberman, L. M., 206
O'Brien, C. M., 98
O'Brien, M., 293
O'Connell, B., 189
O'Connell, M. P., 120
O'Connor, T. G., 147
Odent, M., 113
Odgen, C., 312
Odoki, K., 137
Odouli, R., 98, 156
Oetting, J. B., 270
Offer, D., 456
Offer, M. K., 456
Office of National Drug Control
    Policy, 410
Offit, P. A., 159
Ofori, B., 96
Ogbuanu, I. U., 137
Ogden, C. L., 235, 240, 312, 319, 405
Okamoto, Y., 32, 420
Okazaki, S., 343
Oken, E., 182
Olah, L. N., 255
Olds, D., 162
Olds, S. W., 115, 121, 325
O'Leary, C., 132
Olfson, M., 328

Oliphant, J. A., 449
Ollendick, T. H., 305, 387
Olsen, J., 99
Olson, C. M., 265
Olson, K. R., 326
Olson, L., 167, 268
Olson, L. S., 381
Olson, S. L., 321, 323
Olthof, T., 367
Olweus, D., 386
O'Mahony, P., 103
O'Malley, P. M., 439
O'Malley, P., 501–502
Omojokun, O. O., 157
Ondracek, P. J., 340
O'Neil, K., 317
O'Neil, R., 333
Ono, H., 317, 368, 457
Opdal, S. H., 156
Operskalski, B., 328
Opfer, J. E., 335
Oppenheim, D., 158
Opper, S., 418
Oraichi, D., 96
Orenstein, P., 92
Organization for Economic Co-opera-
    tion and Development (OECD), 435
Ornstein, P. A., 340
Orr, D. P., 402
Ortega, S., 10
Osejo, V. M., 98
Osgood, D. W., 226, 462
Oshima-Takane, Y., 197
Osmond, C., 81
Ossorio, P., 12
Ostbye, T., 124
Osterman, M. J. K., 454
Ostrov, E., 456
Ostry, D., 194
Ott, M. G., 74
Ouellette, G. P., 349
Overbeek, G., 458
Overpeck, M. D., 403
Owen, C. G., 137
Owen, D. R., 265
Owen, L. D., 449
Owen, M. J., 79, 81
Owens, E. B., 296
Owens, J., 316
Owens, J. L., 263
Owens, R. E., 195, 267, 268, 346, 422
Oyserman, D., 446
Ozarow, L., 347
Ozata, M., 397
Ozcaliskan, S., 190
Ozyürek, A., 194

Pac, S., 138
Padden, C., 194
Padden, C. A., 194
Padden, D., 17, 189
Padilla, A. M., 348
Pae, S., 270
Pagnucco, J. R., 349
Paige, R. U., 377
Painter, K., 173
Paley, B., 97
Palkovitz, R., 128
Palmer, F. B., 189
Palombini, L., 235
Paltrow, L., 100
Palusci, V. J., 160
Pan, B. A., 196
Panigrahy, A., 156
Panwar, O., 101
Papadatou-Pastou, M., 239
Papathanasopoulos, P., 410
Paradis, J., 196
Pardo, C., 387
Park, J., 274

Park, J. M., 246
Park, S., 210
Parke, R., 306, 370, 374
Parke, R. D., 5, 13, 17, 45, 49, 225, 298,
    397, 398, 402
Parker, A. M., 421
Parker, J. G., 292
Parker, K. D., 10
Parker, L., 101
Partelow, L., 350
Parten, M. B., 292, 293
Partridge, J. C., 91, 148
Paschall, M. J., 297
Pascual-Leone, A., 145
Pastor, P. N., 355, 356, 357
Pastorelli, C., 351, 435
Pastuszak, A., 96
Patel, K. M., 156
Patenaude, A. F., 74
Patrick, K., 405
Pattall, E. A., 382
Pattee, L., 381
Patterson, C. J., 377, 448, 449
Patterson, G. R., 467
Pauen, S., 181
Paulozzi, L. J., 95
Paus, T., 314
Pauwels, B. G., 373
Pavlov I., 29
Pawelski, J. G., 376, 377
Paxson, C., 322
Payne, A., 288
Payne, J. D., 306
Pearce, M. J., 466
Pearce, M. S., 102
Pearl, R., 383
Pedersen, C. B., 217
Pedersen, J., 226
Pegg, J. E., 197
Pelayo, R., 235
Pell, J. P., 112
Pell, T., 98
Pellegrini, A. D., 35, 110, 128, 174,
    282, 285, 289, 290, 291, 293, 301, 302,
    317, 318, 357, 379, 380, 382, 386
Pempek, T. A., 182
Peña, F., 156
Pendlebury, J. D., 97
Pennington, B. F., 71, 72
Pepe, M. S., 242
Pepler, D., 304
Pepper, S. C., 23
Pereira, M., 217
Pereira, M. A., 319
Perera, F., 102
Perera, F. P., 102
Perez, S. M., 338
Perfetti, C. A., 349
Perfors, A., 188
Perrin, E. C., 376
Perrin, E. M., 320
Perrin, J. M., 328, 377, 405
Perrin, S. P., 128
Perry, D. G., 286, 370
Perry, T. B., 380, 463
Perry-Jenkins, M., 370
Peskin, H., 401
Pesonen, A., 216
Peter, J., 464
Petersen, A. C., 402, 457
Peterson, C. C., 282
Peterson, K., 484
Peterson, K. E., 138
Peterson, L., 480
Petit, D., 235
Petitto, L. A., 194, 195, 196
Petrakos, H., 304
Petrill, S. A., 81
Petronis, A., 67
Pettit, G. S., 293, 295, 297, 298, 299,

    302, 381, 384, 386, 389, 400, 467
Peyser, H., 377
Phelps, J. L., 216
Phelps, K. E., 260
Philliber, S., 455
Phillips, D., 228, 272
Phillips, D. F., 58
Phillips, P., 10
Phillips, R., 355
Phinney, J. S., 445, 446
Piaget, J., 25-28, 179, 187, 191, 274,
    279, 281, 317, 361, 362, 364, 450
Pianta, R. C., 350
Piccinino, L., 449
Pick, A. D., 152
Pickens, J., 217
Picker, J., 81
Pickett, W., 157, 386
Pierce, K. M., 371
Pierroutsakos, S. L., 176, 253
Pike, A., 305, 379
Pike, L. B., 451
Pillow, B. H., 259, 334
Pine, D. S., 196
Pines, M., 18
Pinkleton, B. E., 411
Pinto, J. P., 191
Pinuelas, A., 302
Pipe, M., 263
Plant, L. D., 156
Pleck, J. H., 129
Pletcher, M. J., 405
Plomin, R., 74, 76, 78, 79, 80, 196, 209,
    270, 283, 301, 356
Plunkett, K., 195
Podolski, C. L., 385
Poelhuis, C. W. K., 378
Poffenbarger, T., 323
Pogarsky, G., 455
Poikkeus, A., 269
Polit, D. F., 305
Pollack, B., 224
Pollack, H., 455
Pollack, S. D., 161, 162
Pollak, S., 161
Pollak, S. D., 161, 162, 190
Pomerantz, E. M., 280
Pomery, E. A., 462
Pong, S., 376
Ponjaert, I., 377
Ponomarev, I., 262
Ponsonby, A. L., 157
Pontieri, F. E., 410
Poole, K., 124
Pope, A. W., 381
Pope, H. G., Jr., 127
Pope, R. S., 338
Population Reference Bureau, 13
Porfeli, E., 469
Porges, S. W., 214
Porter, M. R., 463
Porter, R. H., 94
Portman, R. J., 323
Posner, J. K., 371
Posner, M. L., 42
Posthuma, D., 80
Potenza, M. N., 403
Poulin, F., 467
Poulin-Dubois, D., 224
Powell, B., 377
Powell, C., 242
Powell, M. B., 263
Power, T. G., 221, 280
Powers, B. P., 213
Powlishta, K. K., 293, 380
Practice Committee, 60
Prakash, K., 293
Preissler, M., 176
Presnell, K., 405, 411
Price, J. M., 381

Price, T. S., 269
Prinzie, P., 462
Prisco, T. R., 370
Proctor, B. D., 13
Pruden, S. M., 191
Pruitt, J., 17, 189
Pruyne, E., 426
Psych, M., 81
Public Law 108-265, 349
Pungello, E., 170
Putallaz, M., 302
Putnam, F., 162
Putnam, F. M., 162
Putnam, S., 210

Quadrel, M. J., 421
Quattrin, T., 242
Querido, J. G., 196
Quinn, P. C., 181

Rabiner, D., 381
Raboy, B., 377
Rachuba, L., 355
Racoosin, J., 328
Racz, S. J., 460
Radestad, I., 92
Radke-Yarrow, M., 206
Rahman, Q., 448
Raikes, H., 213
Raïkkönen, K., 216
Raine, A., 242
Rakic, P., 141
Rakison, D. H., 148, 149, 175, 179, 181, 183, 186
Rakyan, V., 67
Ralston, H. J. P., 91, 148
Ram, A., 213
Ramachandran, V. S., 206
Ramagopalan, S. V., 95
Ramakrishnan K., 237
Ramani, G. B., 226, 256
Ramey, C. T., 170, 171, 172, 196
Ramey, S. L., 170, 171, 172
Ramirez, J. M., 156
Ramsey, P. G., 306
Rand-Giovanetti, E., 338
Rankin, J., 95
Rao, P. A., 327
Rapoport, J. L., 81, 358
Rask-Nissilä, L., 242
Rasmussen, S. A., 95
Rathbun, A., 274, 351
Rauch, J., 377
Rauh, V. A., 97
Raver, C. C., 372
Raviv, A., 316, 404
Ray, D., 328
Rayner, R., 29
Read, D., 326
Recchia, H. E., 226
Reddy, B. M., 80
Reddy, P. P., 80
Reef, S.E., 99
Reefhuis, J., 61
Reese, D., 90
Reese, E., 197, 253, 263
Reeves, A. J., 141
Reichenberg, A., 102, 142
Reid, Y., 102
Reif, J. S., 101
Reimer, J. F., 338
Reiner, W. G., 284
Reinhart, P., 488
Reinhold, A., 136
Reinisch, J. M., 137
Reiser, M., 381
Reiss, A. L., 283
Reither, E. N., 405
Remafedi, G., 413
Remez, L., 450

Rende, R., 462
Repacholi, B., 215
Repetti, R. L., 129, 352, 372
Resnick, L. B., 335
Resnick, M. D., 413, 466
Resnick, S., 214
Rest, J. R., 424
Rethman, J., 313
Reuben, C. A., 355, 356, 357
Reusing, S. P., 99
Reuters, 100
Rey, E., 96
Reynolds, A. J., 272, 354, 468
Reynolds, M. A., 60
Rhee, S. H., 465
Rhines, H. M., 223
Rhoton-Vlasak, A., 58
Ricciuti, H. N., 376, 461
Rice, C., 282
Rice, M., 292
Rice, M. L., 192, 259, 294
Rich, M., 182
Richard, C. A., 158
Richards, D., 340
Richards, M. H., 457
Richardson, G. A., 95
Richardson, G. S., 404
Richardson, J., 129
Richmond, T., 465
Rickert, V. I., 412
Ridder, E. M., 412
Riddle, R. D., 86
Rideout, V. J., 182
Riemann, M. K., 96
Rierdan, J., 401
Rifas-Shiman, S., 182
Rifkin, J., 74
Rigler, D., 18
Rigler, M., 18
Riksen-Walraven, J. M., 214
Riksen-Walraven, M., 228
Riley, B., 76
Rinaldi, C. M., 331
Riordan, K., 214
Rios-Ellis, B., 386
Ritchie, L., 240
Ritchie, M., 328
Rivera, J. A., 95
Rivera, S. M., 186
Rivera-Gaxiola, M., 188, 189, 190, 195, 197
Roberto, K. A., 407
Roberts, C., 404
Roberts, D., 461
Roberts, G. C., 370
Roberts, J. E., 228
Roberts, L., 102
Robertson, D. L., 501
Robin, D. J., 151
Robinette, C. D., 80
Robins, R. W., 445
Robinson, J. C., 353
Robinson, S. R., 93
Robles de Medina, P., 99
Rochat, P., 196, 219
Rock, D. A., 435
Rock, S., 172
Rodas, C., 377
Roderick, M., 355
Rodgers, J. L., 342
Rodier, P. M., 142
Rodkin, P. C., 383
Rodriguez, M. L., 221
Roettger, M., 465
Rogan, W. J., 137, 249
Rogers, C .S., 288
Rogers, M. C., 129, 225, 373
Rogler, L. H., 15
Rognum, T. O., 156
Rogoff, B., 45, 158, 187, 222

Rogol, A., 396, 397, 398, 399, 400, 401, 402, 405, 411
Rohde, P., 405
Roisman, G. I., 215
Rolfs, R. T., 123
Rolls, B. J., 240, 243
Romano, E., 302
Romney, D. M., 225, 288
Ronca, A. E., 93
Roopnarine, J., 306
Roopnarine, J. L., 225, 226
Roosa, M. W., 326, 402
Rosas-Bermúdez, A., 123
Rosatelli, M.C., 72
Rose, A. J., 380
Rose, H., 287
Rose, R. J., 239, 432
Rose, S. A., 124, 179, 180
Rose, S. P., 186
Rosen, M. A., 91, 148
Rosenbaum, J., 451
Rosenbaum, P. L., 124
Rosenblum, G. D., 405
Rosengren, K. S., 176
Rosenkrantz, S. L., 181
Rosenthal, E., 241
Rosicky, J. G., 218
Ross, D., 294, 329
Ross, G., 32
Ross, H. S., 226, 331
Ross, J. L., 308
Ross, S., 416
Ross, S. A., 294, 329
Rossi, R., 434
Rossoni, E., 136
Roth, E., 429
Rothbart, M. K., 207, 209, 214
Rourke, M., 261
Rouse, C., 265, 342
Rouse, D. J., 122, 124, 125
Roush, W., 357
Rousseau, J. J., 23
Rovee-Collier, C., 168, 174
Rowe, M. L., 190, 196
Rowland, A. S., 357
Rowland, M. A., 100
Roy, K., 128
Rubin, D. H., 102, 248, 292
Rubin, K. H., 293, 302, 306
Ruble, D., 401
Ruble, D. N., 224, 280, 283, 284, 286, 287, 288
Ruchkin, V., 466
Rudolph, K. D., 328, 380
Rudy, D., 368
Rueda, M. R., 207
Rueter, M. A., 377, 458
Ruiz, P., 386
Rumbaut, R. G., 469
Rundell, L. J., 183
Russell, J. D., 377
Russell, S. T., 407
Rust, J., 283
Rutherford, G. W., 157
Rutland, A., 380
Rutland, A. F., 346
Rutter, M., 67, 74, 76, 79, 147, 357
Ryan, A., 433
Ryan, A. S., 136, 137
Ryan, N., 327
Ryan, S., 450
Ryan, V., 328
Rymer, R., 18
Ryncarz, R. A., 424

Saarni, C., 280, 367
Sable, J., 434
Sadeh, A., 119, 316, 404
Saffron, J. R., 204
Sagi, A., 212, 215

Saigal, S., 125
Sakala, C., 114
Sakin, J. W., 225
Salkind, N. J., 203
Sallee, F. R., 354
Salmon, K., 264
Samara, M., 124
Samara, R., 449
Samdal, O., 434
Sameroff, A., 435
Sameroff, A. J., 214, 296
Sampson, H. A., 243
Sampson, P. D., 97
Sampson, R. J., 467
Samuelsson, M., 92
Sandefur, G., 375
Sanders, P, 225
Sanders, S. A., 137
Sandler, D. P., 102
Sandler, W., 194
Sandnabba, H. K., 288
Sandstrom, M. J., 383
Santiago, C. D., 13
Santos, I. S., 98
Sapienza, C., 68
Sapp, F., 259
Sargent, J. D., 410
Sarnecka, B. W., 255
Saswati, S., 61
Satcher, D., 451, 455
Saudino, K. J., 81, 208, 209
Saults, J. S., 262
Saunders, N., 109
Savage, J., 385
Savage, J. S., 93
Savage, S. L., 267
Savarino, J., 328
Savic, I., 448
Savin-Williams, R. C., 448, 449, 450
Savoie, D., 332
Sawalani, G., 383
Sawhill, I., 275
Saxe, R., 183
Saxon, J. L., 280
Saylor, M. M., 176
Scarr, S., 78, 79
Schacter, D. L., 33, 338
Schaefer, C. E., 360
Schafer, W. D., 213
Schanberg, S., 217
Scharf, M., 375, 470
Scheers, N. J., 157
Scheidt, P., 403
Schelar, E., 452
Schemo, D. J., 355
Scher, A., 118
Scher, M. S., 98
Schieve, L. A., 60, 61
Schiff, A., 404
Schiller, M., 214
Schindler, H. S., 450
Schliemann, A. D., 335
Schlossman, S. L., 353
Schmidt, C. R., 287
Schmidt, M. E., 182
Schmidt, M. H., 181
Schmithorst, V. J., 195
Schmitt, B. D., 257
Schmitt, K. L., 414
Schmitt, S. A., 211
Schmitt-Rodermund, E., 401
Schmitz, S., 209
Schnaas, L., 102
Schneider, B. H., 215
Schneider, H., 353
Schneider, M., 357
Schnell, S. V., 426
Schoefs, V., 215
Schoelmerich, A., 223
Schoenle, E. J., 64

## Índice onomástico

Schoff, K., 390
Schölmerich, A., 127
Scholten, C. M., 109
Schöner, G., 186
Schonert-Reichl, K. A., 456
Schoppe-Sullivan, S. J., 213
Schore, A. N., 205
Schouten, A., 367
Schuengel, C., 212
Schulenberg, J., 469
Schulenberg, J. E., 408, 465
Schulkin, J., 99
Schull, W. J., 102
Schulting, A. B., 274
Schulz, L. E., 183
Schulz, M. S., 129, 130
Schulze, P. A., 223
Schumann, C. M., 142
Schumann, J., 18
Schwab-Stone, M., 466
Schwartz, D., 329, 416
Schwartz, L. L., 66
Schwartz, M., 397
Schwartz, T., 133
Schweinhart, L. J., 272, 455, 468
Schwimmer, J. B., 321
Scott, E. S., 402, 468
Scott, M., 460
Scullin, M. H., 356
Seaton, E. K., 446
Sebanc, A. M., 260
Seeley, J. R., 327, 401
Seeman, T. S., 372
Seepersad, S., 457
Segesten, K., 92
Seibel, R. L., 190
Seidel, K. D., 242
Seidman, E., 446
Seifer, R., 208, 214, 404
Seiner, S. H., 217
Seitz, V., 468
Seligman, M. E. P., 430
Sellers, R. M., 446
Selman, A. P., 383
Selman, R. L., 383
Seltzer, J. A., 376
Seltzer, M., 196
Selwitz, R. H., 313
Sen, A., 350
Sen, M., 224
Sen, M. G., 224
Sénéchal, M., 197, 379
Senghas, A., 194
Senman, L., 261
Senoo, A., 211
Serbin, L., 224
Serbin, L. A., 293, 380
Sergio, L., 194
Service, V., 190
Servin, A., 293
Servis, L. J., 288
Sethi, A., 221
Setterstein, R. A., Jr., 501
Shachar-Dadon, A., 99
Shackman, A. J., 161
Shackman, J. E., 161
Shah, T., 97
Shamah, T., 95
Shanahan, M., 469
Shankaran, S., 97, 98
Shannon, D., 127
Shannon, F. T., 237
Shannon, J. D., 129, 373
Shannon, M., 247
Shapiro, A. F., 129
Shapiro, B. K., 189
Shapiro-Mendoza, C. K., 157
Sharma, A. R., 378
Sharon, T., 253
Shaw, B. A., 342

Shaw, D., 224, 282
Shaw, H., 436
Shaw, N., 263
Shayer, M., 336
Shaywitz, B. A., 357

Shaywitz, S. E., 357
Shea, K. M., 102
Shea, S., 242
Sheblanova, E., 429
Shi, T., 283
Shibuya, K., 241, 242
Shine, B., 242
Shiono, P. H., 103, 123
Shirley, L., 224, 283
Shoda, Y., 221
Shoji, J., 386
Sholl, W., 350
Shonkoff, J., 228
Shore, C., 189
Shore, E. L., 428
Shouldice, A., 303
Shrout, P. E., 151
Shulman, S., 215, 375, 378
Shwe, H. I., 192
Siadaty, M. S., 157
Siahpush, M., 319
Sicherer, S. H., 243
Sidora, K. J., 162
Siegal, M., 259
Siegler, R. S., 185, 255, 256, 262, 270, 335, 340, 349, 350
Sieving, R. E., 449
Sigman, M., 180
Sigman, M. D., 178, 180
Sigmundson, H. K., 284
Silber, T. J., 422
Silbereisen, R. K., 401
Silva, P., 209, 402
Silver, E. J., 324
Silverman, W. K., 387
Silvestri, L., 235
Simion, F., 179
Simmons, R. G., 401
Simon, G. E., 328
Simon, T., 169
Simons, R. F., 214
Simons, R. L., 16, 297, 402, 467
Simonton, D. K., 360
Simpson, A. M., 196
Simpson, J. E., 102
Simpson, K., 157, 283
Sines, E., 109, 154
Singer, D. G., 283, 301
Singer, H. S., 283
Singer, J. D., 196
Singer, J. L., 260, 293
Singer, L. T., 98
Singer-Freeman, K. E., 335
Singh, G. K., 136, 319, 324
Singh, S., 449, 455
Singhal, A., 137
Sipos, A., 81
Siqueland, E., 149
Sirnick, A., 160
Siskind, J. M., 196
Sit, D. K. Y., 217
Skadberg, B. T., 157
Skemer, J., 429
Skinner, B. F., 26, 193
Skinner, D., 289
Skjaerven, R., 124
Skoe, E. E., 428
Skovron, M. L., 101
Slade, A., 216
Slaughter, V., 219
Slobin, D., 192
Slomkowski, C., 261, 462
Slotkin, T. A., 112
Slyper, A. H., 397, 400

Small, D. M., 80
Small, M. Y., 269, 419
Smedley, A., 12
Smedley, B. D., 12
Smetana, J., 460
Smilansky, S., 293
Smith-Khuri, E., 466
Smolak, L., 162
Smotherman, W. P., 93
Snidman, N., 209, 210
Snoek, H., 326, 455
Snow, C. E., 196, 270, 369
Snow, M. E., 225
Snyder, J., 306, 462, 467
Snyder, T. D., 429
Sobel, D. M., 183
Sobol, A. M., 405
Sobolewski, J. M., 375, 461
Society for Assisted Reproductive Technology, 61
Society for Neuroscience, 71, 81, 139, 141, 145
Society for Research in Child Development, 50
Soenens, B., 460
Sok, E., 227
Sokol, R. J., 97, 102
Soliday, E., 137
Solomon, J., 212
Solowij, N., 410
Sommer, M., 323
Sondergaard, C., 97
Sontag, L. M., 402
Sood, B., 97
Sophian, C., 263, 355
Sorof, J. M., 323
Sotres-Alvarez, D., 95
Soules, M.R., 58
Souter, V. L., 60
South, S. J., 449
Soutollo, D., 217
Sowell, E. R., 139, 237
Sparling, J., 170
Sparling, J. J., 170
Spelke, E., 185
Spelke, E. S., 255, 282, 300
Spellman, B. A., 183
Spence, M. J., 93
Spencer, J. P., 153, 176
Sperling, M. A., 124
Sperling, R. A., 338
Spinath, F. M., 80, 269
Spinrad, T. L., 280, 293
Spira, E. G., 349
Spirito, A., 316
Spitz, R., 215
Spohr, H. L., 97
Spoor, S., 80
Sprafkin, J., 465
Sprague, B. M., 156
Spry, L., 245
Srivastav, P., 225
Sroufe, L. A., 203, 204, 205, 214, 215
Stack, D. M., 179
Staff, J., 437
Stafford, F. P., 317, 368, 457
Stahl, S. A., 349
Stallings, V. A., 138
Stamilio, D. M., 123
Standing, E. M., 271
Standley, J. M., 123
Stanhope, L., 304
Stanhope, R., 313
Stanley-Hagan, M., 376
Starnes, R., 302
Starr, J. M., 341
State Children's Health Insurance Program (SCHIP), 246
Stattin, H., 458
Staub, E., 466

Stauder, J. E. A., 335
St. Clair, D., 81
Stedron, J., 71
Stegge, H., 367
Stein, M. R., 226
Stein, R. E. K., 324
Steinberg, L., 76, 298, 401, 402, 432, 458, 459, 463, 467, 468
Steinhausen, H. C., 97, 408
Stennes, L. M., 224
Stephansson, O., 125
Stephens, L. E., 96
Stephens, P., 328
Steptoe, P., 58
Sternberg, R. J., 11, 341, 342, 343, 344, 345, 346, 352, 435
Stevens, J. H., 172
Stevens, K. N., 188
Stevens, N., 306, 463, 467
Stevenson-Hinde, J., 303
Stewart, I. C., 455
Stewart, J. H., 160, 295, 297
Stewart, M. G., 316
Stewart, S., 319
Stice, E., 80, 405, 411
Stillwell, R., 434
Stipek, D. J., 219
Stirling, J., Jr., 145, 161
Stockemer, V., 306
Stoecker, J. J., 179
Stoelhorst, M. S. J., 124
Stoll, B. J., 123
Stoll, M. F., 372
Stone, W. L., 142
Stormshak, E., 299
Story, M., 319, 406, 413
Stoskopf, B. L., 124
Stothard, K. J., 95
Stovall, K. C., 216
Strandberg, T., 216
Strassberg, Z., 297
Strathearn, L., 211
Straus, M. A., 160, 295, 296, 297
Strayer, D., 432
Strebel, P., 99
Streight, S., 157
Streiner, D. L., 124
Streissguth, A. P., 97
Striano, T., 190, 196, 216, 219
Strickland, B., 321
Striegel-Moore, R. H., 406
Stright, A. D., 209
Strobel, A., 397
Strobino, D. M., 60, 97, 123, 155
Strohschein, L., 374
Strömland, K., 97
Strosberg, A. D., 397
Stubbs, M. L., 401
Stucky, B., 383
Stueve, A., 410
Stukel, T. A., 122
Stunkard, A. J., 138
Sturm, R., 319, 321
Stuttering Foundation, 323
Styfco, S. J., 272
Substance Abuse and Mental Health Services Administration (SAMHSA), 410
Suddendorf, T., 219
Sue, S., 343
Sugarman, D. B., 297
Suleman, N., 60, 61
Sullivan, K., 97, 259
Summers, K., 81
Sun, Y., 460
Sundet, J., 265
Suomi, S., 128
Surkan, P. J., 125
Susman, E. J., 396, 397, 398, 399, 400, 401, 402, 405, 411

## Índice onomástico

Susman-Stillman, A., 214
Susser, E. S., 81
Suzuki, L. A., 343
Swain, I. U., 149, 179
Swain, J. E., 112
Swallen, K. C., 405
Swamy, G. K., 124
Swan, S. H., 102
Swanston, H. Y., 162
Swedo, S., 413
Sweeney, J. A., 337, 423
Swingley, D., 191
Swisher, R., 309
Syed, U., 109, 154
Sylva, K., 169
Szaflarski, J. P., 195
Szatmari, P., 142
Szkrybalo, J., 224, 286

Tabin, C., 86
Tackett, J. L., 465
Tager-Flusberg, H., 259
Taillac, C. J., 98
Takanishi, R., 273
Talokder, E., 225
Tamang, B. L., 202, 367
Tamis-LeMonda, C. S., 129, 224
Tamis-LeMonda, C. S., 129, 150, 181, 196, 373
Tanaka, A., 216
Tanaka, K., 386
Tanda, G., 410
Tanner, J. L., 374
Tao, K.-T., 305
Tapert, S. F., 409
Tardif, C., 215
Tate, B. A., 404
Taussig, C., 468
Taveras, E., 182
Taveras, E. M., 137
Teachman, J. D., 10
Teasdale, T. W., 265
Tebbutt, J. S., 162
Tedrow, L. M., 10
Temple, J. A., 272, 281, 354
Tenenbaum, H. R., 288
Tenenbaum, J. B., 183
Tennant, P. W. G., 95
Termine, N. T., 216
Tesla, C., 261
Tester, D. J., 156
Teti, D. M., 213, 217, 225
Thacker, S. B., 112
Thapar, A., 358
Thelen, E., 153, 176, 186
Thoma, S. J., 424
Thoman, E. B., 95, 118, 123
Thornberry, T. P., 455
Thorne, A., 445
Tidball, G., 218
Tiedemann, D., 4
Tiggeman, M., 319
Tincoff, R., 191
Ting, T. Y., 112
Tinsley, R., 225
Tirosh, E., 118
Tita, A. T. N., 113
Tither, J., 400
Tjebkes, T. L., 220
Toga, A., 80, 145, 314
Toga, A. W., 139, 237
Tolan, P. H., 466, 467, 468
Tom, S. E., 401
Tomany-Korman, S. C., 156, 246
Tomasello, M., 190, 206, 207
Tomashek, K. M., 157
Toner, J. P., 57
Torff, B., 352
Torjussen, T., 265
Torrance, E. P., 360

Toth, S. L., 327
Totsika, V., 169
Touchette, E., 235
Touwen, B. C. L., 137
Touyz, S. W., 407
Townsend, J., 142
Townsend, N. W., 129
Trautner, H. M., 287
Tremblay, R. E., 235, 301, 302, 409
Trends in International Mathematics and Science Study (TIMSS), 354
Trenholm, C., 451
Trickett, P. K., 162
Trim, R. S., 410
Trimble, J. E., 13
Troiano, R. P., 404
Tronick, E., 149
Tronick, E. Z., 127, 216
Troseth, G. L., 176
Truglio, R., 270
Tryba, A. K., 156
Trzesniewski, K. H., 445
Tsao, F. M., 189
Tseng, V., 457
Tsuboi, K., 405
Tsuchiya, K., 102
Tupler, L. A., 161
Turati, C., 179
Turkheimer, E., 343, 401
Turner, J., 323
Turner, P. J., 224, 288, 314
Turner, S. M., 327
Turrisi, R., 411
Turtle, M., 237
Twenge, J. M., 129, 387
Tyson, D., 432

Uggen, C., 437
Ullman, J. B., 352
Umilta, C., 179
United Nations Children's Fund (UNICEF), 13, 103, 120, 122, 136, 157, 228, 241, 242, 245
United States Breastfeeding Committee, 137
Updegraff, K. A., 288
Urban, T. A., 337, 423
U.S. Bureau of Labor Statistics, 227, 370
U.S. Census Bureau, 10, 11, 155, 228, 375
U.S. Department of Agriculture, 244, 315
U.S. Department of Education, National Center for Education Statistics, 271, 436
U.S. Department of Energy, Office of Science, 74
U.S. Department of Health and Human Services (USDHHS), 91, 103, 159, 160, 162, 272, 315, 321, 326, 327, 328, 357, 358, 411, 413, 449
U.S. Preventive Services Task Force, 269, 270
Uttal, D. H., 176, 177

Vainio, S., 64
Valadez-Meltzer, A., 422
Valencia, R. R., 343
Valeri, S. M., 412
Valkenburg, P., 464
Van, P., 61
Van Acker, R., 383
Vance, M. L., 313
Van Cleave, E. F., 401
Vandell, D. L., 226, 371
Van den Boom, D. C., 214
van den Wittenboer, G. L. H., 130
Van der Molen, M. W., 335
van der Pal-de Bruin, K. M., 120

Vandewater, E. A., 182, 371
van Goozen, S., 326, 465
Van Hall, V. E., 377
van IJzendoorn, M. H., 212, 213, 214, 215, 216, 377
Vansteenkiste, M., 460
Van Voorhis, B. J., 61
Varendi, H., 94
Varghese, J., 216
Varni, J. W., 321
Vasilyeva, M., 253, 256, 268
Vaughn, B. E., 214
Veenstra, R., 386
Veerman, J. W., 384
Velkoff, V. A., 378
Venables, P., 242
Venables, P. H., 242
Ventura, A. K., 148
Ventura, S. J., 454, 455
Ventura-Cook, E., 223
Vereecken, C., 404, 405
Vereijken, B., 151
Vereijken, C. M. J. L., 214
Verma, S., 317, 457
Vermulst, A., 458
Verschueren, K., 215, 279
Vespo, J., 226
Vevea, J., 342
Vgontzas, A. N., 235
Vickerie, J. L., 244
Victora, C. G., 98
Victorian Infant Collaborative Study Group, 124
Vigorito, J., 149
Viken, R., 402
Vilain, E., 283
Villalpando, S., 95
Viner, R. M., 240
Visser, G., 99
Vitaro, F., 235, 386
Vitousek, K. M., 406
Voelz, S., 334
Vohr, B. R., 124
Volkow, N., 358
Volling, B., 302
Volling, B. L., 305
Vondra, J. I., 212
Vong, K. I., 263
von Gontard, A., 237
von Hofsten, C., 151
von Mutius, E., 322
Vosniadou, S., 346
Votruba-Drzal, E., 274, 450
Vrijenhoek, T., 81
Vrijheld, M., 101
Vuchinich, S., 370
Vuoksimaa, E., 239
Vuori, L., 95
Vygotsky, L. S., 32, 264

Waber, D. P., 342
Wadsworth, M. E., 13, 124, 371
Wagner, E., 206
Wahlbeck, K., 81
Wainright, J. L., 377
Waisbren, S. E., 118
Wake, M., 321
Wakefield, M., 102
Wakeley, A., 186
Waknine, Y., 68
Wald, N. J., 95
Walden, T. A., 142
Waldfogel, J., 227, 322
Waldman, I., 214
Waldman, I. D., 384, 465
Waldron, J., 343
Walk, R. D., 152
Walker, A. S., 180
Walker, L. R., 412
Walker, S., 242

Walker-Andrews, A. S., 216
Wall, M., 406
Wall, S., 109, 154, 212
Wall, T. P., 240
Wallace, L., 245
Waller, M., 465
Waller, M. W., 411
Wallerstein, J., 375
Wallerstein, J. S., 375
Walma van der Molen, J., 387
Walsh, R. O., 217
Walsh, T., 81
Walston, J., 274
Walters, R. H., 30
Walther, J. B., 464
Wanstrom, L., 342
Ward, R. H., 101, 454
Wardle, J., 406
Warneken, F., 206
Warner, J., 62
Warner, M., 413
Warner, V., 327
Warren, M., 400
Warshauer-Baker, E., 11
Wartella, E. A., 182, 270
Wasik, B. H., 170
Wasserstein, S., 387
Watamura, S. E., 228
Waterfall, H., 268
Waters, E., 212, 214, 215, 321
Waters, J. M., 175
Waters, K. A., 156
Watkins, M., 95
Watkins, S., 180
Watson, A. C., 261
Watson, J., 259
Watson, J. B., 26
Watson, M. S., 74
Waugh, R. M., 218
Way, N., 42
Weber, A., 245
Weber-Byars, A., 195
Weese-Mayer, D. E., 156
Wegman, M. E., 123
Wehner, E. A., 449, 464
Weichold, K., 401
Weikart, D., 468
Weikart, D. P., 272, 455
Weile, B., 102
Weill, J., 244
Weinberg, A., 191
Weinberg, M. K., 218
Weinberger, B., 123
Weinberger, D. R., 466
Weiner, C., 388
Weinreb, L., 269
Weinreb, L. F., 246
Weinstock, H., 453
Weisner, T. S., 42, 379
Weiss, B., 248, 295, 328, 384
Weiss, J., 64
Weiss, L. A., 142
Weissman, M. M., 327
Weisz, J. R., 328, 412
Weitzman, M., 97, 248
Welch-Ross, M. K., 287
Wellman, H. M., 254, 258, 259
Wells, J., 355
Wenar, C., 221
Weng, X., 98
Wenjun, Z., 137
Wenner, J. A., 175
Wentworth, N., 151
Wentzel, K. R., 434
Werker, J. F., 189, 197
Werner, E. E., 126, 390
Werner, R. S., 261
Wertz, A. E., 81
West, J., 274, 351
West, L., 306

## Índice onomástico

West, M., 196
Westen, D., 27
Westerlund, A., 181
Westra, T., 154
Wethington, E., 431
Wexler, A., 74, 388
Wexler, I. D., 387
Whalley, L. J., 341
Wheeler, K., 178
Wheeler, M.E., 93
Whincup, P. H., 137
Whitaker, R. C., 242
White, A., 440
White, B. L., 172
White, D. R., 380
White, L., 57, 172
Whitehurst, G. J., 44, 270, 349
Whiteman, S., 380
Whitman, T. L., 456
Whitmore, D. M., 353
Whittall, S., 260
Whyatt, R. M., 101
Wickrama, K., 433
Wickramaratne, P. J., 327
Widom, C. S., 161
Wiebe, R. P., 410
Wiebe, S. A., 175
Wieczorek-Deering, D., 97
Wiegand, B., 119
Wiersman, K. A., 411
Wigfield, A., 420
Wilcox, A. J., 57, 102
Wildsmith, E., 452
Willard, B. F., 64
Willard, N. E., 464
Wille, D. E., 215
Williams, C., 461

Williams, D. L., 142
Williams, E. R., 243
Williams, J., 321
Williams, K. A., 188
Williams, S., 412
Williams, S. M., 158
Williams, W. M., 342
Willinger, M., 157, 158
Willms, J., 97
Wilson-Costello, D., 124
Winberg J., 94
Winner, E., 259, 359, 360
Wippman, J., 215
Wisborg, K., 97
Wise, S., 218
Wisenbaker, J., 99
Wismer Fries, A. B., 162
Wisner, K. L., 217
Witherington, D., 280
Woese, C., 22
Wolchik, S. A., 375
Wolff, K. F., 57
Wolff, P. H., 203
Wolfson, A. R., 404
Wolke, D., 124
Wondimu, E. A., 244
Wood, A., 263, 335
Wood, D., 32
Wood, J. J., 129
Wood, R. M., 203
Wood, W., 285, 289
Woodcock, R., 337, 351
Woodruff, T. J., 248, 356, 357
Woodward, A. L., 191
Wooley, J. D., 260
Woolley, J. D., 258, 260
Wooten, K. G., 159

World Bank, 138
World Health Organization (WHO),
120, 157, 241, 242, 245, 324, 403
Worley, H., 109, 154
Worth, K., 384
Wozniak, P., 306
Wright, J. A., 242, 270
Wright, J. C., 385
Wright, L. L., 124
Wright, V. C., 57, 58, 60, 61
Wu, T., 397
Wulczyn, F., 161
Wulf, D., 449
Wynn, K., 184, 185, 206, 255
Wynne-Edwards, K. E., 127
Wyrobek, A. J., 102

Xia, Y., 305
Xing, Z. W., 305
Xu, J., 68, 122
Xu, Y., 302

Yamada, H., 300
Yamazaki, J. N., 102
Yang, B., 305, 387
Yang, C. J., 127
Yim, I. S., 217
Yingling, C. D., 33
Yip, T., 446, 457
Yoder, P. J., 142
Yokota, F., 384
Yoshikawa, H., 42, 468
Young, A., 190
Young, K., 289
Young, M., 465
Youngblade, L., 284
Youngblade, L. M., 215, 394

Youngstrom, E., 390
Ytteroy, E. A., 377
Yu, S. M., 319, 324
Yunger, J. L., 286, 380

Zahn-Waxler, C., 206, 217, 303
Zain, A. F., 293
Zajac, R., 350
Zametkin, A. J., 357, 358
Zanardo, V., 112
Zarrett, N. R., 465
Zeanah, C. H., 148
Zee, P. C., 404
Zeedyk, M. S., 245
Zeiger, J. S., 94
Zelazo, P. D., 142, 262, 337
Zelazo, P. R., 148, 179
Zerwas, S., 226
Zeskind, P. S., 96
Zhao, Y., 300
Zhou, H., 101
Zhu, B. P., 123
Ziegler, T., 162
Zigler, E., 272, 273, 413, 468
Zimmerman, A. W., 142
Zimmerman, F. J., 96, 180, 182
Zimmerman, R. R., 128
Zini, M., 272
Ziol-Guest, K. M., 461
Zito, J. M., 328
Zola, I. K., 325
Zoran, N., 378
Zubernis, L. S., 261
Zubrick, S. R., 270
Zuckerman, B. S., 217
Zylke, J., 323

# Índice

As páginas em **negrito** indicam palavras-chave. As páginas seguidas por *f* indicam figuras, e as páginas seguidas por *t* indicam tabelas e quadros.

21C, 272-274

## A

Abcedarian (ABC) Project, 170-171
abismo visual, **151-152**, 151-153, 152-153*f*
abordagem behaviorista, **166**
  aquisição da linguagem, 192-193
  em bebês e crianças de 2 anos, 166-168
abordagem biológica para o desenvolvimento de gênero, 284-285, 284-285*t*
abordagem da linguagem integral, **348-349**
abordagem da neurociência cognitiva, **166-168**
  em bebês e crianças de 2 anos, 186-187
abordagem de imersão na língua inglesa, **347-348**
abordagem do processamento de informação, **32, 166-168**
  atenção seletiva, 337-339
  avaliando pesquisas em, 185-186
  categorização, 181-183
  causalidade, 181-184
  como preditoras da inteligência, 180-181
  controle inibitório, 337-338
  desenvolvimento das capacidades piagetianas e, 181-186
  dispositivo mnemônico, 338-340
  em bebês e crianças de 2 anos, 170-178
  habituação, 178-180
  memória de trabalho, 338-339, 339-340*t*
  metamemória, 338-339
  na adolescência, 422-424
  na segunda infância, 261-264
  na terceira infância, 336-340
  número, 184-186
  permanência do objeto, 183-185
  processamento das habilidades visuais e auditivas, 178-181
  processos básicos e capacidades da memória, 262
  reconhecimento e lembrança, 262-263
  tarefas piagetianas de criança operatória-concreta, 340
  transferência intermodal, 178-180
  violação de expectativas, 183-186
abordagem fonética (com ênfase no código), **348-349**
abordagem piagetiana, 30-32, **166**
abordagem piagetiana, estágio operatório-concreto, 28*t*, 332-337, 332-333*t*
  categorização, 332-334
  conservação, 333-335
  números e matemática, 334-336
  processamento de informação, 340

raciocínio indutivo e dedutivo, 333-334
raciocínio moral, 335-337
relacionamentos espaciais e causalidade, 332
abordagem piagetiana, estágio operatório-formal, 28*t*, 418-421
  raciocínio hipotético-dedutivo, 418-420
abordagem piagetiana, estágio pré-operacional, 28*t*
  aspectos imaturos da, 255-258
  categorização, 181-183
  causalidade, 181-184, 253-255
  egocentrismo, 255-257
  função simbólica, 252-253
  números, 184-186, 254-256
  objetos no espaço, 252-254
  teoria da mente, 257-261
  transdução, 253-255
abordagem piagetiana, estágio sensório-motor, 28*t*, 170-178
  avaliando, 177-178
  competência imagética, 176-177
  desenvolvimento simbólico, 176-177
  desenvolvimentos fundamentais da, 174-175*u*
  erro A-não-B, 174-176
  erro de escala, 176-178
  esquemas, 170-171
  habilidade representativa, 173-174
  hipótese de representação dupla, 177-178
  imitação, 173-176
  permanência do objeto, 174-177, 183-185
  reações circulares, 171-174, 171-173*f*
  subestágios da, 170-174, 171-172*t*
abordagem PK-3, 272-274
abordagem pré-escolar de Reggio Emilia, 271-273
abordagem psicométrica, **166**
  em bebês e crianças de 2 anos, 168-171
  na terceira infância, 341-346
  segunda infância, 264-267
abordagem sociocontextual, **166-168**
  em bebês e crianças de 2 anos, 187
aborto espontâneo, **90-91**
  incidência de, 90-91
  luto, 92
abuso
  características de pais e famílias abusivos/negligentes, 160-161
  déficit de crescimento não orgânico, 159-160
  efeitos a longo prazo do, 161-162
  em bebês e crianças de 2 anos, 159-162
  físico, 159-160

incidência de, 159-160
sexual, 159-160
síndrome do bebê sacudido, 159-161
abuso de substâncias, **407-408**
  fatores de risco para, 407-411
  na adolescência, 407-411
  tendências em, 407-408, 407-408*f*
abuso físico, 159-160
abuso sexual
  definição, 159-160
  efeitos a longo prazo de, 162
Aché, Paraguai, desenvolvimento motor, 153-154
acidentes de automóvel, 411-413, 411-413*f*
ácido docosa-hexaenoico (DHA), 123-124
ácido fólico, gravidez e, 94-96
acne do bebê, 114-116*t*
acne neonatal, 114-116*t*
acomodação, **31**
acondroplasia, 68-69
aconselhamento genético e testes, **71-72**, 71-73, 74
adaptação
  adequação da educação e, 209
  temperamento e, 209
adaptação, **31**
adequação da educação, **209**
admissão como membro da turma, 462-463
adoções abertas, 377-378
*Adolescência* (Hall), 4-5
adolescência, **394**
  como construção social, 394-396
  globalização da, 395-396
  riscos e oportunidades durante, 394-396
adolescência, desenvolvimento cognitivo
adolescência, desenvolvimento físico e saúde
  atividade física, 403-404
  depressão, 410-413, 410-411*f*
  desenvolvimento do cérebro, 402-404
  exercício, 403-404
  fatores de proteção, 413-414
  imagem corporal e transtornos alimentares, 405-408
  maturidade precoce e tardia, 401-403
  morte na, 411-414, 411-413*f*
  necessidades e distúrbios do sono, 403-405
  nutrição e transtornos alimentares, 404-406
  obesidade, 404-406
  puberdade, 394-402
  surto de crescimento, 398-400
  transição do desenvolvimento, 394-396
  uso e abuso de substâncias, 407-411

adolescência, desenvolvimento psicossocial
  comportamento antissocial, 464-469
  gravidez na adolescência, 453-457
  influência dos pais, 457-461
  maturidade emergente, 468-470, 469-470*t*
  rebeldia adolescente, 456-458
  relacionamento com irmãos, 461-462
  relacionamento com pares e amigos, 461-465
  sexualidade, 447-457, 447-448*f*, 450*t*, 451*t*-453*t*, 454-456*t*
adolescentes, 6-7, 8*t*. *Ver também* adolescência, desenvolvimento cognitivo; adolescência, desenvolvimento físico e saúde; adolescência, desenvolvimento psicossocial
adrenarca, 394-397
afirmação de poder, 295-296, **295-296**, 296-298
África
  adolescência na, 395
  assistência infantil, 126-128
  avós como cuidadores, 378-379
  bebês com baixo peso ao nascer, 120-122, 120-122*t*
  brincadeiras impetuosas na, 317-318
  desenvolvimento motor, 153-154
  escolaridade e QI, 341-342
  mortalidade infantil na, 241
  relacionamento com irmãos, 378-380
África do Sul, escolaridade e QI, 341-342
afro-americanos
  asma, 321-323
  atividade sexual, 450
  bebês com baixo peso ao nascer, 122-123
  crescimento de, 312-313
  critérios para a maturidade, 470
  diabetes, 323-324
  formação de identidade, 445-447, 446-447*t*
  gravidez na adolescência, 453-454
  influência dos irmãos e, 461-462
  influência dos pares nas conquistas escolares, 431-432
  início da puberdade e, 397-398, 401-402
  obesidade na adolescência, 404-405
  pobreza e, 370-371
  QI, 341-343
  relacionamento com pares, 379-381
  SMSI e, 155-157
  taxas de evasão no ensino médio, 433-435, 433-434*f*

# Índice

taxas de mortalidade infantil e, 155-156
taxas de obesidade, 155-156
taxas de suicídio entre adolescentes, 413-414
tradições familiares, 368-369
uso do tempo pelos adolescentes, 457-458
agências de serviços locais e estaduais de proteção à criança (Child Protective Services), 160-161
agressão. *Ver também bullying*; violência
bullying, 385-387
castigo corporal relacionado à, 297-298
comportamentos externalizantes, 369-370
diferenças de gênero, 301-302
direta, 301-302
explícita (direta), **301-302**
hostil, **382-383**, 383-384
indireta (social), 301-302
influências culturais, 302-303
influências em, 301-303
instrumental, **300-301**, 382-383, **382-383**, 383-384
na segunda infância, 300-303
na terceira infância, 382-387
proativa, 383-384
processamento de informação social, 383-384
psicológica, **295-296**
reativa, 383-384
relacional (social ou indireta), **301-302**
social, 301-302
testemunhar violência e, 302-303
viés de atribuição de hostilidade, 383-384
violência na mídia e, 302-303, 383-386
aids. *Ver* HIV/aids
álcool
adolescentes consumindo, 407-409
durante a gravidez, 96-98
alelos, **64-65**
Alemanha
formas de organização familiar, 372-373t
gravidez na adolescência na, 455
pesquisas sobre apego, 213-214
sistema voltado para o estagiário na, 436
alergias, comida, 242-243
alfa talassemia, 69t
alfabetização emergente, **269-270**, 269-271
alfabetização, **197-198**, 347-350
alfabetização emergente, 269-271
escrita, 349-350
leitura, 348-350
leitura em voz alta, 197-198
preparação para, 268-271
alimentação na mamadeira, 134-138, 136-137t
alimentação por fórmulas, 134-138, 136-137t
altruísmo, **300**
altura, na terceira infância, 312-313
amamentação, 134-138, 136-137t
colostro, 114-115

ambiente, **7-9**
agressividade, 301-303
ambiente doméstico e inteligência de bebês/crianças pequenas, 169-172
autismo e, 142
bebês com baixo peso ao nascer, 122-123
comportamento pró-social, 300-301
delinquência juvenil influenciada pela, 465-468
desenvolvimento infantil influenciado pelo, 7-10
desenvolvimento pré-natal influenciado pelo, 91-103
distúrbios de aprendizagem, 356-357
efeitos da vizinhança na parentalidade, 300
efeitos do ambiente não compartilhado, 79-80
esquizofrenia e, 80-82
faixa de reação e canalização, 76-78
inteligência e, 80-81, 341-343
interação genótipo-ambiente, 77-79, 77-78f
moldando o cérebro através da experiência, 145-148
obesidade e, 79-80
personalidade e, 80-81
temperamento e adequação da educação, 209
ambiente de trabalho, adolescentes no, 437-438
ambiente doméstico,
desempenho escolar e, 351-352
diferenças de gênero no desempenho escolar, 430-431
inteligência de bebês e crianças de 2 anos, 169-172
inteligência e, 264-266
ambivalente (resistente)
apego, **211-212**
América Central, relacionamento com irmãos, 378-380
América do Norte, sobrepeso, 318-319
América do Sul
relacionamento com irmãos, 378-380
sobrepeso, 318-319
amígdala, 402-403, 448-449
amigos/amizade. *Ver também* pares
crianças impopulares, 382
estágios da, 382-383t
na adolescência, 461-465
na segunda infância, 305-307
na terceira infância, 382, 382-383t
âmnio, 87-89, 89-90f
amniocentese, 104t
amor, retirada do, como disciplina, 296-298
amostra, **38-39**
randômica, 38-40
amostra das vilosidades coriônicas (AVC), 104t
amostragem, 38-40
andaime, **32, 266-267**
andrógenos, 96-97, 283-285
anemia falciforme, 68-69, 68-69t, 74
anencefalia, 69t
anestesia geral, 113-114

anestesia local (epidural ou espinal), 113-114
anestesia local (vaginal), 113-114
animismo, **254-255**
anorexia nervosa, **406-407**, 406-408
anoxia, **114-116**
ansiedade
comportamentos internalizantes, 369-370
diante de estranhos, 214-215
divórcio e, 374-375
durante a gravidez, 99-101
fobia escolar, 326-327
fobia social, 326-327
separação, 214-215
transtorno de ansiedade de separação, 326-327
ansiedade de separação, **214-215**
ansiedade diante de estranhos, **214-215**
antecipação visual, 180-181
antidepressivos, 96-97
apaches, ritual para marcar a maturidade, 394
aparência, distinção entre realidade e, 259-260
apego, **210-211**
ambivalente (resistente), 211-212
ansiedade de separação e ansiedade diante de estranhos, 214-215
como base segura, 213-214
como fator que favorece a socialização, 223-224
confiança e, 213-214
depressão pós-parto e, 217
desenvolvimento na infância, 210-216
desorganizado-desorientado, **212-213**
efeitos a longo prazo do, 214-216
estabelecendo, 212-214
estudos sobre padrões de, 211-214
evitativo, **211-212**
papel do temperamento no, 213-215
Questionário de Classificação do Apego (AQS), 213-214
seguro, **211-212**
Situação Estranha, 211-214
transmissão intergeracional de padrões, 215-216
apneia obstrutiva do sono (AOS), 316-317
aprendizagem
abordagem behaviorista, 166-168
andaime conceitual, 266-267
condicionamento clássico, 166-168
condicionamento operante, 166-168
mecanismos básicos da aprendizagem, 185-186
observacional, 30-31
por imitação, 173-174
aprendizagem por observação, **30-31**
aprendizagem simultânea (bilíngue), **347-348**
aprendizes de segunda língua, 347-348
arapesh, sentido de diligência, 366-367
Argentina, critérios para a maturidade, 469-470
argumentação, pensamento adolescente e, 420-421

armas de fogo, mortes relacionadas a, 411-413, 411-413f
armazenamento, **262**
arrulhar, 187-188
arteterapia, **327-328**
Ásia
adolescência na, 395
avós como cuidadores, 378-379
bebês com baixo peso ao nascer, 120-122, 120-122t
conquistas escolares, 429-430
desenvolvimento motor, 153-154
emoções e, 202-203
mortalidade infantil na, 241
relacionamento com irmãos, 378-380
asiático-americanos
acesso à assistência médica, 324
atividade sexual, 450
critérios para a maturidade, 470
estilos de parentalidade, 299-300
influência dos pares nas conquistas escolares, 431-433
início da puberdade e, 401-402
QI, 342-343
taxas de evasão escolar no ensino médio, 433-435, 433-434f
asma, **321-323**
na terceira infância, 321-324
assimilação, **31**
assistência médica
acesso à, 324
impactos das atitudes culturais na, 325
assistir televisão
bebês e crianças de 2 anos, 182
desenvolvimento atencional, 180-181
desenvolvimento de gênero influenciado pelo, 288-289
inatividade e obesidade, 319-321
violência na mídia e agressão, 383-386
associação rápida, **267-268**
assumir uma perspectiva social, 421-422
atenção
assistir televisão e desenvolvimento da atenção, 180-181
conjunta, 180-181
controle de processos de atenção e autocontrole, 220-221
seletiva, 337-339
atenção conjunta, 180-181
atenção seletiva, 337-339
atividade física. *Ver* exercício
atividade voluntária, 427-429
atividades colaborativas, 206-207
atuação, 219-220
audição, em bebês e crianças de 2 anos, 148-149
audiência imaginária, **421-422**
Austrália
conquistas escolares e, 351-352, 430-432
estudo do comportamento pró-social, 429
obesidade infantil na, 319-321
parentalidade autoritária, **298-299**, 298-300, 306-307
popularidade na infância e, 381-382
relacionamentos adolescentes e, 458-459
autismo, 67-68, 142-143

# Índice    569

autoconceito, **217-219**, **278**
  autodefinição e, 278
  desenvolvimento do, em bebês e crianças de 2 anos, 217-220
autoconsciência, **204-205**
  emoções e bebês e crianças de 2 anos, 204-206, 204-205f
autoconsciência, pensamento adolescente e, 421-422
autocuidado, 370-371
autodefinição, **278**
  diferenças culturais na, 278-279
autodesenvolvimento
  autodefinição, 278-279
  autoestima, 278-280
  desenvolvimento do, na segunda infância, 278-282
  iniciativa *versus* culpa de Erikson, 281-282
  na adolescência, 442-447
  na terceira infância, 366-368
  regulação emocional, 278-282
  sistemas representacionais, 366
  teoria do *self*, 442
autoeficácia, **30-31**
autoestima, **278-279**
  contingente, 279-280
  direito à, na pesquisa, 51
  na segunda infância, 278-280
  na terceira infância, 366-367
  padrão incapaz, 279-280
  produtividade *versus* inferioridade, 366-367
autolocomoção, 150-151
autonomia
  autonomia *versus* vergonha e dúvida, 219-221
  desenvolvendo, 219-221
  na infância, 219-222
  terríveis 2 anos e, 220-221, 220-221t
autonomia psicológica, 459
autonomia *versus* vergonha e dúvida, **219-220**, 219-221
autonomia vs. vergonha e dúvida, 28t
autorregulação, **220-221**
  desenvolvendo, 220-221
  emoções, 367-368
autorrelato parental, 39-41
autorrelatos, 38-40t, 39-41
autorrevelação, 459-460
autossomos, **63-64**
autovalor geral, 366
auxiliares de memória externos, **338-339**, 338-340, 340
avaliação social, 206-207
avós, como cuidadores, 378-379
axônios, 141-143

## B

balbucio, 187-188, 195-196
Bateria de Avaliação de Kaufman para Crianças (K-ABC-II), **345-346**
bebê-proveta, 57-61
bebês, 8t. *Ver também*
  bebês e crianças de 2 anos, desenvolvimento cognitivo;
  bebês e crianças de 2 anos, desenvolvimento físico e saúde;
  bebês e crianças de 2 anos, desenvolvimento psicossocial
  bebês com baixo peso ao nascer, 119-125
  perspectiva intercultural sobre assistência infantil, 126-128

pós-maturidade, 124-125
  taxas de mortalidade, 108-110, 108-109f
  vínculo mãe-bebê, 127-129
bebês com baixo peso ao nascer, **119-120**, 119-125
  aumento na incidência de, 154-155
  fatores que aumentam, 122-123
  incidência de, 119-120, 119-120f, 120-122, 120-122f
  resultados a longo prazo, 123-125
  tratamento e resultado, 122-124
bebês e crianças de 2 anos. *Ver*
  bebês e crianças de 2 anos, desenvolvimento cognitivo;
  bebês e crianças de 2 anos, desenvolvimento físico e saúde;
  bebês e crianças de 2 anos, desenvolvimento psicossocial
bebês e crianças de 2 anos, desenvolvimento cognitivo
  abordagem behaviorista, 166-168
  abordagem da neurociência cognitiva, 186-187
  abordagem do processamento de informação, 170-178
  abordagem psicométrica, 168-171
  abordagem sociocontextual, 187
  assistir televisão e, 182
  atenção conjunta, 180-181
  desenvolvimento da linguagem, 187-198
  estágio sensório-motor, abordagem piagetiana, 170-178
  hipótese de representação dupla, 177-178
  imitação, 173-176
  impacto do ambiente doméstico, 169-172
  intervenção precoce, 170-171
  memória e, 186-187
  memória infantil, 166-168
  participação guiada, 187
  permanência do objeto, 174-177
  processamento das habilidades visuais e auditivas, 178-181
  teste de inteligência, 168-171
bebês e crianças de 2 anos, desenvolvimento físico e saúde
  abuso, 159-162
  alimentos sólidos, 137-138
  amamentação ou mamadeira, 134-138, 136-137t
  capacidade sensorial, 147-149
  cérebro e comportamento reflexo, 138-148
  comportamento reflexo, 145, 146t
  desenvolvimento motor, 148-155
  ferimentos, 156-158
  imunizações, 157-159
  maus-tratos, 159-162
  negligência, 159-162
  nutrição e métodos de alimentação, 134-139
  princípios do crescimento inicial, 134-136, 134-135f, 134-135t
  problema de sobrepeso, 137-139
  reduzindo a mortalidade infantil, 154-158
  saúde, 154-159
  síndrome da morte súbita infantil (SMSI), 154-157

bebês e crianças de 2 anos, desenvolvimento psicossocial
  aspectos do, 202, 202-203t
  autoconceito, 217-220
  autonomia, 219-222
  autorregulação, 220-221
  comunicação emocional com os cuidadores, 216-219
  confiança, 209-211
  cuidados infantis, 227-230
  depressão pós-parto influenciando, 217-219
  desenvolvimento do apego, 210-216
  desenvolvimento moral, 220-224
  diferenças de gênero, 223-225
  emoções, 202-207
  fundamentos do, 202-210
  influências de outras crianças, 224-227
  pais que trabalham, 226-230
  questões de desenvolvimento em, 209-224
  referenciação social, 216-217
  regulação mútua, 216-219
  sociabilidade com outras crianças, 225-227
  socialização e internalização, 220-224
  temperamento, 207-210
bebês prematuros, **119-120**, 120-123
  aumento na incidência de, 154-155
  SMSI e, 155-157
bebês subdesenvolvidos (pequenos para a idade gestacional), **120-122**
behaviorismo, **27-29**, 27-31
  condicionamento clássico, 29
  condicionamento operante, 29-31
  modificação do comportamento, 30-31
Bélgica
  autoestima, 278-280
  autorrevelação dos adolescentes, 459-460
beng da África Ocidental, 126-127
Berkeley Growth and Guidance Studies, 4-5
beta talassemia, 69t, 72-73
bilíngue, **347-348**
*binge drinking*, **409**
biografias de bebês, 4-5
bissexual, 447-449
blastocisto, 86-87
bloqueio pudendo, 113-114
Botsuana, papel do pai, 128-129
Brasil, contexto cultural do aprendizado de matemática, 334-335
brincadeiras de faz de conta, 252-253, **252-253**, 290-293
brincadeiras impetuosas, 289-290, 317-318, **317-318**
brincadeiras na hora do recreio, 317-318
brincadeiras sociais, 290-291
brincar
  base evolutiva do, 290-291
  brincadeira de faz de conta, 252-253
  brincadeiras impetuosas, 289-290, 317-318
  brincadeiras na hora do recreio, 317-318

brincadeiras sociais, 290-291
  construtivo, 290-291
  dimensão social do, 290-293, 292-293t
  dramático, 290-293
  esportes organizados, 317-319
  funcional, 290-291
  importância do, 289-290
  influências culturais, 293-295
  influências do gênero no, 292-295
  jogo com objetos, 290-291
  jogo construtivo paralelo, 290-293
  jogo reticente, 290-293
  jogos formais com regras, 290-293
  locomotor, 290-291
  ludoterapia, 327-329
  na segunda infância, 289-295
  níveis cognitivos do, 289-293
Bucharest Early Intervention Project (BEIP), 147-148
Bulgária, estudo do comportamento pró-social, 429
bulimia nervosa, 406-407, **406-407**
*bullying*, **385-386**
  fatores de risco para vitimização, 386-387
  internet e, 463-464
  na terceira infância, 385-387
busca por proximidade, 35

## C

cafeína, durante a gravidez, 97-98
caminhada, desenvolvimento motor e, 150-151
camisinhas, 450
Canadá
  bebês com baixo peso ao nascer, 124-125
  castigo corporal, 297-298
canalização, 76-78, **77-78**
capital social, **351-352**
caproato de hidroxiprogesterona (17P), 122-123
características sexuais primárias, **398-399**
características sexuais secundárias, **398-399**
cariótipo, 72-73
casais do mesmo sexo, famílias de, 376-378
casamento, satisfação conjugal relacionada à paternidade, 129-130
castigo corporal, 295-296, **295-296**, 297-298
categorização, 181-183, 332-333t
  na terceira infância, 332-334
  pensamento pré-operacional e, 254-255
causa e efeito, 332, 332-333t
causalidade, 181-184, 253-255
  relações espaciais e, 332
cavidade amniótica, 87-89, 89-90f
células da glia, 140-141
centração, 255-256, **255-256**, 256-257
central executiva, **262**
cerebelo, 138-140, 140-141f
cérebro, 138-140, 140-141f
  células do, 140-143
  comportamento reflexo, 145, 146t
  gagueira, 323-324

# Índice

lateralização, 138-140
mielinização, 141-144, 144f
orientação sexual, 448-449
partes principais do, 138-141, 140-141f
plasticidade, 145
surtos de crescimento, 138-141
transtornos neurológicos e delinquência juvenil, 465-467
cérvix, dilatação da, no nascimento, 110-111
cheiro, senso de, em bebês e crianças de 2 anos, 147-148
*Chicago Child-Parent Centers,* 468-469
Children in North America Project, 12
China
ácido fólico e defeitos congênitos, 94-96
autodefinição, 281-282
filho único, 305-306
parentalidade, 129-130
pesquisas sobre apego, 213-214
popularidade, 381-382
raciocínio adolescente, 419-420
sobrepeso, 318-319
taxas de abuso infantil, 160-161
choro
acalmando um bebê que chora, 121
como primeiro contato, 187-188, 202-204
de dor, 202-204
de fome, 202-203
de frustração, 203-204
de raiva, 202-203
chumbo, exposição na segunda infância, 247-249
ciclo de vida, estudando, 4-6
clamídia, 452t, 452-453
cocaína, durante a gravidez, 97-99
codificação, **262**
código genético, **62-63**, 62-64, 62-63f
genoma humano, 62-63
cognição
mídia e, 270-271
pensamento convergente, 359-360
pensamento divergente, 359-360
cognição social, **206-207**
comportamento imitativo e, 173-174
gestos, 188-191
na segunda infância, 257-259
coleta de dados, 38-42
Colômbia, pesquisas sobre apego na, 213-214
colostro, 114-115
companheiros de brincadeira, na segunda infância, 305-307
companhias imaginárias, 260
compartilhamento de cama, 166-168
competência imagética, 176-177
competência, promovendo competência cognitiva infantil, 169-172t
complexo de Édipo, 25-27
complexo de Electra, 25-27
complicações no parto
ambiente favorável para, 125-127
bebês com baixo peso ao nascer, 119-125
natimorto, 125-126
pós-maduro, 124-125

comportamento altruísta, **204-206**
em bebês e crianças de 2 anos, 204-206
comportamento antissocial, na adolescência, 464-469
comportamento inteligente, **168-169**
comportamento pró-social, **300**
atividade voluntária e adolescentes, 427-429
na segunda infância, 300-301
comportamento reflexo, 145, **145**, 146t
comportamento, inteligente, 187-198
comportamentos externalizantes, **369-370**
comportamentos internalizantes, **369-370**
compromisso, **443-444**
*status* de identidade e, 443-446
comunicação *on-line*, consequências sociais da, 463-464
comunidade
delinquência juvenil influenciada pela, 465-468
maus-tratos de crianças e, 160-161
comunidade gusii, 127-128
comportamentos de apego, 212-213
costumes do sono para crianças, 234-235
conceito de objeto, 174-176
concepção, 56-57
concordância, **75-76**
condicionamento clássico, 29, **29**, **174-176**
condicionamento operante, **29**, 29-31, **166-168**, 166-168
condições médicas
agudas, **321-323**
crônicas, **321-323**
na terceira infância, 321-324
conduta moral, 223-224
confiança
apego e, 213-214
desenvolvimento na infância, 209-211
senso de confiança básica *versus* desconfiança básica, 209-211
confiança básica vs. desconfiança, 28t, 27-29
confidencialidade, direito a, em pesquisas, 51-52
conflito
atmosfera familiar e, 368-370
comportamentos externalizantes, 369-370
comportamentos internalizantes, 369-370
divórcio e, 372-375
irmãos e resolução de conflitos, 379-380
conformidade situacional, **223**
confusão de papel, 442-443
conhecimento
conceitual, **422-423**
declarativo, **422-423**
essencial, 185-186
procedural, **422-423**
tácito, **345-346**
consciência, **220-221**
origens da, 220-223
consentimento informado, direito ao, 50-51

conservação, **256-257**, 257-258, 257-258t, 332-333t, 333-335
consistência de gênero, 286
constância da categoria sexual, 286
constância de gênero, **286**
construção cognitiva, 278
construção social, **6-7**
contagem, 254-256
contrações Braxton-Hicks, 110-111
controle da cabeça, 149-151
controle da mão, 150-151
controle inibitório, 337-338
conversa de bebê, 196-197
cooperação receptiva, **223**
coorte, **15-17**
cordão umbilical, 87-89, 89-90f, 114-116
amostragem, 104t
coreano-americanos, brincar e, 293-295
Coreia, uso do tempo pelos adolescentes, 457-458
córion, 87-89, 89-90f
corpo caloso, 138-140, 236-238, 402-403
corregulação, **369-370**
correlação, 42-44, 42-44f
ativas, 79
evocativas, 79
genótipo-ambiente, **77-78**
negativa, 42-44, 42-44f
passiva genótipo-ambiente, 169-172
passivas, 77-79
positiva, 42-44, 42-44f
reativa, 79
córtex cerebral, 140-141
desenvolvimento emocional, 204-206
córtex motor, 195
córtex pré-frontal
inteligência e, 341-342
memória de trabalho e, 186-187, 262
na adolescência, 402-403
córtex, 314-315
covinhas, 64-66, 65-66f
crenças de autoeficácia, desempenho escolar e, 350-351, 429-430
crescimento
em bebês e crianças de 2 anos, 134-136, 134-135f, 134-135t
na segunda infância, 234, 234-236t
na terceira infância, 312-313
surto de, 398-400
criança operatória-concreta, abordagem piagetiana, 332-337, 332-333t
categorização, 332-334
conservação, 333-335
*décalage* (ou defasagem) horizontal, 334-335
interferência transitiva, 332-334
números e matemática, 334-336
processo de informação e, 340
raciocínio indutivo e dedutivo, 333-334
raciocínio moral, 335-337
relações espaciais e causalidade, 332
seriação, 332-333
criança resiliente, 388-391, 389-390t
crianças bilíngues
tarefas da teoria da mente, 261
vocabulário da, 195-197

crianças de aquecimento lento, **207**, 207-208, 208t
crianças difíceis, **207**, 207-208, 208t
crianças fáceis, **207**, 207-208, 208t
crianças impopulares, 381-382
amigos, 382
crianças resilientes, 162, **389-390**
complicações no parto e, 126-127
crianças superdotadas
causas de, 359-360
definindo e medindo a criatividade, 359-360
educando, 359-361
identificando, 358-360
crianças surdas
aquisição da linguagem, 193-194
gestos, 190-191
criatividade
definindo e medindo, 359-360
Testes de Pensamento Criativo de Torrance, 359-360
crise, **443-444**
*status* de identidade e, 443-446
crise de identidade, 33-34, 442
pensamento pré-operacional e, 254-255
crise, no desenvolvimento psicossocial, 27-29
cromossomos, **62-63**
anomalias dos, 70-72, 70-71t
sexo, 63-65, 64-65f
sexuais, **63-64**, 63-65, 64-65f
X, 63-65, 63-64f
Y, 63-65, 64-65f
cronossistema, **33-34**
cubano-americanos, taxas de mortalidade infantil e, 155-156
cuidadores
comunicação emocional com, 216-219
desenvolvimento da linguagem e, 195
regulação mútua, 216-219
temperamento e adequação da educação, 209
cuidados no turno inverso, 370-371
cultura, **10-11**
aprendendo habilidades matemáticas e, 334-335
assistência infantil e, 126-128
cuidados com a saúde influenciados pela, 325
desenvolvimento de gênero influenciado pela, 288-289
desenvolvimento infantil influenciado pela, 10-12
desenvolvimento moral influenciado pela, 427-428
desenvolvimento motor e, 153-154
diferenças de gênero no desempenho escolar e, 430-431
emoções e, 202-203
maus-tratos de crianças e, 160-161
memória autobiográfica e, 263-264
natalidade e, 108-110
papel do pai e recém-nascidos, 128-130
participação guiada, 187
popularidade e, 381-382
QI influenciado pela, 342-343
terríveis 2 anos e, 222
uso do tempo pelos adolescentes, 457-458

Índice **571**

# D

debate genética/ambiente, 7-9
  aquisição da linguagem, 192-194
  efeitos do ambiente não compartilhado, 79-80
  interação genótipo/ambiente, 77-79, 77-78f
*décalage* (ou defasagem) horizontal, **334-335**
decodificação, **348-349**
decreto Nenhuma Criança Deixada para Trás (NCLB), 351-353
defeitos congênitos, 67-73, 69t-71t
  ácido fólico e, 94-96
  anomalias cromossômicas, 70-72, 70-71t
  como causa de mortalidade infantil, 154-155
  herança de, 68-70
  herança dominante ou recessiva dos, 68-70
  herança vinculada ao sexo de, 68-70, 70-71t
  período em que o embrião está mais vulnerável a, 90-91, 90-91f
  teste genético para, 71-73
defeitos no tubo neural, 69t
deficiência de alfa-1-antitripsina, 69t
deficiência de vitamina D, durante a gravidez, 95-96
deficiência intelectual, **355-356**
déficit de crescimento não orgânico, **159-160**
definição operacional, **41-42**
deidroepiandrosterona (DHEA), 396-397
delinquência juvenil, 464-469
  genética e fatores neurológicos na, 465-467
  influências da família, dos pares e da comunidade, 465-468
  início precoce ou início tardio, 465-467
  perspectivas a longo prazo para, 467-468
  prevenindo e tratando, 467-469
dendritos, 141-143
dente e higiene bucal
  na terceira infância, 312-314
  saúde bucal na segunda infância, 244-245
dentição, 134-136
dependência de substâncias, **407-408**
depressão
  comportamentos internalizantes, 369-370
  infantil, **326-327**, 326-328
  na adolescência, 410-413, 410-411f
  pós-parto, 217-219
  vulnerabilidade feminina para, 326-327
desabituação, **178-179**
descentrar, 255-256, **255-256**, 256-257, 278-279, 334-335
desenvolvimento. *Ver* desenvolvimento infantil
desenvolvimento artístico, na segunda infância, 238-240
desenvolvimento ativo, 22-24
desenvolvimento cerebral
  desenvolvimento da linguagem e, 195
  desenvolvimento emocional e, 204-206

durante a gestação, 138-140, 138-140f
integração e diferenciação, 141-143
inteligência e, 341-342
maturação da massa cinzenta, 313-315, 314-315t
moldando o cérebro a partir da experiência, 145-148
na adolescência, 402-404
na infância, 138-148
na segunda infância, 236-238
na terceira infância, 313-315, 314-315f, 335-336
primeiros reflexos, 145, 146t
desenvolvimento cognitivo, **5-6**
  audiência imaginária, 421-422
  características imaturas do pensamento, 420-422
  comportamento pró-social e trabalho voluntário, 427-429
  desenvolvimento cognitivo, evasão escolar do ensino médio na adolescência, 433-435
  desenvolvimento da linguagem, 421-423
  desenvolvimento moral, 423-439
  ética do cuidado, 427-428
  fábula pessoal, 421-422
  influências do desempenho escolar, 429-434
  operações formais, 418-421
  preparação para a educação superior ou para profissões, 434-438
  processamento de informação, 422-424
  raciocínio hipotético-dedutivo, 418-420
desenvolvimento cognitivo, bebês e crianças de 2 anos
  abordagem behaviorista, 166-168
  abordagem da neurociência cognitiva, 186-187
  abordagem do processamento de informação, 170-178
  abordagem psicométrica, 168-171
  abordagem sociocontextual no, 187
  assistir televisão e, 182
  atenção conjunta, 180-181
  desenvolvimento da linguagem, 187-198
  estágio sensório-motor, abordagem piagetiana, 170-178
  hipótese de representação dupla, 177-178
  imitação, 173-176
  impacto do ambiente doméstico, 169-172
  intervenção precoce, 170-171
  memória e, 186-187
  memória infantil, 166-168
  participação guiada, 187
  permanência do objeto, 174-177
  processamento das habilidades visuais e auditivas, 178-181
  teste de inteligência, 168-171
desenvolvimento cognitivo, segunda infância
  abordagem do processamento de informação, 261-264
  abordagem psicométrica, 264-267
  amigos imaginários, 260

brincadeira de faz de conta, 252-253
causalidade, 253-255
criança pré-operacional, abordagem piagetiana, 252-261
desenvolvimento da linguagem, 266-271
discurso particular, 269-270
falsas crenças e decepção, 257-260
formação e manutenção de memórias da infância, 262-264
medição da inteligência, 264-267
memória, 262-264
números, 254-256
pensamento mágico, 260
pré-escolas e jardim de infância, 271-275
teoria da mente, 257-261
uso da mídia e, 270-271
desenvolvimento cognitivo, terceira infância
  abordagem do processamento de informação, 336-340
  abordagem psicométrica, 341-346
  atenção seletiva, 337-339
  criança na escola, 349-355
  criança operatória-concreta, 332-337, 332-333t
  educação de crianças com necessidades especiais, 355-361
  inteligência, 341-346
  linguagem e alfabetização, 345-350
  memória, 338-340
desenvolvimento contínuo, 23-24, 24-25f
desenvolvimento da criança, **4**
  abordagens iniciais, 4-5
  adolescência, 8t
  aquisição da linguagem, 18
  ativo ou reativo, 22-24
  conceitos básicos de, 5-9
  consenso em desenvolvimento, 15-19
  contexto de, 9-15
  contínuo ou descontínuo, 23-24
  diferenças individuais, 7-9
  domínio do, 5-7
  em bebês e crianças de 2 anos, 8t
  estudo do, 4-9
  famílias imigrantes, 10-12
  fatores de risco, 13-14
  infância, 8t
  influência da cultura e da raça/etnia, 10-12
  influência da maturação no, 7-10
  influência do ambiente no, 7-10
  influência do nível socioeconômico no, 11-15
  influência hereditária no, 7-10
  influências familiares, 9-11
  influências no, 7-17
  influências normativas e não normativas, 15-17
  modelo mecanicista, 22-24
  modelo organicista, 23-24
  momento das influências, 15-17
  novas fronteiras, 5-6
  período pré-natal, 8t
  períodos do, 6-9, 8t
  pobreza e, 13-14
  segunda infância, 8t
  terceira infância, 8t

desenvolvimento da linguagem, 187-198
  alfabetização, 347-350
  alfabetização emergente, 269-271
  aprendizes de segunda língua, 347-348
  associação rápida, 267-268
  atrasado, 268-270
  características da fala inicial, 192-193
  debate genética/ambiente, 192-194
  desenvolvimento cerebral e, 195
  desenvolvimento do vocabulário, 195-197, 266-268, 345-347
  escrita, 349-350
  fala dirigida à criança (FDC), 196-198
  fala pré-linguística, 187-188
  gestos, 188-191
  gramática e sintaxe, 267-268, 345-347
  inatismo, 193
  influências na, 195-198
  interação social e, 195
  lares bilíngues, 195-197, 347-348
  leitura, 348-350
  leitura em voz alta, 197-198
  marcos no desenvolvimento da, 188-189t
  na segunda infância, 266-271
  na terceira infância, 345-350
  período pré-linguístico, 195-196
  pragmática e discurso social, 268-270, 346-348
  preparação para a alfabetização, 268-271
  primeiras palavras, 190-192
  primeiras sentenças, 191-193
  reconhecendo os sons e a estrutura da linguagem, 187-190
  sequência inicial, 187-193
  teorias de aquisição, 192-193
  vocabulário expressivo e receptivo, 191-192
  vocalização inicial, 187-188
desenvolvimento de gênero
  abordagem biológica, 284-285
  abordagem cognitiva, 285-289
  abordagem da aprendizagem social, 287-289
  abordagem evolucionista, 283-286
  abordagem psicanalítica, 285-286
  cinco perspectivas de, 282-285, 284-285t
  teoria cognitivo-desenvolvimental de Kohlberg, 285-286
  teoria do esquema de gênero, 286-287
desenvolvimento descontínuo, 23-24, 24-25f
desenvolvimento evolucionário, 35-36
desenvolvimento físico, **5-6**
desenvolvimento físico e saúde, adolescência
  atividade física, 403-404
  depressão, 410-413, 410-411f
  desenvolvimento do cérebro, 402-404
  exercício, 403-404
  fatores de proteção, 413-414
  maturidade tardia e precoce, 401-403

Índice

morte na, 411-414, 411-413f
necessidades e distúrbios do
sono, 403-405
nutrição e transtornos
alimentares, 404-408
obesidade, 404-406
puberdade, 394-402
transição do desenvolvimento,
394-396
uso e abuso de substâncias, 407-
411
desenvolvimento físico e saúde,
bebês e crianças de 2 anos
abuso, 159-162
alimentos sólidos, 137-138
amamentação ou mamadeira,
134-138, 136-137t
capacidade sensorial, 147-149
cérebro e comportamento
reflexo, 138-148
comportamento reflexo, 145,
146t
desenvolvimento motor, 148-155
ferimentos, 156-158
imunizações, 157-159
maus-tratos, 159-162
negligência, 159-162
nutrição e métodos de
alimentação, 134-139
princípios do crescimento inicial,
134-136, 134-135f, 134-135t
problema de sobrepeso, 137-139
reduzindo a mortalidade infantil,
154-158
saúde, 154-159
síndrome da morte súbita infantil
(SMSI), 154-157
desenvolvimento físico e saúde,
segunda infância
alergias alimentares, 242-243
crescimento e alteração corporal,
234, 234-236t
desenvolvimento artístico, 238-
240
desenvolvimento cerebral, 236-
238
desenvolvimento motor, 237-240
exposição a fumaça de cigarro,
poluição do ar, pesticidas e
chumbo, 247-249
falta de moradia, 246-248
habilidades motoras grossas e
finas, 237-239
lateralidade manual, 238-239
mortes e ferimentos acidentais,
244-245, 246-247t
padrões e distúrbios do sono,
234-237, 234-236f
prevenção da obesidade, 239-243
saúde bucal, 244-245
saúde e nível socioeconômico e
raça/etnia, 246-248
sobrevivendo aos primeiros
cinco anos de vida no mundo
todo, 241-242
subnutrição, 242-243
desenvolvimento físico e saúde,
terceira infância
altura e peso, 312-313
assistência médica, 324-325
brincadeiras na hora do recreio,
317-319
condições médicas, 321-324
desenvolvimento cerebral, 313-
315, 314-315f

desenvolvimento dos dentes e
higiene bucal, 312-314
desenvolvimento motor, 316-319,
316-317t
esportes organizados, 317-319
ferimentos acidentais, 324-326
imagem corporal, 318-320
necessidades nutricionais, 314-
316
padrões de sono e problemas,
315-317
saúde e segurança, 318-326
saúde mental, 324-329
sobrepeso, 318-323
desenvolvimento moral
autorregulação, 220-221
comportamento pró-social e
atividade voluntária, 427-429
em bebês e crianças de 2 anos,
220-224
ética do cuidado, 427-428
fé, estágios da, 427-428
influência dos pais, dos pares e
da cultura, 424-428
moralidade pós-convencional,
425t, 424-426
moralidade pré-convencional,
423-424, 425t
na adolescência, 423-429
níveis e estágios de Kohlberg,
423-428, 425t
obediência comprometida, 220-
223
origens da consciência, 220-223
raciocínio moral na terceira
infância, 335-337
sucesso da socialização, 223-224
desenvolvimento motor
controle da cabeça, 149-151
controle da mão, 150-151
desenvolvimento artístico, 238-
240
em bebês e crianças de 2 anos,
134, 148-154
habilidades motoras finas, 149-
150, 237-239
habilidades motoras grossas,
149-150, 237-239
influências culturais no, 153-154
lateralidade manual, 238-239
locomoção, 150-151
marcos do, 148-151, 149-150t
na segunda infância, 237-240
na terceira infância, 316-319,
316-317t
percepção e, 151-153
sistemas de ação, 148-150, 237-
239
teoria dos sistemas dinâmicos
(TSD), 152-154
desenvolvimento pré-natal, 86-106,
87-89t
bem-estar do feto vs. direitos da
mãe, 100
desenvolvimento cerebral
durante, 138-140, 138-140f
disparidades de cuidado, 102-105
estágio embrionário, 90-91, 90-
91f
estágio fetal, 90-94
estágio germinal, 86-90, 89-90f
fatores paternos, 101-103
influências ambientais, 91-103
monitoramento e promoção,
102-106

necessidade de assistência pré-
concepção, 103-106
técnicas de avaliação, 103-105t
desenvolvimento psicossexual
freudiano, 272-273, 294-295t
desenvolvimento psicossexual, de
Freud, 24-27, 25-27, 28t
desenvolvimento psicossocial, 5-6,
27-29
desenvolvimento psicossocial,
adolescência
busca pela identidade, 442-447
comportamento antissocial, 464-
469
delinquência juvenil, 464-469
gravidez na adolescência, 453-
456
influências parentais, 457-461
rebeldia adolescente, 456-457
relacionamento com irmãos,
461-462
relacionamentos com pares e
amigos, 461-465
sexualidade, 447-457, 447-448f,
450t-456t
vida adulta emergente, 468-470,
469-470t
desenvolvimento psicossocial, bebês
e crianças de 2 anos
aspectos do, 202, 202-203t
autoconceito, 217-220
autonomia, 219-222
autorregulação, 220-221
comunicação emocional com os
cuidadores, 216-219
confiança, 209-211
cuidados infantis, 227-230
depressão pós-parto
influenciando, 217-219
desenvolvimento do apego, 210-
216
desenvolvimento moral, 220-224
diferenças de gênero, 223-225
emoções, 202-207
fundamentos do, 202-210
influências de outras crianças,
224-227
influências dos irmãos, 224-226
pais que trabalham e, 226-230
questões de desenvolvimento em,
209-224
referenciação social, 216-217
regulação mútua, 216-219
sociabilidade com outras
crianças, 225-227
socialização e internalização,
220-224
temperamento, 207-210
desenvolvimento psicossocial,
segunda infância
agressão, 300-303
autoconceito, 278-279
autoestima, 278-280
brincar, 289-295
colegas e amigos, 305-307
comportamento pró-social, 300-
301
desenvolvimento de gênero, 282-
289
diferenças de gênero, 281-283
disciplina, 294-298
emoções, 279-282
estilos de parentalidade, 296-
300
filho único, 304-306

medo, 302-304
relacionamentos com irmãos,
304-305
desenvolvimento psicossocial,
terceira infância
agressão e bullying, 382-387
amizade, 382
autoestima, 366-367
comportamento pró-social, 366-
368
crescimento emocional e
comportamento pró-social, 366-
368
crescimento emocional, 366-368
desenvolvimento do
autoconceito, 366
estresse e resiliência, 386-391
estrutura familiar, 371-380
popularidade, 380-382
produtividade versus
inferioridade, 366-367
questões de parentalidade, 368-
372
questões dos grupos de pares,
379-387
relacionamento com irmãos,
378-380
desenvolvimento reativo, 22-24
desenvolvimento simbólico, 176-
177
desequilíbrio, 31
desnutrição
durante a gravidez, 95-96
em bebês e crianças de 2 anos,
137-138
desobediência, comportamentos
externalizantes, 369-370
determinismo genético, 74
determinismo recíproco, 30-31
dever de casa, 352-353
dextrometorfano (DXM), 407-408
diabetes, 323-324
gravidez e, 99-100
na terceira infância, 323-324
obesidade infantil e, 319-321
diário, 38-40t, 39-41
dietilestibestrol (DES), 96-97
diferenças culturais
agressão, 302-303
brincar e, 293-295
comportamento pró-social, 300-
301
na autodefinição, 278-279
parentalidade, 299-300
diferenças de gênero
agressão, 301-302, 382-383
asma, 321-323
brincadeiras impetuosas, 317-
318
brincadeiras na hora do recreio,
317-318
brincar e, 292-295
bullying, 385-386
comportamento pró-social, 429
comunicação, 346-347
desempenho escolar, 350-351,
429-431
desenvolvimento moral, 427-428
em bebês e crianças de 2 anos,
223-225
formação de identidade, 445-446
gagueira, 323-324
habilidades matemáticas, 350-
351
influência dos pais nas, 224-225

## Índice · 573

na segunda infância, 281-283
nível de atividade do feto, 90-94
padrões de sono, 315-316
relações do grupo de pares, 380-381
sobrepeso, 318-319
TDAH, 357-358
transtornos de ansiedade, 326-327
transtornos de conduta, 324-326
diferenças individuais, **7-9**
diferenciação, **141-143**
difteria-coqueluche-tétano (DCT), 157-159
difusão de identidade, 443-446, 443-444*t*, **444-445**, 445-446*t*
dimensão social do brincar, 290-293, 292-293*t*
Dinamarca, gravidez na adolescência na, 455
direitos em estudos de pesquisa, 50-52
disciplina, **294-295**
afirmação de poder, 295-298
agressão psicológica, 295-296
castigo corporal, 295-298
corregulação, 369-370
formas de, 294-298
na terceira infância, 369-370
raciocínio indutivo, 295-296
reforço e punição, 294-296
retirada do amor, 296-298
disco embrionário, 86-87
discurso. *Ver também*
desenvolvimento da linguagem
características de precoce, 192-193
discurso privado, **268-270**
discurso social, **268-270**
fala pré-linguística, 187-188
gagueira, 323-324
telegráfico, 191-192
dislexia, **355-356**, 356-357
dispositivo de aquisição da linguagem (DAL), **193**
dispositivo mnemônico, **338-339**, 338-340
distribuição randômica, **46**
distrofia muscular de Duchenne, 69*t*, 70-71
distúrbios de aprendizagem, 355-357, **356-357**
divórcio, 372-376
adaptação ao, 372-374
adolescentes e relacionamento com os pais, 459-461
efeitos de longo prazo do, 374-376
problemas de coparentalidade, 374-375
problemas de custódia, 372-375
taxas de, nos Estados Unidos, 372-374
visitação, 374-375
doença da membrana hialina, 123-124
doença de Huntington, 67-69
doença de Tay-Sachs, 68-69, 68-69*t*
doença policística renal, 69*t*
dominância incompleta, **68-70**
dopamina, TDAH e, 357-358
dor, sentido da, em bebês e crianças de 2 anos, 147-148
doula, **113-114**
drogas
adolescência e abuso de, 407-411
durante a gravidez, 96-99

drogas anti-inflamatórias não esteroidais (NSAIDs), 96-97

## E

Early Head Start, 170-171, 272-274
ectoderma, 86-87
educação bilíngue, **347-348**
educação e escolaridade
1º ano, 349-351
aceitação pelos pares, 351-352
crenças de autoeficácia, 350-351, 429-430
crianças superdotadas, 358-361
da adolescência, 429-438
debate sobre o dever de casa, 352-353
decreto Nenhuma Criança Deixada para Trás (NCLB), 351-353
distúrbios de aprendizagem, 355-357
ensino em casa, 353-355
escolas cooperativadas, 353-355
evasão no ensino médio, 433-435, 433-434*f*
gênero e, 350-351
guerras da matemática, 353-354
influência dos pares, 431-433
jardim de infância, 272-275
motivação do estudante e, 429-430
na segunda infância, 271-275
nível socioeconômico e, 351-352, 432-433
papel da tecnologia, 430-431
participação ativa, 434-435
práticas parentais e, 350-352, 430-433
pré-escolas, 271-274
preparação para a faculdade, 436-438
preparação vocacional, 436-438
problemas de aprendizagem, 355-357
promoção social, 353-355
QI influenciado pela, 341-342
qualidade da escola, 432-434
sistema educacional e, 351-355
*spillover*, 430-431
tamanho da turma, 353-355
transtorno de déficit de atenção/hiperatividade (TDAH), 356-359
uso de computador e internet, 353-355
efeitos da vizinhança na parentalidade, 300
efeitos do ambiente não compartilhado, **79**, 79-80
eficácia coletiva, 467-468
ego, 24-27
egocentrismo, **206-207, 255-256**, 255-257
elaboração, como dispositivo de memória, **339-340**, 340*t*
elemento contextual, **344-345**
elemento experiencial, **344-345**
elementos componenciais, **344-345**
embrioscopia, 104*t*
emoções autoavaliativas, **204-206**
emoções autoconscientes, **204-205**, 204-206, 204-205*f*
emoções, **202**
ajuda altruísta, empatia e cognição social, 204-207
aparecimento das, 204-206

autoavaliação, 204-206
autoconsciência, 204-206
autodirigidas, 281-282
autorregulação, 220-221, 367-368
cognição social, 206-207
comportamentos externalizantes, 369-370
comportamentos internalizantes, 369-370
comunicação emocional com os cuidadores, 216-219
conflitantes, 280-282
crescimento do cérebro e desenvolvimento das, 204-206
depressão pós-parto influenciando, 217
em bebês e crianças de 2 anos, 202-207
influências culturais, 202-203
iniciativa *versus* culpa, 281-282
intencionalidade compartilhada e atividade colaborativa, 206-207
na segunda infância, 279-282
na terceira infância, 366-368
primeiros sinais de, 202-203
referenciação social, 216-219
regulação mútua, 216-219
regulando, 279-281
empatia, **204-206**
bebês e crianças de 2 anos, 204-207
endoderma, 86-87
engano
evitação do, em pesquisas, 51
na segunda infância, 257-260
engatinhar, 150-151
ensino em casa, 353-355
Entrevista de Apego Adulto (EAA), 215-216
entrevista de perguntas abertas, 39-41
entrevista estruturada, 39-41
entrevistas, 38-40*t*, 39-41
entrevistas sobre o estado de identidade, 443-444
enurese, **236-237**
enurese noturna, 236-237
epidural, 113-114
epigênese, **65-67**, 65-68
episiotomia, 111-112
equilibração, **31**
eritema tóxico, 114-116*t*
erro A-não-B, **174-176**
erro de escala, 176-178
Escala Brazelton de Avaliação do Comportamento Neonatal (NBAS), **117-118**
escala de Apgar, **117**, 117-118, 117*t*
Escala de Inteligência de Stanford-Binet, **264-265**
Escala de Inteligência Wechsler para Crianças (WISC-III), 341, **341**
Escala de Inteligência Wechsler Pré-escolar e Primária, revisada (WPPSI-III), **264-265**
Escalas Bayley de Desenvolvimento Infantil, **168-169**, 168-170
esclerose múltipla, 95-96
escola. *Ver educação e escolaridade*
Escola do Século 21 (21C), 272-274
escolas cooperativadas (*charter schools*), 353-355
escolha de nicho, 79
escrita, na terceira infância, 349-350

Espanha, gravidez na adolescência na, 455
esperma, 56-57
infertilidade e, 57-58
puberdade e, 399-400
espermarca, **399-400**
espinha bífida, 69*t*
esportes organizados, 317-319
esquemas, **31, 170-171**
esquimós de Yup'ik, conhecimento tácito, 345-346
esquizofrenia, **80-81**
hereditariedade e influências ambientais, 80-82
nutrição fetal e, 95-96
estabilidade de gênero, 286
estação da fome, 95-96
estado de excitação, 117-120, **118-119**, 118-119*t*
estados de identidade, 442-446, **442-443**, 443-445*t*
Estados Unidos
abuso de drogas nos, 407-408
adolescência nos, 395
adolescentes e problemas de saúde, 403-404
asma, 321-323
assistência média nos, 324-326
autodefinição, 281-282
avós como cuidadores, 378-379
bebês com baixo peso ao nascer, 120-122
bebês prematuros, 120-123
brincadeiras impetuosas nos, 317-318
*bullying*, 385-386
casos de aids pediátrica nos, 98-99
costumes de sono para bebês, 166-168
critérios para a maturidade, 469-470
cuidado pré-natal nos, 102-103, 106
emoções e, 202-203
estilo de vida sedentário na terceira infância, 317-318
estudo do comportamento pró-social, 429
exercício na adolescência, 403-404
formas de organização familiar, 371-374, 372-373*t*
gravidez na adolescência, 453-455
influência parental nas diferenças de gênero, 224-225
mortalidade infantil nos, 241
obesidade, 318-319
obesidade adolescente, 404-405
paternidade nos, 129-130
pesquisas sobre apego nos, 213-214
punição corporal, 297-298
raciocínio adolescente, 419-420
segurança alimentar, 244
sexualidade nos, 449
síndrome alcoólica fetal, 96-97
taxa de abuso infantil, 160-161
taxa de divórcio, 372-374
taxa de graduação no ensino médio, 429
taxa de mortalidade infantil, 154-155
taxa de pobreza nos, 13-14, 13-15*f*

# 574 Índice

terríveis 2 anos e, 220-221
uso do tempo pelos adolescentes, 457-458
violência na mídia, 384-385
estágio anal, 25-27, 28*t*
estágio de latência, 25-27, 28*t*
estágio fálico, 25-27, 28*t*
estágio fetal, **90-91**, 90-94
estágio genital, 25-27, 28*t*
estágio operatório-formal, 28*t*
estágio oral, 25-27, 28*t*
estágio pré-operacional, abordagem piagetiana, 28*t*, **252**
  aspectos imaturos do, 255-258
  avanços no pensamento operacional, 252-256
  irreversibilidade, 256-258
  segunda infância, 252-261
estágio sensório-motor, abordagem piagetiana, 28*t*, **170-171**
  avaliando, 177-178
  competência imagética, 176-177
  desenvolvimento simbólico, 176-177
  desenvolvimentos fundamentais da, 174-175*t*
  erro A-não-B, 174-176
  erro de escala, 176-178
  esquemas, 170-171
  habilidade representativa, 173-174
  hipótese de representação dupla, 177-178
  imitação, 173-176
  permanência do objeto, 174-177
  reações circulares, 171-174, 171-173*f*
  subestágios da, 170-174, 171-172*t*
estágios, 436
estereótipos de gênero, **282-283**
estilo elaborativo alto, 263-264
estilo elaborativo baixo, 263-264
estimativa, na terceira infância, 335-336
estresse
  criança resiliente, 388-391
  da vida moderna, 386-389
  durante a gravidez, 99-101
  eventos traumáticos, 387-389
  famílias monoparentais, 374-375
  fatores protetivos, 389-390
  lidando com, 388-391
  na terceira infância, 386-391
estrogênio
  desenvolvimento de gênero e, 283-285
  puberdade e, 396-397
estudo correlacional, **42-44**, 42-45
estudo de caso, **42-43**, 42-44
estudo etnográfico, 42-44, **42-44**
estudo longitudinal, **46-48**, 46-50, 48*t*
Estudo Longitudinal de Nova York (NYLS), 207-208, 208*t*
estudo romeno sobre o desenvolvimento cerebral, 147
estudo sequencial, **46-48**, 46-50, 48*t*
estudo transversal, **46-48**, 46-50, 48*t*
estudos de família, 73-75
estudos de gêmeos, 73-76
estudos sobre adoção, 73-75
ética, da pesquisa
  consentimento informado, 50-51
  considerações sobre o desenvolvimento da criança e, 50, 51*t*

direito à autoestima, 51
  evitação do engano, 51
  privacidade e confidencialidade, 51-52
etnicidade. *Ver* raça/etnicidade
etologia, **35**
euro-americanos
  critérios para a maturidade, 470
  formação da identidade, 445-447, 446-447*t*
  influência dos pares no desempenho escolar, 431-432
  início da puberdade e, 401-402
  uso do tempo pelos adolescentes, 457-458
Europa
  raciocínio adolescente, 419-420
  sobrepeso, 318-319
evasão no ensino médio, 433-435, 433-434*f*
  audiência imaginária, 421-422
  características imaturas do pensamento, 420-422
  comportamento pró-social e atividade voluntária, 427-429
  desenvolvimento da linguagem, 421-423
  desenvolvimento moral, 423-439
  ética do cuidado, 427-428
  fábula pessoal, 421-422
  influências sobre o desempenho escolar, 429-434
  no local de trabalho, 437-438
  operatório-formal, 418-421
  preparação para a educação superior ou para as vocações, 434-438
  processamento da informação, 422-424
  raciocínio hipotético-dedutivo, 418-420
evento traumático, reações das crianças a, 387-389
execução, 443-446, 443-444*t*, **444-445**, 445-446*t*
exercício
  durante a gravidez, 95-96
  na adolescência, 403-404
exossistema, **33-34**, 33-34*f*
experiência, moldando o cérebro através da, 145-148
experimento de campo, 46
experimento de laboratório, 46
experimento natural, 46-48
experimento, **44-45**, 44-48
  distribuição randômica, 44-46
  experimentos laboratoriais, de campo e naturais, 46-48
  grau de controle, 46
  grupos e variáveis, 44-45

## F

fábula pessoal, **421-422**
Facebook, 463-464
faixa de reação, 76-78, 76-77*f*, **77-78**
fala dirigida à criança (FDC), **196-197**, 196-198
fala linguística, **190-191**
fala pré-linguística, **187-188**
fala telegráfica, **191-192**
falsas crenças, 257-260
falta de moradia, na segunda infância, 246-248
família extensa, **9-10**

família nuclear, **9-10**
família, 370-371
  adotiva, 377-379
  ambos os pais, 372-374
  atividade sexual influenciada pela, 450
  atmosfera da, 459-461
  autorrevelação dos adolescentes, 459-460
  avós, 378-379
  características de abusiva/negligente, 160-161
  coabitação, 375-376
  conflito, 368-370
  de pais *gays* ou mães lésbicas, 376-378
  delinquência juvenil influenciada pela, 465-468
  desenvolvimento de gênero influenciado pela, 287-288
  desenvolvimento infantil influenciado pela, 9-11
  divórcio dos pais, 372-376
  estrutura da, e mudanças na, 371-374, 372-373*t*
  extensa, 9-10
  famílias com salto de geração, 378-379
  famílias reconstituídas, 375-377
  início da puberdade influenciado pela, 400-401
  instabilidade da, 372-374
  monitoração parental, 459-460
  monoparental, 370-372, 375-376
  nuclear, 9-10
  pais solteiros, 370-372, 375-376
  reconstituídas, 376-377
  refeições familiares, 368-369
  relacionamento com irmãos, 378-380
  relacionamentos de adolescentes, 457-462
famílias adotivas
  adoções abertas, 377-378
  casais do mesmo sexo, 377-378
  resultado para as crianças, 377-379
famílias com dois pais, 372-374
famílias com salto de geração, 378-379
famílias de coabitação, 375-376
famílias de pais solteiros, 370-371
  adolescentes e, 460-461
  estresse econômico e, 460-461
  incidentes de, 375-376
  influência dos irmãos e, 461-462
  pobreza e, 370-372
  resultados para crianças, 375-376
famílias reconstituídas, 376-377
Family and Medical Leave Act, 378-379
Family Transitions Project, 16-17
fantasia, distinção entre realidade e, 259-260
farmacoterapia, **328-329**
fator alfa de crescimento transformador, 94-95
fator de fracasso, 51
fatores de risco, **13-14**
fatores protetivos, **126-127**, **389-390**
  na adolescência, 413-414
fé
  conjuntiva, 427
  estágios da, 427-428
  individuativa-reflexiva, 427

mítica-literal, 427
  primária, 427
  sintético-convencional, 427
  universalizante, 427
Fels Research Institute Study, 4-5
fenda palatina, 94-95
fenilcetonúria (PKU), 69*t*, 74
  triagem neonatal para, 117-118
fenótipo, **65-66**, 65-67
ferimentos
  em bebês e crianças de 2 anos, 156-158
  na adolescência, 411-414, 413-414*f*
  na segunda infância, 244-245, 246-247*t*
  na terceira infância, 324-326
ferimentos acidentais
  em bebês e crianças até 2 anos, 156-158
  na segunda infância, 244-245, 246-247*t*
  na terceira infância, 324-326
feromônios, 400-401, 448-449
fertilização, **56-57**
fertilização *in vitro*, 57-61
feto, 86
  bem-estar fetal vs. direitos da mãe, 100
  sentido do olfato e da audição, 91-94
fibrose cística, 69*t*, 68-69
ficar de pé, desenvolvimento motor em, 150-151
fidelidade, **442-443**
filhos únicos, 304-306
Filipinas, brincadeiras impetuosas nas, 317-318
Finlândia
  bebês com baixo peso ao nascer, 124-125
  gravidez na adolescência na, 455
fixação, 25-27
fobia escolar, **326-327**
fobia social, 326-327, **326-327**
fonemas, 188-190
fontanelas, 114-116
França
  formas de organização familiar, 372-373*t*
  gravidez na adolescência na, 455
fumar
  adolescentes, 410-411
  durante a gravidez, 97-98
  exposição na segunda infância, 247-249
função executiva, **262**, **337-338**, 422-423
função simbólica, **252**, 252-253

## G

gagueira persistente do desenvolvimento (GPD), 323-324
gagueira, **323-324**, 323-324
galactosemia, 117-118
Gana, sexualidade em, 449
*gays*
  famílias com pais *gays*, 376-378
  taxas de suicídio para adolescentes, 413-414
gêmeos, fraternos e idênticos, 60
gêmeos dizigóticos, 60
gêmeos monozigóticos, 60
generalização étnica, **11-12**

## Índice

generatividade vs. estagnação, 28t
gênero, **223-224**. *Ver também* mulheres; homens
  escolhas vocacionais e, 434-436, 436f
genes, **62-63**
genética. *Ver também* hereditariedade
  agressão, 301-302
  autismo e, 142
  comportamento genético, 73-75
  comportamento pró-social, 300-301
  delinquência juvenil e, 465-467
  depressão, 327-328
  determinantes do sexo, 63-65, 64-65f
  distúrbios de aprendizagem, 356-357
  epigênese, 65-68
  gagueira, 323-324
  genética médica, 74
  inteligência e, 265-266
  lateralidade manual, 238-239
  médica, 74
  orientação sexual, 447-448
  padrões de transmissão genética, 64-68
  QI associado à, 341-342
  SMSI e, 156-157
  TDAH, 357-358
  transtornos de ansiedade, 326-327
genoma humano, **62-63**
genômica, 74
genótipo, **65-66**, 65-67
geração histórica, **15-17**
Geração M, 431-432
gestação, **86**
gestos, 188-191
gestos representacionais, 190-191
gestos simbólicos, 190-191
gestos sociais convencionais, 190-191
glaucoma, 68-69
globalização, da adolescência, 395-396
gonadarca, 394-397
gonorreia, 452t, 452-453
gordura corporal, início da puberdade e, 396-398, 400-401
gosto, senso de, em bebês e crianças de 2 anos, 147-148
Grã-Bretanha
  brincadeiras impetuosas, 317-318
  influências do desenvolvimento de gênero, 287-288
gramática, 267-268, 345-347
Grande Depressão, 16-17, 48
gravidez. *Ver também* desenvolvimento pré-natal
  na adolescência, 101-102, 453-456
  ansiedade e estresse, 99-101
  atividade física e exercício durante, 95-96
  cafeína durante, 97-98
  consumo de álcool, 96-98
  depressão pós-parto, 217-219
  desnutrição durante, 95-96
  doença durante, 98-100
  fumar durante, 97-98
  idade materna e, 99-102
  ingestão de drogas durante, 96-99

múltiplos nascimentos, 60-61
necessidade de assistência pré-concepção, 103-106
nutrição e peso materno, 94-96
sinais e sintomas de, 86, 86-87t
tecnologia de reprodução assistida (TRA), 57-61
grupo-controle, **44-45**
grupo étnico, **10-11**
grupo experimental, **44-45**
guarda, 372-375
guarda compartilhada, 180-181
Guatemala
  costumes do sono para bebês, 166-168
  participação guiada, 187

## H

habilidades motoras finas, **149-150**, **237-238**, 237-239
habilidades motoras grossas, **149-150**, **237-238**, 237-239
habituação, **178-179**, 178-180
hare canadenses, padrões de sono para crianças, 234-235
hare, do Canadá, 119-120, 234-235
Head Start, 272-274
hemangioma do tipo morango, 114-116t
hemofilia, 69t, 70-71
hepatite B, 452t, 452-454
herança dominante, **64-65**, 64-66, 65-66f, 68-70
herança poligênica, **65-66**
herança recessiva, **64-65**, 64-66, 65-66f, 68-70
herança vinculada ao sexo, **68-70**
herdabilidade, **73-75**, 73-76
hereditariedade, **7-9**, 61-82
  anomalias cromossômicas, 70-72, 70-71t
  atraso no desenvolvimento da linguagem, 268-270
  código genético, 62-64, 62-63f
  defeitos congênitos, 67-73, 68-69t, 70-71t
  desenvolvimento infantil influenciado pela, 7-10
  determinantes do sexo, 63-65, 63-64f
  enurese noturna e, 236-237
  epigênese, 65-68
  esquizofrenia e, 80-82
  faixa de reação e canalização, 76-78
  genótipo e fenótipo, 65-67
  herança dominante, 64-66, 65-66f, 68-70
  herança ligada ao sexo, 68-71, 68-70f
  herança recessiva, 64-66, 65-66f, 68-70
  inteligência e, 80-81, 341-343
  interação genótipo-ambiente, 77-79, 77-78f
  mecanismo da, 61-68
  medindo, 73-76
  obesidade e, 79-80
  padrões de transmissão genética, 64-68
  personalidade e, 80-81
  transmissão multifatorial, 65-67
herpes, 452t, 452-453
heterossexualidade, 447-449
heterozigótico, **64-65**

higiene bucal, na segunda infância, 244-245
hiperplasia congênita da suprarrenal (CAH), 283-286
hipertensão, **323-324**
  na terceira infância, 323-324
hipocampo
  desenvolvimento emocional, 204-206
  memória e, 186
hipocrisia, pensamento adolescente e, 420-421
hipotálamo, 448-449
  desenvolvimento emocional, 204-206
  puberdade e, 394-397, 396-397f
hipótese da semelhança de gênero, 282-283
hipótese de representação dupla, **177-178**
hipóteses, **22**
hipotireoidismo, congênito, 117-118
hipóxia, 114-116
hispânicos. *Ver também* latinos
  cárie dentária, 312-313
  cuidados pré-natais, 106
  gravidez na adolescência e, 453-454
  inatividade e comportamento sedentário, 319-321
  início da puberdade e, 401-402
  pobreza e, 370-371
  projeções das populações para, 10-11, 10-11f
  QI, 341-343
  taxas de evasão no ensino médio, 433-435, 433-434f
  taxas de mortalidade infantil e, 155-156
HIV/aids, **98-99**
  amamentação e, 137-138
  causa e sintomas, 452-453t
  incidência de, 453-454
  mortes na segunda infância causadas por, 241
  transmissão de, 453-454
  transmissão perinatal, 98-99
Holanda
  escolaridade e QI, 341-342
  formas de organização familiar, 372-373t
  gravidez na adolescência na, 455
  pesquisas sobre apego na, 213-214
holofrase, **190-191**
homens
  adaptação ao divórcio, 372-374
  adaptação ao padrasto, 376-377
  agressão, 301-302, 382-383
  amigos imaginários, 260
  asma, 321-323
  atividade sexual e idade, 447-448f, 449
  atraso no desenvolvimento da linguagem, 268-270
  autismo em, 142
  bebês e crianças de 2 anos, 223-225
  brincadeiras impetuosas, 317-318
  brincadeiras na hora do recreio, 317-318
  brincar, 292-295
  *bullying*, 385-386
  causas da infertilidade, 57-58, 59t
  comportamento pró-social, 429

comunicação, 346-347
desempenho escolar, 350-351, 429-431
desenvolvimento da identidade de gênero, 281-289
desenvolvimento moral, 427-428
determinantes genéticos de, 63-65, 64-65f
escolhas vocacionais e, 434-436, 436f
formação de identidade, 445-446
gagueira, 323-324
habilidades matemáticas, 282-283, 350-351
habilidades verbais, 282-283
lateralidade manual, 238-239
luto por aborto espontâneo, 92
maturidade precoce e tardia, 401-402
mortalidade, 90-91
mortalidade infantil, 240-242
nível de atividade do feto, 90-94
padrões de crescimento, 134-135, 134-135f
padrões de sono na terceira infância, 315-316
puberdade e, 394-402, 396-397f, 397-398t
relações do grupo de pares, 380-381
SMSI e, 155-157
sobrepeso, 318-319
surto de crescimento puberal, 398-400
TDAH, 357-358
transtornos de ansiedade, 326-327
transtornos de conduta, 324-326
voluntariado associado a, 429
vulnerabilidade do natimorto, 90-91, 125-126
homossexuais/homossexualidade
  desenvolvimento da identidade e, 447-449
  famílias com pais *gays* ou mães lésbicas, 376-378
  origens da, 448-449
  taxas de, 447-448
homozigoto, **64-65**
hora das refeições, 368-369
hormônio folículo-estimulante (FSH), puberdade e, 394-397, 396-397f
hormônio liberador da corticotropina (CRH), 109-110
hormônio liberador da gonadotropina (GnRH), puberdade e, 394-397, 396-397f
hormônio luteinizante (LH), puberdade e, 430-397, 396-397f
hormônios
  desenvolvimento de gênero e, 283-286
  do crescimento, 312-313
  puberdade e alterações nos, 394-398, 396-397f
hospitais amigos da criança, 136-137
HPV (verrugas genitais), 452t, 452-453
Hungria
  estudo do comportamento pró-social, 429
  influências do desenvolvimento de gênero, 287-288

# Índice

**I**

icterícia neonatal, **117**
*id*, 24-26
idade
  bebês com baixo peso ao nascer, 122-123
  gravidez e, 99-102
idade gestacional, **86**
idealismo, pensamento adolescente e, 420-421
identidade, **442**
  busca pela, na adolescência, 442-447, 443-447*t*
  confusão de papel e, 442-443
  de gênero, **281-282**, 286
  diferenças de gênero na formação da, 445-446
  estados da identidade, 442-446, 443-445*t*
  fatores étnicos na formação da, 445-447, 446-447*t*
  fidelidade e, 442-443
  ideal, **278-279**, 366
  identidade *versus* confusão de identidade, 28*t*, **422**, 442-443
  ocupacional, 442
  sexual, 442, 447-448
  orientação sexual e formação da, 447-449
identificação, **285-286**
imageamento por ressonância magnética funcional (fMRI), 41-42
imagem corporal, **318-319**
  bonecas Barbie e, 319-320
  na terceira infância, 318-319
  transtornos alimentares e adolescentes, 405-408
imaturidade, valor adaptativo da, 37
imigrantes, filhos de, 10-12
imitação
  desenvolvimento precoce da linguagem, 187-188
  diferida, **174-175**, 174-176, 252-253
  induzida, **174-176**
  invisível, **173-174**
  visível, **173-174**
implantação, **86-87**
*imprinting*, **15-17**, **127-128**
*imprinting* genômico, 67-68
imunização, em bebês e crianças de 2 anos, 157-159
inatismo, **193**
incapacidade aprendida, 279-280
inclusão de classe, **333-334**
incubadora, 123-124
indecisão, pensamento adolescente e, 420-421
Índia
  adolescência na, 395
  brincadeiras impetuosas na, 317-318
  desempenho escolar, 429-430
  uso do tempo pelos adolescentes, 457-458
indicativos cinéticos, 151-152
índios norte-americanos
  diabetes, 323-324
  SMSI e, 155-157
  taxas de evasão no ensino médio, 433-435, 433-434*f*

taxas de mortalidade infantil e, 155-156
  taxas de tabagismo e consumo de álcool, 155-156
individuação, **458-459**
infecções sexualmente transmissíveis (ISTs), 449, 450, **451**, 451-454
  comuns, 452*t*-453*t*
  incidência de, 452-453
inferência transicional, **332-333**, 332-333*t*
inferioridade, produtividade *versus*, 366-367
infertilidade, **56-57**
  causas e tratamentos para, 57-58, 59*t*
  incidência de, 56-57
  tecnologia de reprodução assistida (TRA), 57-62
influências não normativas, **15-17**
influências normativas, **13-15**
  pela história, 15-17
  reguladas pela idade, 13-15
inibição comportamental, 209-210
inibidores da enzima conversora da angiotensina (ECA), 96-97
inibidores seletivos da recaptação de serotonina (ISRSs), 328-329, 411-413
iniciativa *versus* culpa, 28*t*, **281-282**
injeção de esperma intracitoplasmática (IEIC), 58-61
insatisfação com o corpo, 319-320
inseminação artificial, 58-61
inseminação artificial com doador (IAD), 58-61
Instagram, 463-464
Instituto Nacional de Saúde Mental (NIMH), 18
integração, **141-143**
integridade *versus* desespero, 28*t*
inteligência
  ambiente doméstico e, 169-172, 264-266
  corporal-cinestésica, 343-344, 343-344*t*
  deficiência intelectual, 355-356
  definição operacional, 41-42
  espacial, 343-344, 343-344*t*
  faixa de reação e, 76-77, 76-77*f*
  hereditariedade e influências ambientais, 80-81, 341-343
  influências sobre a medida, 264-266
  interpessoal, 343-344, 343-344*t*
  linguística, 343-344, 343-344*t*
  lógico-matemática, 343-344, 343-344*t*
  medidas psicométricas tradicionais da, 264-265
  modelo de Vigotsky, 265-267
  musical, 343-344, 343-344*t*
  naturalista, 343-344, 343-344*t*
  nível socioeconômico (NSE) e, 265-266
  processamento de informação como preditor da, 180-181
  teoria das inteligências múltiplas, 343-345, 343-344*t*
  teoria triárquica da, 344-346
  testes dinâmicos, 265-267
intencionalidade compartilhada, **206-207**, 206-207

interação gene-ambiente
  apego desorganizado e, 212-213
  comportamento pró-social, 300-301
interação genótipo-ambiente, 77-**78**, 77-79, 77-78*f*
interação social, desenvolvimento da linguagem e, 195
internalização, **220-221**
  em bebês e crianças de 2 anos, 220-224
intervenção precoce, **170-171**
intimidade
  adolescentes e amigos, 462-463
  mulheres e formação de identidade, 445-446
intimidade vs. isolamento, 28*t*
intolerância à lactose, 63-64
Inuit, sentido de diligência, 366-367
inveja do pênis, 25-27
Inventário HOME, **169-170**, 169-172
Irlanda, bebês com baixo peso ao nascer, 124-125
irmãos
  adolescentes e, 461-462
  chegada de um novo bebê, 224-226
  desenvolvimento de gênero influenciado pelos, 287-288
  efeitos do ambiente não compartilhado, 79-80
  interações com bebês e crianças de 2 anos, 225-226
  na segunda infância, 304-305
  na terceira infância, 378-380
  terríveis 2 anos e, 222
irreversibilidade, **256-257**, 256-258
Israel
  adolescentes e problemas de saúde, 403-404
  critérios para a maturidade, 469-470
  padrões de sono na terceira infância, 315-316
  pesquisas sobre apego, 213-214
Itália, gravidez na adolescência na, 455

**J**

Jamaica
  desenvolvimento motor, 153-154
  desnutrição na, 242-243
Japão
  agressão, 302-303
  estilos de parentalidade, 300
  gravidez na adolescência no, 455
  pesquisas sobre apego no, 210-214
  taxas de abuso infantil, 160-161
  uso do tempo pelos adolescentes, 457-458
jardim de infância, 272-275
Java
  costumes do sono para crianças, 234-235
  raciocínio adolescente, 419-420
jogo
  com objetos, 290-291
  construtivo, **290-291**
  construtivo paralelo, 290-293
  de fantasia, 252-253

dramático, 252-253, 290-291, **290-293**, 292-293
  formais com regras, **290-293**
  funcional, **290-291**
  imaginativo, 252-253
  locomotor, 290-291
  reticente, 290-293

**K**

Kalahari, brincadeiras impetuosas em, 317-318

**L**

lanugo, 114-116
Laos, adolescência em, 395
lares adotivos temporários, 160-162
lateralidade manual, **238-239**
lateralização, **138-140**
latino-americanos
  adolescência em, 395
  assistência médica em, 324-326
  avós como cuidadores, 378-379
  diabetes, 323-324
latinos. *Ver também* hispânicos
  acesso à assistência médica, 324
  atividade sexual, 450
  critérios para a maturidade, 470
  formação de identidade, 445-447, 446-447*t*
  influência dos pares no desempenho escolar, 431-432
  projeções das populações para, 10-11, 10-11*f*
  tradições familiares, 368-369
Lei de Educação de Indivíduos com Necessidades Especiais (Individuals with Disabilities Education Act), 358-359
Lei de Educação Fundamental e Secundária dos Estados Unidos, 358-359
leite de bruxa, 114-116
leitura,
  abordagem da linguagem integral, 348-349
  abordagem fonética, 348-349
  dialógica, 44-45
  em voz alta, 197-198
  na terceira infância, 348-350
lembrança, **262-263**
leptina, 396-398
lésbicas
  famílias com mães lésbicas, 376-378
  taxas de suicídio para adolescentes, 413-414
língua de sinais, 194
linguagem e alfabetização, lendo em voz alta, 197-198
linguagem, **187-188**
  aquisição da, 192-193
  aquisição, 18
  bebês e crianças de 2 anos, 187-198
  bilíngue, 195-197, 347-348
  de sinais, 194
  desenvolvimento cognitivo e, 187-198
  na adolescência, 421-423
lítio, 96-97
lobo occipital, 138-141, 140-141*f*
lobo parietal, 138-141, 140-141*f*

## Índice

lobo temporal, 138-141, 140-141*f*
lóbulo frontal, 138-141, 140-141*f*, 402-403
  desenvolvimento emocional, 204-206
  ludoterapia, **327-328**, 327-329

## M

maconha
  adolescentes usando, 409-410
  durante a gravidez, 97-99
macrossistema, **33-34**, 33-34*f*, 56
mães/maternidade
  amamentação e, 134-138, 136-137*t*
  apego de, 112-113, 215-216
  atividade sexual precoce influenciada pelas, 449
  bem-estar do feto vs. direitos da mãe, 100
  depressão pós-parto, 217-219
  desenvolvimento de gênero influenciado pelas, 287-288
  fatores ambientais no desenvolvimento pré-natal, 91-102
  madrastas, 376-377
  mães lésbicas, 376-378
  necessidade de recém-nascidos das, 128-129
  que trabalham, 226-228, 369-371, 460-461
  satisfação conjugal relacionada à paternidade, 129-130
  solteiras, 370-372, 375-376
  substitutas, 61-62
  vínculo mãe-bebê, 127-129
maia
  costumes do sono para bebês, 166-168
  necessidade de disputa durante os terríveis 2 anos, 222
  participação guiada, 187
Malásia, temperamento e práticas de educação infantil, 209
Mali, sexualidade em, 449
mancha de vinho do Porto, 114-116*t*
manchas mongólicas, 114-116*t*
manchas róseas de nascença, 114-116*t*
manhês, 196-197
mapeamentos representacionais, **278-279**
massa cinzenta, 313-315, 314-315*t*, 402-403
  inteligência e, 341-342
matemática
  debate acerca de métodos de ensino para, 353-354
  diferenças de gênero, 350-351, 429-431
  dificuldades em matemática, 356-357
  na terceira infância, 334-336
maturação, **7-9**
  desenvolvimento infantil influenciado pela, 7-10
  *in vitro* (MIV), 58-61
maturidade emergente, 468-470, **469-470**
maus-tratos
  ajudando famílias com problemas, 160-162
  características de pais e famílias abusivos/negligentes, 160-161

déficit de crescimento não orgânico, 159-160
  efeitos a longo prazo de, 161-162
  em bebês e crianças de 2 anos, 159-162
  emocional, 159-160
  formas de, 159-160
  incidência de, 159-160
  síndrome do bebê sacudido, 159-161
Mazahua, México, necessidade de disputa durante os terríveis 2 anos, 222
mecanismos básicos da aprendizagem, 185-186
mecanismos evolutivos, 35
mecônio, 114-117
Medicaid, 246-248
medidas comportamentais, 38-40*t*
medidas de desempenho, 38-40*t*
medo, 302-304
  ansiedade e medos em crianças, 387-388
  comportamentos internalizantes, 369-370
  fobia escolar, 326-327
  fobia social, 326-327
  nível socioeconômico (NSE) e, 387-388
  transtornos de ansiedade, 326-327
medula espinal, 138-139, 138-139*f*
meiose, 62-63
melatonina, 404-405
memória
  a longo prazo, 262
  autobiográfica, 262-263
  codificação, armazenamento e recuperação da, 259-260
  conhecimento conceitual, 422-423
  conhecimento declarativo, 422-423
  conhecimento procedural, 422-423
  de reconhecimento visual, 178-180
  declarativa, 186
  dispositivo mnemônico, 338-340
  episódica, 262-263
  explícita, 186
  formação e retenção de memórias da infância, 262-264
  genérica, 262-263
  implícita, 186
  infantil, 166-168
  influências na retenção de, 262-264
  metamemória, 338-339
  modelo de interação social, 263-264
  sensorial, 262
  trabalhando, **186**, 186-187, **262**, 338-339, 339-340*t*
menarca, **399-400**
  início da, 400-401
menstruação, puberdade e, 399-400
mesoderma, 87-89
mesossistema, **33-34**, 33-34*f*
metacognição, **348-349**, 420-421
metamemória, 338-339, **338-339**
metanálise, 49-50
metanfetaminas, durante a gravidez, 97-99
método Bradley de parto, 112-113
método canguru, **123-124**

método científico, **36-38**
método Lamaze de parto, 112-113
método Montessori de pré-escola, 271-272
métodos de pesquisa, 36-52
  amostragem, 38-40
  colaborativos, 49-50
  estudos correlacionais, 42-45
  estudos de caso, 42-44
  estudos etnográficos, 42-44
  estudos transversais, longitudinais e sequenciais, 46-50, 48*t*
  ética de, 50-52
  formulários de coleta de dados, 38-42
  interculturais, 45
  metanálise, 49-50
  método científico, 36-38
  métodos qualitativos, 36-39, 38-39*t*, 41-43
  modelos básicos de, 42-48
  modelos de desenvolvimento, 46-48
  pesquisa quantitativa, 36-39, 38-39*t*, 41-43
  seleção randômica, 38-40
metotrexato, 96-97
mexicano-americanos
  início da puberdade e, 397-398
  obesidade em adolescentes, 404-405
  sobrepeso, 318-319
  uso do tempo pelos adolescentes, 457-458
México
  brincadeiras impetuosas no, 317-318
  formas de organização familiar, 372-373*t*
microssistema, **33**, 33-34*f*, 56
mídias sociais, consequências sociais do uso, 463-464
mielinização, **141-143**, 141-144, 144*f*
miliária, 114-116*t*
mistura de código, **196-197**
mitose, 62-63, 86-87
mizuko kuyo, 92
modelagem, 30-31
modelo de interação social, **263-264**
modelo mecanicista, **22-23**, 22-24
modelo organicista, 23-24, **23-24**
modelos computacionais, 33
modificação do comportamento, 30-31
  na terceira infância, 327-328
monitoração eletrônica fetal, **111-112**
moralidade convencional (moralidade de conformidade com o papel convencional), 425*t*, 424-426, **424-426**
moralidade pós-convencional (moralidade dos princípios morais autônomos), 425*t*, 424-426, **424-426**
moralidade pré-convencional, 423-424, **423-424**, 425*t*
moratória, 443-446, 443-444*t*, **444-445**, 445-446*t*
moratória psicossocial, 442-443
mordidas da cegonha, 114-116*t*
morfogenes, 86
mórmons, critérios para a maturidade, 469-470

mortalidade
  reduzindo a mortalidade infantil, 154-158
  sobrevivendo aos cinco primeiros anos de vida, 241-242
morte
  aborto espontâneo, 90-92
  acidental, 244-245, 246-247*t*
  celular, **141-143**, 141-143
  déficit de crescimento não orgânico, 159-160
  na adolescência, 411-414, 411-413*f*
  na segunda infância, 244-245, 246-247*t*
  natimorto, 90-92, 125-126
  no berço, 155-156
  por ferimentos acidentais, 156-158, 411-413
  síndrome da morte súbita infantil (SMSI), 154-157
  taxas de mortalidade infantil, 154-158
motivação, desempenho escolar e, 429-430
movimento em pinça, 149-150
mudança qualitativa, **23-24**
mudanças estruturais, em processamento de informação, 422-423
mudanças funcionais, em processamento de informação, 422-424
mulheres
  adaptação ao divórcio, 372-374
  adaptação ao padrasto, 376-377
  agressão, 301-302, 382-383
  amigos imaginários, 260
  asma, 321-323
  atividade sexual e idade, 447-448*f*, 449
  bebês e crianças de 2 anos, 223-225
  brincadeiras impetuosas, 317-318
  brincadeiras na hora do recreio, 317-318
  brincar, 292-295
  *bullying*, 385-386
  causas da infertilidade, 57-58, 59*t*
  comportamento pró-social, 429
  comunicação, 346-347
  depressão, 326-327
  depressão e, 410-411
  desempenho escolar, 350-351, 429-431
  desenvolvimento da identidade de gênero, 281-289
  desenvolvimento moral, 427-428
  determinantes genéticos de, 63-65, 64-65*f*
  escolhas vocacionais e, 434-436, 436*f*
  formação de identidade, 445-446
  gagueira, 323-324
  habilidades matemáticas, 282-283, 350-351
  habilidades verbais, 282-283
  imagem corporal, 318-319, 405-407
  imagem corporal e bonecas Barbie, 319-320
  lateralidade manual, 238-239
  luto por aborto espontâneo, 92
  maturidade precoce e tardia, 401-402

mortalidade infantil, 240-242
nível de atividade do feto, 90-94
padrões de crescimento, 134-135, 134-135*f*
padrões de sono na terceira infância, 315-316
puberdade e, 394-402, 396-397*f*, 397-398*t*
relações do grupo de pares, 380-381
sobrepeso, 318-319
surto de crescimento puberal, 398-400
TDAH, 357-358
transtornos de ansiedade, 326-327
transtornos de conduta, 324-326
voluntariado associado a, 429
múltiplos nascimentos, 58-61
multitarefa, 430-432
mutações, **65-66**

## N

nascimento. *Ver* natalidade
cenários contemporâneos para, 109-110
complicações do, 119-127
cultura e, 108-110
etapas do, 110-112, 110-111*f*
monitoração eletrônica fetal, 111-112
múltiplo, 60-61
natural ou preparado, 112-114
parto medicado vs. parto não medicado, 112-114
parto vaginal após cesariana (VBAC), 112-113
parto vaginal vs. cesariano, 111-113
processo do, 109-114
redução de risco no, 108-110
taxas de mortalidade, 108-110, 108-109*f*
vinculação e, 127-129
natimorto, 90-91, **125-126**
luto, 92
nativos do Alasca
conhecimento tácito, 345-346
SMSI e, 155-157
taxas de evasão no ensino médio, 433-435, 433-434*f*
taxas de mortalidade infantil e, 155-156
taxas de tabagismo e consumo de álcool, 155-156
negativismo, 220-221
negligência
características de pais e famílias abusivos/negligentes, 160-161
definição, 159-160
efeitos a longo prazo de, 161-162
em bebês e crianças de 2 anos, 159-162
incidência de, 159-160
neonato, **113-114**. *Ver também* recém-nascidos
Nepal
assistência médica no, 324-326
parto no, 114-115
neurociência cognitiva, **41-42**
neurônios, 140-141, **140-141**, 141-143
neurônios espelhos, **206-207**
neurotransmissores, 141-143
nicotina, durante a gravidez, 97-98

nível socioeconômico (NSE), 11-12
bebês com baixo peso ao nascer, 122-123
delinquência juvenil influenciada pelo, 467-468
desempenho escolar e, 351-352, 432-433
desenvolvimento infantil influenciado pelo, 11-15
estudo pré-escolar do, 272-274
famílias de coabitação, 375-376
famílias monoparentais, 375-376
indicadores de desenvolvimento por país, 13-14*f*
inteligência e, 265-266
medo e, 387-388
saúde na segunda infância e, 246-248
saúde na terceira infância, 324
taxa de pobreza nos Estados Unidos, 13-14, 13-15*f*
voluntariado associado ao, 429
nomeação negativa, 381-382
nominação positiva, 380-381
norte-americanos de origem árabe, cuidados com a saúde em, 324-326
norte-americanos de origem chinesa
taxas de mortalidade infantil e, 155-156
uso do tempo pelos adolescentes, 457-458
Noruega
bebês com baixo peso ao nascer, 123-124
pesquisas sobre apego na, 213-215
Nova Guiné, raciocínio adolescente, 419-420
números
compreensão na segunda infância, 254-256
na terceira infância, 334-336
nutrição
alergias alimentares, 242-243
amamentação ou mamadeira, 134-138, 136-137*t*
causas do sobrepeso e, 318-319
durante a gravidez, 94-96
em bebês e crianças de 2 anos, 134-138
encorajando hábitos alimentares saudáveis, 242-243*t*
introduzindo alimentos sólidos, 137-138
na adolescência, 404-408
na segunda infância, 239-243
na terceira infância, 314-316
prevenção da obesidade na segunda infância, 239-243
segurança alimentar, 244
subnutrição, 242-243

## O

Oakland (Adolescent) Growth Study, 4-5
Oakland Growth Study, 48
obediência comprometida, **223**
obesidade, **79-80**. *Ver também* sobrepeso
fatores influenciando, 137-139
gravidez e, 94-95
hereditariedade e influências ambientais, 79-80

incidência de, 318-319
na adolescência, 404-406
segunda infância e prevenção, 239-243
objeto transicional, 234-235
objetos no espaço, 252-254
observação
laboratorial, 38-40*t*, 39-41
naturalista, 38-40*t*, 39-41
participante, 42-44
Oceania, relacionamento entre irmãos, 378-380
ocitocina, 134-136
parto vaginal e, 112-113
Okinawa, brincadeiras impetuosas em, 317-318
operações concretas, 28*t*, **332**
operações formais, 418-421, **456-457**
organização, **31**
organização, como dispositivo de memória, **339-340**, 340*t*
organizações anônimas de pais, 160-161
organogênese, 90-91, 90-91*f*
orientação sexual, **447-448**, 447-449
origens da, 448-449
orientação visual, **151-152**
Oriente Médio, adolescência no, 395
ousadia, 209-210
ovários, puberdade e, 396-397
óvulos, 56-57
infertilidade e, 57-58

## P

padrão incapaz, 279-280
País de Gales, raciocínio adolescente, 419-420
pais/parentalidade/paternidade
adolescentes e, 457-461
agressão influenciada pelos, 301-303
atividade sexual precoce influenciada pelos, 449
autoritários, 298-300
autorrevelação de adolescentes, 459-460
características de abusivos/negligentes, 160-161
como pais solteiros, 375-376
competência das crianças influenciada pelos, 366-367
comunicação emocional com, 216-219
cooperativa, 96-97, 374-375
corregulação, 369-370
crianças superdotadas e, 359-360
democráticos, 298-300
desempenho escolar e, 350-352, 430-433
desenvolvimento da linguagem e, 195
desenvolvimento de gênero influenciado pelos, 287-288
desenvolvimento moral influenciado pelos, 427-428
diferenças culturais em, 299-300
disciplina, 294-298
divórcio e relação com a criança, 374-375
efeitos da vizinhança nos, 300
estilos de, 296-300
fatores ambientais no desenvolvimento pré-natal, 101-103

importância do envolvimento, 372-374
influência das diferenças de gênero, 224-225
início da puberdade influenciado pelos, 400-401
início da puberdade influenciado pelos, 400-401
não envolvidos, 298-299
negligentes ou omissos, 298-299
padrasto, 376-377
pais adotivos, 376-377
pais *gays*, 376-378
permissivos, 298-300
pobreza e, 370-372
que trabalham, 226-230, 369-371
rebeldia adolescente tratada pelos, 456-458
recém-nascidos e papel dos, 128-130
regulação mútua, 216-219
relacionamento com adolescentes, 460-461
relacionamento entre pares influenciado pelos, 306-307
responsividade de, e QI da criança, 169-172
satisfação conjugal relacionada aos, 129-130
satisfação conjugal relacionada à paternidade, 129-130
*status* de identidade e, 443-445, 443-444*t*
temperamento e adequação da educação, 209
vinculação com recém-nascidos, 127-129
palmada, 297-298
panelinhas, 462-463
papéis de gênero, **282-283**
paradigma da expectativa visual, 180-181
paradigma do rosto sem expressão, **216-218**
parentalidade democrática, **298-299**, 298-300, 306-307
conquistas escolares e, 351-352, 430-432
delinquência juvenil influenciada pela, 467-468
popularidade na infância e, 381-382
relacionamentos adolescentes e, 458-459
pares
aceitação pelos pares e desempenho escolar, 351-352
admissão como membro da turma, 462-463
agressão e *bullying*, 382-387
amizade, 382, 382-383*t*, 462-464
atividade sexual influenciada pelos, 450
comunicação *on-line* e, 463-464
delinquência juvenil influenciada pelos, 465-468
desempenho escolar influenciado pelos, 431-433
desenvolvimento de gênero influenciado pelos, 287-289
desenvolvimento moral influenciado pelos, 427-428
diferenças de gênero em, 380-381
efeitos positivos e negativos dos, 379-381

## Índice

na adolescência, 461-465
na terceira infância, 379-387
panelinhas, 462-463
popularidade, 380-382
relacionamentos românticos, 463-465
parteiras, 109-111, 114-115
participação guiada, **187**
Partners for Learning, 170-171
parto, **109-110**
  cesariano, **111-112**, 111-113
  natural (preparado), **112-113**
  preparado, **112-113**
  vaginais após cesarianas (VBAC), 112-113
pele, alterações da pele do recém-nascido, 114-116, 114-116t
pelos púbicos, 398-399
pensamento convergente, **359-360**
pensamento divergente, **359-360**
pensamento mágico, 260
pensamento pré-operacional, abordagem piagetiana
  brincadeiras de faz de conta, 252-253
  causalidade, 253-255
  centração e descentralização, 255-257
  conservação, 256-258, 257-258t
  egocentrismo, 255-257
  função simbólica, 252-253
  identidades e categorização, 254-255
  número, 254-256
  objetos no espaço, 252-254
  teoria da mente, 257-261
  transdução, 253-255
percepção
  abismo visual, 151-153
  desenvolvimento motor e, 151-153
  profundidade, 151-152
  tátil, 151-152
  teoria ecológica da, 151-153
perda ambígua, 125-126
período crítico, **15-17**
período embrionário, **90-91**, 90-91, 90-91f
período germinal, **86-87**, 86-90, 89-90f
período neonatal, **113-114**
período pré-linguístico, 195-196
período pré-natal, 8t
períodos sensíveis, **15-17**
permanência do objeto, **174-176**, 183-185
  violação de expectativas, 183-186
personalidade, **202**
  hereditariedade e influências ambientais, 80-81
perspectiva cognitiva, 26t, **30-31**, 30-33
  abordagem do processamento de informação, 32-33
  desenvolvimento de gênero, 285-289
  teoria dos estágios cognitivos, 30-32
  teoria sociocultural, 32
  teorias neopiagetianas, 33
perspectiva contextual, 26t, **33**, 33-35, 33-34f
perspectiva de aprendizagem, 26t, **27-29**, 27-31
  behaviorismo, 27-31
  teoria de aprendizagem social, 30-31

perspectiva evolucionista/sociobiológica, 26t, **35**, 35-36
  brincadeiras impetuosas, 317-318
  brincar, 290-291
  desenvolvimento de gênero, 284-285t, 283-286
  filhos únicos, 305-306
  imaturidade, valor adaptativo da, 37
  início da puberdade, 400-401
perspectiva psicanalítica, **24-25**, 24-27, 26t, 28t
  desenvolvimento de gênero, 284-285t, 285-286
perspectivas teóricas
  aprendizagem, 26t, 27-31
  cognitivo, 26t, 30-33
  contextual, 26t, 33-35, 33-34f
  desenvolvimento ativo ou reativo, 22-24
  desenvolvimento contínuo ou descontínuo, 23-24
  equilíbrio cambiante, 35-37
  evolucionista/sociobiológica, 26t, 35-36
  modelo mecanicista, 22-24
  modelo organicista, 23-24
  psicanalítica, 24-27, 26t, 28t
  resumo das, 26t
  teorias dos estágios, 23-24
Peru
pesadelos, 234-235
peso
  ganho de peso maternal durante a gravidez, 94-96
  na terceira infância, 312-313, 318-323
pesquisa qualitativa, **36-38**
  avaliando, 41-43
  comparada à quantitativa, 38-39t
pesticidas, exposição na segunda infância, 247-249
placebo, 44-45
placenta, 87-90, 89-90f
  expulsão da, no parto, 110-111
plasticidade, **15-17**, 145, **145**
pobreza. *Ver também* nível socioeconômico (NSE)
  déficit de crescimento não orgânico, 159-160
  desempenho escolar e, 351-352
  desenvolvimento infantil influenciado pela, 13-14
  incidência de, no mundo todo, 13-14
  parentalidade e, 370-372
  saúde na segunda infância e, 246-248
  saúde na terceira infância e, 324
  taxa nos Estados Unidos, 13-14, 13-15f
poluição do ar, exposição na segunda infância, 247-249
ponte, 195
população, 38-39
popularidade, 380-382
popularidade sociométrica, 381-382
porto-riquenhos, taxas de mortalidade infantil e, 155-156
pós-maduro, **124-125**
povo Aka, 127-130
povo Efe, 126-128
povo huhot na Mongólia Interior, 129-130
povo Ifaluk, 126-127

povo Ngandu, 127-128
povo Zuni, costumes do sono para crianças, 234-235
pragmáticas, **268-270**, **346-347**, 346-348
preconceito, **379-380**, 379-381
pré-escolas, 271-274
  abordagem Reggio Emilia, 271-273
  compensatórias, 272-274
  Head Start, 271-272
  método de Montessori, 271-272
  universais, 272-274
preferência por novidade, 178-180
preferência visual, **178-180**
preparação vocacional, 436-438
pressão alta
  crianças com sobrepeso e, 319-321
  na terceira infância, 323-324
primeira série, 349-351
primeiras palavras, 190-192
primeiras sentenças, 191-193
princípio cefalocaudal, **86**, 134, 134-135f, 149-150
princípio da cardinalidade na contagem, 254-256
princípio de identidade, 333-334
princípio de reversibilidade, 333-335
princípio proximodistal, **86-87**, 134, 149-150
privacidade, direito à, em pesquisas, 51-52
problemas emocionais
  depressão infantil, 326-328
  fobia escolar, 326-327
  técnicas de tratamento, 327-329
  transtorno da conduta (TC), 324-327
  transtorno de ansiedade generalizada, 326-327
  transtorno de oposição desafiante (TOD), 324-326
  transtorno obsessivo-compulsivo (TOC), 326-327
procedimentos de duplo-cego, 44-45
produtividade vs. inferioridade, 28t, 366-367, **366-367**
programas de abstinência, 451
programas de aceleração, **360-361**
programas de educação sexual, 451, 455
programas de enriquecimento, **359-360**, 359-361
programas de inclusão, 358-359
projeto CARE, 170-171
projeto Head Start, 272-274
promoção social, **353-355**
Prozac, 96-97
psicologia do desenvolvimento, 4-5
psicologia evolucionista, **35**, 35-36
psicopatologia, hereditariedade e influências ambientais, 80-82
psicoterapia, 327-328
psicoterapia individual, **327-328**
puberdade, **394**, 394-402
  em países menos desenvolvidos, 395
  gordura corporal e início da, 396-398
  influências no início da, 399-401
  início, sinais e sequência da, 397-402, 397-398t

maturidade precoce e tardia, 401-402
maturidade sexual, 399-400
mudanças hormonais, 394-398, 396-397f
sinais da, 398-399
surto de crescimento, 398-400
pubilect, 421-423
punição, **29**
  corporal, 295-298
  punição física e abuso, 160-161
  reforço e, 294-296

## Q

quadros O mundo da pesquisa
  aquisição da linguagem, 18
  base evolucionista do brincar, 290-291
  debate sobre o dever de casa, 352-353
  discurso particular, 269-270
  epidemia de autismo, 142-143
  estágios da fé, 427-428
  refeições familiares e o bem-estar da criança, 368-369
  testes genéticos, 74
  valor adaptativo da imaturidade, 37
quadros O mundo social
  acalmando um bebê que chora, 121
  amigos imaginários, 260
  bem-estar do feto vs. direitos da mãe, 100
  bonecas Barbie e imagem corporal, 319-320
  castigo corporal, 297-298
  crescendo em tempos difíceis, 16-17
  debatendo terrorismo e guerra, 388-389
  depressão pós-parto e desenvolvimento inicial, 217-219
  epidemia da violência juvenil, 466
  guerras da matemática, 353-354
  multitarefa e geração M, 431-432
  segurança alimentar, 244
  uso da televisão bebês e crianças pequenas, 182
quadros Pelo mundo
  dificuldades com crianças pequenas, 222
  efeitos das atitudes culturais no cuidado com a saúde, 325
  filhos de famílias imigrantes, 12
  globalização da adolescência, 395-396
  hábitos do sono, 157-158
  invenção da língua de sinais, 194
  natalidade no Himalaia, 114-115
  objetivos da pesquisa transcultural, 45
  prevenção da gravidez na adolescência, 455
  sobrevivendo aos primeiros cinco anos de vida, 241
Quênia
  comportamento de apego, 212-213
  conhecimento tácito, 345-346
  costumes do sono para bebês, 166-168
  costumes do sono para crianças, 234-235

## Índice

Questionário de Classificação do Apego (AQS), 213-214
Questionário do Comportamento do Bebê (IBQ) de Rothbart, 208, 209
questionários, 38-40t, 39-41
quociente de inteligência (QI) e testes, **168-169**
  adoção e, 377-378
  Bateria de Avaliação de Kaufman para Crianças (K-ABC-II), 345-346
  controvérsia sobre, 341
  criatividade e, 359-360
  cultura influenciando, 342-343
  de crianças superdotadas, 359-360
  deficiência intelectual, 355-356
  Escala de Inteligência de Stanford-Binet, 264-265
  Escala de Inteligência Wechsler para Crianças (WISC-III), 341
  Escala de Inteligência Wechsler Pré-escolar e Primária (WPPSI-III), 264-265
  escolaridade influenciando, 341-342
  genética e desenvolvimento cerebral influenciando, 341-342
  raça/etnia influenciando, 341-343
  testando bebês e crianças de 2 anos, 168-171
  Teste de Habilidade Escolar de Otis-Lennon (OLSAT8), 341
  Teste de Habilidades Triárquicas de Sternberg (STAT), 344-346
  testes dinâmicos, 345-346
  testes estatísticos, 345-346
  testes na segunda infância, 264-267
  testes na terceira infância, 341-346
quocientes de desenvolvimento (QDs), 169-170

## R

raça/etnia
  como construção social, 11-12
  conquista embutida, 446-447
  desenvolvimento infantil influenciado pela, 10-12
  formação de identidade, 445-447, 446-447t
  projeções das populações para, 10-11, 10-11f
  QI influenciado pela, 341-343
  saúde na segunda infância e, 246-248
  socialização cultural, 446-447
  taxa de pobreza por, 13-15f
  taxas de mortalidade infantil e, 155-156
  valorização do grupo, 446-447
raciocínio
  dedutivo, 333-334
  indutivo, 333-334
  hipotético-dedutivo, 418-420, **456-457**
  moral, 335-337
raiva, comportamentos externalizantes, 369-370
reação circular primária, 171-173, 171-173f
reação circular secundária, 171-173, 171-173f

reação circular terciária, 171-173f, 173-174
realidade
  distinção entre aparência e, 259-260
  distinção entre fantasia e, 259-260
realização de identidade, **443-444**, 443-446, 443-446t
realização incorporada, 446-447
rebeldia adolescente, **456-457**, 456-458
recém-nascidos
  audição e visão de, 148-149
  bebês com baixo peso ao nascer, 119-125
  capacidade sensorial, 147-149
  condições da pele de, 114-116, 114-116t
  confortando um bebê que chora, 121
  Escala Brazelton de Avaliação do Comportamento Neonatal, 117-118
  Escala de Apgar, 117-118, 117t
  estágios de excitação e níveis de atividade, 117-120, 118-119t
  icterícia, 117
  necessidades dos, 124-125
  papel do pai, 128-130
  paternidade e satisfação conjugal, 129-130
  pós-maduro, 124-125
  reduzindo a mortalidade infantil, 154-158
  reflexos, 145, 146f
  sistemas corporais dos, 114-117
  sono, 117-120, 118-119t
  tamanho e aparência de, 113-116, 114-116t
  taxas de mortalidade, 108-110, 108-109f
  triagem neonatal, 117-118
  visão intercultural de assistência infantil, 126-128
reconhecimento, **262-263**
recuperação, **262**
recuperação baseada na visualização, **348-349**
rede de controle cognitivo, 402-403
rede socioemocional, 402-403
referenciação social, 216-218, **216-218**, 217-219
  em bebês e crianças de 2 anos, 150-151
reflexo
  darwiniano, 146f, 146t
  de Babinski, 146f, 146t
  de marcha automática, 146f, 146t
  de moro, 146f, 146t
  de preensão, 145, 146t, 150-151
  de sucção, 146f, 146t
  físicos, 29
  locomotor, 145
  natatório, 146t
  posturais, 145
  primeiros, 145, 146t
  primitivos, 145
reforço, **29**
  punição e, 294-296
regulação mútua, **216-218**, 216-219
Reino Unido
  bebês com baixo peso ao nascer, 124-125
  formas de organização familiar, 372-373t

relacionamentos espaciais, 332, 332-333t
relacionamentos românticos, 463-465
relatórios visuais, 38-40t, 39-41
representações únicas, **278-279**
República Tcheca, estudo do comportamento pró-social, 429
ressonância magnética funcional (fMRI), 313-314
retenção, como dispositivo de memória, **338-339**, 340t
retirada do amor, **296-298**
risada, primeiras emoções, 203-205
Roacutan, 96-97
ronco, 316-317
roteiro, **262-263**
rotinas de manuseio, 153-154
Ruanda, raciocínio adolescente, 419-420
rubéola, 98-99
Rússia, estudo do comportamento pró-social, 429

## S

saco amniótico, 87-89, 89-90f
San Pedro, Guatemala, necessidade de disputa durante os terríveis 2 anos, 222
saúde e segurança
  em bebês e crianças de 2 anos, 154-159
  na segunda infância, 239-249
  na terceira infância, 318-326
saúde mental
  na terceira infância, 324-326, 328-329
  técnicas de tratamento, 327-329
segregação de gênero, 292-293
Segunda Guerra Mundial, 15-17
segunda infância, desenvolvimento cognitivo em causalidade, 253-255
  abordagem do processamento de informação, 261-264
  abordagem psicométrica, 264-267
  amigos imaginários, 260
  brincadeira de faz de conta, 252-253
  causalidade, 253-255
  criança pré-operacional, abordagem piagetiana, 252-261
  desenvolvimento da linguagem, 266-271
  discurso particular, 269-270
  falsas crenças e dissimulação, 257-260
  formação e manutenção de memórias da infância, 262-264
  medição da inteligência, 264-267
  memória, 262-264
  números, 254-256
  pensamento mágico, 260
  pré-escolas e jardim de infância, 271-275
  teoria da mente, 257-261
  uso da mídia e, 270-271
segunda infância, desenvolvimento físico e saúde em
  alergias alimentares, 242-243
  crescimento e alteração corporal, 234, 234-236t
  desenvolvimento artístico, 238-240

desenvolvimento cerebral, 236-238
desenvolvimento motor, 237-240
exposição a fumaça de cigarro, poluição do ar, pesticidas e chumbo, 247-249
falta de moradia, 246-248
habilidades motoras grossas e finas, 237-239
lateralidade manual, 238-239
mortes e ferimentos acidentais, 244-245, 246-247t
padrões e distúrbios do sono, 234-237, 234-236f
prevenção da obesidade, 239-243
saúde bucal, 244-245
saúde e nível socioeconômico e raça/etnia, 246-248
sobrevivendo aos primeiros cinco anos de vida no mundo todo, 241-242
subnutrição, 242-243
seios, puberdade e, 398-399
seleção natural, 35
seleção randômica, **38-40**
senso de confiança básica *versus* desconfiança, **209-210**
sentido numérico, 254-256, 255-256t
seriação, **332-333**, 332-333t
serotonina, 162
serviços de creche
  creche, 227-230
  critérios para um bom, 229t
  estudo do NICHD, 228-230
  na terceira infância, 370-371
  programas de atividades de turno inverso, 370-371
sexualidade
  atitudes sobre, 450t
  atividade sexual e idade, 447-448f, 449
  conduta sexual de risco, 449-450
  gravidez na adolescência, 453-457
  infecções sexualmente transmissíveis (ISTs), 449
  informações sobre, 451
  na adolescência, 447-457, 447-448f, 450t-456t
  orientação sexual e identidade, 447-449
  uso de contraceptivo, 450-451, 451t, 455
sífilis, 452t
sinapses, 141-143
síndrome alcoólica fetal (SAF), **96-97**, 96-98
síndrome da morte súbita infantil (SMSI), 154-155, **154-155**, 155-157, 157-159t
síndrome de Asperger, 142
síndrome de Down, **70-71**, 70-72, 70-71t, 72-73f
síndrome de imunodeficiência adquirida (aids), **98-99**. *Ver também* HIV/aids
síndrome de Klinefelter, 70-71, 70-71t
síndrome de Turner, 70-71, 70-71t
síndrome do bebê sacudido, **159-160**
síndrome do sofrimento respiratório, 123-124
sintaxe, **191-192**, 267-268, 345-347

## Índice — 581

sistema límbico, desenvolvimento emocional, 204-206

sistema nervoso, 138-139, 138-139*f*
autônomo, desenvolvimento emocional, 204-206
central, **138-139**, 138-139*f*
parassimpático, desenvolvimento emocional, 204-206
periférico, 138-139*f*
simpático, desenvolvimento emocional, 204-206

sistemas de ação, **148-149**, 148-150, **237-238**, 237-239

sistemas representacionais, **366**

Situação Estranha, **211-212**, 212-214

sobrepeso. *Ver também* obesidade
causas do, 318-321
em bebês e crianças de 2 anos, 137-139
na terceira infância, 318-323
prevenção e tratamento para terceira infância, 319-323, 322*t*

sobrevivência dos mais adaptados, 35

socialização, **220-221**
desenvolvimento da autorregulação, 220-221
em bebês e crianças de 2 anos, 220-224
fatores em bem-sucedida, 223-224
origens da consciência, 220-223
teoria social cognitiva, 287-288

sono
adormecido, 166-168
apneia obstrutiva do sono (AOS), 316-317
compartilhamento da cama, 166-168
costumes no mundo todo, 157-158
distúrbios e transtornos do sono, 234-235
enurese noturna, 236-237
na adolescência, 403-405
na segunda infância, 234-237, 236-237*f*
na terceira infância, 315-317
recém-nascidos, 117-120, 118-119*t*
requisitos básicos para, na infância, 234-236*t*
ronco, 316-317
SMSI e posições de sono, 156-157
transtornos do sono relacionados à respiração, 316-317

*spillover*, 430-431

State Children's Health Insurance Program (SCHIP), 246-248

Steps to Respect, 386-387

Study of Early Child Care do National Institute of Child Health and Human Development (NICHD), 49-50, 226-230

subnutrição, na segunda infância, 242-243

Sudeste Asiático, assistência médica no, 324-326

Suécia
estudo do comportando pró-social, 429
formas de organização familiar, 372-373*t*
gravidez na adolescência, 455

Suíça, gravidez na adolescência na, 455

suicídio, adolescentes, 411-413*f*, 413-414

superego, 24-27

surto de crescimento puberal, **398-399**

## T

tabula rasa (quadro branco), 22-23

Taiti, taxa de abuso infantil, 160-161

talidomida, 96-97

tarefa das três montanhas, 255-257, 255-256*f*

taxa de graduação no ensino médio, 429

taxa de mortalidade infantil, **154-155**
reduzindo, 154-158

TDAH (transtorno de déficit de atenção/hiperatividade), **356-357**, 356-359
risco de delinquência juvenil, 465-467

técnicas indutivas, **295-296**

tecnologia de reprodução assistida (TRA), 57-58, **58-61**, 58-62

temperamento, **80-81**, **207**
adaptação e, 209
apego e, 213-215
crianças de aquecimento lento, 207-208, 208*t*
crianças difíceis, 207-208, 208*t*
crianças fáceis, 207-208, 208*t*
em bebês e crianças de 2 anos, 207-210
estabilidade do, 208-209
estudando padrões de, 207-208, 208*t*
influências biológicas e culturais, 209
medindo, 208
timidez e ousadia, 209-210

tempo de reação visual, 180-181

tendência secular, **399-400**, 399-401

teoria, **22**

teoria bioecológica, **33**, 33-35, 33-34*f*

teoria biossocial, desenvolvimento de gênero, 288-289

teoria cognitivo-desenvolvimental de Kohlberg, 285-286

teoria da aprendizagem social, **30-31**
aquisição da linguagem, 192-194
desenvolvimento de gênero e, 287-289
punição corporal e agressão, 297-298
violência na mídia e agressão, 385-386

teoria da mente, **257-258**, 257-259
aparência e realidade, 259-260
diferenças individuais influenciando, 260
falsas crenças e decepção, 257-260
fantasia e realidade, 259-260
pensamento e estados mentais, 257-259

teoria da seleção sexual, **283-285**, 283-286

teoria das inteligências múltiplas, **343-344**, 343-345, 345-346*t*

teoria do esquema de gênero, **286**, 286-287

teoria do *self*, 442

teoria dos estágios, 23-24, 24-25*f*

teoria dos estágios cognitivos, **30-31**, 30-32

teoria dos sistemas dinâmicos (TSD), **152-153**, 152-154

teoria ecológica da percepção, **151-152**

teoria social cognitiva, 30-31, **287**

teoria sociocultural, 32, **32**

teoria triárquica da inteligência, **344-345**, 344-346

teorias de estímulo-resposta, 29

teorias neopiagetianas, 33

terapia cognitiva comportamental, 327-328
tratamento de transtorno alimentar, 406-407

terapia comportamental, **327-328**

terapia familiar, **327-328**

terapia gênica, 74

terapia, para problemas de saúde mental, 327-329

teratógeno, **91-94**, 91-95

terceira infância, 8*t*

terceira infância, desenvolvimento cognitivo
abordagem do processamento de informação, 336-340
abordagem psicométrica, 341-346
atenção seletiva, 337-339
criança na escola, 349-355
criança operatória-concreta, 332-337, 332-333*t*
criança superdotada, 358-361
educação de crianças com necessidades especiais, 355-361
inteligência, 341-346
linguagem e alfabetização, 345-350
memória, 338-340

terceira infância, desenvolvimento físico
altura e peso, 312-313
assistência médica, 324-325
brincadeiras na hora do recreio, 317-318
condições médicas, 321-324
desenvolvimento cerebral, 313-315, 314-315*f*
desenvolvimento dos dentes e higiene bucal, 312-314
desenvolvimento motor, 316-319, 316-317*t*
esportes organizados, 317-319
ferimentos acidentais, 324-326
imagem corporal, 318-320
necessidades nutricionais, 314-316
padrões de sono e problemas, 315-317
saúde e segurança, 318-326
saúde mental, 324-329
sobrepeso, 318-323

terceira infância, desenvolvimento psicossocial
agressão, 300-303
autoconceito, 278-279
autoestima, 278-280
brincar, 289-295
colegas e amigos, 305-307

comportamento pró-social, 300-301
desenvolvimento de gênero, 282-289
diferenças de gênero, 281-283
disciplina, 294-298
emoções, 279-282
estilos de parentalidade, 296-300
filho único, 304-306
medo, 302-304
relacionamentos com irmãos, 304-305

terceira infância, desenvolvimento psicossocial
agressão e *bullying*, 382-387
amizade, 382
autoestima, 366-367
crescimento emocional e comportamento pró-social, 366-368
desenvolvimento do autoconceito, 366
divórcio e, 372-376
estresse e resiliência, 386-391
estrutura familiar, 371-380
popularidade, 380-382
produtividade *versus* inferioridade, 366-367
questões de parentalidade, 368-372
questões dos grupos de pares, 379-387
relacionamento com irmãos, 378-380

terríveis 2 anos e, 220-221, 220-221*t*, 222

terror do sono (ou noturno), 234-235

terrorismo, reação das crianças ao, 387-389

Teste de Avaliação do Desenvolvimento de Denver, **149-150**

Teste de Habilidade Escolar de Otis-Lennon (OLSAT8), **341**

Teste de Habilidades Triárquicas de Sternberg (STAT), 344-346

Testes de Pensamento Criativo de Torrance, 359-360

testes
culturalmente justos, **342-343**
de sangue materno, 103-105*t*
dinâmicos, 265-267, **345-346**
livres de aspectos culturais, **342-343**
padronizados, 41-42
puberdade e, 396-399

testosterona
desenvolvimento de gênero e, 283-286
puberdade e, 396-397

timerosal, 142

timidez, 209-210

tipificação de gênero, **224-225**, **282-283**

tomada de risco, na adolescência, 394-396, 402-403

tomografia por emissão de pósitrons (PET), 41-42, 45*f*

tônico assimétrico do pescoço, 146*f*, 146*t*

toque, senso de, em bebês e crianças de 2 anos, 147-148

toxoplasmose, 99-100

trabalho, 109-110

# 582 Índice

transdução, 253-255, **254-255**
transferência do óvulo, 61-62
transferência intermodal, **178-180**
transferência intrafalopiana de gameta (TIFG), 61-62
transferência intrafalopiana de zigoto (TIFZ), 61-62
transmissão multifatorial, **65-67**
transmissão perinatal, 98-99
transtorno
  transtorno da compulsão alimentar, 406-407
  transtorno da conduta (TC), **324-326**, 324-327, 465-467
  transtorno de ansiedade de separação, **326-327**
  transtorno de ansiedade generalizada, **326-327**
  transtorno de déficit de atenção/hiperatividade (TDAH), **356-357**, 356-359
    risco de delinquência juvenil, 465-467
  transtorno de oposição desafiante (TOD), **324-326**, 324-327
  transtorno disruptivo da conduta, 324-327
  transtorno obsessivo-compulsivo (TOC), **326-327**
transtornos alimentares
  anorexia nervosa, 406-407
  bulimia nervosa, 406-407
  fatores de risco e sintomas, 406-407*t*

na adolescência, 405-408
  tratamento e resultados, 406-408
transtornos de aprendizagem, 355-358
  distúrbios de aprendizagem, 355-357
  transtorno de déficit de atenção/hiperatividade (TDAH), 356-359
Transtornos do Espectro Autista (TEA), 142
transtornos do sono relacionados à respiração, 316-317
transtornos globais do desenvolvimento (TGD), 142
trauma de nascimento, 114-116
treino para usar o banheiro, 220-221
tricomoníase, 452*t*
trissomia-21, 70-72
troca de código, **196-197**
tronco cerebral, 138-140, 140-141*f*, 195
  SMSI e, 156-157
Truk da Micronésia, 119-120

## U

Uganda, desenvolvimento motor, 153-154
ultrassom, **90-91**, 90-91*f*, 104*t*
Unborn Victims of Violence Act, 100
Usenge, conhecimento tácito, 345-346

uso da internet
  consequências sociais do, 463-464
  em escolas, 353-355
uso da mídia
  consequências sociais da comunicação *on-line*, 463-464
  desenvolvimento de gênero influenciado pelo, 288-289
  desenvolvimento emocional e, 280-281
  multitarefa e, 431-432
  na segunda infância, 272-274
  violência no, e comportamento agressivo, 302-303, 383-386
uso de contraceptivo, 450-451, 451*t*, 455
uso do computador, em escolas, 353-355

## V

vacinas contra sarampo-caxumba--rubéola (SCR), 157-159
valorização do grupo, 446-447
variável
  dependente, 44-45
  independente, 44-45
verniz caseoso, 114-116
viés de atribuição de hostilidade, **383-384**
viés de observação, 39-41
Vietnã, papel dos pais, 129-130
Vila Sésamo, 280-281
vinculação, nascimento e, 127-129

vínculo mãe-bebê, **127-128**
violação de expectativas, **183-184**, 185-186
violência
  *bullying*, 385-387
  comportamento antissocial, 464-469
  no namoro, 464-465
  violência juvenil, 466
  violência na mídia e agressão, 383-386
visão
  binocular, 148-149
  em bebês e crianças de 2 anos, 148-149
vocabulário
  associação rápida, 267-268
  desenvolvimento do, 195-197, 345-347
  expressivo, 191-192
  na adolescência, 421-423
  na segunda infância, 266-268
  na terceira infância, 345-347
  passivo, 266-268
  receptivo, 191-192, 266-268

## Z

zigoto, **56-57**, 62-64, 63-64*f*, 86
Zinacantan, México, necessidade de disputa durante os terríveis 2 anos, 222
zona de desenvolvimento proximal (ZDP), **32**, **265-266**, 345-346